U0164121

成惕軒先生校訂
張仁青博士編著

應用文

楊亮功題

文史哲出版社印行

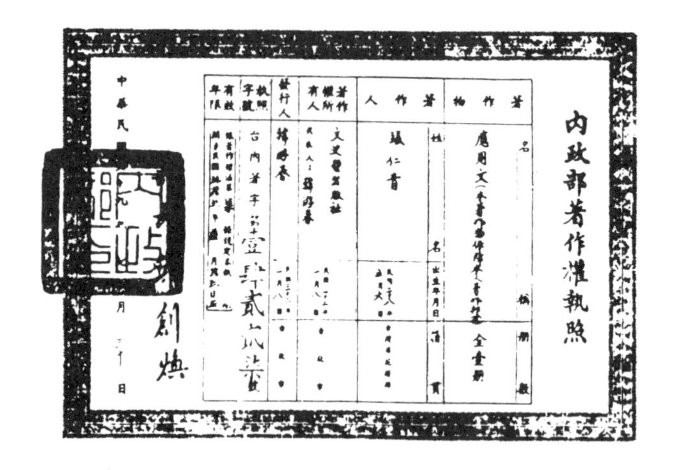

內政部著作權執照

著作物	著作人	著作權所有人	發行人	執照字號	有效年限
名稱：應用文 冊數：全壹冊	姓名：張仁青	文史哲出版社 代表人：彭正雄	彭正雄	台內著字第 號	

中華民國 月 日

邱創煥

大學用書 應用文（甲種本）

校訂者：成惕軒
編著者：張仁青
出版者：文史哲出版社
http:// www.lapen.com.tw
e-mail：lapen@ms74.hinet.net
登記證字號：行政院新聞局版臺業字五三三七號
發行人：彭正雄
發行所：文史哲出版社
印刷者：文史哲出版社
臺北市羅斯福路一段七十二巷四號
郵政劃撥帳號：一六一八〇一七五
電話 886-2-23511028・傳真 886-2-23965656

特價平裝新臺幣七〇〇元

中華民國六十八年十一月初版
中華民國一〇一年三月第四次修訂二刷

ISBN 978- 957-547-003-6

出版說明

一、民國六十七年秋，余始講授『應用文』於臺灣大學；時坊肆出版課本，率多陳舊，不足以饜學子求知欲望。乃董理舊稿，廣事蒐羅，編寫講義，按週油印，以應授課之需。韶光荏苒，轉瞬又屆一年，積稿已盈數寸矣。從遊諸生僉以『應用文』爲日常酬世交際所不可或缺者，前發單張講義既不美觀，保存、使用尤多不便。乃相與催促印行問世，以利讀者。拳拳雅意，拂逆爲難，因重加增益，倉卒付梓。美備與否，了無自信，正謬訂誤，容俟異日。

二、今世報章雜誌及一般著作，雖盛行語體，而公文函牘，以至法令規章，則仍以淺近文言爲尚，故本書所有論述、舉例，概以淺近文言行之，亦所以從衆也。

三、本書內容包括十三大項，即㈠公文㈡實用書牘㈢柬帖㈣便條㈤名片㈥慶賀文㈦祭弔文㈧對聯㈨題辭㈩契約⑪規章⑫啓事廣告⑬會議文書。凡日常生活使用最多、作人處世應用最廣之文字，幾已涵蓋無遺。

四、坊間出版之『應用文』多無注解，即有注解，亦嫌簡略，閱者苦之，殆非一日。緣是本書所舉範例，均作詳細詮釋，使自修者有無師自通之樂，教授者免東翻西閱之勞。無論家庭日用，釋褐從政，作爲大專院校教本，均極相宜。

五、本書選材概以實用爲主。例如公文部分，除逐項舉例說明各種公文程式之作法外，並網羅歷屆高普特考試題，依照行政院所定最新公文程式抽樣作答（見二〇二頁），以供參考。又如書信則新撰各類八行書，凡六十篇，或應酬，或求職，均可取足於此。而『書牘用語簡表』（見三一〇頁）尤爲作者所精心設計，閱者無不稱便。

六、坊間『應用文』之書，多忽略婦女之需要，婦女酬酢之作，均付闕如，遂使現代知識婦女茫然無所適從，爲憾實甚。本書頗能彌補此一缺憾，所舉範例，兼及婦女，足敷婦女應世之用。

七、應用文字，其道雖小，而爲用極廣。惟一般知識分子多不肯致力於此，故昔有進士及第而不能書一借據者，今亦有能撰洋洋數十百萬言之博士碩士論文而不能寫一通八行書者，此固無關乎學力，實乃經驗不足之故。作者有鑒於此，用特博採旁搜，冥心獨運，而成斯編，閱者倘能有得於筌蹄之外，則尤作者之深幸也。

八、本書承考試院 楊前院長亮功先生寵錫題簽，光美篇幅。並蒙本師 成考試委員惕軒先生曲爲校訂，匡我不逮。復荷臺大陳韻珊、黃淑美及師大羅素珍諸同學詳加校對，煞費苦心。特此一併致謝。

民國六十八年九月一日張仁青識於臺北

大學用書

應用文

成惕軒委員校訂
張仁青博士編著

目次

目次

第十二章　啓事廣告……九七五

第六節　啟事廣告實例……九七九

表目錄

大學用書

應用文

成惕軒委員校訂
張仁青博士編著

第一章 導言

第一節 應用文之界說

人類爲合羣之動物，固不能離羣而獨居，而社會係由許多人所組合之一個整體，吾人生存在社會上，每日周遭所接觸者，無非人與事。文明日進，人事益繁，欲應付此繁複之人事，必然有特種文體之產生，以爲社會大衆所共同遵循、使用，此種文體卽所謂應用文。玆爲應用文立一明確之界說：

凡個人與個人之間，或機關團體與機關團體之間，或個人與機關團體之間，互相往來所使用之特定形式之文字，而爲社會大衆所共同遵循、共同使用者，謂之應用文。

第二節 應用文之由來

應用文之產生，由來甚久，遠在上古時代，文字尚未發明，先民卽以結繩記載事物，表達情意，大事大結，小事小結，多事多結，少事少結，此卽最原始之應用文。旣有文字之後，以文字取代結繩之政，於是而有正式應用文之產生。惟不識之無之一般文盲，則仍以其他方式表達情意。如梁紹壬兩般秋雨盦隨筆所載故事一則（卷二圈兒詞條），略謂某地有一純情少女，不嫻文墨，以男友久無音信，思慕不已，乃畫『○◎○◌○○○○○○○』於箋，遣人送達，其男友不解，有好事者爲作圈兒詞解之云：

相思欲寄從何寄，畫個圈兒替。話在圈兒外，心在圈兒裏。我密密加圈，你須密密知儂意。單圈兒是我，雙圈兒是你。整圈兒是團圓，破圈兒是別離。還有那說不盡的相思，把一路圈兒圈到底。

此圈兒信卽該少女之應用文。又如曾國藩之部將鮑超，勇而無文，某次，爲太平軍所圍，情勢危急，遂命幕客作書向曾求援，詎知幕客咬文嚼字，反覆推敲，遲遲不能定稿。鮑超迫不及待，信手取軍旗一面，在『鮑』字四周畫無數圓圈，令使者飛馬送至曾處，曾一見，知爲敵兵所圍，卽派兵馳援。此軍旗卽鮑超之應用文。又如古時少女多不識字，與男子定情後，若久無消息，往往以鮮花一朵相遺，寓有『去年花裏逢君別，今日花開又一年』之意，暗示男方早日前來迎娶。蓋『美人自古如名將，不許人間見白頭』，婦女之青春有限，蹉跎歲月，終非所宜也。此鮮花卽古代少女之應用文。由此可見，無論何人，均不能自絕於應用文之外。

蓋嘗論之，文章之用途，大別有三：

一、**載道**　凡聖賢所著之書，或論立身處世之道，或述經國濟民之方，或明禮樂教化之理者屬之。如周易、三禮、春秋三傳、論語、孟子、先秦諸子是也。

二、**怡情**　文學家之作品，率以抒發性靈爲主，往往將一己之情感注入作品之中，使人讀之，爲之流連哀思、迴腸盪氣者屬之。如歷代文人之文集是也。

三、致　用　凡作品不含載道功能，不帶感情作用，上自中央政府之命令，下至販夫走卒之書函，以實際應用爲目的者屬之。如尚書之堯典、舜典、大禹謨、皐陶謨、甘誓、湯誓、仲虺之誥、伊訓，左傳之呂相絕秦，樂毅之報燕王書是也。

平情而論，此三者皆各有其用，難分軒輊。惟自古以來，一般學者莫不重視載道與怡情之作，而輕忽致用之文，以爲後者不得與於文章之列，諺所謂『深者不屑，淺者不能』，即指此而言。流風所扇，則有鄴下買驢之博士，（顏氏家訓勉學篇：『田里閒人，音辭鄙陋，無所堪能，問一言輒酬數百，責其指歸，或無要會。鄴下諺云：「博士買驢，書劵三紙，未有驢字。」使汝以此爲師，令人氣塞。』）書劵三紙，不見驢字者。亦有淹貫經史之通儒，不諳章表制誥之作法者。（王應麟辭學指南：『宋神宗初即位，擢司馬光爲翰林學士，光辭以不能爲四六。』）近今更有能作洋洋數十百萬言之學術論文，而不能寫通一紙八行書者。諸如此類，不遑悉舉。此蓋『文章不與政事同』，非必有何長短是非之可論也。

今者，吾國已由農業社會蛻變而爲工商業社會，個人與個人間之酬酢，機關團體與機關團體間之業務往來，以至個人與機關團體間之交接，均較往日爲頻繁，爲密切。故身爲現代知識分子，苟能稍悉應用文之內容，略諳應用文之作法，不特前清時代之所謂紹興師爺、刀筆墨吏，今日之所謂祕書、文書，人人可得而優爲，抑且於處世、治事、應試各端，亦可獲致左右逢源之樂。

第三節　應用文之種類

時至今日，社會組織日益複雜，工商各業日益發達，交通日益便利，吾人之生活領域乃隨之而日益擴大，不復如往昔農業社會之單純。根據目前社會之需要，應用文之種類自亦不能不作大幅度的增加，其與吾人日常生活關係較密切、應用較多者，有下列十一類：

一、**公　文**　行政機關處理公務，固須用公文，而人民向行政機關表達意見、提出願望，亦須用公文。甚至民間團體、工農商場、公司行號對內對外之文書，亦趨『公文化』。故公文在應用文書中已佔重要之比重。

二、**實用書牘**　書牘乃是吾人互通音訊、交換意見、維繫感情、洽辦事務、討論問題之主要聯絡工具，故爲現在社會中最重要、最普徧、最實用之應用文。

三、**柬　帖**　柬帖原爲書牘之變式，亦爲書牘之附庸，然今日人際關係複雜，交際應酬頻繁，對柬帖之使用日益普徧，遂自成一格。

四、**便條與名片**　便條係由書牘簡化而來，名片又由便條簡化而來，均爲書牘之變式，其格式與作法，均與書牘不同，在應用上亦遠較書牘簡便。

五、**慶賀文**　慶賀文之範圍甚爲廣泛，凡祝賀他人喜慶之文字，均在其涵蓋之內，較隆重者有頌詞、徵啓、壽序三類。

六、**祭弔文**　祭弔文之範圍亦極廣泛，凡哀悼死者之文字，均在其涵蓋之內，較隆重者有傳狀、哀啓、祭文、哀弔文、墓誌銘五類。

七、**對　聯**　對聯與駢文律詩同爲吾國單音節文字所構成之特殊文體，亦吾國文化精神所孕育之絕妙文藝，舉目斯世，無論任何國家，皆不能產生此種綽約多姿、風華絕代之美文，所謂『祇此一家，別無分店』，此非余一人之私言，乃天下之公論。（說詳拙著中國駢文發展史第一章）身爲中國知識分子自不能不對此種文體有一概括之認識，固不限於日常應用而已。

八、**題辭**　題辭在應用文中爲最受歡迎之一種，蓋其格式固定，作法簡易，人人得而優爲。當茲工商業發達、人人忙碌之時代，實有推廣之必要。

九、**契約**　契約是一種法律行爲，由雙方或多方當事人同意而簽訂，規定雙方或多方當事人權利義務之文書，在發生財產關係或人事關係上普徧使用，固不得而略也。

十、**規章**　規章是規定組織範圍及權責畫分之一種文書，故凡機關團體公司行號等，於設立或創辦時，均有規章之訂立，記載其名稱、宗旨、組織、權責，以及辦事程序等條款，以爲共同遵守之準則。吾人既不能自外於社會，涉及規章者甚多，略知一二，當有助於應世，而不爲門外漢。

十一、**啓事廣告**　啓事廣告大都爲個人、團體、廠商等對社會大衆或一部分人有所陳述，以公開方式刊登於報紙雜誌，俾衆週知，以達到預定目的，其用途亦甚爲普徧。

十二、**會議文書**　吾國爲實行民主憲政之國家，會議頻繁，自所難免，會議文書遂爲現代國民之必備知識。

上之所列，固不能概應用文之全，然如能就此十二類稍加鑽研，爛熟胸中，以之應世，必綽有餘裕也。

第四節　應用文之特質

文章既不與政事同，故應用文章固非普通文章可比，語其特質，蓋有四端：

一、**內容**　應用文之內容必須有一定範圍，且就當前之實際生活上取材，非若普通文章可以海闊天空，縱橫馳騁。

二、**對象**　應用文之對象為特定之一個人，或一個機關，或一個團體，或一所學校，或一個地區，或一家公司，或一間工廠，或一段時間，非若普通文章可以漫無對象，超越人物、時間、空間而任意寫作，盡情發揮。

三、**格式**　應用文有固定之格式，人人得而遵守，始能舉國上下，通行無阻，荀子所謂『約定俗成』，庶幾近之，非若普通文章可以隨興所至，為所欲為。

四、**遣詞用字**　應用文有專門之術語，必須慎加選擇，斟酌至當，然後使用，非若普通文章可以自鑄美辭，推陳出新。

第五節　應用文寫作要點

應用文既不同於一般文章，在形式方面所受之束縛甚多，在內容方面所受之限制亦復不少，寫作時欲求得心應手，須先明其竅要。茲簡述如下：

一、**淺顯**　所謂應用文，顧名思義，係以實用為主。一篇應用文能為人所共喻，則其所負之使命即已完成。故此類文章之寫作，以淺顯為貴。第所謂淺顯，初非庸熟之謂，尤非俚俗之謂，淺顯而能出以簡要，斯為佳構。又讀者多為一般民衆，故切忌飣餖字句，以自炫博雅，尤忌用生僻之字，以自矜詭異，致貽『札闥洪庥』（宋歐陽修與宋祁共修新唐書，宋好爲艱深之語，歐思諷之，書其扉曰『札闥洪庥』。宋見之曰：『非「書門大吉」耶，何必求異如此。』）之誚。

二、簡潔 應用文有別於美術文，亦有別於學術論文，故刻意雕琢，或旁徵博引，固非所宜，而冗長散漫，不知剪裁，尤所當戒。苟能以簡潔清新之文示人，必能博得對方之良好印象。

三、明確 應用文字最貴明確，立意措辭，須針對其目標，始克畢其能事。凡含糊籠統之字，模稜兩可之詞，應極力避免。民國六十三年七月行政院修訂行政機關公文處理手冊，於公文用語廢除通行已久之『姑予照准』、『尚無不合』、『似可照辦』等不肯定且有意推卸責任之詞句，即在求其意義之明確。

四、誠實 先哲有云：『修辭立其誠。』又云：『不誠無物。』誠實之重要性，於此可見。譬彼戲劇小說，爲求情節離奇，以便達到感人之目的，往往不惜歪曲事實，或加油添醋，致與事實眞相相去懸絕者，所在多有，此在應用文之寫作，當懸爲厲禁。諸葛亮之出師表，李密之陳情表，陸贄之奉天改元大赦制諸篇，其所以能感人肺腑，扣人心弦，千載以下，猶傳誦不衰者，無他，有眞誠以貫之耳。

五、禮貌 應用文有特定之對象，無論對地位高於己者或不如己者，長輩或晚輩，長官或下屬，當握管行文之際，應尊重對方地位，注意普通禮貌，婉轉而不偏激，客觀而不武斷，以免引起對方反感。西哲亞里斯多德云：『對上級謙遜是本分，對平輩謙遜是和善，對下屬謙遜是高貴，對所有人謙遜是安全。』撰寫應用文而出以謙恭有禮，則其所得效果，無待著卜矣。

第二章　公文

第一節　公文之意義

公文，謂處理公務之文書也，古稱官書。周禮天官宰夫：『掌百府之徵令，辨其八職。……六曰史，掌官書以贊治。』又稱文書。漢書刑法志：『文書盈於几閣，典者不能徧睹。』亦稱文牘。宋史梅執禮傳：『句稽財貨，文牘山委。』其類別包括上古之典法規、謨計畫書、訓教誡、誥布告及公文、誓出征時告軍民書，以及歷代之詔、諭、奏、章、疏、表、檄、移……等，名目繁多，難可詳悉。

公文既爲處理公務之文書，依此意義，公文必須具備左列二要件：

一、**必須爲有關公務之文書**　文書本有私文書與公文書之別，文書若僅由私人撰述，既非處理公務之作，亦與公務無關，例如私人之信函、著作，僅得謂之私文書。故公文必其文書與公務有關，此爲公文應具備之第一要件。

二、**文書之處理者至少須有一方爲機關**　機關與機關間因處理公務而往返之文書，其文書之處理者，雙方均爲機關，故謂之公文。其機關因處理公務而與人民往返之文書，其文書之發出者或收受者，至少有一方爲機關，故亦得稱爲公文。此爲公文應具備之第二要件。

所謂機關，應包括官署，及非官署性質之機關。例如民意機關、國營事業機關等。所謂人民，應包括箇人，及人民之團體。例如各種職業團體、文化團體、及其他社會團體。凡官署相互間、官署與團體間往返之文書，自均稱爲公文。至於團體相互間及團體與人民間往返之文書，是否亦得稱爲公文，則須視團體之性質及其在法律上所處之地位，以及其他法令有無特別規定以爲斷。

第二節　公文程式之意義

公文程式者，謂公文所應具有之一定程序與格式。就公文之程序言，例如：發表人事任免用『令』，對總統有所呈請用『呈』，各機關處理公務用『函』，以及公文除應分行者外，並得以副本抄送有關機關，均屬於公文之程序範圍。就公文之格式言，例如：機關公文應由機關長官署名蓋章，應蓋用機關印信，並記明年月日時及發文字號，公文得分段敍述冠以數字，以及公文文字應加具標點符號，均屬於公文之格式範圍。綜合公文之程序與格式而言，是爲公文程式。

惟公文程式條例所規定之公文程式，側重機關對於本機關以外行文之程式，至於各機關內部之公文程式，則屬各機關內部之公文處理問題，其程序及格式，多不畫一，故未嚴格加以規定。因此本書選錄公文，多就現行公文程式條例所規定之種類，舉例示範，以供隅反。至於各機關內部通用之公文，如簽、報告之類，亦略舉一二，俾便初學。

第三節　公文程式之演變

公文之名稱程式，隨時代而演變，其名稱見於蕭統文選、姚鼐古文辭類纂、李兆洛駢體文鈔、曾國藩經史百家雜鈔之詔令、奏議、書牘諸類者，不下數十種。惟在專制時代，公文被視爲官書，其程式制度，不爲一般民衆所通曉。直至民國成立，建立民主政治，遂於民國元年，由南京臨時政府制定一項公文程式，頒布施行，是爲我國第一次向人民公布之公文程式。此後屢經修訂，至四十一年七月行政院所擬之公文程式條例修正草案，經立法院修正通過，總統明令公布後，乃成爲最近之公文程式條例。二十年來，遵行不替。惟此種舊式公文，用語或流於浮濫，程式或過於陳舊，影響推行政治革新甚大，行政院祕書處乃又於六十二年十一月三日修正公布公文程式條例，通行至今。茲將民國以來各次公布之公文程式，列一簡表，明其演變，並錄現行公文程式條例於後，以便參考。

㈠民國以來公文程式種類演變表

次數	公布日期			名稱	種類
	年	月	日		
一	一	十一	六	令・布告・狀・咨・公函・呈・批	七
二	三	五	二六	㈠令・咨（大總統公文程式） ㈡封寄・交片・咨呈・咨・公函（大總統府政事堂公文程式） ㈢呈・詳・飭・咨・咨呈・示・批・稟（官署公文程式）	十五

三	五	七	二九	大總統令・國務院令・各部會令・任命狀・委任狀・訓令・指令・布告・咨・咨呈・呈・公函・批	十三
四	十六	八	十三	令・通告・訓令・指令・任命狀・呈・咨・咨呈・公函・批答	十
五	十七	六	十一	令・訓令・指令・布告・任命狀・呈・公函・狀・批	九
六	十七	十一	十五	令・訓令・指令・布告・任命狀・呈・咨・公函・批	九
七	四一	十一	二一	令・咨・函・公告・通知・呈・申請書	七
八	六二	十一	三	令・呈・咨・函・公告・其他公文	六
九	八二	二	三	咨・其他公文	二
十	九六	三	二一	咨	一

附 公文程式條例

中華民國十七年十一月十五日國民政府制定公布
中華民國四十一年十一月二十一日總統令修正公布全文十條
中華民國六十一年一月二十五日總統令修正公布全文十四條
中華民國六十二年十一月三日總統令修正公布第二條、第三條條文
中華民國八十二年二月三日總統令修正公布第二條、第三條；並增訂第十二條之一條條文
中華民國九十三年五月十九日總統令修正公布第七條、第十三條、第十四條條文
中華民國九十三年六月十四日行政院院臺祕字第○九三○○八六一六六號令發布第七條定自九十四年一月一日施行
中華民國九十六年三月二十一日總統令修正公布第七條條文

第一條　稱公文者，謂處理公務之文書；其程式，除法律別有規定外，依本條例之規定辦理。

第二條　公文程式之類別如左：

一、令：公布法律、任免、獎懲官員，總統、軍事機關、部隊發布命令時用之。

二、呈：對總統有所呈請或報告時用之。

三、咨：總統與立法院、監察院公文往復時用之。

四、函：各機關間公文往復，或人民與機關間之申請與答復時用之。

五、公告：各機關對公眾有所宣布時用之。

六、其他公文。

前項各款之公文，必要時得以電報、電報交換、電傳文件、傳真或其他電子文件行之。

第三條　機關公文，視其性質，分別依照左列各款，蓋用印信或簽署：

一、蓋用機關印信，並由機關首長署名，蓋職章或蓋簽字章。

二、不蓋用機關印信，僅由機關首長署名，蓋職章或蓋簽字章。

三、僅蓋用機關印信。

機關公文依法應副署者，由副署人副署之。

機關內部單位處理公務，基於授權對外行文時，由該單位主管署名，蓋職章，其效力與蓋用該機關印信之公文同。

機關公文蓋用印信或簽署及授權辦法，除總統府及五院自行訂定外，由各機關依其實際業務自行擬訂，函請上級機關核定之。

機關公文以電服、電報交換、電傳文件或其他電子文件行之者，得不蓋用印信或簽署。

第四條　機關首長出缺由代理人代理首長職務時，其機關公文應由首長署名者，由代理人署名。

機關首長因故不能視事，由代理人代行首長職務時，其機關公文，除署首長姓名註明不能視事事由外，應由代行人附署職銜、姓名於後，並加註代行二字。

機關內部單位基於授權行文，得比照前二項之規定辦理。

第五條　人民之申請函，應署名、蓋章，並註明性別、年齡、職業及住址。

第六條　公文應記明國曆年、月、日。

機關公文，應記明發文字號。

第七條　公文得分段敘述，冠以數字，採由左而右之橫行格式。

第八條　公文文字應簡淺明確，並加具標點符號。

第九條　公文，除應分行者外，並得以副本抄送有關機關或人民；收受副本者，應視副本之內容為適當之處理。

第十條　公文之附屬文件為附件，附件在二種以上時，應冠以數字。

第十一條　公文在二頁以上時，應於騎縫處加蓋章戳。

第十二條　應保守祕密之公文，其制作、傳遞、保管，均應以密件處理之。

第十二條之一　機關公文以電報交換、電傳文件、傳真或其他電子文件行之者，其制作、傳遞、保管、防僞及保密辦法，由行政院統一訂定之。但各機關另有規定者，從其規定。

第十三條　機關致送人民之公文，除法規另有規定外，依行政程序法有關送達之規定。

第十四條　本條例自公布日施行。

本條例修正條文第七條施行日期，由行政院以命令定之。

（按：中華民國九十三年六月十四日行政院院臺祕字第〇九三〇〇八六一六六號令發布第七條定自九十四年一月一日施行）

第四節　現行公文之分類

現行公文分類，依公文程式條例之規定，有令、呈、咨、函、公告、其他公文等六種。依其行文之系統，可分爲上行文、平行文、下行文三類。

一、**上行文**　爲下級機關向所屬上級機關及其他高級機關所爲意思表示之文書。

二、**平行文**　爲同級機關相互對待所爲意思表示之文書，以及人民與機關間之申請與答復時所用之文書。

三、**下行文**　爲上級機關對所屬下級機關所爲意思表示之文書。

上列每類公文均包括若干性質不同之文書。茲就現行公文程式條例規定之六種列舉於後，並說明其用途。

一、上行文

㈠呈　呈有呈送奉上之意，故向上司用文書有所陳述謂之呈。依現行公文程式條例規定，僅限於對總統有所呈請或報告時用之，其使用範圍較前縮小甚多。

㈡函　函原稱公函，現行條例省去『公』字。下級機關對上級機關有所請求或報告時用之。按函在公文中使用範圍最廣，舊時上行文之呈，平行文之咨，下行文之令，多歸入其領域。

二、平行文

㈠咨　咨文舊為同級機關往來時所用之文書，現行公文程式條例規定惟總統與立法院、監察院公文往復時用咨，其餘同級機關皆用函。蓋立法監察兩院，皆由民選委員所組成，其院長之產生，亦由互選而不由任命，總統與兩院公文往復時用咨，深為符合民主精神。按咨有咨詢商洽之意，與令文含有強制性與拘束力者不同，依其性質可分為咨請、咨會、咨查、咨復、咨送五種。

㈡函　同級機關或不相隸屬機關間行文時，以及民衆與機關間之申請與答覆時用之。

三、下行文

㈠令　令之本義為發號施令，故含有強制性。受令機關奉令後即應遵行，不得延宕。依現行條例所規定之用途，共有四種：⑴公布法律及行政規章。⑵發表人事任免、調遷、獎懲、考績。⑶總統發布命令。⑷軍事機關、部隊發布命令。

㈡函　上級機關對所屬下級機關有所指示、交辦、批復時用之。

四、公　告

原稱布告，為對公衆宣布事實或有所勸誡時所用之文書。其用途有四：一為曉示，用於官吏就職及行政上有所興革，向民衆公告。二爲**宣告**，用於公布國家或地方所發生重要事件之詳情等。三爲**示禁**，即對於妨害國家或社會之事物，出示禁止。四爲**徵求**，凡應行政需要，徵求人力物力，或徵求人民意見等用之。

五、其他公文

㈠**書　函**　書函舊稱箋函、便函。凡機關或單位間，於公務未決階段，需要磋商、陳述、徵詢意見、協調、通報，或下級機關首長對上級機關首長有所請示、報告時用之。以信紙書寫，僅加條戳即可，其手續較之公函須用印信者大爲簡便。

㈡**表格化公文**　可用表格處理公務之公文。包括⑴簡便行文表。⑵開會通知單。⑶公務電話紀錄。⑷其他可用表格處理之公文如『移文單』、『退文單』等。

㈢**簽**　舊稱簽呈，爲幕僚對長官或下級機關首長對上級機關首長處理公務時表達意見，以供了解案情，並作抉擇之依據。係人對人，而非機關對機關。

㈣**通　告**　亦有稱通報者。凡機關內某一單位須將某一事項通告本機關全體同仁週知時用之。

㈤**通　知**　機關內部各單位間有所洽辦或通知時用之。對外行文如內容簡單時亦可用通知，多係對個人而爲。

㈥**證明書**　簡稱證書。爲機關學校社團對某一個人有所證明時用之，如在職證明書、畢業證書等。

㈦**手　諭**　爲長官對屬員有所訓示或傳知時所用之書面，無一定格式。

㈧**報　告**　爲應用甚廣之特殊公文，性質與『簽』同，惟『簽』僅限於公務上使用，而「報告」則多用於私務。凡機關、學校、人民團體，僚屬陳述私人偶發事故，請求上級了解，或請代爲解決困難，宜以『報告』爲之。學校學生對校方有所申請或陳述時，亦宜用『報告』。

按『簽』『報告』爲上行文，『通告』『通知』爲平行文，『手諭』爲下行文，其餘則一體適用。

六、電及代電

公文用『電』，旨在急速，『代電』原爲『快郵代電』之縮寫，次急者用之。民國二十六、七年抗戰期間，羽書旁午，公文多屬急件，故多採用『電』或『代電』。又不相隸屬之機關，以彼此官階懸殊，稱謂不便，亦多以『電』或『代電』代之，以求簡便。依現行公文程式條例規定，除公告以外之公文，必要時得以電或代電行之，是電或代電之效能，兼及公文中之呈、咨、函、令等。惟『電』因拍發關係，不便分段繕寫，亦不需標點、擡頭、摘由、結束語等。其起首語通常爲『某某機關』『某某職銜』，而於機關名稱之上，冠以機關所在地之地名，並或冠以『特急』、『火急』或『限某時某刻到』等字句，以示電文之緊急性及時間性。結尾則署發電機關名稱或發電者職銜姓名。最後則爲日期。日期每以十二地支代月，而以詩韻韻目代日。至於電文措詞，自應力求簡潔，惟簡潔之中，仍宜明顯而不疏漏。

『代電』既爲以前公文中『快郵代電』之縮寫，用於次急之公文。其格式本與『電』同，特不用電拍發，而交郵遞寄。近年來各機關用代電時，幾與函、呈等類公文之格式完全相同。

茲將十二地支代月分表、韻目代日表附錄於後，以備參檢。

㈡地支代月分表

地支	月分
子	一月
丑	二月
寅	三月
卯	四月
辰	五月
巳	六月
午	七月
未	八月
申	九月
酉	十月
戌	十一月
亥	十二月

㈢韻目代日表

日期 韻目	上平聲	下平聲	上聲	去聲	入聲
一日	東	先	董	送	屋
二日	冬	蕭	腫	宋	沃
三日	江	肴	講	絳	覺
四日	支	豪	紙	寘	質
五日	微	歌	尾	未	物
六日	魚	麻	語	御	月
七日	虞	陽	麌	遇	曷
八日	齊	庚	薺	霽	黠
九日	佳	青	蟹	泰	屑
十日	灰	蒸	賄	卦	藥
十一日	眞	尤	軫	隊	陌
十二日	文	侵	吻	震	錫
十三日	元	覃	阮	問	職
十四日	寒	鹽	旱	願	緝
十五日	刪	咸	潸	翰	合
十六日			銑	諫	葉
十七日			篠	霰	洽
十八日			巧	嘯	
十九日			晧	效	
二十日			哿	號	
廿一日			馬	箇	
廿二日			養	禡	
廿三日			梗	漾	
廿四日			迥	敬	
廿五日			有	徑	
廿六日			寑	宥	
廿七日			感	沁	
廿八日			儉	勘	
廿九日			豏	豔	
三十日				陷	
附註	如係三十一日可用『世』字，亦有用『引』字者。				

【說明】

㈠一至十五日多用上平聲或下平聲韻目代之。

㈡十六至三十日多用上聲韻目代之。

第五節　公文之結構

公文施行，有其原因、依據、目的。因之，本正確之立場，合法之程式，用簡明適當之文字以表達之，使構成一篇完整之公文，是謂公文之結構。關於公文之結構，全篇可分爲九部門。除公布令、任免令、公告外，其餘各類，大都如此。茲分別說明如次：

一、**機關名稱及文**別　此爲表示發文主體，使人一望而知爲某一機關之來文，及來文之類別。機關名稱應寫全銜。

二、**年月日及編字號**　任何公文，在發文時皆應記明年月日及編列發文字號，此於現行公文程式條例中已有明文規定。實則收文時亦應如此。蓋記時之作用，乃爲法律上時效之根據。編號之作用，在便於檢查。在收發文雙方，皆有此必要。故公文往覆時，常將來文年月日及字號寫明，一則使己方便於引據，同時亦使對方便於考查也。

三、**受文者**　此爲行文之對象，應寫在發文者之後。亦應書寫全銜。

四、**副本收受者**　此欄列於受文者之後，係於公文涉及其他有關機關或人民時，以與正本完全相同之副本行之。副本收受者應於公文中標明。

五、**本　文**　即公文之主體，其結構視需要分爲『主旨』、『說明』、『辦法』三段，或僅採用一段、兩段均可。除『主旨』外，『說明』及『辦法』之段名亦可變通爲『經過』、『原因』或『建議』、『擬辦』等名稱。在本文內，應將行文之原因、內容、目的作簡淺明確之敍述。玆說明其要點如次：

㈠主　旨　爲全文精要，以說明行文之目的與期望。此段文字敍述，應力求具體扼要。簡單公文，儘量用此一段完成。能用一段完成者，勿硬性分割爲二段、三段。

㈡說　明　當案情必須就事實、來源或理由，作較詳細之敍述，不宜於『主旨』內容納時，用本段條列說明。本段標題，因公文內容改用其他名稱更恰當時，可由各機關自行規定。

㈢辦　法　向受文者提出之具體要求無法在『主旨』內簡述時，用本段列舉。本段標題，可因公文內容改用『建議』『請求』『擬辦』等更適當之名稱。

六、附　件　公文如有附件，則應在本文中或附件欄註明，以促使受文者之注意。附件在二種以上時，應冠以數字，並在本文之後詳載其件數，以便稽考。又附件亦應蓋印。

七、署　名　本文敍述完畢，無論上行文、平行文、下行文均應由發文機關首長簽署，如『部長○○○』、『局長○○○』，以示負責。另依據公文程式條例第四條之規定，機關首長出缺由代理人代理首長職務時，其應由首長署名之公文由代理人署名，惟須在職銜上加一『代』字。機關首長如因請假、公出、受訓等事故而不能視事，由代理人代行首長職務時，其機關公文除署首長姓名並註明不能視事原因外，應由代行人附署職銜、姓名於後，並加註『代行』二字。

八、印　信　機關公文蓋用印信及首長簽署，旨在防止僞造、變造，以資信守。惟如每一公文均如此辦理，則不易判明行政責任，亦無法達到分層負責之目的。若一律不用印信或簽署，則又因公文之性質內容不同而未盡妥適，故現行公文程式條例改採折衷辦法，規定機關公文可視其性質，靈活使用。請參閱公文程式條例第三條

九、副　署　副署爲依法應副署之人，在公文之首長署名之後，加以副署，以示與首長共同負責之意。按照憲法規定，凡總統所發佈之命令，均須由行政院院長副署。又如某一公文之內容性質涉及於行政院所屬有關部會時，除總統主署外，應有行政院院長及有關部會首長之副署，否則此一公文卽失去其效力。又不需副署之公文，亦不得任意加以副署。

以上九種，爲一般公文中所常見，惟『副本收受者』、『附件』、『副署』三種非每一公文所應具，當視實際需要，權宜使用，不可拘泥。

第六節　公文之副本

公文之副本，係對正本而言，卽行文於必要時，將公文正本之『拷貝』（copy）分送有關機關或人民。公文程式條例第九條規定：『公文除應分行者外，並得以副本抄送有關機關或人民。收受副本者，應視副本之內容爲適當之處理。』由本條前半段觀之，可知副本之要素爲：

一、副本之性質，仍爲公文，故須具有公文應具備之程式。

二、副本之內容，必須與公文正本內容完全相同，否則卽失去副本之性質。

三、副本之受文者，爲正本受文者以外之有關機關。

由本條後半段觀之，可知副本之作用爲：

一、**加强各級機關間之聯繫** 公文以正本發往某機關，同時以副本分送其他有關機關，則收受副本之有關機關，卽可了解正本之全部內容，從而加強機關間彼此之聯繫。

二、**增進行政效率** 副本之內容既與正本完全相同，則行文時以副本分送其他有關機關，如此不但發文者可簡化手續以節省人力與時間，而收受副本者亦可明瞭正本之內容而作適當之處理。公文以副本分送有關機關或人民，既是現代行政技術上進步之表現，因此在使用副本時卽應注意下列五點，方能運用得當，而增加行文之效果。

一、副本既係對正本而言，自然無正本卽無副本，至有正本是否有副本，則視正本之內容性質有無抄送其他有關機關或人民之必要而定。

二、副本之效力雖不及正本，但公文程式條例既有『收受副本者，應視副本之內容爲適當之處理』之規定，則收受副本者應視其內容本於職權爲適當之處理。

三、公文程式條例規定，副本之行使係以『除應分行者外……』爲範圍，則『公文應分行者』，仍應以『正本』行文，不能草率抄送副本，致誤公務。

四、副本既屬公文，自應具備公文之格式，亦須蓋用印信及條戳或職銜章與註明日期、編字號等，與正本之格式、內容完全相同，僅在其右上角標明『副本』字樣，以示與『正本』有別。

五、公文有副本時，應在『副本收受者』欄內註明分送單位之名稱，以免重複轉送。

六、對上級機關爲示尊重，以不行使副本爲宜。

要之，在行政技術上，苟能明瞭副本之性質，善爲使用，則在行政上所收之效果，自必甚鉅，此亦現行公文制度進步之一端也。

第七節　公文之用語

公文有其獨特之功能，亦有其獨具之體裁與格式，而行文系統又有上行、平行、下行之別，故有一套專門術語，在行文上頗稱便利。惟此類術語，因沿用已久，多成爛調，或官腔十足，或模稜兩可，或推卸責任，既不符民主之精神，尤有悖政治革新之需要。行政院因於民國六十二年六月二十二日令頒行政機關公文處理手册，將不合時代精神之公文用語概予删削，以期簡明確切，提高行政效率。

茲將現行公文用語表列如左，並以行政院所頒布之法律統一用字表，法律統一用語表附焉。

㈣公文用語表

類別	用語	適用範圍	備考
起首語	查・關於・謹查	通用。	儘量少用。
	制（訂）定・修正・廢止	公布法令用。	
	特任・特派・任命・派・茲派・茲聘・僱	任用人員用。	
	鈞	有隸屬關係之下級機關對上級機關用，如『鈞部』、『鈞府』。	㈠直接稱謂時用之。㈡書寫『鈞』、『大』、

稱謂語		
大	無隸屬關係之較低級機關對較高級機關用，如『大部』、『大院』。	『貴』、『鈞長』、『鈞座』時，均應空一格示敬。
貴	有隸屬關係及無隸屬關係之上級機關對下級機關、或無隸屬關係之平行機關、或上級機關首長對下級機關首長、或機關與社團間用之，如『貴會』、『貴社』。	
鈞長・鈞座	屬員對長官、或有隸屬關係之下級機關首長對上級機關首長用。	
台端	機關或首長對屬員、或機關對人民用。	
先生・君・女士	機關對人民用。	
本	機關學校社團或首長自稱，如『本縣』、『本校』、『本廳長』。	
職	屬員對長官、或下級機關首長對上級機關首長自稱時用之。	
本人・名字	人民對機關自稱時用。	
該・職稱	機關全銜如一再提及可稱『該』，對職員則稱『該』或『職稱』。	間接稱謂時用之。

用語	說明
奉	接獲上級機關或首長公文，於引敍時用。
准	接獲平行機關或首長公文，於引敍時用。
據	接獲下級機關或首長或屬員或人民公文，於引敍時用。

『奉』、『准』、『據』等字儘量少用。

引述語

用語	說明
奉悉	接獲上級機關或首長公文，於開始引敍完畢時用。
敬悉	接獲平行機關或首長公文，於開始引敍完畢時用。
已悉	接獲下級機關或首長公文，於開始引敍完畢時用。
復……（來文年月日字號）……函	於復文時用。
依照、根據……（來文機關發文年月日字號及文別）……辦理	於告知辦理之依據時用。
……（發文年月日字號及文別）……	對上級機關發文後續函時用。

類別	用語	適用	備註
	諒蒙　鈞察（發文年月日字號及文別）…………諒達・計達	對平行或下級機關發文後續函時用	
經辦語	遵經・遵卽	對上級機關或首長用。	
	業經・經已・均經・迭經・旋經	通用。	
准駁語	應予照准・准予照辦・准予備查	上級機關對下級機關或首長用。	
	未便照准・礙難照准・應毋庸議・應從緩議・應予不准・應予駁回	同右。	
	如擬・可・照准・准如所請・如擬辦理	機關首長對屬員或其所屬機關首長用。	
	敬表同意・同意照辦	對平行機關表示同意時用。	
	不能同意辦理・歉難同意・無法照辦・礙難同意	對平行機關表示不同意時用。	
除外語	除……外・除……暨……外	通用。	如有副本，可儘量少用。
請示語	是否可行・是否有當・可否之處	通用。	
	請　鑒核・請　核示・請　鑒察・	對上級機關或首長用。	

類別	用語	用法	備註
期望及目的語	請　鑒核備查・請　核備		
	請　查照・請　察照・請　查照辦理・請　查核辦理・請　查照見復・請　查照辦理見復・請　查照轉告・請查照備案・請　查明見復	對平行機關用。	
	希　查照・希　查照轉告・希照辦・希辦理見復・希轉行照辦・希切實辦理	對下級機關用。	
抄送語	抄陳	對上級機關或首長用。	有副本或抄件時用之。
	抄送	對平行機關、單位或人員用。	
	抄發	對下級機關或人員用。	
附送語	附・附送・檢附・檢送	對平行及下級機關用。	
	附陳・檢陳	對上級機關用。	
結束語	謹呈	對總統簽用。	
	謹陳・敬陳・右陳	於簽末用。	
	此致・此上	於便箋用。	

(五)法律統一用字表

用字舉例	統一用字	曾見用字	說明
公布・分布・頒布	布	佈	
徵兵・徵稅・稽徵	徵	征	
部分・身分	分	份	
帳・帳目・帳戶	帳	賬	
韭菜	韭	韮	
礦・礦物・礦藏	礦	鑛	
釐訂・釐定	釐	厘	
使館・領館・圖書館	館	舘	
穀・穀物	穀	谷	
行蹤・失蹤	蹤	踪	
妨礙・障礙・阻礙	礙	碍	
賸餘	賸	剩	
占・占有・獨占	占	佔	
牴觸	牴	抵	

雇員・雇主・雇工	雇	僱	名詞用「雇」。
僱・僱用・聘僱	僱	雇	動詞用「僱」。
贓物	贓	臟	
黏貼	黏	粘	
計畫	畫	劃	名詞用「畫」。
策劃・規劃・擘劃	劃	畫	動詞用「劃」。
蒐集	蒐	搜	
菸葉・菸酒	菸	煙	
儘先・儘量	儘	盡	
麻類・亞麻	麻	蔴	
電表・水表	表	錶	
擦刮	刮	括	
拆除	拆	撤	
磷・硫化磷	磷	燐	
貫徹	徹	澈	
澈底	澈	徹	

祇	祇	只	副詞。
並	並	并	連接詞。
聲請	聲	申	對法院用「聲請」。
申請	申	聲	對行政機關用「申請」。
關於・對於	於	于	
給與	與	予	給與實物。
給予・授予	予	與	給予名位、榮譽等抽象事物。
紀錄	紀	記	名詞用「紀錄」。
記錄	記	紀	動詞用「記錄」。
事蹟・史蹟・遺蹟	蹟	跡	
蹤跡	跡	蹟	
糧食	糧	粮	

㈥法律統一用語表

統一用語	說明
「設」機關	如：「教育部組織法」第五條：「教育部設文化局……」。
「置」人員	如：「司法院組織法」第九條：「司法院置祕書長一人。特任。……」
「第九十八條」	不寫爲：「第九八條」。
「第一百條」	不寫爲：「第一〇〇條」。
「第一百十八條」	不寫爲：「第一百『一』十八條」。
「自公布日施行」	不寫爲：「自公『佈』『之』日施行」。
「處」五年以下有期徒刑	自由刑之處分，用「處」，不用「科」。
「科」五千元以下罰金（罰鍰）	罰金、罰鍰之處分，用「科」，不用「處」。且不寫爲：「科五千元以下『之』罰金（罰鍰）」。
準用「第〇條」之規定。	法律條文中，引用本法其他條文時，不寫「『本法』第〇條」，而逕書「第〇條」。又如：「違反第二十條規定者，科五千元以下罰金」。
「第二項」之未遂犯罰之。	法律條文中，引用本條其他各項規定時，不寫「『本條』第〇項」，而逕書「第〇項」。如刑法第三十七條第四項「依第一項宣告褫奪公權者，自裁判確定時發生效力。」
「制定」與「訂定」	法律之創制，用「制定」。行政命令之制作，用「訂定」。
「製定」・「製作」	書、表、證照、册、據等，公文書之製成用「製定」或「製作」，即用「製」不用「制」。
「一・二・三・四・五・六・七・八・九・十・百・千」	法律條文中之序數不用大寫，即不寫爲：「壹・貳・叁・肆・伍・陸・柒・捌・玖・拾・佰・仟」。
「零・萬」	法律條文中之數字「零・萬」不寫爲：「〇・萬」。

第八節　撰擬公文之基本認識

關於公文之撰擬，在外表上須具備法定之程式，在內容上尤須有具體之意見，故撰擬公文時，應對下列基本事項有明徹之認識，然後可免撰稿時茫無頭緒，無從下筆之感。茲分述如次：

一、**行文之原因**　撰擬公文，即所以處理公務，故必洞悉案情，徹底了解公務之眞相，然後下筆撰文，始可言之有物，解決問題，始可動合機宜。故行文原因，實爲撰擬公文時首應注意之事項。

二、**行文之依據**　行文之原因既已明瞭，案情既已洞悉，惟處理辦法，必須視國家政策、法律規定、命令指示而定。故必須了解法令與處理事件之關係，乃能援引法令，爲行文之依據，以加強公文之效力。否則，雖明瞭案情，而違反法令，或與法令規定不符，則行文失所依據，且不免構成違法失職之行爲矣。

三、**行文之目的**　此爲行文主旨所在。蓋撰擬公文時，既已洞悉案情，明瞭行文之原因，又已了解法令，得行文之依據。則行文之目的究何所在，必須在公文中爲明確之意思表示，使受文者能有明確之認識，如此始能使公文發生效力。否則，受文者無法了解被要求之事項，自不能作適當之處理。

四、**行文之立場**　公文無論爲上行、平行或下行，在撰擬時，必須斟酌本機關或本身所處之地位及所有之職權，就事言事，據理說理，不驕不諂，不亢不卑，不越權代庖，亦不推諉卸責，處處不失自己立場，使公文發出後，對上能獲信任採納，對下能收預期效果，此在撰擬公文時首當認淸之處。

第九節　公文之作法

公文爲辦理公務之文書，必須講求行文發生之效力，故寫作公文，在態度及文字方面，皆有講求之必要，茲分別說明如後：

一、**文字應簡淺明確**　公文爲辦理公共事務之工具，名爲辦文，實爲辦事，故文字應簡淺明確，以達意爲宗。簡者，文句少而意義足，使撰擬、寫印、閱讀均可收省時間、節精力之效。淺者，不用奇字、奧義、僻典。明者，不爲隱語、誇張、諷刺。皆使受文者易讀易解。確者，斷制謹嚴，義旨堅定，所述時間、空間、數字，皆精確眞實，所用詞句皆含義明晰，不涉含糊。公文能做到『簡淺明確』地步，已臻公文至高之境，已收公文至大之效。蓋非老於文案而具眞知灼見者不能，所謂易曉而難爲，斯爲貴耳。

二、**態度宜嚴正和平**　寫作公文，旨在辦事，故不可苟且敷衍，亦不可意氣用事。不苟且敷衍，斯嚴正矣，不意氣用事，斯和平矣。過去書吏官僚惡習，撰擬公文，以模稜兩可、敷衍塞責爲祕訣，遇有爭執，以頂撞刧持、節外生枝爲能事。文移往復，積案如山，辦文愈多，辦事愈少，是非愈爭而愈昧，本題愈辯而愈遠，是爲文士之惡習，亦公文之大忌，非徹底革除不可。故寫作公文，必一本嚴正之態度，和平之心氣，然後可綜覈名實，得合理合法之解決。縱有爭執，亦當對事而不對人，常須設身處地。考慮對方觀點，以免淪於偏見武斷。舉凡輕薄詼諧之口吻，侮辱漫駡之詞句，皆宜絕對避免。

三、**語氣宜不失身分立場** 凡寫作公文，正如寫作書信，必須認淸彼此關係，然後語氣乃不致發生錯誤。公務機關有法定之系統，上行、平行、下行各自有適當之語氣，過於倨傲，或偏於卑屈，均非所宜。大體言之，確守法令立場，就事論事，是爲基本原則。上行之文，語氣宜謙遜恭謹，報告應眞實可信，建議應具體能行，有所請示，應將可供判斷之資料，乃至可供采擇之辦法，儘量提出，不可毫不負責，一任上級憑空裁決，以爲將來委卸責任之張本。平行之文，語氣宜不亢不卑，時時顧及對方之環境立場。下行之文，以長官之身分，有所指示命令，當然應有果斷之決定，但文字上絕不可流露驕傲之語氣，縱或下級辦理事務有失當之處，亦當平心靜氣，予以指正，不可濫用侮辱漫罵之辭語，致失雙方之身分。現行公文程式規定機關對人民公文用『函』，惟辦稿人員，間有沿襲過去批示用語慣例，失於倨傲，尤不合爲人民服務之精神。同時，人民對於機關有所陳請，規定用『申請函』，亦有人誤解『官吏爲人民公僕』之意，用語誕慢不經，亦屬極大錯誤。總之，官府人民皆當互相尊重，使公文書中充滿愉快合作之氣氛，斯爲良好公文之表現，亦卽良好政治之象徵。

以上數點，皆爲寫作公文之重要方法。至於熟諳法令，遵照程式，皆爲寫作公文之要件，自無待言。學者能細加體會，多求經驗，其於公文之寫作，自無扞格不通之患矣。

第十節　公文範例

一、令

（一）公布法律

總統　令

發文日期：中華民國 89 年 2 月 3 日
發文字號：華總一字第 8900029730 號

制定九二一震災重建暫行條例

總　　　統　李登輝
行政院院長　蕭萬長

九二一震災重建暫行條例（略）

總統　令

發文日期：中華民國 97 年 5 月 28 日
發文字號：華總一義字第 09700061881 號

茲制定總統副總統待遇支給條例，公布之。

總　　　統　馬英九
行政院院長　劉兆玄

總統副總統待遇支給條例（略）

總統　令

發文日期：中華民國98年1月23日
發文字號：華總一義字第09800019271號

茲將「特殊境遇婦女家庭扶助條例」名稱修正為「特殊境遇家庭扶助條例」；並修正第一條、第二條、第四條、第五條、第七條至第十條、第十二條、第十二條之一及第十六條條文，公布之。

總　　統　馬英九
行政院院長　劉兆玄
內政部部長　廖了以

第一條　為扶助特殊境遇家庭解決生活困難，給予緊急照顧，協助其自立自強及改善生活環境，特制定本條例。

第二條　本條例所定特殊境遇家庭扶助，包括緊急生活扶助、子女生活津貼、子女教育補助、傷病醫療補助、兒童托育津貼、法律訴訟補助及創業貸款補助。

第四條　本條例所稱特殊境遇家庭，指申請人其家庭總收入按全家人口平均分配，每人每月未超過政府當年公布最低生活費二點五倍及臺灣地區平均每人每月消費支出一點五倍，且家庭財產未超過中央主管機關公告之一定金額，並具有下列情形之一者：
一、六十五歲以下，其配偶死亡，或失蹤經向警察機關報案協尋未獲達六個月以上。
二、因配偶惡意遺棄或受配偶不堪同居之虐待，經判決離婚確定或已完成協議離婚登記。
三、家庭暴力受害。
四、未婚懷孕婦女，懷胎三個月以上至分娩二個月內。
五、因離婚、喪偶、未婚生子獨自扶養十八歲以下子女或獨自扶養十八歲以下父母無力扶養之孫子女，其無工作能力，或雖有工作能力，因遭遇重大傷病或照顧六歲以下子女致不能工作。
六、配偶處一年以上之徒刑或受拘束人身自由之保安處分一年以上，且在執行中。
七、其他經直轄市、縣市政府評估因三個月內生活發生重大變故導致生活、經濟困難者，且其重大變故非因個人責任、債務、非因自願性失業等事由。

申請子女生活津貼、子女教育補助及兒童托育津貼者，前項特殊境遇家庭，應每年申請認定之。

申請人之孫子女領取本條例所定扶助，以符合第一項第五款獨自扶養十八歲以下父母無力扶養之孫子女為限。

第一項第五款所稱父母無力扶養，係指父母均因死亡、非自願失業且未領失業給付、重大傷病、服刑或失蹤等，致無力扶養子女。

第五條　特殊境遇家庭得依第二條所定家庭扶助項目申請，不以單一項目為限。但得依其他法令規定取得生活扶助、給付或安置者，除得補助生活扶助、給付與本條例之差額外，不予重複扶助。

依本條例接受補助者有下列情形之一時，直轄市、縣（市）主管機關應停止其家庭扶助，並得追回其所領取之補助：
一、提供不實資料。
二、隱匿或拒絕提供直轄市、縣（市）主管機關要求之資料。
三、以詐欺或其他不正當方法取得家庭扶助。

第七條　符合第四條第一項第一款至第三款、第五款或第六款規定，並有十五歲以下子女或孫子女者，得申請子女生活津貼。

子女生活津貼之核發標準，每一名子女或孫子女每月補助當年度最低工資之十分之一，每年申請一次。

第一頁　共二頁

初次申請子女生活津貼者，得隨時提出。但有延長補助情形者，應於會計年度開始前兩個月提出。
直轄市、縣（市）主管機關對申請延長補助者，應派員訪視其生活情形；其生活已有明顯改善者，應即停止津貼。
申請子女生活津貼，應檢具戶口名簿影本及其他相關證明文件，向戶籍所在地主管機關提出申請，或由鄉（鎮、市、區）公所、社會福利機構轉介申請。

第八條　符合第四條規定，且其子女或孫子女就讀國內公立或立案之私立高級中等以上學校並符合社會救助法第五條之三第一項第一款規定之範圍，得申請教育補助：
一、就讀高中高職減免學雜費百分之六十。
二、就讀大專院校減免學雜費百分之六十。
前項學雜費減免，應於註冊時檢附相關證明文件，經學校審核確認後逕予減免，私立學校由學校逕予減免後，報請主管教育行政機關補助之。

第九條　符合第四條規定，而有下列情形之一，得申請傷病醫療補助：
一、本人及六歲以上未滿十八歲之子女或孫子女參加全民健保，最近三個月內自行負擔醫療費用超過新臺幣五萬元，無力負擔且未獲其他補助或保險給付者。
二、未滿六歲之子女或孫子女，參加全民健保，無力負擔自行負擔之費用者。
傷病醫療補助之標準如下：
一、本人及六歲以上未滿十八歲之子女或孫子女：自行負擔醫療費用超過新臺幣五萬元之部分，最高補助百分之七十，每人每年最高補助新臺幣十二萬元。
二、未滿六歲之子女或孫子女：凡在健保特約之醫療院所接受門診、急診及住院診治者，依全民健康保險法第三十三條及第三十五條之規定應自行負擔之費用，每人每年最高補助新臺幣十二萬元。
申請傷病醫療補助，應於傷病發生後三個月內，檢具相關證明文件、健保卡正、反面影本、診斷證明書及醫療費用收據正本，向戶籍所在地主管機關提出申請；未滿六歲之子女或孫子女傷病醫療補助申請，應向戶籍所在地之鄉（鎮、市、區）公所申請醫療補助證後，逕赴保險人特約之醫療院所就診，並由醫療院所按月造冊向直轄市、縣（市）主管機關申請。

第十條　符合第四條第一項第一款至第三款、第五款及第六款規定，並有未滿六歲之子女或孫子女者，應優先獲准進入公立托教機構；如子女或孫子女進入私立托教機構時，得申請兒童托育津貼每人每月新臺幣一千五百元。
申請兒童托育津貼，應於事實發生後六個月內，檢具相關證明文件，向戶籍所在地主管機關申請。直轄市、縣（市）主管機關對申請延長補助者，應派員訪視其生活情形；其生活已有明顯改善者，應即停止津貼。但已進入公立托教機構者，得繼續接受托育。

第十二條　符合第四條第一項第一款至第三款、第五款及第六款規定，且年滿二十歲者，得申請創業貸款補助；其申請資格、程序、補助金額、名額及期限等，由中央目的事業主管機關另以辦法定之。

第十二條之一　符合第四條第一項第三款規定，申請子女生活津貼及兒童托育津貼，以依民事保護令取得未成年子女之權利義務行使或有具體事實證明獨自扶養子女者為限。

第十六條　本條例自公布日施行。
本條例九十八年一月十二日修正條文施行日期，由行政院定之。

推薦作業，推薦單位為學校者，以推薦一名為限；推薦單位為財團或社團法人者，最多以不超過 3 名為限，且被推薦者不得為同一學校。

(二)受理時間：自民國 94 年 4 月 6 日起至 5 月 31 日止。

(三)受理方式：一律採取網路推薦報名方式，推薦網址為：http://www.who.org.tw。

(四)遴選階段：遴選作業分為推薦、資格檢核、初審、複審、集中面談與決審六階段（遴選作業流程如附件四）。

(五)總統教育獎推動委員會於四月間邀請相關單位、民間團體及專家學者成立評審工作小組辦理遴選事宜。

(六)活動相關辦法請參閱活動網站 http://www.who.org.tw

十、獎勵方式：

(一)編製總統教育獎獲獎學生芳名錄，並舉辦聯合表揚大會，恭請　總統親臨頒獎鼓勵。

(二)每位受獎學生可邀請二位對其成長最有助益之家長或師長蒞臨觀禮。

(三)每位受獎學生可獲頒獎狀、獎座、獎品及一定金額之獎助學金。

1、高級中等學校學生頒發獎助學金，每人計新臺幣十五萬元。

2、國民中學學生頒發獎助學金，每人計新臺幣十萬元。

3、國民小學學生頒發獎助學金，每人計新臺幣五萬元。

(四)受獎學生之推薦單位由總統教育獎推動委員會致贈感謝狀。

(五)為鼓勵複審通過學生，其可參與圓夢護持計畫（詳細內容請參閱圓夢護持活動網站 http://www.who.org.tw/）。

附件　略

行政院原子能委員會令

發文日期：中華民國 94 年 9 月 15 日
發文字號：會核字第 0940030099 號

修正「核子反應器設施停止運轉後再起動管制辦法」。

主任委員　〇　〇　〇

行政院原子能委員會會核字第 0940030099 號令修正發布第十五～十七條條文

第十五條　經營者應於核能機組大修初次併聯日起九十日內，檢送載明下列事項之機組大修作業檢討報告，報請主管機關備查：

一、大修期間安全相關結構、系統及組件與可靠度一級設備維修作業中不符合工作說明書之事件。

二、大修期間因人為疏失所產生之維護作業缺失事件。

三、大修期間發生之工業安全事件、輻射安全事件及異常事件。

四、大修期間承包廠商維修作業品質。

五、其他經主管機關指定之事項。

第十六條　經營者應於核能機組大修初次併聯日起五個月內，檢送載明下列事項之大修初次併聯後三個月內設備故障情形檢討分析報告，報請主管機關備查：

一、安全相關結構、系統及組件與可靠度一級設備之故障檢討及改善方案。

二、設備故障請修單件數及故障分類統計分析。

三、最近五次機組大修初次併聯後三個月內請修單件數與各項結構、系統及組件請修單件數之趨勢分析。

四、其他經主管機關指定之事項。

第十七條　核能機組發生下列異常事件之一時，其再起動之管制依本章規定辦理：

一、違反運轉技術規範之安全限值而停止運轉。

二、機組臨界後以自動或手動引動反應器保護系統使機組停止運轉。但因運轉或測試需要於事前計劃者，不在此限。

三、核能機組發生核子事故而停止運轉，或機組停止運轉期間發生核子事故。

四、其他經主管機關認定之事件。

（三）召集令

總統　令

發文日期：中華民國 89 年 4 月 1 日
發文字號：華總一義字第○○○○

茲依據中華民國憲法增修條文第一條之規定，第三屆國民大會第五次會議定於中華民國八十九年四月八日集會。

總　　統　李登輝
行政院院長　蕭萬長

（四）人事令

總統　令

發文日期：中華民國 97 年 5 月 20 日

特任劉兆玄為行政院院長。

總　　統　馬英九

總統　令

發文日期：中華民國 97 年 5 月 20 日

特任詹春柏為總統府秘書長，蘇起為國家安全會議秘書長，葉金川為總統府副秘書長，林滿紅為國史館館長，許惠祐為國家安全局局長。
任命李海東為國家安全會議副秘書長。
此令均自中華民國 97 年 5 月 20 日起生效。
總　　統　馬英九
行政院院長　劉兆玄

授予勳章

總統　令

發文日期：中華民國98年2月5日
發文字號：華總二榮字第09810007831號

茲授予王貞治二等景星勳章。

總　　　統　馬英九
行政院院長　劉兆玄

(五 褒揚令

總統　令

發文日期：中華民國98年2月13日
發文字號：華總二榮字第09810008591號

法鼓山創辦人聖嚴法師，堅毅禪慧，善智慈悲。少歲偃蹇困頓，矢志發心向佛；承繼漢傳臨濟曹洞法脈，盡瘁中國佛教經典教義，紹休統緒，徽音悠揚。嗣負笈東瀛立正大學，浸淫明代禪學精髓，闡釋佛門雅詰堂奧，探賾索隱，道崇潛修，為我國首位博士高僧。畢生提倡人間佛教，啟迪信眾應機隨緣；踐履心靈環保，落實人文關懷，哲思霖雨，沾溉社會；風雪行腳，深植國際。平素勤習經藏，述作豐贍，睿旨幽眇，尤以「比較宗教學」、「戒律學綱要」、「正信的佛教」等論著，丕奠永續弘法基石。復籌設中華佛學研究所、僧伽大學佛學院暨法鼓大學，推展文化教育，完備佛學研究，陶鎔鼓鑄，瞿曇薪傳。曾獲頒社會運動領袖獎、中山文藝創作獎、行政院金鼎獎與文化獎、中山學術著作獎、總統文化獎等殊榮，力促宗教交流，詮證現代禪風，金聲玉振，敷教淑世。綜其生平，大願興學，厚澤溥被黎庶；玄德遺愛，涵濡人間淨土，流光垂祚，亙古馨長。仁者已遠，軫悼曷極，應予明令褒揚，用示政府崇禮大德之至意。

總　　　統　馬英九
行政院院長　劉兆玄

總統　令

發文日期：中華民國 89 年 10 月 13 日
發文字號：華總二榮字第 8910023000 號

前總統府資政、行政院院長俞國華，性行廉正，才識宏達，早歲卒業清華大學，嗣奉派美英，專研經濟，以期蔚為國用。歷任中央信託局局長、中國銀行董事長、財政部部長、中央銀行總裁、行政院政務委員、行政院經濟建設委員會主任委員等職，開源節流，奠經濟建設之丕基；鼎新革故，成貨幣金融之偉業。懋績孔昭，群倫共仰。嗣出長行政院，綜理百揆，率行中道，政通人和，八紘向化；尤以推行新制營業稅、解除報禁、戒嚴、黨禁，開放外匯管制及赴大陸探親等要政，硬畫蓋籌，勳猷丕著；德業並懋，聲望益隆。晚歲膺聘資政，翊贊中樞，老成謀國，獻替良多。茲聞溘逝，震悼殊深，應予明令褒揚，用示政府崇禮耆賢之至意。

總　　　統　陳水扁
行政院院長　張俊雄

總統　令

發文日期：中華民國 93 年 12 月 24 日
發文字號：華總二榮字第 09310052681 號

蔣故總統經國先生夫人方良女士，志節貞固，蕙質婉約。原籍俄羅斯，自幼困學勉行，襟懷開朗，卒業烏拉重機械廠附設工人技術學校。民國二十四年，與留俄之經國先生結縭，執手砥礪，相互扶持。嗣隨夫婿遄返中土，鄉關萬里，入境隨俗；相夫教子，侍奉翁姑，贏得國人「賢良慈孝」讚譽。雖為第一家庭成員，平居操持勤奮，厲行簡約質樸，鋒芒盡藏，弗涉政治；勞謙愷悌，律己達人。曾創辦私立三軍托兒所，積極照護軍眷遺孤，德澤溥乎赤子，仁愛播於宇內。晚歲遭遇人世至痛，迭攖痼疾所苦，堅忍剛毅，橫逆無畏。中華傳統矩範「溫良恭儉讓」，斯人有之。綜其生平，寧靜澹泊，廉潔恪慎，懿德淑世，朝野同欽。遽聞溘逝，殊深軫悼，應予明令褒揚，以示政府崇念馨德之至意。

總　　　統　陳水扁
行政院院長　游錫堃

（六）治喪令

總統　令

發文日期：中華民國○○○年○月○○日
發文字號：○○○○字第○○○○○○○號

考試院院長孫科，乃　國父哲嗣，為革命元勛，器量恢宏，才識遠大。力行三民主義，學術造詣淵深，歷膺重寄，忠藎孔昭。曾三任廣州市市長，兩任行政院院長，兩任立法院院長，其間並任國民政府副主席，嘉猷偉績，宏濟艱難，功在國家，聲馳寰宇。比年受任考試院院長，時際中興，人才為本，藉其名德，以重詮衡。方今匡復大計，正賴老成喪迪，遽聞溘逝，震悼殊深。特派嚴家淦、蔣經國、鄭彥棻、倪文亞、張寶樹敬謹治喪，以示優隆，而昭崇報。

總　　　統　○○○
行政院院長　○○○

總統　令

發文日期：中華民國90年4月10日
發文字號：華總一義字第9010000580號

謝前副總統東閔先生畢生為國宣勞，功在國家，不幸病逝。茲特派李元簇、連戰、張俊雄、王金平、翁岳生、許水德、錢復、游錫堃、莊銘耀、張博雅、田弘茂、伍世文等大員，敬謹治喪、並由李元簇主持治喪大員會議。

總　　　統　陳水扁
行政院院長　張俊雄

（七）院部令

行政院
考試院 令

發文日期：中華民國 89 年 10 月 3 日
發文字號：臺八裁人政考字第 200810 號
八九考臺組貳一字第 09025 號

訂定「公務人員週休二日實施辦法」。

附「公務人員週休二日實施辦法」。

考試院
行政院 令
司法院

發文日期：中華民國 88 年 12 月 13 日
發文字號：八八考臺組壹一字第 08560 號
臺八十八人政力字第 191591 號
（八八）院臺人二字第 29583 號

修正「專門職業及技術人員高等暨普通考試類科及應試科目表」（增訂民間之公證人類科）。

附「專門職及技術人員高等暨並通考試類科及應試科目表」（增訂民間之公證人類科）。

「專門職業及技術人員高等暨普通考試應考資格表」（增訂民間之公證人類科）。

院　長　許水德
院　長　蕭萬長
院　長　翁岳生

行政院新聞局　令

發文日期：中華民國 88 年 12 月 31 日
發文字號：（八八）怡廣一字第 21458 號

訂定「無線電視節目審查辦法」。
　附「無線電視節目審查辦法」。

局　長　趙　怡

無線電視節目審查辦法

第一條　本辦法依廣播電視法第二十五條規定訂定之。

第二條　經許可進入臺灣原區之大陸地區電視節目，應事先送行政院新聞局（簡稱本局）審查核准，並改用正體字後，始得在臺灣地區無線電視事業經營之電臺播送。

第三條　除新聞外，本局得指定應事先送本局審查核准後，始得播送之電視節目。

第四條　無線電視事業應依電視節目分級處理辦法規定播送電視節目。

第五條　本辦法自發布日施行。

教育部　令

發文日期：中華民國 89 年 11 月 14 日
發文字號：臺（八九）參字第八 89142140 號

修正「教師輔導與管教學生辦法」部分條文。
　附「教師輔導與管教學生辦法」部分修正條文。

部　長　曾志朗

教師輔導與管教學生辦法部分條文修正條文

第二十八條　學生受開除學籍、退學、輔導轉學或類此之處分，足以改變學生身分致損及其受教育權益者，經向學校申訴未獲救濟，得依法提起訴願及行政訴訟。

教育部　令

發文日期：中華民國 94 年 4 月 6 日
發文字號：部授教中（二）字第 0940503496C 號

訂定「第五屆總統教育獎遴選作業要點」，並自中華民國 94 年 4 月 6 日生效。

附「第五屆總統教育獎遴選作業要點」。

部　　長　杜正勝

第五屆總統教育獎遴選作業要點

一、教育部為鼓勵在「最艱困的環境中仍能奮發向上，保有最上進精神表現」的中小學生，特訂定本要點。

二、宗旨：

（一）彰顯政府對社會正義、教育機會均等及公益社會價值觀之重視。

（二）表彰高中職及國中小學生具有奮鬥進取、服務利他、刻苦耐勞、品學兼優、特殊才能之美德。

（三）鼓勵所有學生見賢思齊，激發努力向上學習之動力。

（四）喚起社會各界人士之正義關懷，鼓勵表現優異的高中職及國中小學生，擁有健全適性發展的機會。

三、指導單位：總統府、行政院、教育部

四、執行單位：總統教育獎推動委員會

五、主辦單位：財團法人公共網路文教基金會

六、推薦單位及方式：推薦單位包含學校或依法設立有案之財團法人、社團法人等，推薦方式則由推薦單位直接上總統教育獎活動網站 http://www.who.org.tw 推薦。

七、獎勵對象及名額：

（一）獎勵對象：九十三學年度國民小學、國民中學、高級中等學校之應屆畢業生(含公、私立補校及進修學校學生)。

（二）獎勵名額：國民小學、國民中學每縣市各一名，共計五十名；高級中等學校全國十八名，共計六十八名。

第一頁　共三頁

前項獎勵錄取對象及名額得由遴選工作小組視實際情形調整之。

八、遴選原則及標準：

(一)曾獲得總統教育獎任何一階段獎項者，不得再參與遴選。

(二)參加者應由推薦單位推薦，由總統教育獎推動委員會本公平、公正、公開之遴選方式，邀集相關單位共同辦理審查事宜。

(三)推薦單位應對學生平時表現和生活環境確實查訪，確認受推薦學生具有符合本要點所定標準之具體事實。

(四)推薦標準：推薦單位應依下列評審標準及具體事實推薦參加者，以求嘉行真實感人，避免錦上添花。

評審標準		參酌項目	備註
一	艱困環境	符合艱困環境如政府列冊之低收入戶、身心障礙者、原住民、家庭遭逢重大變故、成長過程艱辛五個條件中符合任何一項者。	1、檢附具體事實證明 2、具體陳述事實
	奮發向上	具備奮發向上的表現如：勇於突破之精神、毅力與恆心、樂觀進取等。	
二	品學兼優	具備品學兼優如成績表現，包含九十二學年度以及九十三學年度上學期之成績、學業成績之獲獎紀錄、師長推薦事蹟。	
	利他服務	具備利他服務如：熱心公益、孝行表現、友愛行為或體恤他人等。	
三	特殊才能	具有語言、藝術、薪傳技藝、科學、科技、資訊、體育或其他任何特殊才能等	

九、遴選程序：

(一)先由推薦單位依本要點所定獎勵對象及遴選原則，進行

（二）緊急令

總統 令

發文日期：中華民國 88 年 9 月 25 日
發文字號：華總一義字第 8800228440 號

查臺灣地區於民國八十八年九月二十一日遭遇前所未有強烈地震，其中臺中縣、南投縣全縣受創甚深，臺北市、臺北縣、苗栗縣、臺中市、彰化縣、雲林縣及其他縣市亦有重大之災區及災戶，民眾生命、身體及財產蒙受重大損失，影響民生至鉅，災害救助、災民安置及災後重建，刻不容緩。爰經行政院會議之決議，依中華民國憲法增修條文第二條第三項規定，發布緊急命令如下：

一、中央政府為籌措災區重建之財源，應縮減暫可緩支之經費，對各級政府預算得為必要之變更，調節收支移緩救急，並在新臺幣八百億元限額內發行公債或借款，由行政院依救災、重建計畫統籌支用，並得由中央各機關逕行執行，必要時得先行支付其一部分款項。

前項措施不受預算法及公共債務法之限制，但仍應於事後補辦預算。

二、中央銀行得提撥專款，供銀行辦理災民重建家園所需長期低利、無息緊急融資，其融資作業由中央銀行予以規定，並管理之。

三、各級政府機關為災後安置需要，得借用公有非公用財產，其借用期間由借用機關與管理機關議定，不受國有財產法第四十條及地方財產管理規則關於借用期間之限制。

各級政府機關管理之公有公用財產，適於供災後安置需要者，應即變更為非公用財產，並依前項規定辦理。

四、政府為安置受災戶，興建臨時住宅並進行災區重建，得簡化行政程序，不受都市計畫法、區域計畫法、環境影響評估法、水土保持法、建築法、土地法及國有財產法有關規定之限制。

第一頁 共二頁

五、中央政府為執行災區交通及公共工程之搶修及重建工作，凡經過都市計畫區、山坡地、森林、河川及國家公園等範圍，得簡化政政程序，不受各該相關法令及環保法令有關規定之限制。

六、災民因本次災害申請補發證照書件或辦理繼承登記，得免繳納各項規費，並由主管機關簡化作業規定。

七、中央政府為迅速執行救災、安置及重建工作，得徵用水權，並得向民間徵用空地、空室、救災器具及車、船、航空器，不受相關法令之限制。

衛生醫療體系人員為救災所需而進用者，不受公務人員任用法之限制。

八、中央政府為維護災區秩序及迅速辦理救災、安置、重建工作，得調派國軍執行。

九、政府為救災、防疫、安置及重建工作之迅速有效執行，得指定災區之特定區域實施管制，必要時並得強制撤離居民。

十、受災戶之役男，得依規定徵服國民兵役。

十一、因本次災害而有妨害救災、囤積居奇、哄抬物價之行為者，處一年以上七年以下有期徒型，得併科新臺幣五百萬元以下罰金。

以詐欺、侵占、竊盜、恐嚇、搶奪、強盜或其他不正當之方法，取得賑災款項、物品或災民之財物者，按刑法或特別刑法之規定，加重其刑至二分之一。

前二項之未遂犯罰之。

十二、本命令施行期間自發布日起至民國八十九年三月二十四日止。此令。

總　　　統　李登輝

行政院院長　蕭萬長

第二頁　共二頁

（八）省市令

臺北市政府　令

發文日期：中華民國 89 年 1 月 26 日
發文字號：府法三字第 8900165000 號

訂定「臺北市私立老人福利機構獎助及獎勵辦法」。
　附「臺北市私立老人福利機構獎助及獎勵辦法」。

市　長　馬英九

高雄市政府　令

發行日期：中華民國 90 年 1 月 16 日
發文字號：高市府勞二字第 1627 號

修政「高雄市勞工權益基金補助辦法」第五條。
　附「高雄市勞工權益基金補助辦法」第五條。

高雄市勞工權益基金補助辦法第五條條文
第五條　本基金補助標準如下：
一、律師費：每一審級（同一事由）以委任律師一人為限，律師費不得超過高雄律師公會章程所訂之標準。
　一工會幹部：補助律師費總金額以新台幣十二萬元為上限。
　二個案勞工：補助律師費總金額以新台幣四萬五千元為上限。

高雄市政府　令

發文日期：中華民國94年9月12日
發文字號：高市府人一字第0940044118 號

修正「高雄市政府勞工局組織規程」暨編制表。
附「高雄市政府勞工局組織規程」暨編制表。

代理市長　陳　其　邁

高雄市政府勞工局組織規程暨編制表

第一條　本規程依高雄市政府組織自治條例第六條規定訂定之。

第二條　高雄市政府勞工局（以下簡稱本局）置局長，承市長之命，綜理局務，並指揮監督所屬機關及員工；置副局長一人，襄理局務。

第三條　本局設下列各科，分別掌理各有關事項：
一、第一科：勞工組織及勞工輔導教育事項。
二、第二科：勞工條件、勞工安全衛生、勞工檢查、勞資關係及勞資爭議處理事項。
三、第三科：勞工福利、勞工保險、就業服務、職業訓練、技能檢定、外勞管理、就業歧視及身心障礙事項。
四、第四科：綜合規劃、事務、出納、文書及檔案管理事項。

第四條　本局置主任秘書、專門委員、科長、秘書、技正、視察、專員、股長、科員、技士、技佐、辦事員、書記。

第五條　本局設會計室，置會計主任、科員、辦事員，依法辦理歲計、會計及統計事項。

第六條　本局設人事室，置主任、科員、助理員，依法辦理人事管理事項。

第一頁　共二頁

第 七 條　本局設政風室，置主任、科員，依法辦理政風事項。

第 八 條　本局下設勞工檢查所、訓練就業中心、博愛職業技能訓練中心、勞工育樂中心；其組織規程另訂之。

第 九 條　局長出缺繼任人員到任前，由高雄市政府（以下簡稱本府）派員代理之。

局長請假或因故不能執行職務時，職務代理順序如下：

一、副局長。

二、主任秘書。

前項情形本府得指派適當人員代理之。

第 十 條　本規程所列各職稱之官等職等及員額，另以編制表定之。

各職稱之官等職等，依職務列等表之規定。

第十一條　本局設局務會議，由局長召集之並擔任主席，每月舉行一次，必要時得召開臨時會議，以下列人員組成之：

一、局長。

二、副局長。

三、主任秘書。

四、科長。

五、主任。

六、其他經局長邀請或指定之列席或參加人員。

第十二條　本局分層負責明細表分甲表及乙表，甲表由本局擬訂，報請高雄市政府核定；乙表由本局訂定，報請高雄市政府備查。

第十三條　本規程自中華民國九十二年一月一日施行。

本規程修正條文自發布日施行。

編制表　略

第二頁　共二頁

（九）縣市令

雲林縣政府令

發文日期：中華民國 89 年 9 月 18 日
發文字號：（八九）府行法第 8910000443 號

修正「雲林縣立高級中學組織規程準則」第十三條條文
　附修正「雲林縣立高級中學組織規程準則」第十三條條文

縣　長　張榮味

雲林縣立高級中學組織規程準則第十條修正條文
第十三條　高級中學設會計室或置會計員；其設會計室者，置會計主任一人，得置組員，佐理員若干人，依法辦理歲計、會計事項並兼辦統計事項。

花蓮縣政府令

發文日期：中華民國 89 年 12 月 30 日
發文字號：（八九）府行法字第 130070 號

修正「花蓮縣政府公報發行辦法」第二條條文。
　附「花蓮縣政府公報發行辦法」第二條條文乙份。

縣　長　王慶豐

修正「花蓮縣政府公報發行辦法」第二條條文。
第二條　本府公報每週發行一期（每星期三發行）。全年分春、夏、秋、冬四季共四卷，如遇國定假日則暫停發行。

二、呈

(一) 報告用

行政院　呈

地址：100-58 臺北市中正區忠孝東路1段1號
聯絡方式：(承辦人、電話、傳真、e-mail)

受文者：總統

速別：最速件
密等及解密條件：
發文日期：中華民國 90 年 1 月 30 日
發文字號：臺(九十)防字第 0000000000 號
附　　件：

主旨：呈報「行政院核四電廠停建報告書」乙份，恭請　鑒核。

說明：

一、依 89 年 12 月 15 日，司法院大法官會議第 520 號釋憲文規定，應向立法院院會，補行報告並備詢程序。

二、本案已函請立法院安排 90 年1月 30 日第三屆第五會期臨時會議提出報告及備詢完畢。

三、謹呈「行政院核四電廠停建報告書」乙份，報請　鑒察。

院長　張　俊　雄　職章

（二）呈請用

行政院　呈

地址：100-58 臺北市中正區忠孝東路1段1號
聯絡方式：（承辦人、電話、傳真、e-mail）

受文者：總統

發文日期：中華民國00年00月00日
發文字號：台○○教字第00000000號
速別：速件
密等及解密條件或保密期限：
附　　件：隨文

主旨：張榮發先生慨捐現款予淡江大學興建船學館、購置教學儀器設備並協助學生實習，擬請賜頒匾額一方，以資褒獎，敬呈　鑒核。

說明：

一、本案係根據內政、教育二部00年0月0日○○臺內民字第00000號、台（○○）高字第00000號會銜函辦理。

二、張榮發先生於65年至69年間，先後捐助淡江大學興建五層船學館一棟，購置教學儀器、設備、圖書、實習船及協助學生實習費用等，共計新臺幣玖仟萬元。經內政、教育二部審核合於捐資興學褒獎條例及該條例調整給獎標準之規定，捐資新台幣1千萬元以上者給予匾額，以資褒獎。

三、檢呈受獎人履歷表1件、捐資興學證件23件。

正本：總　統
副本：內政部、教育部、本院第六組

院長　○　○　○　職章

考試院 呈

地址：115 臺北市文山區試院路 1 號
聯絡方式：（承辦人、電話、傳真、e-mail）

受文者：總統

發文日期：中華民國 89 年 10 月 0 日
發文字號：（八九）考臺人字第 00000000 號
速別：
密等及解密條件或保密期限：
附　件：

主旨：呈請特派陳英豪為 89 年專門職業及技術人員高等暨普通考試典試委員長。

說明：依典試法施行細則第○條規定，呈請特派陳英豪為該項考試典試委員長。

院長　許　水　德　職章

三、咨

(一) 咨請用

立法院　咨

地址：100-51 臺北市中正區中山南路1號
聯絡方式：(承辦人、電話、傳真、e-mail)

受文者：總統

發文日期：中華民國89年10月0日
發文字號：○○○○字第00000號
速別：
密等及解密條件或保密期限：
附　　件：海洋污染防治法乙份

主旨：制定「海洋污染防治法」，咨請公布。

說明：

一、行政院本(89)年0月0日臺(八九)字第字第0000號函請審議。

二、本院89年10月0日第五會期第000次會議審議通過。

三、附「海洋污染防治法」乙份。

正　本：總　統
副　本：行政院

院長　王　金　平　職章

（二）咨復用

國民大會　咨

地址：100-42 臺北市中正區中華路 1 段 53 號
聯絡方式：（承辦人、電話、傳真、e-mail）

受文者：總統

發文日期：中華民國 87 年 12 月 0 日
發文字號：○○○○字第 0000000 號
速別：
密等及解密條件或保密期限：
附　　件：

主旨：提名翁岳生為司法院院長，經本會第四次會議同意咨復。

說明：

一、復　貴府　華總一智字第 8710002220 號咨

二、依中華民國憲法增修條文第○條第○項規定及本會議事規則第○條規定辦理。

三、經本會第四次會議投票結果，獲得出席代表過半數之同意。

議長　蘇　南　成　職章

總　統　咨

華總一義字第9000122160號

據行政院 90 年 6 月 18 日臺九十規字第 038790 號呈稱：該院鑑於近來國內經濟受到全球經濟降溫之衝擊，其成長日益趨緩，對於國家整體產業之發展影響至鉅，為刺激景氣提振經濟，促進金融體系之健全發展，以利營造企業資金運用之有利環境。從而穩定金融市場，避免危機發生，開放金融跨業經營，提升金融業之國際競爭力，健全票券商之監督及管理，放寬保險業業務經營限制，並強化其監督管理機制，乃當務之急，經通盤審慎考量後，特遴列出「存款保險條例第十七條之一修正草案」、「營業稅法部分條文修正草案」、「金融重建基金設置及管理條例草案」、「金融控股公司法草案」、「保險法部分條文修正草案」、「票券金融管理法草案」六項具急迫性及重要性之金融改革法案，亟須儘速完成立法及修法程序，爰請咨請立法院於日內召開臨時會予以審議等情，茲依照憲法第六十九條之規定，咨請貴院於日內召開臨時會，針對行政院來呈所提六項法案予以審議。

此咨

立法院

總統　陳　水　扁

檢附行政院來呈暨附件影本各乙份（略）

中　華　民　國　九　十　年　六　月　十　九　日

監察院　咨

地址：100-51 臺北市中正區忠孝東路1段2號
聯絡方式：（承辦人、電話、傳真、e-mail）

受文者　總統

發文日期：中華民國87年11月18日
發文字號：（八七）院臺人字第870112921號
速別：
密等及解密條件或保密期限：
附　　件：如主旨

主旨：檢陳審計部臺灣省臺南縣審計室簡任人員莊榮吉等三人請任名冊、銓敘部審定函影本各一份，咨請　詧照，准予任命。

說明：依據審計部87年11月11日臺審部人字第872053號函辦理。

正本：總　統
副本：本院人事室（含請任名冊一份）

院長　王　作　榮　職章

四、函

（一）上行函

甲、報告用

國防部　函

受文者：行政院

發文日期：中華民國89年3月24日
發文字號：（八九）成成字第0992號
速別：
密等及解密條件或保密期限：
附件：檢討改進執行情形表乙份

主旨：呈均院轉監察院函示，陸軍一〇二旅上尉連長黃志強燒車自焚，部隊處理涉有違失案，陸軍總部檢討改善執行情形（如附件），請鑒核！

說明：奉鈞院89年1月21日臺（　）防字第0096號函辦理。

部長　唐　飛

國立中央圖書館臺灣分館　函

地址：235-74 臺北縣中和市中安街 85 號
電話（02）2926-6888
聯絡方式：（承辦人、電話、傳真、e-mail）

100-51
臺北市中正區中山南路 1 號

受文者：教育部

發文日期：中華民國 90 年 1 月 12 日
發文字號：（九十）圖總字第 00065 號
速別：
密等及解密條件或保密期限：
附件：

主旨：檢陳本館經管「國有公用財產管理情形檢表」乙份，請　鑒核。

說明：依據　鈞部 89 年12月30日(八九)總一字第 89170803 號函辦理。

正本：教育部
副本：本館會計室、總務組

館長　林　文　睿

乙、請求

國立中興大學　函

地址：402-27 臺中市南區國光路 250 號
聯絡方式：（承辦人、電話、傳真、e-mail）

100-51
臺北市中正區中山南路 1 號

受文者：教育部

發文日期：中華民國 88 年 2 月 2 日
發文字號：（八八）興學程字第 8820300017 號
速別：最速件
密等及解密條件或保密期限：
附件：隨文

主旨：檢陳本校八十七年度參加教育實習教師支領實習津貼印領清冊（第一期支出憑證，總金額新臺幣參佰陸拾萬元整）一份，敬請　鑒核。

說明：遵照　鈞部 88 年1月16 日臺(八八)師三字第 88004824 號函辦理。

正本：教育部
副本：

校長　李　成　章

國立中央圖書館臺灣分館　函

地址：235-74 臺北縣中和市中安街 85 號
電話（02）2926-6888
聯絡方式：（承辦人、電話、傳真、e-mail）

100-51
臺北市中正區中山南路 1 號

受文者：教育部

發文日期：中華民國 89 年 11 月 21 日
發文字號：（八九）圖總字第 02120 號
速別：速件
密等及解密條件或保密期限：
附件：如文

主旨：檢陳本館遷建工程之建築景觀工程招標工作第二次補充說明資料，陳請　鑒核。

說明：

一、依據政府採購法等相關規定辦理。

二、有關本招標案之相關預算書、設計書圖及招標文件等暨第一次補充說明資料諒達（業已分別於 89 年 10 月 17 號（八九）圖總字第 01848 號暨 89 年 11 月 14 號（八九）圖總字第 02053 號函檢陳）。

正本：教育部
副本：本館會計室、總務組

館長　林　文　睿

(二) 平行函

甲、洽辦用

行政院 函

地址：100-58 臺北市中正區忠孝東路1段1號
聯絡方式：(承辦人、電話、傳真、e-mail)

100-51
臺北市中正區中山南路1號
受文者：立法院

發文日期：中華民國90年1月19日
發文字號：臺(九十)經字第00000號
速別：最速件
密等及解密條件或保密期限：
附件：

主旨：八十九年十月二十七日本院第二七〇六次會議，依據主管機關經濟部建議決議停止興建核四電廠，茲擬依立法院職權行使法第十七條第一項規定，向　貴院院會提出報告，請惠予安排議程。

說明：依89年12月15日，司法院大法官會議第5號釋憲文辦理。

院長　張　〇　〇

乙、答覆用

行政院　函

地址：100 臺北市中正區忠孝東路1段1號
聯絡方式：（承辦人、電話、傳真、e-mail）

受文者：監察院
發文日期：中華民國89年4月12日
發文字號：臺(八九)防字第10520號
速別：
密等及解密條件或保密期限：
附件：如說明二

主旨：貴院函，為成功嶺訓練中心一〇二旅上尉連長黃志強，疑因指示部屬郭宏展下士代為接受三千公尺跑步測驗致死，內心自責，於苗栗三義鄉鯉魚潭村燒車自焚案，部隊處理涉有違失。爰依法提案糾正，囑督飭所屬切實檢討改善見復一案。經轉據國防部函報檢討改進執行情形，尚屬實情，復請　查照。

說明：

一、復 貴院89年1月4日(八八)院臺國字第882100451號函。

二、影附國防部檢討改進執行情形一份。

院長　蕭　萬　長

行政院轉監察院對陸軍成功嶺訓練中心一〇二旅上尉連長黃志強燒車自焚，部隊處理涉有違失，依法糾正案，陸軍檢討改進執行情形：

1. 為嚴肅本軍訓練紀律，陸軍總部已針對本案肇生原因、缺失檢討及精進作法，於88年11月23日(八八)佑子字第2355號令頒發訓練安全通報第13號，通令全軍視同重要命令，列為幹部教育宣教資料，確實宣教院範；另配合主官「親教親考」教育，加強幹部法治教育，建立正確溝通管道，強化幹部任務管制能力及培養道德勇氣，確使各級幹部養成依法行政，以有效杜絕類案發生。
2. 本院各項訓練鑑測均有其一定之標準程序與作法，案內鑑測人員未依標準程序執行，致因人為疏失肇生意外憾事，本軍已按「訓練安全懲處標準」，對違失幹部所應負法定責任，分別核予申誡兩次至大過兩次不等之處分，同時配合安全通報要求各級部隊執行測驗時應逐級詳實查核，嚴禁替代情事，以貫徹本軍忠誠軍風。

行政院　函

地址：100 臺北市中正區忠孝東路1段1號
聯絡方式：(承辦人、電話、傳真、e-mail)

100-51
臺北市中正區忠孝東路1段2號

受文者：監察院

發文日期：中華民國89年8月29日
發文字號：臺(八九)防字第25438號
速別：
密等及解密條件或保密期限：
附件：如文

主旨：貴院函，為國防部空軍總司令部桃園基地指揮部，於八十八年十月三日及同月十一日，連續發現彈藥遭竊案件，係因未能貫徹巡查制度、彈葯庫衛哨配置不當、阻絕與防盜設施不足、值日官擅離職守、軍紀廢弛、各級幹部處事延宕、監督不周、考核不力等諸多缺失，已嚴重影響社會治安與國防安全。爰依法提案糾正，囑督飭所屬切實檢討改善見復一案。經轉據國防部函報辦理情形，尚屬實情，復請　查照。

說明：

一、復　貴院89年5月23日(八九)院臺國字第892100189號函及89年8月10日(八九)院臺國字第892100326號函。

二、影附國防部辦理情形一份。

院長　唐　飛

法務部　函

機關地址：100-42 台北市重慶南路 1 段 130 號
傳　　真：(02) 2389-2164 號

受文者：如正副本
速別：最速件
密等及解密條件：
發文日期：中華民國 91 年 8 月 14 日
發文字號：法律字第 091031726 號
附件：

主旨：貴局書函為有關外交部駐舊金山及洛杉磯二辦事處編制表是否應依行政程序法規定發布施行疑義乙案，復如說明二，請　查照參考。

說明：

一、復　貴局 91 年 8 月 7 日局力字第 0910025878 號書函。

二、按行政程序法第一百五十九條規定：「本法所稱行政規則，係指上級機關對下級機關，或長官對屬官，依其權限或職權為規範機關內部秩序及運作，所為非直接對外發生法規範效力之一般、抽象之規定（第一項）。行政規則包括下列各款之規定：

（一）關於機關內部之組織、事務之分配、業務處理方式、人事管理等一般性規定。

（二）為協助下級機關或屬官統一解釋法令、認定事實、及行使裁量權，而訂頒之解釋性規定及裁量基準(第2項)。」同法第 160 條規定：「行政規則應下達下級機關或屬官。行政機關訂定前條第 2 項第 2 款之行政規則，應由其首長簽署，並登載於政府公報發布之。」準此，本件有關外交部舊金山及洛杉磯二辦事處編制表如係屬於行政程序法第 159 條第 2 項第 1 款有關機關內部組織之行政規則，依同法第 160 條規定，僅須下達下級機關，並無須踐行登載於政府公報發布之程序為必要。

三、承辦人及電話：陳忠光、(02) 2314-6871 轉 2071。

正本：行政院人事行政局
副本：本部秘書室（請刊登本部公報）、法律事務司（四份）

行政院人事行政局　函

地址：100-51 臺北市中正區濟南路 1 段 2-2 號 10 樓
傳真：02-23975565
承辦人：裘明娟
電話：02-23979298 轉 334
E-Mail：joanne@cpa.gov.tw

受文者：
發文日期：中華民國 94 年 5 月 16 日
發文字號：局力字第 0940062057 號
速別：最速件
密等及解密條件或保密期限：
附件：

主旨：放寬偏遠離島地區、編制員額 25 人以下及最近 1 年新設立之機關學校擬自行遴用具公務人員考試及格之非現職人員規定如說明，請　查照轉知所屬。

說明：

一、下列機關學校職務出缺，應提列公務人員考試任用計畫，如該職缺適用之相關考試等級、類科已無保留受訓資格之補訓人員或增額錄取人員可茲分發或遴用，經報分發機關同意後，得自行遴用具公務人員考試及格之非現職人員：

（一）偏遠離島地區機關學校（偏遠離島地區之定義係以「各機關學校公教員工地域加給表」為認定依據）。

（二）編制員額 25 人以下之機關學校（含各警察、消防機關扣除警察人員後其他一般人員未滿 25 人者；機關人事、主計、政風職務係以各主管機關為單元計算者，扣除上開單位人員後其他人員未滿 25 人者）。

（三）最近 1 年新設立之機關學校。

二、本局 92 年 10 月 14 日局力字第 0920055610 號函，上開機關仍得適用。

正本：行政院各部會行處局署、省市政府、省諮議會、直轄市議會、各縣市政府、各縣市議會

副本：考選部、銓敘部、本局企劃處、本局地方人事行政處

（三）下行函

甲、交辦用

行政院 函

地址：100 臺北市中正區忠孝東路1段1號
聯絡方式：(承辦人、電話、傳真、e-mail)

110-08
臺北市信義區市府路1號

受文者：臺北市政府

發文日期：中華民國89年6月3日
發文字號：臺（八九）人政考字第010740號
速別：
密等及解密條件或保密期限：
附件：

主旨：「公務人員政風調查考核處理要點」及「行政院所屬軍公教人員涉及賭博財物處分原則」自中華民國八十九年六月三日起停止適用，請 查照轉知。

說明：依據法務部民國89年5月1日法八九政字第009321號函辦理。

院 長 唐 飛請假
副院長 游錫 代行

司法院　函

地址：100 臺北市中正區重慶南路1段124 號
聯絡方式：(承辦人、電話、傳真、e-mail)

受文者：最高法院、行政法院、公務員懲戒委員會、臺灣高等法院、福建高等法院金門分院、福建金門地方法院

發文日期：中華民國 88 年 12 月 18 日
發文字號：(八八) 院臺廳司一字第 32382 號
速別：
密等及解密條件或保密期限：
附件：

主旨：檢送「法官守則」乙份，請　查照。

說明：「法官守則」業經本院於八十八年十二月十八日修正發布

院長　翁　岳　生

附：修正發布法官守則

中華民國八十四年八月二十二日(八四)院臺廳司一字第一六四〇五號函發布
中華民國八十八年十二月十八日(八八)院臺廳司一字第三二三八二號函修正發布

一、法官應保有高尚品格，謹言慎行、廉潔自持，避免不當或易被認為不當的行為。

二、法官應超然公正，依據憲法及法律，獨立審判，不受及不為任何關說或干涉。

三、法官應避免參加政治活動，並不得從事與法官身分不相容的事務或活動。

四、法官應勤慎篤實地執行職務，尊重人民司法上的權利。

五、法官應隨時汲取新知，掌握時代脈動，精進裁判品質。

為節省篇幅，以下部分受文者之郵地區號及地址從略

乙、通報用

行政院公共工程委員會　函

地址：110－10臺北市信義區松仁路3號9樓
聯絡方式：（承辦人、電話、傳真、e-mail）

發文日期：中華民國88年10月28日
發文字號：（八八）工程企字第8817806號
速別：
密等及解密條件或保密期限：
附件：
主旨：檢送「押標金／保證金連帶保證書」、「預付款還款保證連帶保證書」及「廠商資格履約及賠償連帶保證書」格式八十八年十月二十六日修訂版一份，請參考並轉知所屬（轄）機關。
說明：前揭原格式本會前以88年5月26日　工程企字第8807105號函送請參考在案。

主任委員　蔡　兆　陽

押標金／保證金連帶保證書格式（略）

臺北市政府　函

地址：110-08臺北市信義區市府路1號
聯絡方式：（承辦人、電話、傳真、e-mail）

受文者：本府所屬各機關

發文日期：中華民國89年8月7日
發文字號：府法三字第8906943200號
速別：
密等及解密條件或保密期限：
附件：
主旨：行政院函送「行政院國家搜救指揮中心設置及作業規定」，並自八十九年七月二十四日起生效，如附件，請　查照。
說明：依行政院89年7月29日臺八九內字第22719號函辦理。

市　長　馬　英　九　公假
副市長　歐　晉　德　代行

法規委員會主任委員　陳清秀　決行

臺北市政府　函

地址：110-08 臺北市信義區市府路 1 號
聯絡方式：（承辦人、電話、傳真、e-mail）

受文者：臺北市政府各機關學校

發文日期：中華民國 89 年 8 月 15 日
發文字號：府文化一字第 89069024100 號
速別：
密等及解密條件或保密期限：
附件：

主旨：檢送本府修正之「臺北文化獎頒贈要點」，　查照。

市　　長　馬　英　九　公假
副 市 長　歐　晉　德　代行
文化局局長　龍　應　台　決行

司法院人事處　函

地址：100 臺北市中正區重慶南路1段124 號
聯絡方式：（承辦人、電話、傳真、e-mail）

受文者：臺灣高等法院、金門地方法院等人事室

發文日期：中華民國 88 年 12 月 23 日
發文字號：（八八）處人三字第 32051 號
速別：
密等及解密條件或保密期限：
附件：

主旨：為請釋於法務部調查局約談階段，是否適用「公務人員因公涉訟輔助辦法」疑義一案，業經公務人員保障暨培訓委員會釋示如附件，請　查照。

說明：依公務人員保障暨培訓委員會 88 年 12 月 8 日公保字第 8811031 號書函辦理。

處長　呂　太　郎

附：公務人員保障暨培訓委員會書函（略）

臺北市政府 函

地址：110-08 臺北市信義區市府路1號
聯絡方式：(承辦人、電話、傳真、e-mail)

受文者：臺北市政府各機關學校

發文日期：中華民國89年6月12日
發文字號：府民四字第8904837300號
速別：
密等及解密條件或保密期限：
附件：

主旨：公布八十八年五月遷出入本市人口數暨公民數，請 查照。

說明：遷出入本市人口數暨公民數如附件統計表。

副本：臺北市議會、臺北市政府局政局

市　　長 馬 英 九
民政局局長 林 正 修　決行

人口數　項目 月份	遷入人口數	遷入公民數	遷出人口數	遷出公民數
89年5月	10、175	7、063	12、019	8、104

丙、指示用

教育部函

地址：100-51 臺北市中正區中山南路5號
聯絡方式：(承辦人、電話、傳真、e-mail)

受文者：如正、副本

發文日期：中華民國89年8月5日
發文字號：臺（八九）人二字第89081589號
速別：
密等及解密條件或保密期限：
附件：

主旨：關於公立高級中等以下學校未納入銓敘職員、教師因成績考核誤核，所溢領之薪給、考核獎金及年終工作獎金是否應予追繳一案，希依說明辦理，請　查照。

說明：

一、參酌行政院人事行政局本（89）年6月30日八九局給字第007665號函辦理，並兼復臺中縣政府88年11月11日八八府人二字第315384號函。

二、查銓敘部86年2月3日八六臺甄五字第1415828號函釋略以，各機關或受考人因考績誤核案件，倘於公務人員考績法施行細則第25條規定期限內辦理復審（更正）者，如復審（更正）後之俸級低於原核定俸級，同意參照公務人員俸給法施行細則第13條規定，免予追繳；反之，則應予追繳。惟為顧及當事人經濟負擔能力，應予追繳之溢領金額得分期償還。復查公立學校教職員成績考核辦法第2條規定：「教育人員任用條例施行前已遴用學校編制內未納入銓敘之職員，其成績考核準用公務人員考績法及其施行細則規定辦理。但考核年度為學年度。」是以，學校未納入銓敘職員因成績考核誤核，如於公務人員考績法施行細則第25條規定期限內辦理更正者，如更正後之薪級低於原核定薪級者，同意參照公務人員俸給法施行細則第13條規定，免予追繳其溢領之薪給及獎第一金；反之，則應予追繳。

三、至教師成績考核誤核者，以本部87年4月27日臺(八七)人二字第870117692號函釋略以，學校教職員成績考核誤核，其溢支之考核獎金及薪給，宜請比照銓敘部86年2月3日八六臺甄五字第1415828號函釋辦理。因此，87年4月27日以前，教師成績考核誤核案件，如非可歸責於當事人，其溢領之薪給及獎金同意免予追繳；87年4月27日以後，教師成績考核誤核案件，應依本部前開函釋辦理。惟如發生於87年7月1日後，原公立學校教職員成績考核辦法第18條條文有關復審期限之規定雖經刪除，但依教師申訴評議委員會組織及評議準則第11條規定：「申訴之提起應於知悉措施之次日起30日內為之；再申訴應於評議書達到之次日起30日內以書面為之。」如其經依教師法規定申訴後核定之薪級低於原核定薪級者，亦同意免予追繳。

正本：福建省政府、臺北市政府教育局、高雄市政府教育局、各縣市政府、本部中部辦公室

副本：行政院人事行政局、本部公報室、人事處

部長 曾 志 朗

臺北市政府　函

地址：110-08 臺北市信義區市府路 1 號
聯絡方式：（承辦人、電話、傳真、e-mail）

受文者：臺北市政府各機關學校

發文日期：中華民國 89 年 6 月 20 日
發文字號：府財四字第 8904101600 號
速別：
密等及解密條件或保密期限：
附件：

主旨：為本市民族國中函請釋示購置硬碟機、記憶體等電腦週邊設備應否依事務管理手冊規定辦理財產增值或列物品帳疑義乙案，茲予統一規定，請查照辦理。

說明：

一、依本府財政局案陳本市立民族國民中學 89 年 3 月 14 日北市族中總字第 785 號函辦理。

二、有關本府各機關學校編列預算，同一時間採購之個人電腦（或工作站）暨其相關週邊設備後，依本府 87 年 4 月 17 日府財四字第 8702123800 號函（刊登市府公報 87 年夏字第 22 期）規定，應統一以「個人電腦」（或工作站）列計財產帳，先予敘明。

三、另有關單獨購置（非同一時間採購）硬碟機、顯示器、記憶體等電腦週邊設備之列帳原則，訂定統一規範如下：

（1）新購硬碟機等電腦週邊設備，每件單價在 1 萬元以上（含 1 萬元）者，單獨列【財產帳】。

（2）新購硬碟機等電腦週邊設備，每件單價在 1 萬元以下者，統一列【物品帳】，並依下列規定辦理：

1．於安裝之個人電腦（或工作站）財產帳之「廠牌型式及規格」欄加註增置之週邊設備『名稱』及『數量』（或應註明『另有增置設備詳見物品帳』），並於安裝標的加貼【物品標籤】，以利識別管理。

2．嗣後安裝之週邊設備如移置他部電腦，除需依前開方式辦理加註及改貼標籤外，應併同刪除原安裝標的財產帳之加註文字。

3．個人電腦（或工作站）已逾最低耐用年限不堪使用需辦理報廢時，該增置之物品設備，應依事務管理規則及事務管理手冊物品管理規定辦理，即：仍可使用者，不論其使用年限是否屆滿，無須辦理報廢，並自原安裝之個人電腦（或工作站）取出移置其他個人電腦（或工作站）或備用；已損壞不堪使用者，由申請人敘明緣由，依規定程序辦理物品報廢及廢品處理。

副本：審計部臺北市審計處，臺北市立民族國民中學、臺北市政府主計處、臺北市政府財政局祕書室、臺北市政府財政局第四科。

市長　馬　英　九

第二頁　共二頁

丁、核後（示）用

行政院　函

地址：100 臺北市中正區忠孝東路 1 段 1 號
聯絡方式：（承辦人、電話、傳真、e-mail）

100-51
臺北市中山南路 1 號

受文者：教育部

發文日期：中華民國 89 年 5 月 25 日
發文字號：臺（八九）內 15103 號
速別：最速件
密等及解密條件或保密期限：
附件：

主旨：所報關於私立學校以取得地方政府讓售其所有土地進行籌設，須變更都市計畫時，得否依都市計畫法第二十七條第一項第四款規定，辦理都市計畫個案變更一案，本院七十六年十一月五日臺七六內字第 25400 號函說明二、1.(1) 同意修正為「所有土地均已依法取得所有權或完成合法之買賣契約，或取得經教育部審核通過並依法完成承租公有、公營事業土地或設定地上權之證明文件，或取得公有土地管理機關同意讓售之證明文件。」請查照。

說明：復 89 年 3 月 22 日臺(八九)高三字第 89031080 號函。

正本：教育部
副本：內政部

院　長　唐　飛　請假
副院長　游錫堃　代行

高雄市政府教育局　函

機關地址：高雄市苓雅區四維3 路2 號4 樓
承辦單位：督學室 聯絡人：康雅玲
聯絡電話：3314834

發文日期：中華民國94 年9 月5 日
發文字號：高市教督字第0940030118 號

主 旨：廢止本局88 年3 月15 日高市教督字第06985 號函訂定之「高雄市政府教育局處理各級學校學生家長申訴案件實施要點」，請 查照。

說 明：有關學生權益之維護及救濟等，業經本局94 年7 月25 日以高市府教一字第0940035133 號令公布「高雄市高級中等以下學校學生申訴事件處理辦法」在案，依據該項辦法第6條第3項略以：「如不服本申訴決定，得於申訴評議決定書送達之次日起30日內，
繕具訴願書經由原處分學校向高雄市政府提起訴願」，爰以本局原訂之「高雄市政府教育局處理各級學校學生家長申訴案件實施要點」應予廢止。

正 本：本市公私立各級學校
副 本：本局各科室、督學室

局 長 鄭 進 丁

（四）申請函

甲、請求用

申請函　中華民國90年3月6日

受文者：臺北市榮民服務處

主旨：請安置榮家就養，以度晚年生活。

說明：

一、本人於民國59年2月1日，奉准退伍自謀生活，迄未輔導就業就養在卷。

二、檢陳退伍令及榮民證（影本），暨戶口謄本各乙份。

申請人：王　成　功　印

性　別：男

年　歲：七十歲

通訊處：臺北市永康街○○巷○○號

乙、建議用

申請函　中華民國94年3月6日

受文者　臺北市政府大安區公所

主旨：請禁用擴大器廣播，以保持社區安寧。

說明：永康公園整建後，經常舉辦各項活動，並使用擴大設備，高分貝廣播，同時造成園區髒亂，嚴重影響四周居民生活安寧與品質。

建議：

一、禁用擴大器廣播，以保社區安寧。

二、借用單位或團體，應維護公園內清潔。

申請人：永康社區發展委員會理事長　○○○

地　址：臺北市永康街31巷○號○樓

五、公告

(一)刊登報章

財政部臺灣省南區國稅局　公告

發文日期：中華民國 89 年 12 月 22 日
發文字號：南區國稅人字第 89092096 號

主旨：公告換發本局九十年稽查證有關事宜。

依據：各稅捐稽徵機關稽查證發給管理及使用辦法。

公告事項：

一、本局九十年稽查證底色為藍色，外緣及部徽燙金，字體除正面機關全銜及編號為紅色外，餘均為黑色；左下方貼照片並蓋鋼印，書寫持用人職稱、姓名，右方蓋本機關印信，於民國 90 年 1 月 1 日起使用。

二、八十九年舊稽查證同時作廢。

局長　許　虞　哲

中國信託商業銀行　公告

茲將本公司 89 年 12 月份董事，監察人，經理人及百分之十以上大股東持有

股權質權設定公告如下：

股票持有人身份	姓　名	質權設定股數	設　定日　期	質　權　人	設　定　累計　股　數	備註
董事	顏文隆	500,000	89.12.11	彰化商業銀行民生分行	17,000,000	

自由時報　標購感熱傳真紙　公告

一、品　　名：感熱傳真紙（規格 216×100 足米，一吋心）。
二、每月用量：每月約 1,000 卷，須分送臺北、臺中、高雄三地。
三、投標資格：領有政府核發之營利事業登記證、公司執照廠商。
四、投標規定：參加投標廠商應於 92 年 2 月 26 日至 3 月 2 日前，將前開證照送本社總務組審查同意後發給相關投標資料。
五、連絡電話：（02）2504-2828 轉 700、702 分機洽詢。

（二）刊登政府公報用：公布事實、各項登記（許可、變更、註銷）

內政部公告

發文日期：中華民國 88 年 12 月 2 日
發文字號：臺（八八）內警字第 8870609 號

主旨：公告臺灣臺北地方法院新店辦公大樓周邊範圍列入集會、遊行禁制區，自公告日起生效。
依據：集會遊行法第六條。
公告事項：
一、臺灣臺北地方法院新店辦公大樓周邊範圍列入集會、遊行禁制區公告表。
二、臺灣臺北地方法院新店辦公大樓周邊範圍列入集會、遊行禁制區公告圖。（從略）

部長　黃　主　文

財政部　公告

發文日期：中華民國 94 年 8 月 10 日
發文字號：台財關字第 09400341860 號
附件：「優良廠商進出口貨物通關辦法」草案總說明及逐條說明

主旨：公告「優良廠商進出口貨物通關辦法」草案。
依據：行政程序法第一百五十四條第一項規定。
公告事項：
一、訂定機關：財政部。
二、法律依據：關稅法第十九條第三項。
三、「優良廠商進出口貨物通關辦法」草案總說明及逐條說明如附件。
四、對前述草案有修正意見者，請於本公告刊登行政院公報之日起 10 日內送交本部關政司參考（地址：台北市愛國西路 2 號 5 樓、傳真號碼：02-23941479、電子郵件：doca@mail.mof.gov.tw）。

部　長　林　　全

相關附件：
優良廠商進出口貨物通關辦法草案總說明及逐條說明

優良廠商進出口貨物通關辦法

第 一 條　本辦法依關稅法第十九條第三項規定訂定之。
第 二 條　符合下列條件之納稅義務人或貨物輸出人，得向海關申請核准為優良廠商：
一、取得經濟部國際貿易局授予之出進口績優廠商證明標章或貿易績優卡，或成立三年以上，最近三年平均每年進出口實績總額達一千四百萬美元以上者。
二、最近三年無欠稅、走私或其他重大違章情事者。

第一頁　共四頁

三、公司進出口流程及財務均以電腦化控管者。

四、已辦理與海關連線申報者。

取得經濟部國際貿易局授予之出進口績優廠商證明標章或貿易績優卡之進出口廠商，如成立未滿三年，得依實際成立期間之紀錄，審核前項第二款所規定之條件。

第三條　優良廠商之優惠措施:

一、進出口貨物得享受較低之抽驗比率。

二、進口貨物抽中查驗者，原則上適用進出口貨物查驗準則簡易查驗之規定；出口貨物抽中查驗者，得改為免驗。

三、所申報之進口貨物，經提供稅費擔保後先予放行，並按月彙總繳納稅費。

第四條　符合優良廠商資格並具備下列各款規定者，除適用前條優惠措施外，並得申請以自行具結方式替代稅費擔保，依本辦法辦理通關：

一、經依工廠管理輔導法等有關規定許可設立者。

二、成立五年以上，最近三年每年營業額在新臺幣五億元以上者，或最近三年每年營業額在新臺幣三億元以上，並經海關評定為優級之保稅工廠、自行點驗之科學工業園區事業、加工出口區區內事業或農業科技園區事業者。

三、最近三年每年進出口實績總額均在五千萬美元以上，且各該年度均無虧損。

前項優良廠商兼有保稅廠及非保稅廠，且各廠之營利事業統一編號相同者，如申請以自行具結方式替代稅費擔保辦理通關，應符合前項第二款前段及第一、三款之規定。

第五條　適用本辦法之進出口報單類別如下：

一、進口報單：外貨進口報單（G1）、保稅廠輸入貨物（原

第二頁　共四頁

料）報單（B6）、國貨復進口報單（G7）、保稅貨出保稅倉進口報單（D2）、保稅倉相互轉儲或運往保稅廠報單（D7）。

二、出口報單：外貨復出口報單（G3）、國貨出口報單（G5）、保稅廠進口貨物（原料）復出口報單（B8）、保稅廠產品出口報單（B9）。

前項報單應以電子方式傳輸。

第 六 條　依第三條第三款規定提供之稅費擔保，得以下列方式為之：

一、現金。

二、政府發行之公債。

三、銀行定期存單。

四、信用合作社定期存單。

五、信託投資公司一年以上普通信託憑證。

六、授信機構之保證。

前項第二款至第五款之擔保，應設定質權於海關。

第 七 條　申請優良廠商資格，應繕具申請書，載明公司名稱（含營利事業統一編號）、地址、資本額及聯絡人資料，並檢附下列文件，向任一關稅局提出：

一、營利事業登記有關之證明文件正本及影本各一份。但申請以自行具結方式替代稅費擔保者，應另行檢附與工廠登記有關之證明文件正、影本各一份及最近三年各年度營業額資料。

二、經濟部商業司、國際貿易局網站下載公司及出進口廠商登記有關之基本資料各一份。

三、經濟部國際貿易局或其委任或委託機關、民間團體出具之公司最近三年各該年進出口實績證明或經濟部國際貿易局核發之出進口績優廠商證明標章或貿易績優卡。

優良廠商依前項規定檢附之正本文件，受理之關稅局驗畢後應予發還。

第八條　優良廠商資格之審核及其自行具結額度之核定，由各關稅局辦理。其經核定者，各關稅局一體適用。

經核准辦理優良廠商通關之廠商，應每年申請辦理資格審核及核定自行具結額度一次；其申請並應於一年實施期限屆滿前一個月，向原核准之關稅局提出

第九條　優良廠商經海關核准以自行具結方式替代稅費擔保通關者，其自行具結之額度，以申請前一年度一月至十二月每月平均進口稅費總金額之二倍為限。

第十條　按優良廠商通關方式進口之貨物，海關於次月五日前核發稅費繳納證及進口報單資料清表，廠商應於法定期限內繳納。

優良廠商得於每月月底前針對當月單批進口貨物先行繳納稅費。

第十一條　優良廠商依本辦法所提供之稅費擔保，限用於按月彙總繳納稅費之案件，不適用於依關稅法第十八條規定應繳納保證金、擔保額度不足或保稅廠商依規定應按月繳納進口稅費等案件。

第十二條　優良廠商有逾期未繳清進口稅費或有其他違章情事者，海關除依關稅法第七十四條及九十五條規定追繳稅款、滯納金及利息外，並得視案情輕重停止其一年以下之優良廠商資格。

經核准以自行具結方式辦理通關之優良廠商，有逾期未繳清進口稅費或有其他違章情事者，海關除依前項規定辦理外，並得停止該廠商一年以下以自行具結方式按本辦法辦理通關。

第十三條　本辦法施行前已依進出口貨物彙總清關實施辦法取得彙總清關資格之廠商在其期限屆滿前，視同依本辦法取得優良廠商之資格並適用相關規定辦理通關。

第十四條　本辦法自發布日施行。

內 政 部　公告

發文日期：中華民國 94 年 9 月 16 日
發文字號：台內社字第 0940062392 號
主　　旨：預告修正「人民團體選舉罷免辦法」部分條文、「社會團體財務處理辦法」部分條文、「督導各級人民團體實施辦法」部分條文、「社會團體工作人員管理辦法」。
依　　據：行政程序法第 151 條第 2 項及第 154 條第 1 項。
公告事項：

一、主管機關：內政部。

二、修正依據：為落實行政院院長對人民團體管理應朝「積極開放、落實自治」之指示，因應社會快速變遷所衍生不合時宜或窒礙難行之規定，爰參考各級人民團體主管機關所提修正意見，並衡酌當前人民團體運作之實際狀況，予以詳加檢討。

三、修正草案條文（如附件）。本相關草案另詳載於本部社會司網站（網址為 http://www.moi.gov.tw/dsa/index.asp）「最新消息」公告事項。

四、對公告內容如有意見或疑問，請於本公告刊登行政院公報之日期起 7 日內陳述意見或洽詢：

(一)承辦單位：內政部社會司。
(二)地址：台北市中正區徐州路 5 號。
(三)電話：(02)23565198。
(四)傳真：(02)23566226。
(五)電子信箱：moi0772@moi.gov.tw。

部　　長　蘇嘉全

人民團體選舉罷免辦法部分條文修正草案總說明

人民團體選舉罷免辦法（以下簡稱本辦法）為各級人民團體辦理選舉罷免所依循之準據，本辦法於民國五十七年八月十六日公布試行後，歷經五十九年十一月十六日、七十九年六月二十九日、八十一年七月三十一日及八十五年二月十四日修正發布。茲為落實院長對人民團體管理，應朝「積極開放、落實自治」之指示，並因應社會組織結構快速變遷所衍生不合時宜或窒礙難行之規定，爰參考各級人民團體主管機關所提修正意見，並衡酌當前人民團體選舉實際狀況，予以詳加檢討，將有疑義部分，予以作文字修正、調整或數據化，使之明確，爰擬具本修正草案，計修正九條，其修正要點如次：

一、人民團體之選舉或罷免係屬內國事務，並無於國外或大陸地區辦理之必要，且將加重團體經費之負擔，爰予明文禁止。（修正條文第三條）

二、人民團體之選舉，經出席會議人數三分之一以上之同意，「得」採用無記名限制連記法，修正為「應」採用無記名限制連記法，以強化其條件符合之絕對性。另有關無記名限制連記法之額數，修正降低為五分之二以內，以取得衡平。（修正條文第4條）

三、有關人民團體選舉票、罷免票，原規定由各該團體自行印製，配合同辦法第七條規定，修正為「由各該團體依前條規定之格式自行印製」。另人民團體之選舉票或罷免票無法依式製作時，增訂應提經會員（會員代表）大會決議，由會議主席協同監票員一人簽章，以為替代。（修正條文第8條）

四、為落實視障者之權益，特增訂選舉票或罷免票得採盲胞投票輔助器輔助之。（修正條文第十五條）

五、為便於人民團體在大會後召開理事、監事會會議，以節省往返時間，增列第三項為，經當選之全體理事、監事同意在大會當日召開理事、監事會議且全數出席者，不受前項但書規定之限制。（修正條文第20條）

六、人民團體理事長出缺所餘任期不足章程所定任期六個月者，增列但書規定得依章程規定或由常務理事中互推一人代理，以防因所餘任期不長，如經補選仍以一任計算，恐無人願意參選。（修正條文第27條）

七、人民團體之選舉或罷免，如經提出清查人數動議，原規定應「即」清查在場人數，依會務運作實況，並利會議之召開，將應即清查在場人數之「即」字刪除；並配合督導各級人民團體實施辦法第八條規定，增列第二項規定於提清查人數之動議後，原動議人得於清查結果宣布前收回之，使動議較富彈性，並增進會員之和諧。（修正條文第31條）

八、配合督導各級人民團體實施辦法第18條、第19條規定，人民團體理事、監事任期屆滿未完成改選者，賦予主管機關得限期整理權限，以符實際需求，並齊一法令規範。（修正條文第33條）

九、增列但書規定國際性社會團體章程另有規定並報經主管機關核准者，其理監事任期之計算從其規定，以配合國際總會章程之規定。（修正條文第45條）

人民團體選舉罷免辦法部分條文修正草案條文對照表

修正條文	現行條文	說明
第三條　人民團體之選舉或罷免除第三十五條及第四十條規定外，應以集會方式辦理。 人民團體之選舉或罷免，不得於國外及大陸地區辦理。	第三條　人民團體之選舉或罷免除第三十五條及第四十條規定外，應以集會方式辦理。	人民團體之選舉或罷免係屬內國事務，當無於國外辦理之必要，且勢必增加團體經費之負擔，而主管機關復有無法派員列席之情形，爰增訂第三項明文禁止。
第四條　人民團體之選舉，其應選出名額為一名時，採用無記名單記法；二名以上時，採用無記名連記法。但以集會方式選舉者，經出席會議人數三分之一以上之同意，應採用無記名限制連記法。 前項無記名限制連記法，其限制連記額數為應選出名額之五分之二以內，並不得再作限制名額之主張。	第四條　人民團體之選舉，其應選出名額為一名時，採用無記名單記法；二名以上時，採用無記名連記法。但以集會方式選舉者，經出席會議人數三分之一以上之同意，得採用無記名限制連記法。 前項無記名限制連記法，其限制連記額數為應選出名額之二分之一以內，並不得再作限制名額之主張。	一、將經出席人數三分之一以上之同意，得採用無記名限制連記法，修訂為經出席人數三分之一以上之同意應採用無記名限制連記法，以強化其條件符合之絕對性，並避免爭議。 二、本條有關限制連記法之規定，旨在保障少數會員，藉由限制連記法之主張，而當選理監事，參與團體運作，立意良善；惟實務上常見僅以三分之一之少數，主張限制連記，因配票得宜，即得獲取近半數理監事席次，反形成少數凌駕多數，而失立法美意，爰將限制連記額數由二分之一降低為五分之二，以取得衡平。
第八條　人民團體之選舉票或罷免票，應由各該	第八條　人民團體之選舉票或罷免票，應由各該	一、原規定，將人民團體之選舉或罷免票，應由各

團體依前條規定之格式自行印製，並蓋用各該團體圖記及由監事會推派之監事或由監事會召集人（常務監事）簽章後，始生效力。許可設立中之團體蓋用籌備會戳記及由召集人簽章。 人民團體之選舉票或罷免票，無法依前項規定辦理時，應提經會員（會員代表）大會決議，由會議主席及監票員一人共同簽章。	團體自行印製，並蓋用各該團體圖記及由監事會推派之監事或由監事會召集人（常務監事）簽章後，始生效力。許可設立中之團體蓋用籌備會戳記及由召集人簽章。	該團體自行印製，修訂為應由各該團體依前條規定之格式自行印製，俾與第七條規定選舉票或罷免票之格式相符合。 二、按人民團體之選舉票或罷免票應蓋用團體圖記或監事（常務監事）簽章始生效力，其規定意旨，應在昭顯選票公信力，以杜流弊。惟實務上不乏理事長拒用圖記或監 事不為簽章，以為抵制；此際，似可提經會員（會員代表）大會決議，由會議主席協同監票員一人簽章，以為替代，俾順利完成選務，爰增訂第二項。
第十五條　人民團體之選舉或罷免，各選舉人罷免人應憑出席證或委託出席證親自領取選舉或罷免票一張。選舉人或罷免人應親自在指定之場所圈寫選舉或罷免票，並親自投入票匭。 選舉人或罷免人因不識字或身體障礙致無法圈寫時，得請求監票員或會議所推定之代書人，依該選舉人或罷免人之意旨，代為圈寫。 前項選舉人或罷免人為視障者，其選舉票或罷免票得採盲胞投票輔助器輔助之。	第十五條　人民團體之選舉或罷免，各選舉人或罷免人應憑出席證或委託出席證親自領取選舉或罷免票一張。選舉人或罷免人應親自在指定之場所圈寫選舉或罷免票，並親自投入票匭。 選舉人或罷免人因不識字或身體殘障致無法圈寫時，得請求監票員或會議所推定之代書人，依該選舉人或罷免人之意旨，代為圈寫。	一、第二項「身體殘障」修正為「身體障礙」俾符合身心障礙者保護法用語。 二、為落實視障者之權益，選舉票或罷免票得採盲胞投票輔助器輔助之，爰增列第三項。

第 二十條　人民團體之理事、監事選出後，應於大會閉會之第七日起至十五日內分別召開理事會、監事會，由原任理事長、監事會召集人(常務監事）召集之，許可設 立中之團體由籌備會召集人召集，如逾期不為召集時，由得票最多數之理事、監事或由主管機關指定理事、監事召集之。無法於前述時間內召開，得報請主管機關核 准延長之。 　　理事會、監事會會議於大會當日召開者，應於召開會員（會員代表）大會時一併通知。但依法令或章程規定，理事、監事之當選不限於出席之會員（會員代表），不得於大會當日召開理事會、監事會會議。 　　經當選之全體理事、監事同意在大會當日召開理事、監事會會議，且全數出席者，不受前項但書規定之限制。	第二十條　人 民團體之理事、監事選出後，應於大會閉會之第七日起至十五日內分別召開理事會、監事會，由原任理事長、監事會召集人(常務監事）召集之，許可設立中之團體 由籌備會召集人召集，如逾期不為召集時，由得票最多數之理事、監事或由主管機關指定理事、監事召集之。無法於前述時間內召開，得報請主管機關核准延長之。 　　理事會、監事會會議於大會當日召開者，應於召開會員（會員代表）大會時一併通知。但依法令或章程規定，理事、監事之當選不限於出席之會員（會員代表），不得於大會當日召開理事會、監事會會議。	為尊重全體當選人之意見，增列第三項便於全體當選人在大會當日召開理事、監事會會議，以節省往返時間。
第二十七條　人民團體理事、監事出缺時，應以候補理事、候補監事依次遞補，經遞補後，如理事、監事人數未達章程所定名額三分之二時，應補選足額。人民團體之理事長、常務理事或監事會召集人（常務監事）出缺，應自出缺之日起一個月內補選	第二十七條　人民團體理事、監事出缺時，應以候補理事、候補監事依次遞補，經遞補後，如理事、監事人數未達章程所定名額三分之二時，應補選足額。人民團體之理事長、常務理事或監事會召集人（常務監事）出缺，應自出缺之日起一個月內補選	理事長既經補選仍以一屆計算，為恐該屆所餘任期不長，無人願意參選，及為配合人民團體選務運作現況，爰予增訂但書之規定。

之；但理事長出缺所餘任期不足六個月者，得自出缺之日起一個月內，依章程規定或由常務理事互推一人代理之，其不設常務理事者，由理事互推一人代理之。	之。	
第三十一條　人民團體之選舉或罷免，在開始前，出席人如未提出清查在場人數之動議，其選舉或罷免應隨該會議之合法而有效；如提出此項動議，應清查在場人數，須足法定出席人數時，方可開始選舉或罷免。 前項動議不需附議，但原動議人得於清查結果宣布前收回之。	第三十一條　人民團體之選舉或罷免，在開始前，出席人如未提出清查在場人數之動議，其選舉或罷免應隨該會議之合法而有效；如提出此項動議，應即清查在場人數，須足法定出席人數時，方可開始選舉或罷免。	一、配合會務運作實況，刪除應即清查在場人數之「即」字，以利會議之正常召開。 二、本條增列第二項，規定原動議人在清查結果宣佈前得收回清查人數之動議，使動議較富彈性，並可增進會員之和諧與會務之發展。 三、配合督導各級人民團體實施辦法第八條規定，作修正。
第三十三條　人民團體之理事、監事應於任期屆滿前一個月內辦理改選，如確有困難時，得申請主管機關核准延長，其期限以不超過三個月為限，屆期仍未完成改選者，得由主管機關限期整理。	第三十三條　人民團體之理事、監事應於任期屆滿前一個月內辦理改選，如確有困難時，得申請主管機關核准延長，其期限以不超過三個月為限，屆期仍未完成改選者，由主管機關限期整理。	配合督導各級人民團體實施辦法第十八條、第十九條規定，人民團體理事、監事任期屆滿未完成改選者，賦予主管機關得限期整理權限，以符實際需求，並齊一法令規範。
第四十五條　人民團體理事、監事之任期應自召開本屆第一次理事會之日起計算；但國際性社會團體章程另有規定並報經主管機關核准者，從其規定。	第四十五條　人民團體理事、監事之任期應自召開本屆第一次理事會之日起計算。	國際性團體，因應國外總會章程之規定，通常於本屆理監事任期內，即提前辦理改選，俾提報總會下屆理監事名單，因此，增列但書規定之。

研提單位：社會司　　　　　　承辦人：張勝堯

聯絡電話：049-2391-406

經濟部 公告

中華民國94年4月1日

經授水字第09420205870號

主　　旨：公告修正花蓮溪水系B3、B4及B6等三區土石「可採區」，採取期限自公告日（即94年4月1日）起計174日（即至94年9月21日）為止。

依　　據：河川管理辦法第41條。

公告事項：本部92年10月28日經授水字第09220213341號公告之花蓮溪水系土石「可採區」，其中B3、B4及B6等三區採取期限修正至94年9月21日止。

部長　何　美　玥

本案授權水利署決行

財政部 公告

台財關字第09405501080 號

主 旨：公告「海關管理保稅工廠辦法」第22 條修正草案。

依 據：行政程序法第151 條第2 項及第154 條第1 項。

公告事項：

一、修正機關：財政部。

二、修正依據：關稅法第59 條第3 項規定。

三、「海關管理保稅工廠辦法」第22 條修正草案總說明及條文對照表如附件。

四、對公告內容如有意見或建議，請於本公告刊登公報日起10日內陳述意見或洽詢：

(一)承辦單位：財政部關政司。

(二)地址：台北市愛國西路2 號。

(三)電話：(02)23228232。

(四)傳真：(02)23941479。

(五)電子信箱：doca@mail.mof.gov.tw。

部　　長　林　　全　出國

政務次長　李　瑞　倉　代行

海關管理保稅工廠辦法第二十二條修正草案總說明　略

中央選舉委員會公告

發文日期：中華民國 89 年 1 月 21 日
發文字號：八九中選一字第 8900067 號

主旨：公告第十任總統、副總統選舉連署結果。

依據：

一、總統副總統選舉罷免法第 23 條第 4 項、同法施行細則第 17 條第 2 項。

二、總統副總統選舉連署及查核辦法第九條、第十條。

公告事項　第十任總統副總統選舉連署結果。

代理主任委員　黃　石　城

中央選舉委員會　公告

發文日期：中華民國 89 年 1 月 21 日
發文字號：八九中選一字第 89000701 號
速別：
密等及解密條件或保密期限：
附件：

主旨：公告全國不分區選出之第三屆國民大會代表遞補當選人名單。

依據：公職人員選舉罷免法第 68 條之 1 第 2 項，同法施行細則第 78 條之 1 第 4 項。

公告事項：

一、全國不分區選出之第三屆國民大會代表遞補當選人名單

政黨名稱	姓　名	性　別	出生年月日
中國國民黨	李　偉	男	28 年 5 月 22 日

二、遞補當選之國民大會代表，其任期至第三屆國民大會代表任期屆滿之日止。

代理主任委員　黃　石　城

行政院衛生署　公告

發文日期：中華民國 89 年 7 月 14 日
發文字號：衛署健保字第 89040093 號
速別：
密等及解密條件或保密期限：
附件：

主旨：公告大陸地區人民以團聚事由申請進入臺灣地區，經內政部警政署入出境管理局許可發給之中華民國臺灣地區旅行證，為全民健康保險法施行細則第十六條所稱「經本保險主管機關認定得在臺灣地區長期居留之證明文件」。

依據：全民健康保險法施行細則第 16 條暨大陸地區人民進入臺灣地區許可辦法第 18 條。

署長　李　明　亮

臺灣省政府　公告

發文日期：中華民國 88 年 5 月 21 日
發文字號：八八府交三字 146420 號
速別：
密等及解密條件或保密期限：
附件：

主旨：公告淡水港自即日起更名為「臺北港」。

依據：

一、商港法第四條第二項

二、淡水港公告指定為國內商港前經本府以 71 年 4 月 23 日七一府交三字第 30537 號函核定在案，現公告淡水港更名為臺北港經交通部 88 年 4 月 6 日交航八八字第 019821 號函轉行政院 88 年 3 月 16 日臺八六交 09926 號函備案。

主席　趙　守　博

福建省金門縣政府公告

發文日期：中華民國 89 年 10 月 2 日
發文字號：（八九）府工字第 8941724 號
速別：
密等及解密條件或保密期限：
附件：

主旨：公告嘉豐營造（股份）有限公司停止營業。

依據：營造業管理規則第 20 條。

公告事項：

廠商名稱	登記證		負責人	營業地址	備註
	等	號			
嘉豐營造有限公司	丙D	E00045之 000	陳克盈	金門縣金湖鎮武德新莊 42 號 1 樓	89 年 8 月 25 日專任工程人員離，逾期未補聘

正本：福建省政府公報、本府公告欄
副本：內政部營建署、內政部中部辦公室、經濟部商業司、福建省政府、臺北市政府工務局、高雄市政府工務局、連江縣政府、臺灣區營造工程工業同業公會、臺灣區營造工程工業同業公會金門辦事處、甲種發行、本府建設局（工商課）、工務局。

縣長　陳　水　在

臺北市政府工務局　公告

發文日期：中華民國 89 年 6 月 26 日
發文字號：北市工建字第 8931564101 號
速別：
密等及解密條件或保密期限：
附件：

主旨：公告華祖悅營造有限公司丙等營造業設立登記。

依據：營造業管理規則第七條(及該公司 89 年 6 月 16 日申請函)。

公告事項：

廠商名稱	登記證		負責人	工地 主任	營業地址	備註
	等	號				
華祖稅營造有限公司	丙B	B01113-000	華祖稅	邵仕強	臺北市大安區安和路 1 段 112 巷 21 號	資本總額：參佰萬元整

局　　　　長　李　鴻　基
建築管理處處長　劉　哲　雄　決行

臺北市政府主計處新聞稿

發稿單位：主計處第四科
發稿日期：93 年 12 月 12 日
聯絡人：崔培均
聯絡電話：27595009

「93 年家庭收支訪問調查」臺北市訪查工作

自即日起展開實地訪查，請市民支持並配合提供資料「93 年家庭收支訪問調查」臺北市訪查工作即日起至 94 年 2 月 28 日止，由臺北市政府主計處指派訪查員展開實地調查。本次調查臺灣地區共訪查約一萬四千戶，其中本市共計 2 千戶，以居住臺北市境內，具有中華民國國籍，並在戶籍上獨立設戶，戶內成員營共同經濟生活之一般家庭為訪問對象。有鑑於目前社會詐騙集團猖獗，為防市民受騙，主計處訪查員將會先寄達「致受訪戶訪問通知函」，於約定造訪日期及時間佩戴識別證並攜帶行政院主計處書函訪查，另致贈紀念品。

本項調查各縣市同步辦理，主要調查項目包括家庭成員基本概況(含性別、年齡、教育程度、工作行業及職業等)、住屋概況、家庭設備概況(含家電、通訊、交通、資訊等設備)、收支項目及消費金額等資料，進而了解臺北市市民一般家庭生活水準及消費情形，用以釐訂社會政策，推動社會福利措施，為政府施政之重要依據，諸如低收入戶補助發放標準、國民住宅購建家庭收入標準、學生就學貸款標準及法院案件判決給付贍養費用之參考，並為編算國民所得及估計民間消費支出型態之參據，為民間經濟活動之重要統計。

根據統計法之規定，對於民眾提供的訪查個別資料絕對保密，除供整體統計分析之用外，不作如課稅等其他用途，請民眾儘管放心，希望市民屆時能配合接受訪查，以期訪查工作圓滿完成，如有任何疑問，可撥臺北市政府總機(2759-8889 或 1999)轉主計處第四科詢問，主計處會有同仁為您解答。

本項「家庭收支訪問調查」新聞稿透過網際網路系統同步發送(http://www.dbas.taipei.gov.tw/)

（三）張貼公告欄用

行政院勞工委員會　公告

發文日期：中華民國 89 年 6 月 21 日
發文字號：臺八十九營檢四字第 0025386 號

主旨：茲指定「營造工作場所有因環境、設備、措施等，引致勞工有墜落、感電、崩塌等立即發生危險之虞者」，為勞動檢查法第二十八條之「勞工有立即發生危險之虞」。

依據：「勞動檢查法施行細則」第 32 條第 4 款規定。

正本：本會公告欄
副本：本會勞工檢查處

主任委員　陳　菊

臺北市政府教育局　公示送達

發文日期：中華民國 89 年 6 月 12 日
發文字號：北市教六字第 8923791400 號

應受送達人：財團法人中華演藝之家基金會附設影劇歌唱短期補習班。

主旨：公示送達本局八十九年四月二十一日北市教六字第 8922503800 號函至貴班，請　查照。

說明：

一、貴班未招生逾 3 個月且核准立案班址已停止辦理補習班業務，違反「補習及進修教育法」，前經本局函請於收支後一週內來函說明，否則逕依規定撤銷立案處分。

二、上開函經本局依貴班立案班址（台北市大安區仁愛路 3 段 53 號）郵寄，因遷移新址不明，無法送達。依公文程式條例第 13 條規定準用民事訴訟法第 149 條第三項及第 151 條之規定公示送達。

三、上開函正本存本局第六科，貴班設立人得隨時前往領取。

局長　李　錫　津

(四) 公告 (公示) 送達用 (刊登報章、政府公報、張貼公告欄)

經濟部公告

發文日期：中華民國 89 年 11 月 7 日
發文字號：經（八九）商字第 89222997 號
附件：

主旨：美商緯經石油資源股份有限公司前經本部八十九年十月二十五日經　商字第 89222124 號函撤銷該公司認許，惟因無從送達，爰以公告代替送達。

依據：公司法第二十八條之一。

公告事項：本部 89 年 10 月 25 日經（八九）商字第 89222124 號函。

部長　林　信　義

臺北市政府建設局　公告

發文日期：中華民國 89 年 6 月 20 日
發文字號：北市建一字第 89401523 號
速別：
密等及解密條件或保密期限：
附件：

主旨：核准債務人立雄彩色印刷股份有限公司、抵押權人臺灣歐力士股份有限公司等共同申請動產擔保交易登記。

依據：動產擔保交易法第 8 條暨其施行細則第 19 條、第 21 條。

公告事項：

一、登記事項：「動產抵押」之登記。
二、擔保債權金額：新臺幣陸佰參拾參萬壹仟伍佰元整。
三、標的物所在地：臺北市通河東街 1 段 167 巷 29 號。
四、登記字號：北市建一動字第 3188 號。
五、如有錯誤或遺漏時申請登記人應於公告日起 30 天內申請更正，逾期不受理。

局　　長　黃　榮　峰

本案依分層負責規定授權業務主管決行

行政院環境保護署　公告

發文日期：中華民國89年7月7日
發文字號：(八九)環署廢字第0037901號
附件：「廢機動車輛粉碎分類廠申請為資源化工廠之補貼規範

主旨：公告「廢機動車輛粉碎分類廠申請為資源化工廠之補貼規範」(如附件)。

署長　林　俊　義

廢機動車輛粉碎分類廠申請為資源化工廠補貼規範（略）

公告

本局於2月28日放假乙天
東門郵局

(六) 通告

通告

敬啟者，本會於民國90年1月份起，卡拉歌唱活動，定訂每月（第三星期一）
公休乙天，特此週知

忠義早晨會敬啟

通報

一、本館八十九年歲末餐會活動事宜
　　時間：民國90年1月15日（週五）中午12時
　　地點：本館四樓中正廳
　　活動內容：聚餐、摸彩、卡拉OK
二、敬請準時參加

人事室啟民國90年1月11日

[招標機關]南投縣政府
[標的名稱]德興國小九二一震災校園整修工程

[機關地址]南投縣南投市南崗一路 300 號
[案號]89121102
[招標方式]第一次公開招標未達查核金額：不少於 14 日（本法第 28 條）
[等標期]14 天
[採購金額級距]公告金額以上未達查核金額
[適用條約]否
[開標日期]89 年 12 月 27 日 09 時 00 分
[領標及投標期限]即日起至 89 年 12 月 27 日 09 時 00 分
[開標地點]南投縣政府開標室
[採行協商]否[投標文字]中文
[履約期限]90 年 5 月 31 日
[履約地點]南投縣
[聯絡人（或單位）]陳錦政
[電話]049-200545
《其他內容》
[廠商資格摘要]：土木包工業級以上營造廠商。
[工程地點]：南投市。
[押標金額度]：新台幣壹拾萬元整。
[購領招標文件及地點]：檢附。1．招標文件費及購圖費新台幣捌佰元受款人爲南投縣政府之郵政匯票。（得標與否均不退還）2．書明招標工程名稱。3．回件信封寫明收件人姓名、地址。4．回郵郵票貳佰元一併以限時掛號自本公告次日起至十二月廿七日上午九時以前（請廠商自行估計時間）郵寄本府出納課。5．派員前來領取者除免附 3 項及回郵外，領標時間至開標日上午九時止 6．領取地點：本府服務中心、出納課。
[投標時間地點]：1．廠商之投標文件請自行估計寄達時間於十二月廿七日上午九時前寄達本府指定信箱，逾期無效（以郵戳爲準）。2．親自送達者，請於十二月廿七日上午九時前送達本府文書課，逾期無效。
[決標方式]：合於招標文件規定，且在底價以內最低標爲得標廠商。
[其它]：投標手續、廠商應備證件、押標金繳退及其他事項請閱南投縣政府暨所屬各機關學校一般採購案招標廠商投標須知及本府投標須知附件。

[招標機關]國立中央圖書館台灣分館
[標的名稱]連江縣圖書館自動化網路系統建置工作

[機關地址]台北市新生南路一段一號
[案號]891101-001A
[採購金額級距]公告金額以上未達查核金額
[執行現況]已決標
[招標方式]公開招標
[決標方式]非複數決標：定有底價最低標得標
[決標日期]民國 89 年 12 月 12 日
[原公告日期]民國 89 年 12 月 01 日
[預算金額]新台幣 3984000 元
[底價金額]新台幣 3984000 元
[決標廠商]傳技資訊股份有限公司
[廠商地址]臺北市中山區建國北路二段一三五號十四樓
[決標金額]新台幣 3580000 元
[本案聯絡人]國立中央圖書館台灣分館總務組蔡小姐
[電話]02-27724724-269

[招標機關]教育部
[標的名稱]印製春暉校園文宣品

[機關地址]台北市中山南路五號
[案號]891228
[招標方式]第一次公開招標未達查核金額：不少於 14 日（本法第 28 條）
[等標期]14 天
[採購金額級距]公告金額以上未達查核金額
[適用條約]否
[開標日期]89 年 12 月 28 日 14 時 30 分
[領標及投標期限]即日起至 89 年 12 月 28 日 14 時 3
[開標地點]本部一樓簡報室
[採行協商]否[投標文字]中文
[履約期限]定稿交印後二十五日
[履約地點]台北市
[聯絡人（或單位）]總務司王先生
[電話]23566069
[預算金額]2050000
[預計金額]2050000
《其他內容》
[廠商資格摘要]：印刷業
[未來增購權利]：有
[招標文件領取方式及地點]：至本部索取或附回郵信封投（重量約 180 公克）
[招標文件售價及付款方式]：免費
[收受投標文件地點]：本部採購科
[押標金額度]：標價百分之五
[決標方式]：以標價最低，低於底價且合於招標文件者得
[其它]：詳投標須知

[招標機關]教育部
[標的名稱]印製國民中小學九年一貫課程暫行綱要10種共30萬冊

[機關地址]台北市中山南路五號
[案號]891228-1
[招標方式]第一次公開招標未達查核金額：不少於 14（本法第 28 條）
[等標期]14 天
[採購金額級距]公告金額以上未達查核金額
[適用條約]否
[開標日期]89 年 12 月 28 日 16 時 00 分
[領標及投標期限]即日起至 89 年 12 月 28 日 16 時 00
[開標地點]本部一樓簡報室
[採行協商]否[投標文字]中文
[履約期限]決標後十五日內
[履約地點]台北市
[聯絡人（或單位）]總務司王先生
[電話]23566069
[預算金額]17700000
[預計金額]17700000
《其他內容》
[廠商資格摘要]：印刷業
[未來增購權利]：有
[招標文件領取方式及地點]：親取或附回郵信封索取[重約 180 公克]
[招標文件售價及付款方式]：免費
[收受投標文件地點]：本部採購科
[押標金額度]：標價百分之五
[決標方式]：定有底價，以符合招標文件且標價最低者得
[其它]：詳投標須知

六、其他公文

(一) 書函(便箋)

行政院勞工委員會　書函

地址:105臺北市民生東路3段132號6樓
聯絡方式:(承辦人、電話、傳真、e-mail)

受文者:臺北市政府

發文日期:中華民國89年6月15日
發文字號:臺八十九勞動二字第0021799號
速別:最速件
密等及解密條件或保密期限:
附件:如說明

主旨:所詢有關公立學校技工、工友因公受傷經依事務管理規則核給公傷假,於適用勞動基準法,屆滿該規則所定之二年期限時仍未痊癒,得否依勞工請假規則第六條規定續給公傷假或應依事務管理規則規定辦理退職一案,復如說明,請查照。

說明:

一、依據行政院人事行政局89年5月29日八十九局企字第011711號書函轉貴府89年5月23日府人三字第8904400000號函辦理。

二、有關公務機構技工、工友等之公傷假期間跨越不同適用法規者,其公傷假期限疑義,前經本會87年8月3日臺八十七勞動二字第032494號函釋在案,仍應依勞工實際需要核給,該公傷假並無期限。

三、又,勞工如確仍於勞動基準法第59條所稱「醫療期間」,依該法第13條規定,雇主除因天災、事變或其他不可抗力致事業不能繼續,經報主管機關核定者外,尚不得片面終止勞動契約。檢附相關法令解釋一則,請參考。

行政院勞工委員會(條戳)

行政院人事行政局　書函

地址：100 臺北市濟南路1段2之2號10樓
聯絡方式：(承辦人、電話、傳真、e-mail)

110-08
臺北市信義區市府路1號

受文者：臺北市政府

發文日期：中華民國89年8月10日
發文字號：八十九局考字第024413號
速別：
密等及解密條件或保密期限：
附件：

主旨：有關女性約聘僱人員施行人工流產手術其診斷證明書未註明依「優生保健法」施行者，得否核予流產假一案，復如說明，復請　查照。

說明：

一、復民國89年7月21日府人三字第8906510900號函。

二、案經轉准銓敘部民國89年8月4日八九法二字第1931616號函釋：「查本部75年8月18日　臺華典三字第42643號函釋略以：按『公務人員請假規則』第三條各款請假之規定，均以具有請假事實為前提，本案女性公務人員依『優生保健法』規定施行人工流產手術者，如經規定程序呈繳合法醫療機構或醫師證明書，准予依公務人員請假規則第三條第四款之規定給予流產假。本案所詢有關女性公務人員施行人工流產手術其診斷證明書並未註明依優生保健法施行者，得否核給流產假一節，宜請當事人之服務機關本於權責及依上開規定衡酌事實後予以核處。」復查行政院暨所屬各機關的聘僱人員給假規定第五點規定「公假、例假、曠職、年資採計、請假方式等比照公務人員請假規則之規定辦理。……」，本案請依上開銓敘部函釋規定辦理。

行政院人事行政局

公務人員保障暨培訓委員會　書函

100
臺北市中正區重慶南路1段124號

受文者　司法院祕書長

發文日期：中華民國88年12月8日
發文字號：公保字第8811031號
速別：
密等及解密條件或保密期限：
附件：

一、貴會民國88年11月10日（八八）農人字第88156078號函，為請釋於法務部調查局約談階段，是否適用「公務人員因公涉訟輔助辦法」疑義一案。

二、按公務人員因公涉訟輔助辦法第3條規定：「公務人員保障法第13條所稱依法執行職務涉訟或遭受侵害，指具有下列情事之一者：一、依法令執行職務，而涉及民事、刑事訴訟案件。二、依法令執行職務遭受侵害，而涉及民事、刑事訴訟案件。」第四條規定：「前條所稱涉及民事、刑事訴訟案件，係指在民事訴訟為原告、被告或參加人；在刑事訴訟為告訴人、自訴人、被告或犯罪嫌疑人。」是以，案件無論在偵查程序或審判程序，均為該辦法之適用效力所及。復按刑事訴訟法第27條第1項規定：「被告得隨時選任辯護人。犯罪嫌疑人受司法警察官或司法警察調查者，亦同。」又依法務部調查局組織條例第23條規定，該局之薦、委任職以上人員，於執行犯罪調查職務時，視同刑事訴訟法第229條至231條之司法警察官或司法警察。準此，就偵查程序而言，自應包括法務部調查局約談階段，始符合本辦法訂定之宗旨，故於法務部調查局約談階段之「犯罪嫌疑人」，亦有該辦法之適用。

三、復請　查照。

公務人員保障暨培訓委員會（條戳）

行政院人事行政局 書函

地址：台北市濟南路一段二之二號十樓
傳真：（02）2397-9744
承辦人：曾逸群
電話：（02）2397-9298 轉 327
E-mail:Gtseng@cpa.gov.tw>Gtseng@cpa.gov.tw

受文者：劉少奇君

速別：最速件
密等及解密條件
發文日期：中華民國 93 年 11 月 8 日
發文字號：局力字第 0930034467 號
附件：

主旨：台端陳請本局函請考選部提供八十五（八十八）年至九十年間公務人員特種考試身心障礙人員考試總平均五十分以上，未有一科零分之落榜考生名冊，推介各機關參考遴用一案，復請　查照。

說明：

1、依據 2、「行政院院長電子信箱小組」3、民國 93 年 10 月 28 日、11 月 2 日、11 月 3 日傳送台端電子郵件辦理。4、經查目前法令尚無規定各機關、學校應進用參加公務人員特種考試身心障礙人員考試總平均 50 分以上未有一科 0 分之未錄取考生為工友、技工或約僱人員。本局於民國 92 年 7 月 3 日以局力字第 0920054454 號書函送考選部提供之 92 年公務人員特種考試身心障礙人員考試各類科總平均 50 分以上未有一科 0 分之未錄取人員考生名 5、單及履歷資料，6、供各機關參考遴用一節，7、係屬人事服 8、務措施，9、非屬強制性規定，10、且遴用與 11、否，12、係屬機關首長用人權責，13、合先敘明。14、台端函請提供相關資料一節，15、查考選部民國九十三年十一月二日選特字第 0931501296 號書函略以， 16、該部辦理各種考試之試卷、未錄取人員報名 17、表件等資料，18、依「19、試卷保管辦法」20、第四條規定，21、已於考試榜示後，22、保管一年後銷毀，23、致無法提供上開資料。又台端如擬至公務機關服24、務，25、得逕至本局全球資訊（http://www.cpa.gov.tw）或銓敘部全球資訊網（http://www.mocs.gov.tw）查詢相關職缺，26、較為便捷。

正本：洪筱蘭君（jojo20061231@yahoo.com.tw）、
boss君（boss777788889999@yahoo.com.tw）
副本：臺北市政府、臺灣省政府、桃園縣政府、行政院院長電子信箱小組

行政院人事行政局 書函

地址：台北市濟南路一段二之二號十樓
傳真：（02）2397-9744
承辦人：曾逸群
電話：（02）2397-9298轉327
E-mail:Gtseng@cpa.gov.tw>Gtseng@cpa.gov.tw

受文者：劉少奇君

速別：最速件
密等及解密條件
發文日期：中華民國93年12月2日
發文字號：局力字第09300364521號
附件：如主旨（請至本局附件下載區下載 http://serv-out.cpa.gov.tw/od/）

主旨：台端陳請提供85年至90年間公務人員特種考試身心障礙人員考試總平均50分以上，未有一科0分之落榜考生之相關資料，推介各機關參考遴用一案，檢送本局民國93年11月8日局力字第0930034467號書函供參，復請 查照。

說明：依據「行政院院長電子信箱小組」民國93年11月10日、15日、19日、29日傳送台端電子郵件辦理。

正本：洪筱蘭君（jojo20061231@yahoo.com.tw）、
劉少奇君（gogo23001010@yahoo.com.tw）、
葉公超君（gogo691010@ yahoo.com.tw）
副本：行政院院長電子信箱小組

教育部 書函

受文者：本部各單位、部屬機關

發文日期：中華民國 89 年 10 月 18 日
發文字號：臺（八十九）祕一字第 89130449 號
速別：
密等及解密條件或保密期限：
附件：

主旨：檢送修正「行政院所屬各機關申請研考經費補助作業規定」，請　查照。

說明：

一、依據行政院研考會本（89）年 10 月 11 日（八十九）會研字第 19106 號函辦理。

二、各單位申請九十年度研考經費補助案，請於本（89）年 11 月 30 日前，依其作業規定辦理，並送本部祕書室一科彙整。

教　育　部

臺北市廣東同鄉會　箋

地　址：100 臺北市寧波東街 1 段 3 樓
聯絡人：劉慕周
電　話：（02）2321-7541　傳真：（02）2351-3266

受文者：社務委員

發文日期：中華民國 90 年 1 月 30 日
發文字號：（九〇）信祕字第 097 號
速別：
密等及解密條件或保密期限：
附件：

主旨：本會廣東文獻社社務委員會第二次會議意見彙辦表。

說明：

一、本（二）次會議於民國 89 年 12 月 27 日（星期三）上午 10 時，假本會 3 樓會議室召開完畢，諸社務委員建言紀錄在卷。

二、有關建議及處理情形為彙辦表。

正本：本會廣東文獻社社務委員、總編輯鄭弼儀先生。
副本：本會常務理、監事。

臺北市廣東同鄉會（戳）

陳 情 書

受文者：如行文單位

發文日期：中華民國九十三年十二月四日
發文字號：少字第 93036 號
速別：最速件
密等及解密條件：
附件：

主旨：92 年公務人員特種考試身心障礙人員考試榜示後，行政院人事行政局，考選部無法提供 85(88)年至 90 年間之公務人員特種考試身心障礙人員考試之未錄取考生，總平均 50 分以上未有一科零分之落榜考生名冊，推介各機關參考遴用為聘僱人員，本人現向臺灣省政府主席陳情是否將另案函請行政院人事行政局、考選部，應考人(上開考生)持有考選部核發之成績單又符合上開應考人分數資料，行政院各部署局行處、臺灣省政府、台北市政府、高雄市政府、各縣市政府、是否可將依身心障礙之工友(技工)聘僱人員資格 (如附件)辦理。 請　查照。

說明：

正本：行政院院長電子信箱小組、 行政院各部署局行處、 行政院人事行政局、 考選部、 臺灣省政府 、 台北市政府 、 高雄市政府 、 各縣市政府
副本：行政院院長 、臺灣省政府主席
劉少奇 E-Mail：gogo23001010@yahoo.com.tw

陳情人：劉少奇 E-mail：gogo23001010@yahoo.com.tw

附件　　略

內部範本

檔　　號：
保存年限：

教育部　函

地址：臺北市中山南路5號
傳真：02-23976939
聯絡人：黃興彬
聯絡電話：02-23566026 轉1234

受文者：教育部
發文日期：中華民國93年12月2日
發文字號：捷測字第0939999922號
速別：最速件
密等及解密條件或保密期限：普通
附件：計畫書乙份（計畫書乙份.TIF，共一個電子檔案）

主旨：檢送93年度本部所屬機關學校總務工作研討會計畫書乙份，請查照。

說明：

一、總務工作包括文書、檔案、出納、採購、財產管理、工程營建、環安等事項，業務龐雜，為配合電子資訊化、全球化並提升總務工作效能及服務品質，有必要透過總務人員研討會，以加強總務人員專業服務與管理能力。

二、本研討會預定於93年9至11月間舉辦，預定辦理3梯次，每梯次120人，預估1360人參加，並以二天一夜方式規劃，會議內容包含專題演講、報加事項、提案討論暨綜合座談等項目，並就各機關學校業務進行中所遭遇問題或相關議題進行綜合座談及經驗交流。

三、辦理方式：
依政府採購法擇定受委託辦理之機關、學校或其他單位。
承辦單位應辦事項如下：
1、受委託辦理之單位研擬該年度總務工作研討會計畫，報本部核備。
2、安排會議場地、食宿、交通等事宜。
3、聯繫各機關學校報名、出席、提供議題、延聘講座、綜合座談等事宜。
4、製作、分發會議相關資料。
整理會議記錄。
製作成果報告。

四、經費概算：詳如計畫書之經費概算表。

五、本次研討會議程：詳如計畫書議程表。

正本：教育部
副本：總務司

行政院新聞局　函

地址：100 台北市天津街 2 號
聯 絡 人：項文苓
聯絡電話：(02)33567810
傳　　真：(02)23515452

應用文

受文者：各出版社

發文日期：中華民國 94 年 5 月 30 日
發文字號：新版四字第 0940420500B 號
速別：最速件
密等及解密條件或保密期限：普通
附件：如文

主旨：有關本局「第 25 次中小學生優良課外讀物推介評選活動」報名事，請　查照。

說明：

一、為因應數位化需求，本局「中小學生優良課外讀物推介評選活動」將自本（第 25）次起改採網路報名（網址：http:/info.gio.gov.tw），報名期間自 94 年 6 月 1 日起至 6 月 30 日止，歡迎踴躍報名參選。

二、檢附本次活動報名須知、報名表及網路報名流程圖與相關資料各乙份，請　參考。

三、本案本局承辦人：出版事業處第四科項文苓小姐，電話：3356-7810，電郵：wls_shiang@mail.gio.gov.tw。

正本：各出版社
副本：

局長 姚文智

檔　號：
保存年限：

臺北市政府工務局　書函

地址：臺北市市府路1號南區1樓
承辦人：謝政安
傳真：27203922
電話：27258377

受文者：

發文日期：中華民國94年7月25日
發文字號：北市工建字第09453285900號
速別：速件
密等及解密條件或保密期限：普通
附件：

主旨：有關本局94建字第120號建照工程，辦理建物現況鑑定　台端之所有房屋乙案，屆時敬請配合參加會勘。請　查照。

說明：

一、依臺灣省土木技師公會94年7月12日（94）省土技字第3478號函辦理。

二、旨揭建照工程，業經承造人委託臺灣省土木技師公會辦理新建工程施工前之鄰房現況鑑定，經由該公會函請　台端配合辦理惟均未能共同勘查。茲再訂於94年7月30日上午10時30分起至上午12時止登府實施第4次會勘，屆時敬請　台端配合該公會辦理相關鑑定事宜，以確保渠等合法權益（檢附鑑定技師：陳清展技師電話：02-2759-1234，若有其他要務，無法當日配合與勘，請逕協調會勘時間）。

三、另依「臺北市建築施工損鄰事件爭議處理規則」第3條規定，若　台端等仍拒絕配合辦理相關建物鑑定事宜，日後如發生損鄰事件，本局建管處將不予列管處理。

正本：廖乾至　君等
副本：臺灣省土木技師公會

財團法人中文數位化技術推廣基金會　　函

地址：台北市敦化南路一段二十一號五樓
電話：(02)2577-8779 傳真：(02)2578-8825

受文者：文史哲出版社

速別：

密等及解密條件：

發文日期：中華民國九十四年九月十三日

發文字號：(94)中推秘字第００九０二五號

附件：如文

主旨：原訂九月十九日至二十一日舉辦「古漢字數位編碼暨現代化應用研討會」，因故延期於十月二十七日至二十九日舉辦，敬請踴躍報名參加。

說明：

一、為徵詢學術界對古漢字編碼及古漢字於現代生活應用的意見，以為各國古漢字編入ISO 10646全球語言文字的字元和符號編碼標準(UCS)內之參考，本會原訂於九月十九日至二十一日舉辦「古漢字數位編碼暨現代化應用研討會」，並於九十四年八月二十六日(94)中推秘字第００８０７０號函邀請報名參加在案。

二、本研討會因故改期，於十月二十七日至二十九日舉辦，研討會地點仍為：台北亞太會館204會議廳，研討會網路報名網址仍為：http://www.cmex.org.tw。誠摯邀請　貴校共襄盛舉，踴躍報名參加。

三、如有疑問，請與2577-8779分機131曹小姐聯絡。

內政部警政署入出境管理局　函

地址：100 臺北市中正區廣州街 15 號
傳真：(02)23892403

受文者：文史哲出版社有限公司

發文日期：中華民國九十四年四月四日
發文字號：境平錦字第 09420299790 號
速別：普通件
密等及解密條件或保密期限：普通
附件：如主旨

主旨：有關 貴公司申請大陸地區專業人士祝君波等五人來臺參訪案，復如說明，請 查照。

說明：

一、依據「大陸地區專業人士來臺從事專業活動許可辦法」第十一條之規定「如來臺日期有變更者，邀請單位應於入境三日前檢具確認行程表及原核定行程表，送主管機關及相關目的事業主管機關備查」。

二、貴公司邀請大陸人士祝君波等五人來台參訪案，未依規定變更行程延至 94 年 3 月 1 日始入境，行程變更未向本局備查，惠請詳予說明逕送本局以憑辦理。

正本：文史哲出版社有限公司（臺北市羅斯福路一段 72 巷 4 號）
副本：教育部

局長 吳振吉

保存年限：
檔　　號：

文史哲出版社有限公司　函

地　址：台北市羅斯福路一段72巷4號
電　話：(02)2351-1028
e-mail：lapen@ms74.hinet.net

應用文

受文者：內政部警政署入出境管理局

發文日期：中華民國94年04月14日
發文字號：雄函字第2005940401號
速　　別：速件
密等及解密條件：
附　　件：如文

主旨：本社邀請上海新聞出版局祝君波等五人來台參訪報告書。
　　復　貴局境平錦字第09420299790號函辦理。

說明：

一.延期入境說明：

本社邀請上海新聞出版局祝君波等五人來台參訪，於94年1月27日領取入台証，轉請該局辦理入台手續，在大陸有關單位辦理審批期間，適逢農曆春節假期，以致延誤來台行程。

二.行程變更備查說明：

1. 行程延至94年3月1日，本社以傳真及電話通知臺北市中正二分局、中山分局、萬華分局、信義分局、士林分局及高雄市新興分局等單位備查。
2. 行程變更未向　貴局備查，是本社作業上疏失，謹此致歉，並補充說明行程如下：

3月1日　參訪團成員祝君波、毛用雄、陳啟偉、許建剛及丁　峰等五人，由香港搭乘國泰CX400班機，因班機誤點，於晚上7時10分抵達中正機場。接機人員有彭正雄社長、陳恩泉秘書長及鐘春美助理。參訪團住康華大飯店。

3月2日　上午：參訪團參觀敦南路誠品書店及台北101大樓Page one書店。　——〔信義分局有派員查巡〕
下午：在康華大飯店舉辦「兩岸版權交流與合作座談會」。　——〔中山分局有派員傍聽〕
出席座談會的兩岸出版界人士有：
參訪團祝君波團長、毛用雄副總編輯、陳啟偉副總編輯、許建剛總經理及秘書丁 峰。

台灣出版界有世界書局（林芝總編輯、林美貞、沈秋鳳）、東立出版社（范萬楠董事長、黃信謙）、合記圖書出版社（吳貴惠經理、褚曉蘭）、台灣商務印書館（盧金城、黃金發）、新世界出版社（張孝純）、聯合報（黃思源）、亨利出版社（李佩儒）、搜主義科技公司（沈文綺）、吉的堡文教機構（林守信）、天龍圖書公司（沈榮裕）、黎明文化公司（羅愛萍）、五南圖書公司（吳尚潔）、蘭台出版社（郝冠儒）、漢聲出版社（蘇慶成）、大展出版社（蔡森明）、藝軒圖書公司（董水重）、文史哲出版社（彭正雄社長）、出版協會（陳恩泉秘書長）等。

3月3日 上午：參訪團參觀聯經出版公司（林載爵發行人、王承惠副總經理接待）。

參訪團參觀聯合報（項國寧社長接待）。

——〔信義分局有派員查巡〕

下午：參訪團參觀時報出版公司（孫思照董事長、林馨琴總編輯接待）。

參觀中國時報（李家德副總經理接待）

——〔萬華分局有派員查巡〕

3月4日 上午：參觀張大千紀念館及故宮博物院(安排解說人員)。 ——〔士林分局有派員查巡〕

下午：參觀重慶南路書店街：三民書局、商務印書館、黎明文化公司、建宏書局、世界書局、東方出版社、幼獅文化公司等。（陪同：彭正雄社長、鍾春美助理）

3月5日 參訪團南下旅遊：台北→北二高公路→三義(參觀木雕)→台南東山→屏林林邊(午餐)→旅遊貓鼻頭、墾丁燈塔→高雄（住：麗尊大飯店）。

（陪同：陳恩泉秘書長、鍾春美助理）

3月6日 上午：參觀中山大學、西子灣、高雄誠品書店。

——〔新興分局有派員隨行〕

下午：由高雄小港機場搭乘港龍 KA437 班機，於3時15分離台赴港。

正本：內政部警政署入出境管理局（台北市廣州街15號）

副本：中華民國圖書出版事業協會

報告者：文史哲出版社有限公司

社 長 **彭 正 雄**

（二）表格化公文

臺北市政府祕書處簡便行文表

受文者	國家圖書館臺北分館	來文日期字號	民國 90 年 1 月 9 日
副本收受者		發文日期字號	民國 90 年 1 月 11 日 北市祕四字第 900000 號
		附件	如文
主旨	檢送 89 年度《臺北市政府公報》（索引）合訂本乙冊，請查收。		
說明			
發文單位			臺北市政府祕書處

（三）簽

甲、請假

簽 於會計室

發文日期：中華民國 000 年 0 月 0 日

主旨：職欲赴高雄省親，因路途遙遠，往返費時，自本（0）月 0 日起至同月 0 日止，擬請事假五於請假期間，本人職務已商李中平先生代理，恭請　核示

謹　陳

主　任

局　長

職陳思道（或蓋職章）

乙、請示（1）

簽　於教務處

主旨：本校教師白梅莊製作教具，裨益教學，請予獎勵。

說明：

一、本校教師白梅莊平日教學認真，誨人不倦，近更利用授課餘暇，自製國文科教具，裨益教學至鉅。

二、檢附該教師所製國文科教具三件暨說明書一分。

謹陳

校長

○　○　○　職章（日期及時間）

丙、請　示（2）

簽

發文日期：0年0月0日

於訓導處

主旨：本校學生○○○損毀公物、侮慢師長，擬勒令退學，請　核示。

說明：本校○年級○班學生○○○性行頑劣，昨竟無故毆打同學，經○年○班教師○○○先生見而勸阻，反以惡語相加，恣意頂撞，殊屬非是。

擬辦：擬依本校學則第○條規定，予以勒令退學，以示懲戒。

敬　陳

校　長

○　○　○　職章（日期及時間）

丁、內部作業用

政務首長個別請辭之辭呈格式

簽　於○○○○○（機關名稱）

主旨：玆值行政院總辭改組，爰本共進退之旨，請准辭卸○○○○○（機關名稱）○○○○（職稱）職務，謹請　鑒核。

謹　陳

院長

○○○（蓋章）　謹簽　民國94年1月0日

院屬一級機關政務副首長（含北美事務協調委員會特派委員及二級機關政務首長）個別請辭之辭呈格式

簽　於○○○○○（機關名稱）

主旨：玆值行政院總辭改組，爰本共進退之旨，請准辭卸○○○○○（機關名稱）○○○○（職稱）職務，謹請　鑒核。

謹　陳

（部、會、院、局、署首長）（首長請簽名）

轉　陳

院長

○○○（蓋章）　謹簽　民國94年1月0日

簽 於總務組敬會

主旨：本館工友張碧枝於九十年一月十六日起，因屆齡退休，申請　核發福利互助金乙案，請　鑒核。

說明：

一、依「中央公教人員福利辦法」第 18 條第 1 項第 3 條規定，辦理退休福利互助補助，前開退休人員自民國 70 年 7 月 1 日起參加福利互助至今（如附件一，互助卡），應可領 20 個福利互助俸額。

二、檢陳福利互助人員異動月報表、工友退休申請書影本、福利互助資料卡影本各乙份，送中央公教人員住宅輔建及福利互助委員會辦理。

三、函稿併陳。

擬辦　如奉　核可後，即依相關規定辦理。

（四）報告（內部作業用）

甲、請公假

報　告 於第三科

主旨：職奉召於六月十一日入營服役，請准公假一個月，並遴員代理職務，俾如期前往報到。

說明：

一、請假日期自 6 月 11 日起至 7 月 10 日止。

二、檢附召集令複印本 1 分。

敬　陳

科　長

局　長

江　平　職章（日期及時間）

乙、請事假

報　告　於第一科

主旨：職母病危，連電促歸，請准事假一週，俾返籍省視，職盡人子之責。

說明：

一、請假日期自（0）月0日起至同月0日止。

二、檢附電報一紙。

敬　陳

科　長

處　長

部　長

○　○　○　職章（日期及時間）

丙、請報警

報　告　於總務處

主旨：本校教職員宿舍昨夜失竊，衣物被竊一空，請函○○警察局迅予偵辦。

說明：

一、職昨往高雄探親，今晨返校，始悉被竊。

二、檢附失物詳單1份。

謹　陳

校　長

職　○　○　○　（蓋職章）

丁、請辭職

報　告　於○○○○司

主旨：職考取國立○○大學○○研究所，即須報到入學，敬請　賜准辭職。

說明：

一、職自經高等考試及格，奉分發本部服務以來，瞬逾五載，猥承匡導，幸免隕越。茲以日常處理業務，每感學識淺陋，力不從心，亟思重遙學府，以資進修。

二、檢附○○大學○○研究所錄取通知書一份。

謹　陳

司　長

部　長

○　○　○　（蓋職章）

（說　明）

1. 第甲乙丁三例亦可用『簽』。
2. 第丙例適用於職員及兼行政職務之教師。

戊、請借支

報　告　於機要科

主旨：舍間不幸昨夜失火，財物被焚殆盡，請准預借薪津六個月，以濟眉急。

說明：舍間昨夜11時慘遭回祿之災，全部財物幾皆付之一炬，所幸家屬均尚平安。職上有年邁尊親，不有黃口稚兒，今驟遭此劇變，亟需經濟支援，以度難關。

敬　陳

科　長

局　長

○　○　○　（蓋職章）

己、請休學

報　告 於舍間

主旨：生患肺疾重病，請准休學一年。

說明：

一、生近日身體發高燒，面現紅暈，體重驟減，不思飲食，夜晚咳嗽不止，難以入眠。經○○市肺病防治院以X光透視，診斷為第二期肺疾，亟須住院長期療養。

二、附○○市肺病防治院診斷書暨生家長函各一紙。

敬　陳

系主任

院　長

教務長

校　長

中二學生 ○○○蓋章敬上

學號○○○○○○

庚、請補假

報　告 於舍間

主旨：生返里省親，為○○阻，致延期返校，請 准補假兩日。

說明：

一、生於本(10)月5日(星期六)返○○縣○○鎮故里省親，詎於翌(六)日遭○○強烈颱風侵襲，河水陡漲，縱貫線交通斷絕，迄8日交通恢復，始克返校。請准七八兩日補假。

二、檢附生家長證明書一紙。

謹　陳

訓導長

法三學生 ○○○蓋章敬上

學號○○○○○○

辛、請發當英文成績單等

報　告　於女生第一宿舍

主旨：敬請抄發生英文在校成證明書，並懇賜予推薦，以資進修，請　鑒核。

說明：

一、生系本（94）學年度應屆畢業生，擬申請美國加州大學獎學金，繼續深造。

二、依該校規定，須繳英文在校成績單一份暨任課教授二人之推薦書。並限本月底以前寄出。

三、生曾於三年級時選修　鈞長所授之西洋哲學史，潛心研習，得益甚大。

謹　陳

教務長

外四學生　○○○蓋章敬上

學號○○○○○○

七、電　文

（一）電報

臺南縣同鄉會　電　中華民國90年3月25日

連　戰先生勛鑒：

欣聞

鄉長當選中國國民黨（第一屆黨員直選）黨主席，抶擇明智，深慶得人，特電申賀。

臺南縣同鄉會理事長　○　○　○

（二）代電

行政院代電

地址：100 臺北市忠孝東路 1 段 1 號
傳　　真：(02) 2341-3454

受文者：各縣市政府

發文日期：中華民國 90 年 5 月 1 日
發文字號：臺九○內字第 00000 號

主旨：颱風豪雨季節，希注意防範，以減少損害，特電遵辦，並轉行所屬知照。

說明：

一、臺閩地區於 5 月至 10 月間，為颱風最多季節，希各機關特別注意防範，以減少災害。

二、各縣市成立防颱中心，加強防颱準備。

三、各機關儘速報告災情，暨善後處理。

副　本：行政院中部辦公室，臺灣省政府、福建省政府、臺北市政府、高雄市政府。

院　長　張　○　○

臺北市政府　代電

受文者：國民住宅處

發文日期：中華民國 00 年 0 月 0 日
發文字號：0000 字第 000 號

主旨：關於公務人員兼課之規定，是否適用於約僱人員案，經准行政院人事行政局釋復，以約僱人員係擔任臨時性工作，應不適用公務人員兼課兼職之規定，希查照。

市長　○　○　○

臺北市景美女子高級中學　代電

地址：116 臺北市文山區木新路 3 段 312 號
傳　　真：(02) 2936-8847

受文者：立法院

發文日期：中華民國 87 年 12 月 0 日
發文字號：0000 字第 000000 號

主旨：本校應屆畢業生擬參觀　大院院會議事情形，請　查照惠允見復。

說明：本校應屆畢業生○○○等 76 人，為體驗民主真諦，印證課本理論，擬由教師○○○先生率領參觀　大院本 (0) 月 0 日 0 午 0 時舉行之院會。

校長　○　○　○

聲請書　　　　抄鄧政洽

受文者：司　法　院

主　旨：考試院發布之「後備軍人轉任公職考試比敘條例施行細則」第十條第二項、第五項，法規命令內容有牴觸憲法與法律之疑義，請轉大法官會議，惠予解釋。

說　明：

一、聲請解釋憲法之目的：

後備軍人轉任公職考試比敘條例（以下簡稱該條例），自民國56年6月22日總統公布施行以來，尚未再修訂，顯示該法相當具有安定性與前瞻性，聲請人於民國69年8月31日以陸軍砲兵中校退伍，民國69年9月24日轉任公職，完全符合該條例第5條第1項第2款「後備軍人取得公務人員任用資格者，按其軍職年資，比敘相當俸給」之規定，14年來，竟無緣、無法享受此「比敘相當俸給」之優待權益，癥結乃在主管機關訂定法規時，完全忽視院認為委任立法之限制條件，是補充母法之效力，即使剝奪部分人之權益，亦無違背社會公平、正義之理，與憲法保障之人權，故急需大法官會議釋示，加以澄清，匡正觀念，以宏揚憲政民主法治。

二、疑義或爭議之性質與經過及涉及之憲法條文：

（一）疑義或爭議之性質與經過：

1、疑義內容：（考試院於民國77年1月11日再修正之內容）

（1）該條例施行細則第10條第2項「……高資可以低用，但不得超過該職等本俸最高俸級。……」

（2）該條例施行細則第十條第五項「本條規定限適用於民國76年1月16日公務人員任用、俸給法施行後之轉任人員。」

2 疑義發生經過：

考試院於民國 57 年 5 月 15 日公布該條例施行細則，其中第 10 條第 2 項即有「……但均不得超過擬任職務職等最高俸級（階）。……」之規定，原尚無甚大爭議，隨後考試院再公布「後備軍人轉任公職複審俸給作業要點」，其中即嚴加限制，「比敘至本職最高俸級，軍職年資，不得作為年功俸晉敘」，爭議乃由此產生，但因公務員與國家之間，為特別權力關係，不能以行政爭訟手段，謀求救濟，迨至民國 77 年 1 月 11 日修正施行細則，主管機關便將此不合法、不合理之原則納入修正之法規命令中，並特別再增訂第五項適用時間之限制，反正被宰制的都是弱勢的公務人員，申訴、爭訟根本官官相護，無濟於事。

（二）涉及之憲法條文：

1 憲法第 7 條保障人民在法律上一律平等之權。

2 憲法第 15 條保障人民在經濟上之受益權。

3 憲法第 18 條保障人民服公職之權。

4 憲法第 172 條命令與憲法或法律牴觸者無效。

三、聲請解釋憲法之理由及聲請人對本案所持之立場與見解：

（一）聲請解釋憲法之理由：

1 疑義雖自始存在，但因公務人員與國家之間，是基於特別權力、義務關係，尤其在過去威權體制下，公務人員有冤曲，除了向機關長官陳述與申請復審外，根本無救濟管道，及至民國 82 年 2 月 25 日司法院公布大法官會議釋字第 338 號解釋後，公務人員對審定之級俸，如有爭執，才得提起訴願及行政訴訟，本案已依照新解釋規定，提起訴願、再訴願及行政訴訟，均被一一駁回，其理由又無法使人信服，表面上雖已有了投訴救濟管道，實際上仍是聊備一格，無助於問題解決，難怪行政法院素有駁回法院之譴稱，絕非浪得虛名。

第二頁 共十二頁

2 考試院銓敘部辦理後備軍人轉任公職之詮審案，以軍階中校轉任公職為例，同樣的資格條件，不同的人，詮審結果居然可以從一至九職等都是合格實授，這就是銓敘部「依法行政」的真義，富有彈性，未免離了譜，豈不滑天下之大稽？當事人轉任公務人員職務時，為了生活，為了工作，高資低用本非所願，不得已也，該院不察，不依法給予「比敘相當俸給」之優待權益，為何再次設限，存心再剝削其身分地位、薪資財產應得權益，使其間的差別待遇，竟有天淵之別？是優待？是懲罰？而各機關用人的標準在那？是什麼？銓敘部都不知道，敢攤在陽光下嗎？真是天曉得。

(二) 聲請人對本案所持之立場與見解：

1 該條例施行細則第10條第2項「……高資可以低用，但不得超過該職等本俸最高俸級……」之規定，對當事人說來，無法享受同條第1項比敘之優待，已萬分無奈，高資低用絕非學識、能力、品德之不足問題，考試院訂定此項不得超過該職等本俸最高俸級之限制，無異的是對其懲罰、再次剝奪，甚至使許多人喪失機會享受該條例之良法美意，關鍵均在此違法、違憲之爭議點，長期操生殺予奪之權，棄立法目的、立法精神於不顧所致。

2 公務人員俸給法第2條「……俸級係指各官等、職等本俸及年功俸所分之級次……」，第9條「……轉任行政機關性質程度相當職務時，得依規定核計加級至其職務等級最高為止……」，可知提敘、比敘絕非如該條例施行細則第10條第2項「……但不得超過該職等本俸最高俸級……」之特別限制，顯然此法規命令，亦已牴觸公務人員俸給法，難道後備軍人轉任公務人員時，就該受此特別法特別歧視，特別不合理之待遇。

3 後備軍人轉任公務人員時，依照公務人員任用法之規定，通常由各機關自行遴用考試及格人員之規定方式進用，但因機關職缺有限，僧多粥少，求之者眾，該條例雖也有「應優先任用後備軍人」之規定，但均形同具文，僅被選擇性引用，所憑恃的完全是人事、人情、特權、利害等之錯綜複雜關係，用人無一定章法與標準，不公在所難免，考試院訂定此條例，不良的制度設計，只求為特權者服務，無異的為虎作倀，更加助長社會惡質化風氣。

4 同樣具有乙等特考及格資格、5年中校年資的後備軍人，於轉任公職時，有特權人事關係者，馬上可派任九職等職務，銓敘部依該條例施行細則第10條第1項第4款詮審為九職等本俸五級合格實授，而無關係者，轉任公職惟自求多福，看造化了，為了怕失業坐吃山空，一職等職務，高資低用，在所不辭，政府的保障就是如此，能如何呢？銓敘部就依該條例施行細則第10條第2項詮審為一職等本俸七級合格實授，兩者之差異，社會身分地位、精神價值暫且不論，薪資所得相差兩倍多，這是用人惟才結果？是後者的無能？無才？還是制度吭人，這都不涉及憲法保障人民之平等權、受益權、服公職等等權利？

5 疑義內容，駁回理由稱「上述規定，係考試院依後備軍人轉任公職考試比敘條例第六條之授權所訂定，並函送立法院有案，此項委任立法具有補充母法之效力，自難謂其違法」，程序上固然合法，實質內容呢？該疑義點設定之限制條件、生效時間，已完全悖離法治主義之基本原理，法律優越與法律保留原則，軍人行業、任務特殊，本需特別法加以規範與保障，現非因其個人學經歷資格、能力等條件不符合機關用人之規定，而是政府機關未依法優先任用，給予適當職位的關係，考試院的委任立法就可剝奪其法律賦予應享之權益，豈不讓人納悶不解。

第四頁　共十二頁

6 聲請人以同機關之同事胡弘振詮審案為例，提出質疑，駁回理由稱「……調升情形不同，自難援引比照……」，事實上，兩人皆是民國七十六年一月十六日以前，轉任公職之後備軍人，不同的僅是胡員參加公務人員高、普考試，取得高、普考試及格資格，而聲請人參加國防特種考試、退除役特種考試，均取得乙等考試及格資格任用，考試及格資格，僅是公務人員任用法上任用資格之條件，乙等考試及格資格相當於高考及格，許多法上所明載，而結果胡員可以提敘，聲請人無法銓審，給予比敘，提起訴願、訴訟，結論皆是所起訴之意旨，難認有理，應予駁回，這就是終局判決，司法正義在那？不信公道喚不回。

四、關係文件之名稱及件數：

（一）82 年 11 月 10 日訴願書影本乙份。

（二）銓敘部（八二）台詮華訴字第 197 號訴願決定書影本乙份。

（三）82 年 12 月 24 日再訴願書影本乙份。

（四）考試院（八三）考台訴字第 021 號再訴願決定書影本乙份。

（五）83 年 4 月 6 日行政訴訟書狀影本乙份。

（六）行政法院 83 年度判字第 1115 號判決正本乙份。

聲請人：鄒政洽　　中華民國八十三年十月四日

附件　六：行政法院判決　　83 年度判字第 1115 號

原　告　鄒政洽

被　告　銓敘部

右當事人間因任用事件，原告不服考試院中華民國 83 年 3 月 10 日（八三）考台訴決字第 021 號再訴願決定，提起行政訴訟，本院判決如左：

主　　文

原告之訴駁回。

事　　實

緣原告於民國六十八年一月一日晉任陸軍砲兵中校，民國六十九年八月三十一日軍職退伍，民國六十九年九月二十四日以國防特考乙等考試及格資格初任公職，經送審銓審為五等五級合格實授，民國八十二年八月二十八日奉調派股長職（七至八等），送審後被告僅銓審為六等合格實授，准予權理七等，原告軍職年資，被告未依「後備軍人轉任公職考試比敘條例」給予比敘優待，經申請復審，提起訴願、再訴願，均一再被駁回，遂提起行政訴訟，茲摘敘兩造訴辯意旨於次：

原告起訴意旨略謂：

一、駁回理由之一，指原告調升股長，係屬公務人員間之調升，非屬後備軍人之轉任，所以未准予比敘，並無違誤；事實上，「後備軍人轉任公職考試比敘條例」自民國56年6月22日總統公布以來，後備軍人轉任公職時，可完全依照軍職年資，享受比敘優待者，除了特殊的少數，非得有「權」、「錢」莫辦，軍階中校以下，轉任公職時，法律毫無保障，完全屬叢林法則，講的全是人事、人情利害關係，高階低用，是極普遍、正常的現象，人事主管機關，知之甚稔，反正爾後再依個人職務調升，辦理比敘提敘彌補，銓審慣例一向如此，如今被告怎可濫權從新、從嚴解釋本案為僅屬公務人員間之調升？

二、駁回理由之二，指南投縣政府薦任一般民政職系課員胡弘振之銓審案，與本案案情不同，自難援引比照；事實上，兩人皆是民國76年1月16日以前，轉任公職之後備軍人，不同的僅是胡員參加民國七十九年全國性公務人員高等考試，取得考試及格資格，而考試及格資格，僅是公務人員任用法上任用資格之一，難道如此，就可改變民國76年1月16日以前轉任公職後備軍人之事實？可重新適用新法規定，給予提敘，若然，公務人員任用法上任用資格尚有銓敘合格、考績升等兩項之規定，那原告為何不能以民國 76 年 1 月 16 日以後，取得之該項文件，辦理銓審，給予比敘呢？公平、正義之理何在？

三、駁回理由之三，銓敘部駁回理由稱「上述規定，係考試院依後備軍人轉任公職考試比敘條例第六條之授權所訂定，並函送立法院有案，此項委任立法具有補充母法之效力，自難謂其違法」，形式要件固然合法，實質內容是否已侵害到憲法第七條保障中華民國人民在法律上一律平等之權，同樣的後備軍人轉任公職適用比敘條例法律，為何民國 77 年 1 月 11 日新修正施行細則發布以前，轉任公職之後備軍人可依舊法辦理比敘，民國 76 年 1 月 16 日以後轉任公職之後備軍人亦可依新法辦理比敘，獨以前這一群高階低用者，不再有法律可適用，公平、合理嗎？

四、再論駁回理由之三，查民國 56 年 6 月 22 日總統令公布之「後備軍人轉任公職考試比敘條例」第 5 條第 1 項第 2 款規定：「後備軍人取得公務人員任用資格者，按其軍職年資，比敘相當俸給。」原實施多年之施行細則，也從來未限制後備軍人轉任公職之適用，如今銓敘部強制限制後備軍人轉任公職之適用，還辯稱新修正施行細則第 10 條第 5 項規定係委任立法具有補充母法之效力，自難謂其違法，程序固然合法，但實質內容就可任意所為，置立法目的於不顧，子法可超越母法？命令可牴觸法律嗎？依憲法第 172 條規定：「命令與憲法或法律牴觸者無效。」

五、考試院民國 77 年 1 月 11 日新修正發布後備軍人轉任公職考試比敘條例施行細則第 10 條條文，如以中央法規標準法來加以檢驗，修法作業確實符合該法第 20 條第 1 項第 2 款規定：「因有關法規之修正或廢止而配合修正者。」新修正施行細則第10 條並增訂第 5 項規定，完全是配合民國 76 年 1 月 16 日公務人員任用、俸給法之施行而作修正，由實質內容查軍職年資比敘規定，修正前後均相同，可見一斑，但執法時，銓敘部卻惡意曲解法令，顯然違反了中央法規標準法第 18 條規定：「……但舊法規有利於當事人而新法規未廢除或禁止所聲請之事項者，適用舊法規。」

等語。

被告答辯意旨略謂：

一、原告應 66 年特種考試國防部行政及技術人員乙等人事行政人員考試及格，曾任軍職中校（68 年 1 月至 69 年 8 月）年資一年餘，其於 69 年 9 月轉任南投縣政府人事室五等人事行政五級職科員，70 年 9 月調任該縣政府五等經建行政五級職士，分別經被告及前台灣省委任職公務員銓敘委託審查委員會審定合格實授，核敘第五職等本俸五階 370 俸點，歷至78 年考績晉級委任第五職等年功俸四級 430 俸點。79 年 12 月調升該縣政府薦任第六職等經建行政職系課員，80 年 2 月復任該縣政府薦任第六職等一般民政職系科員，亦均經被告審定合格實授。其後原告參加 80 年考績考列乙等，81 年考績考列甲等，晉敘薦任第六職等年功俸一級 460 俸點。嗣於 82 年 9 月經調升該縣政府薦任第七職等至第八職等一般民政職系股長，以原告係於 69 年 9 月轉任公職，依後備軍人轉任公職考試比敘條例施行細則第 10 條第 5 項規定無法依同條第一項第四款規定，以其中校軍職逕予比敘薦任第八職等，又因原告任職已敘至薦任第六職等年功俸級，超過本俸最高級，故其中校年資亦無法再行提敘俸級，經被告依原告原敘俸級，審定為准予權理，核敘薦任第六職等年功俸一級 460 俸點。嗣原告請准依考試院 69 年 12 月 11 日修正發布之後備軍人轉任公職考試比敘條例施行細則第 10 條第 1 項第 2 款第 4 目「中校具有薦任或分類職位公務人員第八職等、第九職等任用資格者，轉任薦任或第八職等、第九職等職務」之規定，予以審定為薦任第八職等合格實授，經由南投縣政府於 82 年 9 月 27 日向被告申請復審，經被告於 82 年 10 月 16 日以八二台華甄四字第 0913047 號書函答復南投縣政府，略以原告並非於 76 年 1 月 16 日新人事制度實施後始轉任公務人員，請求以其中校軍職逕予比敘薦任第八職等一節，格於法令規定，實難辦理。

二、查考試院 69 年 12 月 11 日修正發布之後備軍人轉任公職考試比敘條例施行細則第 10 條第 1 項第 2 款規定：「在 69 年 6 月

第八頁 共十二頁

29日『陸海空軍軍官士官任官條例』公布日及以後任職由軍職轉任者為……（四）中校具有薦任或分類職位公務人員第八職等、第九職等任用資格者，轉任薦任或第八職等、第九職等職務‧‧‧‧」暨同條第二項規定：「……軍職年資，經任官有案者，轉任公務人員或分類職位公務人員相當職務時，均得依公務人員俸給法或分類職位公務人員俸給法規定，自起敘俸級（階）比敘，並得按每滿一年提高一級（階），但均不得超過擬任職務職等最高俸給（階）‧‧‧‧復查考試院77年1月11日修正發布之同條例施行細則第十條第一項第四款及第五項規定「‧‧‧‧四、中校具有薦任任用資格者，轉任薦任第八職等、第九職等職務‧‧‧‧。本條規定限適用於民國76年1月16日公務人員任用法、俸給法施行後之轉任人員。」本件原告係於69年9月轉任公職，82年9月自薦任第六職等科員調升南投縣政府薦任第七職等至第八職等一般民政職系股長，係屬公務人員間之調升，並非上開施行細則所稱之「轉任人員」，自不得適用上開規定，比敘為薦任第八職等，故應依公務人員任用法及俸給法規定辦理任用審查；又原告因任現職已敘至薦任第六職等年功俸級，亦無法再採計其中校年資提敘俸級，故被告依原告原敘俸級，審定為准予權理，核敘薦任第六職等年功俸一級460俸點，於法並無違誤。又原告任現職83年1月1日考績升等案亦經被告審定：合格實授，核敘薦任第七職等本俸五級475俸點，亦已達本俸最高級，故其中校年資原告自無法提敘俸級，合併敘明。

三、至原告所舉南投縣政府胡弘振任用案，經查該員係參加六十九年全國性公務人員普通考試及格，於75年6月轉任屏東縣政府辦事員，嗣調任台灣省政府農林廳辦事員、南投縣政府辦事員、科員，復於82年2月20日調升薦任第六職等一般民政職系課員，經依其所具79年全國性公務人員高等考試及格資格，依法得敘薦任第六職等本俸一般，因未超過該職等本俸最高級俸級，故再採其曾任軍職上尉以上相當薦任年資四年提敘俸給四級，核敘薦任第六職等本俸五級445俸點，與本件有別，自難援引比照。

四、又依後備軍人轉任公職考試比敘條例施行細則第十條規定，軍職年資之比敘有其資格條件限制（如時間之限制、不得超過轉任職等本俸最高俸級等），原告所具軍職年資因不合比敘規定，於起訴書狀理由三稱上開施行細則實質內容已侵害到憲法第七條保障中華民國人民在法律上一律平等之權一節，純屬個人之見解，顯不足採。又上開施行細則為委任立法，具有補充母法之效力乃原告所不爭，考試院為明示適用之時間，乃有第五項之增列，故並無原告所稱子法超越母法，命令牴觸法律之情事。五、綜上所述，考試院八三考台訴決字第○二一號再訴願決定，於法並無不合，爰依行政訴訟法第十六條規定，提出答辯如上，並請駁回原告之訴等語。

理　　由

按民國83年2月25日公布之司法院大法官會議決釋字第338號解釋：「主管機關對公務人員任用資格審查，認為不合格或降低原擬任之官等者，於其憲法所保障服公職之權利有重大影響，公務員如有不服，得依法提起訴願及行政訴訟，業經本院釋字第323號解釋釋示在案。其對審定之級俸如有爭執，依同一意旨，自亦得提起訴願及行政訴訟。行政法院57年判字第414號及59年判字第400號判例應不再援用。本院上開解釋，應予補充。」本案係原告不服銓敘部就其任用案所為之審定，依上開解釋意旨，自得提起訴願、再訴願及行政訴訟，合先敘明。復按考試院69年12月11日修正發布之後備軍人轉任公職考試比敘條例施行細則第十條第一項第二款規定：「在69年6月29日『陸海空軍軍官士官任官條例』公布日及以後任職由軍職轉任者為‧‧‧‧（四）中校具有薦任或分類職位公務人員第八職等、第九職等任用資格者，轉任薦任或第八職等、第九職等職務‧‧‧‧」暨同條第二項規定：「‧‧‧‧軍職年資，經任官有案者，轉任公務人員或分類職位公務人員相當職務時，均得依公務人員俸給法或分類職位公務人員俸給法規定，自起敘俸級（階）比敘，並得按每滿一年提高一

第十頁　共十二頁

級（階），但均不得超過擬任職務職等最高俸級（階）……」另按考試院77年1月11日修正發布之同條例施行細則第10條規定「‧‧‧‧四、中校具有薦任任用資格者，轉任薦任第八職等、第九職等職務‧‧‧‧。本條規定限適用於民國76年1月16日公務人員任用法、俸給法施行後之轉任人員。」卷查：本件原告參加民國66年特種考試國防部行政及技術人員乙等人事行政人員考試及格，曾任軍職中校（民國68年1月至69年8月）年資一年餘，其於69年9月轉任南投縣政府人事室五等人事行政五級職科員，70年9月調任該縣政府五等經建行政五級職技士，均經前台灣省委任職公務員銓敘委託審查委員會審定合格實授，核敘第五職等本俸五階370俸點，歷至78年考績晉級委任第五職等年功俸四級430俸點。79年12月調升該縣政府薦任第六職等經建行政職系課員，80年2月復調任該縣政府薦任第六職等一般民政職系科員，亦均經被告審定合格實授。其後原告參加80年考績考列乙等，81年考績考列甲等，晉敘薦任第六職等年功俸一級460俸點。嗣於82年9月經調升該縣政府薦任第七職等至第八職等一般民政職系股長職務，案經送請被告審查。被告以原告係於69年9月轉任公職，無法依本院77年1月11日修正發布之後備軍人轉任公職考試比敘條例施行細則第10條第1項第四款規定，以其中校軍職逕予比敘薦任第八職等，又因原告任職已敘至薦任第六職等年功俸級，超過本俸最高級，故其中校年資亦無法再行提敘俸級，乃依原告原敘俸級，審定為准予權理，核敘薦任第六職等年功俸一級460俸點。揆諸首揭規定，洵無違誤。原告訴稱：依行政院69年12月11日修正發布之後備軍人轉任公職考試比敘條例施行細則第10條第1項第2款第4目「中校具有薦任或分類職位公務人員第八職等、第九職等任用資格者，轉任薦任或第八職等、第九職等職務」之規定，原告應審定為薦任第八職等合格實授，被告濫權從新從嚴解釋本案為公務人員之調升，應依考試院77年1月11日新修正後備軍人轉任公職比敘條例施行細則第十條第五項規定，76年1月16日以後轉任公職之後備軍人方可依新法辦理比敘，有違憲法第7條、第172條及中央法規標準法第18條之規定，與另案胡弘振之審定結果不同，顯違公平、正義與合理云云。然查：考試院77年1月11日新修正後備軍人轉任公職考試比敘條例施行細則第十條第五項規定，係依後備軍人轉任公職考試比敘條例第六條之授權所訂定之委任立法，函送立法院核備在案，此項委任立法有補充母法之效力，其既明定76年1月16日以後轉任公職之後備軍人方可依新法辦理比敘。自含有廢除、禁止76年1月16日以前轉任公職之後備軍人依新法辦理比敘之規定意旨，原告既係76年1月16日以前之69年9月轉任公職，被告禁止其依新法辦理比敘，自無違反中央法規標準法第18條規定之情形，而原告自承此次修正，係依中央法規標準法第20條第1項第2項「因有關法規之修正或廢止而配合修正者」之規定，完全是配合76年1月16日公務人員任用、俸給法之施行而修正，則該項修正，實無違背憲法第七條、第172條規定之情事，原告所訴，委無足取。又另案後備軍人胡弘振任用案，係因胡弘振參加69年全國性公務人員普通考試及79年全國性公務人員高等考試及格，及上尉四年年資提敘俸級，核敘為薦任第六職等本俸五級445俸點。與原告未取得全國性公務人員高普考試及格之純為公務人員之調升情形不同，自難援引比照，亦無違背公平、正義與合理之情形。從而原告所訴各節，均不足採。一再訴願決定，遞予維持原處分，均無不合，原告起訴意旨，難認有理，應予駁回。

據上論結，本件原告之訴為無理由，爰依行政訴訟法第26條後段，判決如主文。

中華民國八十三年五月二十四日

（本聲請書其餘附件略）

第十二頁　共十二頁

附：文書處理手冊

錄自行政院秘書處編，九十四年三月出版《文書處理手冊》

文書處理手冊

文書處理

中華民國七十四年十二月二十四日　行政院臺74文字第23076號函修正附件13
中華民國七十八年九月二十七日　行政院臺78秘字第25146號函修正三十四之（六）
中華民國七十八年十二月一日　行政院臺78秘字第30177號函修政二十三之（二）之一
中華民國七十九年十一月二日　行政院臺79秘字第31735號函修正附件13、14
中華民國八十二年八月六日行　政院臺82秘字第2831號函修正八十四暨附件2、3、4、7、8、10、11、12、15、16、17、18、20、21、22
中華民國八十七年三月二十六日　行政院臺87秘字第12598號函修正文書處理部分
中華民國八十九年八月十六日　行政院臺89秘字第24413號函修正文書處理部分
中華民國九十年二月十三日　行政院臺90秘字第008871號函修正八十一
中華民國九十三年一月八日　行政院院臺秘字第0930080052-C號函修正文書處理部分
中華民國九十三年六月二十九日　行政院院臺秘字第0930086517號函修正文書處理部分
中華民國九十三年十二月一日　行政院院臺秘字第0930091795號函修正文書處理部分

壹、總述

一、本手冊所稱文書，指處理公務或與公務有關，不論其形式或性質如何之一切資料。凡機關與機關或機關與人民往來之公文書，機關內部通行之文書，以及公文以外之文書而與公務有關者，均包括在內。

二、文書製作應採由左至右之橫行格式。

三、特種文書，如檢察機關之起訴書、行政機關之訴願決定書、外交機關之對外文書、僑務機關與海外僑胞、僑團間往來之文書、軍事機關部隊有關作戰及情報所需之特定文書或其他適用特定業務性質之文書，均得依據需要自行規定其文書之格式，並應遵守由左至右之橫行格式原則。

四、本手冊所稱文書處理，指文書自收文或交辦起至發文、歸檔止之全部流程，分爲下列步驟：

(一)收文處理：簽收、拆驗、分文、編號、登錄、傳遞。

(二)文件簽辦：擬辦、送會、陳核、核定。

(三)文稿擬判：擬稿、會稿、核稿、判行。

(四)發文處理：繕印、校對、蓋印及簽署、編號、登錄、封發、送達。

(五)歸檔處理：依檔案法及其相關規定辦理。

關於文書之簡化、保密、流程管理、文書用具及處理標準等事項，均依本手冊之規定爲之。

五、機關公文以電子文件行之者，其交換機制、電子認證及中文碼傳送原則等，依「文書及檔案管理電腦化作業規範」辦理。

六、機關公文以電子文件處理者，其資訊安全管理措施，應依「行政院及所屬各機關資訊安全管理要點」及「行政院及所屬各機關資訊安全管理規範」等安全規範辦理。各機關如有其他特殊需求，得依需要自行訂定相關規範。

七、機關對人民、法人或其他非法人團體之文書以電子文件行之者，應依「機關公文傳真作業辦法」及「機關公文電子交換作業辦法」辦理。

八、各機關之文書處理電子化作業，應與檔案管理結合，並依行政院訂定之相關規定辦理；對適合電子交換之公文，應以電子交換行之。

爲落實文書減量，各機關應提升公文電子處理比例，減少文書使用，並訂定評估指標，確實考評。

九、文書除稿本外，必要時得視其性質及適用範圍，區分爲正本、副本、抄本（件）、影印本或譯本。正本及副本，均用規定公文紙繕印，蓋用印信或章戳；以電子文件行之者，得不蓋用印信或章戳，並應附加電子簽章。抄本(件)及譯本，無須加蓋機關印信或章戳。抄本（件）、影印本及譯本，其文面應分別標示「抄本（件）」、「影印本」及「譯本」。

十、爲加速文書處理，各機關依「行政機關分層負責實施要項」之規定及上級機關之指示，將本機關各單位職掌範圍內之文書，分別情形，訂定分層負責明細表(格式如附件一，見頁一九八)，經核定後，由各層主管依授權核判。分層負責明細表未規定之事項，機關首長亦得授權單位主管處理。

十一、各機關實施分層負責，視其組織大小及業務繁簡，以劃分三層爲原則，不得少於二層或超過四層。分層負責明細表之規定，應根據實際情況檢討修正。

十二、各層決定之案件，其對外行文所用名義，應分別規定。凡性質以用本機關爲宜者，雖可授權第二層或第三層決定，仍以機關名義行文。案件如根據法令對來文照例准駁，或根據前案照例催辦、催覆或其他適合以單位名義行文者，可由第二層或第三層逕行決定，並得以該單位名義行文。

十三、依分層負責之規定處理文書，如遇特別案件，必須爲緊急之處理時，次一層主管得依其職掌，先行處理，再補陳核判。

十四、第二層、第三層直接處理之案件，必要時得敘明「來(受)文機關」、「案由」及「處理情形」、「發文日期字號」等，定期列表陳報首長核閱。下級機關被授權處理之案件，亦得比照此項方式辦理。

貳、公文製作

十五、公文程式之類別說明如下：

(一)公文分為「令」、「呈」、「咨」、「函」、「公告」、「其他公文」六種：

1.令：公布法律、發布法規命令、解釋性規定與裁量基準之行政規則及人事命令時使用。

2.呈：對總統有所呈請或報告時使用。

3.咨：總統與國民大會、立法院公文往復時使用。

4.函：各機關處理公務有下列情形之一時使用：

(1)上級機關對所屬下級機關有所指示、交辦、批復時。

(2)下級機關對上級機關有所請求或報告時。

(3)同級機關或不相隸屬機關間行文時。

(4)民眾與機關間之申請或答復時。

5.公告：各機關就主管業務或依據法令規定，向公眾或特定之對象宣布周知時使用。其方式得張貼於機關之公布欄、電子公布欄，或利用報刊等大眾傳播工具廣為宣布。如需他機關處理者，得另行檢送。

6.其他公文：其他因辦理公務需要之文書，例如：

(1)書函：

甲、於公務未決階段需要磋商、徵詢意見或通報時使用。

乙、代替過去之便函、備忘錄、簡便行文表，其適用範圍較函爲廣泛，舉凡答復簡單案情，寄送普通文件、書刊，或爲一般聯繫、查詢等事項行文時均可使用，其性質不如函之正式性。

(2)開會通知單：召集會議時使用（格式如附件二，見頁一九八）。

(3)公務電話紀錄：凡公務上聯繫、洽詢、通知等可以電話簡單正確說明之事項，經通話後，發話人如認有必要，可將通話紀錄作成兩份並經發話人簽章，以一份送達受話人簽收，雙方附卷，以供查考（格式如附件三，見頁二〇〇）。

(4)手令或手諭：機關長官對所屬有所指示或交辦時使用。

(5)簽：承辦人員就職掌事項，或下級機關首長對上級機關首長有所陳述、請示、請求、建議時使用。

(6)報告：公務用報告如調查報告、研究報告、評估報告等；或機關所屬人員就個人事務有所陳請時使用。

(7)箋函或便箋：以個人或單位名義於洽商或回復公務時使用（箋函作法舉例見附錄五，見頁二〇二）。

(8)聘書：聘用人員時使用。

(9)證明書：對人、事、物之證明時使用。

(10)證書或執照：對個人或團體依法令規定取得特定資格時使用。

(11)契約書：當事人雙方意思表示一致，成立契約關係時使用。

(12)提案：對會議提出報告或討論事項時使用。

(13)紀錄：記錄會議經過、決議或結論時使用。

(14)節略：對上級人員略述事情之大要，亦稱綱要。起首用「敬陳者」，末署「職稱、姓名」。

(15)說帖：詳述機關掌理業務辦理情形，請相關機關或部門予以支持時使用。

(16)定型化表單。

(二)上述各類公文屬發文通報周知性質者，以登載機關電子公布欄為原則；另公務上不須正式行文之會商、聯繫、洽詢、通知、傳閱、表報、資料蒐集等，得以發送電子郵遞方式處理。

十六、公文製作一般原則如下：

(一)文字使用應儘量明白曉暢，詞意清晰，以達到公文程式條例第八條所規定「簡、淺、明、確」之要求，其作業要求：

1.正確：文字敘述和重要事項記述，應避免錯誤和遺漏，內容主題應避免偏差、歪曲。切忌主觀、偏見。

2.清晰：文義清楚、肯定。

3.簡明：用語簡練，詞句曉暢，分段確實，主題鮮明。

4.迅速：自蒐集資料，整理分析，至提出結論，應在一定時間內完成。

5.整潔：文稿均應保持整潔，字體力求端正。

6.一致：機關內部各單位撰擬文稿，文字用語、結構格式應力求一致，同一案情的處理方法不可前後矛盾。

7.完整：對於每一文件，應作深入廣泛之研究，從各種角度、立場考慮問題，與相關單位協調聯繫。所提意見或辦法，應力求周詳具體、適切可行，並備齊各種必需之文件，構成完整之幕僚作業，以供上級採擇。

(二)擬稿注意事項如下：

1.擬稿須條理分明，其措詞以切實、誠懇、簡明扼要爲準，所有模稜空泛之詞、陳腐套語、地方俗語、與公務無關者等，均應避免。

2.引敘來文或法令條文，以扼要摘敘足供參證爲度，不宜僅以「云云照敘」，自圖省事，如必須提供全文，應以電子文件、抄件或影印附送。

3.各種名稱如非習用有素，不宜省文縮寫，如遇譯文且關係重要者，請以括弧加註原文，以資對照。

4.文稿表示意見，應以負責態度，或提出具體意見供受文者抉擇，不得僅作層轉手續，或用「可否照准」、「究應如何辦理」等空言敷衍。

5.擬稿以一文一事爲原則，來文如係一文數事者，得分爲數文答復。

6.引敘原文其直接語氣均應改爲間接語氣，如「貴」「鈞」等應改爲「○○」「本」「該」等。

7.簽宜載明年月日及單位。

8.擬辦復文或轉行之稿件，應敘入來文機關之發文日期及字號，俾便查考。

9.案件如已分行其他機關者，應於文末敘明，以免重複行文。

10.文稿中多個機關名稱同時出現時，按照既定機關順序，由左至右依序排列。

11.字跡請力求清晰，不得潦草，如有添註塗改，應於添改處蓋章。

12.文稿分項或分條撰擬時，應分別冠以數字。上下左右空隙，力求勻稱，機關全銜、受文者、本文等應採用較大字體，以資醒目。

13.文稿有一頁以上者應裝訂妥當，並於騎縫處蓋(印)騎縫章或職名章，同時於每頁之下緣加註頁碼。

(三)分段要領如下：

1.「主旨」：

(1)為全文精要，以說明行文目的與期望，應力求具體扼要。

(2)「主旨」不分項，文字緊接段名冒號之下書寫。

2.「說明」：

(1)當案情必須就事實、來源或理由，作較詳細之敘述，無法於「主旨」內容納時，用本段說明。本段段名，可因公文內容改用「經過」、「原因」等名稱。

(2)如無項次，文字緊接段名冒號之下書寫；如分項條列，應另列縮格書寫。

3.「辦法」：

(1)向受文者提出之具體要求無法在「主旨」內簡述時，用本段列舉。本段段名，可因公文內容改用「建議」、「請求」、「擬辦」、「核示事項」等名稱。

(2)其分項條列內容過於繁雜、或含有表格型態時，應編列為附件。

(四)製作公文，應遵守以下全形、半形字形標準之規定：

1.分項標號：應另列縮格以全形書寫為一、二、三、……，(一)、(二)、(三)……，1、2、3、……

（1）、（2）、（3）（格式如附件四，見頁二〇一）。

2.內文：

(1)中文字體及併同於中文中使用之標點符號應以全形為之。

(2)阿拉伯數字、外文字母以及併同於外文中使用之標點符號應以半形為之。

十七、公文結構及作法說明如下：

(一)公布法律、發布法規命令、解釋性規定與裁量基準之行政規則及人事命令：

1.公布法律、發布法規命令、解釋性規定與裁量基準之行政規則：

(1)令文可不分段，敘述時動詞一律在前，例如：

甲、訂定「〇〇〇施行細則」。

乙、修正「〇〇〇辦法」第〇條條文。

丙、廢止「〇〇〇辦法」。

(2)多種法律之制定或廢止，同時公布時，可併入同一令文處理；法規命令之發布，亦同。

(3)公、發布應以刊登政府公報或新聞紙方式為之，並得於機關電子公布欄公布；必要時，並以公文分行各機關。

2.人事命令：

(1)人事命令：任免、遷調、獎懲。

(2)人事命令格式由人事主管機關訂定，並應遵守由左至右之橫行格式原則。

(二)函：

1.行政機關之一般公文以「函」爲主，函的結構，採用「主旨」、「說明」、「辦法」三段式。

2.行政規則以函檢發，多種規則同時檢發，可併入同一函內處理；其方式以公文分行或登載政府公報或機關電子公布欄。但應發布之行政規則，依本點(一)1.所定法規命令之發布程序辦理。

(三)公告：

1.公告之結構分爲「主旨」、「依據」、「公告事項」(或說明)三段，段名之上不冠數字，分段數應加以活用，可用「主旨」一段完成者，不必勉強湊成兩段、三段。

2.公告分段要領：

(1)「主旨」應扼要敘述，公告之目的和要求，其文字緊接段名冒號之下書寫。公告登載時，得用較大字體簡明標示公告之目的，不署機關首長職稱、姓名。

(2)「依據」應將公告事件之原由敘明，引據有關法規及條文名稱或機關來函，非必要不敘來文日期、字號。有兩項以上「依據」者，每項應冠數字，並分項條列，另列低格書寫。

(3)「公告事項」（或說明）應將公告內容分項條列，冠以數字，另列低格書寫。使層次分明，清晰醒目。公告內容僅就「主旨」補充說明事實經過或理由者，改用「說明」爲段名。公告如另有附件、附表、簡章、簡則等文件時，僅註明參閱「某某文件」，公告事項內不必重複敘述。

3.一般工程招標或標購物品等公告，得用定型化格式處理，免用三段式。

4.公告除登載於機關電子公布欄者外，張貼於機關公布欄時，必須蓋用機關印信，於公告兩字右側空白位置蓋印，以免字跡模糊不清。

(四)其他公文：

1.書函之結構及文字用語比照「函」之規定。

2.定型化表單之格式由各機關自行訂定，並應遵守由左至右之横行格式原則。

十八、公文用語規定如下：

(一)期望及目的用語，得視需要酌用「請」、「希」、「查照」、「鑒核」或「核示」、「備查」、「照辦」、「辦理見復」、「轉行照辦」等。

(二)准駁性、建議性、採擇性、判斷性之公文用語，必須明確肯定。

(三)直接稱謂用語：

1.有隸屬關係之機關：上級對下級稱「貴」；下級對上級稱「鈞」；自稱「本」。

2.對無隸屬關係之機關：上級稱「大」；平行稱「貴」；自稱「本」。

3.對機關首長間：上級對下級稱「貴」；自稱「本」；下級對上級稱「鈞長」，自稱「本」。

4.機關（或首長）對屬員稱「台端」。

5.機關對人民稱「先生」、「女士」或通稱「君」、「台端」；對團體稱「貴」，自稱「本」。

6.行文數機關或單位時，如於文內同時提及，可通稱爲「貴機關」或「貴單位」。

(四)間接稱謂用語：

1. 對機關、團體稱「全銜」或「簡銜」，如一再提及，必要時得稱「該」；對職員稱「職稱」。

2. 對個人一律稱「先生」「女士」或「君」。

十九、簽、稿之撰擬說明如下：

(一)簽稿之一般原則：

1. 性質：

(1)簽爲幕僚處理公務表達意見，以供上級瞭解案情、並作抉擇之依據，分爲下列兩種：

甲、機關內部單位簽辦案件：依分層授權規定核決，簽末不必敘明陳某某長官字樣。

乙、下級機關首長對直屬上級機關首長之「簽」，文末得用敬陳○○長官字樣。

(2)「稿」爲公文之草本，依各機關規定程序核判後發出。

2. 擬辦方式：

(1)先簽後稿：

甲、制定、訂定、修正、廢止法令案件。

乙、有關政策性或重大興革案件。

丙、牽涉較廣，會商未獲結論案件。

丁、擬提決策會議討論案件。

戊、重要人事案件。

己、其他性質重要必須先行簽請核定案件。

(2)簽稿併陳：

甲、文稿內容須另爲說明或對以往處理情形須酌加析述之案件。

乙、依法准駁，但案情特殊須加說明之案件。

丙、須限時辦發不及先行請示之案件。

(3)以稿代簽爲一般案情簡單，或例行承轉之案件。

(二)簽之撰擬：

1.款式：

(1)先簽後稿：簽應按「主旨」、「說明」、「擬辦」三段式辦理。

(2)簽稿併陳：視情形使用「簽」，如案情簡單，可使用便條紙，不分段，以條列式簽擬。

(3)一般存參或案情簡單之文件，得於原件文中空白處簽擬。

2.撰擬要領：

(1)「主旨」：扼要敘述，概括「簽」之整個目的與擬辦，不分項，一段完成。

(2)「說明」：對案情之來源、經過與有關法規或前案，以及處理方法之分析等，作簡要之敘述，並視需要分項條列。

(3)「擬辦」：爲「簽」之重點所在，應針對案情，提出具體處理意見，或解決問題之方案。意見較多時分項條列。

(4)「簽」之各段應截然劃分，「說明」一段不提擬辦意見，「擬辦」一段不重複「說明」。

3.本手冊所訂「簽」之作法舉例，下級機關首長對直屬上級機關首長行文時應一致採用，至各機關內部單位簽辦案件得參照自行規定。

(三)稿之撰擬：

1.草擬公文按文別應採之結構撰擬。

2.撰擬要領：

(1)按行文事項之性質選用公文名稱，如「令」、「函」、「書函」、「公告」等。

(2)一案須辦數文時，請參考下列原則辦理：

甲、設有幕僚長之機關，分由機關首長及幕僚長署名之發文，分稿擬辦。

乙、一文之受文者有數機關時，內容大同小異者，同稿併敘，將不同文字列出，並註明某處文字針對某機關；內容小同大異者，用同一稿面分擬，如以電子方式處理者，可用數稿。

(3)「函」之正文，除按規定結構撰擬外，並請注意下列事項：

甲、訂有辦理或復文期限者，請在「主旨」內敘明。

乙、承轉公文，請摘敘來文要點，不宜在「稿」內書：「照錄原文，敘至某處」字樣，來文過長仍請儘量摘敘，無法摘敘時，可照規定列爲附件。

丙、概括之期望語「請核示」、「請查照」、「請照辦」等，列入「主旨」，不在「辦法」段內重複；至具體詳細要求有所作爲時，請列入「辦法」段內。

丁、「說明」、「辦法」分項條列時，每項表達一意。

戊、文末首長簽署、敘稿時，爲簡化起見，首長職銜之後可僅書「姓」，名字則以「〇〇」表示。

己、須以副本分行者，請在「副本」項下列明；如要求副本收受者作爲時，則請在「說明」段內列明。

庚、如有附件，得在文內敘述附件名稱及份數。

參、處理程序

二十、文書處理程序一般原則如下：

(一)各機關處理文書，應明確劃分各經辦單位之權責，以期密切配合。

(二)各機關文書之處理，其方式、手續、流程、文字、用語等，應力求簡明。

(三)各機關之文書作業，均應按照同一程序集中於文書單位處理。惟機關之組織單位不在同一處所及以電子文件行之者，不在此限。

(四)各機關應指定適當人員負責辦理收發文及分文工作；收發電報、傳真、電子交換及機密文件，並應指定專人處理。

(五)公文之機密性、時間性，由各機關依業務性質及實際需要自行區分，以作爲公文處理作業之依據。

(六)文書處理，應隨到隨辦、隨辦隨送，不得積壓。

(七)各機關得視實際需要，採用收發文同號。

(八)任何文書均須記載年、月、日、時；文書中記載年份，一律以國曆爲準，惟外文或譯件，得採用西元紀年。

(九)文書處理過程中之有關人員，均應於文面適當位置蓋章或簽名，並註明時間(例如十一月八日十六時，得縮記為 1108/1600)，以明責任。簽名必須清晰，以能辨明為何人所簽。

(十)各機關在辦公時間外，遇有公文收受，應由值日人員按照值日及值夜規則之規定辦理。

(十一)機關內部各單位間文書之傳遞，均應視業務繁簡及辦公室分布情形，設置送文簿或以電子方式簽收為憑；另公文之陳核流程並得以線上簽核方式處理。

(十二)組織龐大所屬單位較多而分散辦公之機關，應設立公文交換中心，定時集中交換，以加速公文之傳遞。

(十三)機關公文電子交換收發文處理原則如下：

1.機關公文電子交換，係指將文件資料透過電腦及電信網路，予以傳遞收受者。各機關對於適合電子交換之機關公文，於設備、人員能配合時，應以電子交換行之。

2.各機關應由文書單位或單位收發負責辦理機關公文電子交換作業。但依公文性質、行文單位及時效，有適當控管程序者，可指定專人辦理。

3.機關因業務需求，得將公文登載於電子公布欄，並得輔以電子郵遞告知，不另行文；登載電子公布欄之公文應註明登載期限，超過期限者，應自電子公布欄專區移除。

4.各機關對於其他機關電子公布欄所登載之資訊，應視內容性質自行下載使用並為必要之處理。

5.各機關公文電子交換作業收文、發文、登載電子公布欄之相關紀錄及文稿，得視需要予以儲存。

(十四)機關公文電子交換收發文處理程序如下：

1.公文電子交換收文處理程序：識別通行、電子認證、收文確認、收文列印、檢視處理、分文、編號、登錄、傳送等。

2.公文電子交換發文處理程序：列印全文、繕校、列示清單、識別通行、電子認證、發文傳送、發文確認、加蓋「已電子交換」章戳、檢視發送結果、處理失敗訊息等。

(十五)機關公文受文對象爲人民、法人、或其他非法人團體，其公文電子交換收、發文程序，由發文機關依業務需要與受文對象相互約定，但應採電子認證方式處理，並得視需要增加其他安全管制措施。

(十六)人民、法人或其他非法人團體於參加政府機關公文電子交換作業時，應符合「機關公文電子交換作業辦法」、「文書及檔案管理電腦化作業規範」及相關規定。

(十七)線上簽核係指公文以電子方式在安全之網路作業環境下，進行線上傳遞、簽核工作。文書之陳核採線上簽核者，應採用電子認證、權限控管或其他安全管制措施，以確保電子文件之可認證性。公文線上簽核應注意事項如下：

1.可判別文件簽章人。

2.可標示公文時效性。

3.應提供代理人設定之功能。

4.應詳實記錄各會簽意見。

5.應詳實記錄各陳核流程人員之修改與批註文字。

二十一、文書處理流程圖示如下：

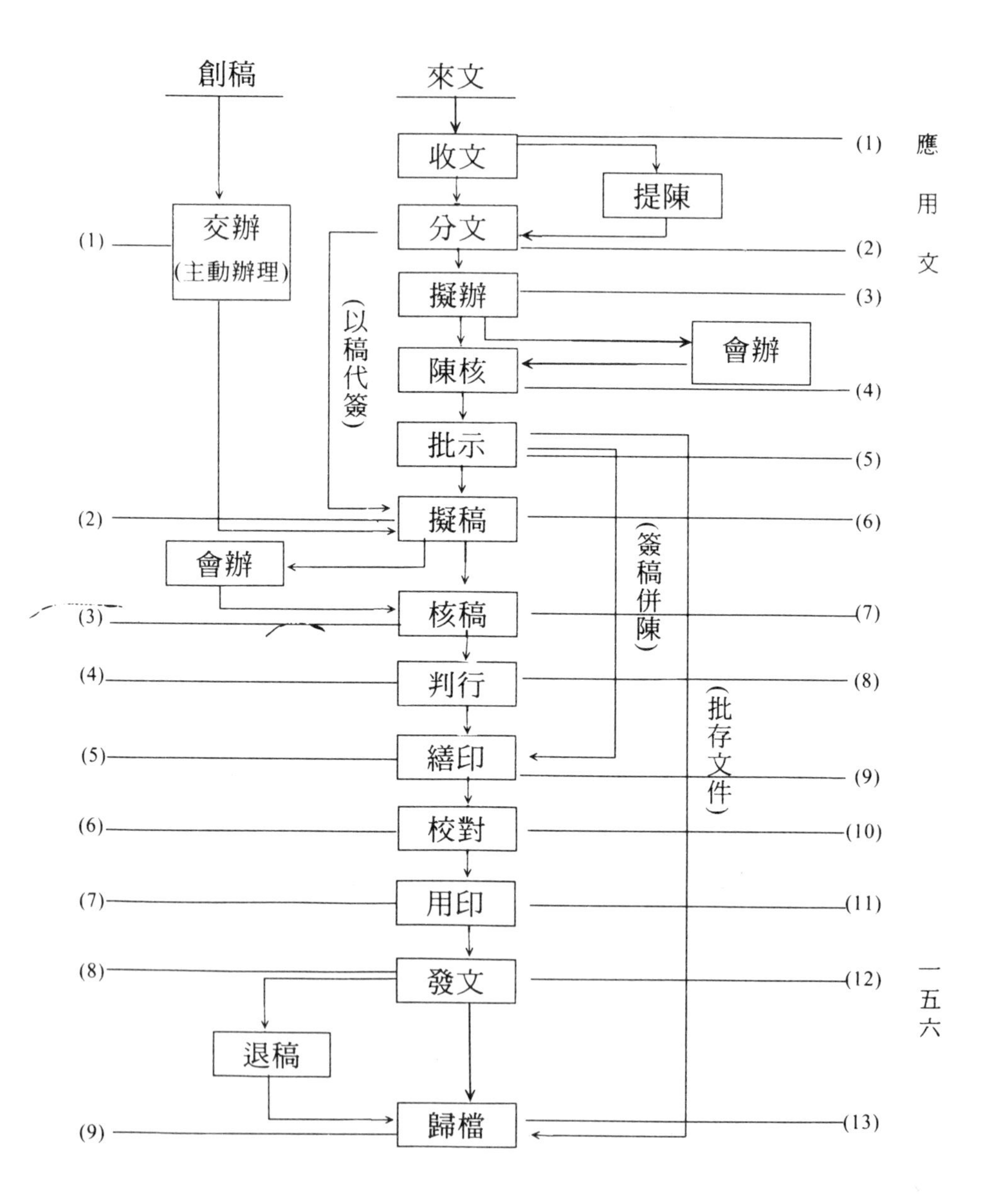

創稿
來文
收文
提陳
分文
擬辦
會辦
陳核
批示
(以稿代簽)
交辦
(主動辦理)
擬稿
會辦
核稿
(簽稿併陳)
判行
(批存文件)
繕印
校對
用印
發文
退稿
歸檔
(1)
(2)
(3)
(4)
(5)
(6)
(7)
(8)
(9)
(10)
(11)
(12)
(13)

肆、收文處理

二十二、簽收應注意事項如下：

(一)外收發人員收到公文或函電，除普通郵遞信件外，應先將送件人所持之送文簿或清單逐一查對點收，並就原簿、單，註明收到時間蓋戳退還；如無送文簿、單，應填給送件回單。機關如未設外收發單位者，應指定專人辦理。

(二)外收發人員收到之文件應登錄於外收文簿，其係急要文件、機密件、電報或附有現金、票據等者，應隨收隨送總收文人員，其餘普通文件應依性質定時彙送。文件封套上指定收件人姓名者，應另用送文簿登錄，並比照上述文件性質，隨時或按時送達。

(三)來人持同文件須面洽者，應先以電話與承辦單位接洽，如有必要再引至承辦單位，其所持文件應囑承辦單位補辦收文手續。

(四)收件應注意封口是否完整，如有破損或拆閱痕跡，應當面會同送件人於送件簿、單上，註明退還或拒收。

(五)人民持送之申請書件，應先檢視是否符合規定，如手續不全應指導其補齊後再行簽收。

(六)電子交換收文人員應輸入識別碼、通行碼或其他辨識方法實施身分辨識程序，並於電腦系統確認相符後，即時或定時進行收文作業，且應立即傳送回復訊息，並依一般收文作業程序繼續辦理。

(七)電子交換收文人員應注意傳遞交換之前置處理設備是否解開電子文件封包、儲存電子檔、確認發文單位，及檢查附件與文件有否疏漏或被竄改。

(八)電子交換文人員於電子收文後須列印收受之公文，同時得由收方之電腦系統標明電子公文；如電子公文超過一頁以上時，須加印頁碼及騎縫標識。

(九)收文方對發文方告知登載電子公布欄之訊息，應依其訊息擷取相關資料，並爲妥適處理。

二十三、拆驗應注意事項如下：

(一)總收文人員收到文件拆封後，除無須登錄者外，如爲機密件或書明親啓字樣之文件，應於登錄後，送由機關首長指定之機密件處理人員或收件人收拆；如爲普通文件，應即點驗來文及附件名稱、數量是否相符，如有錯誤或短缺，除將原封套保留註明外，應以電話或書面向原發文機關查詢。

(二)應檢視文內之發文日期與送達日期或封套郵戳日期是否相稱，如相隔時日較長時，應在文面註明收到日期。

(三)公文附件如屬現金、有價證券、貴重或大宗物品，應先送出納單位或承辦單位點收保管，並於文內附件右側簽章證明。

(四)附件應不與公文分離爲原則，由總收文人員裝訂於文後隨文附送；附件較多或不便裝訂者，應裝袋附於文後，並書明〇〇號附件字樣。

(五)附件未到而公文先到者，應俟附件到齊後再分辦；公文如爲急要文件，可先送承辦單位簽辦，其附件如逾正常時間未寄到時，應速洽詢。

(六)來文如屬訴願案、訴訟案、人民陳情案或申請案等，且有封套者，其封套應釘附於文後，以備查考；郵寄公文之封套所貼郵票，不得剪除。

(七)來文如有誤投，應退還原發文機關；其有時間性者得代爲轉送，並通知原發文機關。

(八)機密文件經機關首長指定之處理人員拆封後，如須送總收文登錄掛號者，應在原文加註「本件陳奉親拆」或「本件由〇〇〇單位拆封」，以資識別。

(九)電子交換收文人員於檢視來文無誤後，應按收文程序辦理；如發現來文有誤送或疏漏時，應通知原發文機關另爲處理。

二十四、分文應注意事項如下：

(一)總收文人員收到來文經拆驗後，應彙送分文人員辦理分文。如係電子交換、傳真、電報或外文文電，應按程序收文分辦。

(二)分文人員應視公文之時間性、重要性，依本機關之組織與職掌，認定承辦單位並分別在右上角加蓋單位戳後，依序迅確分辦；對來文未區分等級而認定內容確係急要者，應加蓋戳記，以提高承辦人員之注意。

(三)來文內容涉及二個單位以上者，應以來文所敘業務較多或首項業務之主辦單位爲主辦單位，於收辦後再行會辦或協調分辦。

(四)來文屬急要文件或案情重大者，應先提陳核閱，然後再照批示分送承辦單位，如認有及時分送必要者，應同時影印分送。

(五)機關首長或單位主管交下之公文，分文時應於公文上加註「〇〇〇交下」戳記。

二十五、編號、登錄應注意事項如下：

(一)來文完成分文手續後即在來文正面適當位置加蓋收文日期編號戳，依序編號並將來文機關、文號、附件及案由摘要登錄於總收文登記表，分送承辦單位；急要公文應提前編號登錄分送。

(二)總收文登記表之格式，得視機關實際之需要自行製作。

(三)總收文號按年順序編號，年度中間如遇機關首長更動時，其編號仍應持續，不另更換。

(四)總收文人員於每日下班前二小時收到之文件，應於當日編號登錄分送承辦單位。

(五)機密件應由機關首長指定之處理人員向總收文人員洽取總收文號填入該文件，並在總收文登記表案由欄內註明密不錄由。

(六)承辦單位因故遺失業經收文編號之公文，經原發文機關補發後要求補辦收文手續時，仍應沿用原收文日期及原收文號。

(七)電子交換收文人員於檢視來文無誤後，應依序編收文號，加蓋收文日期章戳，登(轉)錄摘要資訊，並將相關電子檔與收文號連結。

二十六、**傳遞應注意事項如下**：

(一)在機關內傳遞屬於絕對機密、極機密文件、急要文件或附有大量現金、高額有價證券及貴重物品之公文，應由承辦人員親自持送。

(二)內部傳遞文件以下列各種為限：

1.各機關本於職權所訂定之內部文件。

2.文書單位收受之外來文件。

3.各主辦單位間核擬核會之文件。

4.經辦結外發之文件。

5.機關首長交辦之文件。

(三)文件之遞送除急要文件應隨到隨送外，普通件以每日上下午分批遞送爲原則。

二十七、單位收發應注意事項如下：

(一)各機關內部單位應視業務需要，指定專人擔任單位收發，並應與文書主管單位及公文稽催單位保持密切聯繫，單位收發以設置一級爲限。

(二)單位收發人員收到文書主管單位送來之文件，經點收並登錄後，立即送請主管(或副主管)批示或依其授權分送承辦人員。

(三)承辦單位收受之文件，認爲非屬本單位承辦者，應敘明理由經單位主管核閱後，即時由單位收發退回分文人員改分，或逕行移送其他單位承辦並通知分文人員；受移單位如有意見，應即簽明理由陳請首長裁定，不得再行移還，以免輾轉延誤。

(四)未經文書單位收文之文件，應登錄送由文書主管單位補辦收文登錄手續。

(五)會辦之文件，受會單位應視同速件，並依收發文程序辦理。

(六)經核定之存查文件，應銷號後歸檔。

伍、文書核擬

二十八、擬辦文書應注意事項如下：

(一)對於單位收發送交之文書，或根據工作分配須辦理者，承辦人員應即行擬辦，並將辦理情形登錄於公文電腦系統或記載於公文登記簿，以備查詢。
(二)機關首長或單位主管對主管業務認有辦理文書之必要者，得以手諭或口頭指定承辦人員擬辦。
(三)負責主辦某項業務之人員，對其職責範圍內之事件，認為必須以文書宣達意見或查詢事項時，得自行擬辦。
(四)承辦人員對於文書之擬辦，應查明全案經過，依據法令作切實簡明之簽註。依法令規定必須先經會議決定者，應按規定提會處理。法令已有明文規定者，依規定擬稿送核，無法令規定而有慣例者依慣例。適用法令時，依法律優於命令、後法優於前法、特別法優於普通法、後令優於前令及下級機關之命令不得牴觸上級機關之命令等原則處理。
(五)處理案件，須先經查詢、統計、核算、考驗、籌備、設計等手續者，應先完成此項手續，如非短時間所能完成時，宜先將原由向對方說明。
(六)承辦人員對本案原有文卷或有關資料，應詳予查閱，以為擬辦處理之依據或參考。此項文卷或資料，必要時應摘要附送主管，作為核決之參考。
(七)簽具意見，應力求簡明具體，不得模稜兩可，或晦澀不清，尤應避免未擬意見而僅用「陳核」或「請示」等字樣，以圖規避責任。
(八)重要或特殊案件，承辦人員不能擬具處理意見時，應敘明案情簽請核示或當面請示後，再行簽辦。
(九)毋須答復或辦理之普通文件，得視必要敘明案情簽請存查。

(十)承辦人員擬辦案件，應依輕重緩急，急要者提前擬辦，其他亦應依序辦理，並均於規定時限完成，不得積壓。

(十一)承辦人員對於來文或簽擬意見，如情節較繁或文字較長者，宜摘提要點，以眉註方式，書於該段文字旁之空白處，或針對重要文句，以色筆註記，以利核閱。

(十二)承辦人員對於來文之附件，有抽存待辦之必要者，應於來文上書明「附件抽存」字樣，並簽名或蓋章，附件除書籍等另有指定單位保管者外，應於用畢後歸檔。

二十九、應先協調會商之文書，應注意事項如下：

(一)凡案件與其他機關或單位之業務有關者，應儘量會商。

(二)會商方式，應依問題之繁簡難易及案件之輕重緩急，於下列各款斟酌選用之：

1. 以電話商詢或面洽，必要時並記錄備查。
2. 以簽稿送會有關單位。其送會單位較多者，宜採用簽稿會核單(格式如附件五，見頁二〇二)，會銜公文採用會銜公文會辦單(格式如附件六，見頁二〇三)。
3. 提例會討論。
4. 約集有關單位人員定期舉行會議商討。
5. 臨時約集有關人員小組會商。
6. 自行持稿送會。
7. 以書函洽商(書函作法舉例見附錄五，見頁二〇二)。

(三)組織單位較多之機關，應定期舉行會報，涉及兩個單位以上需會商之案件，可在會報中提出，經決定作成紀錄後，辦稿時註明「已提×年×月×日會報決定」字樣，不再一一送會。

三十、陳核應注意事項如下：

(一)文件經承辦人員擬辦後，應即分別按其性質，用公文夾遞送主管人員核決，如與其他單位有關者並應先行會商或送會。

(二)文書之核決，於稿面適當位置簽名或蓋章辦理，其權責區分如下：

1.初核者係承辦人員之直接主管。

2.覆核者係承辦人員直接主管之上級核稿者。

3.會核者係與本案有關之主管人員（如無必要則免送會）。

4.決定者係依分層負責規定之最後決定人。

(三)承辦人員對於承辦文件如未簽擬意見，應交還重擬，再行陳核。

(四)承辦人員擬有兩種以上意見備供採擇者，主管或首長應明確擇定一種或另批處理方式，不可作模稜兩可之批示。

三十一、承辦人員於辦稿時，請參考範例（見附錄五，又見頁二〇二），分別填列下列各點：

(一)「文別」：按照公文程式條例之類別及有關規定填列。

(二)「速別」：係指希望受文機關辦理之速別。應確實考量案件性質，填列「最速件」或「速件」等，普通件得不必填列。

(三)「密等及解密條件或保密期限」：填「絕對機密」、「極機密」、「機密」、「密」，解密條件或保密期限於其後以括弧註記。如非機密件，則不必填列。

(四)「附件」：請註明內容名稱、媒體型式、數量及其他有關字樣。

(五)「正本」或「副本」：分別逐一書明全銜，或以明確之總稱概括表示；其地址非眾所周知者，請註明。機關內部得以加發「抄件」之方式處理。

(六)「承辦單位」：於稿面適當位置註明承辦單位之名稱。

(七)「承辦人員」：由承辦人員於稿面適當位置簽名或蓋章，並註明辦稿之年月日時。

(八)「收文日期字號」：於稿面適當位置列明「收文日期字號」，如數件併辦者，應將各件之收文號一併填入(各件收文亦一併附於文稿之後)，如為無收文之創稿，則填一「創」字。

(九)「分類號」及「保存年限」：於稿面適當位置列明，「保存年限」則參照檔案保存年限之規定填列。

(十)下列特殊處理事項，由承辦人員斟酌情形，於稿面適當處予以註明：

1.刊登電子公布欄、公報或通訊。

2.登報或公告，註明刊登報名、位置、字體大小、日期或揭示地點。

3.有時間性之文件，指明繕印發出或送達時間。

4.會銜稿件，書明各會銜機關抽存之份數。

5.發後補判或先發後會之註明。

6.指定寄遞方法或投遞人，並按公文內容、性質，選取電子交換方式。

7.指定公文收受人員或拆封之人員。
8.為提升公務溝通效率，承辦人員得於文稿中述明聯絡方式。
9.其他。

(十一)承辦人員辦稿時，處理附件之注意事項：

1.附件請檢點清楚，隨稿附送。
2.附件有二種以上時，請分別標以附件一、附件二、……。
3.附件除附卷者外，如係隨文附送，辦稿時，用「檢送」、「檢附」等字樣。
4.如需以原本發出，而原本僅一份時，請註明：「原本隨文發出，抄本或影印本存卷」。
5.如需以電子文件、抄本或影印本發出，辦稿時請書「附電子檔」、「抄送」或「檢送○○影印本」等字樣，並註明「原本存卷，另以電子檔、抄本或影印本發出」。
6.發文附件宜儘量用電子文件。
7.附件如不及或不能隨稿附送時，請註明「封發時，附件請向承辦人員或某某洽取」字樣。
8.附件除隨文發出外，如尚有需要時，請註明「附件請多繕○○份，送○○○」。
9.有時間性之公文，其附件不及隨文送出者，請註明「文先發，附件另送」，並與發文單位聯繫，洽知發文號碼，備於補送附件時註明。

(十二)承辦人員其他注意事項：

1.緊急事項請先以電話洽辦，隨即補具公文。

2.各機關如有請示案件，按其性質請主管單位研提意見。

3.簽稿送請核判如須附送參考資料或檔案且數量較多時，除標明附件號數外，並將重要處斜摺，露出上端或加籤條，以利查閱。

4.公文書或附件如係屬發文通報周知或需要收文機關轉發者，以登載於電子公布欄為原則，附件以電子文件方式處理，避免層層轉送。

5.登載於電子公布欄之資訊，如對某些特定對象有所影響，或需其有所作為者，可另以書函或結合電子目錄服務之電子郵遞方式，告知前述訊息，以利其配合辦理。訊息中需明確告知登載之位址及內容概要。

6.承辦人員對適宜長期對外宣告之公文或其相關附件資料，應洽網站管理人員長期登載。

7.來文內有極顯明之錯誤字句，應電洽改正，或於抄發時在文旁改正，如摘敘入稿，則請逕行改正或避免錯誤之字句。

三十二、核稿應注意事項如下：

(一)核稿人員對案情不甚明瞭時，可隨時洽詢承辦人員，或以電話詢問，避免用簽條往返，以節省時間及手續。

(二)核稿時如有修改，應注意勿將原來之字句塗抹，僅加勾勒，從旁添註，對於文稿之機密性、時間性、重要性或重要關鍵文字，認為不當而更改時必須簽章，以示負責。

(三)上級主管對於下級簽擬或經辦之稿件，認為不當者，應就原稿批示或更改，不宜輕易發回重擬。

三十三、會稿應注意事項如下：

(一)凡先簽後稿之案件已於擬辦時會核者，如稿內所敘與會核時並無出入，應不再送會，以節省時間及手續。

(二)各單位於其他單位送會之簽稿，如有意見應即提出，如未提出意見，一經會簽，即認為同意，應共同負責。

(三)會稿單位對於文稿有不同意見時，應由主辦單位綜合修改後，再送決定，會銜者亦同。

(四)非政策性之緊急文稿，為爭取時效，得先發後會。

三十四、閱稿應注意事項如下：

(一)簽稿是否相符。

(二)前後案情是否連貫。

(三)有關單位已否會洽。

(四)程式、數字、名稱、標點符號及引用法規條文等是否正確。

(五)文字是否通順。

(六)措詞是否恰當。

(七)有無錯別字。

(八)對於文稿內容如有不同意見，應洽商主管單位或承辦人員改定，或加簽陳請長官核示，不宜逕行批改。

三十五、判行應注意事項如下：

(一)文稿之判行按分層負責之規定辦理。

(二)宜注意每一文稿之內容，各單位間文稿有無矛盾、重複及不符等情形。

(三)對陳判之文稿，認為無繕發必要尚須考慮者，宜作「不發」或「緩發」之批示。

(四)重要文稿之陳判，應由主辦人員或單位主管親自遞送。

(五)決行時，如有疑義，應即召集承辦人員及核稿人員研議，即時決定明確批示。

三十六、回稿、清稿應注意事項如下：

(一)稿件於送會或陳判過程中，如改動較多或較為重大，或有其他原因者，會核或核決人員宜回稿，將稿件退回原承辦人員閱後，再行送繕。

(二)文稿增刪修改過多者，應送還原承辦人員清稿。清稿後應將原稿附於清稿之後，再陳核判。其已會核會簽者，不必再會核簽。

三十七、使用公文夾應注意事項如下：

(一)文書之陳核、陳判等過程中，均應使用公文夾(格式如附件七，見頁二〇四)，並以公文夾顏色做為機關內部傳送速度之區分。

(二)公文夾用較厚且較堅韌之紙張印製，機密件公文應用特製之機密件袋。

(三)公文夾之正面標明承辦人員之單位。

(四)公文夾區分如下，各機關並得視實際需要自行訂定：

1.最速件用紅色。

2.速件用藍色。

3.普通件用白色。

4.機密件用黃色或特製之機密件袋。

(五)公文夾之應用，必須與夾內文書之性質相稱，最速件之使用比例應予適當之控制。

(六)各機關公文夾之尺寸及封面格式應依下列規定辦理：

1.尺寸：公文夾未摺疊前之尺寸，以長 x 寬爲 56 x 40 公分，四邊留 3 公分由外向內摺邊，摺疊後長 x 寬爲 50 x34 公分爲原則。

2.封面格式：公文夾正中間標明「(機關) 公文夾」，中間下方標示「承辦單位」，左上角預留透明可插式空間，以標示會核單位或視需要加註其他例如「提前核閱」或「即刻繕發」等訊息，如標明「速別」者，所標明之「速別」須與公文夾顏色規定相符。

陸、發文處理

三十八、繕印應注意事項如下：

(一)各機關文書單位之分繕人員收到判行待發之文稿，應注意稿件之緩急並詳閱文稿上之批註後，再核計字數登錄公文繕校分配表交繕，但由承辦單位製作傳送之電子文稿字數核計方式，由各機關自行訂定。

(二)分繕人員收到待發之文稿如認爲所註明發出之期限急迫，預計無法依限辦妥者，應向承辦單位洽商改訂，並在稿面註明，以明責任。

(三)凡機密性及重要性之文稿，應指定專人負責繕印。

(四)分配繕印之文件，應以當日繕印竣事為原則。

(五)繕印人員對交繕之文稿，如認其不合程式或發現原稿有錯誤或可疑之處時，應先請示主管或向承辦人員查詢洽請改正後再行繕印。

(六)各機關對外行文，應一律使用統一規格之公文紙(格式如附件八，見頁二〇五)。

(七)繕印人員對文件內之金額、數字、人名、地名、日期或較重要之辭句不得因繕打錯誤而任意添註、塗改及挖補。

(八)繕印文件宜力求避免獨字成行，獨行成頁。遇有畸零字數或單行時，宜儘可能緊湊。

(九)繕印公文遇有未編訂發文字號之文稿，儘量先提取發文字號。

(十)各機關繕印人員每日之工作量，參照行政院所屬各機關秘書（總務）人員員額設置標準有關規定辦理。

(十一)繕印人員遇行文單位兼有電子交換及非電子交換之文稿時，應列示清單並將非電子交換公文列印，送請校對。

三十九、校對應注意事項如下：

(一)公文繕印完畢後應由校對人員負責校對，校對人員應注意繕印公文之格式、內容、標點符號與原稿是否相符。

(二)機密及重要文件，應指定專人負責校對。

(三)校對人員發現繕印之文件有錯誤時，應退回改正；不影響全文意旨者，得於改正後在改正處加蓋校對章；其以電子文件行之者，該電子檔須一併改正。

(四)校對人員如發現原稿有疑義，或有明顯誤漏之處，或機密文書未註記解密條件或保密期限者，應洽承辦人員予以改正；文內之有關數字、人名、地名及時間等應特加注意校對。
(五)公文校對完畢，應先檢查受文單位是否相符及附件是否齊全後，於原稿加蓋校對人員章，並於登錄後送監印人員蓋印。
(六)重要公文及重要法案經校對人員校對後，宜送請承辦人員複校後再送發。
(七)公文以電子文件行之者，校對人員除須核對內容完全一致外，並應注意其橫行格式是否相符，附件是否齊全。
(八)校對電子交換文稿，應於校對無誤後，列印全文作爲抄件。
(九)校對人員遇行文單位兼有電子交換及非電子交換之文稿時，應詳加核對清單，並於校對無誤後，將非電子交換公文附於文稿內，循發文程序作業。

四十、電子交換發文傳送作業應注意事項如下：

(一)電子交換發文人員發文前應輸入識別碼、通行碼或其它識別方式實施身分辨識程序，並於電腦系統確認相符後，始可進行發文作業。
(二)電子交換發文人員應於傳送後，確認電腦系統已發送之訊息。
(三)電子交換文稿行文單位兼有電子交換及非電子交換者，應於發送後檢視清單，並得在清單上標明「已電子交換」。
(四)公文電子交換後，得於公文原稿加蓋「已電子交換」章戳，並將抄件併同原稿退件或歸檔。

(五)電子交換發文人員於傳送後，至遲應於次日在電腦系統檢視發送結果，並爲必要之處理。

(六)公文以電子交換者，其發送或登載日期應配合公文上之發文日期立即處理，避免發文日期與發送或登載日期產生落差。

四十一、蓋印及簽署應注意事項如下：

(一)各機關任何文件，非經機關首長或依分層負責規定授權各層主管判發者，不得蓋用印信。

(二)監印人員如發現原稿未經判行或有其他錯誤，應即退送補判或更正後再蓋印。

(三)監印人員於待發文件檢點無誤後，依下列規定蓋用印信：

1.發布令、公告、派令、任免令、獎懲令、聘書、訴願決定書、授權狀、獎狀、褒揚令、證明書、執照、契約書、證券、匾額及其他依法規定應蓋用印信之文件，均蓋用機關印信及首長職銜簽字章。

2.呈：用機關首長全銜、姓名，蓋職章。

3.函：上行文署機關首長職銜、姓名，蓋職章。平行文蓋職銜簽字章或職章。下行文蓋職銜簽字章。

4.書函、開會通知單、移文單及一般事務性之通知、聯繫、洽辦等公文，蓋用機關或承辦單位條戳。

5.機關內部單位主管依分層負責之授權，逕行處理事項，對外行文時，由單位主管署名，蓋單位主管職章或蓋條戳。

6.機關首長出缺由代理人代理首長職務時，其機關公文應由首長署名者，由代理人署名。機關首長因故不能視事，由代理人代行首長職務時，其機關公文，除署首長姓名註明不能視事事由外，應由代行人附署職銜、姓名於後，並加註代行二字。機關內部單位基於授權行文，得比照辦理。

7.會銜公文如係發布命令應蓋機關印信，其餘蓋機關首長職銜簽字章。

(四)一般公文蓋用機關印信之位置，以在首頁右側偏上方空白處用印爲原則，簽署使用之章戳位置則於全文最後。

(五)公文及原稿用紙在兩頁以上者，其騎縫處均應蓋(印)騎縫章。

(六)附件以不蓋用印信爲原則，但有規定須蓋用印信者，依其規定。

(七)副本之蓋印與正本同，抄本(件)及譯本不必蓋印，但應分別標示「抄本(件)」或「譯本」。

(八)文件經蓋印後，由監印人員在原稿加蓋監印人員章，送由發文單位辦理發文手續。

(九)不辦文稿之文件，如需蓋用印信時，應先由申請人填具「蓋用印信申請表」，其格式由機關自訂，惟內容應包括申請人簽章、蓋用印信之文別、受文者、主旨、用途、份數及蓋用日期等項目，陳奉核定後，始予蓋用印信。

(十)監印人員應備置印信蓋用登記表，對已核定需蓋印之文件，應予登錄並載明收(發)文字號，申請表應妥爲保存，以備查考。登記表及蓋用印信申請表，於新舊任交接時，應隨同印信專案移交。

(十一)監印人員對行文單位兼有電子交換及非電子交換之文稿，應核對其清單無誤後，方得於非電子交換公文蓋印，並循發文程序作業。

四十二、編號、登錄應注意事項如下：

(一)總發文人員對待發之公文，應詳加檢查核對，如有漏蓋印信、附件不全或受文單位不符者應分別退還補辦。

(二)待發之文件，應按其性質依序編列發文字號及註明發文日期，如係機密件或有時間性之文件，應分別標明，以引起受文機關注意。

(三)發文代字應冠以承辦單位之代字，承辦單位如為不固定機關或軍事機構，得另以代字編定統一代號使用，此項代字均以於每年開始預為編定為原則，以便統一使用。

(四)總發文字號每年更易一次，年度中間如遇機關首長更動時，其編號仍應持續不另更換。

(五)機密文件應由機關首長指定之人員處理，發文時先向總發文人員洽取發文字號填入文中自行封發，並在總發文登記表案由欄內註明密不錄由。

(六)各機關之總發文登記表，除採用收發文同號作業方式者外，其格式及製作份數，得視實際需要，自行決定。公文經編號發文後應依序登錄於總發文登記表。

(七)發文後之稿件，如承辦單位註明有先發後會或發後補判者，應退還承辦單位自行處理。

四十三、封發應注意事項如下：

(一)經編號待發之公文，應由專人負責複檢附件是否齊全，文與封是否相符後再封固，並標明速別，登錄後送外收發人員遞送。

(二)同一受文機關之公文，除最速件得提前封發外，其餘普通件得併封發出，並在封套(格式如附件九)上註明文號件數。

(三)機密件、最速件或開會通知應於封套上加蓋戳記；機密件應另加外封套，以重保密。

(四)發文附件應由總發文人員隨文封發；如為現金、票據、有價證券或貴重物品，應由承辦單位檢齊封固書明名稱、數量，並在封口加蓋經辦人員印章隨同公文送交總發文人員辦理封發。

(五)凡體積較大數量過多之附件需另寄者，應在公文附件項下註明附件另寄，並應在附件封面書明某字號之附件，該公文及附件應同時付郵。

四十四、送達或付郵應注意事項如下：

(一)公文之送達或付郵由外收發人員統一辦理。

(二)送達公文及附件，除特殊情形經陳奉核准者外，應直接送達受文之機關。

(三)交換傳遞之公文，應填具送文簿或公文傳遞清單按規定時間、地點集中交換。

(四)傳送之公文，應填具送文簿或公文傳遞清單書明送出時間，派專差送達。

(五)郵遞公文應依其性質分別填送郵遞清單付郵，郵資及收執應另備登記表登錄，以爲郵費報銷之依據。

(六)人事命令、證件、有價證券、訴願文件及機密件等均應以掛號郵件寄發。

(七)機關內部各單位送發之文件，應以有關公務者爲限，由單位收發人員登錄送文簿送交外收發人員遞送。

(八)送發之電報，由電務人員登錄後逕行送發。

(九)外收發人員應隨時注意登錄有關機關及人員之通訊地址，以便文件之投送。

(十)公文封發後，由承辦人員自送時，應由該承辦人員簽章，並自行送達受文單位。

四十五、歸檔應注意事項如下：

(一)收文經批存者，應區分永久保存或定期保存年限，由單位收發登錄後，得依各機關公文處理程序辦理歸檔。

(二)發文後之原稿件，除承辦單位註明發後補判、發後補會者應退承辦單位自行辦理後送檔案管理單位點收歸檔外，其餘稿件應隨同總發文登記表送檔案管理單位簽收歸檔。
(三)簽稿應原件合併歸檔，若一簽多次辦稿，得影印附卷，並註明原簽所在文號。
(四)前述收文、發文、簽稿及電子文件等歸檔時，應依檔案法及相關規定辦理。

柒、文書簡化

四十六、減少文書數量應注意事項如下：

(一)各級機關本於其職掌範圍規定處理之事項，除法令規定及性質重要者外，不必報備。
(二)無轉行或答復必要之文書或例行准予備查之案件，應逕予存查。
(三)無機密性之通案，應於電子公布欄公布，並得登載於公報、公告或其他公務性刊物，以代替行文，下級機關應即照辦，毋庸逐級函轉。
(四)同一機關之內部各單位，必須以書面洽辦公務者，應以書函或便箋行之，或將原文影印分送會簽，並儘量利用電子方式處理。
(五)各機關自其他機關電子公布欄所擷取之資訊，可直接利用機關內部網路轉登或辦理，無須另外行文。
(六)接到之副本，如僅為通知性質，不須辦理，亦無其他意見者，不必行文答復。
(七)內容簡單毋須書面行文者，可用電話接洽。
(八)機關團體首長到任就職，地址、電話變動、年度發文代字號，或其他一般性通報周知事項，應登載電子公布欄。

(九)上級交下級核議之文件，如在同一地區，可將原件發交下級機關，下級機關即於原件上簽註意見送還。不在同一地區者，可用交辦(議)案件通知單(作法舉例見附錄五，見頁二〇二)爲之。

(十)凡造送各種報表，除必須備文附送者外，一律由主辦單位逕行送發。

(十一)屬機關內部通報性質之公文，得利用機關內部網路，以登載或以電子郵遞方式告知；其採電子郵遞方式者，須確認相關收受人員必能獲知該項訊息。

(十二)上級機關公報或通訊刊載之文件，下級機關應即照辦，毋庸逐級函轉。如須行文催辦，祇錄該案所登公報。或通訊之期數、頁數、發文日期、字號及主旨，以便檢查。

(十三)設有廣播電臺之機關，得視公文內容可以利用廣播播送者，予以播送。受文機關應指定人員予以記錄，作爲正式公文處理。

四十七、文書處理採用簡便或定型化方式應注意事項如下：

(一)已行文之事項，逾期未復，須催辦、催繳、催復、催報、催發、催查者，用催辦案件通知單(作法舉例見附錄五，又見頁二〇二)。

(二)不屬於本機關主管業務或職權範圍之來文，可逕以移文單(作法舉例見附錄五，又見頁二〇二)移送主管機關，不必退還。

(三)不同機關之來文，案由相同其答復同者，應併辦一稿，分知各來文機關。

(四)凡發往甲機關之文稿已經發出，又須以同樣文稿發往乙機關時，應將原案調出，加簽說明，擬照發乙機關，經陳奉核可後，即送請文書單位繕發，不必重行辦稿。

(五)召集會議宜用開會通知單或以電話通知。

(六)借支、請假、出差、請購等例行事項，得用表格填報，或利用機關內部網路，不另用簽。

(七)人事任免等例行案件，宜用定型稿。

(八)各機關交辦文件，宜指示原則，附式舉例說明；審核下級機關陳送報表或附件時，除重大錯誤發還更正外，應即就原案改正並告知，以免公文往返。

四十八、簡化文書手續應注意事項如下：

(一)外收發與內收發非屬必要，應合併辦理。

(二)定期報表、私誼交際文電及其他不涉及公務之文件，均不必辦理收發文登錄，可另用送件簿(單)遞送。

(三)編號登錄之簡化：

1.除總收發應摘由登錄外，其他歷程中只記文號，不必錄由，並可經機關內部網路，傳送有關單位。

2.公文書應一文一號，總收發文所編號碼，應在本機關內統一應用。

3.各機關應視實際情形，採用收發文同號，使文號更趨簡化。

4.收發文編號使用之代字，應以適用為度，勿疊床架屋，徒增累贅。

5.電報發文應以四位阿拉伯數字代表月日(如六月十八日為0618)。

(四)文稿核會之簡化：

1.上一層級已於擬辦時核可者，其文稿內容如無變更，應由次一層級代判，不必再送上級判行，較急要者，得先行判發再補陳核閱。
2.急要文書，高級主管人員應儘量自行辦稿，以節省核轉之時間及手續。
3.一人兼任本機關內數項職務者，其核稿以一次為限。
4.彙存或彙辦之案件，可由承辦人員就首次來件於適當之空白處簽明必須彙存或彙辦之理由，陳送核批以後，續收之同案件，即逕由承辦人員註明彙存或彙辦，不必逐件擬辦陳核。
5.利用業務會報商討涉及兩個單位以上之案件，經作成決定後再辦，以減少公文簽會手續。
6.會商或會稿儘量以電話或當面行之。
7.案件如屬本單位主辦，但有會知其他單位之必要者，應於辦稿後送會，或如係其他機關則以副本抄送。其須事先徵求其他機關或單位意見，以為辦稿之依據者，應先送會。
8.會議紀錄及交代案等類似案件，其內容廣泛，須送會三個以上單位者，得影印若干份，同時分送各有關單位，以免依次會簽，稽延時日。
9.特急文件需會辦者，應逕行面洽，儘量避免登錄遞送承轉等手續。

(五)行文之簡化：
1.緊急公文得不依層級之限制，越級行文。
2.各機關內部單位接洽其職掌範圍內之事項或依分層負責之事項，對其他機關或其他機關之內部單位，得直接行文，不必由機關對機關行文。

3.文書處理採線上簽核方式者，相關之作業程序得予簡化。

四十九、文書有分行之必要者儘量利用副本，避免重複辦稿。使用副本應注意事項如下：

(一)受理之案件，主體機關或通案分行之機關用正本，其餘有關聯或預計將有同樣詢問之機關用副本。

(二)收到其他機關來文，一時未能函復，須向其他機關查詢者，可將查詢行文之副本抄送來文機關。

(三)副本除知會外，尙須收受副本機關處理者，得於文內加敘請就某一事項予以處理之字樣。

(四)因緊急情況越級行文時，得以副本抄送其直屬上級或下級機關。

(五)附件以正本爲限，如需附送副本收受機關或單位，應在「副本」項內之機關或單位名稱右側註明「含附件」或「含○○附件」。

(六)已抄送副本之機關單位，如其後續來文，內容已在前送副本中列明者，不必答復。

捌、文書保密

五十、機密文書區分為國家機密文書及一般公務機密文書。

各機關處理機密文書，除依國家機密保護法與其施行細則及其他法規外，依本手冊辦理。

五十一、國家機密文書區分為「絕對機密」、「極機密」、「機密」；一般公務機密文書列為「密」等級。

不同等級之機密文書合併使用或處理時，以其中最高之等級爲機密等級。

五十二、應以機密文書處理之國家機密事項如下：

(一)軍事計畫、武器系統或軍事行動。

(二)外國政府之國防、政治或經濟資訊。
(三)情報組織及其活動。
(四)政府通信、資訊之保密技術、設備或設施。
(五)外交或大陸事務。
(六)科技或經濟事務。
(七)其他為確保國家安全或利益而有保密之必要者。

五十三、一般公務機密，指本機關持有或保管之資訊，除國家機密外，依法令或契約有保密義務者。

五十四、各機關應就其主管業務，依第五十點第二項各法規所定事項，於必要之最小範圍內，分別詳定應保密事項之具體範圍。

五十五、核定機密文書之機密等級、保密期限、解密條件等，應依相關保密法規辦理。

五十六、凡委託其他公民營機構或個人研究、設計、發展、試驗、採購、生產、營繕、銷售或保管文件，涉及機密事項，其文書處理規定如下：

(一)各機關人員於其職掌或業務範圍內，凡以契約委託其他公民營機構(廠商)或個人產製之機密文書，應要求受託者先行採取保密措施，並送交委託單位，由權責長官核定機密等級、保密期限或解密條件，並通知受託者。
(二)凡因委託契約需要，而必須提供受託者機密文書時，應繕造清冊送交受託者專人執據簽收；並得檢查該機密文書之管理與運用情形，以保障機密文書不遭轉用或洩漏。

(三)為使受託者瞭解並配合採取保密措施，委託單位應要求簽訂「保密契約」或於主契約中規範「保密義務條款」，明定業經標示為機密之文書，縱使契約終止或解除，非經解密，受託者仍應採取保密措施。

五十七、各機關應指定專責人員負責辦理機密文書拆封、分文、繕校、蓋印、封發、歸檔，以及機密公文電子交換等事項，並儘可能實施隔離作業。

五十八、機密文書之簽擬、陳核(判)，應由業務主管或其指定之人員處理，並應儘量減少處理人員層級及程序。

五十九、各機關承辦人員處理一般文書，應審核鑑定是否具保密價值，如確有保密必要，應即改作機密文書處理。

六十、一般公務機密文書之知悉、持有、使用或複製，除辦理該機密業務者外，以經單位主管以上人員同意者為限。

前項單位主管以上人員，於有下列情形之一者，得不同意：

(一)有事實足認有洩密之虞。

(二)無知悉、持有、使用或複製機密文書之必要。

六十一、處理機密文書應注意事項如下：

(一)收受機密文書時，應先詳細檢查封口有無異狀後，並依內封套記載情形完成登錄，受文者為機關或機關首長者，應送機關首長或其指定人員啓封；受文者為其他人員者，逕送各該人員本人啓封；另啓封人員，應核對其內容及附件。

(二)機密文書之收發處理，以專設文簿或電子檔登記為原則，並加註機密等級。如採混合方式，登記資料不得顯示機密之名稱或內容。

(三)機密文書用印時，屬「絕對機密」、「極機密」者，由承辦人員持往辦理。監印人員僅憑機關首長簽署用印，不得閱覽其內容。屬「機密」、「密」者之用印，得由繕校人員持往辦理。

(四)「絕對機密」、「極機密」文書之封發，由承辦人員監督辦理。「機密」、「密」則由指定之繕校、收發人員辦理。

(五)使用電腦設備處理機密公文時，對於簽入資訊系統所需之帳號及密碼應建立安全管理機制並不得使其暴露於他人可見之狀態，有關公文交換所需之簽章加密等相關電子憑證亦需妥善保存。

六十二、保密期限或解除機密條件之標示，應以括弧標示於機密等級之下。其解密條件如下：

(一)本件於公布時解密。

(二)本件至某年某月某日解密。

(三)本件於工作完成或會議終了時解密。

(四)附件抽存後解密(適用於附件已完成機密等級及解密條件標示者)。

(五)其他(其他特別條件或另行檢討後辦理解密)。

機密等級標示位置，依「國家機密保護法」施行細則第十七條規定辦理。

六十三、經核定機密等級、解密條件之文書，屬彙編性質者，應於文書首頁說明保密要求事項。

六十四、機密文書之傳遞方式如下：

(一)分文（交辦）、陳核（判）、送會、送繕、退稿、歸檔等流程，除「絕對機密」及「極機密」應由承辦人員親自持送外，其餘非由承辦人員傳遞時，應密封交遞。傳送一般公務機密文書應交指定專責人員或承辦人員親自簽收。

(二)在機關外傳遞，屬於國家機密之「絕對機密」或「極機密」者，由承辦人員或指定人員傳遞，必要時得派武裝人員或便衣人員護送。屬「機密」者，由承辦人員或指定人員傳遞，或以外交郵袋或雙掛號函件傳遞。「密」等級者，須切實密封後按一般人工傳遞方式辦理。

(三)如因機關業務特性，機密文書須採電子方式處理者，應使用經專責機關鑑定相符機密等級保密機制，並依相關規定辦理。

六十五、**機密文書對外發文時，應封裝於雙封套內，封套之紙質，須不能透視且不易破裂**。內封套左上角加蓋機密等級，並加密封，封口及接縫處須加貼薄棉紙或膠帶並加蓋「密」字戳記；外封套不得標示機密等級或其他足以顯示內容之註記。

體積及數量龐大之機密文件，無法以前述方式封裝者，應作適當之掩護措施。

六十六、**辦理機密文書之簽擬稿、繕印打字時之廢件，或誤繕誤印之廢紙及複寫紙等，應由承辦人員即時銷毀之**。不能即時銷毀時，應視同複製品，依「國家機密保護法」第十八條規定保護之。

六十七、**機密文書之承辦人員，應隨時與收發及文書主管人員協調聯繫，處理重要之機密案件時，並應洽詢經**機關首長指定之保密業務主管人員意見，採取必要之保密措施。

六十八、**機密文書如非必要，應儘量免用或減少副本**。

六十九、**機密文書非經權責主管人員核准，不得攜出辦公處所**。

七十、機密文書應存放於具安全防護功能之金屬箱櫃，並裝置密鎖，保管人員必須經常檢查。

七十一、會議使用之機密文書資料應編號分發，會議結束當場收回；與會人員如需留用時，應經主席核准並辦理借用簽收。

七十二、各機關凡經核定機密等級之文書，不論其性質屬研究報告、會議資料、業務統計、各式簽擬文稿等，均應依檔案法及相關規定辦理。

七十三、納入檔案管理之機密文書，應隨時或定期查核，其須變更機密等級或解密者，應即按規定辦理變更或解密手續。

七十四、處理文書機密等級之變更或解密，其權責劃分如下：

(一)機密等級變更或解密，由承辦人員於區分密等時預爲註明或主動檢討辦理。

(二)國家機密之變更或解密，依國家機密保護法第十條第一項規定爲之。

(三)一般公務機密文書，由原核定主管核定之。

(四)機密文書原核定機關因組織裁併或職掌調整，致該機密事項非其管轄者，相關保護作業由承受其業務之機關辦理；無承受業務機關者，由原核定機關之上級機關或主管機關爲之。

七十五、文書機密等級之變更及解密程序規定如下：

(一)承辦人員依據機密件登錄主動檢查，或其他機關建議，將解密之案件，提出審查，並填具機密等級變更或解密之處理意見表(格式如附件十，見頁二〇七)或建議單(作法舉例見附錄五，又見頁二〇二)陳送核定。

(二)經核定原機密等級解密後，應填寫機密等級變更或註銷通知單(作法舉例見附錄五，又見頁二〇二)，陳奉核定，再行繕發，並通知前曾受領該機密文件之受文機關。

(三)文書機密等級之附加變更或解密標示者，屆時即照標示自動變更或解密，由檔案管理單位會商業務承辦單位辦理有關手續。

(四)變更機密等級或解密者，應將案卷封面及文件上原有機密等級之註記以雙線劃去，並於明顯處浮貼已列明資料經登記人簽章之紀錄單(戳)(格式如附件十一，又見頁二〇八)。

(五)建議其他機關變更機密等級或解密者，於獲得答復同意後，參照(一)至(四)之程序辦理。

(六)非機關之來函其上自訂有機密等級者，經函知來文者後，參照(一)至(四)之程序辦理。

(七)機密案件經解密後應照普通案件放置保管。非經解密者，不得銷毀，解密後，其銷毀方式，須依檔案法及相關規定辦理。

七十六、保管機密文書人員調離職務時，應將所保管之機密文書，逐項列冊點交單位主管或其指定人員。

七十七、各機關對於機密文書之處理，應指定專人會同檔案、資訊、通信、政風等業務承辦人員，實施查核。

七十八、一般保密事項規定如下：

(一)各機關員工對於本機關任何文書，除經特許公開者外，應遵守公務員服務法第四條之規定，絕對保守機密，不得洩漏。

(二)文書之處理，不得隨意散置或出示他人。

(三)各級人員經辦案件，無論何時，不得以職務上之秘密作私人談話資料。非經辦人員不得查詢業務範圍以外之公務事件。
(四)文書之核判、會簽、會稿時，不得假手本機關以外之人員，更不得交與本案有關之當事人。
(五)文書放置時，應置於公文夾內，以防止被他人窺視。
(六)下班或臨時離開辦公室時，應將公文收藏於辦公桌抽屜或公文櫃內並即加鎖。
(七)各機關就其主管業務發表新聞時，應指定專人統一辦理。
(八)職務上不應知悉或不應持有之公文資料，不得探悉或持有。因職務而持有之機密文件，應保存於辦公處所，並隨時檢查，無繼續保存之必要者，應繳還原發單位；無法繳回者應銷毀之。
(九)私人日記、通信、撰文及著作，其內容不得涉及機密及依法應保密事項。
(十)發現他人涉有危害保密之虞時，應加勸告，其不聽勸告或已發生洩密情事者，應立即向長官報告。
(十一)承辦機密文書人員，發現承辦或保管之機密文件已洩漏、遺失或判斷可能洩漏、遺失時，應即報告所屬主管查明處理。

玖、文書流程管理

七十九、文書流程管理乃機關所屬人員共同之職責，以登錄詳盡之公文處理過程相關事實資訊為基礎，實施自我管理、文書稽催、時效統計分析及流程簡化等管理措施，以提高公文處理時效及品質。

爲有效提高行政效能，各機關應強化各級人員自我管理之精神，並隨時分析、檢討、改進文書處理流程。

八十、各機關應針對本機關之特性，建立文書流程管理制度，指定單位或指派專人負責研訂文書流程管理作業及獎懲等相關規定，以作為文書單位、業務單位及專責管制單位執行之依據。

八十一、專責管制單位或人員為加強文書流程管理功效，應與文書單位密切聯繫配合，落實文書稽催、時效統計分析、流程簡化及運用資訊技術執行相關工作；並得視需要與文書單位及業務單位舉行會議，共同檢進。

八十二、各類公文之處理時限如下：

(一)一般公文：

1.最速件：一日。

2.速　件：三日。

3.普通件：六日。

4.限期公文：

(1)來文或依其他規定訂有期限之公文，應依其規定期限辦理。

(2)來文訂有期限者，如受文機關收文時已逾文中所訂期限者，該文得以普通件處理時限辦理。

(3)變更來文所訂期限者，須聯繫來文機關確認。

5.涉及政策、法令或需多方會辦、分辦，且需三十日以上方可辦結之複雜案件，得申請為專案管制案件。

6.專案管制案件或其他特殊性案件之處理時限，各機關得視事實需要自行訂定。

(二)立法委員質詢案件：依據「立法院職權行使法」及「行政院及所屬各機關辦理答復立法委員質詢案件處

理原則」規定辦理。

(三)人民申請案件：應按其性質，區分類別、項目，分定處理時限，予以管制。

(四)人民陳情案件：依據「行政程序法」第七章及「行政院暨所屬各機關處理人民陳情案件要點」之規定辦理。

(五)訴願案件：應依「訴願法」之規定辦理。

前項第一款處理速別之擬定，發文機關承辦人員應確實區分，各級人員應詳加審核；來文之處理速別與公文性質不符者，得經由收文單位之主管或指定之授權人員核定後，調整來文處理速別。

第一項各款規定之公文處理時限，除限期公文、專案管制案件、訴願案件、人民申請案件外，均不含假日。

八十三、各類公文處理時限之計算標準如下：

(一)一般公文發文使用日數：

1.答復案件：自收文之次日起至發文之日止(含本機關內部各單位會辦、會簽、會稿時間)所需日數扣除假日，為發文使用日數。

2.彙辦案件：自所彙辦公文最後一件收文之次日起，至發文之日止，所需日數扣除假日，為其第一件來文發文使用日數；其餘彙辦公文於全案辦結時，以存查公文計算。

3.併辦案件：自首件收文之次日起，至發文之日止，所需日數扣除假日，為其發文使用日數；其餘併辦公文於全案辦結時，以存查公文計算。

4.創稿案件：

(1)交辦案件，自交辦之日起，至發文之日止，所需日數扣除假日，爲其發文使用日數。

(2)先簽後稿案件，自首次簽辦之日起，至發文之日止，所需日數扣除假日，爲其發文使用日數。

(3)直接辦稿案件，自辦稿之日起，至發文之日止，所需日數扣除假日，爲其發文使用日數。

5.限期公文：依下列方式，自收文之次日起，計算發文使用日數：

(1)未逾來文所訂期限，而實際處理日數超過六日者，以六日計算；未超過六日者，以實際處理日數計算。

(2)逾越來文所訂期限者，依實際處理日數計算。

(3)處理限期公文過程產生之彙(併)辦案件，於全案辦結時，以存查公文計算。

送會本機關以外機關者，自送會之日起，至退會收到之日止，期間得予扣除。

(二)專案管制案件、立法委員質詢案件、人民申請案件、人民陳情案件、訴願案件：

1.以「依限辦結」與「逾限辦結」爲計算基準。在規定處理時限內辦結者列爲「依限辦結」，超過規定處理時限辦結者列爲「逾限辦結」。

2.人民申請案件因不合法定程式或手續時，主辦單位應詳細說明，一次通知補正。通知補正或因適用法令疑義而層轉核釋者，從其通知、函轉之日起，至補件、釋復之日止，所經過之期間得予扣除。

3.人民陳情案件因須等待其他機關資料或因適用法令疑義而層轉核釋者，自其層轉之日起，至函復、釋復之口止，所經過之期間得予扣除。

4.訴願案件因訴願書不合法定程式，而其情形可補正者，應通知訴願人於二十日內補正者，其時效自訴願補正程式的次日起算。

(三)處理時限，除以時爲計算基準者，以一小時爲計算單位外，以半日爲計算基準，未滿半日，以半日計算，超過半日未滿一日，以一日計算；其區分基準爲中午一時。

(四)處理時限之計算，除以時爲計算單位者，自收文之時起算外，其餘一律以收文之次日起算；但收文當日辦結者，以半日計算。

前項各款案件各階段之處理時間，因註記不明確或未註記者，一律以該階段最長時間認定。

八十四、公文登錄、催辦及銷號規定如下：

(一)各機關對所收之公文，應按收文號予以登錄管制，並依據公文處理紀錄，作爲公文檢查、催辦、銷號、製表及統計分析之基礎；其相關登錄及催辦格式，由各機關視需要自行規定，但應遵守由左至右之橫行格式原則。

(二)經簽擬核定之公文，應於發文或辦結後予以銷號；惟應繼續辦理或尙未結案者，仍應繼續管制。

(三)承辦人員應隨時注意所承辦公文之時效，對屆辦理期限或逾期案件應儘速辦結或敘明理由辦理展期手；文書單位或單位收發人員應逐日檢查公文處理紀錄，對屆辦理期限之案件，並應提醒承辦人員或送請單位主管參處；對已逾期而未申請展期之案件，或送會逾時者，應予催辦；承辦人員應於接獲稽催之次日答復，並立即簽辦，或視需要申請展期，仍不簽辦，又不將延辦理由答復者，得簽報議處。

(四)文書單位或單位收發人員，應依業務單位填註之核准展延辦畢日期辦理稽催，如有積壓延誤情事者，應按情節輕重，簽報議處。

八十五、各機關對於文書流程管理之各項作業應確實管制；各級單位主管對所屬承辦之公文，應隨時檢查有無逾期之情事，予以督催，本身尤應注意公文品質及處理時限之遵守，若疏於督催致有貽誤時，應負共同責任。公文管制區分爲以文管制及以案管制，下列公文原則上須以案管制：限期案件、專案管制案件、人民申請案件、人民陳情案件、訴願案件或其他指定案件等。

八十六、各機關對公文處理時效，應定期檢討分析，簽報機關首長核閱，並視需要對重大或逾期案件，進行調卷分析，其所需資料，各單位應配合提供。

八十七、各機關應研訂文書流程管理稽核計畫，辦理定期或不定期檢核，依據檢核結果，確實檢討改進，並辦理獎懲。

拾、文書用具及處理標準

八十八、各機關處理文書，應儘量採用性能及品質優良之用具，以增進文書處理效率。

八十九、各機關印信及公文電子交換所需章戳應依「印信條例」及「印信製發啓用管理換發及廢舊印信繳銷辦法」與「機關公文電子交換作業辦法」等有關規定辦理外，其餘因處理文書需要章戳，得依照下列規定自行刻製，分交各有關單位或人員妥善使用之：

(一)條戳：木質或用橡皮刻製，以長方形爲原則，用正楷或宋體字，由左至右，刻機關(單位)全銜。於書函、開會通知單、移文單、建議單、通知單、催辦單等用之。

(二)簽字章：木質或用橡皮刻製，依機關首長、副首長及幕僚長等之簽名由左至右刻製，對外行文時用之。

(三)鋼印：鋼製、圓形，由左至右，刻鑄機關全銜(並得刻鑄機關全銜之英文名稱)，其圓周直徑以不超過五公分為限，於職員證、證書、證券等證明文件上用之。

(四)校對章：用篆字、隸書或正楷刻製，由左至右，刻機關全銜或簡稱，並加「校對章」字樣，於文書改正時用之。

(五)騎縫章：款式與校對章同，並加騎縫標示字樣，於公文、附件或契約黏連處用之。

(六)附件章：款式與校對章同，並加「附件章」字樣，於公文之附件上蓋用之。

(七)收件章：用橡皮刻製、由左至右刻機關全銜，並加「收件章」字樣，並附日期及時間，於收受文件時用之。

(八)職名章：以正楷或隸書，由左至右，刻製職稱、姓名。

(九)電子文件章：由左至右，於收發電子文件時蓋用之。

九十、機關印信章戳，除印信應由首長指定監印人員負責保管外，章戳亦應指定專人負責保管，如有遺失或冒用情事，應由保管人員負完全責任。

九十一、機關公文電子交換作業使用之智慧卡正卡及讀卡機應指定專人負責保管使用，智慧卡副卡則由單位主管另指定專人保管，上述設備如有遺失或損毀，應依相關規定程序辦理申請補發。

九十二、各機關公文用紙之質料、尺度及格式，除下列原則外，並應依附件所列規定辦理：

(一)質料：七十磅以上米色（白色）模造紙或再生紙。

(二)尺度：採國家標準總號五號用紙尺度A4，便條紙得用A5。

(三)格式：依附件所列。

九十三、各機關所使用之各種表簿格式，得視實際需要參照國家標準及國產紙張標準自行規定印製，並應遵守由左至右之橫行格式原則。

九十四、機關公文以電子文件行之者，應指定專人負責機關電腦中文碼之管理，辦理事項如下：

(一)機關中文自用字碼和國家標準交換碼對照表之建置、註冊、及維護。

(二)在國家標準交換碼範圍內，新增機關中文自用字碼之安裝處理。

(三)在國家標準交換碼範圍外，新增機關中文自用字碼之申請處理。

數字用法舉例一覽表

阿拉伯數字/中文數字	用語類別	用法舉例
阿拉伯數字	代號(碼)、國民身份證統一編號、編號、發文字號	ISBN988-133-005-1、M234567890、附表(件)1、院臺密字第0930086517號、臺79內字第095512號
	序號	第4屆第6會期、第1階段、第1優先、第2次、第3名、第4季、第5會議室、第6次會議紀錄、第7組
	日期、時間	民國93年7月8日、93年度、21世紀、公元2000年、7時50分、挑戰2008：國家發展重點計畫、520就職典禮、72水災、921大地震、911恐怖事件、228事件、38婦女節、延後3週辦理
	電話、傳真	(02)3356-6500
	郵遞區號、門牌號碼	100台北市中正區忠孝東路1段2號3樓304室
	計量單位	150公分、35公斤、30度、2萬元、5角、35立方公尺、7.36公頃、土地1.5筆
	統計數據(如百分比、金額、人數、比數等)	80%、3.59%、6億3,944萬2,789元、639,442,789人、1：3
中文數字	描述性用語	一律、一致性、再一次、一再強調、一流大學、前一年、一分子、三大面向、四大施政主軸、一次補助、一個多元族群的社會、每一位同仁、一支部隊、一套規範、不二法門、三生有幸、新十大建設、國土三法、組織四法、零歲教育、核四廠、第一線上、第二專長、第三部門、公正第三人、第一夫人、三級制政府、國小三年級

	專有名詞(如地名、書名、人名、店名、頭銜等)	九九峰、三國演義、李四、五南書局、恩史瓦第三世
	慣用語(如星期、比例、概數、約數)	星期一、週一、正月初五、十分之一、三讀、三軍部隊、約三、四天、二三百架次、幾十萬分之一、七千餘人、二百多人
阿拉伯數字	法規條款項目、編章節款目之統計數據	事務管理規則共分 15 編、415 條條文
	法規內容之引敘或摘述	依兒童福利法第 44 條規定：違反第 2 條第 2 項規定者，處新臺幣 1 千元以上 3 萬元以下罰鍰。」
		兒童出生後 10 日內，接生人如未將出生之相關資料通報戶政及衛生主管機關備查，依兒童福利法第 44 條規定，可處 1 千元以上、3 萬元以下罰鍰。
中文數字	法規制訂、修正及廢止案之法制作業公文書(如令、函、法規草案總說明、條文對照表等)	1.行政院令：修正「事務管理規則」第一百十一條條文。 2.行政院函：修正「事務管理手冊」財產管理第五十點、第五十一點、第五十二點，並自中華民國九十三年二月十六日生效………。 3.「○○法」草案總說明：………爰擬具「○○法」草案，計五十一條。 4.關稅法施行細則部份條文修正草案條文對照表之「說明」欄—修正條文第十六條之說明：一、關稅法第十二條第一項計算關稅完稅價格附加比例已減低爲百分之五，本條第一項爰予配合修正。

附：公文用紙規格舉例

附件 1、(機關全銜) 分層負責明細表

單位	工作項目	權責劃分			備考
		第3層（承辦人）	第2層（單位主管）	第1層（機關首長）	

1公分

裝 訂 線

附註：

一、先寫各單位共同事項，再依次寫各單位個別事項。

二、工作項目排列次序為一、二、三、……，(一)(二)(三)……，1、2、3、……，(1)(2)(3)……。必要時可加甲、乙、……。

三、各層次內，可依處理情形，分別填寫「審核」、「核定」等字樣。

附件 2、開會通知單用紙格式

2.5公分

檔　　號：
保存年限：

（機關全銜）開會通知單

（郵遞區號）
（地址）
受文者：

發文日期：
發文字號：
速別：
密等及解密條件或保密期限：
附件：

開會事由：
開會時間：
開會地點：
主持人：
聯絡人及電話：

出席者：
列席者：
副本：
備註：
（蓋章戳）

裝　訂　線

1.5公分　1公分　2.5公分

說明：
一、本格式以A470磅以上模造紙或再生紙製作。
二、依據「公文程式條例」，如以電子交換方式行之，得不蓋用印信。

2.5公分

附件 3、電話紀錄用紙格式

2.5公分

（全銜）公務電話紀錄

協調事項	
發（受）話人通話內容	
發話人單位職稱姓名	
受話人單位職稱姓名	
通話時間	
備註	

裝訂線

1.5公分　1公分　2.5公分

說明：

一、本格式以A470磅以上模造紙或再生紙印製。

二、裝訂成冊後另將下列文字印刷於封面內頁：

（一）各機關間凡公務上聯繫、洽詢、通知等可以簡單正確說明的事項，均可使用本紀錄。

（二）本紀錄應由發話人認有必要時，複寫2份，以1份送達受話人。

（三）本紀錄發話、受話雙方均應附卷存檔，以供查考。

2.5公分

附件 4、分項標號書寫格式舉例

一、依據中華民國89年8月16日院頒「文書處理手冊」第80點第1項有關一般公文處理時限規定：

（一）一般公文：

1、最速件：1日。

2、速件：3日。

3、普通件：6日。

4、限期公文：

（1）來文或依其他規定訂有期限之公文，應依其規定期限辦理。

（2）來文訂有期限者，如受文機關收文時已逾文中所訂期限者，該文得以普通件處理時限辦理。

（3）變更來文所訂期限者，須聯繫來文機關確認。

5、涉及政策、法令或需多方會辦、分辦，且需30日以上方可辦結之複雜案件，得申請爲專案管制案件。

6、專案管制案件或其他特殊性案件之處理時限，各機關得視事實需要自行訂定。

分項標號，應另列縮格以全形書寫。“()”以半形為之。

阿拉伯數字、外文字母以及併同於外文中使用之標點符號應以半形為之。

附件 5、簽稿會核單

2.5公分

（機關全銜）簽稿會核單

案情摘要			
主辦單位		總收文號	
受會單位	會核意見及簽章	收會時間	會畢時間

1.5公分　裝訂線　1公分　2.5公分

說明：

一、本格式以A470磅以上模造紙或再生紙印製。

二、中間分隔之多少及寬窄可視需要自行調整。

三、各單位送請會核文件，除仍依照向例在簽、稿上註明：「會○○單位」外，送會單位較多時，請填列本單，置於簽稿之上隨同附送。

四、送會文件經受會單位會核後，請有關承辦人員及主管人員在本單內填列意見並簽名或蓋章。

五、本單「收會時間」欄由受會單位填註；「會畢時間」欄由主辦單位填註，受會單位有2個以上時，僅填最後1個單位的會畢時間。

2.5公分

附件 6、會銜公文會辦單

2.5公分

（機關全銜）會銜（文別）會辦單

主辦單位：

機關 類別	主辦機關	會辦機關	會辦機關
機關名稱			
收發文日期及字號			
承辦			
會辦			
審核			
決行			

1.5公分　1公分　2.5公分

裝　訂　線

說明：

一、規定事項涉及2以上機關權責之法規命令，其報院發布及送立法院查照，主辦機關均應與有關機關會銜辦理，列銜次序以主辦機關在前，會辦機關在後。

二、2以上機關會銜發布法規命令，由主辦機關依會銜機關多寡，擬妥同式發布令有關函稿所需份數，於判行後，備函送受會機關判行，並由最後受會機關按發文所需份數繕印、填註發文字號（不填發文日期）用印依會稿順序，逆退其他受會機關填註發文字號（不填發文日期）用印，依序退由主辦機關用印並填註發文日期、文號封發，並將原稿1份分送受會機關存檔。

三、本格式以A470磅以上模造紙或再生紙印製。

四、各機關得視會銜機關之多寡自行調整印製。

2.5公分

附件 7、公文夾

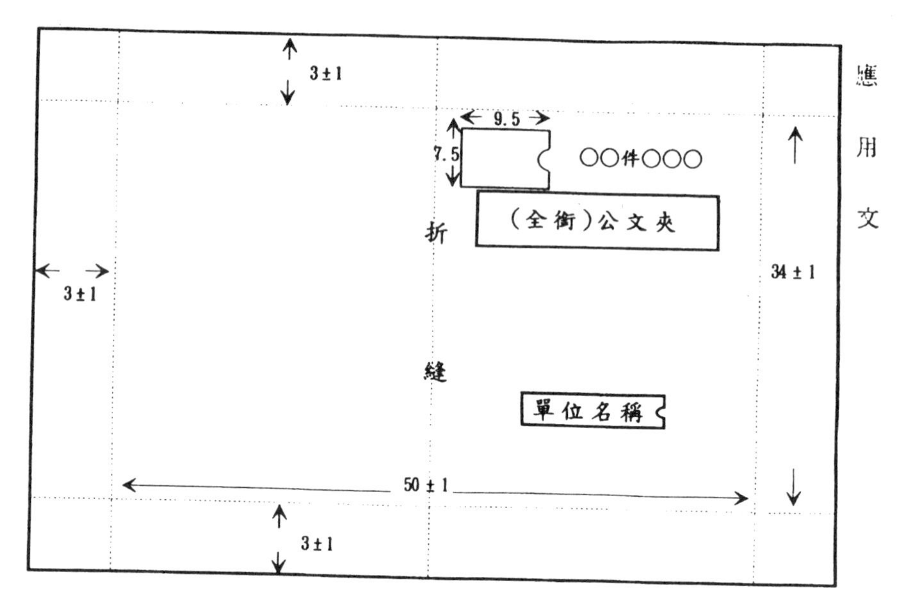

註：四邊虛線表示由外向內摺邊

公文夾內面左頁印說明及注意事項，其式如下：

說明及注意事項：
一、公文夾專供機關內各單位遞送文件之用。
二、公文夾上須填明單位名稱。
三、公文夾顏色用途區分如下，各機關並得視實際需要自行訂定：
　(一)紅色－用於最速件
　(二)藍色－用於速件
　(三)白色－用於普通件
　(四)黃色－用於機密件
四、會簽會核時限如下：
　(一)最速件　1小時
　(二)速　件　2小時
　(三)普通件　4小時
五、會簽、會核應依次傳遞。

附件 8、公文紙格式

2.5公分

檔　號：
保存年限：

（機關全銜）　（文別）

（會銜公文機關排序：主辦機關、會辦機關）

地址：（會銜公文列主辦機關，令、公告不須此項）
聯絡方式：（會銜公文列主辦機關，令、公告不須此項）

（郵遞區號）
（地址）
受文者：（令、公告不須此項）

發文日期：
發文字號：（會銜公文機關排序：主辦機關、會辦機關）
速別：（令、公告不須此項）
密等及解密條件或保密期限：（令、公告不須此項）
附件：（令不須此項）

（本文）（令：不分段
　　公告：主旨、依據、公告事項3段式
　　函、書函等：主旨、說明、辦法3段式）

2.5公分

正本：（令、公告不須此項）
副本：（含附件者註明：含附件或含○○附件）

裝　訂　線

（蓋章戳）

1.5公分　1公分

（會銜公文：按機關排序蓋用機關首長簽字章
令：蓋用機關印信、機關首長簽字章
公告：蓋用機關印信、機關首長簽字章
函：上行文—署機關首長職銜蓋職章
　　平、下行文—機關首長簽字章
書函、一般事務性之通知等：蓋機關（單位）條戳）

說明：
一、本格式以A470磅以上模造紙或再生紙製作。
二、依據「公文程式條例」，如以電子交換方式行之，得不蓋用印信。
三、一般公文蓋用機關印信之位置，以在首頁中間偏右上方空白處用印爲原則，署使用之章戳位置則於全文最後。

2.5公分

附件 9、公文封套

公文封信封規格

一、信封尺寸：（容許誤差±2公厘）

(一)大型信封－長353 公厘 × 寬 250 公厘

(二)中型信封－長230 公厘 × 寬 160 公厘（內件公文２等份摺疊）

(三)小型信封－長230 公厘 × 寬 115 公厘（內件公文３等份摺疊）

二、紙質：

(一) 大型信封採用 100 磅以上模造紙、再生紙，避免使用深色紙。

(二) 中、小型信封採用80磅以上模造紙、再生紙，避免使用深色紙。

三、製作規定：

(一) 大型信封封口在信封右側，中、小型信封封口在信封上側。

(二) 中、小型信封可採透明口洞式，其口洞應以高透明且不反光、無靜電之玻璃紙保護，開窗口位置及大小如下圖：

1.口洞大小：長100公厘 × 寬45公厘。

2.口洞位置：距信封上緣 50 公厘，距信封左緣 23 公厘。

3.信封下緣起20公厘為條碼噴讀區,請保留空白;勿印製其他圖樣。

4.郵票黏貼位置應規範於信封右上角區域。

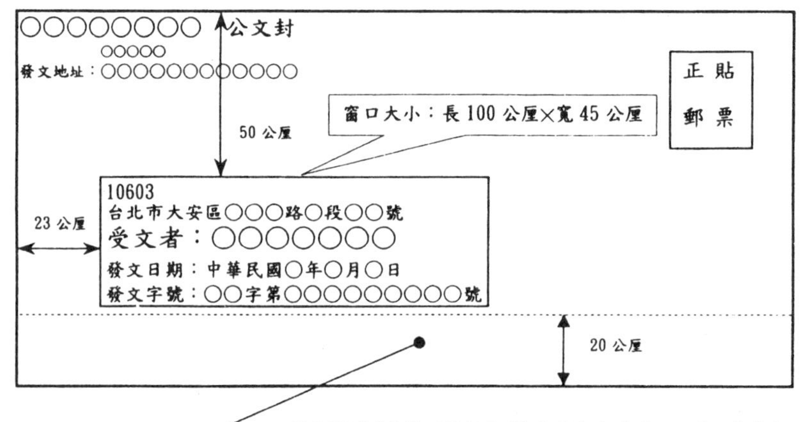

附件10、機密文書機密等級變更或註銷處理意見表

（機關全銜） 機密文書機密等級變更或註銷處理意見表						
檔號						
原機密案件	日期		文號		文別	
案由						
受文機關						
抄送 副本機關						
原機密 等級						
新機密等 級或註銷						
變更機密 等級理由						
備考						
陳核						

說明：

一、已辦之機密文書資料，已失保密時效，或因有關機關之建議，其機密等級應予註銷或變更者，先提出審查後，填此表陳核。

二、國家機密之變更或解密者，依「國家機密保護法」第10條第1項規定為之。一般公務機密文書，由原核定主管核定之。

附件11、機密文書機密等級變更或註銷紀錄單

<table>
<tr><td colspan="4">（機關全銜）　機密文書機密等級變更或註銷紀錄單</td></tr>
<tr><td rowspan="2">通知機關
（原機密案件核定機關）</td><td rowspan="2"></td><td>發文日期</td><td></td></tr>
<tr><td>發文字號</td><td></td></tr>
<tr><td rowspan="2">原機密案件</td><td>發文日期</td><td colspan="2"></td></tr>
<tr><td>發文字號</td><td colspan="2"></td></tr>
<tr><td>新等級或註銷</td><td colspan="3"></td></tr>
<tr><td>登記人</td><td colspan="3">（職稱）
（姓名）
（日期）</td></tr>
</table>

說明：
一、機密文書機密等級奉准變更或註銷時先調出原卷核對。
二、將原案封面或公文紙上所標機密等級以雙線劃去，再於明顯處浮貼已列明資料經登記人簽章之紀錄單。
三、原案照變更之等級或非機密文件保管。

裝　訂　線

附錄一：公文作法舉例

發布令作法舉例

檔　　號：
保存年限：

行政院　令

發文日期：中華民國00年00月00日
發文字號：○○字第0000000000號

印信位置

修正「臺灣地區與大陸地區人民關係條例施行細則」部分條文。

附修正「臺灣地區與大陸地區人民關係條例施行細則」部分條文

院　長　○　○　○

裝
訂
線

函稿蓋章戳參考範例

檔　號：
保存年限：

行政院　函（稿）

地址：000臺北市○○路000號
聯絡方式：(承辦人、電話、傳真、e-mail）

應

用

文

受文者：

發文日期：中華民國00年00月00日
發文字號：○○字第0000000000號
速別：最速件
密等及解密條件或保密期限：
附件：

主旨：為杜流弊，節省公帑，各項營繕工程，應依法公開招標，並不得變更設計及追加預算，請　轉知所屬機關學校照辦。

說明：

一、依本院00年00月00日第○○次會議決議辦理。

二、據查目前各級機關學校對營繕工程仍有未按規定公開招標之情事，或施工期間變更原設計，以及一再請求追加預算，致弊端叢生，浪費公帑。

辦法：

一、各機關學校對營繕工程應依法公開招標，並按「政府採購法」及相關法令辦理。

二、各單位之工程應將施工圖、設計圖、契約書、結構圖、會議紀錄等工程資料，報請上級單位審核，非經核准，不得變更原設計及追加預算。

正本：臺灣省政府、福建省政府、臺北市政府、高雄市政府
副本：行政院主計處、行政院秘書處
抄本：○○○

裝

訂

線

院長　○　○　○

會辦單位：

第　層決行		
承辦單位	會辦單位	決行
註記：簽署原則由左而右，由上而下簽		

打字○○○	校對○○○	監印○○○	發文○○○

說明：有關檔號、保存年限、收文日期、收文字號、承辦單位、簽名、批示、會稿單位、繕打、校對、監印、電子公文交換機制及其他安全控管等項目，由各機關於空白處自行規定填寫位置。

條碼位置
流水號位置

公文用印及蓋章戳參考範例

檔　　號：
保存年限：

行政院　函（稿）

地址：000臺北市○○路000號
聯絡方式：(承辦人、電話、傳真、e-mail）

100
臺北市○○區○○○路○段000號
受文者：臺北市政府

發文日期：中華民國00年00月00日
發文字號：○○字第0000000000號
速別：最速件
密等及解密條件或保密期限：
附件：

主旨：為杜流弊，節省公帑，各項營繕工程，應依法公開招標，並不得變更設計及追加預算，請　轉知所屬機關學校照辦。

說明：

一、依本院00年00月00日第○○次會議決議辦理。

二、據查目前各級機關學校對營繕工程仍有未按規定公開招標之情事，或施工期間變更原設計，以及一再請求追加預算，致弊端叢生，浪費公帑。

辦法：

一、各機關學校對營繕工程應依法公開招標，並按「政府採購法」及相關法令辦理。

二、各單位之工程應將施工圖、設計圖、契約書、結構圖、會議紀錄等工程資料，報請上級單位審核，非經核准，不得變更原設計及追加預算。

正本：臺灣省政府、福建省政府、臺北市政府、高雄市政府
副本：行政院主計處、行政院秘書處

院長　○　○　○

裝　訂　線

會辦單位：

第　層決行

承辦單位		會辦單位		決行	
科員○　○　○	0703 0800	科員○　○　○	0723 1100	副　秘　書　長	0723 1425
	0723 0810		0723 1105	秘　書　長	0723 1455
	0723 0815		0723 1110	副　市　長	0723 1555
	0723 0915			市長○　○　○	0723 1610
	0723 0945				
局長○　○　○	0723 1000				

註記：簽署原則由左而右，由上而下簽

說明：有關檔號、保存年限、收文日期、收文字號、承辦單位、簽名、批示、會稿單位、繕打、校對、監印、電子公文交換機制及其他安全控管等項目，由各機關於空白處自行規定填寫位置。

2段式函作法舉例（平行文）

檔　號：
保存年限：

行政院　函

地址：000臺北市○○路000號
聯絡方式：(承辦人、電話、傳真、e-mail)

100
臺北市○○區○○○路○段000號
受文者：立法院

發文日期：中華民國00年00月00日
發文字號：○○字第0000000000號
速別：最速件
密等及解密條件或保密期限：
附件：如文

主旨：函送「公文程式條例」第○條、第○條、第○條修正草案及「中央法規標準法」第○條修正草案，請　查照審議。

說明：

一、鑒於國際間交往日愈密切，文書資料來往頻繁，歐美文字都是由左至右橫式排列，國內目前直式書寫如遇引用外文或阿拉伯數字時，往往形成扞格。為與國際接軌，並兼顧電腦作業平臺屬性，使公文制作更具便利性，進而提升公文處理效率，爰擬具「公文程式條例」第○條、第○條、第○條修正草案及「中央法規標準法」第○條修正草案。

二、經提本年00月00日本院第0000次會議決議：「通過，送請立法院審議。」

三、檢送「公文程式條例」第○條、第○條、第○條修正草案及「中央法規標準法」第○條修正草案條文對照表（含總說明）各3份。

正本：立法院
副本：

院長　○　○　○

裝　訂　線

2 段式函作法舉例（下行文）

檔　　號：
保存年限：

臺北市政府　函

地址：　000臺北市○○路000號
聯絡方式：(承辦人、電話、傳真、e-mail

100
臺北市○○區○○○路○段000號
受文者：臺北市政府工務局

發文日期：中華民國00年00月00日
發文字號：○○字第0000000000號
速別：最速件
密等及解密條件或保密期限：
附件：

主旨：「臺北市環境美化會報設置要點」自00年00月00日廢止，請　查照。

說明：依據本府人事處案陳貴局00年00月00日○字第000000000號函辦理。

正本：臺北市政府工務局
副本：臺北市政府工務局公園路燈管理處

市長　○　○　○

裝　訂　線

2 段式函作法舉例（上行文）

檔　號：
保存年限：

臺北市松山區公所　函

地址：　000臺北市○○路000號
聯絡方式：(承辦人、電話、傳真、e-mail)

100
臺北市○○區○○○路○段000號
受文者：臺北市政府

發文日期：中華民國00年00月00日
發文字號：○○字第0000000000號
速別：最速件
密等及解密條件或保密期限：
附件：名冊5份

裝

主旨：檢陳本公所00年下期公文處理合於獎勵之主任秘書以上人員名冊5份，請　核獎。

訂

說明：

一、依　鈞府00年00月00日00字第0000000000號函辦理。

線

二、其他人員俟按權責核定後再行報備。

正本：臺北市政府
副本：

區　長　○　○　○（蓋職章）

會銜函作法舉例

檔　號：
保存年限：

外交部、財政部、經濟部　函

地址：　(000)臺北市○○路000號
聯絡方式：(承辦人、電話、傳真、e-mail)

100
臺北市○○區○○○路○段000號

受文者：行政院

發文日期：中華民國00年00月00日
發文字號：○○字第0000000000號
　　　　　○○字第0000000000號
　　　　　○○字第0000000000號
速別：最速件
密等及解密條件或保密期限：
附件：「加強中約暨中沙友好關係方案」3份

主旨：檢送「加強中約暨中沙友好關係方案」，請　核備。

說明：

一、為進一步加強我國與約旦暨沙烏地阿拉伯兩王國之友好關係，本財政部○部長、本經濟部○部長、○次長及本外交部○部長、○次長、○司長於○年○月○日在外交部舉行會議，經依照中約雙方會商決定之項目及○部長訪問沙國所建議之事項，逐項縝密商討，擬定「加強中約暨中沙友好關係方案」1種，並決定由主辦單位負責籌劃，迅付實施。

二、附前述方案一式3份。

正本：行政院
副本：

部　長　○　○　○（蓋職章）
部　長　○　○　○（蓋職章）
部　長　○　○　○（蓋職章）

書函作法舉例

檔　　號：
保存年限：

臺北市○○國民中學　書函

地址：　000臺北市○○路000號
聯絡方式：(承辦人、電話、傳真、e-mail)

100
臺北市○○區○○○路○段000號
受文者：臺北市市立動物園

發文日期：中華民國00年00月00日
發文字號：○○字第0000000000號
速別：
密等及解密條件或保密期限：
附件：

裝

訂

線

主旨：本校○年級學生計00人，訂於00年00月00日前往貴園參觀，屆時請派員、指導，請　查照。

說明：本案本校聯絡人：○○○，電話：(00) 0000-0000。

正本：臺北市市立動物園
副本：臺北市政府教育局

（臺北市○○國民中學條戳）

箋函作法舉例

○○（稱謂）提稱語：

為匯集本會近年研究發展成果，特依本會核心業務規劃「2010 台灣」、「政府改造」、「政府績效評估」、「電子化政府」及「知識型政府」等5項主題發行「優質台灣創新政府」系列叢書，以增進各界對政府運作實務之瞭解。

本系列叢書分3階段出版，及至93年2月「知識型政府」出版，本系列叢書終告完成。其中「2010台灣」、「政府改造」、「政府績效評估」及「電子化政府」業已送請指正，謹奉上「知識型政府」一書，尚祈　惠予指教。耑此

順頌

勛綏

（自稱語）○○○　　　　敬啟

00年00月00日

交辦（議）案件通知單作法舉例

檔　號：
保存年限：

行政院　交辦（議）案件通知單

地址：　000臺北市○○路000號
聯絡方式：(承辦人、電話、傳真、e-mail)

100
臺北市○○區○○○路○段000號
受文者：行政院人事行政局

裝

發文日期：中華民國00年00月00日
發文字號：○○字第0000000000號
速別：
密等及解密條件或保密期限：
附件：檢附原函暨附件影本1份

訂

主旨：審計部函院，為該部審核本院海岸巡防署00年度送審會計報告及憑證，核有須請釋「事務管理規則」第178條及「公務人員因公傷殘死亡慰問金發給辦法」規定適用疑義一案，奉交　貴機關研提意見，並請於文到10日內見復。

線

正本：交通部、行政院主計處、行政院人事行政局
副本：

（行政院秘書處條戳）

催辦案件通知單作法舉例

檔　號：
保存年限：

行政院　催辦案件通知單

地址：　000臺北市○○路000號
聯絡方式：(承辦人、電話、傳真、e-mail)

100
臺北市○○區○○○路○段000號
受文者：行政院人事行政局

發文日期：中華民國00年00月00日
發文字號：○○字第0000000000號
速別：最速件
密等及解密條件或保密期限：
附件：

主旨：審計部函院，為該部審核本院海岸巡防署00年度送審會計報告及憑證，核有須請釋「事務管理規則」第178條及「公務人員因公傷殘死亡慰問金發給辦法」規定適用疑義一案，已於00年00月00日以院臺秘議字第0000000000號交議案件通知單交　貴機關研提意見，請剋日見復，請　查照。

正本：交通部、行政院人事行政局
副本：

（行政院秘書處條戳）

移文單作法舉例

檔　號：
保存年限：

行政院秘書處　移文單

地址：　000臺北市○○路000號
聯絡方式：(承辦人、電話、傳真、e-mail)

100
臺北市○○區○○○路○段000號
受文者：行政院研究發展考核委員會

發文日期：中華民國00年00月00日
發文字號：○○字第0000000000號
速別：
密等及解密條件或保密期限：
附件：如文

主旨：財政部00年00月00日台財總字第0000000000號函，有關該部金融局請釋「執照證書類」得否配合00年00月00日組織改制為金融監督管理委員會時再一併修正一案，因案屬　貴管，移請　卓辦。

正本：行政院研究發展考核委員會
副本：

（行政院秘書處條戳）

裝
訂
線

機密文書機密等級變更或註銷建議單作法舉例

檔　　號：
保存年限：

（機關全銜）機密文書機密等級變更(或註銷)建議單

地址：　000臺北市○○路000號
聯絡方式：(承辦人、電話、傳真、e-mail)

100
臺北市○○區○○○路○段000號

受文者：

發文日期：中華民國00年00月00日
發文字號：○○字第0000000000號
速別：最速件
密等及解密條件或保密期限：密（註銷後解密）
附件：

主旨：有關（來文機關）00年00月00日○○字第0000000000號（文別），建請惠予（變更或註銷）其機密等級。

說明：有關前述文號之（案由）一案，原為(原機密等級)，因（建議再分類理由），建請惠予（建議再分類等級）。

正本：○○○、○○○、○○○
副本：○○○、○○○

（條戳）

機密文書機密等級變更或註銷通知單作法舉例

檔　　號：
保存年限：

（機關全銜）機密文書機密等級變更(或註銷)通知單

地址：　000臺北市○○路000號
聯絡方式：(承辦人、電話、傳真、e-mail)

100
臺北市○○區○○○路○段000號
受文者：

裝

發文日期：中華民國00年00月00日
發文字號：○○字第0000000000號
速別：最速件
密等及解密條件或保密期限：
附件：

訂

主旨：（原發文機關）00年00月00日政院字第0000000000號（文別），有關（案由）一案原為（原機密等級），請惠予（變更為新機密等級或註銷）。

線

正本：○○○、○○○、○○○
副本：○○○、○○○

（條戳）

簽作法舉例（下級機關首長對上級機關首長用）

檔　號：
保存年限：

簽　於（機關或單位）

主旨：○○部為亞洲開發銀行請撥付亞洲蔬菜研究發展中心補助新臺幣00元，擬准動支本年度第二預備金，簽請核示。

說明：○○部函為○○銀行以亞洲開發銀行請自該行B帳戶我國繳付本國幣股本內支付亞洲蔬菜研究發展中心新臺幣00元，業已先行墊撥，上項亞洲蔬菜研究發展中心補助費，本年度未列預算，既由○○銀行墊付，請准在00年度第二預備金項下撥還歸墊。又本案事關涉外重要案件，特專案簽辦。

擬辦：擬准照○○部所請在本年度中央政府總預算第二預備金項下動支。

敬陳

副○長
○　長

○　○　○（蓋　章）
（日期及時間）
會辦單位：

第　層決行		
承辦單位	會辦單位	決行

註記：簽署原則由左而右，由上而下簽。

裝　訂　線

簽作法舉例（機關內簽用）

檔　號：
保存年限：

簽稿併陳

簽　於　資訊管理處

主旨：辦理推動公文橫式書寫資訊作業研習營，簽請　核示。

說明：

一、依據「公文橫式書寫資訊作業實施計畫」第 5 點實施方式暨推動時程之(三)辦理。

二、擬訂於 93 年 7 月 14、15 日假公文交換G2B2C服務中心辦理 2 場次研習營，如奉核可，擬函請各部會、縣市政府派員參加，謹附稿，敬請

核判

裝

訂

線

公告作法舉例（登報用）

檔　　號：
保存年限：

內政部　公告

發文日期：中華民國00年00月00日
發文字號：○○字第0000000000號

主旨：公告民國00年出生的役男應辦理身家調查。

依據：徵兵規則

公告事項：

一、民國00年出生的男子，本年已屆徵兵年齡，依法應接受徵兵處理。

二、請該徵兵及齡男子或戶長依照戶籍所在地（鄉、鎮、市、區）公所公告的時間、地點及手續，前往辦理申報登記。

本例說明：免署機關首長職銜、姓名

裝　訂　線

紙本發文範例－一般公文封

檔　　號：
保存年限：

行政院研究發展考核委員會　開會通知單

應用文

受文者：

發文日期：中華民國 93 年 7 月 8 日
發文字號：會訊字第 0930015999 號
速別：最速件
密等及解密條件或保密期限：普通
附件：議程資料

開會事由：推動公文橫式書寫資訊作業研習會議。

開會時間：中華民國 93 年 7 月 15 日星期四

開會地點：公文 G2B2C 資訊服務中心（台北市東興路 57 號 3 樓）

主持人：何處長全德

聯絡人及電話：嚴分析師榆 02-23419066 轉 813

出席者：總統府第二局、行政院秘書處、立法院秘書處、司法院秘書處、考試院秘書處、監察院秘書處、行政院各部會行處局署暨省市政府、各縣市政府

列席者：檔案管理局、本會資訊管理處、公文 G2B2C 資訊服務中心、資訊工業策進會電子商務研究所、傑印資訊股份有限公司、精融網路科技股份有限公司、敦陽科技股份有限公司

副本：

備註：

（蓋章戳）

裝　訂　線

紙本發文範例 — 公文封開窗口

檔　　號：
保存年限：

行政院研究發展考核委員會　開會通知單

（郵遞區號）
（地址）
受文者：

發文日期：中華民國 93 年 7 月 8 日
發文字號：會訊字第 0930015999 號
速別：最速件
密等及解密條件或保密期限：普通
附件：議程資料

開會事由：推動公文橫式書寫資訊作業研習會議。

開會時間：中華民國 93 年 7 月 15 日星期四

開會地點：公文G2B2C資訊服務中心（台北市東興路 57 號 3 樓）

主持人：何處長全德

聯絡人及電話：嚴分析師榆 02-23419066 轉 813

出席者：總統府第二局、行政院秘書處、立法院秘書處、司法院秘書處、考試院秘書處、監察院秘書處、行政院各部會行處局署暨省市政府、各縣市政府
列席者：檔案管理局、本會資訊管理處、公文 G2B2C 資訊服務中心、資訊工業策進會電子商務研究所、傑印資訊股份有限公司、精融網路科技股份有限公司、敦陽科技股份有限公司
副本：

備註：

（蓋章戳）

裝
訂
線

第一頁　共一頁

（本別）電子發文範例

行政院研究發展考核委員會　函

地址：台北市中正區濟南路一段 2-2 號 6 樓
聯絡方式：02-23942165

受文者：

發文日期：中華民國 93 年 7 月 8 日
發文字號：會訊字第 0930015999 號
速別：最速件
密等及解密條件或保密期限：普通
附件：議程資料

主旨：本會訂於本(93)年 7 月 14、15 日分梯次辦理「推動公文橫式書寫資訊作業研習營」，惠請派員參加，請　查照。

說明：

一、依據「公文橫式書寫資訊作業實施計畫」第五點實施方式暨推動時程之（三）辦理。

二、檢附本次研習營議程資料詳如附，請　貴機關依規定梯次指派文書、檔案主管人員及研考、資訊主辦人員各一名，至電子化公文入口網 (http://www.good.nat.gov.tw) 最新消息中，點選「推動公文橫式書寫資訊作業研習營」，填寫報名資料。

正本：總統府第二局、行政院秘書處、立法院秘書處、司法院秘書處、考試院秘書處、監察院秘書處、行政院各部會行處局署暨省市政府、各縣市政府
副本：檔案管理局、本會資訊管理處、公文 G2B2C 資訊服務中心、資訊工業策進會電子商務研究所、傑印資訊股份有限公司、精融網路科技股份有限公司、敦陽科技股份有限公司（均含附件）

第一頁　共一頁

裝
訂
線

附錄二　機關公文傳眞作業辦法

中華民國八十二年四月七日台八十二秘字第〇八六四一號令訂定發布

第一條　本辦法依公文程式條例第十二條之一訂定之。

第二條　機關公文傳眞作業，除法律另有規定外，依本辦法之規定。但總統府及立法、司法、考試、監察四院另有規定者，從其規定。

第三條　本辦法之規定，於公營事業機構及公立學校適用之。

第三條　本辦法所稱傳眞，係指送方將文件資料，以電話等通訊設備，透過電信網路傳輸，受方於其通訊設備上，即可收受該文件資料影印本之傳達方式。

第四條　各機關應指定單位或指派適當人員，負責辦理公文傳眞作業。

第五條　傳眞之公文，以公文程式條例第二條第一項第四款及第六款所定之公文爲限。但左列公文，非經核准不得傳眞：

一、機密性公文。

二、受文者爲人民、法人或非法人團體之公文。

三、附件爲大宗文卷、書籍、照（圖）片，或超過八開以上圖表之公文。

四、其他因傳眞可能影響正確性之公文。

第六條　各機關對於內容涉及重要事項，須迅予處理之公文，得以先行傳眞，事後應即補送原件之方式處理，並於文面註明。

第七條　承辦人員對於擬傳眞之公文，應於公文原稿適當位置註明；並依規定程序陳核、繕校、蓋用印信或簽署及編號登記後始得傳真。

第八條　公文傳真應以原件爲之；如係影印本，應經核准，其附件亦同。

第九條　公文傳真作業發文程序如左：

一、登錄傳真公文登記表（簿），記載受文者、發文字號、案由、傳送日期、時間、頁數及承辦單位（人員）等。

二、加蓋傳真作業辦理人員名章，於公文末頁適當位置。

三、撥通受方傳真電話，確認接收者身分後，開始傳真。

四、傳畢再通話對照傳真頁數無誤，文面加蓋傳真文件戳，附原稿歸檔。

第十條　受文單位傳真作業辦理人員收到傳真公文時，應於文面加蓋機關全銜之傳真收文章，註明頁數及加蓋騎縫章，並按收文程序辦理。

前項傳真公文，如有頁數不全或其他有關問題，傳真作業辦理人員應通知發文單位補正。

第十一條　各機關收受傳真公文用紙之質料及規格，均應照規定標準使用。

第十二條　各機關因處理傳真公文需要之章戳，得自行刻用之。

第十三條　各機關爲配合實際業務需要，得依本辦法及有關規定，訂定公文傳真作業要點。

第十四條　傳真公文之保管、保密及其他未盡事宜，依事務管理規則及其手冊等有關規定辦理。

第十五條　本辦法自發布日施行。

附錄三：機關公文電子交換機作業辦法

中華民國八十三年六月三日八十三台院秘字第一九九三號令訂定發布

第一條　本辦法依公文程式條例第十二條之一訂定之。

第二條　機關公文電子交換作業，依本辦法之規定。但總統府及立法、司法、考試、監察四院另有規定者，從其規定。

第三條　本辦法所稱電子交換，係指將文件資料透過電腦系統及電信網路，予以傳遞收受者。

第四條　各機關對於適合電子交換之機關公文，於設備、人員能配合時，應以電子交換行之。

第五條　機關公文以電子交換行之者，得不蓋用印信或簽署。

第六條　各機關應由文書單位負責辦理機關公文電子交換作業。

第七條　機關公文電子交換作業發文處理應注意事項如左：

一、公文於電子交換前應列印全文，並校對無誤後做爲抄件。

二、發文作業人員應輸入識別碼、通行碼或其他識別方式，於電腦系統確認相符後，始可進行發文作業。

三、檢視電腦系統已發送之訊息。

四、行文單位兼有電子交換及非電子交換者，應列印清單，以資識別。

五、電子交換後應於公文原稿加蓋「已電子交換」戳記，並將抄件併同原稿退件或歸檔。

六、透過電子交換之公文，至遲應於次日在電腦系統檢視發送結果，並爲必要之處理。

發文機關得視需要將所傳遞公文及發送紀錄予以存證。

第一項第五款之章戳，由各機關自行刊刻。

第八條 機關公文電子交換作業收文處理應注意事項如左：

一、收文作業人員應輸入識別碼、通行碼或其他識別方式，於電腦系統確認相符後，即時或定時進行收文作業。

二、列印收受之公文，同時由收文方之電腦系統加印頁碼及騎縫標識，並按收文處理作業程序辦理。

三、來文誤送或疏漏者，通知原發文機關另為處理。

第九條 機關公文電子交換之收、發文程序，各機關得視需要增加其他安全管制措施。

第十條 機關公文電子交換之管理事項，由行政院指定機關辦理。

第十一條 各機關辦理機關公文電子交換事宜，其電腦化作業應依行政院訂頒之相關規定行之。

第十二條 各機關為配合實際業務需要，得依本辦法及有關規定，自行訂定機關公文電子交換作業要點。

第十三條 受文者為人民之機關公文，以電子交換行之者，得不適用第六條至第八條之規定，由各機關依其業務需要另定之。

第十四條 本辦法之規定，於公營事業機構及公立學校準用之。

第十五條 本辦法自發布日施行。

附錄四　檔案法

總統令　中華民國八十八年十二月十五日華總一義字第八八〇〇二九七四八〇號

第一章　總　則

第一條　爲健全政府機關檔案管理，促進檔案開放與運用，發揮檔案功能，特制定本法。

本法未規定者，適用其他法令規定。

第二條　本法用詞，定義如下：

一、政府機關：指中央及地方各級機關（以下簡稱各機關）。

二、檔案：指各機關依照管理程序，而歸檔管理之文字或非文字資料及其附件。

三、國家檔案：指具有永久保存價值，而移歸檔案中央主管機關管理之檔案。

第三條　關於檔案事項，由行政院所設之專責檔案中央主管機關掌理之。檔案中央主管機關未設立前，由行政院指定所屬機關辦理之。

前項檔案中央主管機關，最遲應於本法公布後二年內設立。

檔案中央主管機關之組織，以法律定之。

檔案中央主管機關設立國家檔案管理委員會，負責檔案之判定、分類、保存期限及其他爭議事項之審議。

第四條　各機關管理檔案，應設置或指定專責單位或人員，並編列年度計畫及預算。

第五條　檔案非經該管機關依法核准，不得運往國外。

第二章　管　理

第六條　檔案管理以統一規劃、集中管理爲原則。

檔案中有可供陳列鑑賞、研究、保存、教化世俗之器物，得交有關機構保管之。

第七條　檔案管理作業，包括下列各款事項：

一、點收。
二、立案。
三、編目。
四、保管。
五、檢調。
六、清理。
七、安全維護。
八、其他檔案管理作業及相關設施事項。

第八條　檔案應依檔案中央主管機關規定之分類系統及編目規則分類編案、編製目錄。

各機關應將機關檔案目錄定期送交檔案中央主管機關。

檔案中央主管機關應彙整國家檔案目錄及機關檔案目錄定期公布之，並附目錄使用說明。

檔案中央主管機關應設置研究部門，加強檔案整理與研究，並編輯出版檔案資料。

第九條　檔案得採微縮或其他方式儲存管理，其實施辦法，由檔案中央主管機關定之。

依前項辦法儲存之紀錄經管理該檔案之機關確認者，視同原檔案。其複製品經管理該檔案機關確認者，推定其爲眞正。

第十條　檔案之保存年限，應依其性質及價值，區分爲永久保存或定期保存。

第十一條　永久保存之機關檔案，應移轉檔案中央主管機關管理。其移轉辦法，由檔案中央主管機關擬訂，報請行政院核定之。

第十二條　定期保存之檔案未逾法定保存年限或未依法定程序，不得銷毀。

各機關銷毀檔案，應先制定銷毀計畫及銷毀之檔案目錄，送交檔案中央主管機關審核。

經檔案中央主管機關核准銷毀之檔案，必要時，應先經電子儲存，始得銷毀。

機關檔案保存年限及銷毀辦法，由檔案中央主管機關擬訂，報請行政院核定之。

第十三條　公務員於職務移交或離職時，應將其職務上掌管之檔案連同辦理移交，並應保持完整，不得隱匿、銷毀或藉故遺失。

前項規定，於民營事業企業機構移轉公營，或公營移轉民營者，均適用之。

第十四條　私人或團體所有之文件或資料，具有永久保存價值者，檔案中央主管機關得接受捐贈、受託保管或收購之。

捐贈前項文件或資料者，得予獎勵，獎勵辦法由檔案中央主管機關定之。

第十五條　私人或團體所有之文字或非文字資料，各機關認爲有保存之必要者，得請提供，以微縮或其他複製方式編爲檔案。

第十六條　機密檔案之管理方法，由檔案中央主管機關報請行政院定之。

第三章　應用

第十七條　申請閱覽、抄錄或複製檔案，應以書面敘明理由為之，各機關非有法律依據不得拒絕。

第十八條　檔案有下列情形之一者，各機關得拒絕前條之申請：

一、有關國家機密者。

二、有關犯罪資料者。

三、有關工商祕密者。

四、有關學識技能檢定及資格審查之資料者。

五、有關人事及薪資資料者。

六、依法令或契約有保密之義務者。

七、其他為維護公共利益或第三人之正當權益者。

第十九條　各機關對於第十七條申請案件之准駁，應自受理之日起三十日內，以書面通知申請人。其駁回申請者，並應敘明理由。

第二十條　閱覽或抄錄檔案應於各機關指定之時間、處所為之，並不得有下列行為：

一、添註、塗改、更換、抽取、圈點或污損檔案。

二、拆散已裝訂完成之檔案。

三、以其他方法破壞檔案或變更檔案內容。

第二十一條　申請閱覽、抄錄或複製檔案經核准者，各機關得依檔案中央主管機關所定標準收取費用。

第二十二條　國家檔案至遲應於三十年內開放應用，其有特殊情形者，得經立法院同意，延長期限。

第四章　罰　則

第二十三條　違反第五條規定，未經核准將檔案運往國外者，處二年以下有期徒刑、拘役或科或併科新臺幣五萬元以下罰金。
前項未遂犯罰之。
第二十四條　明知不應銷毀之檔案而銷毀者，處二年以下有期徒刑、拘役或科或併科新臺幣五萬元以下罰金。
違反第十二條之銷毀程序而銷毀檔案者，亦同。
違反第十三條之規定者，亦同。
第二十五條　以第九條微縮或其他方式儲存之紀錄及其複製品，關於刑法僞造文書印文罪章之罪及該章以外各罪，以文書論。
第二十六條　違反第二十條規定者，各機關得停止其閱覽或抄錄。其涉及刑事責任者，移送該管檢察機關偵辦。

第五章　附　則

第二十七條　本法公布施行後，各機關之檔案管理，與本法及依本法發布之命令規定不相符合者，各機關應於檔案中央主管機關指定期限內調整之。
第二十八條　公立學校及公營事業機構準用本法之規定。
第二十九條　本法施行細則，由檔案中央主管機關定之。
第 三 十 條　本法施行日期，由行政院定之。

以當時年代公文爲體
公文解答仍沿用舊例
新公文書請讀者套用

附二　民國六十五年至七十二年高、特考公文試題答案

1. 擬臺灣省政府教育廳覆教育部函：爲提倡勤儉淳樸、遵守法紀之社會風氣，遵照部頒『輔導青少年有關事項』之規定，擬訂『臺灣省政府教育廳輔導青少年實施辦法草案』，覆請鑒核。（六五年高考）

臺灣省政府教育廳函

○年○月○日
○字第○號

受文者：教育部

主　旨：擬定『臺灣省政府教育廳輔導青少年實施辦法草案』，覆請　鑒核。

說　明：

一、爲提倡勤儉淳樸、遵守法紀之社會風氣，謹依　鈞部○年○月○日○字第○號函頒『輔導青少年有關事項』之規定，擬訂『臺灣省政府教育廳輔導青少年實施辦法草案』一種。

二、附上述草案一式○份。

廳長　○　○　○

2. 行政院國家科學委員會鑒於配合國家經濟發展之需要，亟應加強培植科技人才，其有關充實大專院校理工科系師資及設備等事項，宜由教育部統籌規劃，試擬國科會致教育部函。（六六年高考）

行政院國家科學委員會函

○年○月○日
○字第○號

受文者：教育部

主　旨：函請就主管業務，統籌規劃，積極培植科技人才，俾教育與經濟建設相配合，以適應當前情勢之需要。

說　明：

一、近年國內經濟迅速發展，各項建設正加緊進行，根據本會調查資料顯示，各負責工程單位，普遍缺乏科技人才，如不及時補救，其後果將更趨嚴重。

二、貴部職掌全國教育，如何培植科技人才以配合國家建設，似應作全盤規劃，迅付實施。

辦　法：

一、各大專院校應寬籌經費，充實理工科系師資及設備，擴充班次，增設獎學金，並擬訂其他獎助辦法，以鼓勵青年就學。

二、建議由教育部邀集有關機關及大專院校負責人，舉行會議，商討關於充分發揮教育功能，積極培植科技人才之具體可行辦法。

主任委員　徐〇〇

3. 試擬臺灣省糧食局致各縣市政府函：爲最近颱風過境，造成各地農田災害，本局爲協助農民復耕生產，特訂定輔助辦法一種，玆檢送該辦法，希查照辦理。（六六年高考）

臺灣省糧食局函

〇年〇月〇日
〇字第〇號

受文者：各縣市政府
副本收受者：臺灣省政府祕書長、建設廳、農林廳
主旨：爲針對颱風災情，協助農民復耕生產，擬訂輔助辦法一種，函請查照辦理。
說明：
一、最近『賽洛瑪』及『薇拉』颱風先後侵襲省境，造成各地農田重大災害，本局報奉省府指示，應針對災情，迅採善後措施。
二、關於勘查風災工作，業由本局派遣小組分赴各縣市災區勘查完畢。
三、爲使災農得以早日復耕生產，特訂定本辦法。
辦法：
一、視農民受災之程度，分別採取撥款救濟，洽請行庫貸款，及增配肥料等措施。
二、協助搶修倉庫，調節各地糧食供應，輔導農民迅速恢復生產。
三、檢附輔助辦法一份。

局長　黃○○

4. 擬臺灣省政府致所屬各機關學校：爲各級主管人員，應密切注意所屬員工品德生活，加強輔導考核，俾能防微杜漸，端肅政風。希遵照辦理。（六十七年高考）

臺灣省政府函　△△年△月△日
△字第△號

受文者：所屬各機關學校

主　旨：各級主管人員應密切注意所屬員工品德生活，加強輔導考核。

說　明：公教人員生活應敦品勵行，爲民表率，近查有少數人員，生活不檢，品德不端，爲社會所詬病，嚴重影響公教人員清譽。今後各級主管，應密切注意所屬員工品德生活，加強輔導考核，俾能防微杜漸，端肅政風。

主席○○○

5.試擬省政府轉省議會建議考選部，請求每年高普考試於南部設立考區，以便民應試，並省民資。（六十七年臺省基層人員乙等特考）

臺灣省政府函

△△年△月△日
△△字第△△號

受文者：考選部

主　旨：請每年高普考試於南部設立考區，以便民應試，並省民資。

說　明：

一、據本省省議會○○年○月○日○○字第○○號函辦理。

二、查每年高普考試報考人數達六、七萬人之多，南部應考人士幾佔半數，均集中在臺北市舉行，不但造成北市食宿交通問題，亦且增加南部考生旅途奔波費時費錢之苦，實有另設南部考區之必要。爲此建議　貴部每年高普考試於南部另設考區，以便民應試，並省民資。

主席　○○○

6. 試擬行政院衛生署通函省、市、縣衛生行政主管機關，爲維護國民健康，應注意查禁僞藥劣藥及危害人體之食品出售，違者從嚴處罰。（六十八年高考律師）

△中華民國△年△月△日
△字第△△△號

行政院衛生署函

受文者：臺灣省政府衛生處
　　　　臺北、高雄市政府衛生局

副本收受者：各縣市衛生局

主旨：爲維護國民健康，希注意查禁僞藥劣藥及危害人體之食品出售，違者從嚴處罰，請照辦，並轉行照辦。

說明：查強化藥物及食品之管理，爲現代國家維護國民健康之必要措施，最近常有不肖商人出售僞藥劣藥及危害人體之食品，以誇大不實之宣傳，愚騙民衆，貽害深遠，亟應從嚴取締。

辦法：各級衛生行政機構應將取締僞藥劣藥及不合規格之食品，列爲中心工作，指派專員經常定期檢驗及不定期抽查，並獎勵檢舉，擬訂執行取締及檢舉獎金辦法，以弘實效。

署長王金茂

7. 擬行政院函所屬各機關：希全面推行『工作簡化』，切實簡化法令規章與作業程序，以提高工作效率，加强為民服務。（七十年高等考試各類行政人員）

行政院函

中華民國○年○月○日
○○字第○○號

受文者：各部、會、行、局、署。

主　旨：希全面推行『工作簡化』，切實簡化法令規章與作業程序，以提高工作效率，加強爲民服務。

說　明：

一、各機關之原有法令規章，繁瑣重複，作業程序亦每多不合精簡要求，以致工作效率降低，造成困擾不便，有乖便民之旨，深爲各方所詬病。

二、爲期切實改進此項缺失，必須貫澈推行『工作簡化』，以科學方法，確實分析現行工作處理實況，消除不必要流程，訂定更理想進步之工作程序與作業要領，以收事半功倍之效果，各機關並應將『工作簡化』列爲長期性重點工作。

辦　法：

一、對於現行法令規章，應詳加檢討整理，力求統一簡化，其不適用者，分別予以合併或廢止，以避免重複累贅。

二、爲使工作方法符合標準化與簡單化，應對現行工作方法詳加研析，詳予紀錄，以備改進措施之參考。

三、『工作簡化』之主要着眼，必須以加強爲民服務爲依歸，萬勿有本末倒置之失，是所至要。

院長〇〇〇

8. 擬法務部函所屬檢察機關：政府為加強保障人民，經將刑事訴訟法部分條文修正公布，今後辦案應特別注意其新增規定，不得有所疏誤，希查照並飭所屬知照。（七十一年高考律師）

法務部函

中華民國〇〇年〇〇月〇〇日
〇〇〇〇字第〇〇〇〇〇號

受文者：所屬檢察機關

主　旨：爲加強保障人民權，今後辦案應特別注意刑事訴訟法部分修正條文及新增規定，不得有所疏誤，希查照並飭所屬知照。

說　明：

一、政府爲促使民主法治更臻健全，以期充分保障人民之自由權利，業於七十一年八月四日公布修正刑事訴訟法部分條文及新增規定，今後辦案務必特加注意，不可輕忽。

二、修正之條文爲第二十七條、二十九條、三十條、三十一條、三十三條、三十四條、一〇五條、二四五條及二五五條，新增第七十一條之一、八十八條之一條文。

部長李〇〇

9. 依據下列提示要點，撰擬公文一件。

發文單位：臺北市光復區公所

主管姓名：張志强

內容要點：

㈠臺北市政府曾以（七一）北市社二字第三五二四號函通令各區公所限期整頓攤販，消除髒亂。

㈡光復區公所經如期執行，呈報實施成果。

㈢執行有功人員計有股長李光宗、課員方誠中、王維立，請予敍獎。（七十一年中小企銀特考）

臺北市光復區公所函

中華民國○○年○○月○○日
○○○○字第○○○○○號

受文者：臺北市政府

主　旨：爲貫徹消除髒亂工作，整頓攤販，呈報執行成果及有功人員，請　查照。

說　明：

一、依　鈞府（七一）北市社二字第三五二四號函指示辦理。

二、該案經本區公所有關人員協調警務單位，派員至各巷道嚴格執行督導並取締。

三、檢附『本區整頓攤販消除髒亂成果表』乙份，並將有功人員計有股長李光宗、課員方誠中、王維立，請　鈞府酌予敍獎。

區長　張　志　强（職章）

10.擬國防部通令各級部隊官兵：為春節期近，應加强戒備，嚴防敵人滲透、偷襲、破壞，以確保復興基地安全。（七十二年國防部行政及技術軍法人員乙等特考）

國防部令

中華民國七十二年〇月〇日
〇〇字第〇〇〇〇號

受文者：各級部隊官兵

主旨：春節期近，應加強戒備，嚴防敵人滲透、偷襲、破壞，以確保復興基地安全。

說明：

一、我三軍將士以保國衞民爲職責，平時嚴守紀律，戮力操練，增進戰鬪技能，戰時服從命令，精誠團結，奮勇作戰，消滅敵人，以完成神聖使命。

二、春節期近，敵人可能趁我官兵歡度佳節精神鬆弛之時，對我侵犯，故全體官兵應提高警覺，加強戒備，嚴防敵人滲透、偸襲、破壞，以確保我復興基地安全。

部長〇〇〇

第三章　實用書牘

第一節　書牘釋名

書牘爲書信之總稱，乃應用文中最重要之一種。蓋書以代言，言以達意，良朋遠隔，積想爲勞，苟非信札往還，將何以溝通感情，相互存問。若乃三年不見，東山歎遠，五色增采，花箋抒情，使受書者讀之，永留佳象，人生之樂，曷逾於此。漢末阮瑀稱書記翩翩，晉初山濤有山公啓事，文采風流，喧騰衆口。曾國藩以書生總師干，與羣將通書，多自握管，用能上下輯睦，協和有成，卓然號一代中興名臣。論者謂曾氏蓋世之武功，有辭翰之勳績焉。書信之要，從可知矣。故善爲書札者，立意尚簡明，措辭貴得體，格式宜合時。人事紛紜，寸陰尺璧，若意雜辭蕪，則觀者生厭，旨明言暢，則聽者忘疲，此立言之尙簡明也。行輩有尊卑，交誼有深淺，至親無文，語宜質樸，長幼有序，言戒輕佻，或有所諮商，則宜委婉陳說，或有所申辯，則宜虛己剖分，此措辭之貴得體也。稱謂不訛，行款無誤，封緘有法，紙墨相宜，此格式之宜合時也。凡此種種，略事講求，不難諳練。至於性靈溢於紙上，笑語生於毫端，開函則如見其人，雒誦則如聞其語，自非廣涉名篇，勤加練習，神明於規矩之中者，不能至也。

書牘起源於何時，已難稽考，但自有文字後卽有書牘，則可斷言。今所見最早之書牘，爲尚書之君奭篇，乃周公致召公奭之書函。下逮戰國，有樂毅報燕惠王書、魯仲連遺燕將書等。秦時有李斯諫逐客書。漢初有司馬遷報任少卿書、李陵答蘇武書、楊惲報孫會宗書等。東漢以後，作者益衆，佳構紛陳，屈指難數矣。

至於書牘之名稱，向極紛歧，未嘗統一，蓋以年世綿遠，文明日進，所用之材料變，則名稱亦隨之俱變。曾國藩編經史百家雜鈔，列有書牘類，曾作簡明之詮釋云：

書牘類，同輩相告者，經如君奭，左傳鄭子家、叔向、呂相之辭皆是。後世曰書，曰啓，曰移，曰牘，曰簡，曰刀筆，曰帖，皆是。

按呂相之辭，乃指春秋晉卿呂宣子絕秦之外交辭令（詳見左傳成公十三年），並非私人書信，應列入公文書中。而『移』亦非私人書信，其性質與『檄』相近，乃公文書之一種。此蓋曾氏之偶失，無須爲賢者諱也。茲將書牘之別名詳列於後：

(1) **書**　文心雕龍書記篇：『書者，舒也，舒布其言，陳之簡牘。』書牘之名稱紛繁，以『書』最爲世所習用。

(2) **啓**　文心奏啓篇：『啓者，開也。高宗云：「啓乃心，沃朕心」，取其義也。孝景諱啓，故兩漢無稱，至魏國箋記，始云啓聞。』自魏以降，以『啓』代『書』者，時時可見。

(3) **啓事**　作書札白事曰啓事。晉書山濤傳：『濤爲吏部尚書，凡用人行政，皆先密啓，然後公奏，舉無失才，時稱山公啓事。』

(4) **書信**　晉書陸機傳：『機有駿犬，名曰黃耳，甚愛之。既而覊寓京師，久無家問，笑語犬曰：

「我家絕無書信，汝能齎書取消息不。」犬搖尾作聲，機乃爲書以竹筩盛之而繫其頸，犬尋路南走，遂至其家，得報還洛。其後因以爲常。』此爲書信二字連用之始。

(5) **書疏**

曹丕與朝歌令吳質書：『歲月易得，別來行復四年。三年不見，東山猶歎其遠，況乃過之，思何可支。雖書疏往返，未足解其勞結。』

(6) **書記**

曹丕與朝歌令吳質書：『元瑜書記翩翩，致足樂也。』按記亦書類，書記係同義之複合詞。

(7) **書啓**

歐陽修與陳員外書：『吏以私自達於其屬長，則曰牋記書啓。』古時蓋以施於尊貴者，近世則概指書牘，前清州縣廨署，有專司書啓之事者。

(8) **尺素**

文選飲馬長城窟行：『客從遠方來，遺我雙鯉魚，呼兒烹鯉魚，中有尺素書。』呂向注：『尺素，絹也。古人爲書，多書於絹。』

(9) **雁書**

漢書蘇武傳：『天子射上林中，得雁，足有係帛書，言武等在某澤中。』李白送友人遊梅湖詩：『莫惜一雁書，音塵坐胡越。』

(10) **雁封**

王瑳詩：『雁封歸飛斷，鯉素還流絕。』

(11) **雁帛**

柳貫舟中睡起詩：『江驛北來無雁帛。』

(12) **雁音**

林景熙答柴主簿詩：『銅槃消息無人問，寂寞西樓待雁音。』

(13) **魚雁**

宋无次友人春別詩：『波流雲散碧天空，魚雁沈沈信不通。』琵琶記臨妝感歎：『雁杳魚沈，鳳隻鸞孤。』

(14)**雁信**　溫庭筠寄湘陰閻少府乞釣輪子詩：『若向三湘逢雁信，莫辭千里寄漁翁。』

(15)**雙鯉**　韓愈寄盧仝詩：『先生有意許降臨，更遣長鬚致雙鯉。』古人寄書，常以尺素結成雙鯉形，故云。

(16)**雙魚**　李白贈漢陽輔錄事詩：『漢口雙魚白錦鱗，令傳尺素報情人。』

(17)**魚書**　韋臯憶玉簫詩：『長江不見魚書至，爲遣相思夢入秦。』

(18)**魚素**　蔡伸卜算子詞：『望極錦中書，腸斷魚中素。』

(19)**魚箋**　福惠全書：『暫役魚箋，聊申燕賀。』

(20)**尺書**　岑參虢州酬辛侍御見贈詩：『相思難見面，時展尺書看。』古時書函長約一尺，故云尺書。下云尺牘、尺簡、尺翰、尺紙、尺楮、尺函，皆此義。

(21)**尺牘**　漢書陳遵傳：『遵贍於文辭，善書，與人尺牘，主皆藏去以爲榮。』

(22)**尺簡**　唐書藝文志：『安祿山之亂，尺簡不藏。』

(23)**尺翰**　陳書蔡景歷傳：『尺翰馳而聊城下。』

(24)**尺紙**　宋書序傳：『聊因尺紙，使卿等具知厥心。』

(25)**尺楮**　王邁謝辟不就啓：『敬裁尺楮，往白前茅。』

(26)**尺函**　福惠全書：『尺函遠錫。』

(27)**玉札**　對他人書牘之敬稱。皮日休懷華陽潤卿博士詩：『數行玉札存心久，一掬雲漿漱齒空。』

(28)**玉函**　書牘之美稱。

(29) **玉音**　書牘之美稱。楊億送劉秀州詩：『騎置迢迢阻玉音，左魚江海遂初心。』

(30) **好音**　史可法復多爾袞書：『南中向接好音，法遂遣使問訊吳大將軍。』

(31) **瑤函**　對他人信札之美稱。

(32) **瑤章**　同右。

(33) **瑤札**　同右。宇文融詩：『飛文瑤札降，賜酒玉杯傳。』

(34) **瑤緘**　書札之美稱。羅隱寄黔中王從事詩：『貪將醉袖矜鶯谷，不把瑤緘附鯉魚。』

(35) **華翰**　對他人書札之美稱。劉禹錫謝竇相公啓：『每奉華翰，賜之衷言。』

(36) **簡**　古無紙時，書寫於竹曰簡，於帛曰帖，於版曰牘，亦謂之牒，亦謂之札。說詳朱駿聲說文通訓定聲　世皆沿用爲書信之通稱。

(37) **帖**　詳右。

(38) **牘**　詳右。

(39) **牒**　詳右。

(40) **札**　詳右。

(41) **箋**　紙之精緻華美者曰箋，或曰牋，如花箋、錦箋，多供題詠書札之用，故書札通稱曰箋。

(42) **牋**　詳右。

(43) **刀筆**　宋楊億黃庭堅皆自稱其所著之尺牘曰刀筆。按古用竹簡木牘代紙，以木筆沾漆書寫，謬誤者以刀削而除之，後遂以刀筆爲書札之代稱，掌案牘之吏曰刀筆吏、

(44)朶雲　書札之美稱。唐韋陟常以五采箋作書，自謂所書陟字若五朵雲，時號五雲體。

(45)雲箋　書札之美稱。按俗稱他人之覆函曰『還雲』，所謂還雲、雲箋，蓋均係自朵雲而引伸者。

(46)緘札　書札之美稱。李商隱春雨詩：『玉璫緘札何由達，萬里雲羅一雁飛。』

(47)華簡　同右。

(48)華札　同右。

(49)琅函　同右。

(50)芝函　同右。

(51)瑤簡　同右。

(52)雲翰　同右。

(53)手書　對他人書札之敬稱。

(54)手札　同右。

(55)手翰　同右。

(56)大札　同右。

(57)惠書　同右。

(58)惠翰　同右。

(59)惠簡　同右。

(60)手筆　同右。後漢書趙壹傳：『報皇甫規書曰：「忽一匹夫，於德何損，而遠辱手筆，追路相尋，誠足愧也。」』

(61)**手　畢**　對他人書札之敬稱。爾雅釋器：『簡謂之畢。』郭璞注：『今簡札也。』山谷題跋：『于京別紙多云伏奉手畢，南人謂畢爲筆，因效之。』

(62)**手　示**　對他人書札之通稱，惟多用於地位較高之平輩，亦可用於長輩。

(63)**手　紙**　日本人稱書札曰手紙（てがみ）。

(64)**慈　諭**　對祖父母及父母書札之敬稱。

(65)**手　諭**　同右。

(66)**嚴　諭**　對祖父及父親書札之敬稱。

(67)**鈞　諭**　對尊長書札之敬稱。

(68)**賜　書**　同右。

(69)**賜　函**　同右。

(70)**手　教**　同右。

(71)**翰　諭**　同右。

(72)**翰　示**　同右。

(73)**稟　函**　對子孫書札之稱。

(74)**來　稟**　同右。

(75)**來　書**　對卑幼書札之稱。

(76)**來　函**　同右。

以上七十六種書牘之名稱，乃二千餘年來世所習見者，隨時代之變遷，除少數名稱仍爲今人所沿用外，餘多廢置。

第二節　書牘之種類

書牘之種類繁多，要而歸之，『對人』『對事』兩大類而已。

一、對　人

(一)**對長輩**　如對父母、祖父母、岳父母、長輩、長官、業師等是。

(二)**對平輩**　如對兄弟姊妹、堂兄弟姊妹、表兄弟姊妹、朋友、同學、同事等是。

(三)**對晚輩**　如對子女、孫曾、姪子女、晚輩、學生等是。

二、對　事

(一)**發抒情感**　如通候、仰慕、求愛等是。

(二)**純粹應酬**　如祝壽、慶賀、慰唁等是。

(三)**實際應用**　如借貸、求職、貿易等是。

(四)**發表議論**　如論學、論事、論立身處世等是。

對人係以發信人之關係而言，對事係以發信人之目的而論，事實上人與事合爲一體，不容分割。書信之對象爲人，且爲特定之人，似宜以人分類爲是。惟寫信之目的在於敍事，無事則不必寫信，故又以事分類爲妥。

第三節　書牘之結構

書牘所以代晤談，故晤談之程序，卽書牘之結構。假使因事詣人，自宜先通名刺（熟人可免，而改爲敍寒暄。），然後陳其來意，所懷旣竭，於是道別而去。本此以觀書牘，大體可分三部分：首爲開頭應酬語，猶敍寒暄也。次爲正文，卽書信主體，猶陳來意也。末爲結尾應酬語，猶臨去道別也。玆爲淸晰計，將書牘範例及其結構表列如左：

書牘範例

賀友人當選省議員

某某吾兄左右：敬啓者，不覩英姿，又經匝月，想念之深，與時俱積。頃披中央日報，欣悉榮膺臺灣省議會第六屆議員，昭物望於圭璋，騰英聲於冠冕。行見秉持公意，歡洽輿情，奠民主之初基，展敬恭於　珂里。忝居同窗之末，亦與有榮焉。今後尚祈　不遺

在遠，南針時賜，以匡不逮，實爲至望。耑此奉賀，順頌

儷祺。

弟 某某謹啓〇月〇日

伯母前祈叱名請安。

書牘結構

- 前文
  - ①稱　　謂：某某吾兄。
  - ②提 稱 語：左右。
  - ③啓事敬辭：敬啓者。
  - ④開頭應酬語：不覩英姿……與時俱積。
- 正文
  - ⑤書牘主體：頃披中央日報……亦與有榮焉。
- 後文
  - ⑥結尾應酬語：今後尚祈不遺在遠……實爲至望。
  - ⑦結尾敬辭：耑此奉賀……順頌儷祺。
  - ⑧署名敬禮：弟某某謹啓。
  - ⑨月　　日：〇月〇日。
  - ⑩補　　述：伯母前祈叱名請安

上述各部分，往往因人因事，可斟酌情形，予以省略。如家人通信，③④⑥⑩各項，以率眞而可省。喪事唁問，③④⑩三項，以哀悼而可省。茲按上列結構次序，略加說明如下：

一、稱　謂　此爲書牘發端重要部分，所以確定通訊人雙方關係。稱謂一誤，使人有其餘不足觀之感。

聞某大學有一畢業生，函請校長介紹工作，起首卽書『某某校長仁兄大鑒』，似此不可原諒之錯誤，未有不令人噴飯者。如係求職，其結果如何，可以不問而知。又對方有字或號者，須稱其字號，確無字號，始可逕稱其名。

二、**提稱語**　提稱語在『稱謂』之下，表示請求受信人察閱之意，故與『稱謂』均宜適合收信人身分。如對父母當用『膝下』、『膝前』，對業師當用『函丈』、『壇席』，對婦女當用『慧鑒』、『妝次』，對朋友當用『惠鑒』、『足下』。

三、**啓事敬辭**　通常用在『提稱語』之下，爲陳述事情之發語詞。可分去信、回信兩種：普通對祖父母及父母，無論去信、覆信均用『敬稟者』、『敬肅者』。對親友長輩及業師，去信用『敬肅者』、『敬陳者』，覆信用『敬覆者』、『謹覆者』。對平輩去信用『逕啓者』、『茲啓者』，覆信用『逕覆者』、『茲覆者』。對晚輩去信可以不用，覆信可用『茲覆者』、『茲覆如左』之類，非以示敬，特作爲發語詞而已。其實此一項本非必要，現代書信多略而不用。惟有所商請，對長輩用『敬懇者』，對平輩用『茲有懇者』、對晚輩則用『茲有託者』。

四、**開頭應酬語**　在一般正式書信中，通常多有此項，其種類甚多，有表思慕，有敍別情，有頌揚德業，有祝福起居，或切時，或切事。如對男性尊長，則云『仰瞻　仁宇，時切葵忱』。對女性尊長則云『遠隔　慈雲，倍深瞻仰』。對平輩則云『久違　雅範，時切馳思』。對婦女則云『久別　芳儀，時深系念』。

五、**書牘主體**　爲作書主旨，最宜注意，既無定式，亦無定法，如何使意思顯豁，層次分明，端視作者之用心耳。

六、結尾應酬語　多寥寥數語，如對長輩則云『乞賜　俞允，無任盼禱』。對平輩則云『臨穎神往，不盡所懷』。對情人則云『紙短情長，欲言難罄』。

七、結尾敬辭　可分爲兩部分：一爲敬語，如『肅此』、『專此』之類。二爲問候語，如用『請』字，下宜用『安』字，如『敬請　崇安』、『卽請　台安』。如用『頌』字，下宜用『祺』、『祉』、『綏』等字，如『順頌　秋祺』、『卽頌　刻祉』、『祗頌　台綏』之類。

八、署名敬禮　署名在書牘中爲不可缺少之部分。末尾署名宜與『稱謂』相呼應，所以示通訊人雙方關係。如對父母稱『男』或『女』，對業師稱『受業』或『學生』，對朋友稱『弟』或『妹』。署名下附有敬辭，如對尊親用『敬稟』或『叩稟』，對平輩用『拜啓』或『頓首』，對晚輩用『手啓』或『手泐』。又對家族及關係極親近之人，只署名而不書姓，此外則多全寫姓名。

九、月日　月日所以標明發信時間，在書信中亦不可缺。如韓愈姪十二郎既歿，僕人耿蘭之報不知當言月日，致橫生枝節，是其著例。

十、補述　書信首尾已完，或有遺漏之事，可於信末補述。開頭可用『再者』、『再啓者』，結尾可用『又啓』、『又及』。然此乃不得已之辦法，鄭重恭敬之信札，以不用爲宜。又時下青年有以英文『P. S』(postscript)代替『補述』者，務須戒絕。至於附帶問候之補述，如『伯父大人前敬祈叱名請安』、『某某姊前煩代致候』、『舍妹囑筆問候』之類，則無論對方身分，均一體適用。

以上書牘結構，大體略備於此，運用之妙，但存乎一心耳。

第四節　書牘之術語

書牘爲應用文，與人交際，自當從順時宜，但亦不可失之鄙俗。茲爲便檢閱參考起見，特將書牘慣用術語分別製表於後，並附加說明。

（一）稱謂

一、家族

稱人	自稱	對他人稱	對他人自稱
祖父 祖母	孫 孫女	令祖 令祖母	家祖父 家祖母（或家大父、家大母）
伯（叔）祖父 伯（叔）祖母	姪孫 姪孫女	令伯（叔）祖 令伯（叔）祖母	家伯（叔）祖 家伯（叔）祖母
父親 母親	男（或兒） 女	令尊（或尊公或尊翁） 令堂（或尊堂或尊萱）	家父（或君・尊・大人・嚴） 家母（或慈）
伯（叔）父 伯（叔）母	姪 姪女	令伯（叔） 令伯母（叔母）	家伯（叔） 家伯母（叔母）
兄（或某哥） 嫂（或某姊）	弟 妹	令兄 令嫂	家兄 家嫂

弟 弟婦（或某弟、某妹）	兄 姊	令弟 令弟婦	舍弟 舍弟婦
姊 妹	弟（妹） 兄（姊）	令姊 令妹	家姊 舍妹
夫子（或某哥・某兄・夫君） 某某（單稱名或字）	妻（或妹） 某某（單稱名或字）	某先生 （或尊夫君）	外子 （或某某・拙夫）
吾妻（或某妹・賢妻・愛妻） 某某（單稱名或字）	夫 某某（單稱名或字）	尊夫人（或閫） 嫂夫人	內子（或拙荊） 內人（或賤內）
吾兒（或幾兒或某某兒） 吾女（或幾女或某某女）	父 母	令郎（或公子・郎君・嗣） 令嬡（或嬡・愛）	小兒（或小犬・豚犬・賤息・豚兒） 小女
賢媳（或某某或某某兒）	父（或愚） 母	令媳	小媳
某某姪（或賢姪） 姪女（或賢姪女）	伯（叔） 伯母（叔母）	令姪 令姪女	舍姪 舍姪女
幾孫 孫女（或某某孫、孫女）	祖 祖母	令孫 令孫女	小孫 小孫女
賢姪孫 姪孫女	伯（叔）祖 祖母	令姪孫 令姪孫女	舍姪孫 舍姪孫女

君舅姑(或父親母)	媳(或兒)	令舅姑	家舅姑
伯(叔)翁姑(或伯(叔)父母)	姪媳	令伯(叔)翁姑	家伯(叔)翁姑

【說　明】

㈠凡尊輩已歿，『家』字應改爲『先』字。自稱已歿之祖父母，爲『先祖父母』或『先王父』、『先祖考』、『先王母』、『先祖妣』。稱已歿之父母，父爲『先父』、『先君』、『先嚴』、『先考』、『先君子』、『先府君』，母爲『先母』、『先慈』、『先妣』。

㈡稱人父子爲『賢喬梓』。對人自稱爲『愚父子』。稱人兄弟爲『賢昆仲』、『賢昆玉』，對人自稱爲『愚兄弟』。稱人夫婦爲『賢伉儷』，對人自稱爲『愚夫婦』。

㈢家族幼輩稱呼，『賢』字大可不用，即媳婦亦可不用。

㈣舅、姑對媳婦，本多自稱愚舅、愚姑，因與舅父或姑母之稱有時相混，故用一『愚』字。其實可自稱父母，或逕寫字號爲宜。

㈤稱已故之兄姊曰『先兄』『先姊』，稱已故之弟妹曰『亡弟』『亡妹』。

二、親戚

稱人	自稱	對他人稱	對他人自稱

姑丈 姑母	姪（或內姪） 姪女（或內姪女）	令姑丈 令姑母	家姑丈 家姑母
外祖父 外祖母	外孫 外孫女	令外祖父 令外祖母	家外祖父 家外祖母
舅父 舅母	甥 甥女	令母舅 令舅母	家母舅 家舅母
姨丈 姨母	姨甥 姨甥女	令姨丈 令姨母	家姨丈 家姨母
表伯（叔）父 表伯（叔）母	表姪 表姪女	令表伯（叔） 令表伯（叔）母	家表伯（叔） 家表伯（叔）母
表舅父 表舅母	表甥 表甥女	令表母舅 令表舅母	家表母舅 家表舅母
岳父 岳母	子壻（或壻）	令岳 令岳母	家岳 家岳母
伯（叔）岳父 伯（叔）岳母	姪壻	令伯（叔）岳 令伯（叔）岳母	家伯（叔）岳 家伯（叔）岳母
姻伯（或叔）父 姻伯（或叔）母	姻姪 姻姪女	令親	舍親
親家（或親家翁） 親家母（或親家太太）	姻愚弟 姻愚妹（或姻侍生）	令親家（或令親翁） 令親家母（或令親家太太）	敝親家（或敝親翁） 敝親家母（或敝親家太太）

姊丈　倩	內弟（或妹弟）　姨妹	令姊丈	家姊丈　夫
妹丈　倩	內兄（或姊兄）　姨姊	令妹丈	舍妹丈　夫
表兄　嫂	表弟　妹	令表兄　嫂	家表兄　嫂
內兄　弟（或弟兄）	妹　姊壻	令內兄　弟	敝內兄　弟
襟兄　弟	姻愚弟　兄	令僚壻	敝連襟
姻兄　嫂	姻弟　侍生（或姻愚妹）	令親	舍親
賢內姪　姪女	姑丈　母	令內姪　姪女	舍內姪　姪女
賢外孫　孫女	外祖　祖母	令外孫　孫女	舍外孫　孫女
賢甥　甥女	愚舅　舅母	令甥　甥女	舍[illegible]　甥女
賢壻　倩	愚岳　岳母	令壻（或令倩坦）	小壻

稱人	自稱	對他人稱	對他人自稱
賢表姪 姪女	愚表伯（叔） 伯母（叔母）	令表姪 姪女	舍表姪 姪女
賢姻姪 姪女	愚	令親	舍親

【說　明】

㈠親戚中，『姻伯』、『姻叔』、『姻丈』乃指姻長中無一定稱呼者，如姊妹之舅姑及其兄弟姊妹，兄弟之岳父母及其父母兄弟姊妹，用此稱謂最富彈性。

㈡平輩者皆依表列定稱。

㈢幼輩稱呼『賢姻姪』三字，祇能用於極親近者。普通親戚雖屬晚輩，亦以『姻兄』相稱，而自稱『姻弟』或『姻末』。

三、師友同學

稱人	自稱	對他人稱	對他人自稱
太夫子 太師母	門下晚生		
夫子（或吾師・老師） 師母	生（或受業・學生）	令業師 令師母	敝業師 敝師母
太世伯（叔）父 母	世再姪 姪女		

世伯（叔）父 母	世姪 姪女		
世 仁丈	晚		
世兄 姊（或吾兄 姊）	世弟 妹（或弟 妹）	令友	敝友
學長（或學兄 姊）	學弟 妹（或弟 妹）	貴同學	敝同學
同學（或學弟 妹）	小兄 愚姊（或友生）	令高足	敝門人 敝學生
世講（或世臺 世兄）	愚		

【說　明】

㊀『夫子』二字，常為妻對夫之稱。女學生對師長，則以稱『老師』、『吾師』或『業師』為宜。
㊁世交中伯叔字樣，視對方與自己父親年齡而定，較長者稱『伯』，較幼者稱『叔』。
㊂世交而兼有戚誼者，按尊長年齡比較，稱『太姻世伯（叔）』、『姻世伯（叔）』。
㊃確有世誼關係，年長於己二十歲以上，而行輩不易確定者，稱『仁丈』或『世丈』。
㊄世交平輩中，如係交誼深厚者，可稱『吾兄』、『我兄』，一則表示親近，再則免與通稱晚輩為『世兄』者相混。
㊅對女老師之夫可稱『師丈』或『某（姓）先生』，不可稱『師公』或『師父』。

四、工友

稱人	自稱	對他人稱	對他人自稱
某某（稱名字）	某某（單具名字）	尊紀（或貴价女工友）	某某（或小价敝女工友）

除右列四表外，尚有其他關係之稱謂，如部屬對長官，通常稱『鈞長』或『鈞座』，或稱職銜，如『某公部長』，自稱『職』。如對舊時長官，則自稱『舊屬』。稱他人長官，則在職銜上加『貴』字，如『貴部長』。對他人稱自己長官，則曰『敝部長』。

（二）提稱語

用途	語彙
用於祖父母及父母	膝下・膝前・尊前・道鑒
用於長輩	尊前・尊鑒・賜鑒・鈞鑒・崇鑒・尊右・侍右・道鑒
用於師長	函丈・壇席・講座・尊前・尊鑒・道鑒
用於平輩	台鑒・大鑒・惠鑒・左右・足下・閣下・雅鑒・偉鑒・英鑒
用於同學	硯右・硯席・文几・文席（上欄『台鑒』等語亦可通用）
用於晚輩	青鑒・青覽・如晤・如握・如面・收覽・知悉・知之・收悉・收閱

用於政界	勛鑒・鈞鑒・鈞座・台座・台鑒・閣下・左右
用於軍界	麾下・鈞鑒・鈞座・幕下
用於教育界	講席・座右・麈次・有道・著席・撰席・史席・道鑒
用於弔唁	苫次・禮席・禮鑒・禮次・素覽
用於哀啓	矜鑒・荃詧
用於釋家	方丈・法鑒
用於道教	法鑒
用於耶教	道鑒
用於婦女	妝次・奩次・閫照・慧鑒・妝鑒・繡次・妝閣・芳鑒・淑覽・懿鑒

【說　明】

㈠對直屬長官，可參酌尊長及軍政兩欄，以用『鈞鑒』、『賜鑒』爲普通。

㈡對晚輩欄，凡用『鑒』均客氣成分較多，『覽』次之。『如晤』至『如面』，用於晚輩較親近者。『收覽』以下，大都用於己之卑親屬。

㈢喜慶函無一定之提稱語，可按關係依表列酌用。

(三) 啓事敬辭

用途	語彙
用於祖父母、及父母	敬稟者・謹稟者・叩稟者
用於長輩及長官	茲肅者・敬肅者・謹肅者・敬啓者・謹啓者（覆信：謹覆者・敬覆者・肅覆者）
用於通常之信	敬啓者・謹啓者・啓者・茲啓者・逕啓者（覆信：茲覆者・敬覆者・逕覆者）
用於請求之信	茲懇者・敬懇者・茲託者・敬託者・茲有懇者・茲有託者
用於祝賀	敬肅者・謹肅者・茲肅者
用於訃信	哀啓者・泣啓者
用於補述	又・再・再啓者・再陳者・又啓者・又陳者

【說明】

通常『請求』、『補述』各種用語，有時可成四字句，如『茲敬陳者』、『茲有懇者』、『茲再陳者』、『茲有啓者』，行文時視文氣需要而定。

（四）開頭應酬語

一、思慕語

㈠對人思慕

用途	用語
用於祖父母及父母	▲引領○慈雲㈠，倍切孺慕。 ▲引瞻○慈顏㈡，良深孺慕。 ▲仰望○慈暉，孺慕彌切。 ▲翹首○慈雲，倍切依依。 ▲瞻企○慈雲，彌殷孺慕。 ▲○慈雲翹首。孺慕彌殷。
用於親友長輩	▲○光輝仰望，思慕時深。 ▲引領○吉輝，倍切神往。 ▲仰企○光輝，時深傾慕。 ▲仰慕○光輝，神情遙注。 ▲遙仰○山斗㈢。系念殊殷，而停鸞峙鵠㈣，無日不懸心目間也。……惟有翹首○鈞顏，徒切瞻依耳。
用於師長	▲遙望○門牆㈤，輒深思慕。 ▲瞻仰○斗極，殊切依馳。 ▲翹瞻○星嶽，倍切神馳。 ▲路隔山川，神馳○絳帳㈥。 ▲仰瞻○道範，倍切依依。 ▲未知何日重立○程門㈦，再聆○孔鐸㈧，而依依○絳帳之思，未嘗不寤寐存之。 ▲山川修阻。立雪無從，陶鑄之恩㈨，未嘗頃刻去懷也。 ▲程門立雪，何日忘懷，遙企○斗山，時深馳慕。
用於長官	▲翹企○斗山，輒深景仰。 ▲○仁風德化，仰慕彌殷。 ▲○雲天翹望，○泰斗瞻馳。 ▲引領○福星⑩，彌殷仰慕。 ▲○雲天在望，心切依馳。 ▲○斗山之仰，深切私衷。
用於親友平輩	▲望風懷想，時切依依。 ▲風雨晦明，時殷企念。 ▲瞻企○芝標⑪，渴念殊極。 ▲每念○故人，輒深神往。 ▲相思之切，與日俱增。 ▲言念○故人，精爽飛越。 ▲神馳○左右，夢想爲勞。 ▲屋梁落月⑫，時念○故人。 ▲伊人秋水⑬，倍覺黯然。 ▲久未晤教，渴念良殷，極思一見爲快也。

㈡對景思慕

用途	用語
用於春季	▲仰對春光，懷深雲樹㈣。 ▲暮雲春樹，想念殊殷。 ▲春深南國，人佇春風。 ▲對此鳥語花香之際，倍深懷思馳念之情。

用於夏季	▲薰風披處，時念○故人。▲薰風拂拂，楊柳依依，長夏無聊，倍念○知己。▲靜對荷塘，翹瞻倍切。▲對此柳線牽愁之日，忽憶春宵共話之歡。
用於秋季	▲每對秋光，彌深葭溯。▲風清月朗，輒念○故人。▲秋水蒹葭，倍切洄溯。▲對此銀河瀉影之時，頓起異苔同岑之感。▲對此白露蒼蒼之候，殊深伊人渺渺之思。▲悵望秋風，神馳夢寐。
用於冬季	▲雪梅霜樹，仰企良殷。▲寒燈夜雨，殊切依馳。▲梅影橫窗，懷念倍切。▲對此寒窗煮茗之時，益增落月屋梁之感。▲瘦影當窗，懷人倍切。▲寒梅將放，能不黯然神往也。

㈢未會思慕

用於親友長輩	▲久仰○斗山，時深景慕。▲久欽○碩望，時切神馳。▲仰企○慈仁，無時或釋。▲每懷○德範，輒深神往。▲久仰○芳型，未瞻○道範，未知何時得能暢聆○教益也。▲夙仰典型，未領清誨，譬如北斗在天，可望而不可及，悵何如之。
用於親友平輩	▲景仰已久，趨謁無從。▲瞻○韓徒切㊄，御○李無由㊅。▲久仰○仁風，未親○儀範。▲久慕○高風，未親○雅範。▲久欽○叔度㊆，○謦欬未親㊇，未知何時能慰夙願耳。▲久耳○大名，○清芬莫挹，仰跂○德門，悵惘靡已。

㈣復信思慕

用於親友長輩	▲方殷思慕，忽奉○頒函。▲仰企方殷，忽接○翰諭。▲翹企正切，忽蒙○賜函。▲仰企正殷，辱蒙○翰示。▲仰企正殷，蒙頒○雲翰，迴環捧誦，眷注殊深。▲瞻仰正切，○手翰惠頒，如親○謦欬。

用於親友平輩

▲仰企正殷，忽奉○大札。　▲懷思正切，忽奉○琅函。　▲馳念正殷，忽得○手示。

▲方深景念，○華翰忽頒。　▲正欲修函致候，而○朵雲忽至，迴環繙誦㊈，不啻晤言。

▲正深企念，忽奉○瑤章⑳。捧誦之餘，恍親○芝宇㈢。

【說　明】

㈠上列各表，句中凡有『○』記號者，其下一字應平抬，或挪抬，表示禮貌。以下各表悉同，不另說明。

㈡思慕語爲開頭應酬語之一種，先述自己仰慕之忱，以示敬意者。惟此類套語，習用已久，表中所列，舉例而已。作書時，仍以別立新意，自撰新詞爲佳。

【注　釋】

㈠引領慈雲　引領，延頸遠望也，望則伸其頸，故云。孟子梁惠王篇：『孟子曰：「如有不嗜殺人者，則天下之民皆引領而望之矣。」』慈雲，佛家語，喻佛之慈心廣大如雲也，世每借以稱祖父母或父母。

㈡慈顏　稱尊長之容顏也。張萬頃登天目山下作詩：『宦遊偏不樂，長爲憶慈顏。』

㈢山斗　亦曰泰斗，泰山北斗之合稱。唐韓愈以六經之文爲諸儒倡，蓋自比孟軻，以荀況揚雄爲未淳，自愈沒，其言大行，學者仰之如泰山北斗。見唐書本傳贊。按泰山、高山。北斗，北辰。皆爲人所景仰者。

㈣停鸞峙鵠　頌揚賢人之辭。韓愈殿中少監馬君墓誌銘：『鸞鵠停峙，能守其業者也。』

㈤門牆　論語子張篇：『叔孫武叔語大夫於朝曰：「子貢賢於仲尼。」子服景伯以告子貢，子貢曰：「譬之宮牆，賜之牆也及肩，窺見室家之好。夫子之牆數仞，不得其門而入，不見宗廟之美，百官之富。得其門者或寡矣，夫子之云，不亦宜乎。」』後遂稱師門曰宮牆、門牆。

⑥絳帳　後漢書馬融傳：『融居宇器服，多存侈飾，常坐高堂，施絳紗帳，前授生徒，後列女樂。』按馬融爲一代大儒，世因美稱講座曰絳帳，或曰絳帷。

⑦立程門　朱子語錄：『游楊二子初見伊川，伊川瞑目而坐，二子侍，既覺曰：「尙在此乎，且休矣。」出門，門外雪深一尺。』按游楊謂游酢楊時，均程頤之高第弟子。

⑧孔鐸　論語八佾篇：『儀封人請見曰：「君子之至於斯也，吾未嘗不得見也。」從者見之，出曰：「二三子何患於喪乎，天下之無道也久矣，天將以夫子爲木鐸。」』鐸，鈴也，金口木舌，施政敎時，振之以警衆。

⑨陶鑄　范土曰陶，鎔金曰鑄，蓋卽因材造作，使成一定形式之義。

⑩福星　舊時稱地方官有恩德及民者曰一路福星，言一路之人頌爲福星也。戴翼賀陳待制啓：『福星一路之歌謠，生佛萬家之香火。』

⑪芝標　稱人儀表之美。

⑫屋梁落月　杜甫夢李白詩：『落月滿屋梁，猶疑照顏色。』書札中常用爲懷念朋友之辭。

⑬伊人秋水　詩經秦風蒹葭：『蒹葭蒼蒼，白露爲霜，所謂伊人，在水一方。溯洄從之，道阻且長，溯游從之，宛在水中央。』

⑭雲樹　暮雲春樹之簡稱。杜甫春日憶李白詩：『渭北春天樹，江東日暮雲，何時一樽酒，重與細論文。』渭北，杜所居地，江東，李所居地，此借雲樹以寫相思之感。後因習用爲思念遠方友人之辭。

⑮瞻韓　李白與韓荊州書：『白聞天下談士相聚而言曰：「生不用封萬戶侯，但願一識韓荊州。」何令人之景慕，一至於此。』按韓朝宗時任荊州長史。後人因以瞻韓、識荊爲宗仰賢人之敬辭。

㈥御李　東漢李膺，負天下重望，荀爽謁之，因爲之御，既還，喜曰：『今日得御李君矣。』見後漢書李膺傳。後因以御李爲敬慕賢者之辭。

㈦叔度　黃憲字。憲東漢愼陽人，夙有高名，荀淑稱爲顏子。陳蕃謂時月之間，不見黃生，則鄙吝之萌復存於心。郭泰謂叔度汪汪若千頃陂，澄之不清，淆之不濁，不可量也。其爲士流景慕如此，天下號曰徵君。見後漢書本傳。

㈧謦欬　喻言笑。莊子徐无鬼篇：『況乎兄弟親戚之謦欬其側者乎。』

㈨雒誦　猶言反覆讀誦，亦作洛誦。莊子大宗師篇：『副墨之子，聞諸洛誦之孫。』王先謙集解：『謂連絡誦之，猶言反復讀之也。洛絡同音借字。』

㈩瑤章　對他人書札之敬稱。按上文『翰諭』、『翰示』、『雲翰』、『手翰』、『大札』、『手示』、『華翰』、『朶雲』亦同。

⑪芝宇　唐書元德秀傳：『房琯每見德秀，歎息曰：「見芝紫字德秀眉宇，使人名利之心都盡。」』此借眉宇以稱容顏。按宇，眉也，面之有眉，猶屋之有宇。後因美稱他人曰芝宇。

二、闊別語

㈠按人敍別

用於祖父母及父母	▲叩別○尊顏，於茲數載。▲自違○膝下，倏忽一年。▲拜別○慈顏，忽已半載。▲自違○慈顏，業經匝月。
用於親友長輩	▲睽違○敎範，荏苒經年。▲拜別○尊顏，轉瞬數月。▲不覿○芝儀，瞬又半載。▲自違○桀敎，倏忽一年。▲睽違○清誨，裘葛頻更㈠。

用於師長	▲不坐○春風，倏已匝月。▲不親○敎誨，幾度寒暄。▲自違○提訓，屈指經年。▲拜別○尊顏，倏逾旬日。
用於平輩	▲不奉○清談，又匝月矣。▲不親○雅範，倏忽經年。▲揖別○丰儀，蟾圓幾度(二)。▲自違○雅敎，數月於茲。
用於軍政界	▲不瞻○德曜，倏已經年。▲溯隔○榑輝，幾度蟾圓。▲不親○仁宇，數載於茲。▲自睽○星標，數更寒暑。

(二)按時敍別

春別至夏	春風握別，又到朱明(三)。憶風雨別離，正綠野人耕之候，而光陰迅速，已碧荷藕熟之時矣。
春別至秋	送君南浦(四)，春復徂秋。賦別離於昔日，楊柳依依(五)，數景物於今晨，蒹葭采采(六)。
春別至冬	春初話別，又屆歲寒。鳥哢春園，折楊柳而握別，驛馳冬嶺，撫梅萼以增懷。
夏別至秋	麥天一別，又屆秋風。昔聽蟬噪青槐，方攄別意，今覩雁飛紫塞(七)，頓感離懷。
夏別至冬	不通音問，經夏徂冬。炎日當空，方賦離情於涼館，寒風吹沼，忽牽別恨於灞橋(八)。
秋別至冬	自經判袂，秋去冬來。玉露初凝，爾日別離不舍，雪梅將綻，今宵感慨偏多。

(三)按地敍別

近處相別	不親○叔度，倏爾數月，咫尺相違，如隔千里。
遠處相別	憶隔○光儀，又更裘葛，關河修阻，跋涉維艱。

旅中相別	前在旅邸聚談，辱荷○殷殷關注，旋以睽違兩地，頓覺歲序推移。
途中相別	某日邂逅相逢，得聆○雅教，別後關山遠阻，頓覺節序催人。
異地相別	楚水吳山，江河迢遞，一經隔別，境異情疏。江湖浪迹，同是他鄉，又賦別離，情何能已。

(四)按事敍別

臨別贈詩文者	前者握別，雅荷○拳拳，承錫○佳章，實壯行色。
臨別賜筵宴者	臨賦驪歌，辱承○賜宴，醉心飽○德(一)，感媿殊深。
臨別賜財物者	行李在途，正增別緒，忽邀○厚貺，備感○深情。
臨別人送己	辱承○走送，笑語良歡，兩地停雲(二)，益增悵觸(三)。
臨別己送人	憶自行旌遠指，趨送長途，別來物換星移(三)，不覺蟾圓幾度矣。

【說　明】

表中所列，僅供參考而已。蓋此類詞句，沿用甚久，已成習套，上乘之書牘，自當別鑄新辭，不可襲用。曹丕稱美建安七子之作云：『於學無所遺，於辭無所假。』（典論論文）『於辭無所假』云者，即昌黎韓氏所謂『惟陳言之務去』之意也。建安七子作品之獨有千古，卽以此焉。雖然，初學儉腹，藝事未精，悉空依傍，自造美辭，未免陳義過高，不切實際。故模擬爲創作之初階，已爲古今文家所公認。董其昌氏論書有云：

其始必與古人合，其後必與古人離。（畫禪室隨筆）

姚鼐氏論文亦云：

學古人必始而迷悶，苦毫無似處，久而能似之，又久而自得，不復似之。（惜抱尺牘）

近人陳曾則氏言之尤爲精闢。

初學者必從摹擬入手，雖出於有意，無礙也。其學既進，其境既熟，其術日深，而後能去其形貌，而得其神理。張廉卿先生云：『與古人訢合於無間』，非好學深思，安能得之。（古文比）

僉謂初學者不可不多所規摹，以求與古人相合，亦取法乎上之意也。良以初學不從模擬入手，便求與古人離，是猶登高而不自卑，行遠而不自邇，其終無所成也必矣。惟模擬既久，須能自化，模擬而不能化，則終身役於古人，必不能自成家數。凡百詞藝皆然，固不獨書牘一端而已。

【注釋】

㈠裘葛　謂一歲也。多衣裘，夏衣葛，以禦寒暑，故以裘葛爲一歲之代詞。柳貫詩：『裘葛屢催年。』

㈡蟾圓　俗傳月中有蟾蜍，故稱月爲蟾光、蟾魄、蟾圓、蟾宮、蟾窟。歐陽詹長安玩月詩序：『稽於天道則寒暑均，取於月數則蟾兔圓。』

㈢朱明　謂夏也。爾雅釋天：『春爲青陽，夏爲朱明，秋爲白藏，多爲玄英。』邢昺疏：『云夏爲朱明者，言夏之氣和，則赤而光明也。』

㈣南浦　泛指送別之地。文選江淹別賦：『送君南浦，傷如之何。』

㈤楊柳依依　詩經小雅采薇：『昔我往矣，楊柳依依。』依依，柔貌。

㈥蒹葭采采　詩經秦風蒹葭：『蒹葭采采，白露未已，所謂伊人，在水之涘。溯洄從之，道阻且右，溯游從之，宛在水中沚。』毛氏傳：『采采，猶萋萋也。』馬瑞辰傳箋通釋：『萋萋，猶蒼蒼，皆謂盛也。』

㊆紫塞　秦所築長城，土皆紫色，故稱紫塞。見崔豹古今注。

㊇灞橋　在陝西長安縣東，橋橫灞水上，古人多於此送別，故又名銷魂橋。

㊈叔度　黃憲字。已見前注。

⑩醉心飽德　孟子告子篇：『詩云：「既醉以酒，既飽以德。」言飽乎仁義也，所以不願人之膏粱之味也。』

⑪停雲　陶潛停雲詩序：『停雲，思親友也。』今人書札中常以停雲表思慕之意。

⑫棖觸　感觸也。李商隱戲題樞言草閣詩：『君時臥棖觸，勸客白玉盃。』

⑬物換星移　謂時節景物之變更也。王勃滕王閣序：『閑雲潭影日悠悠，物換星移幾度秋。』

三、頌揚語

㈠頌揚各界

用於政界	▲匡時巨擘，濟世長才。▲三臺俊碩㊀，一代耆英。▲龍門俊品㊁，鳳閣仙才㊂。
用於軍界	▲允文允武，如虎如貔。▲孫吳偉略㊃，韓范雄才㊄。▲伊周事業㊅，頗牧韜鈐㊆。▲投筆文場，播聲威於中外，飄纓武帳，奠偉績於山河。
用於學界	▲胸藏萬卷，筆掃千軍。▲懷抱澄淸，風儀俊拔。▲詞壇祭酒，藝苑名家。▲擷來宋豔班香㊇，詞壇譽駿，摘得江花謝草㊈，藝苑才鴻。▲雄詞倒峽，豪氣凌雲。
用於商界	▲運籌有策，貨殖多能。▲居有爲之地，吐氣揚眉，展致富之才，業崇財裕。▲陶朱駿業⑩，子貢經營⑪。▲大隱於市⑫，企業宏開。

用於醫界	▲肱傳三折⑬，方列千金⑭。▲全心濟世，妙手成春。▲祕傳金匱⑮，功著杏林⑯。▲術妙軒岐⑰，望隆盧扁⑱。
用於人品	▲德潤珪璋，才含錦繡。▲丰姿嶽峙，雅量淵深。▲璵璠粹品⑲，岱岳崇標⑳。▲高懷霽月㉑，雅度春風。

(二)頌揚親友

用於長輩	▲香山比算㉒，洛社齊名㉓。▲虛懷若谷，和氣如春。▲多燰宜人，春和煦物。▲譽隆望重，德劭年高。▲齒德俱尊，才名並重。▲算衍椿齡㉔，望隆梓里㉕。▲萬頃澄波，黃叔度之器量㉖，千尋聳榦，嵇中散之楷模㉗。
用於平輩	▲矯然之鶴，卓爾飛龍。▲秀鍾山嶽，志聳雲霄。▲襟期高曠㉘，吐屬溫和。▲叔度光儀，元龍氣量㉙。▲度靄春風，氣和冬日。▲風流倜儻，意氣騰驤。
用於婦女	▲月魄精光，冰心慧質。▲風傳林下㉚，秀占璇閨㉛。▲韋曹比美㉜，鍾郝播徽㉝。▲夙聞懿範，咸仰坤儀㉞。

【說　明】

頌揚語旨在恭維受信者，使書信之效用格外加強。用時應考量對方之身分地位，以及雙方之關係，務求恰如其分。倘頌揚太過，恐對方誤爲有意挖苦，反爲不妙。

【注 釋】

㈠三臺　臺灣地區之別稱。蓋臺灣地區有臺北臺中臺南三大城市，故有此稱。

㈡龍門　三秦記：『江海魚集龍門下，登者化龍，不登者點額暴腮而還。』世因以龍門喻高名碩望，凡得其接引而增長聲價者，謂之登龍門。後漢書李膺傳：『膺獨持風裁，以聲名自高，太學中語曰：「天下模楷李元禮。」士有被其容接者，名為登龍門。』

㈢鳳閣　卽中書省。唐書百官志注：『光宅（武后年號）元年，改中書省曰鳳閣。』

㈣孫吳　春秋孫武、戰國吳起，並精兵法，世言善用兵者，輒稱孫吳。

㈤韓范　謂宋名臣韓琦與范仲淹。二氏在兵間久，為朝廷所倚重，邊人謠曰：『軍中有一韓，西賊聞之心膽寒。軍中有一范，西賊聞之驚破膽。』見宋史韓琦傳及名臣言行錄。

㈥伊周　謂商伊尹、周周公也。二人並為佐命之臣。文選潘岳西征賦：『彼負荷之殊重兮，雖伊周其猶殆。』

㈦頗牧韜鈐　頗牧，謂戰國時趙名將廉頗與李牧。世言名將，恆以頗牧並舉。韜鈐，為六韜與玉鈐篇之合稱，皆古之兵書，後謂用兵之法曰韜鈐。張說赴朔方軍應制詩：『禮樂逢明主，韜鈐用老臣。』

㈧宋豔班香　戰國楚宋玉、漢班固，並以賦名，摛藻豔麗，故言文學之美者，多引用之。

㈨江花謝草　南朝宋謝靈運、梁江淹，俱以詩擅名一代，故言南朝文才之美者，恆以江謝並稱。

㈩陶朱　春秋楚范蠡善居積，既佐越破吳，變姓名，游江湖，後之陶山，為朱公，居十九年，三致千金，因成巨富。見史記范蠡傳。

⑪子貢　端木賜之字。賜春秋衛人，孔子弟子，善貨殖，家累千金。見史記貨殖傳。論語先進篇：『子曰：「賜不受命，

而貨殖焉，億則屢中。」』

⑫大隱　謂隱於朝市也。文選王康琚反招隱詩：『小隱隱陵藪，大隱隱朝市。』

⑬肱三折　喻醫生之閱歷多也。左傳定公十三年：『三折肱，知爲良醫。』

⑭方千金　唐孫思邈撰千金要方九十三卷，其意以爲人命至重，貴於千金，一方濟之，德莫踰於此，故名。

⑮金匱　金匱要略之省稱，漢張機撰，凡二十五篇，二百六十二方，爲醫雜症者所祖，與素問難經並稱醫學名著。

⑯杏林　三國吳時，董奉居廬山，爲人治病，不取錢，病重者令植杏五株，輕者一株，數年，得杏十萬株，號董仙杏林。見神仙傳。後人以杏林爲稱頌醫家之詞。

⑰軒岐　黃帝軒轅氏與岐伯（亦作歧伯）並精醫術，其論醫之語備載於內經，醫家奉以爲祖，合稱岐黃。

⑱盧扁　戰國鄭人秦越人受禁方於長桑君，治病以診脈爲名，而洞見五臟癥結，遂以精醫名天下。家於盧，世稱盧醫。又以其術與黃帝時良醫扁鵲相類，故世以扁鵲號之。見史記扁鵲傳。

⑲璵璠　美玉也。左傳定公五年：『季平子卒於房，陽虎將以璵璠斂，仲梁懷弗與。』

⑳岱岳　泰山別名。

㉑霽月　儒雅清朗之喻。宋史周敦頤傳：『黃庭堅稱其人品甚高，胸懷灑落，如光風霽月。』

㉒香山　唐白居易晚年居洛陽之香山，與胡杲、吉旼、鄭據、劉眞、盧眞、張渾、狄兼謨、盧貞燕集，皆高年不預世事，人慕之，繪爲九老圖。見唐書白居易傳。

㉓洛社　宋神宗熙寧年間，文彥博以太子太師致仕，居洛陽，效唐白居易九老會故事，集士大夫老而賢者於富弼之第，置酒賦詩相樂，序齒不序官，賓主凡十有二人，時人謂之洛陽耆英會。見宋史文彥博傳。

㉔椿齡　謂年齡同於大椿也。莊子逍遙遊篇：『上古有大椿者，以八千歲爲春，以八千歲爲秋。』後遂假以爲祝壽之辭。

(二五)梓里　謂故鄉也。劉迎詩：『吾不愛錦衣，榮歸誇梓里。』

(二六)黃叔度　卽黃憲。已見前注。

(二七)嵇中散　晉嵇康仕至中散大夫，世稱嵇中散。山濤謂其爲人，醒若孤松之獨立，醉若玉山之將頹。見晉書本傳。

(二八)襟期　猶言胸懷、懷抱。杜甫醉時歌：『日糴太倉五升米，時赴鄭老同襟期。』

(二九)元龍　陳登字。登東漢下邳人，爲人忠亮高爽，有扶世救民之志，許汜嘗與劉備共論人物，汜曰：『陳元龍湖海之士，豪氣不除。』備曰：『元龍文武膽志，當求之於古耳，造次難得比也。』見三國志本傳。

(三〇)林下　世說新語賢媛篇：『王夫人卽謝道韞神情散朗，故有林下風氣。』後因稱頌婦女擧止嫺雅者曰有林下之風。

(三一)璇閨　閨房之美稱。沈佺期古歌詩：『璇閨窈窕秋夜長，繡戶徘徊明月光。』

(三二)韋曹　謂韋逞母與曹世叔妻也。韋逞母宋氏，前秦人，其家世學周官，氏傳其父業，苻堅登位，令就其家立講堂，置生員百二十人，隔絳紗幔而受業，號氏爲宣文君。見晉書列女傳。曹世叔妻班昭，東漢安陵人，博學高才，和帝召入宮，令皇后諸貴人師事之，號曰大家，世稱曹大家。見後漢書列女傳。

(三三)鍾郝　謂晉賢婦鍾氏與郝氏也。鍾氏爲王渾妻，太傅鍾繇之曾孫女，聰慧弘雅，博涉載籍，禮儀法度，爲中表所則。郝氏爲渾弟湛之妻，亦有德行。鍾雖出自貴族，而與郝雅相親重，郝不以賤下鍾，鍾不以貴陵郝，時人稱鍾夫人之禮，郝夫人之法。見晉書列女傳。

(三四)坤儀　猶言母儀、婦德。

四、疏候祝福語

類別	用語
用於親友尊長	山川遙阻，稟候多疏，恭維○福履增綏，○維時納祜，爲頌爲祝。（路遠） 俗務冗繁，致稽稟候，敬維○福躬安吉，○潭第康寧㈠，定符私頌。（事忙） 病魔纏擾，片楮莫呈，敬維○杖履沖和，○優游林壑，爲祝爲頌。（因病）
用於親友平輩	道途修阻，尺素鮮通，比維○興居佳勝，○潭福蓄臻，爲頌無量。（路遠） 勞人草草㈡，音問常疏，遙維○公私如意，○道履延康，爲祝爲頌。（事忙） 偶嬰小極㈢，尺素未通，辰維○起居勝常㈣，諸事順適，爲幸爲祝。（因病） 考期將屆，未遑箋候，遙維○動定咸亨，○潭祺叶吉，定符所頌。（應試）
用於師長	雲山阻隔，稟候多稽，恭維○道履增祥，○講壇納福，式符所頌。（路遠） 冗瑣紛乘，久疏稟候，恭維○春風靄吉㈤，○化雨溫良㈥，爲無量頌。（事忙） 微軀久病，稟候用疏，敬維○絳帳春深㈦，○杏壇祥集㈧，定符下祝。（因病）
用於政界	久疏函候，時切馳思，敬維○德懋棠陰㈨，○名播海內，爲祝爲頌。 稟候多稽，徒深瞻慕，恭維○勛猷卓越，○動定綏和，以欣以慰。
用於軍界	箋候久疏，下懷殊切，恭維○威望遠隆，○動定叶吉，至以爲頌。 瞻慕雖殷，稟候竟缺，敬維○戎旌著績，○軍府揚威，定符所祝。
用於學界	函候久疏，時深懷念。敬維○道履佳勝，○筆陣縱橫，爲祝爲慰。 自違○雅範，音問多疏，比維道履康綏，○蘊抱宏遠，以欣以慰。
用於商界	久疏音問，懷念爲勞，辰維○駿業日隆，○百務順遂，爲頌。 不通函候，倏逾多時，比維○商務亨通，○指揮如意，爲祝爲頌。

【說 明】

㈠『疏候語』用於久不通信者，久不通信，自有原因，上列諸種事由，用時須按照事實，分別參酌。

㈡『祝福語』乃祝福收信人之生活起居，對尊長尤不可免。因其常與疏候語連用，以求語氣相貫，故予以合併。其下再加一句，作爲欣慰之表示，此一部分卽告完成。

㈢凡用『恭維』『敬維』均客氣成分較多，宜施之於尊長。『辰維』『遙維』『比維』則宜施之於平輩。

【注 釋】

㈠潭第　猶言全家。韓愈符讀書城南詩：『一爲公與相，潭潭府中居。』按潭潭，深廣貌，後人因美稱他人之居宅曰潭府、潭第。

㈡勞人草草　詩經小雅巷伯：『驕人好好，勞人草草。』草草，勞心也。

㈢嬰小極　謂遭遇小病，爲所困也。文選李密陳情表：『而劉夙嬰疾病，常在牀蓐。』世說言語篇：『顧司空和詣王丞相王導，丞相小極，對之疲睡。』

㈣辰維　猶言時思。

㈤春風　喻敎育之被於衆生，如春風之被於萬物。宋朱光庭詣汝州，就學於程顥，歸語人曰：『在春風中坐了一月。』

㈥化雨　言敎化及人，若時雨之澤物也。孟子盡心篇：『君子之所以敎者五，有如時雨化之者。』見伊洛淵源錄。

㈦絳帳　講座之美稱。已見前注。

㈧杏壇　孔子講學處，在今山東曲阜孔廟大成殿前。莊子漁父篇：『孔子遊乎緇帷之林，休坐乎杏壇之上。』

㈨棠陰　喻去官有遺愛也。周召公巡行南國，勸政勸農，或止舍於甘棠之下，既去，民愛其樹而不忍傷，爲作甘棠之詩。見詩經召南甘棠注疏。後因以棠陰爲稱頌賢吏之辭。

五、一般開頭應酬語

寄信語	▲前肅安稟，度呈○慈鑒。▲昨肅寸稟，諒已呈○鑒。▲前肅蕪緘，諒邀○霽鑒。 ▲前肅寸箋，計呈○鈞鑒。（對親友長輩用）
	▲昨上蕪緘，諒達○台鑒。▲前具寸函，度已達○鑒。▲前遞寸緘，計早呈○覽。 ▲日前郵寄蕪函，諒已早邀○惠察。（對親友平輩用）
	▲昨寄一函，諒已收覽。▲前覆手函，想早收閱。▲前寄手諭，當早收讀。 ▲昨寄手函，想必收悉。（對家族卑幼用）
接信語	▲頃奉○手諭，敬悉種切。▲刻奉○鈞示，敬悉種切。▲刻奉○翰諭，敬悉各節。 ▲昨奉○賜諭，敬承一一。▲頃承○鈞誨，拜悉一切。（對親友長輩用）
	▲辱承○惠示，敬悉一切。▲昨奉○台函，拜悉種切。▲昨展○華函，就諗一一。 ▲展誦○瑤函，如親○芝宇。▲○惠函獎借，媿不敢當。（對親友平輩用）
	▲昨接來函，已悉一切。▲頃得家書，知客中安好。▲昨接來信，足慰懸念。 ▲前由某君便攜之函，已照收悉。（對家族卑幼用）

訪謁語

▲日前走謁○崇階，適值○公出未遇，臨風翹首，徒切依馳。 ▲趨謁尊齋，未值爲悵。 ▲昨以某事趨談，未能相遇，悵惘何如。 ▲昨經尊處，正擬謁談，適聞座有佳賓，遂未遽相驚擾，疏略之罪，尚祈○諒之。

會晤語

▲昨承○枉駕，把晤良歡，雞黍未陳，實深簡慢，辱在知交，定邀○曲諒。 ▲辱降○玉趾，備領○教言，飢渴之懷，得以消釋，中心快慰，無可言宣。 ▲昨謁○崇階，多承○教益，望風懷想，能不依依。 ▲日前晉謁○高門，叨承○盛饌，飲和食德，齒頰猶芬。 ▲日昨承○教，獲益良多，昔人謂聞君一夕話，勝讀十年書，誠非虛言。

告幸語

▲幸處事周詳，未貽隕越。 ▲幸各事安適，足告○雅懷。 ▲幸知黽勉㊀，尚免愆尤㊁。
▲所○囑之事，已圓滿達成，足釋○遠注。（對事）

▲幸舉家安好，足紓○綺注。 ▲幸全家平善，乞釋○錦懷。（對家庭）

▲幸賤體粗安，乞紓○錦注。 ▲幸頑軀粗適，足慰○遠懷。（對身體）

▲學慚窺豹㊂，業愧囊螢㊃。 ▲探囊無智㊄，學治不能㊅。 ▲鞭策雖加，驅馳無效。
▲才疏學淺，刻鵠不成㊆。 ▲天賦既薄，學殖尤荒㊇。（學淺）

▲鉛刀一割㊈，其效立見。 ▲才粗智薄，隕越時虞。 ▲任重材輇(一〇)，時虞竭蹶。
▲汲深綆短㊁，匱乏堪虞。 ▲遼東之豕㊂，徒自懷慚。（智薄）

▲性類拙鳩㊂，識慚老馬㊃。 ▲見類蛙鳴，識同蠡測㊄。 ▲井蛙之見㊅，不值一哂。
▲孤陋寡聞，世事未習。 ▲一管所窺，寧知全豹。（識短）

自愧語

▲家徒四壁(七)，囊乏一文。▲乞米有書(八)，點金無術(九)。▲家貧志墜，浪迹風塵。

▲送窮無韓子之文(一〇)，乞米濫顏公之帖。（家貧）

▲株守有地(一一)，托鉢無門(一二)。▲樗櫟庸材(一三)，學難問世。▲久賦閒居，終非善計。

▲凌雲有志，接引無人。▲碌碌家居(一四)，終非了局。（謀拙）

▲自攖世網，塵俗益多。▲塵穢未盡，俗務難淸。▲俗務宂繁，塵囂雜沓。

▲瑣務紛乘，苦無暇晷。▲俗事蝟集，瑣務絲紛。（事宂）

▲遇事多蹇，近狀潦倒。▲命舛時乖，事多拂逆。▲事多偃蹇(一五)，境又迍邅(一六)。

▲窘境迫人，飢來驅我。▲命途多乖，時運不齊(一七)。（困頓）

▲一身落落(一八)，兩鬢蕭蕭(一九)。▲兩鬢已斑，一身多病。▲鬢添霜色，面少歡容。

▲桑榆晚景(二〇)，老大堪悲(二一)。▲去日苦多，來時可想。（老大）

▲一身無寄，四海為家。▲遠涉關河，靡所棲止。▲天涯飄泊，旅況艱難。

▲骨瘦如梅，身輕似絮。▲棲棲動盪，旅食艱辛。（旅愁）

▲貿易無方，經營乏術。▲有心營業，無術生財。▲欲覓蠅頭(二二)，還慚鼠目(二三)。

▲欲謀微利，自愧薄才。（無術）

▲歲月蹉跎，依然故我。▲粟六如恆(二四)，一無善狀。▲故我依然，毫無善狀。

▲平居碌碌，乏善可陳。（通用）

謝贈語

▲蒙賜○瑤章，過承獎譽，迴環諷誦，感媿良深。

▲辱賜○佳什，褒獎備至，展誦之餘，感激無已。（詩詞）

▲酒承〇厚惠，錫我〇多珍，拜領之餘，感激無似。
▲辱荷〇隆情，下頒〇厚貺，卻之不恭，受之有媿。（禮物）

時令語

（春）

▲日麗風暄，鶯啼燕舞。▲鳳曆春回㉟，洪鈞氣轉㊱。▲三陽啓泰㊲，四序履端㊳。
▲歌管迎年，樓臺不夜。▲三元肇慶㊴，萬象更新。（正月）

▲暖吐花脣，晴舒柳眼。▲探花穀旦㊵，問柳芳辰。▲花容正麗，柳葉方新。
▲舞蝶良辰，育蠶令節。▲桃腮暈赤，柳眼舒青㊶。（二月）

▲嫩綠凝眸，深青橫黛。▲人逢拾翠㊷，候屆踏青㊸。▲東風作節，暗雨銷魂。
▲綠楊堤外，紅芍烟中。▲韶光三月，春色十分㊹。（三月）

（夏）

▲隴麥辭春，畦田迎夏。▲梅肥紅樹，麥秀青疇。▲雨釀黃梅，日蒸綠李。
▲鳥呼布穀㊺，人正分秧。▲長風扇暑，茂樹連陰。（四月）

▲甘雨蘇苗，薰風解慍㊻。▲榴火舒丹㊼，槐陰結綠。▲蘭湯薦浴㊽，蒲酒浮觴㊾。
▲風自南來，日方北至。▲榴紅噴火，暑氣逼人。（五月）

▲荷風扇暑，麥雨流膏。▲蓮渚風清，梅庭月朗。▲祝融司令，炎帝當權。
▲氣蒸千里，炎熇八荒。▲炎威可畏，夏景偏長。（六月）

（秋）

▲涼風消夏，淡月橫秋。▲水天一色，風月雙清。▲白露迎秋，澄江如練。
▲爽氣朝來，新涼初透。▲銀漢風清，星河波淡。（七月）

▲碧天似水，丹桂初芬。▲蟾光皎潔，桂影婆娑。▲玉輪光滿(50)，銀漢秋高。
▲梧葉風高，桂枝月滿。▲滿天月朗，永夜風清。（八月）

▲楓雕江錦，菊綻籬金。▲白雁書天，黃花匝地(51)。▲葉正辭青，蘆將颭白。
▲風淒露冷，霜肅秋高。▲節逢泛菊，序屬佩萸(52)。（九月）

（冬）

▲橙黃橘綠，蘆白楓丹。▲時爲陽月(53)，景屬小春(54)。▲日行北陸(55)，春到南枝。
▲景入梅花，香分荔葉。▲霜凌梅蘂，雪冷楓林。（十月）

▲松風一枕，梅月半窗。▲長天凍雪，大地飛霜。▲寒梅欲放，臘柳將舒。
▲春惜三分，陽添一線。▲月淡梅寒，霜凋楓冷。（十一月）

▲竹葉浮杯，梅花照席。▲梅信傳春，椒觴開臘(56)。▲風消宇宙，雪霽乾坤。
▲多殘臘盡，歲暮春回。▲畫閣迎春，錦筵守歲(57)。（十二月）

【說　明】

㈠『寄信語』意在向收信人探問前信是否收到，以免隔閡。
㈡『接信語』爲接到他人來信，覆信時順便提及，以釋對方懸念。
㈢『訪謁語』係日前趨訪或趨謁未遇，寫信時順便提及，使對方知已去過。
㈣『會晤語』用於相識不久之人，信中提及，亦可增進感情。
㈤『告幸語』係以己之近況尚佳，請對方勿以爲念，惟事類繁多，當分別應用。

㈥『自愧語』乃自謙之辭，謙虛爲國人傳統之美德，自當酌量使用，但用之不可太過，太過則流於虛僞，反爲不美。

㈦『謝贈語』係收到他人之餽贈表示謝意者，雖寥寥數語，亦不可省。

㈧『時令語』在書牘中爲不可或缺之應酬語，蓋開頭卽入正題，令收信人有突如其來之感，未免唐突，故應酌量加入若干無關宏旨之語句，以資點綴。惟是，表中所列各語，僅供參考，寫信時仍當自鑄新辭，如五月用『蟬鳴荔熟』，六月用『夏木含風』，八月用『晶盤高掛』，九月用『丹桂飄香』，十二月用『寒流肆虐』之類。

【注　釋】

㈠黽勉　勉力也。詩經邶風谷風：『黽勉同心，不宜有怒。』

㈡愆尤　過失也。李白古風十八：『功成身不退，自古多愆尤。』

㈢窺豹　喻所見不廣。晉書王獻之傳：『獻之年數歲，嘗觀門生樗蒲，曰：「南風不競。」門生輩曰：「此郎亦管中窺豹，時見一斑。」』言從管孔中視豹，僅見一處之斑文，而不及全豹也。

㈣囊螢　晉書車胤傳：『胤博學多通，家貧不常得油，夏月則練囊盛數十螢火以照書，以夜繼日焉。』

㈤探囊　言事之易也。五代史南唐世家：『李穀曰：「中國用吾爲相，取江南如探囊中物耳。」』

㈥學冶　喻克承家業。禮記學記：『良冶之子，必學爲裘；良弓之子，必學爲箕。』孔穎達疏：『積世善冶之家，其子弟見父兄陶鑄金鐵，使之柔合，以補治破器，使之完好，故子弟仍能學爲裘袍補續獸皮，片片相合，以至完全也。』

㈦刻鵠　喻摹仿而得其近似也。馬援誡兄子嚴敦書：『龍伯高敦厚周愼，謙約節儉，吾愛之重之，願汝曹效之。杜季良豪俠好義，清濁無所失，吾愛之重之，不願汝曹效也。效伯高不得，猶爲謹敕之士，所謂刻鵠不成尙類鶩者也。效季良不得，陷爲天下輕薄子，所謂畫虎不成反類狗者也。』見後漢書馬援傳。

(八)學殖　左傳昭公十八年：『夫學，殖也，不學將落。』杜預注：『殖，生長也，言學之進德如農之殖苗，日新月益。』

(九)鉛刀　不利之刀，喻無用也。後漢書班超傳：『超上疏請兵曰：「昔魏絳列國大夫，尚能和輯諸戎，況臣奉大漢之威，而無鉛刀一割之用乎。」』

(一〇)材輇　小才也。莊子外物篇：『後世輇才諷說之徒，皆驚而相告也。』按才材通叚字。

(一一)汲深綆短　才小不堪任重之喻。荀子榮辱篇：『短綆不可以汲深井之泉，知不幾者不可與及聖人之言。』綆，汲井索也。

(一二)遼東之豕　少見多怪之喻。後漢書朱浮傳：『往時遼東有豕，生子白頭，異而獻之，行至河東，見羣豕皆白，懷慚而還。』

(一三)拙鳩　禽經：『鳩拙而安。』張華注：『鳩，尸鳩也。方言云：「蜀謂之拙鳥，不善營巢，取鳥巢居之，雖拙而安處也。」』今用爲性拙之謙辭。

(一四)老馬　韓非子說難篇：『管仲隰朋從於桓公而伐孤竹，春往冬返，迷惑失道。管仲曰：「老馬之智可用也。」乃放老馬而隨之，遂得道。』今謂老於其事堪爲先導曰老馬識途。

(一五)蠡測　喻所見之小。漢書東方朔傳：『以管窺天，以蠡測海。』

(一六)井蛙之見　喻識見不廣。莊子秋水篇：『井蛙不可以語於海者，拘於墟也。夏蟲不可以語於冰者，篤於時也。曲士不可以語於道者，束於教也。』

(一七)家徒四壁　謂室中一無長物，徒見牆壁也。史記司馬相如傳：『文君夜奔相如，相如乃與馳歸，家居徒四壁立。』

(一八)乞米書　即乞米帖，唐顏眞卿所書，其略云：『拙於生事，舉家食粥，而已數月，今又罄矣。』蘇軾次韻米黻二王書跋尾詩：『忍飢看書淚如洗，至今魯公餘乞米。』

⑲點金術　古仙人之術。列仙傳：『許遜，南昌人，晉初爲旌陽令，點石化金，以足逋賦。』

⑳送窮文　唐韓愈有送窮文，蓋遊戲之作。

㉑株守　喻拘泥不知變通。韓非子五蠹篇：『宋人有耕田者，田中有株，兎走觸株，折頸而死，因釋其耒而守株，冀復得兎，兎不可復得，而身爲宋國笑。』

㉒托鉢　佛家語。僧人之食器曰鉢，以手承鉢曰托鉢，食時必托鉢以取食，又出外沿門乞食時亦必托鉢。

㉓樗櫟　不材而無用之喻。莊子逍遙遊篇：『吾有大樹，人謂之樗，其大本擁腫而不中繩墨，其小枝卷曲而不中規矩，立之塗，匠者不顧。』又人間世篇：『匠石至齊，至於曲轅，見櫟社樹，其大蔽數千牛，絜之百圍。匠石不顧曰：「散木也，是不材之木也，無所可用，故能若是之壽。」』

㉔碌碌　無能貌。史記酷吏傳贊：『九卿碌碌奉其官，救過不贍，何暇論繩墨之外乎。』

㉕偃蹇　猶言不順利。

㉖迍邅　謂處境艱難不敢前進也。周易屯卦：『屯如邅如。』按屯迍通叚字。

㉗時運不齊　言時運人各不同也。語見王勃滕王閣序。

㉘落落　不苟合也。後漢書耿弇傳：『將軍前在南陽建此大策，常以爲落落難合，有志者事竟成也。』

㉙蕭蕭　猶言稀疏。

㉚桑榆　日落之時，其迴光尚留於桑榆之上，故借爲晚暮之稱。後漢書馮異傳：『始雖垂翅回谿，終能奮翼黽池，可謂失之東隅，收之桑榆。』又世說言語篇：『謝太傅語王右軍曰：「中年傷於哀樂，與親友別，輒作數日惡。」王曰：「年在桑榆，自然至此，正賴絲竹陶寫，恆恐兒輩覺，損欣樂之趣。」』

㉛老大徒悲　文選樂府古辭長歌行：『少壯不努力，老大徒傷悲。』

㉒蠅頭　蘇軾滿庭芳詞：『蝸角虛名，蠅頭微利。』謂利薄也。

㉓鼠目　眼小而外突，以喻識見之小。元好問送奉先從軍詩：『虎頭食肉無不可，鼠目求官空自忙。』

㉔粟六　俗稱事務忙迫曰粟陸，亦作粟六。

㉕鳳曆　曆也。鳳知天時，少皞時以鳳鳥氏爲曆正，故後世謂曆曰鳳曆。詳見左傳昭公十七年注疏。杜甫上韋丞相詩：『鳳曆軒轅紀，龍飛四十春。』

㉖洪鈞　文選張華答何劭詩：『洪鈞陶萬類，大塊稟羣生。』李善注：『洪鈞，大鈞，謂天也。大塊，謂地也。』李周翰注：『洪鈞，造化也。大塊，自然也。』又杜甫上韋丞相詩：『八荒開壽域，一氣轉洪鈞。』

㉗三陽啓泰　亦作三陽開泰、三陽交泰，世俗歲首稱頌之辭。因周易正月爲泰卦（☷☰），三陰在上，三陽在下，象徵天地交而萬物通，故稱。翰墨全書：『元旦，三陽交泰，萬象昭蘇。』

㉘四序　謂春夏秋冬四時也。魏書律曆志：『四序遷流，五行變易。』

㉙三元　陰曆之正月初一日爲年月日三者之始，謂之三元。南齊書武帝紀：『緣淮戍將，久處邊勞，三元行始，宜沾恩慶。』

㉚穀旦　吉日也。詩經陳風東門之枌：『穀旦于差，南方之原。』毛氏傳：『穀，善也。』鄭玄箋：『旦，明。』孔穎達疏：『陳國男女，棄其事業，候良辰美景而歌舞淫泆，見朝日善明，無陰雲風雨，則曰可以行樂矣。』

㉛柳眼　柳葉初生，細長如眼也。江采蘋樓東賦：『花心颺恨，柳眼弄愁。』

㉜拾翠　文選曹植洛神賦：『或采明珠，或拾翠羽。』杜甫秋興詩：『佳人拾翠春相問，仙侶同舟晚更移。』古時少女遊春，每拾花草以爲樂。

㉝踏青　古人於夏曆三月三日上巳或清明節出遊郊野，謂之踏青。

㊹春色十分　猶言春意盎然。某尼詩：『盡日尋春不見春，芒鞋踏徧嶺頭雲，歸來偶把梅花嗅，春在枝頭已十分。』見鶴林玉露。

㊺布穀　鳥名，卽尸鳩，每穀雨（夏曆三月中旬）後始鳴，夏至（夏曆五月中旬）後乃止，農家以爲候鳥，以其聲似呼布穀，故名。

㊻薰風解慍　尸子：『帝舜彈五弦之琴，以歌南風。其詩曰：「南風之薰兮，可以解吾民之慍兮，南風之時兮，可以阜吾民之財兮。」』

㊼榴火　石榴花開時紅如火，世稱之爲榴火。曹伯啓謝朱鶴臯招飲詩：『滿院竹風吹酒面，兩株榴火發詩愁。』

㊽蘭湯薦浴　蘭草味香，古時婦女常煮以洗浴。庾信祀圜丘歌：『沐蕙氣，浴蘭湯。』顧瑛天寶宮詞：『後宮學做金錢會，香入蘭盆浴化生。』（七夕俗以蠟作嬰兒形，浮水中以爲戲，爲婦人宜子之祥，謂之化生。）

㊾蒲酒　卽菖蒲酒，舊俗於端午日飮以避邪。殷堯藩端午日詩：『不效艾符趨世俗，但祈蒲酒話昌平。』

㊿玉輪　謂月也。韋莊絳州過夏留獻鄭尙書詩：『光景暗銷銀燭下，夢魂長寄玉輪邊。』

(51)黃花　菊花之代名。李淸照醉花陰詞：『東籬把酒黃昏後，有暗香盈袖，莫道不銷魂，簾卷西風，人比黃花瘦。』

(52)佩萸　舊俗以夏曆九月九日重陽節登高飮菊花酒，佩帶茱萸，可避災厄。續齊諧記：『汝南桓景（東漢人）隨費長房遊學累年。長房謂之曰：「九月九日汝家當有災厄，急令家人各作絳囊，盛茱萸以繫臂，登高飮菊花酒，此禍可消。」景如言，舉家登山，夕還，見雞犬牛羊一時暴死。長房聞之曰：「代之矣。」今世人每至九日登高飮酒，婦人帶茱萸囊，蓋始於此。』

(53)陽月　夏曆十月俗稱陽月。爾雅釋天：『十月爲陽。』

(54)小春　夏曆十月也。初學記：『十月天時暖似春，故曰小春。十月爲陽月，故又名小陽春。』

(55)日行北陸　左傳昭公四年：『古者，日在北陸而藏冰。』又後漢書律曆志：『日行北陸，謂之冬。』按北陸，星名，

二十八宿之一，又名虛宿。

㊱椒觴　盛椒酒之觴也。椒酒者，以椒置酒中，取其馨烈也。荊楚歲時記注引四民月令：『過臘一日謂之小歲，拜賀君親，進椒酒，椒是玉衡星精，服之令人身輕能(音義同耐)老。』

㊲守歲　東京夢華錄：『除夕，禁中爆竹山呼，聲聞於外，士庶之家，圍爐團坐，達旦不寐，謂之守歲。』

(五) 結尾應酬語

臨書語	▲謹此奉稟，不盡欲言。 ▲謹肅寸稟，不盡下懷。 ▲肅此稟達，不盡縷縷㊀。 ▲臨稟惶恐，欲言不盡。 ▲耑肅奉達，不盡依依。 ▲肅此奉陳，不盡所懷。 ▲仰企○風規，馳忱曷已。（對親友長輩用）
	▲臨穎神馳，不盡所懷。 ▲臨楮眷念，不盡區區。 ▲耑此奉達，不盡欲言。 ▲臨書馳切，益用依依。 ▲爰修尺素，不盡所懷。 ▲冗次裁候㊁，幸恕草草㊂。 ▲紙短情長，莫盡萬一。（對親友平輩用）
請教語	▲如蒙○鴻訓，幸何如之。 ▲幸賜○清誨，無任銘感。 ▲乞賜○指示，俾有遵循。 ▲敬祈○訓示，不勝感禱。（對親友長輩用）
	▲乞賜○教言，以匡不逮。 ▲引企○金玉㊃，惠我實多。 ▲幸賜○南針，俾覺迷路。 ▲如蒙不棄，乞賜○蘭言㊄。（對親友平輩用）
	▲倘荷○玉成㊅，無任銘感。 ▲如蒙○噓植㊆，永鐫不忘。 ▲倘蒙○汲引㊇，感荷無既。（推薦）

請託語	▲倘蒙○照拂，永感○厚誼。▲得荷○支持，銘感無旣。▲倘承○青睞㈨，永矢不忘。 ▲如荷○關垂，感同身受。（關照） ▲如承○俯諾，實濟燃眉⑩。▲倘荷○通融，永銘肺腑。▲倘承○挹注㈠，受惠實多。 ▲倘荷○雅兪，感且不朽。（借貸）
求恕語	▲不情之請，尚乞○見諒。▲區區下情，統祈○垂察。▲統希○鑒照㈡，不勝感禱。 ▲瀆費○淸神，不安之至。（通用）
歉遜語	▲省度五中㈢，倍增歉仄。▲心餘力絀，寤寐不安。▲夙夜撫懷，殊深歉仄。 ▲每一念至，倍覺汗顏。（通用）
恃愛語	▲恃在○愛末，冒昧直陳。▲辱在夙好，用敢直陳。▲恃愛妄瀆，幸祈○曲諒。（通用）
餽贈語	▲謹具不腆㈣，聊申微意。▲謹具薄儀，聊申下悃。▲土產數包，聊申敬意。（贈物） ▲謹具芹獻㈤，藉祝○鶴齡㈥。▲附呈微儀，略表祝悃。▲敬具菲儀，用祝○椿壽㈦。 ▲菲儀將意，至祈○賞存。（祝壽） ▲附呈微儀，用佐㗊筵㈧。▲薄具菲儀，用申賀敬。▲奉上菲儀，敬申賀悃。（賀婚） ▲附上微儀，用申匳敬。▲謹具薄儀，用申匳敬。▲謹具薄儀，藉申匳敬。（送嫁） ▲謹具奠儀，藉申哀悃。▲附具奠儀，藉作楮敬㈨。▲附具芻香⑩，聊申弔敬。 ▲因事遠羈，未能躬親執紼，良用歉然，謹具唁敬一緘，即乞○代薦爲感。（喪禮）

請收語	▲伏祈○台收。▲至祈○檢收。▲乞賜○莞存㈡。▲伏望○哂納。▲敬希○鑒納。▲乞賜○笑納。▲敬請○督收。▲伏乞○鑒存。（通用）
盼禱語	▲無任禱盼。▲不勝企禱。▲是所至禱。▲至爲盼禱。▲是所至盼。▲實所企禱。▲是所至幸。▲是所企幸。▲禱企良殷。（通用）
求允語	▲倘荷○俞允㈢。▲務祈○慨允。▲乞賜○金諾㈢。▲至祈○慨諾。▲敬求○賜可。▲伏乞○允可。（通用）
感謝語	▲私衷銘感，何可言宣。▲銘感肺腑，永矢不忘。▲感荷○隆情，非言可喻。▲寸衷感激，沒齒不忘。▲東海恩深，圖報無日。▲腑篆心銘，感荷無已。（通用）
保重語	▲寒暖不一，千祈○珍重。▲乍暖猶寒，尚乞○珍攝。▲寒暖不一，○順時自保。▲秋風多厲，幸祈○保重。▲寒風凜冽，伏祈○珍衛。（對親友長輩用）
	▲寸心千里，寄語加餐。▲春寒料峭㈣，尚乞○自珍。▲暑氣逼人，諸祈○珍衛。▲秋風多厲，○珍重爲佳。▲寒氣襲人，諸希○珍攝。（對親友平輩用）
	▲伏祈○節哀順變。▲伏希○勉節哀思。▲還乞○稍節哀思。▲伏祈○節哀自愛。▲伏祈○勉節哀思，順時自保。（對居喪者用）
干聽語	▲率瀆○清聽，不勝惶恐。▲恃在愛末，用敢瀆○聽。▲冒瀆○鈞聽，實非得已。▲不憚煩言，有瀆○清聽。▲冒昧上陳，有瀆○清聽。▲敢冒○崇威，上瀆○尊聽。▲冒觸○尊威，有瀆○鈞聽。（通用）

候覆語
▲如遇鴻便，乞賜○鈞覆。 ▲懇賜○鈞覆，無任盼禱。 ▲乞賜○覆示，不勝感禱。
▲敬乞○不遺小草，○錫以誨言，俾永佩勿諼，良深禱幸。（對親友長輩用）
▲佇盼○佳音，幸卽○裁答。 ▲幸賜○好音，不勝感禱。 ▲雁魚多便㉟，幸賜○覆音。
▲敬希○撥冗賜覆，不勝切盼。 ▲乞○惠好音㊱，是幸是幸。（對親友平輩用）

【說　明】

㈠『臨書語』是表示信中所言未能盡情之意，『不盡下懷』、『不盡縷縷』、『不盡依依』諸語，亦可用之於平輩。

㈡『請教語』是表示願意接受對方指教之意，用在討論問題，或有所請示之函件爲多，用時對事件之性質與對方之身分，須加以斟酌。

㈢『請託語』是託人辦事，不勝感激之意，亦須按事類選擇使用。

㈣『求恕語』是請人對自己予以原諒，故措辭應力求委婉。致書尊長如用『伏乞』、『敬乞』、『至祈』字樣，則益顯恭敬。

㈤『歉遜語』是對受信人表示歉意，含有求恕成分，用詞亦以婉轉爲主。表中所列諸語，以施之於長輩、平輩爲宜。

㈥『恃愛語』是倚仗交情，直率陳說，以免對方見怪。

㈦『餽贈語』是送禮時所用，遣詞用字以誠懇、謙遜爲尚。

㈧『請收語』是贈人財物，請人收納，常與『餽贈語』連用。

㈨『盼禱語』是有求於人之結束語，可與『請託語』比照使用。

⑩『求允語』是求助於人，以懇切爲主。

⑪『感謝語』是受人之惠，表示謝意，與上述『請教』、『請託』各類均有關連，可對照。

⑫『保重語』應切合時令，方爲得當。但對晚輩可免。

⑬『干聽語』多出於不得已，方干擾對方之聽，可與『求恕語』錯雜運用。

⑭『候覆語』應注意事情必須答覆者，方請對方答覆。與『請教語』略似，惟語氣較爲肯定而已。

【注釋】

㈠縷縷　謂情緒之多，不能一一細述也。

㈡冗次　謂在忙碌之中也。

㈢草草　潦草、草率之意。

㈣金玉　對他人言詞之敬稱，謂其言詞有如金玉之貴重也。

㈤蘭言　猶云美言。周易繫辭：『二人同心，其利斷金，同心之言，其臭如蘭。』謂言之氣味相投也。

㈥玉成　成全之意。張載西銘：『富貴福澤，將厚吾之生也。貧賤憂戚，庸玉汝於成也。』庸，殆也。言困窮卑賤，飽嘗憂戚，殆上天欲磨鍊汝，使汝有所成就也。

㈦噓植　噓，吹噓，爲人揄揚之意。植，栽培也。

㈧汲引　引進人才之意。駱賓王上兗州刺史啓：『汲引忘疲，獎提不倦。』

㈨青睞　謂喜悅而正視也。晉阮籍能爲青白眼。詳見前注。

⑩燃眉　事急之喩。五燈會元：『僧問蔣山佛慧如何是急切一句，慧曰：「火燒眉毛。」』

㈠挹注　詩經大雅泂酌：『挹彼注茲。』挹，酌取也。注，瀉入也。意謂挹彼大器之水，注之此小器之中。今謂挪移財物，取有餘以補不足曰挹注。

㈡霽照　猶言明察。

㈢五中　五臟也，即心、肝、脾、肺、腎五種內臟。

㈣不腆　猶言不厚、不豐。左傳僖公三十三年：『不腆敝邑，爲從者之淹。』

㈤芹獻　列子楊朱篇：『昔人有美戎菽、甘枲、莖芹、萍子者，對鄉豪稱之，鄉豪取而嘗之，蜇於口，慘於腹，衆哂而怨之，其人大慚。』今以物贈人，而自謙其品之不佳曰芹獻、獻芹，或云一芹。

㈥鶴齡　世以鶴爲仙禽，故祝壽之辭每及之，如云松鶴遐齡。王建閑說詩：『桃花百葉不成春，鶴壽千年也未神。』

㈦椿齡　謂年齡同於大椿也。莊子逍遙遊篇：『上古有大椿者，以八千歲爲春，以八千歲爲秋。』後遂借以爲祝壽之辭。

㈧卺筵　即結婚酒席。以一瓠分爲兩瓢謂之卺，古婚禮既畢，壻與婦各執一瓢以飲之，世因稱夫婦成婚曰合卺。說詳禮記昏義。

㈨楮敬　俗謂紙曰楮，謂紙錢（即冥幣）曰楮錢，故致送奠儀曰申楮敬。

㈩芻香　祭奠之物。東漢時，郭泰有母憂，徐穉往弔之，置生芻一束於廬前而去，衆怪不知其故，泰曰：『此必南州高士徐孺子也。詩不云乎：「生芻一束，其人如玉。」吾無德以堪之。』見後漢書徐穉傳。後人因稱祭奠之儀曰生芻。

(十一)莞存　猶言笑納。小笑曰莞。論語陽貨篇：『夫子莞爾而笑。』

(十二)俞允　俞，亦允也，俞允係同義之複合詞，猶今語曰許可。

(十三)金諾　稱人然諾能守信義之足貴也。史記季布傳：『楚人諺曰：「得黃金百千，不如得季布一諾。」』顧雲上路相公啓：『果踐玉音，不移金諾。』

㊃料峭　風寒貌。蘇軾送范德孺詩：『春風料峭羊角轉，河水渺綿瓜蔓流。』

㊄魚雁　書信之代名。已見前注。

㊅好音　稱他人書信之敬辭。已見前注。

（六）結尾敬辭

一、一般敬辭

申悃語
▲肅此敬達。▲肅此馳稟。▲耑肅寸稟。▲肅此專呈。▲敬此。▲謹此。 ▲肅修寸簡。（對親友長輩用）
▲耑此奉達。▲匆此布臆。▲特此奉達。▲草此奉聞。▲耑此。▲草此。 ▲特此布達。（對親友平輩用）
▲用申賀悃。▲藉申賀意。▲肅表賀忱。▲聊申賀悃。▲敬申賀悃。（申賀用）
▲恭陳唁意。▲藉表哀忱。▲藉申哀悃。▲泐函馳慰。▲肅此上慰。（弔唁用）
▲肅誌謝忱。▲肅此敬謝。▲藉鳴謝悃。▲用展謝忱。▲肅此鳴謝。（申謝用）
▲敬抒辭意。▲用申辭悃。▲敬達辭忱。▲心領肅謝。▲肅此鳴謝。（辭謝用）
▲敬抒別意。▲用抒離情。▲用申別意。▲特訴離悰。▲藉陳別緒。（送行用）
▲耑肅敬覆。▲耑此奉覆。▲肅函奉覆。▲耑此敬覆。▲匆此布覆。（申覆用）

請鑒語				
▲伏乞○鑒察。	▲伏祈○垂鑒。	▲伏乞○荃詧。	▲伏維○霽照。	▲伏維○亮照。
▲統希○藹照。	▲統祈○愛鑒。	▲諸乞○愛照。	▲伏乞○朗照。	▲並祈○垂照。
▲乞賜○垂察。	▲諸維○朗照。	▲諸維○惠察。	▲敬祈○亮察。	▲諸維○鼎照。
▲惟祈○霽詧。	▲敬希○垂察。	▲統維○澂詧。	▲諸希○荃照。	（通用）

【說　明】

㈠『申悃語』是申訴己意，使對方知之，信中已敍及，以此作結尾。

㈡『請鑒語』係請對方收鑒，與『申悃語』有連帶關係，可連用。

二、請安語

用於祖父母及父母	▲叩請○金安。	▲恭請○福安。	▲敬請○金安。		
用於親友長輩	▲恭請○禔安。	▲敬請○鈞安。	▲恭請○崇安。	▲敬頌○崇祺。	▲祗頌○福祉。
用於師長	▲恭請○誨安。	▲敬請○教安。	▲敬請○講安。	▲祗請○道安。	▲叩請○絳安。
用於親友平輩	▲即請○大安。	▲敬請○台安。	▲順頌○台祺。	▲順頌○時綏。	▲即頌○時祺。
	▲即祝○刻安。	▲順候○起居。	▲此頌○台綏。	▲敬候○近祉。	▲藉頌○日祉。
用於親友晚輩	▲順問○近祺。	▲即詢○近佳。	▲即問○刻好。	▲即問○近好。	▲順詢○日佳。

用於政界	▲敬請○勛安。	▲恭請○鈞安。	▲祗請○政安。	▲虔頌○勛綏。	▲祗頌○勛祺。
用於軍界	▲敬請○戎安。	▲恭請○麾安。	▲肅請○捷安。	▲敬頌○勛綏。	▲祗頌○勛祺。
用於學界	▲敬請○學安。	▲祗頌○文祺。	▲即頌○文綏。	▲祗請○著安。	▲順請○撰安。
用於文士	▲敬祝○吟安。	▲祗頌○文祺。	▲順請○撰安。	▲敬候○文安。	▲藉頌○著祺。
用於婦女	▲敬祝○妝安。	▲順頌○闔祺。	▲即祝○壼安。	▲藉頌○閨祉。	▲敬候○繡安。
用於商界	▲敬請○籌安。	▲順頌○籌祺。	▲敬候○籌綏。	▲順候○財安。	
用於旅客	▲敬請○旅安。	▲順請○客安。	▲順頌○旅祺。	▲即頌○旅祉。	
用於家居者	▲敬請○潭安。	▲敬頌○潭綏。	▲即頌○潭祉。	▲順頌○潭祺。	
用於有祖父母及父母者	▲敬請○侍安。	▲敬頌○侍祺。	▲敬候○侍祉。	▲順頌○侍祺。	
用於夫婦同居者	▲敬請○儷安。	▲敬請○雙安。	▲敬頌○儷祉。	▲順頌○儷祺。	
用於賀婚	▲恭賀○燕喜。	▲恭賀○大喜。	▲恭請○喜安。	▲祗賀○大禧。	
用於賀年	▲恭賀○年禧。	▲恭賀○新禧。	▲敬頌○新禧。	▲祗賀○新禧。	
用於弔唁	▲敬請○禮安。	▲兼候○孝履。	▲並候○素履。	▲祗請○素安。	
用於問疾	▲恭請○痊安。	▲即請○衛安。	▲順請○痊安。	▲敬祝○早痊。	

用於按時令	▲敬請○春安。▲即頌○春祺。▲順候○夏祉。▲此頌○暑綏。▲即請○秋安。 ▲順候○秋祺。▲敬頌○冬綏。▲此請○爐安。

（七）署名下敬辭

用於祖父母及父母	謹稟・敬稟・叩稟・敬叩・謹叩・叩上・叩
用於長輩	謹上・敬上・拜上・謹肅・敬啓・謹啓・肅上・敬叩
用於平輩	敬啓・謹啓・拜啓・鞠躬・謹上・謹白・上言・頓首・上
用於晚輩	手泐・手書・字・白・諭・手示・手白・手諭・手字・手啓
用於補述	又啓・又啓者・又及・又陳・補啓・再啓・再啓者・再及・再陳・又稟者

（八）附候語

問候長輩	▲令尊（或堂）大人前，乞代叱名請安。▲某伯前祈代請安，不另。 ▲某伯處煩叱名道候。▲某姻伯前乞代叩安，恕不另箋。
問候平輩	▲某兄處祈代致候。▲令兄處乞代候。▲某兄處煩代道候。▲某姊前乞代道念。 ▲某弟處希爲道念。▲某弟處煩爲致候，不另。▲嫂夫人均此。

問候晚輩	▲順問○令郎佳吉。▲並候○令嫒等近好。▲順問○令姪等均佳。
代長輩附問	▲家嚴囑筆問候。▲某某姻伯囑筆問候。▲家母囑筆致候。
代平輩附問	▲某兄囑筆問好。▲某妹附筆致候。▲家姊囑筆請安。
代晚輩附問	▲小兒侍叩。▲兒輩侍叩。▲小孫隨叩。▲小女侍叩。

【說明】

㊀『附候語』須另行書寫，既醒目，又所以示敬。
㊁以上三表中所列術語，可視實際情況，隨意選用，不必拘泥。

第五節　書牘之款式

（一）信箋

信箋行款格式，宜注意者，有下列五事：

一、信箋式樣繁多，對尊長或新交，以用中式八行信箋爲宜。弔喪忌用紅色行線。

二、信箋摺疊，先一直摺，次一橫摺，大小略如信封，此爲有禮貌之式樣。若反摺乃以報凶，或表示絕交之用，最宜避忌。

三、信箋繕寫，通幅必有一行到底，不宜行行弔腳。又舊有一字不成行，一行不成頁之說，亦以避免爲宜。其他應偏寫之字，不宜寫在平擡地位，名字不宜拆置兩行，亦應注意。

四、擡寫爲表示尊敬之法。普通有三擡、雙擡、單擡、平擡、挪擡五種。最通用者爲平擡、挪擡。平擡卽涉及受信人時，提行書寫與各行相平。挪擡爲就原行空一格寫，稱自己尊親及受信人子姪輩時用之。惟今人則凡涉及收信人時，率以平擡、挪擡交互使用，亦頗見靈活。

五、字體以楷書小字爲尊敬，行草放大爲簡式。大抵對尊長，字體宜端正，行款宜正直，用於隆重儀式者亦然。此外不妨用行書，切勿近於潦草。

(二) 信封

信封繕寫款式，宜注意者，有下列四事：

一、信封以中式且中間有長方紅格者最爲適宜，如用西式信封，以純白者爲最大方。如弔喪之信，信封宜用素色，或將長方紅格線條用墨塗黑。

二、字體以端楷表示尊敬。行書放大者，惟用於平輩及後輩。

三、信封可分左右中三路，繕寫時應各依中線，不可偏斜。右路寫受信人地址住所，上端應空二格寫起，字宜緊湊，地址宜詳明。受信人學校、商店等，寫在右路左行或中路右行，字可縮小擠緊。中路中行寫受信人姓名、稱呼、台啓等字樣。自信封上端寫起，至下端爲止，字宜略大，排列宜勻稱。（按此行某某先生等字，係郵差對受信人之稱謂，不可誤會。）左路寫發信人地址、處所、姓名等。掛號信件尤宜仔細，應自信封上端三分之一處寫起，下空兩字爲止，字宜擠緊。發信月日卽寫在左路之末端，字宜縮小，或寫在背面緘縫中亦可，普通多略去。

四、託人轉達信件，信封繕寫稱謂，皆有定式。大抵託人親交者，中路託致人與受信人宜並寫。但託致人一行，應縮小擠緊，受信人一行，仍宜自上排列到底，以資分別。右路不寫受信人地址，但寫『敬祈』、『敬煩』等字樣。中路託致人用適當稱謂，下加『面塵』、『面陳』、『面呈』、『吉便帶交』、『面交』、『吉便帶致』等字樣，如『某某學長面交』、『某某兄吉便帶致』……等是。受信人則用本人應稱稱謂，例如：『某某家兄親啓』、『家嚴大人安啓』等是。左路發信人應具名，或加對託致人稱謂，下附懇託字樣，例如：『某某敬託』、『弟某某拜干』……等是。又託人飭役送達之信，右路仍書『敬祈』等字，中路右行應提行書明『飭交』字樣，而受信人則用送信人稱呼，例如：『敬祈飭交某某先生啓』是。至派專人投送之信件，右路寫『專呈』、『卽送』等字樣。候回信者，可於左路上端寫『候覆』、『請片』字樣。回信交原送信人帶回者，不寫地址，右路爲『覆呈』、『藉呈』等字樣，中路寫『某某先生惠啓』……等。

茲將信封繕寫款式列舉於後，以備參閱。

100-56

臺北市羅斯福路四段

國立臺灣大學 文學院

中國文學系 公啓

國立臺灣師範大學沈緘

臺北市和平東路一段一六二號

106-10

114-01

臺北市內湖區

私立德明商業專科學校

陳校長光憲鈞啓

臺中市國光路一〇九巷三號二樓翁緘

402-26

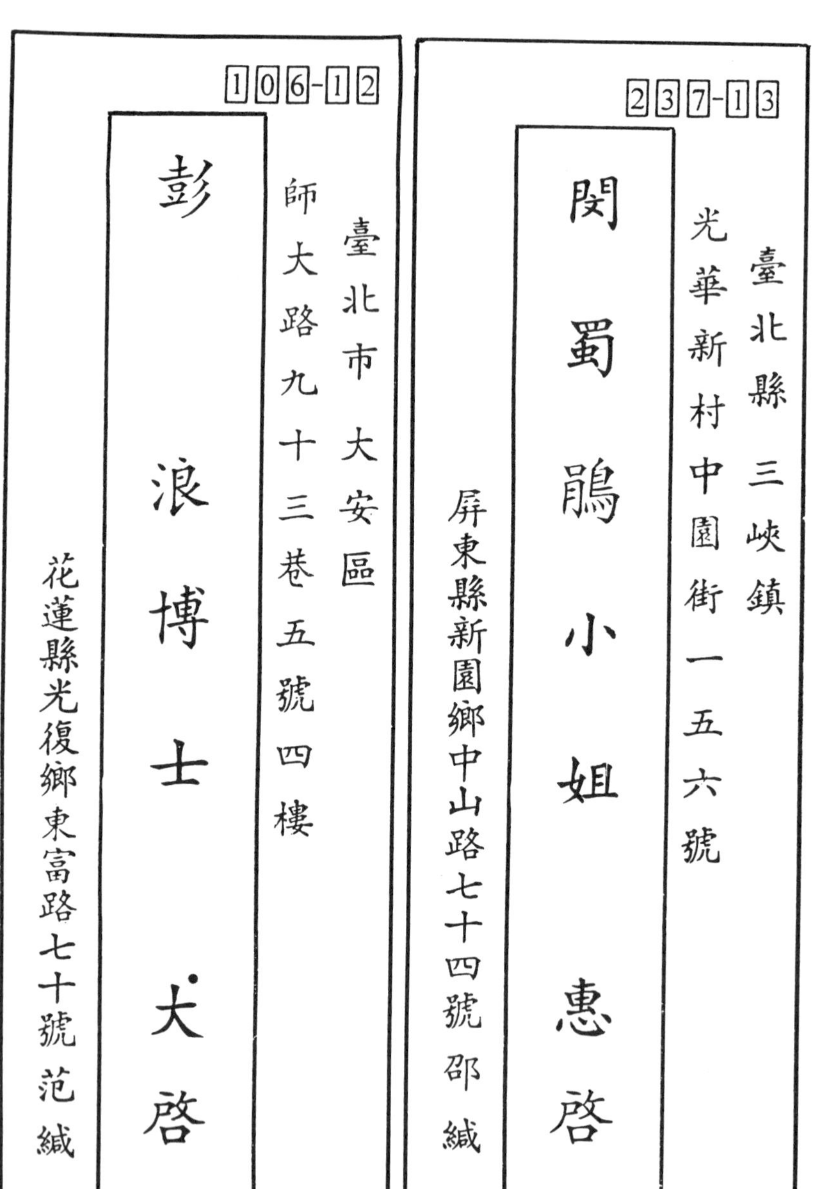

237-13
臺北縣三峽鎮
光華新村中園街一五六號
閔蜀鵑小姐 惠啓
屏東縣新園鄉中山路七十四號邵緘
932-01
106-12
臺北市大安區
師大路九十三巷五號四樓
彭浪博士 大啓
花蓮縣光復鄉東富路七十號范緘
976-06

□□□-□□

敬煩

少威學長　面呈

家慈大人　安啓

弟　同慶敬託

□□□-□□

(三) 明信片

明信片繕寫，正面照信箋格式，其受信人地址一面，照信封繕式。惟中路不用『啓』字，而代以『收』字。左邊不用『緘』字，而代以『寄』字。蓋啓義爲開，緘義爲封，皆指信封而言，明信片並無封套，萬不可誤用。

※　※　※　※

茲爲便於初學者之參考，特將書信用語綜合表列於後：

㈦書牘用語簡表

類別	對象	稱謂	提稱語	啓事敬辭	結尾敬辭	問候語	自稱	署名下敬辭	信封
家族	祖父母	祖父母大人	膝下　膝前	敬稟者　叩稟者	專肅　肅此	恭叩頤安　恭請金安	孫男　孫女	稟上　敬叩	安啓
	父母親	父母親大人	膝下　膝前	敬稟者　謹稟者	耑肅奉稟　耑肅	叩請福安　敬叩金安	男　女	叩稟　叩上	安啓
	伯叔父．母	伯叔父．母大人	尊前　崇鑒	敬肅者　敬陳者	肅此　謹此	敬請褆安　敬頌崇祺	姪　姪女	謹上　拜上	安啓
	兄姊	○○哥　○○姊	賜鑒　尊鑒	敬啓者　謹啓者	敬此　謹此	敬祝安康　虔頌福祉	弟　妹	敬上　謹上	啓　大啓
	弟妹	○○弟　○○妹	惠鑒　如晤	茲啓者　啓者	耑此　草此	即候近佳　順頌時祺	愚兄　愚姊	手書　手啓	展啓
	夫	○○夫君　○○夫子	大鑒　偉鑒	敬啓者　謹啓者	專此　特此	祗祝近安　順祝旅安	妻　妹	斂衽　上言	啓　大啓
	妻	○○賢妻　妹	慧鑒　雅鑒	敬啓者　謹啓者	耑此　匆此	祗祝妝安　順祝閫安	夫　兄	再拜　頓首	展啓
	君舅姑	君舅姑大人	尊前　尊鑒	敬稟者　謹稟者	專肅　肅此	敬請金安　恭請福安	媳　兒	稟上　敬叩	安啓
	弟婦	○○妹	慧鑒　惠鑒	茲啓者　啓者	專此　特此	順祝近安　順頌近祺	兄　姊	手啓　謹啓	展啓

	子	○○吾兒 / ○○兒	知之 / 收覽		此諭		父 / 母	手字示	啓
	女	○○女 / ○○吾女	覽悉 / 收閱		此諭		父 / 母	字示	啓
	姪兒 / 姪女	○○賢姪 / ○○姪女	青鑒 / 青覽		匆此 / 草此	順問近佳 / 即詢近綏	伯 / 叔	手書 / 手泐	啓
	嫂	○○嫂	賜鑒 / 尊鑒	敬啓者 / 謹啓者	敬此 / 謹此奉達	敬祝安康 / 虔祝懿安	弟 / 妹	敬上 / 謹上	啓
	媳	○○賢媳	如晤 / 親覽		手此 / 草此	即問近佳 / 即詢近好	愚舅 / 愚姑	手書 / 手啓	啓
	孫男 / 孫女	○○吾孫 / ○○孫女	知悉 / 收悉		此諭		祖父 / 祖母	字示	啓
親戚	外祖父 / 外祖母	外祖父大人 / 外祖母大人	尊前 / 尊右	敬肅者 / 謹肅者	耑肅 / 肅此	虔頌崇祺 / 敬頌福綏	外孫男 / 外孫女	拜上 / 敬上	安啓
親戚	姑丈 / 姑母	姑丈大人 / 姑母大人	尊前 / 尊右	敬肅者 / 謹肅者	耑肅 / 肅此	虔頌崇祺 / 敬頌福綏	內姪 / 內姪女	拜上 / 敬上	安啓
親戚	舅父 / 舅母	舅父大人 / 舅母大人	尊前 / 尊右	敬肅者 / 謹肅者	耑肅 / 肅此	虔頌崇祺 / 敬頌福綏	外甥 / 外甥女	拜上 / 敬上	安啓
親戚	姨丈 / 姨母	姨丈大人 / 姨母大人	尊前 / 尊右	敬肅者 / 謹肅者	耑肅 / 肅此	虔頌崇祺 / 敬頌福綏	姨甥 / 姨甥女	拜上 / 敬上	安啓

稱謂	稱呼	提稱語	啓事敬辭	結尾應酬語	申悃語	自稱	末啓詞	封文啓封詞
岳父／母	岳父／母大人	尊前／尊右	敬肅者／謹肅者	崇肅／肅此	敬請崇安／敬頌福綏	子壻／壻	拜上／敬上	安啓
親家	親翁／母	惠鑒／左右	敬啓者／謹啓者	崇此／謹此	順請儷安／順祝安祉	姻愚弟／姻侍生	拜啓／敬啓	台啓／大啓
表叔伯父·母	表叔伯父·母大人	賜鑒／侍右	敬肅者／謹肅者	崇肅／謹肅	敬請福安／祗頌崇祺	表姪／表姪女	拜上／謹上	安啓
表舅父／母	表舅父／母大人	賜鑒／侍右	敬肅者／謹肅者	崇肅／謹肅	敬請福安／祗頌崇祺	表甥／表甥女	拜上／謹上	安啓
叔伯岳父／母	叔伯岳父／母大人	賜鑒／侍右	敬肅者／謹肅者	崇肅／謹肅	敬請福安／祗頌崇祺	姪壻	拜上／謹上	安啓
姻叔伯父·母	姻叔伯父·母大人	賜鑒／侍右	敬肅者／謹肅者	崇肅／謹肅	敬請福安／祗頌崇祺	姻愚姪／姻姪女	拜上／謹上	安啓
姊丈	○○姊丈／倩	台鑒／英鑒	敬啓者／謹啓者	專此布臆／謹此奉達	祗祝近安／虔頌近祺	內弟／姨妹	頓首／再拜	大啓／台啓
妹丈	○○妹丈／倩	台鑒／英鑒	敬啓者／謹啓者	專此布意／謹此奉達	祗祝近安／虔頌近祺	內兄／姨姊	頓首／再拜	大啓／台啓
表兄／嫂	○○表兄／嫂	台鑒／英鑒	敬啓者／謹啓者	專此布達／謹此奉達	祗祝近安／虔頌近祺	表弟／表妹	頓首／再拜	惠啓／台啓
表弟／弟媳	○○表弟／弟媳	台鑒／英鑒	敬啓者／謹啓者	專此布達／謹此奉達	祗祝近安／虔頌近祺	表兄／表姊	頓首／再拜	惠啓／台啓

稱謂	稱呼	提稱語	啓事敬辭	結尾應酬語	問候語	自稱	署名下敬辭	封文啓封詞
內兄／內弟	○○內兄／內弟	台鑒／雅鑒	敬啓者／謹啓者	專此布達／謹此奉達	祇祝近安／虔頌近祺	愚妹壻／愚姊壻	頓首／再拜	大啓／台啓
襟兄／襟弟	○○襟兄／襟弟	台鑒／雅鑒	敬啓者／謹啓者	專此布達／謹此奉達	祇祝近安／虔頌近佳	姻愚弟／姻愚兄	頓首／再拜	大啓／台啓
外孫／外孫女	○○賢外孫／外孫女	青覽／青鑒		手此／草此	即問近好／順問近佳	外祖／外祖母	手啓／手書	啓
內姪／內姪女	○○賢內姪／內姪女	青覽／青鑒		手此／草此	即問近好／順問近佳	姑丈／姑母	手啓／手書	啓
外甥／外甥女	○○賢外甥／外甥女	青覽／青鑒		手此／草此	即問近好／順問近佳	愚舅／愚舅母	手啓／手書	啓
姨甥／姨甥女	○○賢姨甥／姨甥女	青覽／青鑒		手此／草此	即問近好／順問近佳	愚	手啓／手書	啓
女壻	○○賢壻／賢倩	青覽／英鑒		手此／草此	即問近好／順問近佳	愚岳／愚岳母	手啓／手書	啓
表姪／表姪女	○○賢表姪／表姪女	青覽／青鑒		手此／草此	即問近好／順問近佳	愚	手啓／手書	啓
表甥／表甥女	○○賢表甥／表甥女	青覽／青鑒		手此／草此	即問近好／順問近佳	表舅父／表舅母	手啓／手書	啓
姻姪／姻姪女	○○賢姻姪／姻姪女	青覽／青鑒		手此／草此	即問近好／順問近佳	愚	手啓／手書	啓

師生									
太老師 太師母	太夫子大人 太師母大人	崇鑒 賜鑒	敬肅者 敬陳者	崇肅 肅此上陳	恭叩崇安 敬頌崇祺	門下晚生	拜上 叩上	安啓 道啓
師長	○○吾師 ○○公夫子	函丈 壇席	敬肅者 敬陳者	崇肅 肅此上陳	恭請誨安 敬請講安	受業 學生	拜上 敬叩	安啓 道啓
師父	○○吾師	尊前 尊鑒	敬肅者 敬陳者	崇肅 肅此上陳	恭請教安 祗頌崇祺	門徒 門生	拜上 敬叩	安啓 道啓
學生門徒（男）	○○賢學弟 賢學棣	如面 如晤		手此 草此	順祝進步 即詢近佳	小兄 愚姊	手啓 手書	啓
學生門徒（女）	○○女學妹 女學弟	惠覽 雅鑒		手此 草此	順祝進步 即詢近佳	小兄 愚姊	手啓 手書	啓
朋輩世交									
父之友	○○老伯伯 老伯母	尊鑒 尊右	敬啓者 謹啓者	崇肅 肅此	敬請崇安 恭請鈞安	愚姪 愚姪女	拜上 謹上	鈞啓
父之友	○○老叔叔 老叔母	尊鑒 尊右	敬啓者 謹啓者	崇肅 肅此	敬請崇安 恭請鈞安	愚姪 愚姪女	拜上 謹上	鈞啓
世誼長輩	○○世伯伯 世伯母	尊鑒 尊右	敬啓者 謹啓者	崇肅 肅此	敬請崇安 恭請鈞安	世愚姪 世姪女	拜上 謹上	鈞啓
世誼長輩	○○世叔叔 世叔母	尊鑒 尊右	敬啓者 謹啓者	崇肅 肅此	敬請崇安 恭請鈞安	世愚姪 世姪女	拜上 謹上	鈞啓
世誼平輩	○○吾兄 吾姊	足下 惠鑒	敬啓者 謹啓者	崇此布達 特此布臆	順祝近安 順頌時綏	弟 妹	再拜 頓首	台啓 大啓

世誼平輩	世誼晚輩	同學	同門生	朋友	朋友夫婦	各界			
						政界長輩	軍界長輩	商界長輩	學界長輩
○○吾弟 妹	○○世講 臺	○○學兄 姊	○○師兄·弟 姊·妹	○○仁兄 姊	○○吾兄 夫人	○公主任 ○公部長	○公將軍 ○公團長	○公董事長 ○公總經理	○公校長 ○公廳長
英鑒 惠鑒	雅鑒 惠鑒	文几 惠鑒	大鑒 惠鑒	偉鑒 惠鑒	雙鑒	勛鑒 鈞鑒	麾下 幕下	賜鑒 尊鑒	道鑒 道席
敬啓者 謹啓者		敬啓者 謹啓者	敬啓者 謹啓者	敬啓者 謹啓者	敬啓者 謹啓者	敬肅者 謹肅者	敬肅者 謹肅者	敬肅者 謹肅者	敬肅者 謹肅者
耑此布達 特此布臆	耑此布達 特此布臆	耑此布達 特此布臆	耑此布達 特此布臆	耑此布達 特此布臆	耑此布達 特此布臆	耑肅 謹肅	耑肅 謹肅	耑肅 謹肅	耑肅 謹肅
順祝近安 順頌時綏	順祝近安 順頌時綏	順祝近安 順頌時綏	順祝近安 順頌時綏	順祝近安 順頌時綏	順祝儷安 虔頌儷祺	敬頌勛綏 祗頌勛祺	敬請戎安 恭請麾安	敬請崇安 恭頌崇祺	敬請鐸安 恭頌崇祺
兄 姊	愚	學弟 學妹	師弟·兄 妹·姊	弟 妹	弟 妹	晚 後學	晚 後學	晚 後學	晚 後學
再拜 頓首	敬啓 手啓	再拜 頓首	再拜 頓首	再拜 頓首	再拜 頓首	敬上 謹上	敬上 謹上	敬上 謹上	敬上 謹上
台啓 大啓	啓	台啓 大啓	台啓 大啓	惠啓 大啓	惠啓 親啓	勛啓 鈞啓	勳啓 鈞啓	鈞啓 親啓	道啓 鈞啓

				方外					
政界平輩	軍界平輩	商界平輩	學界平輩	和尚	尼姑	神父	牧師	修女	道士
○○先生 女士	○○連長 ○公營長	○○襄理 ○公課長	○公教授 ○○社長	○○上人 ○○道人	○○老師太 ○○師太	○○司鐸	○○牧師	○○修道	○○法師
惠鑒 閣下	麾下 幕下	惠鑒 大鑒	左右 雅鑒	方丈 法鑒	法鑒	有道 道鑒	有道 道鑒	有道 道鑒	法鑒
敬啓者 逕啓者	敬啓者 逕啓者	敬啓者 逕啓者	敬啓者 逕啓者	敬啓者 逕啓者	敬啓者 逕啓者	敬啓者 逕啓者	敬啓者 逕啓者	敬啓者 逕啓者	敬啓者 逕啓者
專此布臆 特此布達	專此布臆 特此布達	專此布臆 特此布達	專此布臆 特此布達	專此布臆 特此布達	專此布臆 特此布達	專此布臆 特此布達	專此布臆 特此布達	專此布臆 特此布達	專此布臆 特此布達
順頌勛綏 專候勛祺	順頌勛綏 專候勛祺	即祝時安 順頌籌祺	祇請著安 順頌文祺	敬祝道安 祇頌道祺	敬頌道綏 虔祝道安	祇祈主佑 敬祈神佑	敬祝神佑	敬祝神佑	敬祝道安 祇頌道祺
弟 妹	弟 妹	弟 妹	弟 妹			弟 妹	弟 妹	弟 妹	
拜啓 敬啓	拜啓 敬啓	拜啓 敬啓	拜啓 敬啓	拜啓 敬啓	拜啓 敬啓	拜啓 敬啓	拜啓 敬啓	拜啓 敬啓	拜啓 敬啓
台啓 大啓	台啓 大啓	台啓 大啓	台啓 大啓	道啓 惠啓	道啓	道啓	道啓	道啓 惠啓	道啓

其他					
賀年	賀男壽	賀女壽	賀結婚	問疾長輩	弔唁
				○○世伯 伯母	
				崇鑒	禮鑒 苫次
				敬肅者 謹肅者	
				專肅 專此奉候	
恭賀年禧 祇賀春釐	祇祝嵩齡 恭賀千春	祇祝耆禧 恭叩遐齡	敬賀大禧 祇賀燕喜	虔祝痊安 敬祝豫安	敬請禮安 專唁素履
				晚	
				拜上 敬上	
				道啓 鈞啓	啓

【說　明】

㈠上表稱謂欄中之『○』及『○○』符號，均表示寫信時須寫對方之名字或別號。如係家族，可稱其排行，如『三哥』『二叔』之類。

㈡同欄內之『提稱語』『啓事敬辭』『結尾敬辭』『問候語』『署名下敬辭』『信封』多列有兩種用語，寫信時可任擇一種使用。

㈢表中用語，祇是『約定俗成』，爲世所習用而已，並非絕對不可移異。寫信時，可視對方之身分，當時之需要，以及彼此關係之深淺，愼加選擇，靈活運用，不必拘泥。在『其他類』中留有許多空白，亦爲此而設也。

第六節　實用書牘範例

(一) 家書類

杜少陵春望詩云：『烽火連三月，家書抵萬金。』當烽火漫天、兵燹匝地之時，人命危賤，曾雞犬草芥之不若，此時若能獲得一封家書，可以知悉骨肉親人之生死存亡，其價值又何止萬金。卽在平時，由於雲山暌隔，團聚爲難，能藉寸楮以報平安，亦可以上紓父母之遠念，下慰兒女之孺慕。雖云電訊交通日益發達，或朝發夕至，或聲傳千里，究不抵信札之長短自如，經濟實惠。昔人云：『白雲深處是吾家。』唐書狄仁傑傳：『仁傑薦授并州法曹參軍，親在河陽，仁傑登太行山，反顧見白雲孤飛，謂左右曰：「吾親舍在其下。」瞻悵久之，雲移乃得去。』蓋思家之情，固無間於古今也。

依照吾國之傳統，家書大致區爲四類：

一、幼輩稟長輩之書，謂之『家稟』。

二、平輩致平輩之書，謂之『家書』。

三、長輩諭幼輩之書，謂之『家訓』。

四、臨終遺留親人之書，謂之『遺書』。

四者名稱雖異，而籠統稱之，概謂之『家書』，或曰『家信』。

至家書之寫作，無論其爲文言語體，均須遵守以下三大原則：

一、**就寫作之態度言**：稟長輩之書須恭敬，戒輕佻，多用問候語爲宜。致平輩之書須誠懇，雖有勖勉或規勸，亦須詞微義婉，反覆開導，以免引起反感，而收到反效果。諭幼輩之書須和悅，多作積極的鼓勵與指導，少作消極的指斥或譴責。

二、**就寫作之方法言**：無論家稟、家書、家訓、遺書，應略去浮文客套，刻意雕琢，尤應戒絕。通篇須以質樸、眞摯、自然出之，縱然瑣碎，亦不妨事，並可藉此以保持家書之特有風格。蓋家書原非華國之鴻文，而家務事亦多瑣碎故也。此外，爲保持感情之純眞，可將文言白話混合行文。例如初以文言作書，至必要時，或力所難逮處，可雜以少許白話，絕無傷大雅。惟所當注意者，時下流行之俚語或口頭語，如『成績很菜』，『使我亂沒面子』，『拚命K書』，『此人好鮮』，『小氣巴拉』，『神經兮兮』，『可憐巴巴』，『雞婆』，『雞母皮』等。新潮派詞句如：『天空非常希臘』。『聳一個拉丁式的肩』。『我向她鞠一個躬，非常意大利式的』。『雲很芭蕾，女學生們很卻卻』。『我的憂鬱有一點傷風』。『隨地吐痰，也吐出一道虹來』。『美麗的火災』。『我將把靈魂嫁給舊金山』等。西化句法如：『我打算本星期天回家，假如可能的話』。『我現在決定離開你了，儘管我曾經愛過你』。『請你吃慢一點好不好，雖然你的嘴巴很大』。『幽靈般的心絃，彈出新的煙士皮里純 按煙士皮里純爲英文 inspiration 之音譯 』等。此類詞句，皆有欠莊重，萬萬不可入文。

三、**就所寫之字體言**：對尊長寫信，字體宜端正，儘量用正楷，行書亦可斟酌使用，但切忌過於潦草。對平輩幼輩行文，可以全用行書。又書寫工具，以毛筆爲最恭敬，鋼筆次之，原子筆又次之，但絕不可使用簽字筆及鉛筆，以免失禮。

㈠家稟

⑴子稟母

母親大人膝下：有關國慶之電諭拜悉。今日國慶雖是陰雨天，閱兵典禮至為壯觀，民衆情緒亦極為高昂，回國僑胞已達二萬人之衆。典禮後，兒即來慈湖，祭告父靈。此間風雨中有寧靜，深思默念久之，深信上蒼必將保祐國家萬年長春。敬祝

大人福體康泰

兒經國跪稟　雙十節於慈湖

【說明】

此為民國六十七年十月十日蔣經國總統稟告其慈母蔣太夫人之電文，本當列入『電報』類，始合體例。茲以其性質內容與家書無異，特予選錄。電文措詞以簡潔為尚，故『啓事敬辭』與『開頭應酬語』、『結尾應酬語』均予省略。

※　※　※　※

⑵女稟父

父親大人膝前：拜別

尊顏，瞬將旬日，孺慕之心，無時或釋。女於前月廿五日安抵臺北，暫住姨母家，翌日即到校辦理入學及住校手續。開學後，又忙於購買教科用書，致稽稟候，罪戾實深，務祈曲諒。班上同學，雖來自海內外各地，然均能親愛精誠，相互切磋，思家之情，得以稍紓。女此次參與

聯考，倖蒙錄取，其中甘苦，何敢遽忘。今後自當恪遵
慈訓，埋頭苦讀，冀能在學術上奠定深厚基礎，以便將來服務社會，造福人羣，抑所以報答
親恩於萬一也。校中生活情形，容後續稟。秋風多厲，伏望 起居珍重，努力加餐。專肅。恭叩
福 安

女 慧君叩稟 十月一日

※ ※ ※ ※

(3)孫稟祖父母

祖父母大人尊前：敬稟者，遠隔
慈雲，曷勝戀戀，頃奉
手諭，循讀再三，敬諗
玉體雙安，
起居佳勝，欣喜莫名。韶華如箭，轉瞬又屆炎夏時節，學校即將舉行學期考試，試畢當即束裝返里，大約在本月廿八日午後抵家，屆時又可恭聆
慈訓矣。恐勞
懸念，特先稟告。肅此。叩請
頤 安

孫 偉仁謹稟 六月三日

湘煜姊囑筆叩安。弟妹統此，不另。

※　※　※　※

(4)姪女稟伯母

伯母大人慈鑒：久暌

懿範，馳慕良殷。頃聞下月五日爲　韻嫻堂姊于歸吉辰，遙想

華堂啓瑞，冠蓋如雲，珠璧聯輝，喜氣洋溢，忻忭奚如。姪女以俗務羈身，不克趨前道賀，中心歉疚，莫可言宣。附上奇士美化妝品一匣，聊表賀忱，敬乞

哂納。專肅奉賀

大喜。並祝

百　福

姪女祜美拜上　三月廿四日

※　※　※　※

(5)姪稟叔父

叔父大人尊鑒：前在香江曾肅寸稟，諒邀

慈鑒。姪已於昨日晚間抵達大阪，下榻上谷旅館，今晨即往松下株式會社接洽業務，一切尚稱順利，大

約五月杪始能返國。數月以來，家中多蒙照拂，恩深東海，不知將何以圖報也。茲匯上美金二百元，以供侑酒，伏乞哂收爲禱。肅此奉稟。敬請

金　安

姪漢傑叩啓　三月卅日

※　※　※　※

㈡家　書

⑴姊寄妹

芬妹：

昨天接到來信，知道一切。你本學期又得到嘉新水泥公司的獎學金，全家人都很高興，希望你能繼續保持這分榮譽，一直到畢業。

聽說你們學校附近又增加許多飲食攤，你一向嘴饞，媽和我都在躭心你會吃壞肚子。你一個人在外頭求學，生活起居，都必須靠自己照顧，身體如有不適，那就痲煩了。據我所知，攤子的衞生設備很差，是細菌繁殖的溫牀，你還是少去光顧爲妙。姊曾經有過慘痛的教訓，以致現在患了輕微的肝病，我不要你重蹈我的覆轍。

天氣轉涼了，早晚要多添些衣服，以免感冒，而煩勞

爸媽掛念。課餘有便，盼常來信。

爸媽和弟妹都很好，勿念。臨筆匆匆，不盡所懷。順祝

近　好

姊湘靈手書 十一月廿九日

再者：媽非常盼望你能在元旦假期回家一趟。如無特別事故，務請如期抵家，並順便給　媽買一件上好的旗袍料子，好讓她老人家驚喜一次。又及。

【說　明】

傳統莊重之書信，例用文言，鮮有以語體下筆者。然時移世異，人多忙碌，今人作書欲如曩時之精選美辭，雕琢曼藻，已非時力所許。故現代書信亦步公文之後塵而日趨簡化，例如昔日通行之『三擡』、『雙擡』、『單擡』，所以表示尊敬者，已隨時代之進步而悉遭淘汰，惟餘『平擡』、『挪擡』二種而已。不寧惟是，值此知識爆發、分科日細之時代，欲使人人具有雕龍繡虎之才，精通文字音韻之學，不特理想過高，抑且無此必要。緣是白話書信乃逐漸流行於今日，此乃時代之趨勢，非任何人所得而挽回者，聽其兩存，並行不悖可也。惟吾人所當注意者，即以語體文寫信，仍須注重格式，不宜作大幅度之變更。若變更過多，漫無規格，甚或稱呼錯誤，反卑爲尊，未有不僨事者，其庸有當乎。須知凡百學術，均應循軌漸進，徐圖變革，切忌盲目躁急，否定傳統，不獨書信爲然也。

今世報章雜誌雖盛行語體文，而公私函牘以至法令規章則仍以淺近文言爲尚。本書所有論述舉例均用文言者，蓋從衆之義耳。惟念青年學子於語體書信，或自我作古，或中西混用，甚且有茫然不知如何下筆者，故前書特以語體行文，藉示一例。

※　　※　　※　　※

⑵弟　致　兄

大哥賜鑒：久未聆　敎，渴念良殷，惟日以　起居安吉，
雙親康寧爲祝。弟於本月初蒙王總經理厚愛，擢任本公司公共關係室主任，兩週以來，業務蒸蒸日上，
堪慰　遠念。近日天氣驟冷，甚難忍受，望稟知　母親，速將弟之棉袍等件付郵寄交，至爲盼禱。專此
上陳，敬頌
近祺。並請
父母親大人均安

弟彥倫謹啓　十一月十六日

大嫂、弟妹、諸姪統此，不另。

※　　※　　※　　※

⑶兄　致　弟

龍弟如面：不通音問，已數星期矣。遙想
旅祉增綏，諸事如恆，至以爲頌。兄自前次通函之後，卽盼吾　弟早日歸來，乃遷延至今，竟成虛願。
堂上望切倚閭，尤爲懸系。韶光飛逝，轉眼卽屆歲闌，無論如何冗忙，亦須　抽身返家，上慰
親心，是所至囑。匆匆草此。卽詢

近佳

兄仲偉手啓 十二月廿日

※ ※ ※ ※

(4) 妻寄夫

元龍夫子偉鑒：別後懷思，常繞魂夢，而一日三秋之感，黯然銷魂矣。頃展 華翰，如覩

光儀，藉悉

旅祺安吉，諸事順遂，歡忭之情，莫可名狀，惟有續禱上蒼，長相默佑耳。家中自

君姑或母親以下，均稱康健，芳亦勤修婦職，輯睦鄉鄰，希勿 掛念。惟是

夫子羈旅他鄉，風塵僕僕，蟾圓天上，不知幾回。

堂上慈幃，時切倚閭之望，庭前弱息，輒思膝下之依。伏祈 早定歸期，以敍天倫之樂，則慈孝兩全也。

千里神馳，無任企盼，千萬珍重，珍重千萬。耑此。敬請

旅 安

妻令芳斂衽 三月十六日

※ ※ ※ ※

(5) 夫寄妻

小蘋妹妝次：自抵沙國，倐已兼旬，雖棲遲異域，遠隔重洋，而 卿之笑貌聲音，猶復時時呈現於腦海，

縈繞於耳畔，安得身如海燕，飛上妝臺，一覩
玉人之面，以償苦憶之情。又思
母親老邁，兒女嬌癡，家事無論鉅細，全賴
卿一人獨立維持，興念及此，感慰交併。此間業務繁冗，終日辛勤，幸頑軀尚健，差可應付。獨夜闌誦
卿臨別贈我『異域風光毋戀久，故園月亮好歸程』之句，輒爲之惻惻耳。所幸今番來此，爲時僅三月，
一俟年終事畢，當卽星馳就道，決不稍留也。先此布意。順候
妝　安

夫
少泉頓首　十月十五日

※　※　※　※

㈢家　訓

按家訓共舉五例，除第一例爲編者所擬外，其餘均係古人所作。

(1)父諭子

雄兒知悉：昨閱來書，知汝已以第一志願考入臺大法律系，老懷甚慰。就我所知，系中名師雲集，夙著聲譽，汝當珍惜寸陰，刻苦力學，以便將來保障民權，弘揚法治，爲一人人所尊敬之律師。平居在家則當孝順祖母，侍奉母親，戚族親長，務須尊重，淫朋賭友，切勿相交。早眠早起，門戶最要小心，勿怠勿惰，火燭更當謹愼。餘如飲食寒暖，亦宜留意。切記余言，勿違是囑。

父字　四月十二日

※　※　※　※

⑵戒兄子嚴敦書

馬援

吾欲汝曹聞人過失，如聞父母之名，耳可得聞，口不可得言也。好議論人長短，妄是非正法㈠，此吾所大惡也，寧死不願聞子孫有此行也。汝曹知吾惡之甚矣，所以復言者，施衿結褵㈡，申父母之戒，欲使汝曹不忘之耳。

龍伯高㈢敦厚周愼，口無擇言，謙約節儉，廉公有威，吾愛之重之，願汝曹效之。杜季良㈣豪俠好義，憂人之憂，樂人之樂，清濁無所失。父喪致客，數郡畢至，吾愛之重之，不願汝曹效也。效伯高不得，猶爲謹勑之士，所謂刻鵠不成尚類鶩者也。效季良不得，陷爲天下輕薄子，所謂畫虎不成反類狗者也。

訖今季良尚未可知，郡將下車㈤輒切齒，州郡以爲言，吾常爲寒心，是以不願子孫效也。

【作　者】

馬援字文淵，東漢茂陵人。光武時累官拜伏波將軍，征交阯，立奇功，封新息侯，後討武陵五溪蠻，卒於軍，時年八十餘。見後漢書本傳。

【說　明】

本篇選自後漢書馬援傳，爲戒子姪書之濫觴，其後踵武者甚多，遂自成一體。

【注　釋】

㈠正法　謂當時之政治法制也。

㈡施衿結褵　古禮：女子嫁時，母親爲之施衿佩也結褵之巾覆首，並致訓詞。

㈢龍伯高　名述，東漢人。

㈣杜季良　名保，東漢人。

㈤下車　官吏初到任曰下車。

※　※　※　※

(3)戒子書

諸葛亮

夫君子之行，靜以修身，儉以養德，非澹泊無以明志，非寧靜無以致遠。夫學欲靜也，才欲學也，非學無以廣才，非靜無以成學。慆慢則不能研精，險躁㈠則不能理性。年與時馳，意與日去，遂成枯落，多不接世，悲守窮廬，將復何及。

【作　者】

諸葛亮字孔明，東漢陽都人。少孤，避難荊州，躬耕隴畝。徐庶薦於劉備，備三顧茅廬，始得見，遂出爲佐輔。後備據蜀自立，以亮爲丞相。及卒，受遺詔輔後主。建興中，封武鄉侯，領益州牧，數出師伐魏，以疾卒於軍。有諸葛忠武集。

【注　釋】

㈠險躁　邪惡而性急也。

※　※　※　※

附戒外甥書

諸葛亮

夫志當存高遠，慕先賢，絕情欲，棄凝滯，使庶幾㊀之志，揭然有所存，惻然有所感。忍屈伸，去細碎，廣咨問，除嫌吝，雖有淹留，何損於美趣，何患於不濟。若志不彊㊁毅，意不慷慨，徒碌碌滯於俗，默默束於情，永竄伏於凡庸，不免於下流矣。

【說明】

曾國藩嘗謂古人中最精於尺牘者，當推諸葛亮與王羲之，惜其文多亡佚，舉此兩篇，亦可作鼎臠之嘗焉。

【注釋】

㊀庶幾　猶言賢者，本論語『回也其庶乎』語。

㊁彊毅　即強毅。

※　※　※　※

(4)戒子書

羊祜

吾少受先君之教，能言之年，使召以典文，年九歲，便誨以詩書，然尚猶無鄉人之稱，無清異之名。今之職位，謬恩之加耳，非吾力所能致也。吾不如先君遠矣，汝等復不如吾。諮度弘偉，恐汝兄弟未之能也，奇異獨達，察汝等將無分也。恭爲德首，愼爲行基，願汝等言則忠信，行則篤敬，無口許人以財，無傳不經之談，無聽毀譽之語。聞人之過，耳可得受，口不能宣，思而後動。若言行無信，身受大謗，自入刑論，豈復惜汝，恥及祖考。思及父言，纂及父教，各諷誦之。

【作者】

羊祜字叔子，晉南城人。博學能屬文，善談論，世以淸德聞。武帝時，官至尙書左僕射，後都督荆州諸軍事，甚得江漢間人心。既卒，追贈太傅，有文集行世。

※ ※ ※ ※

(5)家訓

朱用純

黎明卽起，灑掃庭除，要內外整潔，既昏便息，關鎖門戶，必親自檢點。一粥一飯，當思來處不易，半絲半縷，恆念物力維艱。宜未雨而綢繆㊀，毋臨渴而掘井。自奉必須儉約，宴客切勿留連。器具質而潔，瓦缶勝金玉，飲食約而精，園蔬愈珍饈。勿營華屋，勿謀良田。三姑六婆，實淫盜之媒，婢美妾嬌，非閨房之福。童僕勿用俊美，妻妾切忌豔妝。祖宗雖遠，祭祀不可不誠，子孫雖愚，經書不可不讀。居身務期儉約，教子要有義方㊁。莫貪意外之財，莫飲過量之酒。與肩挑貿易，毋佔便宜，見窮苦親鄰，須加溫恤。刻薄成家，理無久享，倫常乖舛㊂，立見消亡。兄弟叔姪，須分多潤寡，長幼內外㊃，宜法肅辭嚴。聽婦言，乖骨肉，豈是丈夫，重貲財，薄父母，不成人子。嫁女擇佳壻，毋索重聘，娶媳求淑女，勿計厚奩。見富貴而生諂容者，最可恥，遇貧窮而作驕態者，賤莫甚。居家戒爭訟，訟則終凶，處世戒多言，言多必失。勿恃勢力而凌逼孤寡，毋貪口腹而恣殺牲禽。乖僻自是，悔誤必多，頹惰自甘，家道難成。狎暱惡少，久必受其累，屈志老成㈤，急則可相依。輕聽發言，安知非人之譖愬㈥，當忍耐三思，因事相爭，焉知非我之不是，須平心再想。施惠無念，受恩莫忘。凡事當留餘地，得意不宜再往。人有喜慶，不可生妒忌心，人有禍患，不可生喜幸心。善欲人見，不是眞善，惡恐人知，便是大惡。見色而起淫心，報在妻女，匿怨而用暗箭，禍延子孫。家門和順，雖饔飧不繼㈦，亦有餘歡，國課早完㈧，卽囊橐無餘，自得至樂。讀書志在聖賢，非徒科第，爲官心存君國，豈計身家。守分安命，順時聽天，爲人若此，庶乎近焉。

【作　者】

朱用純字致一，明江蘇崑山人。父集璜，死於兵，慕晉王裒攀柏哭父之孝行，自號柏廬。入清不仕，康熙間卒，門人私謚孝定。所作朱子家訓又稱治家格言傳誦海內。

【注　釋】

㈠未雨綢繆　喻預先籌措。詩經豳風鴟鴞：『迨天之未陰雨，徹彼桑土，綢繆牖戶。』言鴟鴞趁天未有降陰雨之前，用嘴爪剝取桑根之嫩皮，以之纏結窗牖通氣之孔隙也。

㈡義方　義者事之宜，義方謂義之矩度。左傳隱公三年：『石碏諫曰：「臣聞愛子教之以義方，弗納於邪。」』

㈢乖舛　乖戾舛錯也。

㈣內外　謂男女也。古時男主外，女主內，故以外內別男女。

㈤屈志老成　謂謙從練達成人也。屈志，降志屈身，對人謙恭。老成，老諳世故，年長有德之人。

㈥安知非人之譖愬　謂安知其非浸潤之譖、膚受之愬乎。譖，毀謗。愬，誣訴。

㈦饔飧不繼　謂早餐晚飯不能繼續。

㈧國課早完　謂國家之賦稅應及早完納也。

※　※　※　※

㈣遺　書

按遺書共舉五例，均爲古人所作。

(1)臨終遺弟謨書

薛　濬

吾以不造，幼丁艱酷，窮遊約處，屢絕箪瓢。晚生早孤，不聞詩禮，賴奉先人貽厥之訓，獲稟母氏聖善之規。負笈裹糧，不憚艱遠，從師就業，欲罷不能。砥行厲心，困而彌篤，服膺教義，爰至長成，自釋耒登朝㈠，於茲二十三年矣。雖官非聞達，而祿喜逮親，庶保期頤，得終色養。何圖精誠無感，禍酷薦臻。兄弟俱被奪情，苫廬靡中哀訴，是用扣心泣血，隕氣摧魂者也。繼而瘖巨釁深㈡，不勝荼毒，啓手啓足，幸及同歸，使夫死而有知，得從先人於地下矣，豈非至願哉。但念爾伶俜孤宦，遠在邊服㈢，顧此恨恨，如何可言。適已有書，冀得與汝面訣，忍死待汝，已歷一旬。汝既未來，便成今古，緬然永別，爲恨何言。勉之哉，勉之哉。

【作　者】

薛濬字道賾，隋汾陰人。少孤，養母以孝聞。開皇初擢尚書虞部侍郎。帝聞其孝，賜母輿服几杖，四時珍味，當時榮之。及母卒，毀瘠過甚，上爲之改容。旋以不勝喪病而卒。

【注釋】

㈠釋耒登朝　謂棄農而仕也。

㈡瘡巨釁深　濬丁母艱，歸葬夏陽，時在隆冬，衰絰徒跣，冒犯霜雪，自京及鄉五百餘里，足凍墜指，瘡血流離。釁，裂縫也。

㈢遠在邊服　時薛謨在揚州爲晉王府兵曹參軍。

※　※　※　※

⑵上太夫人書

史可法

不肖男可法遺稟

母親大人：兒在宦途，一十八年，諸苦備嘗，不能有益於朝廷，徒致曠違定省，不忠不孝，何以立於天地之間。今以死殉城，不足贖罪。望　母親委之天數，勿復過悲。兒在九泉，死無所恨。得副將德威完兒後事，望　母親以親孫撫之。四月十九日不肖兒可法泣書。

【作者】

史可法字憲之，一字道鄰，明祥符人，崇禎元年進士。清兵入關，佔據燕京，福王即位南京，可法以兵部尚書拜大學士，旋為馬士英等所排斥，出而督師揚州，順治二年四月廿五日城陷被執，罵賊而死。揚民謳思，葬其袍笏衣冠於梅花嶺。史公無子，遺言以副將史德威為嗣。

※　※　※　※

(3)與妻訣別書

林覺民

意映卿卿如晤：

吾今以此書與汝永別矣。吾為此書時，尚為世中一人，汝看此書時，吾已成為陰間一鬼。吾作此書，淚珠和筆墨齊下，不能竟書而欲擱筆，又恐汝不察吾衷，謂吾忍舍汝而死，謂吾不知汝之不欲吾死也，故遂忍悲為汝言之。

吾至愛汝，卽此愛汝一念，使吾勇於就死也。吾自遇汝以來，常願天下有情人都成眷屬。然徧地腥羶，滿街狼犬，稱心快意，幾家能彀，司馬青衫㈠，吾不能學太上之忘情也。語云：『仁者老吾老以及人之老，幼吾幼以及人之幼。』吾充吾愛汝之心，助天下人愛其所愛，所以敢先汝而死，不顧汝也。汝體吾此心，於啼泣之餘，亦以天下人為念，當亦樂犧牲吾身與汝自身之福利，為天下人謀永福也，汝其勿悲。

汝憶否四五年前某夕，吾嘗語曰：『與其使我先死也，無寧汝先吾而死。』汝初聞言而怒，後經吾婉解，雖不謂吾言為是，而亦無辭相答。吾之意蓋謂以汝之弱，必不能禁失吾之悲，吾先死，留苦與汝，吾心不忍，故寧請汝先死，吾擔悲也。嗟夫，誰知吾卒先汝而死乎。

吾眞眞不忍忘汝也。回憶後街之屋，入門穿廊，過前後廳，又三四折有小廳，廳旁一屋為吾與汝雙棲之所。初婚三四個月，適冬之望日前後，窗外疏梅篩月影，依稀掩映，吾與汝攜手低低切切，何事不語，何情不訴。及今思之，空餘淚痕。又回憶六七年前，吾之逃家復歸也，汝泣告我：『望今後有遠行，必以告妾，妾願隨君行。』吾亦既許汝矣。前十餘日回家，即欲乘便以此行之事語汝，及與汝對，又不能啓口，且以汝之有身也，更恐不勝悲，故惟日日呼酒買醉。嗟夫，當時余心之悲，蓋不能以寸管形容之。

吾誠願與汝相守以死，第以今日事勢觀之，天災可以死，盜賊可以死，瓜分之日可以死，奸官汙吏虐民可以死，吾輩處今日之中國，無時無地不可以死。到那時使吾眼睜睜看汝死，或使汝眼睜睜看我死，吾能之乎，抑汝能之乎。即可不死，而離散不相見，徒使兩地眼成穿而骨化石。試問古來幾曾見破鏡重圓㊀，則較死尤苦也，將奈之何。今日吾與汝幸雙健，天下人不當死而死，與不當離而離者，不可數計，鍾情如我輩者，能忍之乎。此吾所以敢率性就死，不顧汝也。吾今死無餘憾，國事成不成，自有同志者在。依新已五歲，轉眼成人，汝其善撫之，使之肖我。汝腹中之物，吾疑其女也，女必像汝，吾心甚慰。或又是男，則亦敎其以父志爲志，則我死後，尙有二意洞在也，甚幸甚幸。吾家日後當甚貧，貧無所苦，清靜過日而已。吾今與汝無言矣，吾居九泉之下，遙聞汝哭聲，當哭相和也。吾平日不信有鬼，今則又望其眞有。今人又言心電感應有道，吾亦望其言是實，則吾之死，吾靈尙依依傍汝也，汝不必以無侶悲。

吾平生未嘗以吾所志語汝，是吾不是處。然語之又恐汝日日爲吾擔憂。吾犧牲百死而不辭，而使汝擔憂，的的非吾所思。吾愛汝至，所以爲汝體者惟恐未盡。汝幸而偶我，又何不幸而生今日之中國，吾幸而得汝，又何不幸而生今日之中國，卒不忍獨善其身。嗟夫，紙短情長，所未盡者，尚有萬千，汝可以模擬得之。而今不能見汝矣，汝不能舍我，其時時於夢中得我乎。一慟。

辛未㊂三月念六夜四鼓意洞手書

家中諸母皆通文，有不解處，望請其指教，當盡吾意爲幸。

【作　者】

林覺民字意洞，號抖飛，清福建閩縣人。幼年體弱性慧，目灼灼如流星。年十四入高等學堂，醉心平等自由之說。十九歲以父命成婚，伉儷情深。翌年東渡日本入慶應大學文科，陰結志士，倡言革命。民國紀元前一年贊助黃興謀起義。黃興嘗曰：『意洞來，天贊我也，運籌帷幄，不可一日無君。』其倚重若此。三月二十九日圍攻兩廣總督署，被逮，當時報載獲一斷髮西裝之美少年，蓋卽覺民也。就義之日，面不改色，俯仰自若，時年二十五耳。遺體葬黃花岡。此書係赴義前之絕筆，作於香港。

【注　釋】

㊀司馬青衫　白居易琵琶行：『座中泣下誰最多，江州司馬青衫溼。』因白氏作此詩時正作江州司馬。

㊁破鏡重圓　喻夫妻散而後合。古今詩話載：陳時徐德言尚樂昌公主。陳政衰，德言謂妻曰：『國破必入權豪家。』乃破鏡各分其半，約他日以正月望日賣於都市。及陳亡，妻爲楊素所得。德言至京，有蒼頭賣半鏡者，德言出半鏡合之。題曰：『鏡與人俱去，鏡歸人不歸。無復嫦娥影，空留明月輝。』樂昌得詩，悲泣不食，素知之，乃召德言至，還其妻。

㈢辛未 係辛亥之筆誤，姑存其眞，足見寫信時心緒。

※ ※ ※ ※

⑷赴義前別父書

方聲洞

父親大人膝下：跪稟者，此爲兒最後親筆之稟，此稟果到家，則兒已不在人世者久矣。兒死不足惜，第此次之事，未曾稟告大人，實爲大罪，故臨死特將其就死之原因，爲大人陳之。

竊自滿洲人入關以來，凌辱我漢人無所不至。迄於今日，外患逼迫，瓜分之禍，已在目前。滿洲政府猶不願實心改良政治，以圖強盛，僅以預備立憲之空名，炫惑內外之觀聽，必欲斷送漢人土地於外人，然後始大快於其心。是以滿政府一日不去，中國一日不免於危亡，故欲保全國土，必自驅滿始，此固人人所共知也。兒蓄此志已久，祇以時機未至，故隱忍未發。邇者海內外諸同志共謀起義，以撲滅滿政府，以救祖國，祖國之存亡，在此一舉。事敗則中國不免於亡，四萬萬人皆死，不特兒一人。如事成，則四萬萬人皆生，兒雖死亦樂也。祇以大人愛兒者，故臨死不敢不爲稟告，但望大人以國事爲心，勿傷兒之死，則幸甚矣。

夫男兒在世，不能建功立業，以強祖國，使同胞享幸福，雖奮鬥而死，亦大樂也。且爲祖國而死，亦義所應爾也。兒刻已念有六歲矣，對於家庭，本有應盡之責任，祇以國家不能保，則身家亦不能保，卽爲身家計，亦不能不於死中求生也。兒今日竭力驅滿，盡國家之責任者，亦卽所謂保身家也。他日革命成功，我家之人，皆爲中華新國民，而子孫萬世，亦可以長保無虞，則兒雖死，亦瞑目地下矣。惟從此以往，一切家事，均不能爲大人分憂，甚爲抱憾，幸有壽兒及諸孫在，則兒或可稍安於地下也。惟祈大人得信後，切不可過於傷心，以礙福體，則兒罪更大矣，幸諒之。茲附上致穎媳信一通，俟其到漢時面交，並祈得書時，即遣人赴日本接其歸國，因彼一人在東，無人照料，種種不妥也。如能早歸，以盡子媳之職，或能輕兒不孝之罪。臨死不盡所言，惟祈大人善保玉體，以慰兒於地下。旭孫將成，乞善導其愛國精神，以爲將來報仇也。臨書不勝企禱之至。敬請

萬福金安

兒聲洞赴義前一日稟於廣州

【作者】

方聲洞，黃化岡七十二烈士之一。

※　※　※　※

⑸與妻書　吳樾

人之生死亦大矣哉，蓋生有必勝於死，然後可以生，死必有勝於生，然後可以死。可以生則生，可以死則死，此之謂知命，此之謂英雄，昧昧者何能焉。生不知其所以生，死不知其所以死，以爲生有生人之樂，而死則無之，故欲生惡死之情，自往來於胸中而不去，則此輩之生若秋蟬，死如朝菌者，可無足怪矣。若夫號稱知命之英雄，向人則曰：『我不流血誰流血。』此即我不死誰死之代名詞耳。及至可

以流血之日，而彼則曰：『我留此身，將有所待。』待之又久，而此身或病死，或他故而死，吾知其將死之際，未有不心灰意冷，勃發天良，直悔前言之不踐，與其今日死，不如昔日之不生也，然悔之何及，徒益悲傷耳。此吾之所爲有鑒於此，而不敢不從速自圖焉。亦以內顧藐躬，素非強壯，且多愁善病，焉能久活人間。與其悔之他時，不如圖之此日，抑或者蒼天有報，償我名譽於千秋，則我身之可以腐滅者，自歸於腐滅，而不可以腐滅者，自不腐滅耳。夫可以腐滅者體質，而不可以腐滅者精靈，體質爲小我，精靈爲大我，吾非昧昧者比，能不權其大小輕重以從事乎。而況奴隸以生，何如不奴隸而死。以吾一身而爲我漢族倡不奴隸之首，其功不亦偉耶。此吾爲一己計，固不得不出此，即爲吾漢族計，亦不得不出此。

吾決矣，子將何如。古人有言曰：『人固有一死，死有重於泰山，有輕於鴻毛。』㊀子即不爲漢族計，亦獨不爲己計乎。子自思身材之短小，體氣之柔弱，精神之欠乏，飲食之簡少，且衞生之不講，心境之不寬，勞苦之不耐，疾病之時至，非較吾尤甚乎。吾竊不遜，若子能壽年一百，吾即能壽年一百一十，吾今自思，不過得壽四五十，子當可作比例觀。且子多壽有何所用，雖如彭祖㊁，亦不過飲食衣服較多於人，而況子非其比，勢不得不爲一己計。則當捐現在有限之歲月，而求將來之無限尊榮。且也，以個人性命之犧牲，而爲鐵血強權之首倡，此爲一己之計，即所以爲漢族計也，非一舉而數得乎。子其三復思之，如以吾言爲然，則請爲子畫善死之策，如以爲否，則請留此書，於臨死之日，再一閱之，以證吾之見地如何。某白。

【作　者】

吳樾，清桐城人，素主種族革命。光緒間派載澤等五大臣出洋考察憲政，樾慮立憲成，清祚或不可拔，乃於載澤等登車時，擲彈擊之，不中，自斃。

【注　釋】

㈠人固有一死三句　漢司馬遷語，見漢書司馬遷傳，

㈡彭祖　上古顓頊玄孫，姓籛，名鏗，善導引行氣，堯時封於大彭，至殷末已七百六十七歲而不衰。見神仙傳。

※　※　※　※

（二）通候類

人生存在社會上，固不能遺落世事，離羣索居，而必須交際應酬，互相存問，藉以聯絡感情，增進交誼。語云，世事不如意者十常八九，若平時與人不相往來，一旦有難，始求助於人，其效果如何，可以不問而知。故勤於通候，廣結善緣，乃爲人處世所不可忽略之重要課題。昔人謂『千里送鵝毛，禮輕情意重』，移以語此，尤爲恰當。至吳梅村所云『不好詣人貪客過，慣遲作答愛書來』，乃名士作風，不可爲法。

一般通候信札，因無重要事情作骨幹，極易流於空泛或俗套，故看似容易，實則甚難。如何化腐朽爲神奇，變無情爲有情，則端視作者之用心耳。吾人以爲一篇上好之通候信，在態度方面，既不可過分卑屈，亦不可傲氣凌人，應注意切合對方身分，站穩自己立場，凡交淺言深，或交深言淺，均非所宜。

在用辭方面，當婉轉周密，切實得體，最好能有深情摯意洋溢於字裏行間，使受之者色然心喜，回味無窮。

(1)候　業　師(一)

夫子大人函丈：憶別

絳帳，歲華頻更，雲山遠隔，立雪無從，回首

春風，彌深神往。敬維

道履綏和，

崇祺休暢，爲無量頌。生於民國六十五年自母校畢業後，即應彰化縣花壇國民中學之聘，濫竽國文教席(二)，敝校遠離鬧市，景色宜人，黌舍寬敞，學風淳良，實爲讀書教學之理想環境。惟當年在校之時，因年事尚輕，不知奮勉，蹉跎歲月，一旦登上講壇，頗有力不從心之憾，然後知古人所謂『書到用時方恨少』、『教然後知困』云云(三)，誠體會有得之言也。雖然，生尚能秉承

訓誨，努力進修，庶幾無辱於

師門，無負於學子。講餘有便，仍乞

教語時頒，俾益庸愚，無任盼禱之至。肅此。敬請

崇　安

受業張同塵拜上　九月十八日

師母大人前祈代叱名請　安

【說　明】

『夫子大人』爲男學生對五十歲以上男教師之稱呼，若以『大人』二字稍嫌陳腐，可改爲『某公吾師』。例如業師爲屈萬里（字翼鵬）先生，可稱『翼公吾師』，不知其字號，則逕稱『萬公吾師』。

又無論男學生或女學生對五十歲以下之男教師與各級年齡之女教師，均可稱『某某吾師』。例如男性業師爲劉師培（字光漢），可稱『光漢吾師』或『師培吾師』。（若業師爲單名則將『吾』字去掉）女性業師爲揚宗珍（筆名孟瑤），可稱『孟瑤吾師』或『宗珍吾師』。

【注　釋】

㈠濫竽　喻能力不足，不能稱職也。韓非子內儲說：『齊宣王使人吹竽必三百人，南郭處士請爲王吹竽，宣王悅之，廩食以數百人，宣王死，湣王立，好一一聽之，處士逃。』

㈡教然後知困　語見禮記學記。

※　※　※　※

⑵候業師㈠

文月吾師壇席：暌違門牆，屈指經年，每憶芝顏，輒深嚮往，恭維

潭祉安泰，
教壇吉祥，式符所頌。回首四年芸窗㈠，多蒙
循循善誘，
殷殷啓導，然後於古典文學之欣賞，現代小說散文之創作，乃能略有所窺。公餘之暇，信手塗鴉，今積稿已有二十篇矣。茲付郵寄上，敬請
揮其椽筆㈡，曲加
斧正，曷勝企幸。耑肅奉懇。祗頌
教　祺

小女安琪侍叩。　　生裴夢蓮敬叩　五月六日

【注　釋】

㈠芸窗　讀書之處。芸香可避蠹，古人藏書多用之，故稱讀書之處曰芸窗。

㈡椽筆　猶言大手筆。晉書王珣傳：『珣夢人以大筆如椽（以短木附於梁上以承屋瓦者）與之，既覺，語人曰：「此當有大手筆事。」俄而帝崩，哀册謚議，皆珣所草。』

※　※　※　※

⑶候友人

文強吾兄左右：久暌
英采，愜切馳思，未能一見爲悵。近聞
貴公司聲譽鵲起㈠，遠播西海，前途未可限量，引企
吉暉，曷勝抃躍。弟畢業後，嘗一度廁身杏壇，謬充教席。嗣參加高等文官考試，幸蒙錄取，奉分發基隆港務局服務。承乏以來㈡，倏經十載，勞人草草，無善可陳。每誦黃山谷『桃李春風一杯酒，江湖夜雨十年燈』之句㈢，輒爲之棖觸百端㈣，不能自已。以視
足下鵬程聿展，扶搖直上㈤，其相去爲何如耶。如因風便，敬乞 惠我數行，以慰蓬衷。專候。並祝
潭第安吉

弟杜鵬聲頓首 四月一日

【注釋】

㈠鵲起 謂遠引之速也。太平御覽引莊子：『鵲上高城之垝，而巢於高榆之顛，城壞巢折，陵風而起。故君子之居世也，得時則蟻行，失時則鵲起。』今統稱乘時而起曰鵲起，爲興盛之意。

㈡承乏 在位或任職之謙辭。左傳成公二年：『韓厥曰：「敢告不敏，攝官承乏。」』謂官員適缺乏，以己攝代而承之。

㈢桃李春風二句 見黃庭堅寄黃幾復詩。

㈣棖觸 感觸也。李商隱戲題樞言草閣詩：『君時臥棖觸，勸客白玉盃。』

㈤扶搖 旋風也。莊子逍遙遊篇：『鵬之徙於南冥也，水擊三千里，摶扶搖而上者九萬里，去以六月息者也。』今謂事業發達或仕途得意曰扶搖直上。

※　※　※　※

(4) 候同學

玲玉學姊慧鑒：不覩

芳儀，瞬息數載，每誦屋梁落月之詩，輒增一日三秋之感。正切停雲㈠，而

朵雲忽降㈡，欣悉

榮膺金融事業人員特種考試榜首，引領南天，彌殷燕賀，將來造福社會，光耀

門楣，當可預卜。妹歸國半年，即奉父母之命，與國立東京大學文學院副教授岡崎龜太郎博士結婚，自是洗盡鉛華，主持中饋㈢。尤其自小犬武雄降生後，益形忙碌，終日與奶瓶尿布為伍，略無進修時間，幾何其不成為面目可憎、言語乏味之黃臉婦耶㈣。昔所學者，早已抛諸腦後矣。言念及此，又不禁爽然自失。吾

姊學業事業，兩有成就，頗令我東洋婦女羨慕不已。依敝國舊例，女子結婚之後，即須步入廚房，不得與男子一爭長短，世上不平之事，寧有踰於此者，未諳

尊意以為然否。因風寄意，不盡所懷。專泐覆候。順頌

夏祺

妹　桑野美雪（くわのみゆき）謹上　六月廿一日　於東京

【注釋】

㈠停雲　思慕之意。陶潛停雲詩序：『停雲，思親友也。』

㈡朵雲　唐書韋陟傳：『陟封郇公，常以五采箋爲書記，使侍妾主之。其裁答授意而已，皆有楷法，陟惟署名，自謂所書陟字，若五朵雲，時人慕之，號郇公五雲體。』今因謂書札曰朵雲。

㈢主中饋　婦人在家，主飲食之事，曰主中饋。周易家人卦：『无攸遂，在中饋，貞吉。』孔穎達疏：『婦人之道，巽順爲常，无所必遂，其所職主，在於家中饋食供祭而已。』俗稱婦職爲主持中饋，男子未娶曰中饋猶虛，均本此。

㈣面目可憎二句　宋黃庭堅云：『三日不讀書，便覺面目可憎，言語乏味。』

※　※　※　※

(5)候同事

鶴亭仁兄足下：分袂半載，如隔三秋，辰維

公私迪吉，

動定綏和，定符所頌。弟離職回里之後，本擬出國深造，奈因二親年邁，必須弟在家侍奉，以致事與願違，昔日之雄圖壯志，業已消磨殆盡，今後惟有再覓一職，以維家計，而遣餘生，如是而已。

兄臺近況若何，鴻鱗有便，還希

德音時頒，不我遐棄，無任欣幸之至。耑此奉候。卽頌

勛綏

弟江平謹啓十一月卅日

※　※　※　※

(6)候女友

玉嬙小姐雅鑒：既

惠錦箋，復

頒玉屑㊀，有詞皆豔，無字不香，靈筆慧心，足冠儕輩。而一種纏綿淒楚之情，時流露於行間字裏，令

人不忍卒讀，如

卿者可以怨矣。嘯秋風塵潦倒，湖海飄零，浮生碌碌㊁，知己茫茫，無江淹賦別之才㊂，有杜牧傷春之

恨㊃，一誦此詩，百感交集，孰能作太上之忘情耶㊄。春風多便，仍乞時

播佳音，慰我長想，勿使消息渺如黃鶴也。順錄近作楊花落一首，並希

吟正。專此。祗頌

文祺

嘯秋敬上　二月十六日午夜

附　楊花落

何處飄零覓斷魂。荒砧月笛水邊村。

無端悵望懷宣武㊅。底事蕭條出玉門㊆。

眉黛銷殘應有恨。瑤琴捶碎已無恩㊇、

長亭記得垂垂別㊈。一段柔情似夢痕。

【注　釋】

㊀玉屑　指詩。宋魏慶之編詩人玉屑二十卷，宋人詩話略具於此。

㊁浮生　人生世上，虛浮無定，故曰浮生。李白春夜宴從弟桃李園序：『浮生若夢，爲歡幾何，古人秉燭夜遊，良有以也。』

㊂江淹賦別　梁江淹作別賦，鋪陳別離之苦，分述顯貴、任俠、從軍、出使、遊宦、夫婦、方外、情侶各類之人，無不以別離爲難堪之事。詳見文選。

㊃杜牧傷春　唐詩紀事：『杜牧佐宣城幕，遊湖州，刺史張水嬉，令牧閑行閱奇麗，得垂髫者十餘歲。後十四年牧刺湖州，其人已嫁生子矣。乃悵而爲詩曰：「自是尋春去較遲，不須惆悵怨芳時，狂風落盡深紅色，綠葉成陰子滿枝。」』蓋綠葉成陰以喻年華已逝，子滿枝以喻兒女成行也。

㊄太上忘情　言聖人寂然不動情，若遺忘者。太上，謂人之最上者，指聖人。晉書王衍傳：『衍嘗喪幼子，山簡弔之，衍悲不自勝。簡曰：「孩抱中物，何至於此。」衍曰：「聖人忘情，最下不及於情，情之所鍾，正在我輩。」』

㊅宣武　卽宣武侯，晉桓溫之諡號，世稱桓宣武。世說言語篇：『桓公北征，經金城，見前爲琅邪時種柳，皆已十圍，慨然曰：「樹猶如此，人何以堪。」攀枝執條，泫然流淚。』

㊆玉門　關塞名，在今甘肅敦煌縣西南，陽關之西北，爲古代通往西域要塞之一。王之渙出塞詩：『羌笛何須怨楊柳，春風不度玉門關。』

㊇瑤琴捶碎　春秋楚人伯牙，師事成連，善鼓琴，與鍾子期善。伯牙鼓琴，志在泰山，子期聽之，曰：『善哉乎鼓琴，巍巍乎若泰山。』既而志在流水，子期又曰：『善哉乎鼓琴，湯湯乎若流水。』子期死，伯牙破琴絕絃，終身不復鼓琴，以爲世無復有知音者。事見呂氏春秋本味篇。

㈨長亭　送別之地。白帖：『十里一長亭，五里一短亭。』

※　※　※　※

(7)候男友

吾摯愛之明哥鑒：一病經旬，恍如隔世。妹於心傷淚盡之餘，披肝瀝血，而成此書。天涯海角，棲託何鄉，冷月昏燈，相思無路。哥不知妹之生死，妹不審哥之存亡，水闊魚沈，敎從何處通款曲耶㈠。此書之能入哥目與否，杳不可必，然妹固不能自已也。浮雲一別，忽忽半年矣，哥此去殊出意外，臨行並無一言相慰，雖恨我良深，抑何其速耶。妹不能禁哥之不恨我，哥果恨我，妹且樂甚，蓋恨我愈甚，卽愛我愈深。妹無狀，不能永得哥之愛，亦不敢再冀哥之愛，妹前此之罪戾，或轉因哥之恨我，冥冥中爲之消滅，故妹深望哥之能恨我也。自今以往，妹其無意於人世矣，當剪此三千煩惱之絲，皈依佛門，木魚貝葉㈡，伴我餘生，於願已足。哥才氣過人，靑雲直上㈢，當可預卜。臨書愴怳㈣，不知所云。專此布臆。伏維

珍重

蜀鵑再拜　三月十九日

【注釋】

㈠款曲　猶言酬應。後漢書光武帝紀：『文叔少時謹信，與人不款曲，惟直柔耳。』

㈡木魚貝葉　木魚，佛家法器，爲團圓之魚鱗形，誦經禮佛時叩之。貝葉，卽佛經，以印度人多用貝多羅樹之葉書寫經

文故也。

㊂青雲直上　出人頭地之喻。史記范睢傳：『須賈頓首言死罪曰：「賈不意君能自致於青雲之上。」』

㊃惝怳　失意不悅貌。文選潘岳寡婦賦：『怛驚悟兮無聞，超惝怳兮慟懷。』

※　※　※　※

(三) 謀職類

在此人浮於事之社會中，欲謀一職業，固非易易，欲謀一稱心如意之職業，尤難上加難。加以吾國民性保守，數千年之傳統觀念深印腦海，牢不可破。欲其師法毛遂戰國趙惠文王九年，秦侵趙，平原君奉使求救合縱於楚，約門下食客文武具備者二十人偕，而獨缺一人，毛遂乃自贊請從，完成使命。見史記平原君傳。自衒自賣，實難以啓齒。其實若毛遂其人者，在今日之美日以至西歐各國，比比皆是，甚且蔚爲風尙。蓋工商社會，人人忙碌，訪賢求能之事，已不復可見。而青年初入社會，才華未露，經驗尤缺，欲人三顧，寧非奢求。故處今之世，惟有突破傳統，面對現實，儘量的表現自己，適當的推銷自己，始能大展鴻圖，一舒偉抱。若乃閉門固守，一味矜持，或憤世嫉俗，自命淸高，則其侘傺不偶，憔悴終身，可不卜而知也。

寫謀職信札，應謹守不卑不亢之原則。蓋過於謙卑，則自貶身價，予人以碌碌無能之不良觀感，固非所宜。過於高傲，則又狂妄恣肆，予人以輕佻浮夸之惡劣印象，亦非其道。吾前所謂『儘量的表現自己，適當的推銷自己』，卽不卑不亢之意也。今略舉一二，以供參考。

(1)謀教職(一)

惠公校長賜鑒：士林碩望，久切心儀，學府騰聲，時殷清慕。春風廣被，樹桃李以千行，化雨均沾，奠邦基於百載。是以中臺子弟㊀，無不競列

門牆，冀荷

裁成，而南北俊彥，亦以躋身

貴校，共宣木鐸爲榮。葵藿之傾㊁，蓋非一日矣。茲有懇者，晚今夏即將畢業國立臺灣大學中國文學系，在校期間，尙知恪遵師訓，刻苦勵學，且已修完教育學分，課餘之暇，或擔任家庭教師，或參與臺大醫院社會服務工作，教學經驗雖不如人，而自信教學熱忱則有過之。敢乞

賜予機會，俾能實現多年來服務桑梓㊂、作育英才之願望。隨函附呈簡歷表一份，請

察閱。如蒙

俯允，曷勝心感。耑肅奉懇，祗頌

鐸　祺。佇候

德　音

晚葛彤芳 章圖 拜上 三月二日

【說　明】

假設校長姓名爲王惠民，又是男性，則如此函所稱『惠公校長』。若校長爲女性，其姓名爲邵夢蘭，則稱『邵校長』或『夢蘭校長』。以下所有稱呼皆準此，不另說明。

【注　釋】

㈠中臺　謂臺中地區。按臺灣地區可稱三臺，臺北基隆地區爲北臺，臺中彰化地區爲中臺，臺南高雄地區爲南臺。

㈡葵藿之傾　葵藿向日而傾，因以喻嚮往之殷。文選曹植求通親親表：『若葵藿之傾葉，太陽雖不爲之迴光，然終向之者，誠也，臣願自比葵藿。』

㈢桑梓　詩經小雅小弁：『維桑與梓，必恭敬止。』屈萬里釋義引王建立曰：『桑以養生，梓以送死，此桑梓必恭之義也。』後人因以桑梓爲鄉里之稱。

※　※　※　※

⑵謀敎職㈠

新竹商業學校公鑒：敬啓者，頃閱中央日報，藉悉貴校徵聘英語敎師，因不揣冒昧，願效毛遂之自薦。鄙人今夏甫自臺灣大學外國語文學系畢業，四年之中，尚知兢兢業業，不敢自逸。中間曾利用寒暑假之便，協助舍親所經營之裕臺貿易公司處理商業書牘，於商用英文，亦略知一二，並非門外。如蒙界以英文敎師之職，自信必不致貽笑方家也。茲隨函附上簡歷、證件、自傳及拙譯各一份，敬希卓裁示復爲荷。

陶瑾圖章敬啓　八月二日

【說明】

謀職信札乃有求於人，故字體須工整，簽名之下，須加蓋私章，以示鄭重其事。蓋予人之第一印象，最為重要，若草率從事，必失敗無疑。至於普通信札，則尺度較寬，蓋章一項，可以省略。

※　※　※　※

(3)謀敎職(三)

恭甫吾師壇席：久未肅函，叩問

起居，疏懶之咎，固弗敢辭。茲值新年伊始，敬維

道隨時長，福與歲增，為頌無量。生去年自臺大夜間部歷史系卒業後，即株守家園(一)，半籌莫展(二)，諺云，畢業即失業，誠非虛言。家父母愛我至深，不忍相責，然於心實不能無歉焉。方今一般社會人士，率以有色眼光看夜間大學，甚者且存偏見，以為夜大學生多在混文憑，求資格，於學術研究，略無興趣云云。或冷嘲，或熱諷，輕衊醜詆，無所不用其極，完全否定夜間大學之功能與價值。天下不平之事，孰有甚於此者。以鄙見所及，夜大學生混文憑、求資格者固有，而殫精力學者亦頗不乏人，其在工商文敎各界學用配合、嶄露頭角者(三)，尤不可勝數，此乃有目共睹之事實，豈容一筆抹殺。然而世人之成見如此，短期內恐尚無法消除也。消除之道，端賴當事者之努力自愛耳。生之所以甘心雌伏(四)，遲遲未作奮飛之計者，即有感於彼輩之偏見，傷我自尊。雖然，賦閒在家，仰給父母，權宜一時則可，以為長久之計，則將貽笑鄰里，終非善策。素諗吾

師與省立基隆女中王校長既同學，又同鄉，交誼甚篤，用特函懇

賜書推薦，如蒙

玉成，俾得貢其所學，裨益後生，則感激無涯矣。肅此拜懇。敬請

誨　安

受業周凱湘謹叩　二月十五日

師母前祈代叱名請　安

【注　釋】

㈠株守　猶困守也。王禕詩：『乃知兔株守，殊勝虎穴探。』按韓非子五蠹篇云：『宋人有耕田者，田中有株，兔走觸株，折頸而死，因釋其耒而守株，冀復得兔。兔不可復得，而身為宋國笑。』即為王詩所本。

㈡一籌莫展　亦作一籌莫展，猶言束手無策。宋史蔡幼學傳：『多士盈庭，而一籌不吐。』

㈢嶄露頭角　猶言出人頭地。韓愈柳子厚墓誌銘：『雖少年，已自成人，能取進士第，嶄然見頭角。』

㈣雌伏　喻退藏無所作為也。後漢書趙典傳：『兄子溫，初為京兆郡丞，歎曰：「大丈夫當雄飛，安能雌伏。」遂棄官去。』

※　※　※　※

(4)謀商職

東原經理吾兄台鑒：不通音訊，又歷多時，遙想

鵬圖大展，駿業日隆，定符所祝。弟於去秋奉調金門，戍守前方，醉臥沙場，別饒佳趣。下月初旬服役期滿，即將解甲還鄉。惟念時下人浮於事，欲覓枝棲㈠，殊非易易，瞻望來日，汗不覺發背而沾衣也。素仰吾

兄交遊廣闊，遐邇景崇，無論人緣信譽，均非儕輩所能企及。倘蒙

不棄，力加吹植㈡，俾得餬口之地，免作浮浪之人㈢。至薪津多寡，職位高卑，概非所計。專此奉託，

靜候

佳音。並頌

籌祺

弟趙世綱拜啓　五月四日於古寧頭

【注釋】

㈠枝棲　莊子逍遙遊篇：『鷦鷯巢於深林，不過一枝，偃鼠飲河，不過滿腹。』李義府詠烏詩：『上林無限樹，不借一枝棲。』今謂謀職曰覓一枝棲，本此。

㈡吹植　謂吹噓枯槁，培植生機。

㈢浮浪之人　謂飄泊不定、無所事事之人。詳見隋書食貨志。梅堯臣聞進士販茶詩：『浮浪書生亦貪利，史笥經箱爲盜囊。』

※　※　※　※

⑸謀職員

經理先生尊右：閱本日中國時報分類廣告，藉悉
貴公司急徵女會計一名，曷勝欣喜。鄙人畢業於臺北市私立金甌商職，曾有五年工作經驗，自信適合是項職務，用敢貿然應徵，如幸蒙
錄用，對於待遇一節，可按
貴公司之規定給付，鄙人並無特別要求。茲將履歷表、畢業證書影印本及自傳等隨函寄呈
察閱，並希
賜覆爲禱。專此。敬請
籌安

王白雪謹上 六月十九日

※ ※ ※ ※

⑹謀公職

延陵世伯崇鑒：久隔
芝儀，無緣拜謁，瞻望
德門㈠，輒深嚮慕。伏維

政躬康泰，
道履休嘉，爲頌爲祝。茲有懇者，姪曾於民國六十五年參加高等考試，謬蒙錄取，獲銀行行員任用資格，然至今已逾兩年，始終未得銓敍任用，長此以往，其將何以仰事俯蓄㈡，中心惶惶，誠非楮墨所能形容。素知
世伯與金融界當軸諸公交誼甚篤㈢，用特恃　愛上瀆，敬乞
鼎力吹拂，俾得枝棲，以蘇涸鮒㈣，則感恩戴德，固不止小姪一人已也。耑肅奉懇。恭請
鈞　安

世姪　華鎭邦謹肅　六月十日

【注　釋】

㈠德門　有德之家也。

㈡仰事俯蓄　事父母、蓄妻子也。孟子梁惠王篇：『是故明君制民之產，必使仰足以事父母，俯足以畜妻子。』按畜蓄通叚字。

㈢當軸　謂掌權之人。漢書田千秋傳贊：『當軸處中，括囊不言。』

㈣涸鮒　喻潦倒之人。莊子外物篇：『莊周家貧，往貸粟於監河侯，監河侯曰：「諾，我將得邑金，將貸子三百金。」莊周忿然作色曰：「周昨來，有中道而呼者，顧視車轍中有鮒魚焉，曰：君豈有斗升之水而活我哉。周曰：諾，我且南遊吳越之王，激西江之水而迎子可乎。鮒魚曰：吾得斗升之水然活耳，君乃言此，曾不如早索我枯魚之肆。」』

※ ※ ※ ※

(四) 薦聘類

薦聘類包括『推薦』與『延聘』兩項，雖均屬人事問題，而立場各有不同。

推薦是為人謀事，如向學校校長推薦教師，或向公司行號推薦職員等。寫此類信札須態度誠懇，言辭委婉，使受信人能欣然接受，對於被介紹人特有之才能或技藝，須加以適度之讚揚，以便對方作為取捨之參考。在結構上，前段對受信人表示仰慕或問候之意。中段敍述被介紹人之學歷經歷，才能品行，及與推薦人之關係等。後段則表示謝意，並用盼望語氣請受信人給予答覆。

延聘是為事請人，如延聘教師、延攬專門人才及一般職員等。直接致書受聘人時，對關係疏遠者措辭須客氣，對關係親近者態度要誠摯，並說明對受信人才能之器重，希望對方能慨然應允。代人延聘之信札，須轉達延聘者之誠意，並稱揚其賢明，可以共事，使受信人不致有所瞻顧。至於託人延聘人才，則須扼要說明擔任某種工作人員所必備之資格、學識、能力，或其他條件，懸格以求，以便對方隨時代為物色。

寫薦聘函須措辭得體，不卑不亢，尤須婉轉周至，異於一般純係應付人情之八行書，始能使受信人讀後為之動容，不忍拂其心意。

(1)薦教員(一)

浩公校長吾兄大鑒：久違
雅敎，馳念良深，近維
校譽日隆，公私順吉，爲頌。敬懇者，舍親王蘊蕙君，爲臺灣大學夜間部中國文學系高材生，今夏卽將畢業。伊雖就讀夜間部㈠，而成績極佳，每學期均名列前茅㈡，甚得系中師長之讚譽。課餘又勤於創作，無論新舊文學，均所擅場㈢，其作品經常發表於校內外刊物中，十分膾炙人口㈣，獲致甚高評價，以與日間部學生較，實不多讓。倘蒙
延攬爲國文科敎員，必能爲
貴校爭榮譽，爲學子所敬愛也。弟素不濫爲推舉，以知之甚深，故恃　愛陳言。茲將伊之簡歷表、成績單、自傳及近作三篇奉呈
詧核，如愜
尊意，卽希
示覆。專函拜懇。順請
敎　安

弟徐興華敬啓　二月廿八日

【注　釋】

㈠伊　猶彼也。太倉州志：『吳語，指人曰伊。』今語體文亦用伊代女性之第三人稱。

㈡前茅　左傳宣公十二年：『前茅慮無。』杜預注引或曰：『時楚以茅為旌識。』蓋軍行時旌識在前，故曰前茅。世謂考試得前列者曰名列前茅，本此。

㈢擅場　猶言專長，擅長。按文選張衡東都賦：『秦政利嘴長距，終得擅場。』李善注：『言秦以天下為大場，喻七雄為鬥雞，利喙長距者終擅一長也。』則為壓倒全場之義，與今稱獨嫻其技者稍異。

㈣膾炙　細切肉為膾，燒肉為炙。孟子盡心篇：『公孫丑問曰：「膾炙與羊棗孰美。」孟子曰：「膾炙哉。」』膾炙為人所同嗜，故謂詩文之流行一時而為衆人所稱美者，曰膾炙人口。

※　　※　　※　　※

⑵薦教員㈠

懷珍校長有道：睽違

雅教，半載於茲，比維

校務順遂，

潭祉吉祥，為頌。茲有 世姪女 黃嵐霞小姐，自臺灣師範大學地理系畢業後，即奉派苗栗縣三灣國中任教，五年以來，深得學生之愛戴，同事之讚揚，實為一不可多得之優良教師。惟是校地處鄉僻，交通梗阻，又無宿舍以供憩息，對年輕女子而言，誠多不便。又渠㈠雖已過花信之年㈡，而猶小姑獨處㈢，長此以往，亦恐躭誤終身大事。爰特專函推薦，務懇

推屋烏之愛㈣，勉分一席而成全之，則感同身受矣。可否之處，至祈

卓裁惠覆為幸。順頌

教祺

弟李公遠拜啓　七月十二日

【注釋】

㈠渠　猶彼也，他也，伊也。見說文通訓定聲。

㈡花信之年　女子二十四歲之雅稱，蓋一年有二十四番花信風故也。

㈢小姑獨處　古樂府清溪小姑曲：『開門白水，側近橋梁，小姑所居，獨處無郎。』按小姑爲東漢廣陵人，蔣子文之第三妹，後稱女子之未嫁者曰小姑獨處。李商隱無題詩：『神女生涯原是夢，小姑居處本無郎。』

㈣屋烏　推情、推愛之意。尚書大傳大戰：『愛人者，兼其屋上之烏。』杜甫贈射洪李四丈詩：『丈人屋上烏，人好烏亦好。』即本大傳意。

※　※　※　※

(3)薦公職

慕伊縣長吾兄勛鑒：正懷
芝宇㈠，喜見佳訊，敬譒
閣下以高票當選桃園縣縣長，引瞻
喬雲，莫名藻頌。傳云：『積善之家，必有餘慶。』㈡其此之謂乎。以吾
兄大材槃槃㈢，出宰一邑，自必遊刃有餘㈣，可爲預卜。邇來交接伊始，百端待理，賢勞可知。伏思

貴署佐治人員，值此新舊交替之際，進退必多。茲有學棣文彥國君，畢業東吳大學政治系，並於六十三年高考獲雋㈤，為人沈毅果決，毫無習氣，堪稱名實相副之青年才俊。渠甫於上月服役期滿，現伏處鄉曲，正謀發展。倘蒙

推情延攬，定能收指臂之效㈥，決不致食祿誤公也。

尊意如何，統祈

裁奪示知為禱㈦。特此函介。順祝

儷　安

弟袁　瓏頓首　元月廿五日

【注　釋】

㈠芝字　對他人之美稱，已見前注。

㈡積善之家二句　語見周易坤卦。意謂積善之家必能澤及子孫也。

㈢桀桀　大貌。續晉陽秋：『時人語曰：「大才桀桀謝道安，江東獨步王文度，盛德日新郗嘉賓。」』

㈣遊刃有餘　善為其事之喻。莊子養生主篇：『庖丁為文惠君解牛，與文惠君曰：「臣之刀十九年矣，所解數千牛矣，而刀刃若新發於硎。彼節者有閒，而刀刃者無厚；以無厚入有閒，恢恢乎其於遊刃必有餘地矣。」』

㈤獲雋　雋，同俊，才出衆也。今美稱他人考試及格曰獲雋。

㈥指臂　喻輔佐。漢書賈誼傳：『令海內之勢，如身之使臂，臂之使指，莫不制從。』

㈦裁奪　謂斟酌事理而定其去取或可否也。

※　※　※　※

(4)薦女祕書

季倫總經理吾兄惠鑒：連月公私事務甚忙，以致久疏音訊，甚念甚念。近聞
貴公司有意丕展雄圖，擴張業務，所需幹部，勢必增多，不知已延攬齊備否。茲有舍親羊安隄小姐，係
河北省宛平縣人，現年二十三歲，畢業於國立臺灣大學商學系，文筆通暢，字跡娟秀，兼通英日兩國語
文，交際應對，尤所擅長，誠爲一不可多得之祕書人才。倘荷
延用，以爲佐理，於
貴公司業務之推展必大有裨益也。苟非知之甚深，弟決不敢輕於推介，務請
放心。至其言行思想，則由弟負完全責任。耑此布達，鵠候
佳音。並請
潭　安

弟明紹箕再拜　十一月三日

※　※　※　※

(5)聘祕書

元闓吾兄文几：前月在北，得於陳公處暢聆

偉論，無任欽遲。弟猥以非才，此次角逐苗栗縣縣長，謬承地方父老兄弟之厚愛，倖獲當選，肩負重任，惶恐莫名，亟思高賢，賜予臂助。但以業務繁瑣，未敢逕函屈　駕，故曾託陳公代達鄙忱，幸蒙不棄，慨然允諾，欣慰之至。茲者敝處諸務蝟集，公私文件，需辦甚殷。比想　尊處移交手續，諒已蕆事㈠，務望

台旌早日蒞止㈡，一清留牘。引跂風前，曷深盼禱。專此。順祝

撰　安

弟鍾家瑋拜啓　元月十日

【注　釋】

㈠蕆事　猶言事已完畢。

㈡台旌　猶言文旆、大駕，對他人之敬稱。

※　※　※　※

(6)託聘技術人員

孝章吾兄左右：握別半年，懷思靡已，遙維

潭祉休暢，

大業崇隆，至爲虔祝。茲有託者，敝廠現急需一名技術人員，因思臺北爲人才薈萃之區，較易羅致，一

特函請吾　兄代爲延訪，凡公私立大學院校機械系或電機系畢業，服完兵役，具有三年以上實際工作經驗者，方爲合格。月薪貳萬元，並免費供應單人宿舍。有瀆

清神，容後面謝。特此奉託，佇待

還雲。順頌

暑　祺

弟 閔荷生謹啓 六月卅日

※　※　※　※

(五) 請約類

請約類包括『請託』與『邀約』兩項。在社會羣體中，個人必須與他人來往，而文明社會之人類，除語言之接觸外，輒利用文字(即書牘)溝通彼此之感情，了解彼此之需要，請約類書札即是解決此種需要之媒介。

仰面求人乃人世間最難堪之事，前述『謀職』與後列『借索』乃此中之尤者，『薦聘』次之，『請託』又次之。無論其爲謀職，爲借索，爲薦聘，爲請託，多少總須耗費他人之精神，故下筆須力求委婉，用詞尤須懇摯，始能博得對方之同情。如在信中雜以抱歉或感謝語氣，尤能收到意想不到之效果。

邀約一類之書信，如邀人遊山玩水，乃悠閒之事，詞句貴乎典雅，行文溶入情感則尤佳。至於其他期約，篇幅不妨短勁，可以開門見山，無須曲折鋪敍，但求順理成章，交代清楚卽可。

(1)託人照拂子女㈠

曼華學姊慧鑒：日昨竹君來舍，道及

台候勝常，

潭府迪吉，慰如遠頌。妹已於今秋轉入花蓮女子中學任教，本學期每週授課十八節，並兼一班導師，依然碌碌終日，無善可陳。茲有託者，小女淑瑾此次參與大學聯考，不幸名落孫山㈠，嗣轉考三專，僥倖錄取實踐家政專科學校兒童保育科，雖不理想，亦聊勝於無也。後日卽將北上註册，惟念此女嬌生慣養，從未遠離家門，人情世故，茫無所知，今一旦游學外鄉，爲父母者未免舐犢情深㈡，特令伊到北後，先行趨謁

台階，敬祈就近照拂，視如子姪，隨時教誨，嚴加督責。長勞

清神，容後圖報。耑此奉託。祗頌

秋　祺

妹許松國拜啓　九月廿一日

【注　釋】

㈠名落孫山　過庭錄：『孫山宋吳人，滑稽才子也，赴舉時，鄉人託以子偕往。榜發，鄉人子失意，山綴榜末先歸，鄉人問其子得失，山曰：「解名盡處是孫山，賢郞更在孫山外。」』後遂謂應試不第曰名落孫山。

㈡舐犢　後漢書楊彪傳：『彪子修爲曹操所殺，操見彪問曰：「公何瘦之甚。」對曰：「愧無日磾先見之明，猶懷老牛

舐犢之愛。」操爲之改容。』蓋以老牛之愛其犢，喻父母之愛其子也。

※　※　※　※

(2) 託人照拂子女(一)

蔚林姻兄台鑒：未修箋候，已數閱月矣，遙想

與居佳勝，

潭第安康，爲頌。弟蟄伏鄉間，爲人作嫁(一)，僕僕終年(二)，乏善足紀，公餘之暇，惟與朋輩數人，時相過從，清談消遣而已。茲有懇者，小犬茂堂今夏畢業潮州高中，投考大學，慘遭滑鐵盧之敗(三)，又以體重過輕，免服兵役，株守家園，終非了局，故令其束裝北上，開創前程。惟年輕識淺，浮世人情，尚未歷練，深恐其誤入歧途，貽羞先人，特命到達後，趨謁

崇階，務乞

不吝教誨，時加鞭策，俾免隕越爲感。帶呈土產數種，略表微忱，並希

哂收。專此懇託。祇請

儷安

弟彭弁東謹啓　九月五日

【注釋】

(一)爲人作嫁　言徒爲他人辛勞也。秦韜玉貧女詩：『苦恨年年壓金線，爲他人作嫁衣裳。』

㈡僕僕　煩勞貌。孟子萬章篇：『子思以爲鼎肉使己僕僕爾亟拜也，非養君子之道也。』趙岐注：『僕僕，煩猥貌。』

㈢滑鐵盧　英名Waterloo，爲比利時之一小村，西元一八一五年，英將威靈頓合英德荷之師敗法帝拿破崙於此。

※　※　※　※

(3)請人講演

德潤敎授有道：儒林雅望，時切心儀，黌宇騰聲㈠，夙殷淸慕，雖傾葵有志，而識荆無緣，仰企
高門，無任悵惘。本月廿日爲敝社成立十周年紀念，擬請
先生作兩小時有關復興中華文化之專題演講，倘蒙
不吝玉趾，賜以敎言，俾後生得親　謦欬，則一席　麈論㈡，勝讀十年，豈惟社員之幸，實亦橫舍之榮
㈢。謹肅寸箋，佇候
還翰。敬頌
道綏

國立政治大學文學研究社敬啓　四月十二日

【注釋】

㈠黌宇　學府之別稱。後漢書儒林傳：『順帝感翟酺之言，乃更修黌宇。』

㈡麈論　對他人言論之美稱。晉書王衍傳：『衍既有盛才美貌，明悟若神，妙善玄言，惟談老莊爲事，每捉玉柄麈尾，與手同色。』按六朝名士淸談時，輒取麈之尾爲拂子，所以指授聽衆也。

㈢橫舍　學府之別稱。後漢書朱浮傳：『先建太學，造立橫舍。』

※　※　※　※

(4)請爲子作媒

偉倫吾兄大鑒：不親

雅範，彈指經年㈠，值元旦之芳辰，卜

潭第之多吉。弟兩鬢已斑，依然案牘勞形，略無進益，良用慚惶。玆因豚兒兆麒年居而立㈡，而中饋猶虛㈢，雖多方物色㈣，迄無合適者。竊維時下年輕小姐擇壻，率以三高一厚爲條件㈤，風氣已成，寒門莽夫將永無雀屏中選之機會㈥。用特專函拜懇，請在鄉閭代爲留意，凡身家清白，賦性賢淑者，即可代爲撮合㈦。至貌之美醜，教育程度之高低，皆非所計也。豚兒爲人木訥㈧，稟性內向，畢業於私立育達商職高級部，現任國泰人壽保險公司職員，附以奉

聞。恭賀

年禧

弟安道頓 二月六日

【注釋】

㈠彈指　佛家語，喻時間之短暫。宣和遺事：『窗外日光彈指過，席前花影座間移。』

㈡而立　三十歲之代辭。論語爲政篇：『子曰：「吾十有五而志於學，三十而立。」』按立，有所成也，言年三十而學有所成。

㈢中饋猶虛　尚未授室之意。已見前注。

㈣物色　後漢書嚴光傳：『帝思其賢，乃令以物色訪之。』章懷注：『以其形貌求之。』按物色本指狀貌言，引伸爲訪求之意。

㈤三高一厚　據近今社會學家統計，臺灣地區女性知識分子擇偶條件至苛，須具備三高一厚之男士，始稱合格。三高一厚云者，即職業高尚，談吐高雅，個子高大，經濟基礎雄厚是也。

㈥雀屏　唐書竇后傳：『后父毅常曰：「此女有奇相，且識不凡，何可妄與人。」因畫二孔雀屏間，請婚者使射二矢，陰約中目則許之，射者閱數十，皆不合，高祖最後，射中各一目，遂歸於帝。』後因稱人許婚曰雀屏中選。

㈦撮合　謂作媒也，俗稱媒人曰撮合山。元曲中馬致遠陳摶高臥、喬夢符揚州夢、王實甫西廂記俱用此語。

㈧木訥　謂質樸遲鈍，無口才也。論語子路篇：『剛毅木訥，近仁。』

※　※　※　※

⑸請爲女覓壻

韻湘姻姊文席：別後思慕，無時或已，想同之也。近況如何，念念。小女崇貞自東吳大學經濟系畢業後，即進入此間一家大工廠任職，因表現優異，今已升至出納課長，甚得廠主之信任。惟此女事業心甚重，不讓昂藏七尺男子㈠，故雖摽梅已過㈡，猶待字閨中㈢。妹夫婦二人時縈心懷，憂結無已，諺所謂皇帝不急，急殺太監，此情正復似之。又據某婚姻專家統計，謂臺灣地區之適婚者，女性多於男性數倍，情況相當嚴重，而且須待十年以後，始有緩和跡象云云。凡有女初長成之家長，獲悉此一消息，無不爲之憂心忡忡㈣，愚夫婦則其尤甚者也。素諗吾
姊喜作冰人㈤，成功者蓋以百數，敬祈
代爲留意，
惠予作伐㈥，但求品行優良，相貌端莊，有上進心者卽可。至門第、籍貫、貧富、學歷等，則非所計也。專此拜懇，佇候
佳音。順頌
時綏

妹嚴樂熙謹啓 十一月廿四日

【注釋】

㈠昂藏 謂氣度非凡也。李白贈潘次御論錢少陽詩：『繡衣柱史何昂藏，鐵冠白筆橫秋霜。』

㈡摽梅 詩經召南有摽有梅篇，注謂摽，落也，言梅落則時已晚，女求男，恐不獲及時而嫁。故後人恆以摽梅喻女子當嫁之時。

㈢待字 禮記曲禮：『男子二十冠而字，女子許嫁笄而字。』字，表字也，表其取名之義，如孔子之子名鯉，字伯魚是也。後世遂謂女子許嫁之年曰字，或曰及笄。未許嫁曰待字，或曰未字。不許嫁曰不字。

㈣忡忡 憂貌。詩經召南草蟲：『未見君子，憂心忡忡。』

㈤冰人 晉書藝術傳：『索紞善占夢，孝廉令狐策夢立冰上，與冰下人語，造紞占之，紞曰：「冰上爲陽，冰下爲陰，陰陽事也。士如歸妻，迨冰未泮，婚姻事也。君在冰上與冰下人語，爲陽語陰，媒介事也。君當爲人作媒，冰泮而婚

成。」策曰：「老夫耄矣，不爲媒也。」會太守田豹因策爲子求鄉人張公徵女，仲春而成婚焉。』世因稱媒人曰冰人。

㈥作伐　詩經豳風伐柯：『伐柯如何，匪斧不克，娶妻如何，匪媒不得。』柯，斧柄也。伐柯，伐樹枝以爲斧柄也。世因謂爲人作媒曰作伐、伐柯、執柯。

※ ※ ※ ※

(6) 約友聚敍

伯平吾兄左右：彈指流光，迅如過翼，母校一別，又逾四年，遙想
公私多吉，爲頌。振宇兄已自美學成歸國，將在臺北工專電機科執教，言論風采，不減當年，弟與暢談離愫，幾忘朝夕，樂何如之。茲訂於本月卅日（星期日）薄治樽酒，爲振宇兄洗塵㈠，屆時在北服務諸同學，亦相約來會。
足下倘能撥冗光臨㈡，則闊別多年、相隔萬里之老友，得以晤談一室之中，實乃人生一大快事也。掃徑以待，無任翹企。專此奉邀，餘容面罄。順頌
撰祺

弟 煥章拜啓 六月二十一日

【注釋】

㈠洗塵　通俗編儀節：『凡公私值遠人初至，或設飲，或餽物，謂之洗塵。』俗稱接風。

㈡撥冗　謂撥開冗雜之事，如云撥冗駕臨，某事當撥冗爲之。意與抽暇或抽空相同。

※ ※ ※ ※

(六) 慶賀類

慶賀類書信之範圍甚廣，如壽誕、婚嫁、生育、升遷、當選、開張、移居、畢業、得學位等。喜慶之事，通常須親自前往道賀，既以表示一己之誠意，又可分沾對方之喜氣。確實不能抽身，始以書信代替，故在信中必須說明不能趨賀之理由，婉轉表達心中之歉意。

道賀之作，措辭須雅麗扼要，而又能合乎吉利之要求。故引據經典，固非所忌，套用成語，亦無大礙。惟有關個人失意之事，牢騷之語，切不可羼入信中，以免對方正當喜氣充閭之時，殺其風景，不但觸人霉頭，抑且有傷厚道，焚琴煮鶴，固君子所弗爲也。

(1) 賀新年

紹公世伯賜鑒：雲山間阻，恆企

光儀，疏叩 起居，彌深罪戾。韶光荏苒，轉瞬又屆新春，祇維

履端集慶，泰祉增綏，柏葉椒花，香生瑞室，引睇 德門，曷罄私頌。姪浪跡風塵，庸勞依舊。謹修

蕪牘，聊代趨登。恭賀

年 禧

世姪 葆元拜上 一月三日

※　※　※　※

(2) **賀結婚**

挹芬學姊吉席：紅葉浮香，綠衣送喜，忻悉月之十六日爲吾姊與張同塵博士合巹佳辰，卜昌期於五世，諧好合於百年，引瞻　吉宇，曷既禱忱。祇以雲天遙隔，趨賀無從，至爲歉悵。附陳奩敬，聊表寸心，卽乞　莞納是幸。耑此恭賀

大喜。並候

儷祉

妹何麗卿敬啓　七月十四日

※　※　※　※

(3) **賀生日**

孟揚吾兄左右：久闊

芝標，時深葭溯。頃聞月之廿四日恭逢

老伯
老伯母大人八旬雙慶，敬維　弧帨交輝，椿萱並茂，爾昌爾熾，載歌天保之章，多福多壽，且效華封之祝。珠履爭趨於德宇，芝蘭競繞乎瑤階。引領風前，良殷抃手。無奈萍蹤遠託，不克摳衣晉觴，寸衷歉疚，尺素難宣。謹附菲儀，至祈轉呈

莞納，是所忭荷。專此布悃，恭叩
松齡。並候
侍　福

弟 馬幼威頓首 十月廿日

※　※　※　※

(4) 賀升遷

靜公部長吾兄勛鑒：遠隔
鴻儀，喧傳鵲報，敬悉
喬木高遷，　榮膺新命，舉國上下，無不抃手載躍，豈惟儕輩之榮，抑亦邦家之幸。我
公才華卓懋，識度淹通，黃花珍晚節之香，志行作羣倫之表。行見　匡襄時局，宏濟艱難，剝復啓機，
實自此始。翹企
鬲暉，曷勝忭頌。專函奉賀。祇祝
勛　安

弟 文少白拜啓 九月二十八日

※　※　※　※

（七）唁慰類

唁，弔生也。段玉裁說文解字注：『弔生爲唁，別於弔死爲弔也。』所謂弔死唁生，即是對亡故者加以憑弔，對其在世親人表示關懷之意。慰，安也，對生病失意之親友以溫語相慰藉也。佛家有生老病死爲人類四大痛苦之論（見大乘義章），世俗亦有人生不如意事十常八九之說，人生在世，苦樂相去懸絕，於此可見。

當親友遭遇不幸時，最需要他人之扶持慰藉，苟能及時行之，當能減輕其精神上與肉體上之痛苦，此種雪中送炭之舉，持較慶賀一類之錦上添花，更有意義，更能加深彼此之感情。此則吾人立身處世所不可忽略者也。

寫此類信件，開頭寒暄語可儘量省略，筆調上應充滿悼念或同情，不可加重哀傷之情緒，免致對方觸緒生悲，而失去唁慰之本意。此外，切忌對失意人述得意事，遣詞造句尤忌誇飾與生僻，導致雙方感情之隔閡。

(1)唁喪父

伯純學長禮鑒：花城揖別，兩易蟾圓，正馳系間，奉到 訃書，驚悉
老伯大人遽捐館舍，老人星隕，曷勝愴悼。素諳
學長純孝天成，猝遭大故，自必哀痛逾恆。惟念毀不滅性，古有明言，況窀穸未安，不獨責重承家，尤當勉襄大事。還望

節哀順變，以禮制情，是所至禱。文婷因業務纏身，道途修阻，不克躬叩 靈階，至感歉仄。附呈楮敬一函，藉申哀悃，敬請 鑒收代薦。肅此奉唁

孝履，諸希

葆衞。

毛文婷謹啓 八月六日

【說 明】

㈠平輩男女通信，非有親屬或特殊關係，不宜率以兄、弟、姊、妹相稱，儘量以其他稱呼代替，俾免滋生誤會。結尾署名，可用全名，如較密切，可只稱名。信中自稱亦宜用名，稱對方則稱『學長』、『閣下』、『先生』、『女士』。

㈡以上及以下所擬諸信中之術語、典故，多已見前，不另詮釋。

※ ※ ※ ※

⑵唁 喪 母

琦芬學長苫次：頃奉 素簡，驚悉

伯母大人於本月三日棄養，萱樹凋零，莫名震悼，仰念 遺型，愴然雪涕。

學長孝思純篤，悲痛之情，必有萬難自已者。惟念

伯母大人徽音素著，令德孔彰，一笑歸眞，百年無憾。禮云：『守身爲大』，似不宜以過情之毀，上拂

親心。尚祈 勉抑哀思，以當大事。正雄因社務鞅掌，未能躬親叩奠，悵歉良深。敬呈輓幛，乞薦

靈幃。祗候
素履，諸維
珍重。

彭正雄敬啓 九月十五日

※　※　※　※

(3)唁喪夫

筠姊禮鑒：浮雲一別，歲琯頻更，積思千重，終難相忘。昨由郵便，遞到 訃音，驚聞
小舫先生偶嬰末疾，遽爾溘逝，英年玉折，悼惋良深。吾
姊伉儷情篤，頓失所天，離鸞之痛，自難言喻。惟此後上奉 君姑，下撫弱息，仔肩綦重，豈容推卸。
尚望 勉收悲淚，隨時 攝衛，臨風切禱，莫罄軫懷。妹遠阻一方，未能親臨弔祭，曷勝悵歉。附呈奠
敬，藉表微私。耑此奉慰。並請
禮 安

妹 啓蓉謹上 十月廿四日

※　※　※　※

(4)唁喪妻

惠中經理吾兄禮席：遠違芳訊，正切葭思， 訃告頒來，驚聞噩耗。悽含破鏡，恨抱斷絃，吾

兄鶺鴒情深，遽罹悼亡之痛，自必悲慟逾常，難效蒙莊之曠達也。尚祈　制情順變，勉爲排遣，是所至禱。雲山遙隔，趨奠無從，良用悵仄，謹具楮敬，即乞　代薦爲感。專此馳唁。諸希

珍　衛

弟岳雲再拜　九月十九日

※　※　※　※

(5)慰病人

珍華學姊惠鑒：音塵罕接，夢寐爲勞。頃翠華姊來，始悉吾姊以肝炎進住榮民總醫院開刀治療，病況如何，至深惦念。吾姊長年勞累，性復憂鬱，清癯體質，寧能堪此。尙望　屛除雜慮，靜心調養，吉人天相，必可早占勿藥，漸次復原。妹以道遠，未能趨省，殊深歉疚。懸懷如結，不盡欲言。匆函致慰。虔祝

痊　安

妹黃　霞敬上　九月卅日

※　※　※　※

(八)借索類

『借』與『索』爲相反字，立場迥然不同。『借』係指向人借貸金錢或借用物品，而『索』乃指索還財物。雖然，其有求於人則一。故寫此類書信，應特別重視措詞之妥貼，用字之適切，使對方能欣然接

受，而不忍峻拒。在『借』方面，詞語須婉轉，以表示誠意，尤其在向人借款時，務須說明正當用途，並約定歸還日期，以見信於對方。俚語云：『有借有還，再借不難。』借款之道，蓋莫外乎是。至於在『索』方面，首須注意不能以債權人自居，出語直率無禮，而傷害對方之自尊。應將自己不得已之苦衷，委婉陳述，使對方油然而生內疚，罄其所有以償之，因而達到『索』之目的。

⑴借款治母病

履公姻伯大人尊鑒：久違

鈞誨，瞻戀殊深，敬維

潭第康寧，福躬安吉，允洽所頌。敬懇者，家母體素羸弱，日前又突嬰胃疾，病勢危篤，呻吟牀蓐，因急送臺大醫院，醫囑須住院開刀診治，全部費用約十萬元。而家中本無積蓄，貴重物品雖典質一空，仍不足所需，用是闔宅徬徨，束手無策。敢懇

姻伯大人始終垂愛，慨借五萬元，俾得早日痊可，優游晚景。一年之後，當連同子金一併奉還。禱盼之私，難宣尺楮。專肅。敬請

崇　安

姻姪女 雁翎拜上 十月十七日

※　※　※　※

⑵借款經商

繩遠襄理吾兄左右：南北程暌，恆懷
英采，雖音書往復，勞結未紓。比維
鼎祉多康，式符鄙祝。茲有懇者，弟以長年寄人籬下，終非善策，近與友人合夥創辦新臺化學工廠於新
莊，生產多種女性化妝用品，經各界仕女試用，無不稱譽備至，益增弟等之信心。惟締造伊始，需款孔
急，素荷
知己存注，敢乞
惠借十萬元，以資周轉。至利息若干，歸還期限，則悉聽
卓裁。如蒙
鼎諾，更望 速頒，感泐 雲情，曷有紀極，臨穎不勝惶切。專此奉懇，祗頌
籌祺，鵠候
回音。

弟牛思原敬啓 七月六日

※　※　※　※

⑶索舊欠

世洪仁兄大鑒：久未通訊，思念良殷，近維
動定增祥爲頌。前歲商挪之款，早已屆期，未荷 歸還，諒係貴人善忘之故。多年老友，區區之數，原

不應催促，無奈近日頻頻虧損，極感拮据，東移西補，時呈左支右絀之狀。用特專函布懇，敬乞如數籌撥，無任感荷。不情之請，知我者當能諒之。臨書翹盼。順候

台綏

弟尹慕伊再拜 八月九日

※ ※ ※ ※

（九）允辭類

生活在此繁複之社會中，人與人間之承諾或推辭，均屬於一種技巧。運用得當，則可廣結善緣，玲瓏八面。運用不當，則將招人之怨，詈聲四起。欲藉書信表現此一技巧，尤須格外愼重。雖云運用之妙，存乎一心，若能時時加以自我訓練，多閱讀有關書籍，取人之長，補己之短，迨火候一到，出而應世，必能無往不利，而享左右逢源之樂。昔人所謂『世事洞明皆學問，人情練達卽文章』，誠爲體會有得之言。

通常寫允諾之信，較易落筆，蓋此乃順水人情，旣不必盤馬彎弓，更不必忸怩作態，可開門見山，使對方一目了然。惟在表達時，切不可失之浮誇，或在字裏行間流露出施捨者之驕態，因而引起對方之反感。故下筆時，必須周全顧及，以免產生『言者無心，讀者有意』之尷尬情況。

至辭卻之信，則極難落筆，旣是拒絕，必然拂逆對方之心意，其內心不快，自無待言，蓋『得之則

喜，失之則憂』，固夫人情之常也。爲免發生誤會，或使對方不快之情減至最低程度，在措詞方面須懇摯委婉，在語氣間不妨含蓄，隱隱道出，務使對方體諒自己之力絀，而非故意刁難。語云：『誠於中，形於外』，只要態度誠懇，立場站穩，問心無愧，則無論對方如何責難，均可以度外置之也。

(1)允代謀教職

元鈞仁弟如握：三月廿三日

來書誦悉，所 囑向李校長推薦，冀得一席，庶不致作浮浪之人，殊堪同情。茲繕就介紹書一通，隨函附發，望即持函逕謁李校長，以免書疏往返，遷延時日。接洽結果如何，並希見告，以慰遠念。匆復。

即詢

近 佳

孫德潤手啓 三月廿七日

※ ※ ※ ※

(2)允就祕書

南公縣長勛鑒：昨奉

手諭，飭司箋記，自維庸疏，識見淺陋，恐不足仰贊

高深，上襄 明德。既承 不遺，采及非才，誼當勉竭駑鈍，以報 知遇。此間移交手續，已告蕆事，

日內擬卽束裝就道，趨詣
崇階，面聆
教益。先此肅復。敬頌
勛　綏

※　※　※　※

職古應芬拜上 九月二十五日

(3)允借款

東寧吾兄台鑒：十載知交，心心相印，塵勞羈絆，良覿多疏。東瀛歸後，曾詣
潭居，未挹
清芬，曷勝悵惋。旋辱
枉駕，有疏擁帚，惶歉奚如。昨誦
琅函，敬譒
動定嘉豫，頗慰寸衷。緩急　囑籌，誼不容辭，惟是年來石油危機，波及全球，對外貿易，獨力難支，
經濟問題，甚形艱困。承
示之數，一時措集殊難，勉爲爬羅，僅能得半，先行緘上，至祈
詧收，自愧綆短，統希

鑒有。耑此奉覆。敬候

秋祺

弟葉孤芳謹啓 九月六日

※ ※ ※ ※

(4)辭不能薦

照娥小姐慧鑒：風雨如晦，忽奉

玉音，藉悉今夏畢業臺灣大學商學系，曷勝忭頌。愚比年以來，除上班外，輒深居簡出，極少應酬，人際關係，疏略已久。承

委本應效勞，奈愚與陳董事長本無深交，又未嘗銜杯酒之歡，率爾推介，不免唐突，躊躇再四，仍希另請高明，從速進行。雖然，以

君品學兩優，華實並茂，不患無機緣湊合，尚容徐圖之。有負雅命，良用歉然。知承

綺注，特函奉覆，至祈

惠予曲諒是幸。順候

夏祺

華必強手啓 八月十六日

※ ※ ※ ※

(5)復無法延攬

邦佐委員有道：四月十九日

華翰敬悉，承

介唐維中先生來縣工作，至深感篆。經交主管單位辦理，茲據簽報，以目前尚無懸缺，不需進用新人，

已予存記，俟爾後有適當機會，必優先安置等語。唐先生事未能遵

囑辦理，殊感歉然，諒

知我者必能　恕我也。專復。祗頌

道　綏

弟凌劍青敬啓 四月廿三日

※　※　※　※

(十)稱謝類

『投桃報李』爲吾國社會傳統之習俗，他人有恩於我，若無一語以稱謝，則有悖人情，日久將見棄於社會，他日重遭困厄，必無人肯一伸援手矣。書信是以文字代替語言之交際工具，稱謝之書信，遂成爲社會上應用範圍最廣泛之一類。

在稱謝書信中，大略可分爲答謝、道謝、謝贈等三項，三者性質大體相似，可涵蓋人、事、物，皆

因受信人有德於己而引起。答謝與道謝是感謝對方在事情上之協助，或感謝對方對自己之關懷，如謝友人賀母壽、賀升遷、唁喪母、謝推薦等。謝贈則用於感謝對方餽贈之情意。撰寫此類書信，須以極誠懇之態度，將感恩圖報之心意充分表露於楮墨間，使對方隱然有當之無愧、不虛此舉之感。

(1)謝人探病

公明吾兄
嘉陵大嫂同鑒：此次猥以微疾，住院治療，辱承
關愛，移　玉存問，　寵錫多珍，隆情摯誼，至深銘篆。茲賤軀就痊，已於日昨出院上班，恐勞
廑系，特此奉
聞，並申謝悃。祇候
儷　安

弟江海澄敬啓　十二月五日

※　※　※　※

(2)謝賀當選

彥文女士惠鑒：竹林猥以菲材，謬膺衆寄，迺承
寵賀，感愧交縈。惟獎飾之彌殷，懍負荷之綦重。今後自當勉竭駑駘，爲民服務，以報各方之厚愛，選
民之支持。尚祈

箴言時頒，俾資遵循，實所企幸。專函申謝。並頌

近　綏

※　※　※　※

弟 趙竹林拜啓 十二月十六日

(3)謝賀升遷

含章處長吾兄大鑒：頃奉

華翰，備蒙獎飾，隆情稠疊，拜　嘉之餘，感愧交幷。茂倫識淺才疏，汲深綆短，謬當大任，惶悚莫名。

尚祈時　惠教言，以匡不逮，不勝感禱之至。專此復謝。並頌

時　綏

順請老伯大人安康，恕不另箋。

弟 王茂倫謹啓 十一月十五日

※　※　※　※

(4)謝推薦

康平吾兄英鑒：弟遭逢不幸，命途多乖，壯志空懷，修名莫立，常謂渺渺此身，抑復何樂，長棄溝渠，

固其宜也。乃蒙

足下蔭廣喬松，不遺小草，齒牙噓植，樂道津津。使三匝之烏，棲枝有託，涸轍之鮒，得慶甦生，其爲
感泐，實越等倫。公餘多暇，當躬趨
德宇，拜謝
宏施。肅先修牘，謹達微忱。臨穎神往，不盡欲言。祗祝
儷　安

弟杜　宇再拜 三月十日

※　※　※　※

(5) 謝借款

鳳儀姊雅鑒：一昨馳書告急，方以不情瑣瀆，深自汗顏。接奉
還雲，渥蒙如數通融，且殷殷慰藉，足見
風誼獨高，古道彌隆，自顧何人，獲此
厚愛，五中銘泐，感沁心脾。一俟源頭稍活，必儘先珠還，決不失誤。臨楮馳誠，先鳴感悃。敬候
儷　祉

妹穎君謹啓 十月廿五日

※　※　※　※

(6) 謝餽蘋果

師母大人尊鑒：久違
慈顏，時深孺慕。此次因公赴花，以事羈歉未躬候，正感不安，乃蒙
澤惠下逮，賜貺蘋果，拜領之餘，曷勝感篆。天候祁寒，伏望
珍攝玉體，是所禱幸。肅函奉謝。祇叩
崇　安

學生黃　霞拜上 二月三日

※　※　※　※

（十一）以詩代書

(1)節婦吟㊀　張籍

君知妾有夫。贈妾雙明珠。感君纏綿意。繫在紅羅襦。妾家高樓連苑起。良人執戟明光裏㊁。知君用心如日月。事夫誓擬同生死。還君明珠雙淚垂。恨不相逢未嫁時。

【注釋】

㊀節婦吟　唐汝詢唐詩解：『容齋三筆云：張籍在他鎮幕府，李師道以書幣辟之，籍卻而不納，而作節婦吟詩以寄之。繫珠於襦，心許之矣。以良人貴顯而不可背，是以卻之。然還珠之際，涕泣流連，悔恨無及，彼婦之節，不幾岌岌乎。夫女以珠誘而動心，士以幣徵而折節，司業（籍歷官至國子司業）之識，淺矣哉。』王文濡云：『此張籍卻李師道聘，託言節婦

吟，通首用比體，而本意已明，妙絕。』

㈡明光　漢有明光殿，在未央宮西，以金玉珠璣爲簾箔，晝夜光明。見三秦記。此借以爲皇宮之稱。

※　※　※　※

⑵近試上張水部㈠

朱慶餘

洞房昨夜停紅燭。待曉堂前拜舅姑㈡。

妝罷低聲問夫壻。畫眉深淺入時無㈢。

【說　明】

以上二首爲比興體之香奩詩。前首乃作者婉辭李師道之徵辟，因對方盛情可感，不忍峻拒，以普通信札出之，甚難下筆，故代之以詩。且以節婦自況，謂己早已出仕，不能再應他聘，亦猶烈女不事二夫也。末二句『還君明珠雙淚垂，恨不相逢未嫁時』，膾炙人口，千古傳誦。

後首乃作者在進士考期將近時，將舊作送呈張籍，請加品評，蓋以張氏在京任水部郎中，詩名籍甚，且有可能作同考官也。作者自比新娘，將張氏比作新郎，主考官比作公婆，其詩篇得失比作畫眉深淺，請問張氏，能否獲得主考官之喜愛。風流蘊藉，令人解頤。自是張氏爲之揄揚，遂令登第。

【注　釋】

㈠近試上張水部　一作閨意。全唐詩話：『慶餘遇水部郎中張籍，知音，索慶餘新舊篇二十六章，置之懷袖而推贊之，時人以籍重名，皆繕錄諷詠，遂登科。慶餘作閨意一篇以獻，籍酬之曰：「越女新妝出鏡心，自知明豔更沈吟，齊紈未足時人貴，一曲菱歌敵萬金。」由是朱之詩名流於海內矣。』

㈡舅姑　妻稱夫之父曰舅，夫之母曰姑。見爾雅釋親。

㈢畫眉　以黛飾眉也。漢張敞爲京兆尹，無威儀，嘗因爲婦畫眉，而被有司所奏，武帝問之，敞曰：『臣聞閨房之私，有甚於畫眉者。』帝愛其能，不忍備責。見漢書本傳。

※　※　※　※

(3)下第後上永崇高侍郎　高蟾

天上碧桃和露種。日邊紅杏倚雲栽。
芙蓉生在秋江上。不向東風怨未開。

【說明】

此爲比興體之詠物詩。常人應試落第，多歸咎考官，獨高蟾此詩，將新科進士比作碧桃、紅杏，沐受朝廷栽培之恩澤，欣欣向榮。自己則比作秋江芙蓉，雖未蒙東風吹拂，卻心平氣和，毫無怨尤，深得詩人溫柔敦厚之旨。

※　※　※　※

(4)古樂府　仲燭亭

託買吳綾束。何須問短長。
妾身君慣抱。尺寸細思量。

【說明】

此亦比興體之香奩詩。袁枚隨園詩話載：仲燭亭在杭州，袁枚屢爲薦館，最後將薦往蕪湖，札問需脩金若干，仲不答，但寄古樂府云云。此詩將男女比作朋友，家境比作身腰，須多少薪津始能維持家計，比作須多少吳綾始能裁製新裝，袁枚自然十分清楚，仲氏難以啓齒，而請袁枚仔細思量，代爲作主。託喻閨情，何等風趣。

※　※　※　※

（十二）以詞代書

金縷曲二首

顧貞觀

寄吳漢槎寧古塔㈠，以詞代書，時丙辰冬寓京師千佛寺冰雪中作。

季子㈡平安否。便歸來，生平萬事，那堪回首。行路悠悠誰慰藉㈢，母老家貧子幼。記不起從前杯酒。魑魅㈣搏人應見慣，總輸他覆雨翻雲手㈤。冰與雪，周旋久。淚痕莫滴牛衣透㈥。數天涯，依然骨肉㈦，幾家能彀。比似紅顏多命薄，更不如今還有㈧。祇絕塞苦寒難受。廿載包胥承一諾㈨，盼烏頭馬角終相救㈩。置此札，君懷袖(十一)。

我亦飄零久。十年來，深恩負盡，死生師友。宿昔齊名非忝竊，試看杜陵消瘦(十二)，曾不減夜郎僝僽(十三)。薄命長辭知己別(十四)，問人生到此淒涼否。千萬恨，爲兄剖(十五)。兄生辛未吾丁丑(十六)，共些時冰霜摧折，早衰蒲柳(十七)。詞賦從今須少作，留取心魂相守。但願得河清人壽(十八)。歸日急翻行戍稿，把空名料理傳身後(十九)。言不盡，觀頓首。

【說　明】

此二詞爲清顧貞觀最著名之作，自云『以詞代書』，故兼有抒情文、應用文性質。其友吳兆騫以事戍吉林之寧古塔，居塞外十餘年，貞觀救之不得，賦金縷曲以寄，納蘭性德見之泣下，遂爲營救，兆騫得生還，風義著稱於世。第一首就吳兆騫身上著筆，前片傷其周旋於冰雪，後片致意慰藉，謂雖在天涯，依然骨肉，自不須作牛衣之泣。末歸到包胥一諾，望性德救援。第二首由作者說起，前片自陳衷曲，言行者居者，一樣淒涼。後片自憐早衰，相期珍重，他日歸來，猶有文名堪以傳後也。陳廷焯白雨齋詞話謂：『此詞只如家常說話，而痛快淋漓，宛轉反覆，兩人心迹，一一如見，雖非正聲，亦千秋絕調也。』又謂：『二詞純以性情結撰而成，悲之深，慰之至，丁寧告戒，無一字不從肺腑流出，可以泣鬼神矣。』

【注　釋】

㈠寄吳漢槎寧古塔　吳漢槎名兆騫，清江蘇吳江人，順治舉人。少有儁才，名動一時。以科場事發，覆試，戰慄不能終卷，乃遣戍寧古塔。（今吉林寧安縣治）顧貞觀與交最篤，作此二詞寄之。納蘭性德讀之感泣，爲言於其父大學士明珠，兆騫始得放歸。

㈡季子　指漢槎。春秋吳王壽夢少子季札，有賢名，封於延陵，因號延陵季子。漢槎姓吳，故借以爲稱。

㈢行路悠悠誰慰藉　悠悠，謂路長時久。慰藉，猶慰勞也。後漢書隗囂傳：『所以慰藉之良厚。』李賢注：『慰，安也。藉，薦也。言安慰而薦藉之。』

㈣魑魅　亦作螭魅，山中怪物爲人害者。左傳文公十八年：『投諸四裔，以禦魑魅。』杜預注：『山林異氣所生爲人害者。』杜甫天末懷李白詩：『魑魅喜人過。』時白流夜郎，乃魑魅之地。此亦指寧古塔言。

㊄輸他覆雨翻雲手　輸，負也，如俗云輸贏，即勝負之義。杜甫貧交行：『翻手作雲覆手雨。』言一翻覆手間，雲雨已判，喻人情之反覆無常也。此處意謂魑魅搏人，尚不及人情反覆、世態炎涼之可畏也。

㊅淚痕莫滴牛衣透　漢書王章傳：『初，章爲諸生，疾病，無被，臥牛衣中與妻訣，涕泣。其妻怒呵之曰：「仲卿，今不自激昂，乃反涕泣，何鄙也。」及爲京兆，欲上封事，妻又止之曰：「人當知足，獨不念牛衣中涕泣時耶。」』顏師古注：『牛衣，編草使煖，以被牛體，蓋蓑衣之類。』此莫滴牛衣，亦勸勿悲哭之意。

㊆數天涯依然骨肉　天涯，猶言天邊，喻遙遠也。骨肉，喻至親，如父母妻子。此言漢槎遠在戍地，猶能骨肉團聚也。按漢槎寄顧舍人書曾述其妻與一男兩女同在戍所。

㊇比似紅顏多命薄更不如今還有　言才士坎坷，正似美人薄命，古往今來，如此者多矣。況更不如君之今日者，仍大有人在。此亦強爲寬解之辭。

㊈廿載包胥承一諾　春秋時楚大夫申包胥與伍員子胥爲友。員出奔，謂包胥曰：『我必覆楚。』包胥曰：『我必復之。』後員以吳師入郢，包胥乞師於秦，卒復楚。此云承一諾，蓋作者請納蘭性德援救漢槎，已諾之也。顧氏寄此詞，在康熙十五年，時漢槎遣戍已十八年，『廿載』蓋舉成數也。

㊉盼烏頭馬角終相救　風俗通：『燕太子丹質於秦，求歸，秦王曰：「待烏頭白，馬生角，當放子歸。」』此處意謂無論如何困難，如何不可能，終須設法相救。

⑪置此札君懷袖　札，書札。古詩十九首：『客從遠方來，遺我一書札，上言長相思，下言久離別。置書懷袖中，三歲字不滅。』

㈢杜陵　謂杜甫。甫居杜陵，自稱杜陵布衣。此處作者借以自比。

㈢夜郎僝僽　夜郎，指李白。白以唐永王璘事，流放夜郎今貴州桐梓縣，此處借比漢槎遣戍寧古塔。僝僽，憂苦之意。

㈣薄命長辭知己別　薄命長辭，作者自謂其妻逝去。集中有悼亡詞知己別，謂漢槎遣戍寧古塔。

㈤剖　剖白。

㈥兄生辛未吾丁丑　漢槎生於明崇禎四年辛未西元一六三一年，作者生於崇禎十年丁丑西元一六三七年，少於漢槎六歲。

㈦早衰蒲柳　蒲柳，卽水楊。世以其零落最早，故每用以喻人之早衰。晉書顧悅之傳：『悅之與簡文同年，而髮早白，帝問其故，對曰：「松柏之姿，經霜猶茂，蒲柳常質，望秋先零。」』

㈧河淸人壽　河指黃河。黃河水常混濁，淸甚僅見，故古以黃河淸爲祥瑞太平之徵。文選李康運命論：『黃河淸而聖人生。』李善注：『黃河千年一淸，淸則聖人生於時也。』左傳襄公八年。『俟河之淸，人壽幾何。』言河淸無日，人壽易盡也。此處但願河淸人壽，卽希望時世淸平、人亦健存之意。

㈨把空名料理傳身後　意謂生前榮華富貴無分，惟有藉著作而傳虛名於身後。晉書文苑傳：『張翰任心自適，不求當世，或謂曰：「獨不爲身後聲名計耶。」答曰：「使我有身後名，不如卽時一杯酒。」』

附　歷代名人短簡

(1) 自齊遺文種書

范蠡

吾聞天有四時，春生冬伐，人有盛衰，泰終必否，知進退存亡而不失其正，惟賢人乎。蠡雖不才，明知進退。高鳥已散，良弓將藏，狡兔已盡，良犬就烹。夫越王爲人，長頸鳥喙，鷹視狼步，可與共患難，而不可共處樂，可與履危，不可與安。子若不去，將害于子明矣。

【作　者】

范蠡，字少伯，楚三戶人，與文種同事句踐。句踐滅吳稱霸後，蠡卽辭去，適齊，變姓名爲鴟夷子皮，治產致數千萬。齊人聞其賢，以爲相。尋又辭去，止於陶，自號陶朱公。

【說　明】

范蠡既辭句踐，浮海出齊，遺文種書，勸其及時引退，種遂稱疾不朝。或讒種且作亂，句踐乃賜種劍自殺。按種字伯禽，楚郢人，事越爲大夫。越之報吳，種謀居多。卒爲句踐所忌，賜死。

※　※　※　※

⑵答夫秦嘉書㊀

徐淑

知屈珪璋㊀，應奉藏使㊁，策名王府㊂，觀國之光㊃，雖失高素皓然之業，亦是仲尼執鞭之操也㊄。自初承問，心願東還，迫疾未宜，抱歎而已。日月已盡，行有伴侶，想嚴裝已辦㊅，發邁在近㊆，『誰謂宋遠，企予望之。』㊇室邇人遐，我勞如何。深谷逶迤，而君是涉，高山巖巖，而君是越，斯亦難矣。長路悠悠，而君是踐，冰霜慘烈，而君是履，身非形影，何得動而輒俱，體非比目，何得同而不離。於是詠萱草之喻㊈，以消兩家之思，割今者之恨，以待將來之歡。

今適樂土，優游京邑㊉，觀王都之壯麗，察天下之珍妙，得無目玩意移，往而不能出耶。

【說　明】

東漢隴西秦嘉，字士會，桓帝時為上郡掾，與妻徐淑情好頗篤，淑以疾還家，不獲面別。嘉思之切，遣車往迎，並遺之以書曰：『不能養志，當給郡使，隨俗順時，黽勉當去，知所苦故爾，未有瘳損，想念悒悒，勞心無已。當涉遠路，趨走風塵，非志所慕，慘慘少樂。又計往還，將彌時節，念發同怨，意有遲遲，欲暫相見，有所屬託，今遣車往，想必自力。』淑得書，以疾未愈，不能往，報以此書。全文分三段：首段慰其奉使，中段言不能往而憶念之意，末段戒以無惑於紛華。

【注　釋】

㊀珪璋　玉器之貴重者。此喻秦嘉人品之高。

㈡藏使　庫藏之使。嘉爲上郡掾，輸賦於國庫，故以稱之。

㈢策名　策，簡策也。古之仕者，於所臣之人，書己名於策，以明繫屬之也。見孔穎達左傳僖公二十三年疏。

㈣觀國之光　周易觀卦：『觀國之光，利用賓于王。』言居近得位，明習國之禮儀也。

㈤**執鞭**　謂馭車也。論語述而篇：『子曰：「富而可求也，雖執鞭之士，吾亦爲之。如不可求，從吾所好。」』

㈥**嚴裝**　行裝整齊也。

㈦**邁**　遠行。言卽將出發遠行也。

㈧誰謂宋遠二句　詩經衛風河廣：『誰謂河廣，一葦杭之。誰謂宋遠，跂予望之。』鄭玄箋：『宋桓公夫人，衞文公之妹，生襄公而出。襄公卽位，夫人思宋，義不可往，故作是詩以自止。』

㈨萱草　又名忘憂草，相傳食之可以忘憂，故名。文選稽康養生論：『合歡蠲忿，萱草忘憂，愚智所共知也。』

㈩優游京邑　優游，閒暇自得貌。上郡地在今陝西省，鄰近京都洛陽，故云優游京邑。

※　※　※　※

(3)答夫秦嘉書㈠

徐淑

既惠令音，兼賜諸物，厚顧慇懃，出於非望。鏡有文彩之麗，釵有殊異之觀，芳香既珍，素琴益好，惠異物於鄙陋，割所珍以相賜，非豐恩之厚，孰肯若斯。覽鏡執釵，情想髣髴，操琴詠詩，思心成結。敕以芳香馥身㈠，喻以明鏡鑑形，此言過矣，未獲我心也。昔詩人有飛蓬之感㈡，班婕妤有誰榮之歎㈢，素琴之作，當須君歸，明鏡之鑑，當待君還，未奉光儀，則寶釵不列也，未侍帷帳，則芳香不發也。

【說　明】

秦嘉既得徐淑前書，報之曰：『車還空返，甚失所望，兼敍遠別，恨恨之情，顧有悵然。間得此鏡，既明且好，形觀文彩，世所希有，意甚愛之，故以相與，并寶釵一雙，好香四種，素琴一張，常所自彈也。明鏡可以鑑形，寶釵可以耀首，芳香可以馥身，素琴可以娛耳。』淑得書，又以此答。情深辭婉，具見用情之篤。

全文分二段：前段言得書及物，無限懷思。後段言人隔兩地，無心修飾，益以見情之重。

【注　釋】

㈠敕　諭告也。

㈡飛蓬　詩經衛風伯兮：『自伯之東，首如飛蓬，豈無膏沐，誰適為容。』詩意謂夫正行役，妻無心修飾也。

㈢班婕妤　漢成帝宮人。賢才通辯，雅擅詩賦，帝甚寵之，後趙飛燕得寵，被譖，退處長信宮，作賦自傷，賦中有『君不御兮誰為榮』之句。見漢書外戚傳。

※　※　※　※

(4)與曹公論盛孝章書

孔　融

歲月不居，時節如流，五十之年，忽焉已至，公為始滿，融又過二。海內知識，零落殆盡，惟會稽盛孝章尚存。其人困於孫氏，妻孥湮沒，單孑獨立，孤危愁苦㈠，若使憂能傷人，此子不得復永年矣。

春秋傳曰：『諸侯有相滅亡者，桓公不能救，則桓公恥之。』㈡今孝章實丈夫之雄也，天下譚士依以揚聲，而身不免於幽執，命不期於旦夕。是吾祖不當復論損益之友(三)，而朱穆所以絕交也(四)。公誠能馳一介之使，加咫尺之書，則孝章可致，友道可弘矣。

今之少年，喜謗前輩，或能譏平孝章。孝章要爲有天下大名，九牧之人所共稱歎(五)。燕君市駿馬之骨(六)，非欲以騁道里，乃當以招絕足也。惟公匡復漢室，宗社將絕，又能正之，正之之術，實須得賢。珠玉無脛而自至者(七)，以人好之也，況賢者之有足乎。昭王築臺以尊郭隗(八)，隗雖小才，而逢大遇，竟能發明主之至心(九)，故樂毅自魏往，劇辛自趙往，鄒衍自齊往。向使郭隗倒懸而王不解，臨溺而王不拯，則士亦將高翔遠引，莫有北首燕路者矣。

凡所稱引，自公所知，而復有云者，欲公崇篤斯義也。因表不悉。

【作　者】

孔融字文舉，孔子之後也。漢獻帝時爲北海相，尋遷少府。時天下方亂，融志在靖難，然才疏意廣，迄無成功，後爲曹操所忌，被害。爲建安七子之一。

【說　明】

文選李善注引虞預會稽典錄曰：『盛憲，字孝章，器量雅偉。舉孝廉，補尚書郎，遷吳郡太守，以疾去官。孫策平定吳會，誅其英豪。憲素有高名，策深忌之。初憲與少府孔融善，融憂其不免禍，乃與曹公書，由是徵爲騎都尉。詔命未至，果爲權所害。子匡奔魏，位至征東司馬。』按此書作於漢獻帝建安九年。

【注釋】

(一)孤危愁苦　時孝章方避難許昭家，故作此語。

(二)春秋傳至桓公恥之　春秋公羊傳僖公元年：『邢亡，孰亡之，蓋狄滅之也。曷為不言狄滅之，為桓公諱也。曷為為桓公諱，上無天子，下無方伯，天下諸侯有相滅亡者，桓公不能救，則桓公恥之。』引此謂拯救孝章為操所義不容辭者。

(三)吾祖不當復論損益之友　吾祖，指孔子。孔子論益者三友，損者三友。見論語季氏篇。

(四)朱穆絕交　朱穆，字公叔，東漢南陽宛人，感世澆薄，莫尚敦篤，作絕交論以矯之。

(五)九牧　猶云九州，九州皆有牧伯，故云。

(六)燕君市駿馬之骨　戰國策燕策：『郭隗謂燕昭王曰：「臣聞古之人君有市千里馬者，三年而不得，於是遣使齎千金往，未至而馬已死，使者乃以五百金買其骨以歸。其君大怒，將誅之。使者對曰：死馬尚市之，況生者乎，天下必知君之好也，馬將至矣。期年而千里馬至者三焉。王欲招賢，請從隗始。」』是市馬之事，乃郭隗謂燕昭王語。

(七)珠玉無脛而自至　韓詩外傳：『蓋胥謂晉平公曰：「珠出於海，玉出於山，無足而至者，好之也。士有足而不至者，君不好也。」』

(八)昭王築臺以尊郭隗　史記燕世家：『燕昭王於破燕之後即位，卑身厚幣，以招賢者。謂郭隗曰：「齊因孤之國亂，而襲破燕，孤極知燕小力少，不足以報。然誠得賢士以共國，以雪先王之恥，孤之願也。先生視可者得身事之。」郭隗曰：「王必欲致士，先從隗始。況賢於隗者，豈遠千里哉。」於是昭王為隗改築宮而師事之，樂毅自魏往，鄒衍自齊往，劇辛自趙往，士爭趨燕。』

(九)至心　謂誠懇極至之心也。晉書王嘉傳：『人候之者，至心則見之，不至心則隱形不見。』

※　※　※　※

(5)與朝歌令吳質書

曹丕

五月十八日丕白：季重無恙。塗路雖局㈠，官守有限，願言之懷，良不可任。足下所治僻左，書問致簡，益用增勞。

每念昔日南皮之游㈡，誠不可忘。既妙思六經，逍遙百氏。彈碁間設，終以六博㈢。高談娛心，哀箏順耳。馳騖北場，旅食南館。浮甘瓜於清泉，沈朱李於寒水。白日既匿，繼以朗月，同乘並載，以游後園。輿輪徐動，參從無聲，清風夜起，悲笳微吟。樂往哀來，愴然傷懷。余顧而言，斯樂難常。足下之徒，咸以爲然。今果分別，各在一方。元瑜長逝，化爲異物。每一念至，何時可言。

方今蕤賓紀時㈣，景風扇物，天氣和暖，衆果具繁。時駕而遊，北遵河曲，從者鳴笳以啓路，文學託乘於後車，節同時異，物是人非，我勞如何。今遣騎到鄴㈥，故使枉道相過，行矣自愛。丕白。

【作者】

曹丕，字子桓，曹操之子。漢獻帝建安二十五年，廢帝自立，是爲魏文帝，在位七年卒。丕好文學，禮重文人，有魏文帝集行世。

【說明】

吳質，字季重，漢末濟陰人，以文才爲曹丕兄弟所善，官至振威將軍，封列侯。朝歌故城在今河南淇縣東北。

【注　釋】

㈠局　近也。見爾雅。

㈡南皮　即今河北南皮縣。

㈢六博　古博戲名。詳見李賢後漢書梁冀傳注。

㈣蕤賓　五月之別稱。禮記月令：『仲夏之月，其音徵，律中蕤賓。』相傳黃帝命伶倫截竹爲筒，以筒之長短，分別聲音之清濁高下，樂器之音，即依以爲準則。分陰陽各六，陽爲律，陰爲呂，合稱十二律。

㈤後車　副車也。詩經小雅緜蠻：『命彼後車，謂之載之。』

㈥鄴　漢縣名，在今河南臨澤縣。

※　※　※　※

(6)答盧諶書　劉琨

損書及詩，備辛酸之苦言，暢經通之遠旨㈠，執玩反覆，不能釋手，慨然以悲，歡然以喜。昔在少壯，未嘗檢括㈡，遠慕老莊之齊物，近嘉阮生之放曠㈢，怪厚薄何從而生，哀樂何繇而至。自頃輈張，㈣，困於逆亂，國破家亡㈤，親友凋殘。塊然獨坐，則哀憤兩集，負杖行吟，則百憂俱至。時復相與舉觴對膝，破涕爲笑，排終身之積慘，求數刻之暫歡，譬繇疾疢彌年，而欲一丸銷之，其可得乎。

夫才生於世，世實須才，和氏之璧，焉得獨曜於郢握㈥，夜光之珠㈦，何得專玩於隨掌，天下之寶，固當與天下共之。但分析之日，不能不悵恨耳。然後知聃周之為虛誕，嗣宗之為妄作也。昔騄驥倚輈於吳坂㈧，長鳴於良樂㈨，知與不知也。百里奚愚於虞而智於秦㈩，遇與不遇也。今君遇之矣，勖之而已。不復屬意於文，二十餘年矣，久廢則無次，想必欲其一反(十一)，故稱指送一篇，適足以彰來詩之益美耳。

【作者】

劉琨，字越石，晉中山魏昌人，少與祖逖俱以雄豪名。愍帝時拜司空，都督并冀幽三州軍事，元帝稱制江左，轉侍中太尉，與段匹磾共討石勒，竟為匹磾所害。有劉中山集。

【說明】

盧諶，字子諒，晉范陽涿人，好老莊，善屬文，永嘉亂後，從劉琨投遼西段匹磾，以為幽州別駕，牋詩與琨，琨乃答以此書。

【注釋】

㈠經通　守經而又通變也。
㈡檢括　省察約束之意。
㈢阮生放曠　晉阮籍字嗣宗，尉氏人，賦性曠達，不拘禮教，為竹林七賢之一。
㈣輈張　驚懼貌。
㈤國破家亡　永嘉五年，劉曜大舉入寇，陷洛陽，是國破也。太原太守高喬以郡降劉聰，琨父母並遇害，是家亡也。

㈥和氏璧至郢握　春秋時，楚人卞和得璞玉於楚山中，以獻厲王，王以爲誑，刖其左足。武王卽位，復獻之，又以爲誑，刖其右足。及文王立，乃抱璞泣於荆山之下，王使人問之，曰：『臣非悲刖，寶玉而題之以石，貞士而名之爲誑，所以悲也。』王乃使人理其璞，果得玉焉，遂命之曰和氏之璧。事見韓非子和氏篇。郢，楚都，故城卽今湖北郢縣。郢握，郢人之手也。

㈦夜光珠　卽隋珠。春秋時，隋侯見大蛇傷斷，以藥傅之，後蛇於江中銜大珠以報之，因曰隋侯之珠。事見淮南子覽冥訓高誘注。

㈧騄驥倚輈於吳坂　騄驥，駿馬名。輈，轅也。吳坂在今山西安邑縣東南，相傳爲伯樂遇騏驥駕鹽車之地。

㈨良樂　王良伯樂也，並春秋時之善御馬者。按王良無遇驥之事，蓋因伯樂而連言之。

㈩百里奚　春秋虞人，初事虞公爲大夫，虞亡，入秦，佐穆公成霸業。事詳史記秦本紀。

(十一)反　指答書及和詩。

※　※　※　※

(7)答謝中書書

陶宏景

山川之美，古來共談，高峯入雲，清流見底。兩岸石壁，五色交輝，青林翠竹㈠，四時俱備。曉霧將歇，猿鳥亂鳴，夕日欲穨，沈鱗競躍。實是欲界之仙都㈡，自康樂以來㈢，未復有能與其奇者。

【作者】

陶宏景，字通明，南朝秣稜人。幼好學，未弱冠，齊高帝引爲諸王侍讀。後隱居句容句曲山，研習陰陽、五行、風角、星算、山川、地理、醫術、本草等學，又嘗造渾天象。梁武帝卽位，每有吉凶征討大事，無不諮請，時人謂之山中宰相。年八十五無病而卒，或傳其仙去。謚貞白先生。著有文集及帝王年歷古今刀劍錄等多種。

【說明】

謝中書，卽謝朏。朏字敬沖，南朝陽夏人，歷仕齊梁，累官至尚書令。

【注釋】

㈠青林　指松。

㈡欲界　佛家語，三界之一。佛分世界爲三：一曰欲界，此諸天人皆有情欲。二曰色界，此諸天人但有形色，情欲俱無。三曰無色界，此諸天人色相皆空，得無上樂。見俱舍論世間品。

㈢康樂　卽謝靈運。靈運南朝宋陽夏人，性好山水，常以遨遊自娛，創作極富，爲山水詩派之始祖。

※　※　※　※

⑻追答劉秣陵沼書

劉峻

劉侯既重有斯難㈠，值余有天倫之戚，竟未之致也。尋而此君長逝，化爲異物，緒言餘論，蘊而莫傳，或有自其家得而示余者，余悲其音徽未沫，而其人已亡，青簡尙新，而宿草將列㈡，泫然不知涕之無從也。雖隙駟不留㈢，尺波電謝㈣，而秋菊春蘭，英華靡絕，故存其梗概，更酬其旨。若使墨翟之言無爽㈤，宣室之談有徵㈥，冀東平之樹㈦，望咸陽而西靡，蓋山之泉㈧，聞絃歌而赴節。但懸劍空壟㈨，有恨如何。

【作　者】

劉峻，字孝標，梁平原人。好學安貧，耕讀不輟，聞人有異書，雖遠必往借，崔慰祖謂之『書淫』。天監初，典校祕書，安成王秀引爲戶曹參軍，使撰類苑，未成，以疾去。隱居東陽紫巖山，吳會人多從之學。及卒，門人諡曰玄靖先生。嘗注世說新語，所引甚富。

【說　明】

劉峻嘗以不得志著辨命論，秣陵令劉沼致書難之，往反非一。其後沼作書未發而卒，有人於沼家得書以示峻，峻乃作書追答之。全文淒楚纏綿，具見悼痛之深。

【注　釋】

㈠難　詰難也。

㈡宿草將列　禮記檀弓：『朋友之墓，有宿草而不哭焉。』孔穎達疏：『宿草，陳根也，草經一年則根存也。朋友相爲哭一期，草根陳乃不哭也。』列，成行也。

㈢隙駟　喻光陰消逝之速。

㈣尺波電謝　極言時光消逝之速，如電光之一閃而過也。文選陸機長歌行樂府：『寸陰無停晷，尺波豈徒旋。』按『豈徒旋』郭茂倩樂府詩集作『徒自旋』。

㈤墨翟之言　墨翟嘗引周大夫杜伯無罪被宣王所殺，後宣王田於圃，杜伯執弓矢射死宣王事，而論之曰：『凡殺不辜者，其得不祥。以若書之說觀之，則鬼神之有，豈可疑哉。』詳見墨子明鬼篇及史記封禪書索隱。

㈥宣室之談　漢文帝受釐宣室，嘗以鬼神之事問賈誼。事見漢書賈誼傳。

㈦東平樹　聖賢冢墓記：『東平思王冢在東平無鹽（故城在今山東東平縣東），王在國思京師，後葬其冢，冢上松柏西靡。』

㈧蓋山泉　宣城記：『臨城縣南四十里蓋山，高百許丈，有舒姑泉。昔有舒氏女，與其父析薪此泉，遽坐牽挽不動，乃還告家，比還，惟見清泉湛然。女母曰：「吾女本好音樂。」乃絃歌，泉涌迴流，有朱鯉一雙。今作樂嬉戲，泉故涌出也。』

㈨懸劍　春秋吳公子季札嘗聘於魯，觀周樂，過徐，徐君好其劍，而口不言，季札心知之，以爲使上國未卽獻。及還至徐，徐君已死，乃解劍懸徐君墓樹而去。事見史記吳世家。

※　※　※　※

(9)送橘啓

劉峻

南中橙甘，青鳥所食，始霜之旦，采之風味照座，劈之香霧噀人㈠。皮薄而味珍，脈不黏膚，食不留滓，甘踰萍實，冷亞冰壺。可以薰神㈡，可以芼鮮㈢，可以漬蜜。氈鄉之果㈣，寧有此邪。

【說　明】

劉峻送橘與人，附以小啓。書中說橘之美，朗潤雋永，讀之使人垂涎。

【注　釋】

㈠噀　噴也。

㈡薰　和悅之意。

㈢芼鮮　芼，菜也。鳥獸魚鼈新殺曰鮮。芼鮮，謂用菜雜肉爲羹也。

㈣氈鄉　氈裘之鄉，蓋指夷狄也。峻送橘於北地，故云。

※　※　※　※

⑽與宋元思書

吳　均

風煙俱淨。天山共色。從流飄蕩。任意東西。自富陽至桐廬㈠。一百許里。奇山異水。天下獨絕。水皆縹碧㈡。千丈見底。游魚細石。直視無礙。急湍甚箭㈢。猛浪若奔。夾岸高山。皆生寒樹。負勢競上。互相軒邈㈣。爭高直指。千百成峯。泉水激石。泠泠作響㈤。好鳥相鳴。嚶嚶成韻㈥。蟬則千轉不窮。猿則百叫無絕。鳶飛戾天者。望峯息心㈦。經綸世務者。窺谷忘反㈧。橫柯上蔽。在晝猶昏。疏條交映。有時見日。

【作　者】

吳均，字叔庠，梁吳興人，好學，有俊才，文體清拔有古氣，時稱吳均體。累官至奉朝請，有吳朝請集。

【說　明】

吳均嘗游富陽至桐廬間，途中景物幽奇，欣賞之餘，作書告宋元思。全文描寫奇山異水，生動流麗，使人讀之，恍如置身畫圖中。宋元思字玉山，劉竣有與宋玉山元思書，蓋卽其人。

【注釋】

㈠富陽桐廬　富陽，卽今浙江富陽縣。桐廬，卽今浙江桐廬縣。

㈡縹碧　色之蒼青者。文選左思吳都賦：『紫貝流黃、縹碧素玉』

㈢急湍甚箭　言急流之速，甚於箭也。孔稚珪褚先生伯玉碑：『飛浪突雲，奔湍急箭。』

㈣軒邈　軒，高也。邈，遠也。

㈤泠泠　泉流聲。文選陸機招隱詩：『山溜何泠泠，飛泉漱鳴玉。』

㈥嚶嚶　鳥聲之和也。詩經小雅伐木：『伐木丁丁，鳥鳴嚶嚶，出自幽谷，遷於喬木。』鄭玄箋：『兩鳥聲也。』

㈦鳶飛戾天者望峯息心　鳶，鴟屬，俗稱鷂鷹。戾，至也。詩經大雅旱麓：『鳶飛戾天，魚躍于淵。』按詩經原意謂君子修其樂易之德，上及飛鳥，下逮淵魚，無不歡忻悅豫。作者引此，用意略有出入，蓋謂意圖上進者，見此山峯，則息其勃勃之雄心，而轉思歸隱也。

㈧經綸世務者窺谷忘反　經綸，以治絲之事，喻規畫政治也。禮記中庸：『惟天下至誠，爲能經綸天下之大經。』朱子注：『經者，理其緒而分之，綸者，比其類而合之也。』按此亦謂意圖經邦軌物霖雨蒼生者，見此幽谷則忘返，而思長與煙霞爲侶也。

※　※　※　※

⑾與顧章書　　吳均

僕去月謝病，還覓薜蘿。梅溪之西有石門山者㈠，森壁爭霞，孤峯限日，幽岫含雲，深谿蓄翠。蟬吟鶴唳，水響猿啼，英英相雜㈡，綿綿成韻。既素重幽居，遂葺宇其上。幸富菊花，偏饒竹實，山谷所資，於斯已辦，仁智所樂㈢，豈徒語哉。

【說明】

吳均息影石門山，嘗與顧章書，述其地風景之幽異。

【注釋】

㈠石門山　在今浙江安吉縣東北四十里。上有兩石對峙如門，故名

㈡英英　和盛之貌。呂氏春秋古樂篇：『其音英英。』

㈢仁智所樂　論語雍也篇：『子曰：「知者樂水，仁者樂山。知者動，仁者靜。知者樂，仁者壽。」』

※　※　※　※

⑿與蕭臨川書　　梁簡文帝

零雨送秋。輕寒迎節。江楓曉落。林葉初黃。登舟已積㈠。殊足勞止㈡。解維金闕。定在何日㈢。八區內侍。厭直御史之廬㈣。九棘外府。且息官曹之務㈤。應分竹南川。剖符千里㈥。但黑水初旋。未申十千之飲㈦。桂宮既啓。復乖雙闕之宴㈧。文雅縱橫。卽事分阻㈨。清夜西園。眇然未剋㈩。想征艫

而結歎㈠。望橫席而霑襟㈡。若使弘農書疏。脫還鄴下㈢。河南口占。儻歸鄉里㈣。必遲青泥之封㈤。且覲朱明之詩㈥。白雲在天。蒼波無極。瞻之歧路。眷慨良深。愛護波潮㈦。敬勗光采。

【作　者】

梁簡文帝，姓蕭，名綱，字世纘，武帝第三子，昭明太子母弟也。大通間，昭明太子薨，立爲皇太子。太清末，侯景作亂，陷臺城，武帝崩，遂卽位，受制於侯景。景自稱宇宙大將軍，廢帝幽之於永福省，丞相王偉勸景弒帝以絕衆望，乃醉之酒，以土囊壓死。後景伏誅，進謚曰簡文皇帝，廟號太宗。在位二年，年號大寶。著有老子私記、莊子講疏等凡六百餘卷。

【說　明】

蕭臨川，卽蕭子雲，子雲時任臨川內史，故云。按子雲字景喬，齊高帝孫，有文采，善草隸，風神閑曠，不樂仕進，建武中封新浦縣侯，入梁仕至國子祭酒，侯景之亂，逃亡民間，餓死於晉陵顯靈寺。

【注　釋】

㈠登舟已積　言時日之積也。

㈡殊足勞止　猶云相思爲勞也。詩經大雅民勞：『民亦勞止。』止，語末助詞，無義。

㈢解維金闕定在何日　維、繩也、所以繫舟。解維，卽啓航之義。金闕，謂天子之宮闕。岑參詩：『金闕曉鐘開萬戶，玉階仙仗擁千官。』解維金闕，言開舟離京也。定在何日，就訊子雲啓行赴臨川之日程。

㊃八區內侍厭直御史之廬　三輔黃圖：『漢武帝後宮八區有昭陽、飛翔、增成、合歡、蘭林、披香、鳳凰、鴛鴦等殿。』內侍，謂入侍於內廷也。直，同值，侍也。廬，值宿者所止處也，猶今所謂値日室。御史，官名，漢御史大夫，位列三公，爲丞相之貳，掌圖籍祕書，兼司糾察彈劾之責。按梁書載子雲於大通元年除黃門郎，二年入爲吏部；三年兼侍中。此二句之意，無非在安慰子雲久官朝廷，難免生厭倦之心，宜出爲臨川內史。下二句亦同。

㊄九棘外府且息官曹之務　九棘，羣臣外朝之位，樹棘以爲識也。周禮秋官朝士：『朝士，掌建邦外朝之法。左九棘，孤卿大夫位焉，羣士在其後。右九棘，公侯伯子男位焉，羣吏在其後。面三槐，三公位焉，州長衆庶在其後。』外府，古時掌財貨出納之官名。周禮天官：『外府掌邦布之出入，以共百物，而待邦之用。』官曹，分職治事之官署也。

㊅應分竹南川剖符千里　竹符，古時用爲憑信之具，上刻文字，剖分爲左右兩半，如朝廷與外官，兩方欲執以爲信，則半存朝廷，半付外官，朝廷有事，遣使持半符至，外官復用半符勘合之，以驗眞僞。南川，即臨川，在今江西臨川縣。二句言子雲久處京師建康，亦應遠赴千里以外之臨川持符信爲官也。

㊆黑水初旋未申十千之飲　黑水，水名，在今甘肅省文縣西北。旋，還也。案梁普通五年，簡文爲雍州刺史，中大通三年還京師，立爲皇太子，故云。十千之飲，喻豪飲。曹植名都篇：『歸來宴平樂，美酒斗十千。』二句言己自黑水歸來，僕僕風塵，未克把酒對飲，暢敍舊歡也。

㊇桂宮旣啓復乖雙闕之宴　桂宮，漢宮名，武帝造，與明光殿柏梁臺相通，爲太子所居，故址在今陝西長安縣西北，簡文自雍州返京師，立爲太子，故借以自喻。乖，違也。古詩：『兩宮遙相望，雙闕百餘尺，極宴娛心意，戚戚何所迫。』二句言己爲太子後，又錯過宴聚之機會也。

㊈文雅縱橫卽事分阻　言飲酒賦詩之雅集每爲他事所阻也。

㊉清夜西園眇然未剋　文選曹植公宴詩：『清夜遊西園，飛蓋相追隨。』剋，剋期也。二句言欲效曹子建清夜遊覽西

園，又未能確定日期也。

㈠征艫　船尾謂之艫，征艫猶俗言征帆，此指子雲之行舟。

㈡橫席　一本作挂席。文選木華海賦：『於是候勁風，揭百尺，維長綃，挂帆席。』李善注引劉熙釋名曰：『隨風張幔曰帆，或以席爲之，故曰帆席也。』

㈢弘農書疏脫還鄴下　弘農，漢郡名，在今河南省境。鄴，漢縣名，在今河南臨漳縣境，曹操受封於此。三國志魏志曹植傳：『植留守鄴都，數與弘農楊修書，修亦答書焉。』

㈣河南口占儻歸鄉里　河南，漢郡名，約有今河南省北部黃河兩岸地。占，隱度也，即心中先隱度其辭，而後口授他人書之也。西漢陳遵，性放縱不拘，嗜酒好客，王莽時，起爲河南太守，既至官，召善書吏十人於前，治私書謝京師故人，遵憑几，口占書吏，且省官事，書數百封，親疏各有意。見漢書游俠陳遵傳。後人謂作詩不起草曰口占。

㈤必遲青泥之封　東漢鄧訓爲烏桓校尉，黎陽故人知訓好青泥封書，特從黎陽步推鹿車，載青泥至上谷貽訓。見東觀漢記。遲，等待也。

㈥且覿朱明之詩　朱明，謂夏也。按自『若使弘農書疏』至此六句，言吏或因公事來京，則青泥之信可待，夏時所作之詩可覿矣。

㈦愛護波潮　望其在舟中珍重，勿爲波潮所驚也。

※　※　※　※

⒀爲衡山侯與婦書　何遜

昔人遨遊洛汭。會遇陽臺㈠。神仙髣髴。有如今別。雖帳前微笑。涉想猶存。而幄裏餘香㈡。從風且敬。掩屏爲疾。引領成勞。鏡想分鸞。琴悲別鶴（三）。心如膏火。獨夜自煎（四）。思等流波。終朝不息（五）。始知萋萋萱草。忘憂之言不實（六）。團團輕扇。合歡之用爲虛（七）。路邇人遐。音塵寂絕（八）。一日三秋（九）。不足爲喻。聊陳往翰。寧寫款懷（十）。遲枉瓊瑤（十一）。慰其杼軸（十二）。

【作　者】

何遜，字仲言，南朝梁東海郯人，八歲能賦詩。天監中，官尚書水部郎，終廬陵王記室。文章與劉孝綽並稱，世號何劉。詩亦抒寫本眞，有聲於時。有何水部集。

【說　明】

衡山侯，即蕭恭。恭字敬範，梁宗室，天監八年封於衡山。善解吏事，所在見稱。

本篇情致溫柔，婉孌極豔，與伏知道爲王寬與婦義安主書、庾信爲梁上黃侯世子與婦書同一題材，同一機杼，並稱六朝香奩三絕作。王志堅曰：『衡山侯不好文，乃不免乞靈詞客，以媚閨闥，使閨闥具眼，謂此書渾不似，牀頭捉刀人所爲，奈何。』朱東觀評曰：『寄書閨閣，倩作爲奇，雜以韵嘲，殆不獨難爲衡山，亦難爲婦答矣。』蔣心餘曰：『風流旖旎，六朝極筆。』譚復堂曰：『纖巧如翦綵宮花。』許槤曰：『寄書閨閤，倩作固奇，而微笑餘香，代人涉想，尤爲奇之奇者，水部風情，於斯概見。』王文濡曰：『幽情宛轉，軟語纏綿，紙上猶存餘香，字裏如聞哀響，愁腸欲割，山非劍芒，離緒頻縈，水成衣帶，言情之作，斯爲獨絕。』

【注　釋】

㈠遨遊洛汭會遇陽臺　水曲曰汭，洛汭，洛水入黃河處，在河南鞏縣。文選曹植洛神賦：『爾乃稅駕乎蘅皋，秣駟乎芝田，容與乎陽林，流眄乎洛川。於是精移神駭，忽焉思散，俯則未察，仰以殊觀，覩一麗人，于巖之畔。』陽臺，山名，當在今四川巫山縣境，戰國楚王與巫山神女歡合於此。詳見文選宋玉高唐賦序。

㈡幄裏餘香　幄，大帳也。顧野王玉篇：『上下四旁悉周曰幄。』劉歆西京雜記：『趙飛燕女弟居昭陽殿，設綠熊席，雜熏諸香，一坐此席，餘香百日不歇。』

㈢鏡想分鸞琴悲別鶴　李商隱陳後宮詩馮浩注引范泰鸞鳥詩序：『罽賓王獲彩鸞鳥，三年不鳴。夫人曰：嘗聞鳥見其類而後鳴，何不懸鏡以照之。王從其言。鸞睹影悲鳴，哀響中宵，一奮而絕。』崔豹古今注音樂篇：『商陵牧子娶妻五年而無子，父母將爲之改娶，妻聞之，中夜起，倚戶悲嘯，牧子聞之，愴然而悲，乃援琴而歌，後人因以爲樂章。其詞曰：將乖比翼隔天端，山川悠遠路漫漫，攬衣不寢食忘餐。』按此卽古代著名之琴曲別鶴操也。

㈣心如膏火獨夜自煎　莊子人間世篇：『山木自寇也，膏火自煎也。』按此二句與杜牧詩『蠟燭有心還惜別，替人垂淚到天明』，蓋有異曲同工之妙。

㈤終朝　猶崇朝也。詩經小雅采綠：『終朝采藍，不盈一襜。』毛氏傳：『自旦及食時爲終朝。』又老子：『飄風不終朝，驟雨不終日。』

㈥萋萋萱草忘憂之言不實　萋萋，茂盛也。萱草，一名忘憂草，花及嫩芽可供食用，俗稱金針菜，食之動風，令人昏然如醉，百憂都忘，因名忘憂草。見李時珍本草綱目。

㈦團團輕扇合歡之用爲虛　團團，圓貌。班婕妤怨歌行：『裁成合歡扇，團團似明月。』案古時有所謂合歡扇、圓扇之屬，皆寓有夫婦和合歡樂之意。

㈧路邇人遐音塵寂絕　詩經鄭風東門之墠：『其室則邇，其人甚遠。』屈萬里釋義：『二句言見其室而不見其人，蓋咫尺天涯之意。』文選謝莊月賦：『美人邁兮音塵闕，隔千里兮共明月。』二句言夫婦相思而不得相見，雖咫尺天涯，亦莫可奈何也。

㈨一日三秋　謂思慕之切也。詩經王風采葛：『一日不見，如三秋兮。』孔穎達疏：『年有四時，時皆三月。三秋，謂九月也。』後人因以一日三秋爲歷時雖短而感其甚長之辭。

㈩款懷　南史宋武帝紀：『司馬體國忠貞、款懷待物。』款，誠愛也。

⑪遲枉瓊瑤　亟盼其回信也。遲，待也。枉，委屈也。瓊瑤，美玉也。詩經衛風木瓜：『投我以木桃，報之以瓊瑤，匪報也，永以爲好也。』案後世稱人書信亦曰瓊瑤。文選江淹雜體詩：『煙景若離遠，末響寄瓊瑤。』李善注：『言煙景離隔，相去既遠，後可附音信也。瓊瑤，謂書也。』

⑫杼軸　織具也。杼，持緯者。軸，受經者。言思念之深，有如杼軸之旋轉不停也。

※　※　※　※

⒁爲梁上黃侯世子與婦書

庾信

昔仙人導引。尚刻三秋㈠。神女將疏。猶期九日㈡。未有龍飛劍匣㈢。鶴別琴臺㈣。莫不銜怨而心悲。聞猿而下淚㈤。人非新市。何處尋家㈥。別異邯鄲。那應知路㈦。想鏡中看影。當不含啼。欄外將花。居然俱笑㈧。分杯帳裏。卻扇牀前。故是不思。何時能憶㈨。當學海神。逐潮風而來往㈩。勿如織女。待塡河而相見⑪。

【作者】

庾信，字子山，南北朝新野人，初仕梁為太子中庶子，元帝時使西魏，值大軍南討，遂留長安。周孝閔踐祚，封義城縣侯，拜洛州刺史。隋開皇元年卒。信博覽羣籍，摛辭艷麗，與徐陵並稱駢文百代宗師。

【說　明】

此為作者代蕭慤捉刀之作。慤字仁祖，梁上黃侯蕭曄之子，江陵陷後入齊，為齊州錄事參軍，待詔文林館。工於詩文，頗為顏之推所賞。

本文丰神飄逸，意態輕盈，淡語傳神，言外見意，寥寥百餘言，而深情無限，蓋其秀在骨，而不可以皮相者。讀其『想鏡中看影，當不含啼，欄外將花，居然俱笑』數句，艷極韻極，其不見妒於鴛鴦者，殆不可得，故以一代香奩高手譽之，決不為過。

錢塘倪璠曰：『昔陸機入洛，有代彥先之詞，何遜裁書，有為衡山之札。才子詞人，自能揮翰，而夫妻致詞，間多代作，此亦感其燕婉之情，代傳別恨，可以葛龔無去者也。慤本梁朝宗室，疑江陵陷後，隨例入關，若非隔絕，即是俘虜。此書摹暫離之狀，寫永訣之情，茹恨吞悲，無所投訴，殆亦江南賦中臨江愁思之類也。』蔣心餘評曰：『一時倩筆遺婦，遂有三人，豈藉彼雕龍，助其射雉，不知此事豈可使卿有功耶。』

【注　釋】

㈠仙人導引尚刻三秋　墉城集仙錄：『杜蘭香者，漁父於湘江洞庭之岸，憐而舉之，十餘歲，忽有青童靈人，自空而下，攜女而去，臨昇天，謂其父曰：我仙女杜蘭香也。後至八月旦，降張碩家，三年授以舉形飛化之道，碩亦得仙。』刻，通剋，謂限定時日也。三秋，謂秋季也。導引，仙人養生之術，謂呼吸俯仰，屈伸手足，使氣血充足，身體輕舉也。此言杜蘭香下嫁張碩以八月，尙定三秋之期也。

㈡神女將疏猶期九日　三國時，魏濟北郡從事掾弦超，字義起，以嘉平中夜獨宿，夢有神女來從之，自稱天上玉女，東郡人，姓成公，字智瓊，早失父母，天帝哀其孤苦，遣令下嫁從夫。超見其絕色，非人間所有，覺寤懷想，悁悁若有所失，如此三四夕。一日，智瓊復來，車馬婢從甚盛，風姿嫣然，狀若飛仙，自言年七十，視之，如十五六少女。車上有壺榼，青白琉璃五具，飲啗奇異，具醴酒與超共飲。謂超曰：『我，天上玉女，見遣下嫁，故來從君，飲食日用俱無虞匱乏。然我神人，不爲君生子，亦無妒忌之性，不害君婚姻之義。』遂爲夫婦。經七八年，父母爲超娶婦，分日而宴，分夕而寢，夜來晨去，倏忽若飛，唯超見之，他人不見。雖居闇室，輒聞人聲，常見踪跡，然不睹其形。後人怪問，漏泄其事，玉女遂求去。云：『我，神女也，雖與君交，不願人知，而君性疏漏，我今本末已露，不復與君通接，積年繾綣，恩義不輕，一旦分別，豈不愴悢，勢不得不爾，願各自努力。』因取織成裙衫兩副遺超，並贈詩一首，把臂告辭，涕泣溶襟，黯然升車，去若飛迅。超悲痛欲絕，幾成槁木。去後五年，超奉郡使至洛陽，到濟北魚山下，陌上西行，遙望曲道頭有一馬車，似智瓊，驅馳至前，果是也，遂披帷相見，悲喜交切，同乘至洛，復爲室家，重溫舊夢。至晉太康中猶在，但不日日往來，每於三月三日、五月五日、七月七日、九月九日、旦十五日輒下，往來經宿而去。張茂先爲之作神女賦。見干寶搜神記。此言智瓊之踪跡將疏，猶期九月九日可會也。按智瓊與弦超刻期有三月三日、五月五日、七月七日、九月九日、及旦十五日，此云九日，特舉其大略也。

㈢龍飛劍匣　晉書張華傳：『吳之未滅也，斗牛間常有紫氣，吳平之後，紫氣愈明。華聞豫章人雷煥妙達緯象，乃要煥宿，登樓仰觀。煥曰：「寶劍之精，上徹於天耳，在豫章豐城。」華卽補煥爲豐城令。煥到縣，掘獄屋基，得一石函，光氣非常，中有雙劍，並刻題，一曰龍泉，一曰太阿，其夕斗牛間氣不復見焉。煥遣使送一劍與華，留一自佩。華得劍，復煥書曰：「詳觀劍文，乃干將也，莫邪何復不至，雖然，天生神物，終當合耳。」華誅，失劍所在。煥卒，子華持劍行經延平津，劍忽於腰間躍出墮水，使人沒水取之，不見劍，但見兩龍各長數丈，蟠縈有文章，水浪驚沸，於是失劍。』

㈣鶴別琴臺　見上篇爲衡山侯與婦書注。按龍飛鶴別均喻夫婦分離。

㈤聞猿而下淚　酈道元水經江水注：『自三峽七百里中，兩岸連山，略無闕處，重巖疊嶂，隱天蔽日，自非亭午夜分，不見曦月。每至晴初霜旦，林寒澗肅，常有高猿長嘯，屬引淒異，空谷傳響，哀轉久絕。故漁者歌曰：巴東三峽巫峽長，猿鳴三聲淚沾裳。』按以上言蘭香下嫁之日，尚有三秋可期，智瓊求去之後，猶有九日可會，未有分兩龍於劍匣，別雙鶴於琴弦如今之悲淚也。

㈥人非新市何處尋家　新市、舊縣名、故城在今湖北京山縣東北。蕭氏封於上黃，上黃在今湖北荊門縣境，與新市近在咫尺，故借用之。按玩索文義，似別有所指，或他書另有『新市尋家』故事，待考。

㈦別異邯鄲那應知路　邯鄲，漢縣名，故城在今河北邯鄲縣境。漢書張釋之傳：『文帝時拜爲中郎將，從行至霸陵，上文居外臨廁，時愼夫人從，上指視新豐道，曰：此走邯鄲道也。因使夫人鼓瑟，上自倚瑟而歌，意悽愴悲懷。』按愼
帝
夫人係邯鄲人。以上四句言不易相見也。

㈧鏡中看影至居然俱笑　鏡中看影，用鸞鳥照鏡事，已見前篇爲衡山侯與婦書注。此言夫婦雖雲山遠隔，猶彷彿相見之時也。

㈨分杯帳裏卻扇牀前故是不思何時能憶　禮記昏禮：『合巹而酳。』鄭玄注：『合巹則不異爵。』孔穎達疏：『以一瓠分成兩瓢謂之巹，壻之與婦，各執一片，故云合巹。』世謂男女成婚曰合巹，本此。晉溫嶠新喪婦，從姑劉氏家値亂離散，唯有一女，容貌絕麗，姑屬嶠覓壻，嶠密有自婚意，答曰：『佳壻難得，但如嶠比云何。』姑曰：『喪敗之餘，乞粗存活，便足慰吾餘年，何敢希汝比。』後數日，嶠報姑云：『已覓得婚處，壻身名宦，盡不減嶠。』因下玉

鏡臺一枚，姑大喜。既婚交禮，女以手披紗扇，撫掌大笑曰：『我固疑是老奴，果如所卜。』見世說新語假譎篇。後人本此，遂謂男女成婚曰卻扇，或曰披扇。此四句言不相思則已，然亦何時能不追憶當年洞房花燭之夜，兩相繾綣之情事乎。

㈩海神　東方朔神異經：『西海水上有人乘白馬朱鬣，白衣玄冠，從十二童子，馳馬西海水上，如飛如風，名曰河伯使者，或時上岸，馬跡所及，水至其處，所至之國，雨水滂沱，暮則還河。』

⑪織女　天孫也。荆楚歲時記：『天河之東有織女，天帝之子也，年年織杼勞役，織成雲錦天衣，天帝憐其獨處，許嫁河西牽牛郎，嫁後遂廢織紝，天帝怒，責令歸河東，使其一年一度相會。』

※　※　※　※

⒂為王寬與婦義安主書

伏知道

昔魚嶺逢車㈠。芝田息駕㈡。雖見妖婬㈢。終成揮忽㈣。遂使家勝陽臺㈤。為歡非夢。人慚蕭史㈥。相偶成仙。

輕扇初開。欣看笑靨。長眉始畫。愁對離妝。猶聞徙佩㈦。顧長廊之未盡。尚分行幰㈧。冀迴陌之難迴㈨。廣攝金屏。莫令愁擁㈩。恆開錦幔。速望人歸。鏡臺新去⑪。應餘落粉。熏鑪未徙。定有餘煙。淚滴芳衾。錦花常溼。愁隨玉軫⑫。琴鶴恆驚⑬。已覺錦水丹鱗。素書稀遠⑭。玉山青鳥⑮。仙使難通。綵筆試操。香牋遂滿。行雲可託，夢想還勞。

九重千日⑯。詎憶倡家。單枕一宵。便如蕩子。當令照影雙來。一鸞羞鏡⑰。弗使窺窗獨坐。嫦娥笑人㈥。

【作者】

伏知道，南朝陳平昌安丘人，伏挺從子，饒文才，有聲於時，

【說明】

王寬，南朝陳臨沂人，固子，官至司徒左長史侍中。陸夢龍評曰：『如此情緒綿牽，既工且切，殆難爲兩邊人。』

【注釋】

㈠魚嶺逢車　用弦超在濟北魚山下與仙女智瓊重逢事，詳前篇爲梁上黃侯世子與婦書注。

㈡芝田息駕　文選曹植洛神賦：『爾乃稅駕乎蘅皋，秣駟乎芝田，容與乎陽林，流眄乎洛川。於是精移神駭，忽焉思散，俯則未察，仰以殊觀，覩一麗人，於巖之畔。乃援御者而告之曰：爾有覿於彼者乎，彼何人斯，若此之豔也。』劉良注：『芝田，地名也。』案王嘉拾遺記：『崑崙山第九層，山形漸小狹，下有芝田蕙圃，皆數百頃，羣仙種耨焉。』

㈢妖姪　姪，通淫。妖姪，猶言妖姬，指上文所引二女子。

㈣揮忽　猶言倏忽。梁武帝孝思賦：『年揮忽而莫反，時瞬睒其如電。』

㈤陽臺　見前篇爲衡山侯與婦書注。

㈥蕭史　周時人，初無名，周宣王以爲史官，時人遂以史名之。善吹簫，秦穆公以女弄玉妻之，日教弄玉吹簫作鳳鳴，數年而似，有鳳凰來止，公爲築鳳凰臺，後蕭史乘龍弄玉乘鳳飛昇去。見劉向列仙傳。

（七）徙佩　繫於帶之飾物曰佩。徙佩，猶言曳佩，如聞佩聲之移徙也。

（八）幰　帛張車上爲幰，俗謂車幔。

（九）迥陌　猶言遠路。以上四句言初別時，長廊未盡，猶聞佩聲，迥陌難迴，可以望見也。

（一〇）廣攝金屏莫令愁擁　攝，收斂也。言將金屏收斂，莫令對之而生愁也。

（一一）鏡臺　晉溫嶠北征劉聰，得玉鏡臺，後以聘從姑之女。詳見前篇爲梁上黃侯世子與婦書注。

（一二）玉軫　琴下轉絃者曰軫。梁元帝秋夜詩：『金徽調玉軫，茲夜撫離鴻。』

（一三）琴鶴恆驚　謂彈別鶴操也。詳爲梁上黃侯世子與婦書注。

（一四）素書　卽尺素書，謂書簡也。文選飲馬長城窟行：『客從遠方來，遺我雙鯉魚，呼兒烹鯉魚，中有尺素書。長跪讀素書，書中竟何如，上言加餐食，下言長相憶。』呂向注：『尺素，絹也。古人爲書，多書於絹。』

（一五）玉山青鳥　玉山，仙山名。山海經西山經：『玉山是西王母所居也。』郭璞注：『此山多玉石，因以名云。穆天子傳謂之羣玉之山。』畢沅注以爲在肅州西七十里，昆侖之連麓。青鳥，西王母之使者。漢武故事：『七月七日忽有青鳥飛集殿前，東万朔曰：此西王母欲來。有頃，王母至，三青鳥夾侍王母旁。』

（一六）九重千日　九重，謂天子所居之處也。疑義安公主方歸覲父皇，故云。楚辭九辯：『豈不鬱陶而思君兮，君之門以九重。』洪興祖補注：『天子有九門，謂關門、遠郊門、近郊門、城門、皐門、庫門、雉門、應門、路門也。』千日，言久別也。

（一七）一鸞羞鸞　見爲梁上黃侯世子與婦書注。

（一八）嫦娥　亦作姮娥，古之仙女。淮南子覽冥訓高誘注：『姮娥，羿妻，羿請不死之藥於西王母，未及服之，姮娥盜食之，得仙，奔入月中爲月精。』按末二句是切望義安公主歸來團圓之辭。

※　※　※　※

⒃山中與裴迪秀才書

王維

近臘月下㈠，景氣和暢㈡，故山殊可㈢。過足下，方溫經，猥不敢相煩，輒便往山中，憩感配寺㈣，與山僧飯訖而去。

北涉玄灞㈤，清月映郭。夜登華子崗㈥，輞水淪漣㈦，與月上下。寒山遠火，明滅林外。深巷寒犬，吠聲如豹。村墟夜舂，復與疏鐘相間。此時獨坐，僮僕靜默，多思曩昔攜手賦詩，步仄逕㈧，臨清流也。

當待春中，草木蔓發，春山可望，輕鯈出水㈨，白鷗矯翼㈩，露溼青皋⑾，麥隴朝雊⑿。斯之不遠，儻能從我遊乎。非子天機清妙者⒀，豈能以此不急之務相邀，然是中有深趣矣，無忽。因馱黃檗人往，不一。山中人王維白。

【作　者】

王維，字摩詰，唐太原祁人。開元九年進士，官至尚書右丞。性高潔，工詩，書畫各極其妙，後世稱其詩中有畫，畫中有詩，有王右丞集。

【說　明】

舊唐書文苑傳云：『維得宋之問藍田別墅在輞口（在今陝西藍田縣）輞水周于舍下，別漲竹洲花塢，與道友裴迪浮舟往來，彈琴賦詩，嘯詠終日。』此篇則維招迪淸遊書簡，寫山居之淸趣，尋人外之歡娛。陶淵明詩云：『聞多素心人，樂與數晨夕』，此維所以佇望於良友也。迪關中人，與維居終南，相唱和，嘗爲尙書省郞。

【注　釋】

㈠近臘月下　臘月，舊曆十二月。近臘月下，謂近十二月之時也。

㈡景氣　景，日光也。氣，氣候。景氣，猶言風日、風光。

㈢故山殊可　故山，指輞川，王維別墅所在也。可，猶宜也。

㈣感配寺　當爲感化寺之誤。王維有遊感化寺詩，文苑英華作化感寺，寺在終南山。

㈤玄灞　灞，灞水，亦作霸水，源出陝西藍田縣東。玄，黑色，謂水色黑也。

㈥華子岡　王維輞川集序云：『余別業在輞川山谷，其遊止有孟城坳華子岡……等。』

㈦輞水淪漣　輞水，即輞川，在藍田縣南約十二公里。風吹水成文曰淪漣。

㈧仄逕　仄，同側，狹隘。逕，同徑，小路。

㈨儵　白魚也。

㈩矯　高舉。

⑪臯　水澤邊地。

⑫雊　雉雊鳴。

⑬天機　莊子大宗師篇：『其嗜欲深者，其天機淺。』成玄英疏：『天然機神。』曹受坤注：『說文：「主發動謂之機。」天機，是發動出於自然之義。』

※　※　※　※

(17)謝賀生日啓

眞德秀

日逾采菊之三。實惟初度㈠。詩詠伊蒿之什。慨矣永懷㈡。況方掩於柴荆。乃俯勤於車騎㈢。錫之盛禮。君子之酒且多。貺以佳文。幼婦之詞絕妙㈣。顧惟衰陋。難稱寵嘉。年五十而知非。況又逾伯玉之歲㈤。壽萬千而無害。願回頌魯侯之賢㈥。

【作　者】

眞德秀，字景希，南宋浦城人，慶元進士，官至參知政事，卒諡文忠。其學以朱子爲宗，學者稱西山先生。所著有大學衍義、文章正宗等書。

【說　明】

本篇選自西山文集，篇幅不及百字，著墨無多，看似不經意之作，實則千錘百鍊而出，雋永雅潔，澹宕夷猶，讀之唯恐其盡，蓋能以少許勝多許者。初習駢體文及應用文者，允宜置之坐隅，反復雒誦，必能悟得其中三昧，而了然於寫作之奧祕焉。

【注　釋】

㈠日逾采菊之三實惟初度　言己之生辰在夏曆九月十二日也。晉書陶潛傳：『潛字淵明，尋陽柴桑人，嘗著五柳先生傳。九月九日無酒，出宅邊菊叢中，坐久之，逢王弘送酒至，即便就酌。』文選陶潛雜詩：『采菊東籬下，悠然見南山。』石介詩：『別後中秋又重九，與誰賞月詠東籬。』初度，猶初生也。離騷：『皇覽揆余於初度兮，肇錫余以嘉名。』皇，皇考也。覽，觀也。揆，度也。言揆度其始生之時也。故俗稱生日曰初度。

㈡詩詠伊蒿之什慨矣永懷　詩經小雅蓼莪：『蓼蓼者莪，匪莪伊蒿，哀哀父母，生我劬勞。』蓼蓼，長大貌。莪，美菜也。匪，非也。伊，是也。蒿，賤菜也。孔穎達毛詩正義：『言蓼蓼然長大者，正是莪也，而不精審視之，以爲非莪，反謂之爲蒿。以己二親，今且病亡，自在役中，不得侍養，精神昏亂，故視物不察也。』朱子詩經集傳：『人民勞苦，孝子不得終養，而作此詩。言昔謂之莪，而今非莪也，特蒿而已。以比父母生我以爲美材，可賴以終其身，而今乃不得其養以死。於是乃言父母生我之劬勞，而重自哀傷也。』

㈢況方掩於柴荊乃俯勤於車騎　掩柴荊，謂掩塞其門，不通賓客也。二句言己正欲杜門避壽，乃蒙高軒莅止，蓋有不勝其感激之情者。

㈣幼婦之辭絕妙　魏武帝曹操嘗過曹娥碑下，文士楊脩從行，見碑背題『黃絹幼婦外孫齏臼』八字，魏武謂脩曰：『解不』。答曰：『解』。魏武曰：『卿未可言，待我思之。』行三十里，魏武乃曰：『吾已得』。即令脩別記所知，脩解曰：『黃絹，色絲也，於字爲絕。幼婦，少女也，於字爲妙。外孫，女子也，於字爲好。齏臼，受辛也，於字爲辤。所謂絕妙好辭也。』魏武亦記之，與脩同，乃歎曰：『我才不及卿，相差乃覺有三十里也。』見世說新語捷悟篇。

㈤年五十而知非況又逾伯玉之歲　淮南子原道訓：『蘧伯玉行年五十，而知四十九年之非。』高誘注：『伯玉，衞大夫蘧瑗也。今年所行是也，則還顧知去年之所行非也，歲歲悔之，以至於死，故有四十九年非，所謂月悔朔，日悔昨也。』駱賓王詩：『且論三萬六千是，寧知四十九年非。』本此。

㈥壽萬千而無害願回頌魯侯之賢　詩經魯頌閟宮：『萬有（有又古音通叚）千歲，眉壽無有害，魯侯燕喜，令妻壽母，宜大夫庶士，邦國是有。』鄭玄箋：『魯僖公燕飲於內寢，則善其妻壽其母，謂為之祝慶也，與羣臣燕，則欲與之相宜，亦祝慶之。』

※　※　※　※

(18)與王滄亭書

許湄

向獲締交於季方，因得聞元方之賢㈠，思一見為快。昨於會城邂逅遇之。覺大兄之才華器宇，更有勝於所聞者，正恨相見之晚，不期越宿分襟，又恨相違之速矣。

別後初四日抵津門㈡，初十日詣平舒㈢，月未一圓，地經兩易，風塵僕僕㈣，無非芸人之田㈤，自憐亦堪自笑。比值同人歸里，館中惟我獨居，加以清磬紅魚㈥，直是修行古刹，而西風黃葉，洄溯時殷，雙鯉之頒㈦，定不我棄。尊體復元否，嫁務紛勞㈧，諸宜珍攝。因風寄意，不盡所懷。

【作　者】

許湄，字葭村，清末浙江山陰人，早歲習幕，宦遊四方。著有秋水軒尺牘，與龔未齋雪鴻軒尺牘並稱尺牘雙璧，坊間翻印頗多。

【注　釋】

㈠元方　東漢陳寔有六子，長子紀，字元方，次子諶，字季方，最賢，父子三人並著高名，時號三君。見後漢書陳寔傳。後世遂以元方季方稱兄弟之賢。

㈡津門　今天津市之別稱。

㈢平舒　今河北大城縣之別名。

㈣僕僕　煩猥貌。孟子萬章篇：『子思以爲鼎肉使己僕僕爾亟拜也，非養君子之道也。』

㈤芸人之田　喻代人作事也。孟子盡心篇：『人病舍己田而芸人之田，所求於人者重，而所以自任者輕。』

㈥清磬紅魚　謂清越之磬聲，紅漆之木魚也。

㈦雙鯉　喻書信。古樂府：『尺素如殘雪，結成雙鯉魚。』

㈧嫁務　秦韜玉貧女詩：『苦恨年年壓金線，爲他人作嫁衣裳。』今喻爲人作事不暇自謀曰爲人作嫁。

※　※　※　※　※

(19) 謝山西方伯玉招入幕

許　涓

睽違棨戟，幾度蟾圓，依慕私忱，時勞夢轂㈠。頃奉台翰，敬稔大人績履崇膺，勛祺懋介。溥郇膏於三晉㈡，渥帝眷於九重。驤首薇垣㈢，良符慰頌。涓識慚固陋，學愧迂疎。辱荷中丞知遇之深，並蒙大人吹噓之力，加以居停慫恿㈣，極思一遂登龍㈤。惟涓卅載浪遊，刻以先人窀穸未營，思歸綦切。且晚年得子，尚在孩提，舍之遠行，未免呱呱在念，挈之同往，又覺處處擔心。是以曩歲張蘭渚中丞致信蔣相國，再四相招，未克應命。去冬那繹堂大府，情殷求舊，亦恐因此羈絆，婉爲之辭。恨相逢之已晚，非託故以辭徵。顧以駑劣而見賞孫陽㈥，惟有昂首長鳴，自呼負負耳㈦。

【注釋】

㈠夢轂　喻神往之深也。轂，所以貫車之軸，便起行也。夢轂，言急欲一見，雖夢寐中亦若爲之轉轂也。書札中多用之。

㈡郇膏　喻惠澤。詩經曹風下泉：『芃芃黍苗，陰雨膏之。四國有王，郇伯勞之。』

㈢薇垣　明清稱布政司曰薇署，亦曰薇垣，因布政司在元爲行中書省，而中書省又有紫薇省之稱故也。

㈣居停　稱東家。宋時寇準嘗借住王曾之第，後朝議貶寇準，同列不敢言，獨王曾質之。丁謂曰：『居停主人勿復言。』見宋史丁謂傳蓋卽指曾嘗以第舍假準也。後凡被僱用之人皆稱其主人曰居停。

㈤登龍　三秦記：『江海魚集龍門下，登者化龍。』世因以龍門喻高名碩望，凡得其接引而增長聲價者，謂之登龍門。李白與韓荊州書：『一登龍門，則聲譽十倍。』

㈥孫陽　春秋秦穆公時人，一名伯樂，善相馬。嘗過虞坂，有騏驥伏鹽車下，見伯樂而長鳴，伯樂下車泣之，驥乃俯而噴，仰而鳴，聲聞於天。事見戰國策楚策。

㈦負負　慚愧之甚也。李賢後漢書張步傳注：『負，愧也，再言之者，愧之甚。』

※　※　※　※

⑳致某君書　秋瑾

吾與君志相若也，而今則君與予異，何始同而終相背乎。雖然，其異也，適其所以同也。蓋君之志則在於忍辱以成其學，而吾則義不受辱，以貽我祖國之羞。然諸君誠能忍辱以成其學者，則辱也甚暫，而不辱其常矣。吾素負氣，不能如君等所爲，然吾甚望諸君之無忘國恥也。

吾歸國後，亦當盡力籌畫，以期光復舊物，與君相見於中原，成敗雖未可知，然苟留此未死之餘生，則吾志不敢一日息也。吾自庚子以來，已置生命於不顧，卽不獲成功而死，亦吾所不悔也。且光復之事，不可一日緩，而男子之死於謀光復者，則自唐才常以後，若沈藎、史堅如、吳樾諸君子不乏其人，而女子則無聞焉，亦吾女界之羞也，願與諸君交勉之。

【作　者】

秋瑾，字璿卿，淸山陰人，性喜任俠，矢志革命。光緒中葉，東渡日本，入同盟會。後歸紹興，主辦明道女學，又與徐錫麟創設體育會。徐案發，瑾亦在紹被捕，遂殉難。

【說　明】

民國紀元前七年十一月，日本文部省頒布取締留學生規則，留學界大憤，陳天華投大森海灣自殺。總理年譜長編稿云：『時同盟會員，顯分兩派：一主全體歸國，集上海興學，以洗日人取締之恥，秋瑾、易本羲、田桐、胡瑛等是。一主忍辱負重，不可輕率廢學，汪兆銘、胡衍鴻、朱大符等是。兩派互相辯論，終難一致，瑾等以是歸國，遂爲後說所勝。』秋瑾等回國後，設中國公學於上海。此書當卽發於自日回國之際，味其所言，某君當亦女留學生，而有志革命者。

第四章 柬帖

第一節 柬帖之意義

柬帖原係書信之別名。古時無紙，書寫工具，率用竹帛。書於竹者謂之柬（柬亦作簡，二字通假），私函多用之。書於帛者謂之帖，公函多用之。此其大較也。

其後人文代變，酬酢頻繁，用於邀宴者謂之『請柬』，用於餽贈者謂之『禮帖』。時日既久，應用益廣，無論格式、措辭，均已定型，遂與書信釐然分疆，自成王國。而二者之特性亦已逐漸泯於無形，今則凡婚喪喜慶、交際應酬所用之簡短文書，概謂之柬帖。

吾國古時禮制，隆重而繁複，尤以婚嫁、喪弔爲甚，其專門術語，各種禁忌，雖窮畢生之力亦難盡悉。近數十年來，社會結構，變化甚大，民間習俗，改進甚多，舊日之繁文縟節，已大事刪除。婚喪喜慶，力求簡單，交際應酬，儘量減少。因而各種柬帖，多所更改，以期與時代相適應。

第二節 柬帖之種類

柬帖用途廣泛，種類繁多，累紙所不能盡，惟就目前社會所通用者，約分四類：即婚嫁柬帖、慶賀柬帖、喪葬柬帖、普通應酬柬帖。茲分述之：

一、**婚嫁柬帖**　即男女婚嫁所用之柬帖，分訂婚與結婚二種。我國婚禮，迄今尚無定制，或以民間習俗不同，或以家庭環境不同，或以宗教信仰不同，或以所受教育不同，有採舊式者，有行新式者，有新舊兼用者，亦有由法院公證者。時髦青年更有所謂旅行結婚、空中結婚、跳傘結婚、登山結婚、游泳結婚、海底結婚、狩獵結婚、溜冰結婚、海上結婚、露營結婚……等，林林總總，不一而足，儀式雖有不同，而所用柬帖則一。

至於訂婚證書、結婚證書、結婚禮單等，坊間均有出售，照格填寫，極其簡單，可毋庸敍述。

㈠**訂婚柬帖**　男女間訂定締結婚姻之預約曰訂婚，法律上稱爲婚約。我國民法第九七二條規定：『婚約，應由男女當事人自行訂定。』訂婚不須舉行儀式，亦不須鋪張，祇宴請少數親友及介紹人即可。所用柬帖，可先行印製，致送親友，亦可刊登報紙，徧告親友。通常由雙方家長或一方家長具名，無家長亦可由長輩具名，訂婚人年歲稍大者則多半由本人具名。由誰人具名，可靈活運用，不必拘泥。至其內容，應包括：㊀訂婚人雙方姓名，㊁訂婚日期，㊂訂婚地點，㊃介紹人姓名，㊄恭請受柬人光臨。若登報啓事則㊃㊄兩項可免，而改爲『特此敬告諸親友』。

㈡**結婚柬帖**　男女結合爲夫婦謂之結婚，我國民法親屬編規定結婚應有公開之儀式及二人以上之證人。見九八二條所用柬帖，可自行印製或刊登報紙，與訂婚同。具名方式亦與訂婚同。至柬帖內容，應包括：㊀結婚人雙方姓名，㊁舉行婚禮日期，㊂舉行婚禮地點，㊃介紹人姓名，㊄證婚人姓名，㊅恭請受帖人光臨。若登報啓事則㊃㊄㊅三項可免，而改爲『特此敬告諸親友』。

又訂婚及結婚所用請柬，以紅色金字爲最大方。

此外，請介紹人與證婚人之柬帖，措辭須恭敬，如請介紹人用『恭請　惠臨賜訓』，請證婚人用『伏乞　惠臨福證』。

二、慶賀柬帖

慶賀柬帖　爲各種喜慶所用之柬帖，普通分壽慶、彌月、遷移、開張、揭幕五類，其名稱與格式，各有不同，視其用途而定。

㈠**壽慶柬帖**　爲慶祝生日所用之柬帖，通常由子孫或親友具名，亦有登報啓事者。惟登報啓事則多由親友具名，適用於社會上、政治上有地位之人士。

㈡**彌月柬帖**　爲慶祝兒女滿月之柬帖，此類柬帖僅分發親友，未有刋登報紙者。

㈢**遷移柬帖**　爲遷移新址而通知親友之柬帖，目的在使親友知悉，以便往來。尤其工商行號之遷移柬帖，多刋登報紙，旣爲營業所需，更可收廣告宣傳之效。

㈣**落成柬帖**　爲新建房屋落成而通知親友之柬帖，目的亦在使親友知悉，以便往來。

㈤**開張柬帖**　爲工商行號開始營業而向社會大衆宣傳所用之柬帖，多刋登報紙，以廣招徠。

㈥**揭幕柬帖**　揭幕亦稱開幕，本指劇場在開演時將幕揭開之意，其後引伸爲一切活動之開始，如展覽會、運動會、遊園會、新建大廈……之開幕，多發柬帖分寄親友及相關人士，或登報啓事，以達宣傳之目的。

三、喪葬柬帖

喪葬柬帖　人之一生，始於出生，終於死亡，是以喪葬之禮，自古所重，其節文遠較婚嫁爲繁複。惟今殯儀館普遍設立，斂殯之事，悉由館方代理，一切儀節，已成公式化，喪家所當費心者，惟喪葬柬帖而已。舊時喪葬柬帖，大別爲六類：一曰報喪條（人死後喪家立即通知親友所用者），二曰訃聞，三曰送禮帖，四曰公祭通知，五曰告窆（安葬死者時通知親友之訃告），六曰謝帖。今人汰繁就簡，厲行節約，報喪條與告窆多廢而不用。茲但述其餘四項：

㈠**訃　聞**　將死者之惡耗以書面通知其親友謂之訃聞，通常分爲親屬具名與代訃兩種。其中應詳具下列六項，以便親友前往弔唁。

1. 死者之姓名字號。
2. 死者生卒之年月日時。
3. 死者享年〇〇歲或享壽〇〇歲。
4. 開弔日期及地點。
5. 安葬地點。
6. 主喪者具名。

其方式分自行印製與登報啓事兩種，死者之政治或社會地位較高者，往往兩式並用。

㈡**送禮帖**　致送喪家禮品（如花圈、輓聯、輓幛之屬）。所用之柬帖，其格式與喜慶柬帖相同，但紙須用素色，計物不拘成雙字樣。如改送現金，則用白色信封（或將信封上之長方形紅框用黑筆塗黑亦可），將現金封入，上書『賻儀』或『奠儀』或『奠敬』新臺幣若干元卽可，亦不必成雙。

㈢**公祭通知**　凡機關、學校、社團等集體向死者致祭，謂之公祭。由主辦單位將公祭時間、地點通知各與祭人，以便準時參加，謂之公祭通知或公祭啓事。但爲簡便起見，有張貼於公告欄者，亦有刊登報紙者。

(四)**謝　帖**　謝帖分兩種：一爲領受禮物（如花圈禮金之屬）所用之謝帖，上書『領謝』（謝字須擡頭）二字，切不可用『璧謝』，禮物應全部收下。其下具名悉與訃聞同，惟『孤子』或『孤哀子』須改爲『棘人』。一爲向親友道謝之謝啓，可分別郵寄親友，亦可刊登報紙。時下最通行之格式爲：

> **謝**
>
> 先嚴○○府君之喪，辱蒙
> 諸長官戚友頒賜輓額，並親臨弔唁，寵錫隆儀，高誼雲情，歿榮存感。謹此叩
>
> 棘人　○○○率子女謹啓

四、普通應酬柬帖

四、普通應酬柬帖　爲吾人日常交際應酬所用之柬帖，大致分請帖、送禮帖、謝帖三種。

(一)**請　帖**　凡宴會、酒會、茶會、邀約參觀等，例須寄送柬帖，帖上應寫明：

1. 宴會或參觀之性質。
2. 宴會或參觀之時間與地點。
3. 邀請受帖人光臨（用於宴會）或指教（用於參觀）。
4. 受帖人姓名。
5. 發帖人姓名。

6.回條。（覆知參加或因事不克參加）

㈡**送禮帖**　因親友婚嫁、喜慶送禮所用之柬帖，帖紙須用紅色，禮品忌用單數。如改送現金，則須加紅色封套，亦忌用單數。帖上應寫明：

1.禮物之名稱與數量。（如只有一軸，應寫作『成軸』，一副應寫作『成副』，其餘類推。）

2.係何種性質之禮物。（如『祝敬』『賀敬』『彌敬』等）

3.餽贈者之姓名。

按送禮之帖，應用日窄，今人為簡便計，多改用名片或便條。

㈢**謝帖**　謝帖分兩種：領受全部禮品用『領謝』，懇辭餽贈或領受一部分禮品用『璧謝』或『領受○○物件外餘璧謝』。帖上應寫明：

1.領受與否。

2.表示謝意。

3.發帖人姓名。

4.敬使若干。

第三節　柬帖之術語

凡百學科，類有專門術語，柬帖一項，固不能獨外。惟柬帖之種類既多，其專門術語自不在少，且與日常生活有密切關係，必須慎選使用，不可隨意更改，稍一不妥，即貽人笑柄，或滋生誤會，故臨文之際，宜三致意焉。茲將今日通行之術語表列於後，並略加詮釋。

㈧柬帖術語一覽表

類別	術語	說明
婚嫁	嘉禮	結婚。
	吉夕	
	合巹	以一瓠分爲兩瓢謂之巹，新婚時，夫婦各執一瓢以飲，故稱結婚曰合巹。詳禮記婚義。
	文定	文，禮也，卽聘金。古婚禮於問名之後，卜而得吉，則納幣爲定，故稱訂婚曰文定。
	于歸	詩經周南桃夭：『之子于歸，宜其室家。』女以男爲家，故謂出嫁曰于歸。
	福證	請人證婚之敬語。
	闔第光臨	請客人全家赴宴之敬語。
喜慶及普通應酬	桃觴	亦曰桃樽，謂祝壽之酒席。按桃，俗稱蟠桃，仙人西王母所食。觴，酒杯也。
	湯餅	生兒三日宴客，名湯餅筵。宋人呼煮麪爲湯餅，見倦遊雜錄。
	彌月之慶	嬰孩出生後滿月宴客之酒席。
	弄璋	生男之稱。詩經小雅斯干：『乃生男子，載弄之璋。』蓋欲其比德且預祝其顯貴也。
	弄瓦	生女之稱。詩經小雅斯干：『乃生女子，載弄之瓦。』瓦，紡甎。蓋欲其習於紡織也。

祖餞、祖送、餞行	祖，祭名，祭通路之神也。古有送行之祭，遠行出發之前，必祭道路之神以求福，遠行者即取飲此祭神之酒，故後世稱餞送遠行曰祖餞、祖道、祖送。
洗塵	治酒席邀宴由遠方歸來之人。俗稱接風。
光臨	請客人前來之敬語。
賁臨	猶光臨，言尊貴者之蒞臨為己之光榮也。詩經小雅白駒：『賁然來思。』按賁奔通假字。
台光	台，謂三台，星名，引伸為三公之稱，故尊人之詞多用之。光，謂光臨。
光陪	請人作陪客之敬語。

謝帖

領謝	領受禮物並道謝。
璧謝	奉還原物而敬謝之也。璧，用藺相如完璧歸趙意，事詳史記藺相如傳。
踵謝	親自登門道謝。
敬領幾色、餘珍璧謝	領受一部分禮物，其餘退還之意。

喪葬

顯祖考、先祖考	對他人稱自己已逝之祖父。按古人於祖、考及妣之上，皆加一皇字，至元成宗大德中始詔改皇為顯，以士庶不得稱皇也。顯有美、大之義。又有稱先祖考者，亦尊之也。
先王父	對他人稱自己已逝之祖父。爾雅釋親：『父之考為王父。』郭璞注：『如王者尊之。』

先繼祖考	對他人稱自己已逝之繼祖父。
先祖妣 顯祖妣	對他人稱自己已逝之祖母。
先王母	對他人稱自己已逝之祖母。爾雅釋親：『父之妣爲王母。』
先繼祖妣	對他人稱自己已逝之繼祖母。
先嚴 先君 先考 顯考 先父	對他人稱自己已逝之父親。
先繼父	對他人稱自己已逝之繼父。
先慈 先妣 顯妣 先母	對他人稱自己已逝之母親。
先繼母	對他人稱自己已逝之繼母。

先夫	對他人稱自己已逝之丈夫。
先室 先荆	對他人稱自己已逝之妻子。禮記曲禮：『人生三十曰壯，有室。』孔穎達疏：『妻居室中，故呼妻爲室。不云有妻而云有室者，含妾媵也。』又後人謙稱己妻曰拙荆、荆室，則用孟光荆釵布裙意。
先兄	對他人稱自己已逝之兄。
先姊	對他人稱自己已逝之姊。
亡弟	對他人稱自己已逝之弟。
亡妹	對他人稱自己已逝之妹。
亡兒	對他人稱自己已逝之子。
亡女	對他人稱自己已逝之女。
故媳	對他人稱自己已逝之媳婦。
壽終正寢	男喪用。如死於非命則不能用『壽終正寢』，而改用『終』或『卒』。
壽終內寢	女喪用。如死於非命則不能用『壽終內寢』，而改用『終』或『卒』。
含斂	含，人死以玉實口也。斂，殯斂也。含斂，乃人死之後，整理容顏服裝，然後掩首，以待入斂之意。
享壽	六十歲以上用『享壽』，三十至六十用『享年』，三十以下用『得年』或『存年』。
小斂	以衣衾加於死者之尸曰小斂。

大斂	死者入棺曰大斂。
成服	大斂後，在服之人分別依規定戴孝，謂之成服。亦有在斂前即成服者。
訃聞	成服之後，訃告親友使其聞之，謂之訃聞。
開弔	出殯之前，親友可隨時往弔，謂之開弔。但通常係指定一日爲開弔之日，是日須延人招待，亦有備茶點飲食招待者。
告窆	窆，葬下棺也。凡墓已定並擇定日期安葬，而告諸親友，謂之告窆。惟今多省略。
反服	兒子死，父親尚在，反爲其子之喪持服，謂之反服。
斬衰	子女對父母之喪，服三年，謂之斬衰。乃孝服之最重者。
齊衰	共分三等：㈠對祖父母之喪，服一年，稱『齊衰期』，又稱『齊衰不杖期』。㈡對曾祖父母之喪，服五月，稱『齊衰五月』。㈢對高祖父母之喪，服三月，稱『齊衰三月』。
期年	指對兄弟及伯叔等之喪，服一年。
大功	指對出嫁姊妹及堂兄弟等之喪，服九月。
小功	指對堂伯叔父母及堂姪等之喪，服五月。
緦麻	指對出嫁姑、堂姊妹及族兄弟等之喪，服三月。又，斬衰、齊衰、大功、小功、緦麻稱『五服』。
期服	即齊衰期年。

功服	即大功小功之通稱。
孤子	母健在，父逝世，稱『孤子』。
哀子	父健在，母逝世，稱『哀子』。
孤哀子	父母俱歿，稱『孤哀子』，如母先歿，父後歿，則稱『哀孤子』。
降服孤哀子	出繼或被收養而本生父母死。
發引	柩車啓行曰發引。按挽柩車之索謂之引，古亦謂之紼，繫於柩車之前，以爲前導，故稱發引。
杖期夫	妻入門後，曾服翁或姑或太翁太姑之喪，妻死，夫稱『杖期夫』或『杖期生』。
不杖期夫	妻入門前，夫之父母已死，妻未及服喪，妻死，夫稱『不杖期夫』或『不杖期生』。又，夫之父母尚健在，妻死，亦可稱『不杖期夫』或『不杖期生』。
承重孫	本身及父均係嫡長，而父已故，現服祖父母之喪。
泣血	居三年之喪者。言居父母之喪，泣無聲如血出也。
抆淚	泣而拭其淚也，有久哭而掩淚之意，較『拭淚』爲重。
拭淚	猶言抆淚，但較輕。抆淚、拭淚，所以示親疏也。
稽首	至敬之禮，謂頭至地也。
稽顙	居喪時拜賓客之禮，拜時以額觸地也。三年之內皆行之。

類別	名稱	用途
婚嫁及其他喜慶送金錢	賀儀	婚嫁及其他喜事通用。
	花燭代儀	送男家用。
	花粉代儀	送女家用。
	花儀	送女家用。
	妝儀	送女家用。
	代幛	送男家用，但所送之款，須當喜幛之值。
	代料	送女家用，但所送之款，須當衣料之值。
	彌儀	送彌月用。
	桃儀	送壽辰用。
	喬儀	送遷居用。詩經小雅伐木：『伐木丁丁，鳥鳴嚶嚶，出自幽谷，遷於喬木。』
	程儀	送遠行用。
	贄儀	晉見業師時所執之禮物。
	潤儀	謝寫字、作文用。
	鵝金	謝寫字用。按晉王羲之爲山陰道士寫河上公注道德經，得籠鵝而歸。事詳晉書本傳。
婚嫁及其他喜慶送物品	喜聯	賀婚嫁通用。
	喜幛	送男家用。

類別	名稱	說明
	鏡屏	喜事、遷居通用。
	銀盾	
	銀鼎	
	衣料	婚嫁、彌月、壽辰通用。
	化妝品	送女家用。今俗以送蜜絲佛陀、奇士美、資生堂化妝品爲最大方。
喪葬送金錢	賻儀	以錢財助喪曰賻，故稱賻儀。
	奠儀	以錢財作喪儀，通稱奠儀。
	代幛	其數須當祭幛之值。
	祭儀	送冥壽用。
喪葬送物品	祭幛	對死者祭悼文字，書之於幛上者。
	鏡框	對死者悼念文字，而以鏡框護之。
	花圈	以花作圈而祭奠之。
	輓聯	輓死者之對聯。
	祭筵	親友或門生致送喪家用以祭奠之筵席。
婚嫁及其他喜慶送禮之封套	賀儀	
	菲儀	

名稱	用途
賀敬	用於祝賀一切喜事之禮。
非敬	
微儀	
不腆之禮	同上。按不腆猶言不厚。左傳僖公三十三年：『不腆敝邑，爲從者之淹。』
喬儀	用於祝賀遷居之禮。
遷儀	
喬遷之慶	
鶯遷之慶	同上。按唐人省試取詩經伐木與禽經『鶯鳴嚶嚶』之語混合使用，而有鶯出谷詩。
落成之喜	送新居落成之禮用。
開張之喜	送商店開業之禮用。
開幕之慶	送公司開始營業之禮用。
湯餅之敬	送他人子女滿月之禮用。
彌敬	
晬敬	送他人子女周歲之禮用。
程儀	送遠行者之禮用。
贐儀	同上。孟子公孫丑篇：『予將有遠行，行者必以贐，辭曰餽贐，予何爲不受。』

封套	用途
桃儀	送他人生日之禮用。
節敬	送節禮用。
贄儀	送業師禮用。
脩儀	送學費用。按論語述而篇：『自行束脩以上，吾未嘗無誨焉。』脩，乾肉也。
覿儀 見儀	送幼輩見面禮用。

喪葬送禮之封套

封套	用途
賻儀 唁儀 唁敬 弔儀	送初喪之禮用。
紼敬	送開弔之禮用。按紼爲引棺之索，古送葬者必挽引棺索以助力，謂之執紼。
楮敬	送開弔之禮用。楮，即楮錢，俗稱冥紙，祭祀用之。
奠儀 素儀 祭儀 奠敬	送開弔之禮用。

	一切喜慶送禮請收受之敬語
代筵	送代祭之禮用。
代祭	
祔敬	送神主入祠之禮用。奉神主附於祖廟曰祔。說文：『祔，後死者合食於先祖。』
陞祠之敬	送神主入祠之禮用。
哂納	送長輩長官之禮用。『哂』『莞』皆有微笑之意。
哂存	
莞存	
莞納	
莞收	送平輩之禮用。
笑納	

第四節　柬帖實用範例

（一）婚　嫁

㈠訂　婚

1. 由雙方家長具名

（一式）

謹詹於三月五日（星期六）為 三男偉仁 次女湘筠 在臺北市訂婚敬備菲酌恭候

光臨

彭　淚
唐燕華
黃雨亭
張令暉

謹訂

恕邀

席設：狀元樓
臺北市開封街一段九〇號
時間：下午六時三十分入席

（二式）

三男偉仁 次女湘筠 承
杜行方 錢蔚章 先生介紹謹擇於民國六十八年四月九日（星期日）在臺北市訂婚敬治菲酌恭請

光臨

彭　淚
唐燕華
黃雨亭
張令暉

鞠躬

恕邀

地點：狀元樓
臺北市開封街一段九十號
時間：下午六時三十分

2. 由男方家長具名

台光

謹詹於四月九日（星期日）為三男偉仁與黃雨亭先生令媛湘筠小姐訂婚敬備茶點　恭候

彭　浪
唐燕華　謹訂

地　點：臺北市師大路九十三巷五號本宅
時　間：下午七時

3. 由女方家長具名

台光

小女湘筠承
杜行方
錢蔚章　先生之介紹於四月九日（星期日）下午七時假座臺北市開封街一段九十號狀元樓與
彭偉仁君訂婚謹備菲酌　恭候

黃雨亭
張令暉　鞠躬

4.由雙方當事人具名

我倆承
杜行方
錢蔚章先生介紹並徵得雙方家長同意謹擇於四月九日（星期日）在臺北市訂婚敬治菲酌　恭請
光臨

彭偉仁
黃湘筠　**鞠躬**

恕邀
一、席設：狀元樓　臺北市開封街一段九〇號
一、時間：下午六時三〇分

5.由長輩或親族具名

謹詹於國曆四月九日
夏曆三月十日（星期日）為世姪**偉仁**與
黃雨亭先生之女公子**湘筠**小姐訂婚敬備菲酌恭候
台光

尹之奇謹訂

席設：狀元樓　臺北市開封街一段九〇號
時間：下午七時

心心相印

【說明】

㈠詹，通占，卜也，卽選擇吉日之意。

㈡恕邀，意謂本當親自登門邀請，因人數衆多，有所不便，改寄柬帖，請求受帖人寬恕。按此二字列入與否，無關緊要，可斟酌爲之。

㈢除分寄柬帖外，如須刋登報紙，其格式與此略異，請參閱本書第十二章啓事廣告有關範例。

㈡結　婚

1.由雙方家長具名

謹詹於民國六十八年四月九日（星期日）爲三男偉仁 次女湘筠 在臺北市舉行結婚典禮敬備喜筵恭請

闔第光臨

永結同心

彭　浪
唐燕華
黃雨亭
張令暉 謹訂

恕邀

席設：狀元樓
臺北市開封街一段九〇號
時間：下午六時觀禮七時入席

2. 由男方家長具名

謹訂於國曆五月十三日（星期六）爲三男偉仁與張令暉女士之女公子黃湘筠小姐舉行佛化儀式婚禮敬備潔素喜筵　恭請

闔第光臨

花好月圓

彭湨
唐燕華　謹訂

席設：華嚴蓮社
臺北市濟南路二段四十四號
時間：下午六時觀禮六時卅分入席

3. 由女方家長具名

小女湘筠訂於國曆五月六日（星期日）與
夏曆四月十日
彭偉仁君舉行結婚典禮敬治喜筵　恭請

闔第光臨

天長地久

黃雨亭
張令暉　鞠躬

恕邀

◁◎▷

席設：圓山大飯店金龍廳
臺北市中山北路四段
時間：下午六時觀禮六時半入席

4. 由雙方當事人具名

（一式）

茲承
杜行方
錢蔚章先生介紹並徵得雙方家長同意謹擇於民國六十八年四月十四日（星期六）在臺北市舉行
結婚典禮敬治喜筵〜恭候
光臨

天賜
良緣

彭偉仁
黃湘筠　鞠躬

恕邀

◀◎▶

席設：圓山大飯店麒麟廳
　　　臺北市中山北路四段
時間：下午六時觀禮六時半入席

（二式）

我倆情投意合願結連理並經雙方家長同意謹訂於四月十四日（星期六）上午九時在臺北市地方法院公證結婚中午十二時在臺北市師大路九十三號自宅敬治喜筵　佇迓
高軒

恕邀

彭偉仁
黃湘筠　謹訂

（三式）

台

光

我倆經雙方家長同意謹訂於民國六十八年四月十五日（星期日）中午十二時假臺北市新生南路三段聖保羅教堂舉行天主教儀式婚禮下午六時在臺北市忠孝東路一段二號希爾頓飯店香檳廳略備西點　恭候

彭偉仁
黃湘筠　謹訂

5. 由長輩或親族具名

世姪女黃湘筠小姐與彭偉仁君訂於四月二十二日（星期日）假座中泰賓館鳳凰廳舉行結婚典禮潔治喜酌　敬請

光臨

邵彥銘謹訂

席設：臺北市敦化北路二十一號

時間：下午五時卅分觀禮六時入席

緣訂

三生

㈢請證婚人

1. 由雙方家長具名

惠臨福證

謹詹於四月二十二日（星期日）下午六時為小兒偉仁小女湘筠成婚屆期　恭請

禮堂設圓山大飯店金龍廳

彭浪
唐燕華
黃雨亭
張令暉
　鞠
　躬

2. 由男方家長具名

惠臨福證

四月二十二日（星期日）下午六時為小兒偉仁與黃湘筠小姐成婚屆期治酌恭候　敬請

禮堂設圓山大飯店金龍廳

彭浪
唐燕華
　鞠
　躬

3. 由女方家長具名

惠臨福證

茲訂於四月二十二日（星期日）下午六時為小女湘筠與彭偉仁君舉行婚禮屆期敬治喜筵恭請

禮堂設圓山大飯店金龍廳

黃雨亭
張令暉
　鞠
　躬

4.由雙方當事人具名

前承杜行方
錢蔚章先生介紹並徵得雙方家長同意謹訂於四月二十二日（星期日）下午六時行結婚
禮屆期敬治喜筵　恭請

福　證

禮堂設圓山大飯店金龍廳

彭偉仁
黃湘筠　拜上

5.由長輩或親族具名

舍弟偉仁與黃湘筠小姐訂於本（四）月二十二日（星期日）下午六時成婚屆期治酌恭候
敬請

惠臨福證

禮堂設圓山大飯店金龍廳

彭履仁拜上

四 請介紹人

1. 由雙方家長具名

前承

鼎言介紹 三男偉仁 次女湘筠 締姻茲訂於四月二十二日（星期日）下午六時假圓山大飯店金龍廳行結婚禮屆時敬治喜筵　恭請

惠臨賜訓

彭淏
唐燕華
黃雨亭
張令暉
鞠躬

2. 由男方家長具名

前承

鼎言介紹小兒偉仁與黃湘筠小姐締婚謹詹於四月二十二日（星期日）下午六時假圓山大飯店金龍廳舉行婚禮屆時治酌恭請

蒞臨賜訓

彭淏
唐燕華
拜啓

3.由女方家長具名

前承
鼎言介紹小女湘筠與彭偉仁君締姻茲訂於四月二十二日（星期日）下午六時舉行結婚典禮
屆期潔治喜筵　恭請
惠臨賜訓

禮堂設圓山大飯店金龍廳

黃雨亭
張令暉　拜啓

4.由雙方當事人具名

前承
鼎言介紹感荷靡既謹訂於四月二十二日（星期日）下午六時假座圓山大飯店金龍廳舉行婚
禮屆期敬治喜筵　恭請
執柯

彭偉仁
黃湘筠　拜上

5. **由長輩或親族具名**

前承
鼎言介紹舍妹湘筠與彭偉仁君締婚茲訂於四月二十二日（星期日）下午六時假圓山大飯店
金龍廳舉行婚禮屆時敬備喜筵　恭請
惠臨

黃楚筠敬上

【說明】

㈠我國婚禮，迄今尚無固定標準，惟證婚人與介紹人在婚禮中地位仍最尊崇，故措辭須恭敬鄭重，上舉各例，僅供參考而已，結婚當事人可視實際需要，靈活運用、不必拘泥也。舉例言之，今日盛行自由戀愛，雙方感情成熟，然後結婚，所謂介紹人云者，早已名存實亡。若遇此情形，則前例中『前承鼎言介紹』六字可予省略，而改為『前承俞允為男方或女方介紹人，曷勝榮幸』字樣。

㈡致送司儀、招待、男女儐相、出納等之柬帖，其格式與請證婚人、介紹人略同，祇將『恭請福證』、『恭請惠臨賜訓』改為『敬煩擔任司儀、招待、男儐相、女儐相、出納』即可。惟此類人員多屬至親好友，大都當面約請，柬帖可儘量省免。

㈤嫁女

由家長具名

國曆四月二十二日（星期日）為小女湘筠于歸之期敬治喜筵　恭請

闔第光臨

黃雨亭
張令暉　謹訂

恕邀

時間：下午六時

地點：臺北市臥龍街二十四號本宅

【說明】

結婚喜筵，例由男女雙方家長聯合邀請親友，但亦有僅由男方家長具名邀請者，此種習俗，在本省鄉間極為常見。然則女方宴客，勢必另發請柬，右舉之例，即適用於此。

(六)送禮

1. 派人致送現金或禮券封套

彭府　專送

賀儀壹仟元

本市師大路九十三號

徐子厚敬賀

2. 親自致送現金或禮券封套

賀儀壹仟元

徐子厚敬賀

（二式）

3. 致送禮物名片

謹奉上菲儀四色敬希

哂納　此上

彭浪先生

弟陳禮中敬賀

湖南・邵陽

（一式）

國民大會祕書處專員

欣逢

大喜特奉上彩色電視機一臺聊申賀悃　此上

偉仁兄

弟舒憲波頓
湖南湘鄉

地址：臺北市秀山街一號
電話：三六一六〇四九號

【說　明】

㈠送現金或禮券所用封套，祇用坊間出售之普通中式帶有紅框信封卽可。如須郵寄，可向郵局購買禮券，並索取粉紅色信封，上寫收件人姓名、地址，用掛號寄出。

㈡普通送禮，無須禮帖，僅用名片寫明禮物如第3.式即可。下同，不另說明。

㈦致謝

1.全領

謹領
謝
彭浪鞠躬
敬使六十元

2.不全領

謹領二色餘珍璧
謝
彭浪鞠躬
台力壹佰元

3.用名片代謝帖

(一式)

厚貺領
謝
彭浪逸塵再拜

(二式)

承賀謹
謝
彭浪頓

【說明】

㈠謝帖之大小厚薄，悉與名片同，但須用紅色或粉紅色，可先行印就以備用。

㈡『敬使』『台力』爲賞賜送禮工友之小費，多寡不拘，可視路程遠近而定。

㈢若用名片代謝帖，則職銜與住址、電話俱可省略，以別於普通所用名片。

㈣以下悉同，不另說明。

（二）壽　慶

㈠祝　壽

1.由子女具名　（一式）

月之十五日（星期日）爲

家嚴九旬壽辰潔治桃觴恭請

闔第光臨

鄧　瑀　謹　訂

恕邀

◎席設：臺北市龍泉街八十四號本宅

◎時間：下午六時

五月六日（星期六）為
家慈林太夫人八秩晉一誕辰敬治桃觴　恭請
闔第光臨

萱喜
叢開

鄧瑀鞠躬

席設：杏花樓
臺北市信義路一段十二號
時間：下午六時卅分

（二式）

2. 由親友具名

五月十二日（星期三）為
鄭　顥先生八十華誕謹訂於是日下午四時起至六時止假臺北市延平南路實踐堂簽名祝嘏並
備桃麪　恭候
光臨

恕邀

發起人
謝鴻軒　陳光憲
王更生　林聰明
王關仕　黃義郎
謹訂

（一式）

（二式）

國曆五月六日（星期六）恭逢
鄧瑀先生　令堂
林太夫人八秩晉一榮慶謹訂於是日上午九時起假臺北市青島東路婦女之家簽名祝壽並備壽
點　恭候
台　光

發起人
謝鴻軒　王更生　王關仕　黃義郎
翁文宏　趙玲玲　林茂雄　張夢機
徐芹庭　楊啓蓉　莊雅州　陳文華
謹訂

(二)彌　月

（一式）

國曆五月卅一日
夏曆五月初六日（星期二）為小兒梅光彌月之期敬治潔筵恭候
台　光

諸葛醒
王廷秀　謹訂

恕邀
時間：中午十二時
地點：本宅

（二式）

本（五）月卅日（星期三）為小女梅馨誕生彌月謹訂於是日下午六時假新竹市中正路新陶
芳菜館潔治湯餅　恭請

光臨

諸葛醒
王廷秀　鞠躬

(三)遷移

1. 住宅遷移

（一式）

敝寓已遷至臺北市師大路九十三號謹擇於七月九日（星期日）下午六時潔治菲酌　恭候

台光

諸葛醒
王廷秀　謹訂

（二式）

謹詹於國曆七月九日（星期日）舉家遷入臺北市師大路九十三號新居是日下午六時敬備薄
酌 恭請
光臨

諸葛醒
王廷秀
鞠躬

2.公司行號遷移

（一式）

本公司經於八月六日遷移衡陽路四十九號新址營業凡我 舊雨新知務祈一本以往愛護之忱
惠予照顧謹訂於八月九日上午十一時舉行慶祝酒會 敬請
光臨指教

恕邀

新亞百貨公司
董事長 俞懷仁
總經理 鄒文瀾 謹訂

（[illegible]式）

本公司為擴展業務服務社會原址不敷使用特遷至武昌街二段六十二號並擇於八月九日上午九時開始營業敬備茶點　恭請

光臨指導

新亞百貨公司 董事長 俞懷仁
總經理 鄒文瀾 鞠躬

(四)落成

1. 新屋落成

國曆九月四日（星期日）為臺北市龍泉街九十一號新建房屋落成謹訂於是日中午十二時潔治菲筵　恭候

台光

田濬謹訂

2. 建館落成

本校為復興固有文化發揚倫理道德特斥資興建明倫館謹訂於民國六十八年十月一日（星期一）上午十時正在本館四樓舉行落成典禮　恭請

蒞臨指教

東華文藝專科學校 創辦人 彭逸塵
校長 張梅潔 謹訂

(五)開張

本公司業經籌備就緒謹訂於九月十五日正式開張營業敬治雞尾酒會 恭請

光臨指導

新華交通公司董事長 顧先敏
總經理 項宗玲 謹訂

時間：上午十時
地址：臺北市忠孝東路一段二十號
電話：三四一五九四三——九號（七線）

（一式）

本律師事務所業已布置就緒謹訂於九月十五日（星期三）開始執行業務敬備茶點 恭請

光臨指教

孔南強 敬啓

時間：上午九時起至十一時止
地址：臺北市襄陽路八十三號

（二式）

㈥揭幕

本院謹擇於國曆十月二日上午十時揭幕並請
謝玲玲小姐剪綵敬備酒會恭請
光臨指導
光華大戲院總經理 陸九皋 謹訂
時間：十月二日上午十時起至十二時止
地址：臺北市寧夏路九十九號

（一式）

本公司新建保齡球館業已竣工謹擇於民國六十八年六月二日（星期日）下午四時隆重揭幕
特請
郭小莊小姐按鈕
鳳飛飛小姐剪綵敬備雞尾酒會 恭候
光臨指導
恕邀
新臺育樂公司董事長 何夢霞
總經理 鮑筠軒 謹訂
地址：新竹市東大路五十三號

（二式）

(三)喪　葬

(一)訃　聞

1. 由長孫具名喪祖父

顯祖考王公諱九皋字鳴鶴太府君慟於中華民國六十八年四月三十日下午九時四十分壽終正寢距生於民前十七年三月七日享壽八十有六 承重孫 中平等隨侍在側親視含斂遵禮成服謹擇於五月三日(星期二)上午八時設奠家祭十時三十分大斂隨卽發引安葬於新店安康墓園　忝屬

鄉世
寅學　**誼哀此訃**
戚友

聞

恕不
另訃

承　重　孫　**中　平**　泣稽顙

承重孫媳　**任荷美**　抆淚稽首

齊衰五月曾孫　**東　溟**　泣稽首

期服姪女　**燕　翎**　拭淚稽首

族繁不及備載

喪　居：臺北市新店鎮北新路五段八巷十二號

電　話：九　一　一　九　九　八　七

鼎惠懇辭

【說　明】

㈠上例乃父早死，今遭祖父之喪，由長孫具名發喪之訃帖，如係祖母喪，則『顯祖考……太府君』改爲『顯祖妣○太夫人』，『壽終正寢』改爲『壽終內寢』。
㈡訃帖須用白紙印黑字，惟『鄉寅戚世學友』、『聞』、『鼎惠懇辭』等字應爲紅色，封套寫受帖人名處，宜鑲紅色邊線。
㈢訃帖中逝世年月日時上加『痛於』『慟於』用於長輩及丈夫，『悼於』『痛於』『慟於』用於妻室，『不幸於』用於下輩。
㈣六十歲以上去世稱『壽終』，未滿六十歲稱『疾終』。如係死在醫院，則統稱『病逝』。如係死於非命，則統稱『終於』或『卒於』，寫在年日月時之上。
㈤關於死亡處所，如逝於本宅，男性長輩稱『正寢』，女性長輩稱『內寢』。如逝於醫院，則統稱『○○醫院』。如死於非命，則一概省略。
㈥又計年數，六十歲以上稱『享壽』，三十歲至五十九歲稱『享年』，三十歲以下稱『得年』或『存年』。
㈦訃帖摺爲四頁，正面左上方寫『訃』字，左下方寫喪家地址、電話，長方形紅框中央寫受帖人姓名，右方寫受帖人地址。內首頁寫訃文。內次頁寫所有孝眷稱謂名字。後頁空白。
㈧如須刋登報紙，其形式、內容悉與此同，不另舉例。
㈨喪服名稱繁瑣，稍有不愼，即貽譏當世，故今人多廢而不用。例如：『杖期夫』改爲『夫』，『未亡人』改爲『妻』，『泣血稽顙』、『抆淚稽首』……等一律改爲『泣啓』或『泣叩』。
㈩以下各例，均有其代表性，使用時，可斟酌情形，妥爲選擇。

2. 由長子具名 喪父

顯考王公諱作民字子新慟於中華民國六十八年四月三日下午四時因腦溢血病逝於花蓮門諾醫院距生於民國紀元前十二年十二月享壽八十有一歲不孝家成等隨侍在側親視含斂遵禮成服即日移靈花蓮市立殯儀館懷德廳謹擇於國曆六十八年四月十五日（星期日）上午八時大斂家祭九時公祭隨即發引安葬於花蓮北埔新城第二墓園叨在

學戚
寅左 誼哀此訃
世鄉

聞

哀孤子 家成 家洪

哀孤女 履綏（適李在美國）

孝媳 馬景嫻 馬麗燕

孝女壻 李興達（在美國） 泣

孝孫 又新 永新 鵬新

孝孫女 曼麗

孝外孫女 李佩琪等（在美國） 啓

族繁不及備載

恕訃未週
鼎惠懇辭

喪居：花蓮市民樂三街二十五號（海關宿舍） 電話：（〇三八）三三四九五一號

3.由長子具名喪母

(一式・新式)

顯妣柴母任太夫人慟於中華民國六十八年三月十六日上午二時五十五分病逝臺北市宏恩醫院距生於民國前二十二年二月十九日享壽九十歲不孝男之棣等隨侍在側當卽移靈臺北市民權東路市立殯儀館親視含斂遵禮成服謹擇於民國六十八年四月十八日(星期三)假該館景行廳上午八時設奠家祭八時三十分公祭十時三十分大斂隨卽發引安葬於陽明山墓園　叨在

族 鄉 學 世 戚 友 寅

誼哀此訃

聞

孤哀子　之峯　之棣

孝　媳　嚴桂麗(陷大陸)　劉　萍

孤哀女　素　珍(適曹陷大陸)

孝　壻　曹子英(陷大陸)

孝　孫　金元　摩西　敬衡(陷大陸)　幼峯(陷大陸)　敬華　敬偉　泣

孝孫媳　徐秀花

孝孫女　愛美(陷大陸)　愛英(適路)　愛麗(陷大陸)　愛珍(陷大陸)　愛多(陷大陸)　幗英(在美)　幗芬　幗瑾　幗君

孫女壻　路建華

曾　孫　一維

曾孫女　幼梅　幼蓮　幼婷

外曾孫女　路靜　路平　叩

胞弟　任謁根(在美)

弟媳　王裕慶(在美)

族繁不及備載

鼎惠懇辭

喪　居：臺北市敦化南路四六四巷復華大廈二之一號二樓　電話：七七一二八九四

聯絡處：臺北市忠孝東路四段三二五號十樓　唐榮公司　電話：七五一〇三六二・七五一二八六〇

高雄市三多四路一〇九號　電話：二二一〇二七・二二二二二七一

(二式・舊式)

顯妣郭母花太夫人慟於中華民國五十三年三月二十四日下午十時奉 主恩召永享安息旅世七十三歲不孝男等隨侍在側親視含斂即日移靈極樂殯儀館謹擇於三月廿九日(星期日)上午九時設奠十一時追思禮拜隨即發引舉行火葬哀此訃

聞

不孝男 文祺 泣血稽顙

不孝媳 鳳琴 抆淚稽首

不孝孫男 選文 幼文

不孝孫女 紹文(在美) 繼文 抆淚稽首

逑文 益文 希文

4. 由長女具名 父喪

(一式)

顯考張公維翰字蒓漚慟於中華民國六十八年九月一日上午十時二十五分壽終三軍總醫院距生於民前二十六年夏曆十一月二十九日享壽九十四歲不孝女鼎鍾 鼎鈺等隨侍在側即日移靈臺北市民權東路市立殯儀館親視含斂遵禮成服謹擇於六十八年九月二十七日(星期四)假該館景行廳設奠八時家祭九時公祭十一時半發引安葬於富貴山公墓哀此訃

聞

恕不另訃

鼎蕙懇辭

孝男 鼎康 鼎森(均陷大陸) 鼎昆

孝女 鼎芬(適錢陷大陸) 鼎鍾(適馮) 鼎蕙 鼎鈺(適劉)

孝壻 錢价(陷大陸) 馮源泉 劉剛劍

外孫 馮炳孫 劉開森 劉開鎔 劉開瑩

外孫女 馮美孫 馮敏孫

族繁不及備載

同泣啓

喪居:臺北市仁愛路四段二四五巷九弄十二號四樓 電話:七七一四九五二

（二式）

顯考李公漁叔諱明志府君

慟於中華民國六十一年八月十二日上午四時二十分（歲次壬子七月初四日寅時）病逝榮民總醫院距生於中華民國前六年四月八日享壽六十八歲 不孝女 允令等隨侍在側擇吉移靈臺北市立殯儀館親視含斂遵禮成服謹擇於國曆八月二十六日（星期六）上午九時至十一時在該館懷德廳設奠隨即發引安葬于觀音山之陽 叨在

寅學鄉友世戚

誼哀此訃

聞

（原配）劉韻淮（陷大陸）
未亡人 傅節梅
孝女 允令（適劉）
允芬（陷大陸）
允修（陷大陸）
允娟（陷大陸）
允定
允安
允寧
姪 允本
姪媳 羅春蓮
姪壻 劉用光
外孫 劉弘之
劉絢之
外孫媳 汪曉蓓
曾外孫 劉志彤
內姪 劉家駿
內姪媳 姜瓊英

泣啓

5. **由長女具名**喪母

顯妣段母劉太夫人慟於中華民國六十八年四月十三日病逝中心診所距生於民國前廿五年十二月初五日享壽九十三歲 孝女段鶴書 孝壻武鏞隨侍在側當即移
靈臺北市民權東路市立殯儀館親視含斂遵禮成服謹擇於六十八年四月廿二日（星期日）在該館
懷德廳上午八時三十分家祭九時公祭十時三十分發引安葬於觀音山墓園 哀此訃

聞

孝女 **段鶴書**（適武）
孝壻 **武鏞**
孝外孫 **武宏元 武更生 武憶祖**
武念祖
孝外孫媳 **韋家詠 艾維亞 周韻梅**
孝外曾孫 **武達 武逵**
孝外曾孫女 **武逸 武遙**
泣

堂弟 **段其燧**
堂弟媳 **王梅立**
堂姪女 **段鴻書**（適竇）
堂姪女壻 **竇林**
啓

喪居：臺北市新生南路三段十六巷八號 電話：三四一——三七六八
聯絡處：臺北市寶慶路一號復興紡織公司 電話：三七一——九二八一

鼎惠懇辭
（不另寄發訃聞）

6. 由治喪委員會具名男喪（一式・詳細）

國立臺灣大學中國文學系教授
輔仁大學中國文學研究所講座教授
東吳大學中國文學研究所研究教授
前臺灣省立師範學院國文系教授
前東海大學中國文學系主任
前輔仁大學中國文學系主任

戴君仁先生於民國六十七年十二月九日病逝榮民總醫院享壽七十八歲茲定於十二月廿二日（星期五）上午九時至十時在臺北市立殯儀館景行廳舉行公祭十時三十分大殮謹此訃

聞

戴故教授君仁治喪委員會

主任委員 閻振興

委員 毛子水 孔德成 王靜芝 林本 屈萬里
宗亮東 金祥恆 洪炎秋 侯健 夏德儀
高明 高思謙 徐可熛 張其昀 張敬
莊嚴 陳雪屏 梅可望 焦國模 臺靜農
蔣復璁 鄭騫 劉兆祐 錢思亮 魏火曜

（依姓氏筆劃爲序）

總幹事 龍宇純 副總幹事 王祖銘

聯絡處：臺灣大學中國文學系 電話：三五一〇二三一轉二二八四

（二式・簡單）

故分局員易讓先生於民國六十八年四月十一日病逝花蓮八〇五醫院享年五十九歲茲定於四月二十五日（星期三）上午九時舉行公祭謹此奉

聞

故分局員易讓先生治喪委員會　啓

聯絡處：花蓮縣警察局鳳林分局

（三式・簡單）

糧食局副局長陳漢源先生於中華民國六十八年三月二十八日晚十時病逝榮民總醫院享壽六十六歲即日移靈臺北市立殯儀館茲訂於國曆四月十四日（星期六）下午二時假該館景行廳舉行公祭　謹此奉

聞

陳故副局長漢源先生治喪委員會

主任委員　**林　洋　港**

副主任委員　**劉兆田　黃鏡峯**

聯絡處：臺北市杭州南路一段十五號（臺灣省政府糧食局）

電話：（〇二）三四一二七四四

喪　居：臺北市新生南路一段一〇三巷一號

電話：七二一九九〇五

7. 由治喪委員會具名（女喪）

福建省政府主席戴仲玉先生之夫人

段秀貞女士

不幸於六十八年四月一日下午十時五十分病逝臺北榮民總醫院享壽六十四歲

茲定於四月廿四日（星期二）上午八時三十分在臺北市新生南路二段五十號

天主教聖家堂舉行殯葬彌撒及公祭十時發引安葬於臺北縣中和鄉春秋墓園謹此訃

告

戴府段夫人秀貞女士治喪委員會

主任委員　**戴炎輝**

副主任委員　**郭澄　郭驥**

高信　毛松年

何宜武

聯絡處：臺北縣新店鎮北新路二段一五四巷二號　福建省政府第三組

電話：九一一二四〇九

喪　宅：臺北市臨沂街四五巷七之十一號六樓

電話：三二一一二六八七

8.由親屬・治喪會聯合具名（喪男）

汪故教授褘成之喪訂於民國六十七年十一月十八日（星期六）上午九至十一時假臺北市立殯儀館景行廳公祭 特此奉

聞

汪故教授褘成治喪委員會

主任委員 戴炎輝

委　　員（以姓氏筆劃為序）

丁懋時 丑輝瑛 向英華 李　荷 易勁秋 林　棟 姚冬聲 唐　縱 徐世賢 梁恆昌 陳仲艮 喬維和 黃鏡峯 葉新明 楊建華 廖源泉 錢　復

王紹堉 方希魯 沈昌煥 李琢仁 周定宇 林榮耀 胡開誠 唐舜君 翁岳生 陸潤康 連龍輝 溫士源 黃　強 楊西崑 楊與齡 翟紹先 韓忠謨

王甲乙 甘毓龍 谷鳳翔 李在琦 周世泰 岳成安 洪壽南 唐君武 馬元樞 張聘三 程德受 曾霽虹 董世芳 楊鳴鐸 趙自齊 劉藎章 韓守湜

王兆民 左曙萍 李公權 吳望伋 周文璣 姚淇清 城仲模 徐　鼐 郭　驥 陳榮宗 程維賢 華稀珍 葉家梧 楊愷齡 趙執中 蔡在洪 羅萃儒

總幹事 楊日然

副總幹事 廖應能 吳世瑤

聯絡處：臺灣大學法學院法律學系（三九一—八七五八）

喪居：臺北市重慶南路一段一三一巷一號（三一一—五三三〇）

先夫汪公諱禕成府君慟於中華民國六十七年十一月四日凌晨二時十分病逝臺大醫院距生於民前二年庚戌五月十七日享壽七十歲未亡人葛華率子乾一三女季蘭隨侍在側當即移靈臺北市立殯儀館親視含殮長女引蘭公務羈身不克返國次女幼蘭匍匐奔喪遵禮成服謹擇於國曆十一月十八日（星期六）假該館景行廳設奠家祭九時公祭十一時大殮隨即發引安葬安康無錫公墓　叨在

鄉寅戚世學友

誼哀此訃

聞

未亡人　葛華

孤子　乾一

孤女　引蘭（適李在美）
　　　幼蘭（適唐）
　　　季蘭

孝媳　曹德華（在美）

孝壻　李志鍾
　　　唐曉東（均在美）　泣

孫　雄夫（在美）

孫女　令莊（在美）

外孫女　李懿
　　　　李範（在美國）
　　　　唐芝芬

姪　憲　啓

恕不另訃

喪居：臺北市重慶南路一段一三三巷一號

電話：三一一——五三三〇

附註：本頁訃聞須與前頁訃聞相銜接，不可分割。

9. 由親屬・治喪會聯合具名女喪

先室黎模昭女士攜次子志遠

慟於中華民國六十七年國曆九月二十日午時赴臺中途中同遭不幸距生於民國二十一年農曆七月初二日戌時享年四十有七 杖期生陳哲福率子志高女鳳雄鳴高等隨侍護運臺北親視含殮遵禮成服即日移靈臺北市民權東路市立殯儀館謹擇於國曆十月十四日（農曆九月十三日星期六）上午八時在該館景行廳舉行家奠九時公祭十一時發引安葬陽明山公墓叨在

姻寅
學鄉
戚 **誼哀此訃**

聞

鼎惠懇辭

族繁不及細載

杖期生 **陳哲福**

孝子 **志高** **志遠**

孝女 **鳳雄**（適張） **鳴高**

孝壻 **張可範**

外孫女 **張永慧**

夫堂兄 **陳景明**

夫堂嫂 **秦淑芳**

夫堂弟 **陳恆**

夫堂弟媳 **陳胡遠應**

胞兄弟 **黎模均** **黎模斌** **黎模森**（陷大陸） **黎模永**（在美） **黎模韞**（陷大陸） **黎模縈** **黎模華**（在美）

胞姊妹 **黎模訓** **黎模慰**

率 **子女孫**

泣啓

治喪委員會

主任委員 **林挺生**

副主任委員 **施金池** **舒揚鈇**

總幹事 **鄭美俐**

連絡處：臺北市三興國民小學

10. **由親屬・治喪會・公司行號聯合具名**（男喪）

先夫**郭公**諱**建英**慟於中華民國六十八年三月二日（農曆六十八年二月初四日）上午十時卅分病逝臺大醫院距生於民前四年五月六日享壽七十三歲未亡人郭馬愛麗孤子子浩　子謙　子庸　子廉　隨侍在側即日移靈臺北市立殯儀館遵禮成服謹擇於**四月十二日（農曆三月十六日星期四）上午九時卅分假該館景行廳設奠家祭十時公祭**隨即發引安葬於陽明山第一公墓　叨在

姻世戚寅學友

誼哀此訃

聞

未亡人／郭馬愛麗

孝子／子浩　子謙　子培（在美）　子庸　子廉　子誠

孝媳／林玲珠　陳美津　張釋文　董思武　王恩芳

孝孫／宗偉　宗儉　宗讓

孝孫女／靜宜　靜慧　靜芬　宗慧　宗瑜　宗蘭

胞姊／郭佩雲（適黃）

姊夫／黃朝琴

胞弟／建祥　建熊（陷大陸）

內姪／振宇　振民　振川

義子／黃堯

義女／黃鶯　鄭小芸

（族繁不及備載）

泣　啓

故郭公建英先生治喪委員會

主任委員／蔡萬春

副主任委員／徐有庠　梁國樹　孫義宣　蔡辰男

委員／王亞民　吳維綱　何顯重　宗仁卿　徐風和　扈頌　楊承厚　陳翔冰　戴時熙

王金平　杜萬全　林坤鐘　宗圭璋　徐鼐　許瀛洲　邱登鉄　陶子厚　蔡克寬

王永慶　宋明義　林清華　胡健中　高湯盤　賀膺才　陳土根　劉觀康　韓浩然

吳火獅　何敏璋　林尹　徐渭源　張建邦　程振粵　陳忠卿　董浩雲　橋本三郎

吳春潮　何添福　杭立武　徐風楷　許金德　楊德輝　陳錦亮　蔣碩傑

總幹事／吳憲藏

副總幹事／黃昆池

幹事／陳辰威　羅吉煊　吳銘東　何敏璋　廖慶鐘　楊德輝

本公司故董事長郭建英先生

之喪訂於中華民國六十八年四月十二日上午十時假臺北市立殯

儀館景行廳舉行公祭　謹此奉

聞

國泰租賃股份有限公司　謹啓

本行董事郭建英先生

之喪訂於中華民國六十八年四月十二日上午十時假臺北市立殯

儀館景行廳舉行公祭　謹此奉

聞

第一商業銀行　謹啓

附註：本頁訃聞須與前頁訃聞相銜接，不可分割。

11. 由團體具名 女喪

本協會名譽董事長柴之棣先生之令堂柴母任太夫人不幸於中華民國六十八年三月十六日仙逝謹擇於本（四）月十八日（星期三）上午八時假臺北市立殯儀館景行廳設奠家祭八時三十分公祭十時三十分大斂隨即發引安葬於陽明山墓園　謹此奉

聞

中國家庭計畫協會

名譽理事長　徐賢修
理事長　蔣公亮
常務監事會主席　湯衍瑞
總幹事　舒子寬

敬啓

12. 由夫具名 妻喪

前上海市總工會理事　先室黃夫人　諱月珍　慟於民國六十八年三月七日下午七時五十分病逝永和中興醫院距生於民國四年四月十四日享壽六十五歲茲擇於三月十九日下午一時在臺北市立殯儀館福壽廳設奠家祭二時公祭大斂隨即發引火葬　叨在

親友誼謹此訃

聞

恕不另訃
鼎惠懇辭

杖期夫　劉兆洋　率子　玉期　泣啓

連絡處：臺北市錦州街四巷十弄七號全國鐵路工會聯合會
臺北市仁愛路三段七號之二全國總工會

電話：五四一三六四六號
電話：七七一七五二二號

（一式・火葬）

先室段夫人秀貞女士慟於中華民國六十八年國曆四月一日下午十時五十分病逝臺北榮民總醫院享壽六十四歲杖期夫仲玉率子女水成　一成　友成雲雲　緋緋　莉莉　玲玲　媳　廣蓉　莉美等隨侍在側卽日移靈榮總殯儀館遵禮成服謹定於六十八年四月廿四日（星期二）上午八時三十分在臺北市新生南路二段五十號天主教聖家堂舉行殯葬彌撒並舉行公祭十時發引安葬於臺北縣中和鄉春秋墓園　叨在

世族
姻學
戚友　誼哀此訃

聞

恕不
另訃

杖期夫　戴仲玉
哀子　水成　一成　友成
孝媳　王廣蓉　雲莉美　泣
孝孫女　華萍
哀女　雲雲（適徐）　莉莉（適劉）
緋緋（適石）　玲玲（適陳）
孝壻　徐正觀　石作斌　劉燕隆　陳盛興　啓
外孫　徐豪汎　徐豪伸　劉君立　陳永隆
外孫女　石鴻琳　陳華英　石鴻魯　劉君怡

（族繁不及備載）

喪宅：臺北市臨沂街四十五巷七號之十一（六樓）
電話：三二一二六七八
聯絡處：臺北縣新店鎭北新路二段一五四巷二號福建省政府第三組
電話：九一一二四〇九

13. 由妻具名 夫喪

（一式・火葬）

先夫汪志堅 字萬安 痛於中華民國六十八年三月廿四日病逝臺北榮民總醫院享壽六十有二茲訂於四月一日（星期日）上午十時在榮總祭奠禮堂舉行家祭十一時公祭隨即發引火化 謹此奉

聞

恕不另訃

未亡人 龔寶蘭 率
子 汪治平
媳 麻麗亞
女 汪惠峯
壻 湯 姆
泣 啓

（二式・土葬）

先夫徐公 諱 忠霖府君 慟於民國六十八年二月二十二日下午八時二十分病逝中心診所距生於民國三年八月二十八日享壽六十六歲未亡人李慧珠率義女等隨侍在側當即移靈臺北市民權東路市立殯儀館親視含殮遵禮成服謹擇於民國六十八年三月二十日（星期二）假該館福壽廳上午八時設奠家祭九時公祭十時三十分大殮隨即發引樹林山佳葬於佛教公墓 叨在

世學 姻鄉 戚友 誼哀此訃

聞

未亡人 李慧珠
孤子 孟墨（陷大陸） 孟安（陷大陸）
媳 亞南（陷大陸）
孤女 孟華（陷大陸）
義子 經偉國（在美） 劉元德（在美）
義女 劉元泰（適羅） 壻 羅立德
孝孫女 小蕾 義外孫 羅永 羅成
同泣啓

14. 由父母具名 喪子

亡兒文潛不幸於中華民國六十八年六月一日上午九時逝世享年三十九歲即日移靈臺北市立殯儀館謹擇於六月六日（星期三）假該館至樂廳設奠上午八時卅分家祭九時公祭隨即發引火化忝屬

戚族學友 誼特此訃

聞

反服父 俞南屏

反服母 裴淑君

胞弟 文劭 文魁

胞妹 燕倫 燕青

泣 告

15. 由父母具名 喪女

亡女夢雲於中華民國六十八年五月十六日十一時蒙 主寵召永息天國在世旅程歷二十四年謹擇於五月二十五日（星期五）上午十時假臺中縣大雅鄉清泉岡基督教聖潔會教堂舉行追思告別禮拜隨即發引安葬新竹市基督教中華聖潔會墓園謹此訃

聞

輓聯輓幛
貺儀懇辭

反服父 姚菊潭

反服母 梅韻清

胞兄 彥平

胞姊 寄雲（適喬）

胞妹 逸雲

姊夫 喬元瑾

泣 啓

16\. 由親戚具名　叔喪

堂叔周公海瑤痛於中華民國六十七年十月三十一日零時四十分因心臟病突發病逝省立嘉義醫院距生於民國十三年十一月十三日享年五十五歲堂叔孑身在臺仲勳聞耗奔赴即日移靈南投中興新村厚德殯儀館遵禮成服謹擇於民國六十七年十一月八日（星期三）上午八時設奠家祭九時起公祭隨即發引火葬　叨在

世友
寅鄉
學戚　誼哀此訃

聞

堂姪　周仲勳
堂姪媳　胡宗智
堂姪孫　周曉峯（在美）
堂姪孫女　周映泓（在馬來西亞）
堂姪孫壻　羅正彥
義女　賈美如
親友代表　賈蘭祥
泣啓

鼎惠懇辭

17\. 由親戚具名　姪喪

亡姪茂盛不幸於中華民國六十八年四月四日十八時三十五分病逝空軍總醫院距生於民國十七年九月十八日享年五十有二謹擇於民國六十八年四月十三日八時假臺北市立殯儀館福壽廳舉行家祭八時卅分公祭隨即火化　謹此訃

聞

伯父　李碩豐
伯母　李友蘭　率子女泣啓

恕不另訃

18. 死者在國外・由國內公司團體或關係人具名（男喪）

前臺灣造船公司董事長杜殿英博士字再山於六十八年三月七日病逝美國茲訂於三月廿五日下午三時在臺北市新生南路三段九十號懷恩堂舉行追思禮拜敬告

諸同道
親友

聯幛花圈賻儀均懇辭

中國工程師學會
中德文化經濟協會
中國造船公司
臺灣機械公司
國立同濟大學同學會
謹啓

聯絡處：臺北市潮州街五十九巷三號　電話：三二一八八六〇

19. 死者在國外・由國內公司團體或關係人具名（女喪）

前國立臺灣大學文學院教授鮑元均博士不幸於中華民國六十八年五月四日病逝法國巴黎聖彼得醫院距生於清光緒三十四年三月十六日享壽七十有二歲業於五月十日安厝巴黎馬利亞墓園松柏等驚聞噩耗不勝悲痛茲擇於六月二日上午九時假臺北市南昌街十普寺舉行追悼謹此奉告

聯幛花圈賻儀均懇辭

杜松柏　趙玲玲　陳韻珊
張夢機　翁文宏　羅素珍
楊啓蓉　沈謙　黃淑美
謹啓

20.依佛教儀式妻喪

先室吳美枝女士慟於中華民國六十八年四月十一日中午十二時十分病逝臺大醫院距生於民國廿八年元月三十一日享年四十一歲 杖期夫念莊率子劍弘劍民等隨侍在側遵禮成服謹擇於民國六十八年四月二十四日（星期二）假臺北市忠孝東路一段二十三號善導寺正廳（大雄寶殿）舉行追悼上午九時家祭九時三十分公祭 叨在

寅學
鄉世 誼哀此訃
戚友

聞

鼎惠懇辭

杖期夫 郭念莊
孝子 劍弘 劍民
義子 俞國興 高丕昆
義女 庫希玲 俞國瑗
胞姊 靜香
姊夫 林家財
胞弟 憲一 龍泉
弟媳 張惠美 彭雲雀
胞妹 秀邦 惠文
妹夫 鄭水仁 陳亞新

泣啓

21.依佛教儀式知客喪○按寺廟中專司接待賓客之僧徒曰知客，又名典客、典賓。

本寺知客戒視法師於六十八年九月二十六日下午五時五十五分因胃癌圓寂於臺北中心診所距生於民國十四年六月二十七日享年五十五歲僧臘四十有四戒臘三十有二茲擇於國曆十月二日（星期二）下午二時正在本寺彌陀殿舉行封棺說法典禮隨即發引荼毘謹此奉

聞

恕不另訃

臺北市淨土宗善導寺
寺務處 謹啓

顯妣梁母狄太夫人諱靜天於中華民國六十八年三月廿九日晨八時在臺北市國防醫學院民衆診療處因胃疾蒙　主恩召距生於民國前十五年農曆十月初五日享壽八十三歲子媳孫等均隨侍在側謹定於四月十七日（星期二）移靈新生南路二段五十號天主教聖家堂上午八時家祭八時三十分公祭十時舉行追思彌撒隨卽發引臺北縣五股鄉觀音山墓園與

顯考諱上棟靈骨併行安葬　叨在

世　姻　友

戚學鄉族誼謹此訃

聞

孤哀子　經武　綸武　泣

孝　媳　臺性敏

孝　孫　鐵苗　鐵民　振民　萬雄

孝孫媳　惠玉琴

孝孫女　嘉陵（適翟在加）　延平　亞雄

維芬（適崔在美）　美華

孝孫壻　翟士德（PETER DRYSDALE在加）　啓

崔光亞（在美）

孝重孫　中彥

（族繁不及備載）

鼎惠懇辭

23.依天主教儀式（喪父）

中華文化復興運動推行委員會委員
美國聖若望大學副校長兼
亞洲研究中心主任
羅馬教廷策封聖額我略爵士

顯考薛公光前府君慟於中華民國六十七年十一月二十二日上午十時四十五分在臺北榮民總醫院蒙　主召安息距生於民國前二年十一月七日享壽六十有九未亡人童傳全　孤子昌明　昌麒　昌慶　等隨侍在側遵禮成服謹擇於十一月二十八日（星期二）上午九時在臺北市新生南路二段天主教聖家堂舉行追思彌撒隨即發引安葬陽明山墓園　叨在

友世
寅學
鄉親
戚族
誼哀此訃

聞

恕不另訃

未亡人　童傳全
孤子　昌明　昌麒　昌慶　泣
孤女　寶琳（適殷）
孝媳　任景文　徐俊玲　余錦鳳
孝孫　民權　宏文　宏達
孝孫女　琴慧　慧愉　媖麗　啓
孝壻　殷士華

聯絡處：臺北市愛國西路十六號自由之家

24. 依基督教儀式 岳母喪

鄭母朱太夫人於民國六十七年十一月十四日下午五時蒙　主恩召距生於民前四年十一月三日享壽七十二歲謹擇於國曆十一月廿日（星期一）下午一時卅分假臺北市立殯儀館景行廳舉行家祭一時四十分公祭二時追思禮拜二時卅分發引安葬於陽明山第一公墓謹此訃

聞

恕不另訃
鼎惠懇辭

孝女　孫鄭寶雲
孝壻　孫桓章
姪女　鄭碧珍
姪壻　林成金
外　孫　孫立德
外孫女　孫小雲（適郭）孫祥雲
　　　　孫瑞雲　孫慶雲
外孫壻　郭存一
曾外孫女　郭誠平　郭誠明

泣　啓

喪　居：臺北市南京東路四段十三巷三號　電　話：七七一二〇〇四

25. 依基督教儀式（夫喪）

先夫李公諱**抱忱**慟於中華民國六十八年四月八日晨一時五十五分病逝臺北市中心診所享壽七十三歲謹擇於四月十七日（星期二）上午八時三十分在臺北市新生南路三段九十號基督教浸信會懷恩堂舉行追思禮拜後火葬　哀此訃

未亡人　李崔瑰珍
孝　男　樸　辰
孝　媳　鍾　思
孝　女　蔡李樸虹
孝女壻　蔡爲倫
孝外孫　蔡明曦
孝外孫　蔡明昊
泣
表　妹　吳薛慕蓮
表妹夫　吳訥孫
義　女　呂鄭瓊珠
義　壻　呂桂璋
義　女　劉明儀
義　女　任江世珍
義　壻　任祺和
義孫女　廖碧金
啓
（族繁不及備載）

聞

輓聯輓幛
奠儀懇辭

（不另寄發訃聞）

26.依回教儀式喪父

先嚴石公諱光裔府君於中華民國六十八年五月三日下午九時在臺北宏恩醫院歸眞距
生於民國紀元前十一年二月十三日享壽八十歲謹遵依天方教典
訂於五月十日（星期四）上午十時在臺北市新生南路二段清眞寺舉行殯禮隨卽安葬於大屯山回
教公墓哀此奉

聞

鼎惠懇辭

恕不另訃

子 孟雍
孟威
女 孟卿 泣
孫男 平濤
孫女 揖芬 啓
揖青
妻 孫小舫

喪居：臺北市瑞安街三一三巷五弄七號
電話：三五一二三二八號

(二)送禮

1.派人致送現金或禮券封套

專送

泰順街五〇號

熊府

奠儀肆佰元

弟秦光遠敬拜

2.親自致送現金封套

楮敬肆佰元

秦光遠敬奠

3. 送禮單

謹具

輓聯一副
輓幛一軸
花圈一架
清香一炷

奉申

奠敬

弟
秦光遠敬薦

4. 送禮名片

謹奉上輓聯一副
代楮肆佰元伏乞

弟
秦光遠敬奠

代薦爲感 此上
熊兆奎先生

㈢公祭通知

1. 由治喪委員會具名

柴母任太夫人之喪訂於中華民國六十八年四月十八日（星期三）上午八時三十分至十時三十分假臺北市立殯儀館景行廳舉行公祭 謹此奉

聞

柴母任太夫人治喪委員會謹啓

主任委員 郭 永
總幹事 葉曜衢

2.由公司具名

（一式）

本公司總經理柴之棣先生之　令堂

柴母任太夫人之喪訂於中華民國六十八年四月十八日（星期三）上午八時三十分至十時三十分假臺北市立殯儀館景行廳舉行公祭　謹此奉

聞

唐榮鐵工廠股份有限公司　謹啓

（二式）

本會社代表取締役林木桂先生之喪訂於中華民國六十七年十月二十六日（農曆九月二十五日）星期四上午十時在臺北市民生西路二四五號總主教座堂舉行公祭　謹此訃

聞

日本東亞商事株式會社
日本東信商事株式會社　謹啓

（三式）

本公司董事長

楊公明仁之喪謹訂於國曆十二月二日在臺北市立殯儀館景行廳舉行告別式謹此奉

聞

心誠食品股份有限公司董監事及全體同仁　謹啓

3.由學校具名

本校董事會董事林淑祺先生之　令胞兄

聞

林木桂先生之喪訂於中華民國六十七年十月二十六日（農曆九月二十五日）星期四上午十時在臺北市民生西路二四五號總主教座堂舉行公祭　謹此訃

臺北市私立靜修女子中學　謹啓

4.由團體具名

公祭通知

本會名譽會長黃伯農先生不幸於民國六十八年五月三日逝世茲訂於五月十七日（星期四）上午十時在臺北市立殯儀館景行廳舉行公祭敬希

惠臨與祭爲荷　此致

○○○鄉親

梅縣旅臺同鄉會　敬啓

五月七日

【說　明】

㈠公祭通知柬帖可利用打字排版，悉用四號宋體字，與一般『開會通知』相同。請參閱第4式。

㈡第1 2 3式爲登報之用，『聞』字須套紅色。

(四)謝帖

1. 由子具名喪父

先嚴周公諱覃字公延之喪叨蒙

總統賜頒輓額各界長官戚友蒞臨弔唁厚賜賻儀雲天高誼歿榮存感謹申謝悃伏維

矜鑒

棘人 周開齊 率子女 泣叩

(一式)

先嚴王公諱丕績府君之喪辱蒙

長官親友頒賜輓額寵錫隆儀並親臨弔唁雲情高誼歿榮存感謹申謝悃伏維

矜鑒

棘人 文瀚 文博 孝女 文超 文卓 文浩 文淵 文錦

未亡人 王谷清琳

叩啓

(二式)

2. 由子具名喪母

先慈梁母狄太夫人之喪辱蒙

總統 嚴前總統賜頒輓額長者長官戚友親蒞弔唁寵賜厚儀高誼隆情歿榮存感謹申謝悃伏維

矜鑒

棘人 梁經武 梁綸武 叩啓

(一式)

先慈金母劉太夫人之喪辱蒙
教會弟兄姊妹及戚友親臨參加安息聚會隆情高誼歿榮存感謹申謝悃伏維
矜鑒

孝男 **丹旭 丹烈 丹若 丹科 丹谷**
孝女 **蕙妍**
敬啓

(二式)

3. 由夫具名妻喪

先室宋永貞女士之喪承蒙
諸親友好寵錫隆儀並親臨弔唁高誼雲情存
歿均感謹申謝悃諸維
荃察

熊在渭謹啓

(一式)

先室鄭夫人諱世琛女士之喪辱
蒙 嚴前總統謝副總統及諸長官戚友頒賜
輓額並親臨弔唁寵錫隆儀雲情高誼歿榮存
感謹此叩
謝

杖期夫 **陳達元**率**子女**謹啓

(二式)

4. 由妻具名大喪

先夫陳公諱之邁府君之喪渥蒙
總統 嚴前總統 副總統 院長頒賜輓額
各長官親友高軒賁臨寵錫隆儀雲天高誼存
歿均感謹申謝忱 伏維
矜鑒

未亡人 **陳趙荷因**率
女 **歌** 子 **歆** 泣叩

(一式)

先夫郭公諱庭鈺府君之喪辱蒙
總統頒賜匾額各級黨政首長民意代表暨親
友寵賜隆儀或賁臨弔唁雲天高誼歿榮存感
謹申謝悃伏維
矜鑒

未亡人 **郭金季鳳**
孝男 **立民 立信**
孝女 **曉梅**
叩啓

(二式)

5.由長孫・女壻聯合具名祖母/岳母喪・

先祖母/岳母林媽莊太夫人之喪辱蒙
戴院長各級政府機關首長及各界親友寵錫
隆儀賁臨弔唁隆情高誼歿榮存感謹申謝悃
伏維
矜鑒

承嗣孫 林心正
女　壻 白永傳 曾文謙 許有財 王光照 張寬裕 廖俊臣 叩啓

6.由兄具名喪妹

亡妹阮宣文女士之喪辱荷
諸大德及至親友好惠臨參加誦經追悼情深
東海永誌弗忘謹布感忱諸祈
荃詧

阮芸舫 敬啓

7.刊登報紙

（一式・父喪）

謝啓

先嚴左公舜生府君之喪辱承
總統頒賜輓額長官親友蒞臨弔唁或寵
錫隆儀雲情高誼歿榮存感謹申謝悃伏
維
矜鑒

棘人 左宗矩 宗明 宗惠 宗楷 宗權 泣叩

（二式・母喪）

謝啓

先慈林母曾太夫人珠如之
喪叨蒙
總統　嚴前總統　謝副總統賜頒輓額
首長親友蒞奠錫賻及弔唁隆情高誼歿
榮存感謹申謝悃伏維
矜鑒

哀子 林博正泣啓

（三式・夫喪）

謝啓

先夫藍公蔭鼎之喪辱蒙
總統 嚴前總統 謝副總統頒賜輓額
長官戚友或寵錫隆儀或賁臨弔唁高誼
雲情歿榮存感謹申謝悃伏維
矜鑒
未亡人**藍吳玉霞**率**子女**泣叩

（四式・妻喪）

謝啓

先室屠婉瑛女士之喪辱承
長官親友寵賜有加或勞玉趾親臨弔唁
隆情高誼歿榮存感謹申謝悃伏維
矜鑒
不杖期夫**錢鞮男**率子崇立 女**粵秀**叩啓

（五式・姊喪）

謝啓

先姊王蔚如女士之喪渥承
諸教界先進學校同仁及親友學生親臨
弔祭寵錫厚儀光昭泉壤情被歿存感紉
高誼非言可宣謹此布謝諸惟
垂鑒
王思誠敬啓

（六式・弟喪）

謝啓

亡弟胡君少威之喪叨荷
諸親友好或遠頒慰語或賁臨弔祭鴻文
寵賜鼎惠隆施泉壤有光感篆靡既謹此
報
謝
胡少強謹啓

謝啓

亡女**彭娟娟**於去年底與束靖華君結婚，時甫四月，即於上月二十七日下午遽在夫宅辭世，事經各報披露，辱承　諸親友好垂注，或枉駕賜唁，或函電存問。日昨公祭，復蒙　長官親友賁臨弔唁，寵錫輓額。高誼雲情，歿榮存感。

關於亡女死因，各報詳略不一，傳聞異辭，荷承親友紛紛垂詢，祇以亡女生前未嘗語及，死後未見遺書，愚夫婦迄仍不悉其詳。茲可奉答者：亡女於就讀臺大時，曾於暑期青年活動中結識清大學生某君，但僅爲普通友誼，且畢業後即未連絡。六十五年任教北市中山女中，經其臺大同班同學之介紹，與束靖華君相識，彼此交往兩年，始行成婚，此其間亡女用情純摯，並無其他男友，已爲束君所深知。故某報謂亡女婚後『仍有男友來往』，絕非事實，顯係記者臆度之詞。又某報謂『丈夫懷疑妻子婚前貞潔』，業經臺北地方法院檢察官詢問束君『汝妻婚前貞潔有無問題。』束君當庭答稱『無問題』，有法院筆錄可稽，亡女地下有知，或稍可自慰。

按亡女自幼至長，善體親心，婚後歸寧數次，愚夫婦詢其生活情形如何，均答稱『很好』，對其夫婦失和事從未吐露片言。噩耗遽傳，愚夫婦哀慟幾絕，惟因刑警隊勘驗時，現場已不完整，而亡女有無遺書，亦非愚夫婦所得知，故亡女致死之由，愚夫婦至今難以了然，天下悲痛之事，寧有甚于此乎。現可冀望者，亡女生前有一筆記小册，偶記所感，已隨案扣存於法院，想法院藉此，或有助於死因之了解。亡女同學同事等友好，倘有知其婚後情形者，敬懇惠告其詳，以彰貞烈，俾瞑目泉壤，不勝感禱之至。謹此申謝。伏維

矜鑒

彭輯五　張覺明　拜啓　六十八年五月十日

住址：士林區故宮路二三巷九號
電話：八八一七五四六號

（七式・女喪）

【說　明】

㈠自1至6式謝帖可利用打字排版，悉用四號宋體字，與一般柬帖相同。

㈡若登報則須加『謝啓』二字，且『矜鑒』『荃詧』『謝』等字須套紅色，字體大小悉如第7式。

（四）普通應酬

㈠普通宴客

（一式）

謹訂於國曆六月十八日（星期六）下午六時敬備菲酌　恭候

台光

席設：雲南人和園餐廳
地址：臺北市寶慶路四十一號
電話：三三一七四二三

范伯純謹訂

（二式）

謹訂於國曆六月十八日（星期六）下午六時敬備薄酌　恭候

光臨

席設：雲南人和園餐廳
地址：臺北市寶慶路四十一號
電話：三三一七四二三

范伯純謹訂

陪
謝　敬

○○○謹覆

（三式）

光

本月三十日（星期日）中午十二時潔樽候

席設：師大路九十三號本宅

電話：三四一五九四三號

范伯純謹訂

(二)接風

1. 邀請當事人

台光

本月二十日（星期六）下午六時洗塵恭候

假座臺北市杭州南路一段迎仙閣

毛桂嶺謹訂

2. 邀請陪客

光陪

本月二十日（星期六）下午六時爲徐小波先生洗塵　恭請

假座臺北市杭州南路一段迎仙閣

毛桂嶺謹訂

㈢送　行

1. 邀請當事人

台光

本月二十四日（星期三）下午六時敬治薄餞　恭候

席設：龍泉街九十一號本宅

梁佩芬謹訂

2. 邀請陪客

光陪

本月二十四日（星期三）下午六時爲裴夢蓮學姊餞行　敬請

席設：龍泉街九十一號本宅

梁佩芬謹訂

㈣新年宴客

台光

本月九日（農曆正月初五日）下午六時潔治春酌　恭候

席設：長泰街六十二號本寓

賀喬新
孟貞恒謹訂

(五)茶會

光臨

謹訂於九月二十七日（星期三）舉行教師節慶祝茶會　恭請

時間：下午四時至五時
地點：校總區體育館

閻振興謹訂

(六)酒會

國曆三月五日（星期四）爲本公司創立十週年紀念是日上午十時起至十二時敬備酒會　恭請

惠臨指教

新亞百貨公司
董事長　梁佩芬
總經理　燕南翔　謹訂

(七)邀請參觀

謹訂於國曆四月二十五日起至三十日止假臺北市南海路歷史博物館舉行書畫展覽　敬請

蒞臨指教

時間：每日上午九時至下午五時

滕恭敏謹訂

(八)邀請觀禮

光臨觀禮

謹訂於國曆六月二十五日（星期一）舉行本校第三屆畢業典禮　恭請

時間：上午九時
地點：本校大禮堂

私立東華文藝專科學校創辦人彭逸塵
校長張梅潔謹訂

(九)謝師宴會

（一式）

蒞臨賜訓

謹訂於國曆六月二十日（星期日）下午六時三十分假本市中山北路二段紅寶石酒樓舉行應屆畢業生惜別餐會　恭請

世界新聞專科學校廣播電視科
全體應屆畢業生　敬上

（二式）

蒞臨訓誨

為感謝　師恩謹訂於國曆六月十五日（星期六）下午六時卅分假新竹市中正路新陶芳菜館舉行謝師酒會敬治潔筵　恭請

私立曙光女子中學六十七學年度
全體應屆畢業學生　拜上

（三式）

韶華易逝駒隙頻遷猶憶馬帳方瞻倏驚驪歌遽唱　生等幸霑時雨如坐春風循鹿洞之舊規仰龍門之碩望勤修學藝藉效家邦惟盛德難酬敢期來日薄酒致敬聊卜今宵謹奉蕪箋　恭迎

崇駕

靜宜女子文理學院中國文學系
六十七學年度全體畢業生　鞠躬

時間：六十八年六月十日（星期日）下午六時
地點：臺中市學府路五十二號華湘餐廳二樓

（十）開會

茲訂於中華民國六十二年六月五日（農曆五月初五日）上午十時假臺北市舟山路僑光堂舉行癸丑詩人節紀念大會敬希　撥冗

光臨

中國文藝協會
新詩學會
中華詩學研究所
中興詩歌研究社　謹訂

第五章　便條與名片

第一節　概說

今人常言：『現在的大學畢業生，連一張便條都寫不通，國文程度一落千丈，良可歎也。』此種感喟之聲，由來已久，初不自今日始。今日大中學生國文程度普遍低落，固是事實，無須否認，亦不必諱言。然而寫一張寥寥數十字之便條，居然錯誤迭出，雖中文系畢業者亦不例外，則問題之嚴重，已足令人怵目驚心，不宜再以杞人之憂視之也。其實便條並非大學問，稍加留意，人人可得而優爲之。顧此雖屬小道，亦不容掉以輕心，致貽人口實。

便條卽簡短之書信，前人稱爲短箋、短書、小牋、小簡、小柬、小札、小字條，凡借書、還物、訪晤、招邀、赴約、辭宴、辭行、餽贈、送禮、稱謝等細事，爲免書牘之繁複，乃以便條表達其意，蓋求其簡單而便捷也。

所謂名片，卽印有姓名之短片，古時稱爲名刺，其作用與便條同。故便條是書牘之變格，而名片又是便條之變式，三者性質相同，作用相同，惟因人、因時、因事、因地而使用不同而已。今人使用名片，多作自我介紹之用，一般名片均印有職銜、姓名、字號、住址、電話號碼，相晤時，只須交換一張，卽可省去若干應對。且拜訪不晤時，可於名片上略書數語，其便利尤勝於便條。今使用名片者日益加多，有陵駕便條而上之之勢，其故在此。

至於便條與名片之寫作要點，亦有可得而言者，茲列舉於後：

一、遣詞用字須簡明扼要，所有應酬語、客套語均須省略。

二、內容祇寫普通事件，不可談機密問題，以其不用信封故也。

三、便條祇能用於知友，對新交或尊長，非不得已，最好不用。名片則使用範圍較廣，惟對尊長談事，仍以不用為宜。

四、格式、字體、筆墨均可不拘，但字跡不宜潦草。

五、『稱謂』、『結尾敬辭』、『署名敬禮』、『月日』四項悉與書信同。

六、以空間不多，且時間迫促，故以淺近文言寫作為宜。

七、便條大都為派專差遞送，或訪問不遇而留交，若用郵寄，則是書信而非便條。名片如加信封，亦可郵寄，惟多在致謝時使用。

第二節 便條實例

(一)拜訪

（一式）

來訪未晤，悵甚，因有要事奉商，明晚八時再趨拜，務請 曲留爲幸。此上
德潤兄
弟 文蔚留上 即日

（二式）

湘靈姊：今晨來訪，適逢 外出，未晤爲悵，明日下午三時當再詣府，請 賜稍待，因有事須面商也。
妹 憶杭拜留 三月十五日

(二)借款

（一式）

茲有急需，乞
惠借新臺幣參仟元，以濟燃眉，準於一週內奉還，如蒙 慨允，希交來人帶下爲感。此上
思廉兄
弟 廷俊拜啓 五月一日

（二式）

邦麗姊：刻因急用，敬懇 惠借新臺幣陸仟元，約於五日內歸趙不誤㊀，倘荷 允諾，請即交小犬攜回爲盼。順祝
刻安
妹 俞台蓮上 六月九日

(三)借物

（一式）

刻需文史哲出版社印行之中外學術名著叢刊一套，請　惠借一用，一旬後璧還，決不致有所污損也。此上

龍光兄

弟鳳梧啓　即日

（二式）

訪瑜姊：

明日擬與高中時代同學遊覽情人谷，希將攝影機　賜借一用，後日奉還，千祈勿卻爲幸。

妹左方上　十一月廿八日

(四)還款

前蒙　借款濟急，隆誼至感，現如數奉還，即希　點收爲荷。此致

麗燕姊台照

妹望鄉謹上　十六日

(五)還物

前承

惠借錄音機，至深感謝，現已用畢，特令小女送還，即希　檢收爲荷。此上

文淵吾兄

弟邦夫敬啓　即日

(六)餽贈

（一式）

一昨訪問金門，購得龍鳳酒兩瓶，特以一瓶相贈，聊表微意，即希　哂納。此致

思遠兄

弟孝若上　五月九日

（二式）

玉蓮姊：小女珍華新自美國寄到減肥聖藥數盒，茲奉上一盒，敬希　莞存，早晚各服一粒，短期內或有奇效也。

妹海汶謹上　五月六日

㈦謝餽贈

（一式）

承 惠佳果，啖之甘美無倫，餘香猶留齒頰，感荷無既，謹致謝忱。此上

寶瑩姊

妹 洒瑾拜謝 三月三日

（二式）

承 貽佳釀，正弟所需，雲情盛意，卻之不恭，謹拜領，並申謝悃。此覆

桐岡兄

弟 南園拜覆 七月八日

㈧邀宴

（一式）

明晚六時在敝寓潔治菲酌，敬請 光臨，幸勿見卻。此請

青山吾兄
宛曲大嫂早安

妹 曉君鞠躬 十月九日

送敦化南路一二四號八樓

林青山先生

（二式）

茂泉先生
夫人：勝新太郎先生伉儷已於昨晚自橫濱來臺，茲定於本月十六日（星期六）下午七時在寒舍略備薄酌，恭候 台光，勿卻是幸。

高俊雄謹約 八月十日

(九)覆赴宴

（一式）

辱承
寵召，曷勝欣幸，謹當如　約前往，奉陪末座，先此致謝。敬覆
廣德兄
弟 澤民拜覆 二月十三日

（二式）

連日食指頻動，知將大快朵頤，果應佳兆，屆時當趨府叨擾也。此覆
嫈嫈姊
妹 韻湘敬覆 十一月十八日

(十)辭宴

（一式）

辱承
寵邀，毋任欣幸，本當敬陪末席，以答　雅意。惟以昨晚忽染微恙，刻仍感不適，不克趨陪，方　命之處，敬祈　鑒諒。此上
邦衡兄
弟 伯庸頓首 四月五日

（二式）

承邀詣
府小聚，本應遵　命，祇以今日妹須歸寧㈡，有拂　盛意，良用歉然，容改日登　堂謝罪。此覆。即祝
祜美姊刻安
妹 懷岳再拜 即日晨八時

【注釋】

㈠歸趙　戰國趙惠文王得和氏璧，秦昭王遣趙王書，願以十五城易之，藺相如請奉使往，曰：『使城入趙而璧留秦，城不入，臣請完璧歸趙。』既入秦獻璧，見秦王無意償城，乃紿取之，使從者懷璧歸。事見史記藺相如傳。後謂原物歸還曰歸趙、奉趙、璧趙、璧還，均本此。

㈡歸寧　女子嫁後歸省父母也。詩經周南葛覃：『薄汙我私，薄澣我衣，害澣害否，歸寧父母。』

附　歷代名人便條

(一)奉橘帖　　王羲之

奉橘三百顆，霜未降，未可多得。

(二)問行帖　　王羲之

天氣殊未佳，汝定成行否。寒食近，得且住爲佳耳。

(三)與李太保乞米帖　　顏眞卿

拙於生事，舉家食粥已數月，今又罄竭，祇益憂煎，輒恃深情，故令投告。惠及少米，實濟艱勤，仍恕干煩也。眞卿狀。

(四)與吳介玆　　段一潔

野梨酸澀類枳，斷桃根接之，稍可啖。再接之，三接之，甘脆遠勝哀梨，可見人不可不相與好人也。

(五)與友人　　諸九鼎

鳥之飛也迎風，魚之遊也逆水。此如大事當前，須以身入，方得就理，若迴身退避，鮮不摧敗。洗心退藏，此是平日言之，臨事殊不爾爾。

(六)與張船山　　吳錫麒

園中荷花，已大開矣，鬧紅堆裏，不少遊魚之戲，惟葉多於花，渾不能辨其東西南北耳。倘能來，當雪藕絲，剝蓮蓬，儘有越中女兒酒，可以供君一醉。

（七）與張心甫　吳錫麒

枕上聞鳥聲關關，披衣起盥，日色已上紙窗。望寶石諸山，軒豁呈露，笑黛宛然。足下能同一遊乎，已買觕舲以待。

（八）與友人　顧炎武

君詩之病，在於有杜，君文之病，在於有韓、歐，有此蹊徑於胸中，使終身不脫依傍二字，斷不能登峯造極。

（九）與三好宅安　朱之瑜

奉上粗布綿衣二件，聊以禦寒而已。以足下之狷潔，不敢以細帛汚清節也。餘面談，不一。

（十）賀沈一齋得子　許湄

時入清和，日盼喜訊，昨朶雲飛下，瑞色繽紛，知爲五嫂育麟之兆，開函快讀，果如所期，他年或爲荀氏之龍，或作薛家之鳳，胥於此卜之。賀賀。

第三節　名片實例

㈠拜　訪

正面

大洋貿易公司總經理

彭　　郎

張夢機先生

留陳　弟

希祖　頓

五月十六日

臺北市師大路九十三巷三號二樓

電話：(〇二) 三五一—二三二八

背面

來訪未遇，悵甚。茲有要事奉商，擬明晚八時再度趨訪，請遲我爲感。此上

夢機兄

名正肅

㈡介紹教職

正面

國立中興大學教授

文　匡　邦

新竹女中

孟校長

謁呈　弟

再拜

八月一日

臺北市龍泉街八十四號

電話：(〇二) 三四一—五九四三

背面

茲有舍親張祜美君，今夏畢業臺灣大學中文系，有志從事教育工作，特介趨謁，請賜延見，並進而教之爲禱。此致

孟校長

名正肅

(三)介紹工作

正面

臺灣省議員

陳 武 信 謹上

弟

面塵

林董事長

七月七日

臺北市民生東路九十八號
電話：七六九四〇三六

背面

世姪吳元章君，畢業育達商職，本月初服役期滿，欲覓枝棲，特介晉謁，如有機緣，敬請賜予培植，無任感禱。

名正肅

(四)介紹就醫

正面

敬煩面陳

張大醫師

弟

唐 中 平 拜上

三月八日

江蘇江陰

背面

家姊正華女士最近身體虛弱，特慕名趨前求治，敬懇惠爲詳診，感同身受。此上

玉書兄

名正肅

(五)致送賀禮

正面

臺北市銀行古亭分行經理

四月九日

妹 張 敏 敬賀

專送

高正明女士

臺北市羅斯福路三段四十三號
電話：三二一〇三八一—六

背面

欣逢
令堂大人六十榮慶，因事不克趨賀，歉甚。
茲奉上水蜜桃一盒，藉頌
福壽康寧，敬希
哂納是幸。此上
正明姊　　　　名正肅

(六)領謝賀禮

正面（式一）

承賜水蜜桃一盒。敬謹領

謝

四月九日

妹 高正明 再拜

回壐

張敏女士

正面（又式）

領水蜜桃一盒
　高粱酒一瓶

謝

四月九日

妹 高正明 再拜

回陳

張敏女士

(七)辭行

正面（式一）

今晨乘機飛日，臨行匆迫，不克踵　府告
辭，乞諒。此上
鶴年兄
弟　荀家龍　拜　六月三日
專陳
朱鶴年先生

正面（又式）

妹今晚乘車南下，行色匆匆，不及走辭，
深用歉然，謹此奉　聞，幸祈
鑒諒。
薛　妹　家鳳　敬上　即日
留陳
王穎小姐

(八)探病

正面

中國時報主筆
弟　錢士毅　拜留　即日
敬陳
南喬兄
湖南常德

背面

頃聞　貴體違和，探晤未值，悵念良殷，
有暇當再趨候。虔祝
痊安
名正肅

(九)求見

正面（式一）

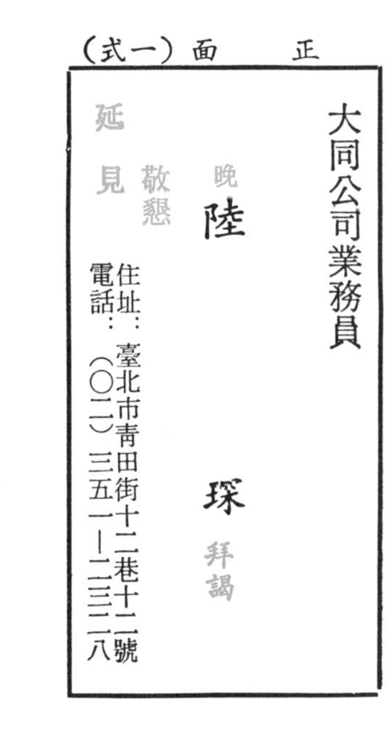
大同公司業務員

敬懇
延見

晚　陸　琛　拜謁

住址：臺北市青田街十二巷十二號
電話：（〇二）三五一—二三二八

正面（又式）

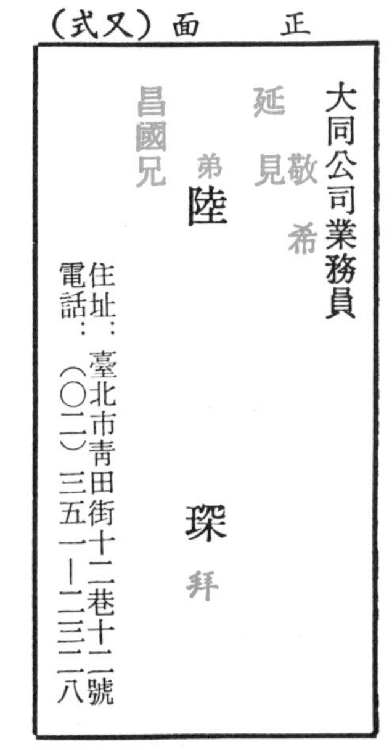
大同公司業務員

敬希
延見

昌國兄

弟　陸　琛　拜

住址：臺北市青田街十二巷十二號
電話：（〇二）三五一—二三二八

(十)拜年

正面（式一）

吾師
履謙
師母

受業　李　靈　秀　敬叩

卽日

花蓮市菁華街二號

正面（又式）

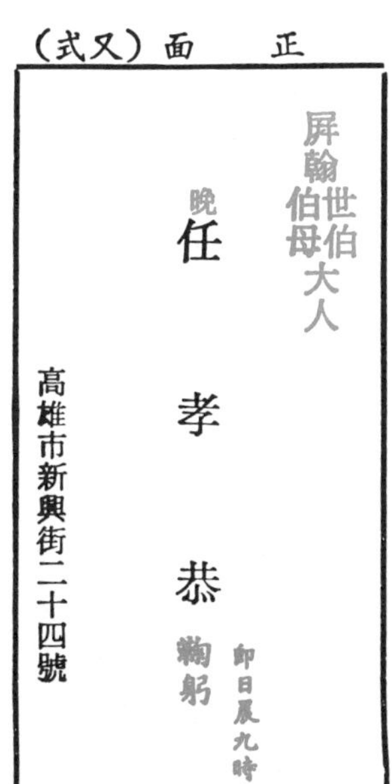
世伯
屏翰
伯母大人

晚　任　孝　恭　鞠躬

卽日晨九時

高雄市新興街二十四號

【說　明】

名片留言，措辭須簡明扼要，良以空間有限，不宜於暢發議論也。文字寫在正面背面均可，迄無定式。惟末尾不必署名，祇寫『名正肅』即可，有時亦可省略。

又上舉名片實例，凡藍色字均須親自書寫。

第六章　慶賀文

第一節　概說

在應酬文字中，較莊重且較費腦力者，爲慶賀文與祭弔文，此二類文字用字是否盡善，措辭是否得體，意思是否暢達，格式是否合宜，以至平仄是否協調，音韻是否鏗鏘，在在均須較前述書牘、柬帖及後列聯語、題辭各類文字爲講究，亦較易引人注目，其佳者且可傳誦千載，故下筆之際，不可不格外愼重。祭弔文詳見下章，茲先述慶賀文。

吾國社會素重倫理與禮儀，數千年來，人情味之濃郁，尤遠在並世各國之上，慶賀文字乃應時而生，獨步寰宇。而今時代進步，社會繁榮，教育普及，國民知識水準提高，交際應酬在吾人日常生活中佔有極重要之地位，而慶賀文乃爲其中之尤者。惟慶賀文種類繁多，舉凡婚嫁、頌贊、祝壽、上梁、添丁、遷移、開業……等，無不在其涵蓋之列，若一一加以探究，勢非時力所能許，抑且無此必要。今僅擇目前社會所流行者，略述其梗概。

一、頌詞　頌在古代是對神明哲人或建功立德者稱頌之詞。文心雕龍頌贊篇云：『頌者，容也，所以美盛德而述形容也。』由此可見頌詞乃以頌揚褒美爲主，其體裁多爲詩歌，如詩經之關雎、桃夭、鵲巢爲稱美婚嫁之詩，螽斯、麟之趾爲稱美多子之詩，天保、鴛鴦爲祝壽之詩，泮水、閟宮爲賀宮室落成之詩。其後逐漸演變爲四言句之韻文，或兩句一韻，或四句一韻，或八句一韻，或一韻到底，迄無固定形式。其前可用序言，亦可不用序言，完全視需要而定。此類文字雖以有褒無貶爲原則，惟仍須根據事實，略作鋪張，不宜揄揚過當，致損價值。

二、徵啓 徵啓乃有所徵求之啓事。文心雕龍書記篇云：『啓者，開也，開陳其事也。』普通信札亦可名之曰書啓，足見啓事乃向人陳說事理之謂。喜慶或其他，皆可有徵文啓事，而徵壽文壽詩，則其尤著者也。至其內容，則在陳述壽者生平行誼，以供作者撰壽詩壽文時參考，最後頌揚其年高德劭，敬求親朋友好贈以詩文，以作紀念。其格式與書信略同，惟此爲公開信，無固定之對象而已。子孫亦可爲其尊親徵求壽文壽詩，而自撰『事略』，寄諸親友，以爲參考資料。此類文字可長可短，其文體可駢可散，並無嚴格限制。但因駢體對仗工整，音韻鏗鏘，辭藻華麗，較爲世人所樂用耳。

三、壽序 序爲文體之一，所以陳述作者之旨趣者也，分書序與贈序二類。如易序、詩序、太史公自序之屬，是爲書序。如韓愈送董劭南序、送李愿歸盤谷序之屬，是爲贈序。或謂壽序是由贈序引伸而來，姚鼐古文辭類纂序引老子贈別孔子，以及顏淵子路相互贈別之語，爲贈序之起源。實則彼等所贈者乃是『言』，而非『文』。或又謂詩經邶風之燕燕（衞莊姜送戴嬀之詩）、秦風之渭陽（秦康公送舅氏之詩），爲贈序之始。實則彼等所贈者乃是『詩』，而非『文』。故此二說均有未諦。若就贈序之體例觀之，贈序實由序跋演變而來，原爲贈別詩歌而作者，如王勃滕王閣餞別詩序是。其後去繁就簡，或有詩無序，或有序無詩，詩遂與序釐然而分疆，各不相屬，此則贈序之所由生也。壽序起初亦是爲祝壽之詩而作者，其風蓋始於明之中葉，故曾國藩謂『壽序非古』也。例如當時李東陽有壽左都御史閔公朝瑛七十詩序，開端云：『閔公朝瑛壽七十，同年進士之在朝者，……各賦詩一章，會賀其家，謂東陽宜序首簡。……其詩則以齒爲次。』可爲明證。其後亦與贈序相同，而有無詩之壽序出現，至清而大盛，名家文集中，幾皆有之。吾師成楚望先生云：『壽序，非古也，明中葉後，始盛行於世。識者以其格下，頗厭薄之。然旌善表徽，義資潛化，通人爲此，亦時有可觀焉。』見楚望樓駢體文外篇弁言 誠屬的論。

至壽序之內容，則不外乎簡述壽者生平之行誼，並作適當之推崇，以表慶賀。其措詞以典麗爲尚，故作者每喜用駢體，然妙手以散文爲之，筆意婉轉，辭采雋逸，亦多佳品。今日壽序多寫成屏條，乃爲隆重壽禮，故社會對此極爲重視。

第二節　慶賀文實例

（一）頌　詞

㈠聘士徐君墓頌 幷序

孫　綽

晉南昌相太原縣君，白漢故聘士徐君之靈：

惟君風軌英邃，音徽遠播，餐仰芳流，宗揖在昔。古人有言：聞伯夷之風者，懦夫有立志。仰先生之道，豈無青雲之懷哉。余以不才，忝宰茲邑，退宗有道，思揖遠風，乃與友人殷浩等束帶靈墳，奉瞻祠宇，雖玉質幽潛，而目想令儀，雅音永寂，而心存高範。徘徊墟壠，仰眄松林，哀有形之短化，悼令德之長泯，憮然有感，悽然增傷。夫諷謠生於情託，雅頌興乎所欽，匪於詠述，孰寄斯懷。頌曰。

巖巖先生。邁此英風。含貞獨暢。心夷體沖。高蹈域表。淑問顯融。昂昂五賢。赫赫八俊。雖曰休明。或嬰險釁。豈若先生。保茲玉潤。超世作範。流光遐振。墳塋磊落。松林蕭森。薈叢蔚蔚。虛宇愔愔。遊獸戲阿。嚶鳥鳴林。嗟乎徐君。不聞其音。徘徊邱側。悽焉流襟。何以舒蘊。援翰託心。

【說明】

㈠自漢以來，有學行之士，得朝廷之徵聘者，世稱聘士，亦稱聘君、徵君。

㈡徐君謂東漢高士徐穉。穉字孺子，南昌人，恭儉義讓，累舉皆不就，築室隱居，時稱南州高士。陳蕃為豫章太守，例不接賓客，惟為穉特設一榻，去則懸之。見後漢書本傳。

㈢晉孫綽為章安（在今江西省）令，慕徐穉之為人，過其墓，因撰此頌以致意。

㈡大唐中興頌并序　　元結

天寶十四載，安祿山陷洛陽，明年，陷長安。天子幸蜀，太子即位於靈武。明年，皇帝移軍鳳翔。其年復兩京，上皇還京師。於戲㈠，前代帝王有盛德大業者，必見于歌頌。若今歌頌大業，刻之金石，非老於文學，其誰宜為。頌曰：

噫嘻前朝㈡，孽臣姦驕㈢，為惛為妖。邊將騁兵㈣，毒亂國經㈤，羣生失寧。大駕南巡㈥，百寮竄身㈦，奉賊稱臣（八）。

天將昌唐，緊睨我皇（九），匹馬北方（一〇）。獨立一呼，千麾萬旗（一一），戎卒前驅。我師其東，儲皇撫戎，蕩攘羣兇。

復服指期（一二），曾不踰時（一三），有國無之（一四）。事有至難，宗廟再安，二聖重歡（一五）。地闢天開，蠲除祆災（一六），瑞慶大來。

兇徒逆儔，涵濡天休（一七），死生堪羞（一八）。功勞位尊，忠烈名存。澤流子孫。盛德之興，山高日昇，萬福是膺。

能令大君（一九），聲容沄沄（二〇），不在斯文。湘江東西，中直浯溪（二一），石崖天齊。可磨可鐫，刊此頌焉，何千萬年。

【作　者】

元結字次山，河南人。少不羈，年十七，乃折節向學，舉天寶進士。代宗立，授著作郎。後拜道州刺史，爲民營舍給田，免徭役，流亡歸者萬餘，民皆樂其敎焉。進容管經略使，卒贈禮部侍郎。有次山集。

【題　解】

唐玄宗天寶十四年，身兼平盧、范陽、河東三節度使之胡將安祿山，反於范陽。時天下承平已久，百姓不識兵革，於是河北州縣，望風瓦解，祿山攻陷洛陽，進逼潼關。玄宗遂自長安奔蜀，太子亨從行至馬嵬，百姓遮留討賊，遂還即位靈武，是爲肅宗，尊玄宗爲太上皇，時祿山已在長安僭稱大燕皇帝矣。肅宗以長子廣平王俶爲天下兵馬元帥，郭子儀爲天下兵馬副元帥，至德二年次第收復長安、洛陽。此元結作頌之所由也。

【注　釋】

㈠於戲　與『嗚呼』同，讚歎詞。

㈡前朝　指玄宗在位時也。

㈢孽臣姦驕　孽臣，指楊國忠。資治通鑑唐紀肅宗至德元年五月載：『是時天下以楊國忠驕縱召亂，莫不切齒。』又：『祿山起兵，以誅國忠爲名。』姦驕，謂奸僞驕縱也。

㈣邊將　指安祿山。

㈤毒亂國經　謂其毒害，致亂國之綱常也。經，常也。

㈥大駕南巡　大駕，天子車駕。天子巡行在外曰巡守。蜀在陝南，故自長安幸蜀曰南巡。

㈦百寮竄身　謂百官逃匿其身家也。

㈧奉賊稱臣　長安既陷，朝臣降賊者有陳希烈等三百餘人，及兩京收復，按其輕重，分六等定罪。事見通鑑至德二年。

㈨緊睨我皇　緊，歎美辭，見類篇。睨，斜視也，引伸爲眷顧之意。我皇，指肅宗。

⑩四馬北方　謂肅宗自馬嵬坡北至靈武也。

⑪千麾萬旟　言各地勤王義軍兵馬之衆多也。麾，旌旗之屬。旟，旗名。

⑫復服指期　言恢復失地，指日成功也。服，謂天子威德所服之地，如言五服或九服是。

⑬曾不踰時　時，三個月之謂。漢書匈奴傳：『近不過旬日之役，遠不過二時之勞。』顏師古注：『三月爲一時。』案廣平王俶於至德二年九月自鳳翔率兵東下，不久收復長安，十月又收復洛陽，前後不過二月左右，故云曾不踰時。

⑭有國無之　言恢復之速，爲有國者從來所未有也。

⑮二聖重歡　謂玄宗與肅宗以河山再造，日月重光而歡慰也。

⑯蠲除祆災　謂蠲免反時之天災，除去反物之地祆也。左傳宣公十五年：『天反時爲災，地反物爲祆，民反德爲亂，亂

則祇災生。』鐲，免除之意。

㈦涵濡天休　謂沐受上天美德也。涵濡，浸漬、濡染也。有『沐受』之意。宋史樂志舊疆來歸之曲：『涵濡羣生，剏我遺民。』休，美德。尙書湯誥：『各守爾典，以承天休。』

㈧死生堪羞　言彼等禍國殃民之兇徒逆賊，沐受上天之美德，無論伏罪而死，或降服而生，皆堪羞辱也。

㈨大君　天子也。周易師卦：『大君有命。』

㈩聲容沄沄　謂聲威隆盛，若江水之源遠而流長也。聲容，聲名威儀。沄沄，水流轉貌。楚辭九思哀歲：『流水兮沄沄。』

⑪浯溪　在湖南祁陽縣西南五里，北匯於湘水。元結有浯溪銘，序云：『溪在湘水之南，北匯於湘，愛其勝異，遂家溪畔，名曰浯溪。』以上三句，言刻頌所在之地。

㈢還都頌

成惕軒

倭虜既降之明年㈠。區宇乂寧。衆庶悅豫㈡。上歌下舞。蹈德詠仁。日暖朱旗。拂鳴騶於道左㈢。春融碧野。長芳草於江南㈣。維時國民政府主席蔣公。將自巴渝。言旋京闕。於是都人士女。相與摛辭讚事。以虔致其思慕之忱曰。

在昔風塵江左。召五馬以南來㈤。鼙鼓漁陽。動六龍之西幸㈥。患遺赤縣㈦。庇失蒼生。固無論矣。若夫遷都改邑。盤庚以之中興㈧。避狄居邠。太王因而創業㈨。然或詢謀於災祲之後。遵養於屯晦之時㈩。僅致阜康。未張撻伐⑪。雖漢昌火德。北靖匈奴⑫。唐振天聲。西平突厥⑬。要亦力窮邊徼。事局方隅。從未聞盪滌妖氛。奮揚武烈。重光禹甸⑭。盡剪胡雛⑮。有如今日之盛者。此蓋由我主席識洞幾微⑯。憂深宵旰⑰。卽戎之教⑱。早漸於七年。軍實之儲。預討於平日。外修信睦。馳九譯之狄鞮⑲。內飭綱維。肅三章於象魏⑳。用是天人合應。遐邇通情。星拱北辰㉑。馬來西極㉒。奮熊羆之多士

(二三)。殪蛇豕於中原(二四)。合彼蒼兕之軍(二五)。還我黃龍之府(二六)。勝殘去殺(二七)。除舊布新(二八)。開萬世之太平(二九)。爲生民所未有(三〇)。

夫地靈人傑(三一)。美相得而益彰(三二)。地利人和(三三)。功庶幾其克奏。欲建非常之事業。必資雄秀之山川。故楚以漢水爲池(三四)。趙有井陘之險(三五)。丸泥函谷(三六)。一夫便足當關(三七)。天塹長江(三八)。千騎不容飛渡。守國之要。於史可徵。況乃變起強鄰。毒痡上國(三九)。遼海迷歸來之鶴(四〇)。津橋咽淒厲之鵑。鐵鎖已沈(四一)。金甌待補(四二)。有不建瓴設備(四三)。經野制宜。而能茂育羣生。恢復疆宇者哉。

方倭虜之犯我燕薊也。戶庭洞開。強弱異勢。兇鋒所及。樂土爲焦。北門之鎖鑰既隳(四四)。南國亦烽煙告警(四五)。於時三光斂曜(四六)。八表同昏(四七)。龍虎失其踞盤。犬羊據爲窟宅(四八)。滄海幻桑生之劫(四九)。故墟聞麥秀之歌(五〇)。天步方艱(五一)。人心滋懼。主席淵謨默運。燭照無遺。知雍梁關繫國族之安危(五二)。巴蜀又爲雍梁之根本。乃眷西顧(五三)。作我上都(五四)。以重慶爲戰時首府。渙汗大號(五五)。光昭四方。扼重江之上游。控沃野者千里。於是繕城郭。謹關津。廣市廛(五六)。闢塗術(五七)。恢其舊制。煥若新邦。百堵具興(五八)。四門載穆(五九)。篳路藍縷(六〇)。極締造之艱難。茅茨土階(六一)。返華奢爲淳樸。務商君之農戰(六二)。作晉國之州兵(六三)。所貴惟賢。所寶惟穀(六四)。取之以道。用之以時。德音播於管絃(六五)。膏澤洽乎黎庶(六六)。赫然一怒(六七)。張我六師(六八)。蒞葵丘以主盟(六九)。儆棘門之兒戲(七〇)。旌旗耀日。鼓角鳴秋(七一)。重瀛急汗馬之趨(七二)。列陣互搏蛇之勢(七三)。窮追逋寇。生縛降王(七四)。復九世之國仇(七五)。高揚漢幟。蘇萬方之民困。再覩堯天(七六)。重慶幸列陪都。欣傳凱唱。匪惟普天之同慶。實亦曠代之殊榮。

粵稽陳編(七七)。蜀號天府(七八)。通夷始於司馬(七九)。出師著夫臥龍(八〇)。秦漢基之以代興。魏吳相與爲鼎足。

石室溥絃歌之化[八一]。玄亭稱詞賦之雄[八二]。蔓子成仁。炳將軍之毅烈[八三]。眉山競爽。蔚學士之清華[八四]。固已早為文教之邦。形勝之地矣。至其東鄰郢郡[八五]。北接秦關[八六]。夔峽谷之幽深。莽郊原其蓄膴[八七]。家饒橘柚。地盛桑麻。邛竹杖輕[八八]。郫筒酒美[八九]。錦濯江頭之水[九〇]。鹽煎井底之泉[九一]。蹲鴟遍伏於岷山[九二]。寡鵠致富於丹穴[九三]。是又寶藏充牣[九四]。土物豐穰[九五]。寧彼磽确之區[九六]。所可同日而語哉[九七]。

軍興以來。人懷自效。毀家紓難。爭輸卜式之財[九八]。報國請纓。甘化萇弘之血[九九]。飛挽芻粟[一〇〇]。馳騁沙場。百戰曾經。九死無悔[一〇一]。重慶近瞻樞府於咫尺。迭受寇機之侵凌。毒鳶退飛[一〇二]。哀鴈叢集[一〇三]。堅城屹立。衆志不渝[一〇四]。卒能返汶陽之舊田[一〇五]。歸趙庭之完璧[一〇六]。河山無恙。蠶叢自固於巖疆[一〇七]。日月增輝。蜃氣已消於海宇[一〇八]。斯則天開景運。時際昌期。非假神明之奧區[一〇九]。固無由濟茲艱鉅。不有挺生之人傑。更無以光我玄靈也[一一〇]。

惟是建國伊始。百緒紛陳。用兵之餘。千瘡未復。國家所期望於重慶者。將與日以俱新。而重慶所仰賴於國家者。正方興而未艾。允宜隆陪京之體制。樹宏業之規模。臥虹影於清波[一一一]。河梁待建。趨黿鼉於彼岸[一一二]。舟楫猶勞。所謂兩江鐵橋者。實願假以大力。竟其全功。他如三峽水閘之創修。成渝鐵道之興築。必加督課。始克觀成。爰趁元戎返旆之辰[一一三]。竊附野人獻曝之義[一一四]。粗陳涯略。用效涓埃[一一五]。所冀旌節常臨[一一六]。襜帷再駐[一一七]。識舊時之雞犬。定比新豐[一一八]。數開國之魚鳧[一一九]。無忘蜀道。萬邦和協。看永平東海之波[一二〇]。百歲康寧。請共上南山之頌[一二一]。

【注　釋】

(一)倭虜既降之明年　即中華民國三十五年。此頌係是年五月代陪都重慶黨政各機關作、一名抗日勝利紀功碑。

㈡區宇乂寧衆庶悅豫　文選陸倕石闕銘：『區宇乂安、方面靜息。』劉良注：『乂、理也。』又班固兩都賦序：『至於武宣之世、乃崇禮官、考文章、內設金馬石渠之署、外興樂府協律之事、以興廢繼絕、潤色鴻業、是以衆庶悅豫、福應尤盛。』

㈢日暖朱旗拂鳴騶於道左　文選班固封燕然山銘序：『玄甲耀日、朱旗絳天。』南史到溉傳：『鳴騶枉道、以相存問。』道左：古者郊迎、必居道左。詩經唐風有杕之杜：『有杕之杜、生于道左。』

㈣春融碧野長芳草於江南　文選丘遲與陳伯之書：『暮春三月、江南草長、雜花生樹、羣鶯亂飛。』

㈤風塵江左召五馬以南來　晉書元帝紀：『童謠云：五馬浮渡江、一馬化爲龍。及帝與西陽汝南南頓彭城五王獲濟、而。帝竟登大位焉。』案西晉之季、五胡崛起北方、相繼南犯。永嘉五年、晉兵十餘萬爲石勒所殲、旋陷洛陽、懷帝被虜。建興四年十一月、劉曜續陷長安、愍帝出降、西晉亡。初、琅琊王司馬睿鎮兵下邳、後徙建康、得王導之輔佐、撫輯流亡、安定社會、儼然成東方重鎮、及愍帝蒙塵、睿遂卽位於建康、是爲東晉。

㈥鼙鼓漁陽動六龍之西幸　言唐天寶十四年、安祿山據范陽反、旋卽攻陷京師、玄宗西奔巴蜀也。白居易長恨歌：『緩歌慢舞凝絲竹、盡日君王看不足。漁陽鼙鼓動地來、驚破霓裳羽衣曲。』李白上皇西巡南京歌：『誰道君王行路難、六龍西幸萬人歡。』

㈦赤縣　謂中國也。史記孟子荀卿列傳：『騶衍以爲儒者所謂中國者、於天下乃八十一分居其一分耳。中國名曰赤縣神州、赤縣神州內自有九州、禹之序九州是也、不得爲州數。中國外如赤縣神州者九、乃所謂九州也。』

㈧盤庚　商王名。商都河北、民居墊隘、水泉瀉鹵。盤庚立、欲渡河而南、徙於成湯故都之西亳、臣民安土重遷、咸相咨怨、盤庚作書告諭、卒徙都之、改國號曰殷、遵湯之德、行湯之政、諸侯來朝、商道復興。見史記殷本紀。

㈨太王　周文王之祖、卽古公亶父、初居邠（邠亦作豳在今陝西栒邑縣西）、爲戎狄所侵、乃遷於岐山之下、始定國號曰周。及武王有天下、追尊爲太王。見史記周本紀。

(一〇)遵養時晦　詩經周頌酌：『於鑠王師、遵養時晦。時純熙矣、是用大介。』朱子集傳：『謂退自循省、與時皆晦也。』

(一一)撻伐　詩經商頌殷武：『撻彼殷武、奮伐荆楚。』毛氏傳：『撻、疾意也。』鄭玄箋：『殷道衰而楚人叛、高宗撻然奮揚威武、出兵伐之。』陳奐傳疏：『釋文引韓詩、撻、達也。撻卽達之叚借字、毛韓意同。』後人以撻爲撻擊、伐爲攻伐、如云王師撻伐、大張撻伐、兩字平列、與古義異。

(一二)漢昌火德北擊匈奴　古以五行相剋爲帝王嬗代之應、如少昊以金德王、顓頊以水德王、帝嚳以木德王、堯以火德王。逮漢高帝興起、斷蛇著符、旗幟尚赤、史謂協於火德、故稱漢曰炎漢。詳見尚書序注及漢書高帝紀贊。漢初、匈奴屢寇邊徼。武帝卽位、卽計畫北征、並遣張騫通西域、謀結同盟。元光以後、先後命衞青霍去病帥師致討、凡九次出塞、卓著戰功。和帝永元元年、復命竇憲統兵北伐、大敗匈奴於稽落山、殺其名王以下萬三千人、降者八十一部二十萬衆、開拓國境三千餘里、匈奴邊患至此告一結束。

(一三)唐振天聲西平突厥　唐初、突厥奄有漠北、分東西二部、驕踞縱恣、勢陵中夏、太宗憂之、日率將士數百人習射宮中、立志將其殲滅。貞觀二年、命李勣柴紹薛萬徹等、以大軍六道北征、斬首萬餘、獲男女二十餘萬、漠南盡爲唐有、分置十州、各部酋長詣闕上天可汗尊號。逮高宗顯慶二年、西突厥猖獗、命蘇定方討平之、今俄屬中亞全入唐之版圖。

(一四)禹甸　詩經小雅信南山：『信彼南山、維禹甸之。』毛氏傳：『甸、治也。』後世謂中國九州之地曰禹甸、本此。

(一五)胡雛　謂東北方異族之入寇中國者。

(一六)幾微　猶言先兆。周易繫辭：『幾者動之微、吉之先見者也。』韓康伯注：『吉凶之彰、始於微兆。』孔穎達疏：『幾、微也。』

(一七)宵旰　宵衣旰食之簡辭、謂天未明而衣、日既暮而食也。陳鴻長恨歌傳：『開元中、泰階平、四海無事。玄宗在位歲久、倦於旰食宵衣、政無大小、始委於右丞相、稍深居游宴、以聲色自娛。』

(六)即戎　論語子路篇：『子曰：善人教民七年、亦可以即戎矣。』朱子集注：『戎、兵也。民知親其上、死其長、故可以即戎。』

(九)外修信睦馳九譯之狄鞮　禮記禮運：『選賢與能、講信修睦。』九譯、謂道遠之國、與本國言語不通、須經多次之翻譯也。漢書張騫傳：『大宛及大夏安息大月氏康居之屬、兵強、可以賂遺設利朝也。誠得而以義屬之、則廣地萬里、重九譯、致殊俗、威德徧於四海。』狄鞮、西方之譯人也。禮記王制：『西方曰狄鞮。』孔穎達疏：『鞮、知也、謂通夷狄之語、與中國相知。』

(十)內飭綱維肅三章於象魏　綱維、謂國家之法度。史記淮陰侯傳：『秦之綱絕而維弛。』三章、乃漢高祖以法與民相約者。漢書刑法志：『高祖初入關、約法三章曰、殺人者死、傷人及盜抵罪。』象魏、宮門外懸法之所。周禮天官大宰：『乃縣治象之法於象魏。』鄭玄注引鄭司農云：『象魏、闕也。』賈公彥疏：『周公謂之象魏、雉門之外兩觀闕高魏魏然、孔子謂之觀。』

(十一)星拱北辰　論語爲政篇：『子曰：爲政以德、譬如北辰、居其所、而衆星共之。』朱子集注：『北辰、北極、天之樞也。居其所、不動也。共、向也。言衆星四面旋繞而歸向之也。爲政以德、則無爲而天下歸之、其象如此。』案共拱通叚字。

(十二)馬來西極　史記樂書：『武帝伐大宛、得千里馬、名蒲梢。作歌曰：天馬來兮從西極、經萬里兮歸有德、承靈威兮降外國、涉流沙兮四夷服。』

(十三)熊羆　皆猛獸、以喻猛士。尚書康王之誥：『則亦有熊羆之士、不二心之臣。』孔安國傳：『勇猛如熊羆之士。』

(十四)蛇豕　左傳定公四年：『申包胥如秦乞師曰：吳爲封豕長蛇、以薦食上國。』杜預注：『言吳貪害如蛇豕也。』晉書樂志：『蛇豕放命。皇斯平之。』

㉕蒼兕　梁簡文帝南郊頌序：『塵清世晏、蒼兕無用。』案論衡是應篇云：『師尙父爲周司馬、將師伐紂、到孟津之上、杖鉞把旄、號其衆曰蒼兕蒼兕。蒼兕者、水中之獸也、善覆人船。因神以化、欲令急渡。不急渡、蒼兕害汝。』

㉖黃龍府　本渤海國之扶餘府、遼太祖耶律阿保機平渤海、改置黃龍府。金初因之、並以爲都。岳飛謂直搗黃龍府、卽指此。故城卽今吉林省農安縣。

㉗勝殘去殺　論語子路篇：『善人爲邦百年、亦可以勝殘去殺矣。』朱子集注：『勝殘、化殘暴之人使不爲惡也。去殺、謂民化於善、可以不用刑殺也。』

㉘除舊布新　左傳昭公十七年：『彗、所以除舊布新也。』孔穎達疏：『彗、掃帚也、彗星象之、故所以除舊布新。』

㉙開萬世之太平　張載西銘：『爲天地立心、爲生民立命、爲往聖繼絕學、爲萬世開太平。』

㉚爲生民所未有　孟子公孫丑篇：『有若曰：麒麟之於走獸、鳳凰之於飛鳥、泰山之於丘垤、河海之於行潦、類也。聖人之於民、亦類也。出乎其類、拔乎其萃、自生民以來、未有盛於孔子也。』

㉛地靈人傑　王勃滕王閣序：『物華天寶、龍光射牛斗之墟。人傑地靈、徐孺下陳蕃之榻。』

㉜相得益彰　彰、著也。漢書王褒傳：『聚精會神、相得益章。』章彰通叚字。

㉝地利人和　孟子公孫丑篇：『孟子曰：天時不如地利、地利不如人和。』朱子集注：『天時、謂時日支干五行旺相孤虛之屬也。地利、險阻城池之固也。人和、得民心之和也。』

㉞楚以漢水爲池　左傳僖公四年：『楚國方城以爲城、漢水以爲池。』杜預注：『方城山在南陽葉縣南、以言境土之遠。漢水出武都、至江夏南入江、言其險固、以當城池。』

㉟趙有井陘之隘　史記淮陰侯傳：『信與張耳、以兵數萬、欲東下井陘擊趙　趙王成安君陳餘聞漢且襲之也、聚兵井陘

口、號稱二十萬。』案井陘口亦名井陘關、當冀晉孔道、爲軍事要地。

㊱丸泥函谷　後漢書隗囂傳：『今天水完富、士馬最強、元請以一丸泥爲大王東封函谷關。』元、囂將王元也。函谷天險、極少數之兵卽可扼守、故以一丸泥爲喩。魏書崔浩傳：『函谷關號曰天險、一人荷戈、萬夫不得進。』

㊲一夫當關　李白蜀道難：『劍閣崢嶸而崔嵬、一夫當關、萬夫莫開。』

㊳天塹長江　塹、溝也。南史孔範傳：『隋師將濟江、羣官請爲備防、後主未決。範奏曰：長江天塹、古來限隔南北、虜軍豈能飛度。』

㊴上國　古稱中國曰上國、對夷狄而言也。左傳定公四年：『申包胥如秦乞師曰：吳爲封豕長蛇、以薦食上國。』

㊵遼鶴　漢時、有曲阿太霄觀道士丁令威者、初學道於靈虛山、後化鶴歸故鄉遼東、集城門華表柱、時有少年擧弓欲射之。鶴乃飛、徘徊空中而言曰：『有鳥有鳥丁令威、去家千歲今始歸、城郭如故人民非。何不學仙去、空伴冢纍纍。』遂高擧沖天。見陶潛搜神後記。

㊶鐵鎖　三國時、王濬伐吳、吳人沈鐵鎖於江、以橫截之。濬燒斷鐵鎖、率師直下、吳降。事見晉書王濬傳。劉禹錫金陵懷古詩：『千尋鐵鎖沈江底、一片降旛出石頭。』卽詠此。

㊷金甌　喩疆土之完固也。南史朱异傳：『我國家猶若金甌、無一傷缺。』宋璨詩：『國家全盛似金甌、江漢澄淸控上游。』

㊸建瓴　漢書高帝紀：『地勢便利、其以下兵於諸侯、譬猶居高屋之上建瓴水也。』顏師古注引如淳曰：『瓴、盛水瓶也。居高屋之上而幡覆其瓴水、則向下之勢易也。』建音蹇、覆也。

㊹北門鎖鑰　左傳僖公三十二年：『杞子自鄭使告於秦曰：鄭人使我掌其北門之管。』杜預注：『管、鑰也。』宋史寇準傳：『準鎮大名、北使至、語準曰：相公望重、何故不在中樞。準曰：主上以朝廷無事、北門鎖鑰、非準不可。』

(四五)烽煙　以喩兵氛或邊警。歐陽修寄王仲儀龍圖詩：『威行四境烽煙斷、響入千山號令傳。』蔣伸授田牟靈州節度使制：『不戰而烽煙自息、言兵而勝負已知。』

(四六)三光　白虎通封公侯篇：『天有三光、日月星。』

(四七)八表　八方之外也。晉書王敦傳：『皇祚肇建、八表承風。』

(四八)龍虎失其踞盤犬羊據爲窟宅　張敦頤六朝事迹：『諸葛武侯論金陵地形云：鍾阜龍蟠、石城虎踞、眞帝王之宅也。』李白永王東巡歌：『龍盤虎踞帝王州、帝子金陵訪古丘。』犬羊窟宅、蓋言民國二十六年十二月日本軍閥攻陷南京、進而成立僞國民政府也。

(四九)滄海幻桑生之劫　葛洪神仙傳：『東漢孝桓帝時、仙人王方平降蔡經家、召麻姑至、是好女子、年可十八九許、謂方平曰：接侍以來、已見滄海三爲桑田、向到蓬萊水淺、淺於往者會時略半也、豈將復還爲陵陸乎。方平曰：滄海行復揚塵耳。』韓偓召對詩：『坐久忽疑査犯斗、歸來兼恐海生桑。』今謂世事變遷曰滄海桑田、本此。

(五〇)故墟聞麥秀之歌　史記微子世家：『箕子朝周、過故殷虛、感宮室毀壞生禾黍、箕子傷之、欲哭則不可、欲泣爲其近婦人、乃作麥秀之詩以歌詠之。其詩曰：麥秀漸漸兮、禾黍油油。彼狡童兮、不與我好兮。所謂狡童者、紂也。殷民聞之、皆爲流涕。』文選向秀思舊賦：『歎黍離之愍周兮、悲麥秀於殷墟。』

(五一)天步　詩經小雅白華：『天步艱難、之子不猶。』朱子集傳：『天步、猶言時運也。』晉書慕容暐載記：『朝綱不振、天步孔艱。』

(五二)雍梁　雍卽雍州、梁卽梁州、皆古九州之一。雍州故治有今陝西省北部及甘肅省西北大半部與青海額濟納之地。梁州故治有今四川仝省及陝西省西南部之地。

(五三)乃眷西顧　詩經大雅皇矣：『皇矣上帝、臨下有赫。監觀四方、求民之莫。維此二國、其政不獲。維彼四國、爰究爰度。上帝耆之、憎其式廓。乃眷西顧、此維與宅。』眷、回顧貌。周在西方、故天顧視之也。

㉔上都　猶言大都。文選班固西都賦：『實用西遷、作我上都。』

㉕渙汗大號　易經渙卦：『九五、渙汗其大號。』程頤傳：『當使號令洽於民心、如人身之汗、浹於四體。』案漢書劉向傳注、言王者渙然大發號令、如汗之出也。

㉖市廛　禮記王制：『市、廛而不稅。關、譏而不征。』鄭玄注：『廛、市物邸舍、稅其廛不稅其物。』案此釋廛而不稅之義、後多以市廛連語、猶言市肆也。文同西岡僦居詩：『西岡頗幽僻、愛此遠市廛。』

㉗塗術　術、亦塗也。塗術係同義之複合詞。

㉘百堵　詩經小雅鴻雁：『之子于垣、百堵皆作。』毛氏傳：『一丈爲板、五板爲堵』

㉙四門載穆　尚書虞書：『愼徽五典、五典克從。納于百揆、百揆時敍。賓于四門、四門穆穆。納于大麓、烈風雷雨弗迷。』賓、讀儐、迎導賓客也。四門、國都四面之門。穆穆、敬也。載、語助詞、無義。

㉚篳路藍縷　左傳宣公十二年：『篳路藍縷、以啓山林。』杜預注：『篳路、柴車。藍縷、敝衣。』此言駕柴車、服敝衣、以開闢山林也。今謂始創事業曰篳路藍縷。

㉛茅茨土階　尹文子：『堯爲天子、衣不重帛、食不兼味。土階三尺、茅茨不翦。』案孫詒讓墨子閒詁引兪云：『茅茨土階、是言古明堂之儉。』

㉜商君農戰　商子農戰篇：『凡人主之所勸民者官爵也、國之所以興者農戰也。』又：『聖人知治國之要、故令民歸心於農、歸心於農、則民樸而可正也、紛紛則易使也、信可以守戰、一則小詐而重居、一則可以賞罰進也、一則可以外用也。』商鞅佐秦孝公變法、封於商、號商君。

㉝晉國州兵　左傳僖公十五年：『呂甥曰：君亡之不恤、而羣臣是憂、惠之至也、將若君何。衆曰：何爲而可。對曰：

征繕以輔孺子也　諸侯聞之、喪君有君、羣臣輯睦、甲兵益多、好我者勸、惡我者懼、庶有益乎。衆說、晉於是乎作州兵。』杜預注：『州、二千五百家也、使州長各繕甲兵。』

(六四)所貴惟賢所寶惟穀　尚書旅獒：『不作無益害有益、功乃成。不貴異物賤用物、民乃足。犬馬非其土性不畜、珍禽奇獸、不育于國。不寶遠物、則遠人格。所寶惟賢、則邇人安。』穀、善也。

(六五)德音　詩經豳風狼跋：『公孫碩膚、德音不瑕。』朱子集傳：『德音、猶令聞也。』

(六六)膏澤　猶云恩澤。孟子離婁篇：『諫行言聽、膏澤下於民。』孫奭疏：『君有過繆、諫之則行、事有可爲、言之則聽、而膏潤之恩、施之又下洽於民。』

(六七)赫怒　盛怒也。詩經大雅皇矣：『王赫斯怒、爰整其旅、以按徂旅、以篤周祜、以對於天下。』

(六八)六師　謂天子之六軍也。詩經大雅常武：『整我六師、以修我戎。』又棫樸：『周王于邁、六師及之。』

(六九)葵丘　春秋宋地、在今河南東仁縣境。魯僖公九年、齊桓公盟諸侯於此、世稱葵丘之會。事詳左傳僖公九年。

(七〇)棘門兒戲　史記絳侯世家：『文帝六年、匈奴大入邊、乃以宗正劉禮爲將軍、軍霸上、祝茲侯徐厲爲將軍、軍棘門、以河內守亞夫爲將軍、軍細柳、以備胡。上自勞軍、至霸上及棘門軍、直馳入、將以下騎送迎。已而之細柳軍、軍士吏被甲、銳兵刃、彀弓弩、持滿、天子先驅至、不得入。先驅曰：天子且至。軍門都尉曰：將軍令曰、軍中聞將軍令、不聞天子之詔。居無何、上至、又不得入。於是上乃使使持節詔將軍、吾欲入勞軍。亞夫乃傳言開壁門、壁門士吏謂從屬車騎曰：將軍約、軍中不得驅馳。於是天子乃按轡徐行、至營、將軍亞夫持兵揖曰：介胄之士不拜、請以軍禮見。天子爲動、改容式車、使人稱謝、皇帝敬勞將軍、成禮而去。既出軍門、羣臣皆驚。文帝曰：嗟乎、此眞將軍矣、曩者霸上棘門軍、若兒戲耳、其將固可襲而虜也、至於亞夫、可得而犯邪。稱善者久之。月餘、三軍皆罷、乃拜亞夫爲中尉。』張守節正義引括地志云：『棘門在渭北十餘里、秦王門名也。』案在今陝西咸陽縣東北。

(七一)鼓角　謂軍鼓與警角也、古時軍中用爲號令之器、夜則用以紀時、葢更柝之屬也。詳見馬端臨文獻通考樂考。

(七二)汗馬　言戰功也。戰時馬疾馳而汗出、故云。史記蕭相國世家：『高祖以蕭何功最盛、封爲酇侯、所食邑多、功臣皆曰：蕭何未嘗有汗馬之勞。』

(七三)蛇陣　會稽常山有蛇、觸之者中頭則尾至、中尾則頭至、中腰則首尾並至、名曰率然、古之陣勢多效之。孫子兵法三軍勢如率然者、是也。晉書桓溫傳：『初、諸葛亮造八陣圖於魚復平沙之上、壘石爲八行、相去二丈。溫見之曰：此常山蛇陣也。』杜牧東兵長句十韻詩：『卽墨龍文光照曜、常山蛇陣勢縱橫。』

(七四)降王　宋史南漢世家：『太宗將討晉陽、召近臣宴、鋹預之、自言朝廷威靈及遠、四方僭竊之主、今日盡在坐中。旦夕平太原、劉繼元又至、臣率先來朝、願得執梃爲諸國降王長。太宗大笑、賞賚甚厚。』鋹、劉鋹也、舊南漢主、降於宋。

(七五)九世國仇　春秋時、紀侯譖齊哀公於周、烹之。其後齊襄公滅紀、復九世之仇。事見公羊傳莊公四年。

(七六)堯天　宋史樂志：『九州臻禹會、萬國戴堯天。』案論語述孔子贊堯之辭曰：『唯天爲大、唯堯則之。』故後世以堯天稱盛世。

(七七)陳編　謂古籍也。韓愈進學解：『踵常途之役役、窺陳編以盜竊。』

(七八)天府　四川有『天府之國』之稱。

(七九)通夷始於司馬　漢武帝命蜀人司馬相如諭西南諸夷。事詳漢書司馬相如傳。

(八〇)出師著夫臥龍　漢末、諸葛亮隱居隆中、躬耕隴畝、徐庶以臥龍方之。後佐劉備建國蜀中、與魏吳鼎足而立。備死、輔後主、躬率部曲、北伐曹魏。臨發、上出師表、以討賊復舊都自誓。見三國志蜀志諸葛亮傳。

(八一)石室溥絃歌之化　三國志吳志賀邵傳：『近劉氏（指劉備）據三關（漢南紀云蜀有陽平關江關白水關）之險、守重山之固、可謂金城石室、萬世之業』。莊子秋水篇：『孔子遊於匡、宋人圍之數帀、而絃歌不惙。』

(八二)玄亭稱詞賦之雄　漢書揚雄傳：『雄家素貧、耆酒、人希至其門。時有好事者、載酒肴、從游學、而鉅鹿侯芭常從雄居、受其太玄法言焉。』宋濂題隱居圖詩：『何日過橋分半景、傍雲同築草玄亭。』

(八三)蔓子成仁炳將軍之毅烈　指戰國時巴國將軍巴蔓子事。周末國亂、巴乞師於楚、許以三城。楚既救巴、遣使請城。蔓子曰：藉楚之靈、克弭禍難、誠許三城、可持吾頭往謝、城不可得也。乃自刎。使者以蔓子之首報楚王。王曰：使吾得臣如蔓子者、用城何爲。乃以上卿之禮葬其首、巴人亦以上卿之禮葬其尸於施州。見四川總志。

(八四)眉山競爽蔚學士之淸華　宋眉山蘇洵、與二子軾轍、俱以文章雄視一代、世稱三蘇。洵稱老蘇、官至校書郎。軾稱大蘇、官至端明殿侍讀學士。轍稱小蘇、官至大中大夫。

(八五)郢郡　南朝宋置郢州、故治卽今湖北武昌縣。

(八六)秦關　戰國時秦置函谷關、在今河南靈寶縣西南。東自殽山、西至潼津、大山中裂、絕壁千仞、有路如槽、深險如函、故名。亦稱殽函。

(八七)蕃廡　尙書洪範：『庶草蕃廡。』孔穎達疏：『廡、豐茂也。草蕃廡、言草滋多而茂盛也。』

(八八)邛竹　史記大宛列傳：『張騫在大夏時、見邛竹杖、蜀布。』張守節正義：『邛都邛山出此竹、因名邛竹、節高實中、或寄生、可爲杖。』案邛都爲今四川西昌縣東南地。

(八九)郫筒　杜甫將赴成都草堂途中有作先寄嚴鄭公詩：『魚知丙穴由來美、酒憶郫筒不用沽。』案華陽風俗錄云：『郫縣有郫筒池、池旁有大竹、郫人刳其節、傾春釀於筒、信宿、香聞村外、斷之以獻、俗號郫筒酒。』

(九〇)錦江　爲岷江之別流、發源於郫縣、蜀人以此水濯錦鮮明、故以名江、並名其地曰錦里。

(九一)鹽井　產鹽之井也。四川省內富順樂山鹽源等處、鹽井甚多、有黑鹽井白鹽井自流井諸稱、爲一方大利。

(九二)蹲鴟遍伏於岷山　史記貨殖傳：『吾聞汶山之下沃野、下有蹲鴟。』張守節正義：『蹲鴟、芋也。』華陽國志云：汶山郡安上縣有大芋如蹲鴟也。』案汶山卽岷山、在四川松潘縣北

(九三)寡鵠致富於丹穴　劉向列女傳：『魯陶嬰者、陶明之女也、少寡、養幼孤、紡績爲產。魯人或聞其義、將求焉。嬰聞之、恐不得免、乃作歌曰：悲夫黃鵠之早寡兮、七年不雙。宛頸獨宿兮、不與衆同。夜半悲鳴兮、想其故雄。飛鳥尚然兮、況於貞良。明己之不二庭也。魯人聞之、遂不敢復求。』爾雅釋地：『大平之人仁、丹穴之人智、大蒙之人信、空峒之人武。』案秦時、巴蜀有寡婦名清者、其夫於山谷之穴中掘得大量丹砂、擅利而致富。夫死、婦能守其業、抗禮邦君、顯名天下。始皇以爲貞婦而客之、爲築女懷淸臺。見史記貨殖傳。

(九四)充牣　謂充滿也。後漢書清河王慶傳：『慶出居邸、賜奴婢三百人、輿馬錢帛帷帳珍寶玩好、充牣其地。』

(九五)豐穰　豐饒之意。漢書食貨志：『歲數豐穰、穀至石五錢。』

(九六)磽确　謂瘠薄之地。韓詩外傳：『豐膏不獨樂、磽确不獨苦。』

(九七)同日而語　卽相提並論之意、一作同年而語。文選賈誼過秦論：『試使山東之國、與陳涉度長絜大、比權量力、則不可同年而語矣。』史記游俠傳序：『誠使鄉曲之俠、予季次原憲比權量力、效功於當世、不同日而論矣。』

(九八)毀家紓難爭輸卜式之財　左傳莊公三十年：『鬬穀於菟爲令尹、自毀其家、以紓楚國之難。』史記平準書：『卜式者、河南人也、以田畜爲事。入山牧羊十餘載、羊致千餘頭、買田宅。是時漢方數使將擊匈奴、卜式上書、願輸家之半助邊。』

(九九)報國請纓甘化萇弘之血　漢書終軍傳：『軍自請、願受長纓、必羈南越王而致之闕下。』莊子外物篇：『萇弘死於蜀、藏其血、三年而化爲碧。』成玄英疏：『萇弘遭譖、被放於蜀、自恨忠而遭譖、遂刳腸而死。蜀人感之、以匱盛其血、三年而化爲碧玉、乃精誠之至也。』

(二〇)飛挽芻粟　漢書主父偃傳：『使天下飛芻輓粟。』顏師古注：『運載芻稾、令其疾至、故云飛芻。輓謂引車船也。』挽輓通叚字。

(二一)九死無悔　即視死如歸之意。楚辭離騷：『亦余心之所善兮、雖九死其猶未悔。』王逸注：『悔、恨也。言己履行忠信、執守清白、亦我中心之所美善也。雖以見過、支解九死、終不悔恨。』五臣注：『九、數之極也。以此遇害、雖九死無一生、未足悔恨。』

(二二)毒鳶　指日本飛機。

(二三)哀鴈　詩經小雅鴻鴈：『鴻鴈于飛、哀鳴嗷嗷。』毛氏傳：『未得所安集、則嗷嗷然。』案此詩敍流民不安其居、以鴻鴈哀鳴爲比喻。後因稱民之流離失所者曰哀鴻、或曰哀鴈。

(二四)堅城屹立衆志不渝　國語周語：『衆心成城、衆口鑠金。』韋昭注：『衆心所好、莫之能敗、其固如城也。』

(二五)返汶陽之舊田　左傳成公二年：『秋七月、晉師及齊國佐盟于爰婁、使齊人歸我汶陽之田。』案汶陽故城在今山東寧陽縣北。

(二六)歸趙庭之完璧　戰國趙惠文王得和氏璧、秦昭王遺趙王書、願以十五城易之。藺相如請奉使往、曰：使城入趙而璧留秦、城不入、臣請完璧歸趙。旣入秦獻璧、見秦王無意償城、乃紿取之、使從者懷璧歸。見史記藺相如傳。今謂物歸原主曰完璧歸趙、本此。

(二七)蠶叢　人名、上古蜀主。揚雄蜀王本紀：『蜀王之先名蠶叢、是時人民、椎髻䶕言、不曉文字、未有禮樂。』明一統志：『蠶叢氏、初爲蜀侯、後稱蜀王、敎民蠶桑。』後多用爲蜀土之別稱。

(二八)蜃氣　王維送祕書晁監還日本詩序：『黃雀之風動地、黑蜃之氣成雲。』謂日本也。

(二九)奧區　猶言腹地。文選張衡西京賦：『實惟地之奧區神皋。』李善注引漢書曰：『自古以雍州積高、神明之隩。』又後漢書班固傳：『防禦之阻、則天下之奧區焉。』李賢注：『奧、深也。言秦地險固爲天下深奧之區域。』

⑳玄靈　文選班固封燕然山銘序：『將上以攄高文之宿憤、光祖宗之玄靈。下以安固後嗣、恢拓境宇、振大漢之天聲。』

㉑虹影臥波　杜牧阿房宮賦：『長橋臥波、未雲何龍。複道行空、不霽何虹。』世每以虹喻橋、如李白詩『兩水夾明鏡、雙橋落彩虹』是也。

㉒鳧舄　東漢河東人王喬、明帝時爲葉令、有神術。每月朔望、常自縣詣臺朝帝。帝怪其來數、而不見車騎、令太史伺望之、言其臨至、輒有雙鳧從東南飛來。於是候鳧至、舉羅張之、但得一隻舄焉、則尙書官屬所賜履也。或云此卽古仙人王子喬也。見後漢書方術傳。

㉓返旆　與反旆同、反返通叚字也。左傳宣公十二年：『晉師既濟、令尹南轅反旆。』杜預注：『迴車南鄉。旆、軍前大旗。』文選班固封燕然山銘序：『於是域滅區殫、反旆而旋。』

㉔野人獻曝　列子楊朱篇：『昔者宋國有田夫、常衣緼黂、僅以過冬、暨春東作、自曝於日、不知天下之有廣廈陝室、綿纊狐貉、顧謂其妻曰：負日之暄、人莫知者、以獻吾君、將有重賞。』

㉕涓埃　涓爲細流、埃爲輕塵、以喻微末。杜甫野望詩：『惟將遲暮供多病、未有涓埃答聖朝。』

㉖旌節　謂旌與節也。李白發白馬詩：『將軍發白馬、旌節渡黃河。』

㉗襜帷　車帷也。王勃滕王閣序：『都督閻公之雅望、棨戟遙臨。宇文新州之懿範、襜帷暫駐。』

㉘新豐　縣名、漢置。故城在今陝西臨潼縣東。劉歆西京雜記：『太上皇徙長安、居深宮、悽愴不樂。高祖竊因左右問其故、以平生所好皆屠販少年、酤酒賣餅、鬥雞蹴踘、以此爲懽、今皆無此、故以不樂。高祖乃作新豐、移諸故人實之、太上皇乃悅。故新豐多無賴、無衣冠子弟故也。高祖少時、常祭枌榆之社、及移新豐、亦還立焉。高帝既作新豐、並移舊社、衢巷棟宇、物色惟舊、士女老幼、相攜路首、各知其室、放犬羊雞鴨於通塗、亦競識其家，其匠人湖

寬所營也。』

㈥魚鳧　人名、古蜀國之王。華陽國志：『蜀先稱王有蠶叢、次王曰柏濩、次王曰魚鳧。魚鳧王田於湔山、忽得仙道、蜀人思之、爲立祠。』李白蜀道難：『蠶叢及魚鳧、開國何茫然。』

㈦萬邦和協看永平東海之波　尚書堯典：『克明峻德、以親九族、九族既睦、平章百姓、百姓昭明、協和萬邦、黎民於變時雍。』周成王時、越裳氏來朝、曰：海不揚波者三年、意者中國其有聖人乎。見韓詩外傳。

㈧百歲康寧請共上南山之頌　尚書洪範：『九五福、一曰壽、二曰富、三曰康寧、四曰攸好德、五曰考終命。』詩經小雅天保：『天保定爾、以莫不興、如山如阜、如岡如陵。如川之方至、以莫不增。如月之恆、如日之升。如南山之壽、不騫不崩。如松柏之茂、無不爾或承。』

㈣祝銘傳商專十九周年校慶

沈秉士

銘專創校，十有九年，經傳絳帳，媲美前賢。擴展經濟，商業精研，學以致用，提高女權。敦品勵行，四德俱全，菁莪棫樸，桃李萬千。英才樂育，爭著先鞭，篳路藍縷，福不唐捐。校譽鵲起，遐邇爭傳，茲逢校慶，敬獻寸箋。

㈤慧炬月刊社創立十二周年頌并序

張仁青

慈航廣濟。匡援中土之衆生。慧炬長明。普照大千之世界。拯苦海之沈溺。救火宅之焚燒。屏斥邪言。昌明正學。誕敷文德。安勸庶邦。既無悖於國經。且有裨於王化。澤沾多士。衣被青衿。亦曰盛哉。猗歟偉矣。中華民國六十二年十一月十五日。欣逢慧炬月刊創立十二周年紀念。慈雲吐澤。彌天灑佛日之光。法雨垂涼。大地著清華之象。青仰止鷲峯。葵忱獨向。踴躍之懷。靡有紀極。所願域中善士。海外名賢。共傳日月之燈。競種菩提之果。庶使金繩輝耀。開覺路於諸天。花雨繽紛。揚梵音於香界。爰獻頌曰。

三辰赫赫。九土茫茫。皇矣慧炬。飛粲明光。耕耘一紀。儒佛顯揚。弘宣聖化。普渡慈航。
道濟眞俗。學溯漢唐。昭蒙啓惑。翼善搖芳。欲出穢土。遊息淨方。牖民淑世。涵濡八荒。
緊維佛祖。說法鷲嶺。心眷蒼生。有懷悲憫。化導羣類。備歷艱窘。慧日西沈。慈波東騁。
白馬馱經。青鴛入境。鎔鑄儒道。詞采煥炳。理苞聖愚。義歸寂靜。眞如智海。寶藏無盡。
天祚中國。載誕聖人。尼山降彩。泗水涵春。業紹公旦。志切覺民。笙簧禮樂。綱紀人倫。
誕敷聖教。弘衍傳薪。悠哉化主。邈矣能仁。曰儒曰佛。俱在求眞。中外一揆。萬古常新。
天綱解紐。世變物遷。釋典蒙塵。眞諦莫傳。乃張巨纛。敎義廣宣。高擎法炬。燭照大千。
拯彼陷溺。勇著先鞭。邪說遠遁。眞學緜延。欣逢佳慶。歡動臺員。摛辭晉頌。億萬斯年。

(六)王雲五先生九十華誕頌詞幷序

張仁青

中華民國六十六年夏正丁巳六月初一日爲總統府資政、中山學術文化基金董事會主任委員王公岫廬九旬嵩慶。南國風薰。東溟浪靜。積慶溢於華堂。餘榮洽乎黎獻。同人等久親謦欬。夙仰儀型。爰稱介壽之觴。以迓興邦之瑞。頌曰。

珠江浩浩。粵秀峨峨。河嶽炳靈。篤生大家。名賢作哲。翼扶中華。滄海橫流。乃制頹波。其一

公以偉質。崛起香山。少蘊奇志。鶚翥鵬颺。學術淹貫。蔚爲國光。長民輔世。每飯不忘。其二
仕以學優。霞光飛粲。挺曜含章。樞機參贊。訏謨丕顯。勛猷炳煥。元弼推心。邦國楨幹。其三
揭來海嶠。繼以忠貞。如山如磐。主義是行。綢繆生聚。鼓吹中興。勛歷臺閣。華蓋蓬瀛。其四
坐擁皋比。倏逾半紀。咳唾皆珠。散霞成綺。三臺羣英。多入籠底。博士之父。信非溢美。其五
中山遺敎。學術爲先。乃設基金。薪火相傳。夙夜宣勤。一十二年。弘揚文化。力挽狂瀾。其六
中原板蕩。樂崩禮壞。貞下起元。耆英是賴。唯公逸德。搢紳著蔡。商山四老。磻溪一瑞。其七
欣逢大慶。海屋添籌。南極騰輝。歡動九流。周詩曼頌。韻繞層樓。受天純嘏。與國同庥。其八

(七)何應欽將軍九秩華誕頌詞并序

張仁青

天開鴻業。必生英傑之雄。斗耀奇光。宜邁期頤之壽。民國六十八年三月十一日卽夏正二月十三日。爲今總統府戰略顧問、中山學術文化基金董事會董事兼技術發明委員會召集人何上將軍敬之九旬嶽降良辰。威弧麗日。玉杖延齡。爰賡天保之歌。用代麥丘之頌。禮也。 公誕自德門。熙承奕葉。佩觿而昭時譽。垂髫而表英華。覩滄海之橫流。哀民生之日瘁。乃毅然拜辭故里。飛渡扶桑。先後入振武學校暨士官學校。鄧仲華之偉略。半由天生。班定遠之英姿。獨與衆異。逮卒所業。輒著其鞭。從此玉壘棲遲。金柝驚夢。犯兵塵而驥展。奮劍氣以鷹揚。自護法以至抗戰。無不躬擐甲冑。矢効精忠。故得舞干羽以昭蘇。賦彤弓而飲至。茫茫華夏。再揚舜日之光。惵惵黎元。重覩漢官之盛。斯則天祚中華。挺生邦傑。有以致之。凡此赫赫之勳。雖村童野叟。皆語焉能詳。固無待喋喋者矣。雲五等或叨陪末席。夙接

光儀。或久託同寅。齊司邦憲。値國步之多艱。尤耆英之利賴。繼今而往。其爲商山之四哲。句曲之一叟乎。蓬島春暖。華堂人健。遐齡壽世。恭晉王母之瑤觴。明歲還鄉。更祝中邦之大老。乃獻頌曰。

黃草壩上。點將臺邊。山川鍾秀。代出名賢。命世作霖。挽瀾障川。時窮節見。丹素斯傳。其一

於赫何公。天挺明哲。惟嶽降神。姿表瓌傑。邦命維新。奮揚芳烈。文經武緯。中外振鑠。其二

弱歲岐嶷。志切澄清。蒿目時艱。遠涉東瀛。術窮韜略。胸蘊甲兵。獻身革命。矢勵丹精。其三

清社既屋。賊氛煽熾。護法情殷。乃張義幟。挫銳摧堅。將才初試。敵膽爲寒。柱石是寄。其四

乂安六合。建軍攸賴。翊弼元戎。風雲際會。黃埔宣勤。誓剪民害。國士濟濟。氣凌岱泰。其五

旌旆北指。綏靖多方。棉湖躍馬。殲彼強梁。龍潭揮戈。宇內一匡。金湯深固。我武維揚。其六

聖戰初開。邦家遘難。廊廟迴翔。機衡參贊。籌運幄中。檄馳疆畔。鋒鏑所暨。倭奴縮竄。其七

桓桓王師。活虎騰龍。海鯨既掣。終復堯封。萬國仰瞻。受降雄風。大漢天聲。永震亞東。其八

九州告靖。滄海揚塵。臨危受命。爰秉國鈞。燮理陰陽。康濟兆民。丕顯訏謨。絢煥經綸。其九

越居圓嶠。囊智彌增。綢繆生聚。鼓吹中興。元首股肱。大海明燈。德隆輔世。遐邇交稱。其十

技術發明。中山所重。仰稟遺敎。愼選邦棟。杞梓靡遺。人力咸用。功參化育。澤被士衆。其十一

欣逢佳慶。冠蓋騰歡。菊香晚節。松勁歲寒。天賜難老。人拜將壇。百鍊金身。山河等安。其十二

(二) 徵 啓

(一)徵陳母黃太君貞節詩啓

吳錫麒

夫拊含貞之木。而感漆室之女悲〔一〕。履懷淸之臺。而嗟丹穴之人智〔二〕。當其三辰莫告。一死靡它。箜篌之曲難終〔三〕。卷施之心獨苦〔四〕。豈不身拚化石。志決摩笄〔五〕。而遐稽鍾萬之徵〔六〕。尤尙從容之節者〔七〕。誠以鈍鉤之劍。經灌辟而後成〔八〕。款多之花〔九〕。閱冰霜而斯耀也。

然而青陵結恨。生本同功〔一〇〕。黃鵠興歌。哀惟早寡〔一一〕。皆始盈而終昃。亦先笑而後號。未有裁就嫁衣。便成怨蝶。聘來玉鏡。但照孤鸞〔一二〕。守白璧之無瑕。以紅顏而赴義。下姑嫜之拜。身未分明〔一三〕。憑夫壻之棺。容難髣髴。如陳母黃太君者。尤柏舟之特操〔一四〕。壼史所僅聞也已〔一五〕。

方其玉勝發祥〔一六〕。金梭流彩〔一七〕。稟柔嘉而表度。崇芬蕙以翔聲。證明月之前身。修成雪魄。對梅花之古樹。照出冰姿〔一八〕。靜女其姝。善心爲窈〔一九〕。有美離瑜之色〔二〇〕。何慙坤扇之緣〔二一〕。見佚女於有娀。鳩媒來告〔二二〕。得公子如敬仲。鳳卜宜諧〔二三〕。果使歌白紵以成雙。結綦巾而偕老〔二四〕。嘉耦曰配。抑又何嗟。無如房中之曲未調。天上之棺已下〔二五〕。綵雲易散。錦暗天孫。玉樹先埋。風淒少女〔二六〕。時也迢迢綺閣。窈窈蘭閨〔二七〕。紅牆方隔乎彼河〔二八〕。白蜆胡嬰乎我室〔二九〕。龍涎石爇。心字灰寒〔三〇〕。鴛思都非〔三一〕。鍼神巧盡〔三二〕。不信營魂之失〔三三〕。俄傳消息之來。身視銖輕。腸幾寸斷。堅石爛海枯之誓〔三四〕。易惡笄髽髻而臨。良席未親。空賸遊仙之枕〔三五〕。女牀纔下。卽是望夫之山〔三六〕。嗚呼痛哉。

況復盤匜莫繼。塵甑炊難。堂構誰承。楹書孰易〔三七〕。口銜碑而安語。袖倚竹而逾寒〔三八〕。喪予喪予。痛所天之不見〔三九〕。類我類我〔四〇〕。慰在地其何時。於是辛苦牽蘿。支離恤緯〔四一〕。以婦代子。體循陔之歡〔四二〕。將姪作兒。免折蓌之教〔四三〕。每當荒雞叫旦。新鴈啼涼。畫荻無聲〔四四〕。留燈有影。魄鍊媧之石〔四五〕。淚傾鮫女之珠〔四六〕。雖小姑無郎〔四七〕。嬰兒不嫁〔四八〕。無斯煢獨。莫喻隱憂。迨至霜節彌高。共仰凌霄之竹。書香不沬。漸馨入室之蘭。獨繭絲長。單梟調遠(四九)。然後知誼臣許國。早定乎委贄之先也(五〇)。烈士殉身。轉出於存孤之下也(五一)。

今者大吏重輶軒之采(五二)。朝廷隆褒錫之恩。降雨澤於九乾(五三)。勵風徽於萬古。絲綸煥日(五四)。綽楔標雲(五五)。節以離明。兌將坤應(五六)。松柏壯三冬之色。栴檀飛四遠之香。回憶苦閱茶心。勞經棘手。紡車如故。紙帳依然。而精衞矢誠。終銜乎壽木(五七)。苕華紀美。永勒爲貞珉(五八)。不亦榮乎。斯可述已。所願儒林學士。文籍先生。憫悴葉於枯桐。鑒傷心於獨活(五九)。各嘘烟墨。同振詞葩。或采錯乎十華(六〇)。或源傾乎三峽。庶使青燈夙志(六一)。闡發於文人。黃絹新辭。章明乎幼婦(六二)。灑仙毫之五色。齊化慈雲(六三)。補女史之一編。繼聲宵雅(六四)。

【作者】

吳錫麒字聖徵，號穀人，清浙江錢塘人，乾隆四十年進士，歷任翰林院編修，國子監祭酒。致仕後，主講揚州之安定樂儀兩書院，裁成極衆。著有有正味齋集七十三卷。

吳氏之文，各體皆工，而駢體尤高視一代，委婉瀏潔，圓美可誦，修辭者咸以爲北斗南車。吳山尊選四六，與邵齊燾、劉星煒、孔廣森、孫星衍、洪亮吉、袁枚、曾燠稱八家。

【題解】

易曰：『乾道成男、坤道成女。』乾之道爲剛爲健、坤之道爲柔爲順、男以剛健爲德、女以柔順爲正、天地之常經、陰陽之定義也。天地正氣、在男爲忠義、在女爲節烈、是又皆剛健之所爲、而男女之所均貴者也。於以知女子謹婦順、職內事、守无成之義者、固柔順之道。卽捐軀狥義、毅然浩然以堅貞不變之節、而成剛健之行者、亦何莫而非女德之柔順也。聖人敎人之道、每以貞節爲先。昔衞寡婦賦柏舟之詩曰：『我心匪石、不可轉也、我心匪席、不可卷也。』孔子美其貞壹、故舉而列之於詩、嗣又首列之於經。後世帝王、紹述聖人之意、女有一介之足取者、率皆爲之建坊立碑、旌功表德、於是貞節一道、無形之中、遂成爲維護倫常、安定社會最重要之一環矣。宋儒嘗謂：『餓死事小、失節事大。』有以哉、有以哉。

本篇錄自拙編歷代駢文選、爲節婦黃氏徵詩文而作、黃太君一生、無豐功偉績之可稱、故先從其未嫁守貞部分多加鋪敍、然後說到敎子、享壽、以及朝廷之褒揚、結以徵文之主意、層次分明、恰如其分。

【注釋】

㈠拊含貞之木而感漆室之女悲　春秋時、魯漆室邑之女過時未適人、倚柱而嘯、其鄰婦謂曰：『何嘯之悲、子欲嫁耶。』女曰：『吾憂魯君老、太子幼、一旦魯國有患、君臣父子皆被其辱、婦人獨安所避乎。吾憂國傷人、心悲而嘯、豈欲嫁哉。』自傷懷結、而爲人所疑、於是褰裳入山林之中、見女貞之廟有女貞木焉、喟然歎息、援琴而歌女貞之辭、曲終、自經而死。事見劉向列女傳及蔡邕琴操。後言貞女之未嫁而亡、多引此事。曾燠儀徵張孝女廟碑：『漆室之女來過、從此見女貞之木、緜上之田未有、且當禁寒食之煙。』

㈡寢懷清之臺而嗟丹穴之人智　秦朝時、巴蜀有寡婦名清者、其夫於山谷之穴中掘獲大量丹砂、擅利而致富、夫死、婦能守其業、禮抗邦君、名顯天下、始皇以爲貞婦而客之、爲築女懷清臺。見史記貨殖傳。案臺在今四川長壽縣南。爾雅釋地：『太平之人仁、丹穴之人智、大蒙之人信、空桐之人武。』

㈢箜篌曲　崔豹古今注：『箜篌引者、朝鮮津卒霍里子高妻麗玉所作也、子高晨起刺船、有一白首狂夫、被髮提壺、亂流而渡、其妻隨而止之、不及、遂墮河而死、於是援箜篌而歌曰：公無渡河、公竟渡河、墮河而死、當奈公何。聲甚悽慘、終曲、亦投河而死、子高還以語麗玉、麗玉傷之、乃引箜篌而寫其聲、名曰箜篌引。又有箜篌謠、不詳所起、大略言結交當有終始、與此異也。』案箜篌引亦曰公無渡河、為樂府相和六引之一。

㈣卷施心　爾雅釋草：『卷施草、拔心不死。』李白留別龔處士詩：『贈君卷施草、心斷竟何言。』清代駢文家洪亮吉名其書室曰卷施閣、其文集曰卷施閣集、皆取義於是。

㈤身拚化石志決摩笄　湖北武昌縣北山上、有石狀如人立、名曰望夫石。相傳昔有貞女、其夫從軍赴國難、女餞送此山、淚眼相對、愁結千層、立望夫而死、形化為石、因名其地曰望夫山。事見劉義慶幽明錄。春秋時、趙襄子姊為代王妻、無卹滅代、誘殺代王而迎其姊。姊曰：『以弟慢夫、非仁也、以夫怨弟、非義也、今代已亡、吾將奚歸。』遂摩笄自刺而死。代人憐之、名其所死地為摩笄山。事見史記趙世家。案摩笄山在今河北蔚縣東南。二句言婦人之喪其夫者、亦不難殉情從之於地下也。

㈥鍾萬　鍾、景鍾。萬、萬舞。文選謝莊宋孝武宣貴妃誄：『敢撰德於旂旒、庶圖芳於鍾萬。』李善注：『國語晉語：晉悼公曰、魏顆以其身卻退秦師於輔氏、親止杜回、其勳銘於景（景公）鍾。左傳隱公五年曰：九月、考仲子之宮、將萬（萬、舞也。何休云：婦人無武事、獨奏文樂。）焉。』案鍾一本作種。

㈦從容　禮記緇衣：『衣服不貳、從容有常。』孔穎達疏：『謂舉動有其常度。』

㈧鈍鉤之劍經灌辟而後成　鈍鉤、寶劍名、春秋時歐冶子所作、見張華博物志。灌辟、鍊冶金也。文選張協七命：『楚之陽劍、歐冶所營、乃鍊乃鑠、萬辟千灌。』李善注：『辟謂疊之、灌謂鑄之。』

㈨款多花　花名、亦作款凍花。本草：『枇杷花經多不凋、亦名款多花。』

㈩青陵結恨生本同功　彤管新編：『韓憑為宋康王舍人、妻何氏美、王欲捕舍人、築青陵臺、後憑自殺、其妻陰腐其衣、與王登臺、自投臺下、左右攬之、著手化為蝴蝶。』又古樂府：『宋康王欲奪舍人韓憑之妻、乃築青陵臺望之、憑妻作詩曰、南山有鳥、北山張羅、鳥自高飛、羅將奈何。』李商隱蜂詩：『青陵粉蝶休離恨、長定相逢二月中。』李白詩：『古來得意不相負、祇今惟見青陵臺。』案青陵臺在河南封丘縣東北。同功、言如兩蠶之共成一繭也。

㈡黃鵠興歌哀惟早寡　劉向列女傳：『魯陶嬰者、陶明之女也、少寡、養幼孤、紡績為產、魯人或聞其義、將求焉、嬰聞之、恐不得免、乃作歌曰：悲夫黃鵠之早寡兮、七年不雙、宛頸獨宿兮、不與衆同、夜半悲鳴兮、想其故雄、飛鳥尚然兮、況於貞良。明己之不二庭也。魯人聞之、遂不敢復求。』

㈢裁就嫁衣便成怨蝶聘來玉鏡但照孤鸞　言未嫁而寡也。怨蝶、係用韓憑化蝶故事、注已見前。玉鏡、玉鏡臺之省稱、晉溫嶠北征劉聰時所得、後以聘從姑之女倩英。世說新語假譎篇：『溫嶠喪婦、會從姑劉氏有女、字曰倩英、甚有姿慧、屬嶠覓壻、嶠密有自婚意、後數日、報姑云、已覓得壻、因下玉鏡臺一枚、既婚交禮、女以手披紗扇、撫掌笑曰、我固疑是老奴、果如所卜。』元關漢卿撰玉鏡臺劇曲、明朱鼎撰玉鏡臺傳奇、演述此事甚詳。孤鸞、即離鸞、世多以喻人之失偶者。藝文類聚鳥部上引范泰鸞鳥詩序：『昔罽賓王獲彩鸞鳥、三年不鳴、夫人曰、嘗聞鳥見其類而後鳴、何不懸鏡以照之、王從其言、鸞睹影悲鳴、哀響中宵、一奮而絕。』

㈢下姑嫜之拜身未分明　杜甫新婚別詩：『妾身未分明、何以拜姑嫜。』楊倫杜詩鏡銓引夢弼曰：『婦人嫁三日、告廟上墳、謂之成婚、婚禮既明、然後稱姑嫜、今嫁未成婚而別、故云。』案姑嫜、猶言舅姑也、婦人稱夫之父曰舅、或曰嫜、夫之母曰姑。見爾雅釋親及釋名釋親屬。

㈣柏舟　詩經鄘風有柏舟之篇、序謂衞世子共伯蚤死、其妻共姜守義、父母欲奪而嫁之、故共姜作此以自誓。或謂詩無事實、當為貞婦有夫蚤死、其母欲嫁之而誓死不願之作。故後人每引此以況寡婦之有節操者。蘇軾詩：『柏舟高節冠鄉鄰、絳帳清風聳搢紳。』

㊄壼史　壼、音閫、指婦女所居之內室。壼史、猶今語言『婦女史』也。

㊅玉勝　勝、婦女首飾也、以玉爲之、故曰玉勝。劉孝威賦得香出衣詩：『香纓麝帶縫金鏤、瓊花玉勝綴珠徽。』

㊆金梭　梭、織具、所以行緯者、以金爲之、故曰金梭。楊萬里誠齋雜記：『蔡州丁氏女、七夕禱以酒果、忽流星墜筵中、明日瓜上得金梭、自是巧思益進。』吳融李周彈箏歌：『鴻門玉斗初向地、織女金梭飛上天。』

㊇梅花古樹照出冰姿　柳宗元龍城錄：『隋開皇中、趙師雄遷羅浮、一日天寒日暮、在醉醒間、因憩僕車於松林間酒肆傍舍、見一美人淡妝素服、出迓師雄、時已昏黑、殘雪對月色微明、師雄喜之、與之語、但覺芳香襲人、語言極清麗、因與之叩酒家門、得數杯、相與飲。少頃、有一綠衣童來、笑歌戲舞、亦自可觀、頃醉寢、師雄亦懵然、但覺風寒相襲。久之、時東方已白、師雄起視、乃在古梅花樹下、上有翠羽、啾嘈相須、月落參橫、但惆悵已爾。』

㊈靜女其姝善心爲窈　言其德貌雙全也。詩經邶風靜女：『靜女其姝、俟我於城隅、愛而不見、搔首踟躕。』毛氏傳：『靜、貞靜也、女德貞靜而有法度、乃可說（音悅）也。姝、美色也。』又周南關雎：『關關雎鳩、在河之洲、窈窕淑女、君子好逑。』毛氏傳：『窈窕、幽閒也。』陳奐傳疏：『窈言婦德幽靜、窕言婦容閒雅。』揚雄方言：『美心爲窈、美色爲窕。』

㊉離瑜　星名。馬端臨文獻通考：『秦代東南北、列三星曰離瑜、離、袿衣（案離褵褵古通、袿衣之帶也）也、瑜、玉飾、乃婦人之服星也、微則後宮儉約、明大則婦人奢。』星經：『離瑜三星在秦代東、南北列、主王侯衣服。』

⑪坤扇　陶穀清異錄：『朱起年踰弱冠、姿韻爽逸、伯氏虞部有妓寵寵、豔秀明慧、起甚留意、緣館院礙隔、精神恍忽、郊外逢青巾短袍擔筇杖藥籃者、取一扇授起曰、是坤靈扇子、凡訪寵以扇自蔽、人皆不見。自此往來無阻、青巾人蓋仙也。』

⑫見佚女於有娀鳩媒來告　離騷：『望瑤臺之偃蹇兮、見有娀之佚女、吾令鴆爲媒兮、鴆告余以不好。』王逸注：『有

娀、國名、佚、美也。謂帝嚳之妃、契母簡狄也、配聖帝、生賢子、以喻貞賢也。鴆、運日也、羽有毒、可殺人、以喻讒佞賊害人。言我使鴆鳥爲媒、以求簡狄、其性讒賊、不可信用、還詐告我、言不好也。』洪興祖補注：『淮南子墬形訓曰、有娀在不周之北、長女簡狄、少女建疵。高誘注云、姊妹二人在瑤臺也。』

㉓得公子如敬仲鳳卜宜諧　左傳莊公二十二年：『陳公子完（字敬仲）奔齊、初、懿氏（陳國大夫）卜妻敬仲、其妻占之曰、吉、是謂鳳凰于飛、和鳴鏘鏘、有嬀之後、將育於姜、五世其昌、並於正卿、八世之後、莫之與京。』杜預注：『雄曰鳳、雌曰凰、雄雌俱飛、相和而鳴、鏘鏘然、猶敬仲夫妻相隨適齊、有聲譽。』後人恆以鳳凰于飛喻夫婦之恩愛、今亦有用爲祝人之新婚者。

㉔歌白紵以成雙結綦巾而偕老　言完婚也。白紵歌、樂府名、吳之舞曲、案舞辭有巾袍之言、紵本吳地所出、宜是吳舞也、梁武帝令沈約改其辭爲四時白紵歌、見宋書樂志及舊唐書音樂志。吳兢樂府古題要解：『白紵歌古詞盛稱舞者之美、宜及芳時爲樂、其譽白紵曰、質如輕雲色如銀、制以爲袍餘作巾、袍以光軀巾拂塵。』又鄭樵通志：『白紵與子夜、一曲也、在吳爲白紵、在晉爲子夜、故梁武本白紵而爲子夜四時歌、後之爲此歌者、曰白紵、則一曲、曰子夜、則四曲。』綦巾、未嫁女所服也。詩經鄭風出其東門：『出其東門、有女如雲、雖則如雲、匪我思存、縞衣綦巾、聊樂我員。』屈萬里釋義：『縞衣、白色衣、綦、音其、蒼艾色、綦巾、蒼艾色之佩巾也、二者皆女子未嫁者之服、馬瑞辰說。此縞衣綦巾之女、謂其所愛之人也。』

㉕房中之曲未調天上之棺已下　房中曲、樂歌名、王應麟詩考謂自詩經周南關雎至芣苢、皆后妃房中之樂、謂之房中者、后妃夫人之所諷誦、以事其君子也、秦改房中樂爲壽人、至漢而爲房中祠樂、孝惠初、使樂府令備簫管、更名安世樂、一名安世房中歌。漢書禮樂志：『房中祠樂、高祖唐山夫人所作、凡樂、樂其所生、禮不忘本、高祖樂楚聲、故房中樂、楚聲也、孝惠二年、使樂府令夏侯寬備其簫管、更名曰安世樂。』宋書樂志：『魏文帝黃初二年、議者以

房中歌后妃之德、所以風天下、正夫婦、乃改爲正始之樂、明帝太和初、繆襲奏安世詩無有二南風化天下之言、又改曰享神歌。』應劭風俗通：『王喬爲葉令、天下一玉棺於廳事前、令丞吏試入、終不動搖。喬曰、天帝獨欲召我。沐浴服飾寢其中、蓋便立覆、宿夜葬於城東、土自成墳。』此言未嫁而寡也。

㊱綵雲易散錦暗天孫玉樹先埋風淒少女　綵雲、雲之有五色者。李白詩：『只愁歌舞散、化作綵雲飛。』天孫、星名、卽織女星也。宗懍荆楚歲時記：『天河之東有織女、天帝之子也、年年織杼勞役、織成雲錦天衣、天帝憐其獨處、許嫁河西牽牛郎、嫁後遂廢織紝、天帝怒、責令歸河東、使其一年一度相會。』玉樹、美材之喻。世說新語傷逝篇：『庾文康庾亮亡、何揚州何充臨葬云、埋玉樹著土中、使人情何能已已。』少女、指少女風。三國志魏志方伎管輅傳裴松之注引管輅別傳：『清河旱、倪太守問輅雨期、輅言樹上已有少女微風、樹間又有陰鳥和鳴、又少男風起、衆鳥和翔、其應至矣、須臾果大雨。』案天孫少女、皆以喻黃太君、綵雲玉樹、則喻其亡夫也。

㊲迢迢綺閣窈窕蘭閨　言其春閨夢斷也。迢迢、遠貌。溫庭筠惜春詞：『秦女含顰向烟月、愁紅帶露空迢迢。』窈窕、謂昏暗也。文選司馬相如長門賦：『浮雲鬱而四塞兮、天窈窕而晝陰。』綺閣蘭閨、皆泛稱婦女之所居。廼賢詩：『水晶簾內日遲遲、綺閣春深笑語稀。』劉珊詩：『石家金谷妓、妝罷出蘭閨。』

㊳紅牆　謂銀漢也、俗稱天河。李商隱詩：『本來銀漢是紅牆、隔得盧家白玉堂。』

㊴白蜺嬰我室　楚辭天問：『白蜺嬰茀、胡爲此堂。』王逸注：『蜺、雲之有色似龍者也、茀、白雲逶移若蛇者也、言此有蜺茀氣逶移相嬰、何爲此堂乎、蓋屈原所見祠堂也。』洪興祖補注：『蜺、雌虹也、茀、音拂、說文云、䨎、雲貌、疑卽此茀字。』案蜺亦作霓、虹霓之外環也、其內環謂之虹、通常則統稱虹霓曰虹、而稱外環之霓曰副虹（Secondary rainbow）、內環之霓曰正虹（Primary rainbow）。

㊵龍涎心字　皆香名。香譜：『龍涎出大食國、其龍多蟠伏於洋中之大石、臥而吐涎、涎浮水面、土人見衆魚游泳爭嗜

之、則往取焉。』案龍涎香係抹香鯨腸內之分泌物、西名Ambergris、我國向以爲香料中之珍品。驂鸞錄：『番禺人作心字香、用素馨末利半開者、著淨器、薄劈沈香、層層相間封、日一易、不待花蔫、花過香成。』

㉑鴛思　埤雅廣要：『鴛鴦、匹鳥、有思者也、說文稱鳳言鴛思是已。』

㉒鍼神　王嘉拾遺記：『魏文帝所愛美人薛靈芸、帝改名曰夜來、妙於鍼工、雖處深帷之內、不用燈燭、裁製立成、宮中稱爲鍼神。』

㉓營魄　卽營魄也。老子：『載營魄抱一、能無離乎。』河上公注：『營魄、魂魄也。』王弼注：『營魄、人之常居處也。』案文選陸機贈從兄詩：『營魄懷茲土、精爽若飛沈。』李善注：『經護爲營、形氣爲魄、經護其形氣使之常存也。』

㉔石爛海枯　鄭氏允端望夫石詩：『石爛與海枯、行人歸故鄉。』俗謂兒女子私誓曰『海枯石爛、此志不移』、謂如海石之永久存在、不易消滅也。

㉕良席未親空賸遊仙之枕　儀禮士婚禮：『御衽於奧、媵衽良席在東、皆有枕北止。』鄭玄注：『衽、臥席也、婦人稱夫曰良。』王仁裕開元天寶遺事：『龜茲國進奉枕一枚、其色如瑪瑙、溫潤如玉、製作甚工、枕之寢、則十洲三島四海五湖盡在夢中、帝因立名遊仙枕。』

㉖女牀纔下卽是望夫之山　文選張衡東京賦：『鳴女牀之鸞鳥、舞丹穴之鳳凰。』李善注：『女牀、山名、在華陰（今陝西華陰縣）西六百里。山海經曰、女牀之山有鳥焉、其狀如鶴、而五色文、名曰鸞鳥、見則天下安寧。』方輿勝覽：『望夫山在當塗縣、正對和州郡樓、昔人往楚、累歲不還、其妻登此山、化爲石。』詩話總龜：『嚴灌夫娶愼氏、十年無嗣、出之、妻別詩曰、便是孤帆從此去、不堪重過望夫山、遂如初。』以上四句、言其未嫁而寡、空有夫婦之名也。

㉗盤匜莫繼塵甑炊難堂構誰承楹書竊易　言家中貧困、且無子嗣也。盤匜、皆炊食用具。塵甑炊難、言貧家久不作炊

也。東漢范丹、字史雲、少遊三輔、就馬融通經、桓帝時爲萊蕪長、以母憂不到官、後辟太尉府、以狷急不能從俗、常佩韋於朝、議者欲以爲侍御史、因遁、賣卜梁沛間、窮居自若、時至絕粒、閭里歌之曰、甑中生塵范史雲、釜中生魚范萊蕪、卒諡貞節先生。見後漢書獨行傳。堂構、言子承父之業也。尙書大誥：『若考作室、既底法、厥子乃弗肯堂、矧肯構。』孔安國傳：『以作室喻治政也、父已致法、子乃不肯爲堂基、況肯構立屋乎。』世因以堂構喻先人之遺業。文選陸機五等諸侯論：『前人欲以垂後、後嗣思其堂構。』楹書、先人所遺書籍。晏子春秋：『晏子病將死、鑿楹納其書、謂其妻曰、子壯而示之。』

㊳口銜碑而安語袖倚竹而邈寒　言其獨自飲泣也。古樂府：『石闕生口中、銜碑按碑爲悲之隱語不得語。』杜甫佳人詩：『絕代有佳人、幽居在空谷。……天寒翠袖薄、日暮倚修竹。』蘇軾芍藥詩：『倚竹佳人翠袖長、天寒猶著薄羅裳。』

㊴所天　謂婦人之夫也。蔡邕女賦：『當三春之嘉月、將言歸於所天。』案古有稱君上爲所天者、如後漢書梁竦傳：『乃敢昧死自陳所天。』章懷注：『臣以君爲天、故云所天。』更有稱父爲所天者、如晉文帝喪、武帝下詔、有句云：『何至一旦便易此情於所天。』惟後世多用以稱夫。

㊵類我　揚子：『螟蛉之子殪、而逢蜾蠃、祝之曰、類我類我、久則肖之矣。』案此蓋本於詩經小雅小宛『螟蛉有子、蜾蠃負之、教誨爾子、式穀似之』之意、螟蛉、桑蟲也、蜾蠃、土蜂也、似蜂而小腰、取桑蟲之子、負持而去、煦嫗養之、七日而化成其子。後世因以螟蛉爲義子之通稱。

㊶牽蘿恤緯　喻處境窘迫也。杜甫佳人詩：『侍婢賣珠迴、牽蘿補茅屋。』左傳昭公二十四年：『嫠不恤其緯、而憂宗周之隕、爲將及焉。』杜預注：『嫠、寡婦也、織者常苦緯少、寡婦所宜憂。』

㊷循陔　文選束晳補亡詩南陔：『循彼南陔、言采其蘭、眷戀庭闈、心不遑安、彼居之子、罔或遊盤。』五臣注：『陔、隴也、蘭以香、孝子採之以養也。』案南陔爲孝子養親之詩、後因謂事親曰循陔。趙翼陔餘叢考自序：『余自黔

西乞養歸、問視之暇、日夕惟手一編、有所得、輒劄記別紙、積久遂得四十餘卷、以其爲循陔時所輯、故曰陔餘叢考。』

㊸折葼　揚雄方言：『木細枝謂之杪、青齊兗冀之間謂之葼、故傳曰、慈母之怒子也、雖折笞之、而慈葼惠存焉。』李軌注：『言教在中也。』後人稱誦母教、多引用之。

㊹畫荻　宋歐陽修四歲喪父、母鄭氏立誓守節、親課之讀、家貧無紙筆、常以荻畫地學習、學乃日進、竟成一代大儒。見宋史歐陽修傳。後世常引此事以稱頌母教。

㊺[女包]媧　卽女媧氏、上古女帝、亦曰女希氏、又稱媧皇、爲伏羲氏同母女弟、始作笙簧、又制嫁娶之禮、同姓氏者不得婚配、自是民始不瀆。相傳其晚年、共工氏爲祝融所敗、頭觸不周山崩、天柱傾折、地維缺裂、女媧氏乃鍊五色石以補天、斷鼇足以立四極、殺黑龍以濟冀州、積蘆灰以止淫水、於是地平天成、不改舊物。見史記三皇本紀。

㊻鮫女　文選左思吳都賦：『泉室潛織而卷綃、淵客慷慨而泣珠。』劉淵林注：『俗傳鮫人從水中出、曾寄寓人家、積日賣綃、綃者、竹孚兪也、鮫人臨去、從主人索器、泣而出珠、滿盤以與主人。』又任昉述異記：『南海中有鮫人室、水居如魚、不廢織績、其眼能泣、泣則出珠。』李商隱詩『曾見馮夷殊悵望、鮫綃休賣海爲田』、『滄海月明珠有淚、藍田日暖玉生煙』、皆詠此也。

㊼小姑無郎　李商隱無題詩：『重帷深下莫愁堂、臥後清宵細細長、神女生涯原是夢、小姑居處本無郎、風波不信菱枝弱、月露誰教桂葉香、直道相思了無益、未妨惆悵是清狂。』又古樂府清溪小姑曲：『開門白水、側近橋梁、小姑所居、獨處無郎。』小姑、東漢廣陵人蔣子文第三妹、後稱女子之未嫁者曰小姑獨處。

㊽嬰兒不嫁　嬰兒、卽嬰兒子、戰國齊孝女名。戰國策齊策：『趙威后問齊使者曰、北宮之女嬰兒子無恙耶、徹其環瑱、至老不嫁、以養父母。』

㊾獨繭絲單鳧調　皆喪耦之喻。列子湯問篇：『詹何之釣、以獨繭爲綸、芒刺爲鉤。』劉歆西京雜記：『齊人劉道彊善彈琴、能作單鵠寡鳧之弄、聽者皆悲、不能自攝。』

㊿誼臣許國早定乎委贄之先　誼義古今字、誼臣卽謂有節義之臣。唐書孫伏伽傳：『高祖語裴寂曰、我今平亂責武臣、守成責儒臣、若李綱孫伏伽可謂誼臣矣。』委贄、亦作委質。左傳僖公二十三年：『狐突之子毛及偃從重耳在秦、弗召、冬、懷公執狐突曰、子來則免、對曰、子之能仕、父教之忠、古之制也、策名委質、貳乃辟也、今臣之子、名在重耳有年數矣、若又召之、教之貳也、父教子貳、何以事君。』杜預注：『名書於所臣之策、屈膝而君事之、則不可以貳也。』孔穎達疏：『質、形體也、拜則屈膝而委身體於地、以明敬奉之也。』竹添光鴻會箋：『史記仲尼弟子列傳司馬貞索隱引服虔云、古者始仕、必先書其名於策、委死之質於君、然後爲臣、示必死節於其君也、死之質者、以雉言也、始仕必以爲士、士之贄以雉、雉必用死。白虎通瑞贄篇曰、士以雉爲贄者、取其不可誘之以食、懾之以威、必死不可生畜、士行威介、守節死義、不當移轉也、此正服氏所謂委死之質於君示必死節之義。國語晉語、夙沙釐曰、臣委質於狄之鼓、未委質於晉之鼓也、臣聞之、委質爲臣、無有二心。韋昭注、質、贄也、士贄以雉、孟子出疆必載質、又庶人不傳質以爲臣、皆贄質相通用。委與儀禮士婚禮納采委雁之委同、置也、凡贄必授之、唯見君則委而不授、士相見禮、凡敵者再拜送贄、卑者奠贄再拜、不親授、若始見於君、執贄至下、容彌蹙、所謂委質者、委贄於庭、不敢送君前也、故謂仕爲委質。一讀質如字、解爲形體、卽形質之質、謂委致其身也。戰國策秦策、臣推體以下死士。鮑彪注、推體猶委質。魏書張袞傳、昔酈生一說、田横委質、魯連飛書、聊將授首、是也、然非古義、杜云屈膝而君事之、謂屈膝爲委質、未之聞也。』

(五一)烈士殉身轉出於存孤之下　春秋時、晉人程嬰與趙朔友善、朔爲屠岸賈所殺、朔妻遺腹生一兒、朔客公孫杵臼與嬰定計、杵臼取他人嬰兒負之、衣以文葆、匿山中、嬰出謬發於岸賈、岸賈命將攻而并殺之、嬰抱眞孤匿山中、遂得免於難。後眞孤立爲趙氏後、是爲趙武、攻岸賈、滅之、嬰亦自殺、以報杵臼。事見史記趙世家。

㉜輶軒　輕便之車也、古者天子使臣皆乘輶軒、後世因稱使臣曰輶軒使。應劭風俗通序：『周秦常以歲八月、遣輶軒之使、求異代方言。』羣書考索：『輶軒、天子之使臣也。』

㉝九乾　謂天有九重也、此處指天子之宮殿。崔駰達旨：『俯鉤深於重淵、仰探遠於九乾。』

㉞絲綸　禮記緇衣：『王言如絲、其出如綸。』鄭玄注：『言言出彌大也。』後世沿用爲詔敕之稱。韓愈上李相公詩：『濁水汙泥清路塵、還曾同制掌絲綸。』

㉟綽楔　樹於門首以示旌表之木。五代史李自倫傳：『其量地之宜、高於外門、門安綽楔、左右建臺、高一丈二尺、廣狹方正稱焉、圬以白而赤其四角、使不孝不義者見之、可以悛心而易行焉。』按後晉天福時、旌表李自倫爲義門、敕用此制、後因稱旌表爲綽楔。吳鼎芳唐嘉會妻詩：『煌煌樹綽楔、巍巍建靈祠。』

㊱節以離明兌將坤應　節離兌坤、皆卦名。易經節卦：『節、亨、苦節不可貞。象曰、節亨、剛柔分而剛得中、苦節不可貞、其道窮也。』王弼注：『爲節過苦、則物所不能堪也。』又說卦：『離、爲火、爲日、爲電、爲中女。兌、爲澤、爲少女。坤、爲地、爲母。』又說卦：『渙者、離也、物不可以終離、故受之以節、節而信之、故受之以中孚。』

㊲精衞矢誠終銜乎壽木　精衞、鳥名、一名寃禽。山海經北山經：『發鳩之山有鳥焉、名曰精衞、其鳴自詨、常銜西山之木石、以堙於東海。』案任昉述異記云：『炎帝女溺死東海中、化爲精衞、每銜西山木石塡東海、一名寃禽。』又張華博物志云：『炎帝女溺死、化精衞、與海燕爲偶、生子、雌曰精衞、一名寃禽、雄曰海燕。』壽木、長壽之木。呂氏春秋本味篇：『菜之美者、崑崙之蘋、壽木之華。』高誘注：『壽木、崑崙山上木也、華、實也、食其實者不死、故曰壽木。』

㊳苕華紀美永勒爲貞珉　敦煌紀年：『桀伐岷山、岷山莊王獻二女、曰琬曰琰、桀愛二女、斲其名於苕華之玉、苕是

琬、華是琰也。』貞珉、刻碑之美石也、立碑刊文、必期諸久遠、故謂碑石曰貞珉。

(五九)獨活　二年生草本植物、西名 **Angelica polyclada.** 莖葉多毛、高六七尺、根供藥用、名見本草。

(六〇)十華　淮南子墬形訓：『若木在建木西、末有十日、其華照下地。』高誘注：『末、端也、若木端有十日、狀如蓮華、華猶光也、光照其下也。』

(六一)青燈　燈光青熒、故曰青燈。陸游詩：『幽人聽盡芭蕉雨、獨與青燈話此心。』

(六二)黃絹幼婦　魏武帝曹操嘗過浙江紹興縣之曹娥碑下、文士楊脩從行、見碑背上題『黃絹幼婦外孫齏臼』八字、魏武謂脩曰：『解不』。答曰：『解。』魏武曰：『卿未可言、待我思之。』行三十里、魏武乃曰：『吾已得』。卽令脩別記所知、脩解曰：『黃絹、色絲也、於字爲絕。幼婦、少女也、於字爲妙。外孫、女子也、於字爲好。齏臼、受辛也、於字爲辤。所謂絕妙好辭也。』魏武亦記之、與脩同、乃歎曰：『我才不及卿、相差乃覺有三十里也。』見世說新語捷悟篇。

(六三)灑仙毫之五色齊化慈雲　仙毫、謂文士之妙筆也。劉禹錫謝賜手詔表：『特紆睿思、親灑仙毫。』慈雲、佛家語、喻佛之慈心廣大如雲也。雜跖集：『如來慈心、如彼大雲、蔭注世界。』

(六四)補女史之一編繼聲宵雅　女史、女官名、古以良家婦女知書者爲之、執彤管書后妃之事、蓋后妃之行、不侔乎天地、則無以奉神靈之統、而理萬物之宜、此綱紀之首也。東漢曹大家鑒於女德多敗於寵愛、而寵愛又每根於色美、故作女誡七篇以助內訓。(見後漢書列女傳) 晉張華懼后族之盛、勢將不利於皇家、爰作女史箴(見昭明文選卷五十六)一首、則假女史作箴以戒後宮者也。宵雅、卽小雅。禮記學記：『宵雅肄三、官其始也。』鄭玄注：『宵之言小也、肄、習也、習小雅之三、謂鹿鳴四牡皇皇者華也。』案此三章皆君臣宴樂相勞之詩、蓋以居官受任之美、誘諭學者之初志、勉其力學報國、且取上下協和之意。

(二)爲人徵詩書畫祝嘏啓

成惕軒

臺灣環碧海而居。去黃圖差遠(一)。自昔毗連於壺嶠(二)。別成淳樸之山川(三)。隋唐以來。戎旌偶及(四)延平而後(五)。文軌攸同(六)。雖珠崖之捐。或移漢幟(七)。而龜陰之復。終返魯田(八)。其間土沃泉甘。貨財日阜。地靈人傑(九)。髦雋雲興(一〇)。如北縣某某先生。起家鑛業(一一)。振譽通闤(一二)。尤稱一時巨擘焉(一三)。先生解操土風(一四)。不墜門德(一五)。焚膏繼晷(一六)。研漢學者十年。廢箸鬻財(一七)。本儒冠之一介(一八)。富而好禮(一九)。善則歸親。試假質言。分陳穆行(二〇)。

蘭陔潔養(二一)。萱背忘憂(二二)。惟母訓之克從。斯子職其無忝。當第一屆國民代表選舉時。令堂某太夫人。戒勿競選。並屬以所備貨泉(二三)。移拯鄰邑水災。兼助珂鄉敎費(二四)。上體好施之德。一片烏慈。弘推錫類之仁(二五)。千家燕喜(二六)。又與介弟某某。姜被同溫(二七)。孟珠競耀(二八)。比翼之鴈。相期以奮飛。在原之鴒(二九)。彌切於匡輔。紫荊表一庭之瑞(三〇)。絲楊作兩家之春(三一)。此先生之孝友也。

夫求忠必於孝子之門。報國原屬丈夫之事。鶯飛草長(三二)。每念江南。鵑咽花開。難忘劍外(三三)。嘗於抗戰之頃。傾誠內向。爲日酋所訶察。繫諸囹圄(三四)。歷有歲年。矢貞固以不移(三五)。非威武所能屈。瀛表重光。纍囚亦解。爰組臺灣光復致敬團。遄赴首都。親慰耆老。遠臨中部。恭謁橋陵(三六)。楊柳回春。瞻京闕白門之盛(三七)。葡萄入漢(三八)。告軒轅黃帝之靈。一念唯虔。九閽共鑒(三九)。迄今華鬢沾霜。丹心捧日(四〇)。猶犒水犀於嚴陣(四一)。冀袪銅馬之妖氛(四二)。此先生之忠愛也。

貨棄於地(四三)。疇知創業之艱。人私其財。率昧厚生之義(四四)。獨能榛蕪自闢。金石爲開(四五)。運籌算於掌中(四六)。出資源於地下。火井晶熒之物。用切燧人(四七)。鐵山鼓鑄之場。功宏越冶(四八)。其規模尤偉者。曰某某煤礦公司。品量之豐。實冠全省。芒鞋竹杖。連番彈省試之勤。航海梯山(四九)。四遠極轉輸之便。他如竹竿萬個。薑韭千畦。其角濈濈。儘多卜式之羊(五〇)。厥實離離。不數李衡之橘(五一)。是以州閭利賴。樞府禮羅。歷充某某顧問。某某主任委員。近且膺任某某銀行理事。贊圜府之要樞(五二)。抒藎猷於前箸。六府三事(五三)。遠稽乎尚書。一諾千金(五四)。上希於季布。此先生之志業也。

繩樞甕牖。常萬籽之其空(五五)。玉食錦衣。或一毛而不拔(五六)。爾乃心存康濟。首恤孤寒。焚孟嘗之責券(五七)。比戶皆歡。廣文翁之學宮(五八)。諸生益奮。平日致力社會建設。如倡築某某公路。興修某某大橋。增建某某紀念館。莫不功收藍筆(五九)。利溥枌榆(六〇)。留百代之謳思。供萬家之禱祝。以視聲色之侈。比於愷崇(六一)。肥瘠之視。邈若秦越者(六二)。其間相去何遠哉。此先生之惠澤也。

至若縞紵輸情(六三)。嚶鳴寄慕(六四)。門多長者。鄭莊之驛遙通(六五)。幕有嘉賓。徐孺之榻可下(六六)。東都冠蓋。相望於長衢(六七)。北海尊罍。不虛於勝日(六八)。四時佳興。物外忘機(六九)。一卷清吟。詩中著我(七〇)。主汐社之騷盟(七一)。襆奚囊以烟景(七二)。鶯花無恙。鴻雪留題(七三)。此又先生之交游與文采也。

夫達尊莫如尙德(七四)。美意洒克延年(七五)。既令聞以日彰。宜純嘏之天錫(七六)。試觀庭趨驥子(七七)。案舉鴻妻(七八)。朱絃調於曲房(七九)。寶樹森其清蔭(八〇)。九霄月滿。一室春融。謂非先生積善之報。可乎。

夏正某月某日。欣逢先生七秩覽揆之辰(八一)。哲嗣某某昆季。謀盍朋簪(八二)。藉徵家慶。禮也。某某等契託苔岑(八三)。光覘蓬矢(八四)。擬集蠻箋爲百幅(八五)。用佐瓊筵之一觴(八六)。所望儒林哲匹。藝苑英流。毋吝寸陰。各揮椽筆(八七)。圖成鶴貌(八八)。添海屋以千籌(八九)。寫入鴻詞。簇江侯之片錦(九〇)。介眉非遠(九一)。翹首爲勞。謹啓

【注　釋】

㈠黃圖　謂京師也。四庫全書總目著錄三輔黃圖六卷、皆記漢時長安古蹟、間及周代靈臺靈囿諸事、而於宮殿苑囿之制尤爲詳備。

㈡壺嶠　謂方壺與圓嶠、皆渤海外仙山名。

㈢淳樸山川　杜甫詩：『由來淳樸地、別有一山川。』

㈣戎旌　謂軍前所用之旌旗也。張喬送鄭侍御詩：『官從諫署清、暫去佐戎旌。』

㈤延平　謂延平郡王鄭成功也。成功、明末南安人。桂王時、據臺灣抗清、遙奉明正朔。旣卒、子經克塽相繼立、清康熙二十二年、爲施琅所破。

㈥文軌攸同　禮記中庸：『今天下車同軌、書同文、行同倫。』車之軌轍同、書之文字同、言大一統也。隋書煬帝紀：『方今宇宙平一、文軌攸同。』

㈦珠崖之捐或移漢幟　言淸光緒二十一年割讓臺灣與日本也。漢元帝時、珠崖今廣東瓊山縣東南數反、賈捐之上書請罷棄之、帝從之。見漢書賈捐之傳。

㈧龜陰之復終返魯田　言民國三十四年臺灣光復、重歸祖國懷抱也。史記孔子世家：『齊侯乃歸所侵魯之鄆汶陽龜陰之田以謝過。』

㈨地靈人傑　王勃滕王閣序：『物華天寶、龍光射牛斗之墟。人傑地靈、徐孺下陳蕃之榻。』

(一〇)髦雋　言其才出衆也。班固漢書敍傳：『疇咨熙載、髦雋並作。』

(一一)鑛業　即礦業、鑛同礦。

(一二)通闠　四通八達之市垣也。文選張衡西京賦：『爾乃廓開九市、通闠帶闠。旗亭五重、俯察百隧。』蘇軾南都妙峯寺詩：『新亭在東阜、飛宇臨通闠。』

(一三)巨擘　大指也、謂傑出於衆人、如大指之異於他指也。孟子滕文公篇：『於齊國之士、吾必以仲子爲巨擘焉。』

(一四)土風　謂鄉土之歌謠。春秋時、楚人鍾儀嘗爲鄭所獲、以獻於晉、晉景公見而問曰：『南冠而縶者誰也。』有司對曰：『鄭人所獻楚囚也。』使與之琴、操南音。范文子曰：『楚囚、君子也。樂操土風、不忘舊也。』遂禮而歸之、使返求成。事見左傳成公九年。

(一五)門德　猶言門風、門業也。

(一六)焚膏繼晷　膏、油。晷、日影也。謂夜以繼日、勤奮不懈也。韓愈進學解：『焚膏油以繼晷、恆兀兀以窮年。』

(一七)廢箸鬻財　史記貨殖傳：『子貢既學於仲尼、退而仕於衞、廢箸鬻財於曹魯之間。』案箸同著、讀如貯、積也。此言有所廢、有所積、乘時射利、蓋商賈之事也。

(一八)儒冠一介　史記酈生傳：『沛公不好儒、諸客冠儒冠來者、沛公輒解其冠、溲溺其中。與人言、常大罵、未可以儒生說也。』國語吳語：『一介嫡女。』韋昭注：『一介、一人。』

(一九)富而好禮　論語學而篇：『子貢曰：貧而無諂、富而無驕、何如。子曰：可也、未若貧而樂、富而好禮者也。』

(二〇)穆行　猶言美行。

(二一)蘭陔潔養　文選束皙補亡詩：『循彼南陔、言采其蘭。眷戀庭闈、心不遑安。彼居之子、罔或游盤。馨爾夕膳、絜爾晨餐。』李善注引子夏序云：『南陔廢則孝友缺矣。』後人多習用蘭陔爲孝子養親之辭。

㉒萱背忘憂　詩經衛風伯兮：『焉得萱草、言樹之背。』毛氏傳：『背、北堂也。』案古人寢室之制、前堂後室、其由室而之內、有側階、卽所謂北堂。凡遇祭祀、主婦位於此。故北堂者、母之所在也。北堂既可樹萱、遂稱母曰萱堂。萱草合歡、食之令人忘憂、故俗謂子能慰其母者、曰萱草忘憂。

㉓貨泉　謂錢幣也。

㉔珂鄉　唐書張嘉貞傳：『嘉貞爲相、弟嘉佑爲金吾將軍、每朝軒蓋騶從盈閭、所居之坊、號曰鳴珂里。』案珂、飾馬之玉也、爲貴人所用。言鳴珂里者、謂貴人車馬常喧闐於其里也。後人因美稱他人之鄉里曰珂里或珂鄉。

㉕錫類　詩經大雅既醉：『孝子不匱、永錫爾類。』鄭玄箋：『孝子之行、非有竭極之時。』案詩意謂孝子能以孝道轉相教化也。

㉖燕喜　猶言安樂。詩經魯頌閟宮：『魯侯燕喜、令妻壽母。宜大夫庶士、邦國是有。』

㉗姜被　東漢姜肱與弟仲梅季江相友愛、常同被而眠。見後漢書姜肱傳。

㉘孟珠　南史謝靈運傳：『孟顗、衞將軍昶弟也。昶顗並美風姿、時人謂之雙珠。』

㉙鴒原　詩經小雅常棣：『脊令在原、兄弟急難。每有良朋、況也永歎。』脊令卽鶺鴒、言兄弟相恤、如鶺鴒之且飛且鳴也。

㉚紫荊　吳均續齊諧記：『田眞兄弟三人分產、堂前有紫荊樹一株、議析爲三、荊忽枯死。眞謂諸弟、樹本同株、聞將分斫、所以憔悴、是人不如木也。因悲不自勝、兄弟相感、不復分產、樹亦復榮。』

㉛綠楊　白居易詩：『明月好同三徑夜、綠楊宜作兩家春。』

㉜鶯飛草長　文選丘遲與陳伯之書：『暮春三月、江南草長、雜花生樹、羣鶯亂飛。』

㉝劍外　四川劍閣縣北有劍門山、詞章家因習用劍外爲四川之代稱、如杜甫詩『劍外忽傳收薊北』是也。

㉞囹圄　牢獄也。禮記月令：『仲春、命有司省囹圄。』孔穎達疏：『囹、牢也。圄、止也。所以止出入、皆罪人所舍也。』

㉟貞固　周易乾卦：『利物足以合義、貞固足以幹事。』孔穎達疏：『言君子能堅固貞正、令物得成、使事皆幹濟、此法天之貞也。』

㊱橋陵　黃帝之陵墓也。在陝西中部縣西北、沮水穿山而過、山乃如橋、故名。

㊲楊柳白門　李白詩：『何許最關情、烏啼白門柳。』白門、南京之別名。

㊳葡萄入漢　漢書西域傳：『大宛左右以葡萄爲酒、宛貴人立蟬封爲王、遣子入侍、歲獻天馬二匹、漢使采葡萄種歸。』李頎古從軍行詩：『年年戰骨埋荒外、空見葡萄入漢家。』

㊴九閽　天帝所居之地也。李商隱哭劉蕡詩：『上帝深宮閉九閽、巫咸不下問銜寃。』

㊵捧日　古以日喻帝王、故捧日有翊戴義。裴松之三國志魏志程昱傳注：『昱少時常夢上泰山、兩手捧日、昱私異之、以語荀彧、彧白太祖、太祖曰：卿終當爲我腹心。』

㊶水犀　謂水師也。國語越語：『今夫差衣水犀之甲者、億有三千、不患其志行之少恥也、而患其衆之不足也。』

㊷銅馬　新莽末年、諸賊蠭起、銅馬其一也、後爲光武帝所破。見後漢書光武帝紀。

㊸貨棄於地　禮記禮運：『貨惡其棄於地也、不必藏於己。』

㊹厚生　尚書大禹謨：『正德利用厚生惟和。』孔穎達疏：『厚生、謂薄征徭、輕賦稅、不奪農時、令民生計溫厚、衣食豐足。』

㊺金石爲開　後漢書廣陵思王荊傳：『精誠所加、金石爲開。』

㊻籌算　舊時用刻有數字之竹籌布算、謂之籌算。

㊼火井晶熒之物用切燧人　文選左思蜀都賦：『火井沈熒於幽泉、高焰飛煽於天垂。』案鹽汁在地中、開井汲取而煎之、卽成食鹽。我國四川境內火井甚多、所製食鹽、多用此法。燧人、古帝名、始敎人熟食之法。韓非子五蠹篇：『上古之世、民食果蓏蜯蛤、腥臊惡臭、而傷害腹胃、民多疾病。有聖人作、鑽燧取火、以化腥臊、而民悅之、使王天下、號之曰燧人氏。』

㊽鐵山鼓鑄之場功宏越冶　史記貨殖傳：『卓氏之臨邛、大喜、卽鐵山鼓鑄、運籌策、傾滇蜀之民、富至僮千人。』越冶、用干將鑄劍事。吳越春秋：『干將、吳人。莫邪、干將之妻也。干將作劍、莫邪斷髮剪爪、投於爐中、金鐵乃濡、遂以成劍、陽曰干將、陰曰莫邪。』

㊾航海梯山　謂經歷險遠之道路也。令狐楚賀赦表：『百蠻梯航以內面、萬國歌舞而宅心。』

㊿其角濈濈儘多卜式之羊　濈濈、和貌。詩經小雅無羊：『爾羊來思、其角濈濈。』卜式、西漢河南人、以牧羊致富、累官至御史大夫。見漢書卜式傳。

(51)厥實離離不數李衡之橘　離離、紛披繁盛貌。詩經小雅湛露：『其桐其椅、其實離離。』李衡、字叔平、三國吳襄陽人、累官至丹陽太守。嘗於龍陽洲上種橘千株、敕兒曰：『吾州里有木奴（橘之別名）千頭、不責汝衣食。』見襄陽記。

(52)圜府　周時掌財幣之官署。漢書食貨志：『太公爲周立九府圜法。』案周立大府、王府、內府、外府、泉府、天府、職內、職金、職幣、皆掌財幣之官、故云九府。

(53)六府三事　尚書大禹謨：『帝曰：俞、地平天成、六府三事允治、萬世永賴、時乃功。』六府、謂金木水火土穀等貨財儲蓄之處。三事、謂正德利用厚生也。

(54)一諾千金　史記季布傳：『曹邱至、卽揖季布曰：楚人諺曰、得黃金百斤、不如得季布一諾。足下何以得此聲於梁楚間哉。』

(五五)繩樞甕牖常萬杼之其空　繩樞甕牖、謂極貧之家、以破甕爲窗牖、以繩繫戶樞也。文選賈誼過秦論：『陳涉甕牖繩樞之子、甿隸之人、而遷徙之徒也。』杼、梭也、織布機中用以持緯者。空、盡也、言一無所有也。詩經小雅大東：『小東大東、杼柚其空。』

(五六)玉食錦衣或一毛而不拔　玉食錦衣、謂衣食之精美華麗也。北史常景傳：『綺閣金門、可安其宅。錦衣玉食、可頤其形。』一毛不拔、喻人吝嗇。孟子盡心篇：『楊子取爲我、拔一毛而利天下、不爲也。』

(五七)孟嘗責劵　戰國時、齊人馮諼爲孟嘗君收債於薛、既至、召諸民當償者、悉來合劵、乃焚之、民稱萬歲。後齊王信讒、使孟嘗君就國於薛、薛民老幼迎之、是卽馮諼市義之報。事見戰國策齊策。

(五八)文翁學宮　漢文翁爲蜀郡太守、崇敎化、興學校、文風大振、武帝因令郡國皆立學校。見漢書循吏傳。

(五九)藍篳　左傳宣公十二年：『篳路藍縷、以啓山林。』杜預注：『篳路、柴車。藍縷、敝衣。』言駕柴車、服敝衣、以開闢山林也。

(六〇)枌榆　漢書郊祀志：『高祖禱豐枌榆社。』顏師古注引鄭氏曰：『枌榆、鄉名也、社在枌榆。』案豐爲漢高祖故里、枌榆爲豐邑鄉名。後因習稱鄉里曰枌榆、或曰枌鄉。

(六一)愷崇　晉書石崇傳：『崇與貴戚王愷羊琇之徒、以奢靡相尙。愷以粭澳釜、崇以蠟代薪。愷作紫絲布步障四十里、崇作錦布障五十里以敵之。崇塗屋以椒、愷用赤石脂。崇愷爭豪如此。』

(六二)秦越　秦越二國、一在西北、一在東南、相去甚遙、故言疏遠隔膜者、每以秦越爲喻。韓愈爭臣論：『視政之得失、若越人視秦人之肥瘠、忽焉不加喜戚於其心。』

(六三)縞紵　左傳襄公二十九年：『吳季札聘於鄭、見子產如舊相識、與之縞帶、子產獻紵衣焉。』後因以縞紵爲友朋饋贈之辭。宇文逌庾開府集序：『情均縞紵、契比金蘭。』

(六四)嚶鳴　喻友朋之同氣相求。詩經小雅伐木：『伐木丁丁、鳥鳴嚶嚶。出自幽谷、遷於喬木。嚶其鳴矣、求其友聲。相彼鳥矣、猶求友聲。矧伊人矣、不求友生。神之聽之、終和且平。』

(六五)鄭莊驛　西漢鄭當時、字莊、任俠自喜、聲聞梁楚間。景帝時爲太子舍人、常置驛馬長安四郊、存問故人、惟恐不徧。武帝時累官大農令、客至無貴賤、皆執賓主之禮、留之、以是山東之士翕然稱鄭莊。見漢書鄭當時傳。

(六六)徐孺榻　東漢徐穉、字孺子、南昌人、肥遯自甘、力辭徵辟、時稱南州高士。陳蕃爲豫章太守、不接賓客、惟爲穉特設一榻、去則懸之。見後漢書徐穉傳。

(六七)東都冠蓋相望於長衢　言貴客之多也。東漢都於洛陽、曰東都。冠蓋、謂顯者之冠服車蓋也。左思詠史詩：『濟濟京城內、赫赫王侯居。冠蓋蔭四術、朱輪竟長衢。』

(六八)北海尊罍不虛於勝日　言宴飲之盛也。東漢孔融性好賓客、獻帝時爲北海相、宴飲無虛日、嘗曰：『座上客常滿、樽中酒不空、吾無憂矣。』見後漢書孔融傳。

(六九)忘機　謂心無紛競。李白下終南過斛斯山人宿置酒詩：『我醉君復樂、陶然共忘機。』

(七〇)詩中著我　言詩中有我在、初非無病而呻也。

(七一)汐社　宋遺民錄：『謝臯羽避地浙東、遂西至睦及杭、名會友之社曰汐社。』

(七二)奚囊　唐書李賀傳：『賀每旦日出、騎馬、從小奚奴、背負古錦囊、遇所得書投囊中、莫歸足成之。』

(七三)鴻雪　雪泥鴻爪之省辭。蘇軾和子由澠池懷舊詩：『人生到處知何似、應似飛鴻踏雪泥。泥上偶然留指爪、鴻飛那復計東西。』

(七四)達尊　孟子公孫丑篇：『天下有達尊三、爵一、齒一、德一。』趙岐注：『三者、天下之所通尊也。』

(七五)美意延年　荀子致仕篇：『得衆動天、美意延年。』楊倞注：『美意、樂意也。無憂患、則延年也。』

(七六)純嘏天錫　謂天賜以純全之福也。詩經魯頌閟宮：『天錫公純嘏、眉壽保魯。』

(七七)庭趨驥子　論語季氏篇：『嘗獨立、鯉趨而過庭、曰：學詩乎。對曰：未也。不學詩、無以言。鯉退而學詩。』北史裴延儁傳：『延儁二子景鸞景鴻、並有逸才、河東呼景鸞爲驥子、景鴻爲龍文。』

(七八)案舉鴻妻　東漢梁鴻志行高潔、絕意仕進、娶妻孟光、相偕適吳、依皋伯通、居廡下、爲人賃舂、每歸、妻爲具食、不敢於鴻前仰視、舉案齊眉。見後漢書逸民傳。

(七九)曲房　密室也。文選枚乘七發：『往來遊燕、縱恣於曲房隱間之中。』

(八〇)寶樹　猶言玉樹、以喻佳子弟。晉書謝安傳：『玄少爲叔父安所器重、安嘗戒約子姪、因曰：子弟亦何豫人事、而正欲使其佳。諸人莫有言者。玄答曰：「譬如芝蘭玉樹、欲使其生於庭階耳。」』王勃滕王閣序：『非謝家之寶樹、接孟氏之芳鄰。』

(八一)覽揆　楚辭離騷：『皇覽揆余於初度兮、肇錫余以嘉名。』王逸注：『覽、觀也。揆、度也。言父伯庸觀我始生年時、度其日月、皆合天地之正中、故賜我以美善之名也。』後因稱生日曰覽揆。

(八二)盍簪　周易豫卦：『勿疑、朋盍簪。』孔穎達疏：『盍、合也。簪、疾也。言能不疑於物、以信待之、則羣朋合聚而疾來也。』後因稱友朋聚會曰盍簪。蘇軾無咎生日詩：『壽君餘瀝到朋簪。』

(八三)苔岑　喻志同道合之友。郭璞贈溫嶠詩：『人亦有言、松竹有林。及爾臭味、異苔同岑。』

(八四)蓬矢　禮記內則：『國君世子生、射人以桑弧蓬矢六、射天地四方。』鄭玄注：『桑弧蓬矢、本太古也。天地四方、男子所有事也。』孔穎達疏：『以桑與蓬皆質素之物、故知本太古也。蓬是禦亂之草、桑衆木之本。』

(八五)蠻箋　謂蜀箋。費著蜀牋譜：『紙以人得名者有謝公、有薛濤。謝公有十色牋、深紅、粉紅、杏紅、明黃、深青、淺青、深綠、淺綠、銅綠、淺雲、卽十色也。談苑載韓溥寄弟詩、有十樣蠻牋出益州句。』

(八六)瓊筵　謂精美之筵席。李白春夜宴桃李園序：『開瓊筵以坐花、飛羽觴而醉月。』

(八七)椽筆　晉書王珣傳：『珣夢人以大筆如椽與之。既覺、語人曰：此當有大手筆事。』

(八八)鶴貌　元稹有鳥詩：『千年不死伴靈龜、梟心鶴貌何人覺。』案世以鶴爲仙禽、故祝壽之辭多用之。

(八九)海屋添籌　蘇軾東坡志林：『有三老人相遇問年。一曰：海水變桑田、吾輒下一籌、今滿十籌矣。』

(九〇)江侯片錦　梁江淹封醴陵侯、有夢中還錦事。見南史江淹傳。

(九一)介眉　詩經豳風七月：『爲此春酒、以介眉壽。』鄭玄箋：『介、助也。』年老者眉有豪毛秀出、故祝人老壽曰介眉。

(三)劉母馮太夫人八秩壽慶徵文啓

敬啓者：中華民國四十六年七月十七日欣居劉母馮太夫人八秩壽誕之辰，同人 等與哲嗣廣瑛先生，誼屬交親，夙欽令德，爰徵鴻文，以光帨席。敬蘄邦國碩彥，朝野名流，勿吝金玉，藉申祝禱之忱，幸惠珠璣，用紀康寧之實。俾聖善之德，見美於邶風，壽愷之歡，重歌乎魯頌。晉瑤觥以永福，期寶婺之長輝。是爲啓。

發起人　莫德惠等敬啓

(四)鄧校長芝園師八秩榮慶徵文啓

竊聞周道其昌，喜嚳子之猶壯，宋祚復興，慶龜山之杖朝。仁者斯壽，實國之祥。民國五十四年七月二十七日，是爲我　鄧校長芝園師八秩壽辰。　師應運挺生，尊儒崇道，由閩學以承洙泗，擷東西以觀會同，終生從事教育，歷任各級教師，先後長北平師範大學、廈門大學、河南大學，身教言教，垂五十年，裁成多士，影響及於全國。來臺後，猶復高瞻遠矚，孳孳研討，於教育國策，多所擘劃，率先倡議九年義務教育，力主卽行免試升學，卓識先知，領導羣倫。教五子二女，咸成爲國際傑出學者，卓有發明，或獻身文經建設，具有成就，一門龍象，震古爍今。中國文化學院張曉峯董事長以　師爲新閩學之代表人物，於陽明山華崗，新闢閩學路，爲鄧師永久紀念，足證樂善推賢，人同此心。同學等或親炙，或私淑，共沐春風，久霑化雨，志同道合，聲應氣求，當貞元剝復之會，懷河汾淑世之責，道遠任重，感興必多。傳大老之風儀，殊途知歸，榜眞儒之門巷，教澤彌遠。同舟邪許，喜吾道之不孤，化身萬千，欣邦家之攸賴，是則爲　師壽者，卽所以闡道翼教，爲國家民族壽也。琳瑯珠玉，陳美意以延年，鏜鞳鏗鏘，合八音以紀盛。謹疏緣起，佇候

瑤章。

國立廈門大學
北平師範大學校友會同敬啓
河南大學

(三) 壽序

㈠劉海峯先生八十壽序

姚鼐

曩者鼐在京師，歙程吏部㈠、歷城周編修㈡語曰：『爲文章者，有所法而後能，有所變而後大。維

盛清治邁逾前古千百，獨士能爲古文者未廣。昔有方侍郎㈢，今有劉先生，天下文章，其出於桐城乎。』鼐曰：『夫黃舒之間㈣，天下奇山水也，鬱千餘年，一方無數十人名於史傳者。獨浮屠之儁雄，自梁陳以來，不出二三百里，肩背交而聲相應和也。其徒徧天下，奉之爲宗。豈山川奇傑之氣，有蘊而屬之耶。夫釋氏衰歇，則儒士興，今殆其時矣。』既應二君，其後嘗爲鄉人道焉。

鼐又聞諸長者曰：『康熙間，方侍郎名聞海外，劉先生一日以布衣走京師，上其文侍郎。侍郎告人曰：「如方某，何足算耶。邑士劉生，乃國士爾。」聞者始駭不信，久乃漸知先生。』今侍郎沒，而先生之文果益貴。然先生窮居江上，無侍郎之名位、交遊，不足掖起世之英少，獨閉戶，伏首几案。年八十矣，聰明猶強，著述不輟，有衞武懿詩㈤之志，斯世之異人也已。

鼐之幼也，嘗侍先生，奇其狀貌言笑，退輒仿效以爲戲。及長，受經學於伯父編修君㈥，學文於先生。遊宦三十年而歸，伯父前卒，不得復見。往日父執往來者皆盡，而猶得數見先生於樅陽㈦。先生亦喜其來，足疾未平，扶曳出與論文，每窮半夜。今五月望，邑人以先生生日爲之壽。鼐適在揚州，思念先生，書是以寄先生，又使鄉之後進者聞而勸也。

【作　者】

姚鼐字姬傳，一字夢穀，號惜抱，清安徽桐城人。乾隆二十八年進士，官至刑部郎中。歸里後，主講梅花、鍾山、紫陽、敬敷諸書院，凡四十年。文名重一時。所至，士皆以得及門爲幸，卒年八十有五。性恬淡，不慕榮利。其論學，主集義理、考據、詞章三者之長，不拘漢宋門戶。桐城自方苞、劉大櫆倡爲古文，鼐繼之，選古文辭類纂以明義法，世因目爲桐城派。著有惜抱軒全集、九經說及三傳補註等。

【題　解】

海峯，劉大櫆之號。大櫆字才甫，一字耕南，淸桐城人。副貢生。乾隆時舉鴻博經學，皆報罷。晚官黟縣敎諭。卒年八十三。工古文，喜學莊子，尤力追昌黎。詩格亦高。著有海峯詩文集。壽序，祝壽之文也。元時偶有之，明淸之間，其體大盛，或駢或散，多諛詞而不切事情，識者病之。然能文者爲之，藉以發抒議論，表達情誼，亦頗有可觀者，如此文是也。

【注　釋】

㈠歙，卽今安徽歙縣。程吏部，名晉芳，字魚門，乾隆進士，官吏部主事，爲四庫全書纂修官，改編修。著有勉行齋文、尙書今文釋義、左傳翼疏等。

㈡歷城，卽山東歷城縣。周編修，名永年，字書昌，結茅林汲泉側，因稱林汲山人，乾隆進士、召修四庫書，改庶吉士，授編修，著有儒藏說、先正讀書訣等。

㈢方侍郞，卽方苞，淸桐城人，康熙進士，累官侍郞，爲桐城派古文之初祖。

㈣黃山，在安徽歙縣西北。舒城，縣名，屬安徽。

㈤周衞武公耄年好學，作懿詩以自警。懿，一作抑。詩經大雅有抑篇，序云：『衞武公刺厲王，亦以自警也。』鄭箋：『自警者，「如彼泉流，無淪胥以亡。」』孔疏引楚語：『昔衞武公年九十有五矣，猶箴儆於國曰：「自卿以下，至於師長，苟在朝者，無謂我耄而捨我。」於是乎作懿以自儆。』按抑詩云：『抑抑威儀，維德之隅。』又云：『愼爾出話，敬爾威儀。』又云：『相在爾室，尙不愧於屋漏。無曰不顯，莫予云覯。』皆警勉進修之意也。

㈥指姚範。範字南菁，乾隆進士，官編修，充三禮館纂修，沈究遺經，綜括精粹，學者稱薑塢先生，有援鶉堂筆記及詩文集。

㈦樅陽，鎮名，在安徽桐城縣東南。

(二)黃母莊太夫人九秩晉一壽序

成惕軒

自赤眚爲災。黃圖易色㈠。漢家文物。多付摧燒。中夏綱維。幾歸淪墜㈡。我總統蔣公。誓非種其必鋤㈢。懼本根之先撥㈣。於是以道援天下。以孝教國人。毅然倡導中華文化復興運動。旨在篤修人紀。敦厚民俗。挽橫流於滄海㈤。煥新命於舊邦㈥。而其實踐力行。則尤貴於倫常之地。日用之間。植厥始基。覘其明效。竊謂周南流化。實首關雎㈦。嬀汭觀刑。曾傳帝女㈧。易著坤元之義㈨。禮標內則之篇㈩。修齊有賴於壼儀(十一)。濡染莫先於慈教(十二)。孟子輿之德業。肇自斷機(十三)。陶士行之勳名。原於封鮓(十四)。伊古英豪輩出。多仗恩勤淑愼之哲母。有以陶鑄而玉成之(十五)。煒管所書(十六)。青編具在(十七)。其有關世風之淳漓。時運之否泰。詎不大哉。知此。則於黃母莊太夫人之懿行(十八)。宜有述矣。

太夫人名桂芬。字世光。遜淸武功將軍普寧莊公鎭邦之女孫也(十九)。莊氏爲粤中望族。蔚起羣材。並參武選(二十)。穿楊技妙。譬猿臂之無倫(廿一)。橫草功多。儼雁行之有序(廿二)。其叔祖鎭藩公。官至臺灣總兵(廿三)。防邊禦倭(廿四)。戰功最著。統揚鷹之勁旅。遠戍巖疆(廿五)。就徙鱷之名區。弘開甲第(廿六)。門瞻列戟(廿七)。里號鳴珂(廿八)。太夫人履茲豐厚。葆厥幽貞(廿九)。當風氣未開之時。具詩書宿好之雅(三十)。芸編展誦。

多聞弗讓於諸生(三一)。柳絮賡吟。不櫛寧慚於進士(三二)。此一時也。

太夫人及笄之歲(三三)。來歸同邑孝廉黃毓才先生。先生挽兩石弓。學萬人敵(三四)。燕頷表封侯之相(三五)。雀屏成選壻之緣(三六)。已而望阻蓬瀛。負乘風之夙願(三七)。歸遊枌社。推宰肉之多能(三八)。閒課隴上農耕。力贊地方自治。人慕仲連。紛難得片言而解(三九)。客諳文舉。獻酬則樽酒不空(四〇)。太夫人中饋獨操(四一)。衆務咸理。勤修婦職。善博親歡。旨甘無闕於庭闈(四二)。靜好克諧其琴瑟(四三)。內則尺縑寸縷。措置攸宜(四四)。外而義粟仁漿。咄嗟立辦(四五)。田園日闢。直蓄量谷之馬牛(四六)。閭巷相親。不惱比鄰之鵝鴨(四七)。賢稱戚鄙。譽滿閨襜(四八)。此又一時也。

太夫人生丈夫子四。溥以春暉之愛。弛其夏楚之威(四九)。昭示義方(五〇)。勖成令器(五一)。曩似廬江之四李(五二)。今存沛國之雙丁(五三)。其尤傑出者曰天鵬君。負笈京師(五四)。究心時事。於上庠卒業後(五五)。東渡日本。專治新聞。旁及政治經濟之學。學成。謁　國父孫公於嶺表(五六)。親飫訓辭(五七)。篤行主義。伐謀敵壘。則檄草先成(五八)。振饋報壇。則筆花怒發(五九)。手援涸鮒。分勸學之萬金(六〇)。目極盧龍。建籌邊之十策(六一)。樞府屢嘉其茂行。士林亦重其高風(六二)。現任國民大會代表及主席團主席。並兼國立政治大學教授、僑務委員會顧問。嘗於論都護憲諸端(六三)。迭有敷陳(六四)。雅多獻替(六五)。三春講肆。廣敎澤於瀛湄(六六)。萬里仙槎。通僑情於域外(六七)。當魔長道消之際。犀炬特張。處風盲雨晦之中。雞鳴靡已(六八)。而賢匹盧小珠女士。復迭膺臺北市議員(六九)。卓蜚清譽(七〇)。且斥其私蓄(七一)。創設大同敎養院。拯彼澤鴈。惠及童烏(七二)。略師釋氏給孤獨之園(七三)。上企儒家大昇平之世(七四)。斯皆仰體太夫人之提命(七五)。推其己飢己溺之心(七六)。樹此可久可大之業(七七)。宏施所積。蕃祉爰臻(七八)。夎影清懸。閱千波於鯷海(七九)。孫枝秀挺。搏萬仞之鵬霄(八〇)。蘭玉方滋。桑榆未晚(八一)。此又一時也。

綜觀太夫人一生。早工弄玉之鳳簫(八二)。則為淑女。繼舉孟光之鴻案(八三)。則為令妻。嗣和仲郢之熊丸(八四)。則為賢母。一門貴盛。少時曾學禮學詩(八五)。八座起居(八六)。晚歲得佳兒佳婦(八七)。迄今蔗能倒啖(八八)。萱喜叢開(八九)。寄漢臘之遐思。不忘故宇(九〇)。說虞初之軼事。每到深宵(九一)。鶴算頻添(九二)。鳩笻益健(九三)。天之所為降洪厤(九四)。錫純嘏者(九五)。蓋未有艾焉(九六)。

歲丁未正月既望。欣逢太夫人九十晉一令辰(九七)。踰大耋且十齡(九八)。距上元纔一日(九九)。人拜劬勞之母(一〇〇)。天回錦繡之春(一〇一)。躋堂而珠履爭趨(一〇二)。繞座則綵衣共戲(一〇三)。海嶠煥太平之象(一〇四)。永駐慈雲(一〇五)。岡陵賡小雅之章(一〇六)。新開壽域(一〇七)。明蟾照徹(一〇八)。彌增五夜之花光(一〇九)。青鳥飛來(一一〇)。定獻千年之桃實(一一一)。

【注釋】

(一)赤眚為災黃圖易色　眚、災也。漢書五行志:『傳曰:視之不明、是謂不悊、厥咎舒、厥罰恆奧、厥極疾、時則有赤眚赤祥、唯水沴火。』王逢病中聞警詩:『赤眚纏金火、炎風汗馬牛。』黃圖、京師之代稱。古籍有三輔黃圖六卷、失撰者姓名、書中記西漢長安古蹟、間及周代靈臺靈囿諸事、頗詳備。

(二)漢家文物多付摧燒中夏綱維幾歸淪墜　漢家、謂漢族也。文物、指一切禮樂制度。摧燒、折斷而投之於火也。古樂府:『拉雜摧燒之。』中夏、卽中國。綱維、謂禮教綱常。淪墜、淪滅墜失也。

(三)非種必鋤　史記齊悼惠王世家:『章(劉章)曰:深耕穊種、立苗欲疏。非其種者、鋤而去之。』

(四)本根先撥　詩經大雅蕩:『人亦有言、顚沛之揭。枝葉未有害、本實先撥。』朱子集傳:『言大木揭然將蹶、枝葉未有折傷、而其根本之實已先絕。』

㊄滄海橫流　喻世變也。范寧穀梁傳序：『孔子覩滄海之橫流、迺喟然而歎曰：文王既沒、文不在茲乎。』

㊅舊邦新命　詩經大雅文王：『周雖舊邦、其命維新。』

㊆周南流化實首關雎　詩經周南首篇曰關雎、蓋詠后妃之德、樂得淑女以配君子也。卜商詩大序云：『關雎、后妃之德也、風之始也、所以風天下而正夫婦也、故用之鄉人焉、用之邦國焉。風、風也、敎也、風以動之、敎以化之。……然則關雎麟趾之化、王者之風、故繫之周公。南、言化自北而南也。』

㊇嬀汭觀刑曾傳帝女　尚書堯典：『女于時、觀厥刑于二女、釐降二女于嬀汭、嬪于虞。帝曰：欽哉。』案嬀汭、謂嬀水隈曲之處。刑、通型、儀法也。言堯以娥皇女英妻舜、藉二女以觀察舜之儀法。

㊈坤元　周易坤卦：『至哉坤元、萬物資生。』孔穎達疏：『元是坤德之首。』言地之德、能始生萬物也。

⑩內則　禮記有內則篇。鄭玄云：『記男女居室、事父母舅姑之法、以閨門之內、軌儀可則、故曰內則。』

㊀壼儀　謂婦女持家之法度也。荀勗詩：『儀刑孚萬邦、內訓隆壼闈。』

㊁濡染　浸潤之也、引伸爲相習而與俱化之意。韓愈淸河郡公房公墓碑銘：『目濡耳染、不學以能。』

㊂孟子興之德業肇自斷機　孟子輿、即孟軻、戰國鄒人。軻之少也、既學而歸、其母方績、問曰：學何所至矣。軻曰：自若也。母以刀斷其織、軻問其故。母曰：子之廢學、若吾斷斯織也。軻懼、旦夕勤學不息、遂成大儒。事見列女傳母儀類。

㊃陶士行之勳名原於封鮓　晉書列女傳：『陶侃母湛氏、豫章新淦人也。侃少爲尋陽縣吏、嘗監魚梁、以一坩鮓遺母。湛氏封鮓及書責侃曰：爾爲吏、以官物遺我、非惟不能益吾、乃以增吾憂矣。鄱陽孝廉范逵聞之歎曰：非此母不生此子。』士行、侃字。

㊄陶鑄玉成　陶冶裁成之意。皮日休房杜二相詩：『亘業照國史、大勳鎭王府。遂使後世民、至今受陶鑄。』張載西

銘：『富貴福澤、將厚吾之生。貧賤憂戚、庸玉女於成也。』

(16)煒管　卽彤管、古女史所執、以記宮中政令及后妃之事者。詩經邶風靜女：『靜女其孌、貽我彤管。彤管有煒、說懌女美。』毛氏傳：『煒、赤貌。』鄭玄箋：『彤管、筆赤管也。』孔穎達疏：『必以赤者、欲使女史以赤心事夫人、而正妃妾之次序也。』

(17)青編　泛稱古籍也。古以竹簡爲書、先以火炙簡令汗、取其青、易書、復不蠹、謂之殺青。慮其脫落散失、又合數簡編之以繩、後人因稱古籍曰青簡或青編。虞集詩：『已向塵埃成白髮、尚從燈火事青編。』

(18)懿行　猶善行也。唐書柳玭傳：『實藝懿行、人未必信。』

(19)武功將軍　官名。清置、爲武職從二品封階。

(20)武選　清制：吏部設文選清吏司、兵部設武選清吏司、分掌文武官銓選之政。案唐書選舉志：『武后長安二年、始置武舉、有長垜弓射步箭射、又有馬槍翹關負重身材之選。』

(21)穿楊技妙譬猿臂之無倫　言其武藝無與倫比也。蘇軾詩：『穿楊自笑非猿臂。』案史記周本紀：『楚有養由基者、善射者也、去楊葉百步而射之、百發而百中。』又李將軍傳：『廣爲人長、猿臂、其善射、亦天性也。』

(22)橫草功多儼雁行之有序　橫草、言行草中使草偃臥也。漢書終軍傳：『軍自請曰、軍無橫草之功、得列宿衞、食祿五年。』李白書情詩：『愧無橫草功、虛負雨露恩。』雁行有序、謂兄弟也。禮記王制：『父之齒隨行、兄之齒雁行。』雁飛行列極有次序、故喩兄弟之有先後。丘遲與陳伯之書：『今功臣名將、雁行有序。』

(23)總兵　官名、明置。清因之。

(24)禦倭　古稱日本曰倭奴。禦倭、謂抵抗日本之侵略也。

(25)統揚鷹之勁旅遠戍巖疆　詩經大雅大明：『維師尚父、時維鷹揚。』毛氏傳：『如鷹之飛揚也。』馬瑞辰傳箋通釋：『

鷹揚、古以指衆帥、蓋謂以帥尙父爲衆帥之長、則羣帥莫不奮發如鷹之揚也。』巖疆，謂險要之區域。

㉖就徙鱷之名區弘開甲第　徙鱷名區、指廣東潮陽縣。唐憲宗時、韓愈貶潮洲刺史、初至，問民疾苦、皆曰：惡溪有鱷魚、食民畜產且盡、民是以窮。愈令其屬秦濟投以羊一豕一、並爲文祭之。其夕、有暴風震雷起溪水中、水盡涸、西徙六十里、自是潮無鱷魚患。見唐書韓愈傳。甲第、謂大宅也。史記武帝紀：『賜列侯甲第。』裴駰集解：『有甲乙第次、故曰甲第。』

㉗門瞻列戟　宋史輿服志：『門戟、以木爲之、而無刃。門設架而列之、謂之門戟。』

㉘里號鳴珂　唐書張嘉貞傳：『嘉貞爲相、弟嘉佑爲金吾將軍、每朝軒蓋騶從盈閭、所居之坊、號曰鳴珂里。』按珂、飾馬之玉也、爲貴人所用。言鳴珂里者、謂貴人車馬常喧闐於其里也。今美稱他人之鄉里曰珂里或珂鄉、本此。

㉙葆厥幽貞　葆、與保通。厥、其也。幽貞、謂幽閒貞靜之德、見詩經關雎注。

㉚詩書宿好　宿好、謂宿昔所喜好也。陶潛赴假還江陵詩：『詩書敦宿好。』

㉛芸編展誦多聞弗讓於諸生　芸草可辟蠹、古人藏書多用之、故謂書曰芸編、書籤曰芸籤。見六帖。多聞、謂博於學。論語爲政篇：『子張學干祿。子曰、多聞闕疑、愼言其餘、則寡尤。』諸生、儒生也、世每以稱在學之士。

㉜柳絮賡吟不櫛寧慚於進士　世說新語言語篇：『謝太傅寒雪日內集、與兒女講論文義。俄而雪驟、公欣然曰：白雪紛紛何所似。兄子胡兒曰：撒鹽空中差可擬。兄女道韞曰：未若柳絮因風起。公大笑樂。』尉遲樞南楚新聞：『關圖一妹甚聰慧、文學書札皆妙、圖常語人曰：某家有一進士、惜不櫛耳。』案禮記曲禮：『父母有疾、冠者不櫛。』是櫛乃男子事。

㉝及笄　笄、女子安髮之簪也。古時女子十五而笄、後遂謂許嫁之年曰及笄。詳見鄭玄禮記內則注。

㉞挽兩石弓學萬人敵　唐書張宏靖傳：『天下無事、而輩挽兩石弓、不如識一丁字。』史記項羽本紀：『籍曰：劍一人

敵、不足學、學萬人敵。於是項梁乃教籍兵法。』三國志魏志程昱傳：『關羽張飛、皆萬人敵也。』

(三五)燕頷　後漢書班超傳：『超詣相者、相者指曰：生燕頷虎頸、飛而食肉、此萬里侯相也。』

(三六)雀屏　唐書竇后傳：『后父毅常曰：此女有奇相、且識不凡、何可妄與人。因畫二孔雀屏間、請婚者使射二矢、陰約中目則許之。射者閱數十、皆不合。高祖最後、射中各一目、遂歸於帝。』今稱人許婚曰雀屏中選、本此。

(三七)望阻蓬瀛負乘風之夙願　言其游學日本之志未遂也。蓬瀛、謂蓬萊與瀛洲、皆仙山名、此借以稱日本。乘風、駕風也。南朝宗慤少時、叔父炳問其志、對曰：『願乘長風破萬里浪。』見南史宗慤傳。

(三八)歸游枌社推宰肉之多能　枌社、謂故鄉也。史記封禪書：『高祖初起、禱豐枌榆社、天下已定、詔御史、令豐謹治枌榆社。』裴駰集解：『社在豐東北十五里。或曰：枌榆、鄉名、高祖里社。』宰肉、割肉也。史記陳丞相世家：『里中社、平爲宰、分肉食甚均。父老曰：善、陳孺子之爲宰。平曰：嗟乎、使平得宰天下、亦如是肉矣。』惠洪詩：『宰肉社樹陰、豈無天下志。』

(三九)人慕仲連紛難得片言而解　言其善解紛難也。戰國時、齊人魯仲連、好奇偉俶儻之策畫、而高蹈不仕。遊於趙、會秦圍趙急、魏使新垣衍入趙、請尊秦爲帝、以求罷兵。仲連義不許、見衍、伸以大義曰：『彼即肆然稱帝、連有蹈東海而死耳。』秦將聞之、爲卻軍五十里。適魏無忌來救、秦引兵去、圍解。平原君欲以千金爲仲連壽、仲連曰：『所貴乎天下之士者、爲人排患釋難、解紛亂而無所取也。是有取者、是商賈之事也。』遂辭平原君而去。見史記魯仲連傳。

(四〇)客詣文舉獻酬則樽酒不空　言其好客也。東漢孔融、字文舉、魯國人。獻帝時爲北海相、性好客、嘗曰：『座上客常滿、樽中酒不空、吾無憂矣。』見後漢書孔融傳。詣、猶言往訪。主人酌賓爲獻、賓既酌主人、主人又自飲酌賓曰酬。

(四一)中饋　婦人在家、主飲食之事、曰主中饋。周易家人卦：『无攸遂、在中饋、貞吉。』孔穎達疏：『婦人之道、巽順說詳鄭玄詩經小雅楚茨箋。

為常、无所必遂、其所職主在於家中饋食供祭而已。』

㊷旨甘無闕於庭闈　言其能事舅姑以禮也。旨甘、味之美者、人子用之以養親。禮記內則：『昧爽而朝、慈以旨甘。』庭闈、指父母。王安石詩：『刻章琢句獻天子、釣取薄祿歡庭闈。』

㊸靜好克諧其琴瑟　言其伉儷情深、如琴瑟之聲相應和也。詩經鄭風女曰雞鳴：『弋言加之、與子宜之。宜言飲酒、與子偕老。琴瑟在御、莫不靜好。』馬瑞辰傳箋通釋：『靜好、猶嘉好也。』

㊹內則尺縑寸縷措置攸宜　尺縑寸縷、皆日用微物、此借以指綜理家庭之諸種瑣務。措置、猶措施。攸宜、無所不宜也。

㊺外而義粟仁漿咄嗟立辦　言其施惠於人、無稍瞻顧也。干寶搜神記：『楊公雍伯、雒陽縣人也。父母亡、葬無終山、遂家焉。山高八十里、上無水、公汲水作義漿於坂頭、行者皆飲之。三年有一人就飲、以一斗石子與之、使至高平好地有石處種之、云玉當生其中。』後人本此、遂稱慈善家所布施之錢米為仁漿義粟。

㊻田園日闢直畜量谷之馬牛　言其貨殖有術也。漢書貨殖傳：『烏氏倮畜牧、及衆、斥賣、求奇繒物。間獻戎王、戎王十倍其償、予畜、畜至谷量牛馬。秦始皇令倮比封君、以時與列臣朝請。』顏師古注：『言其數饒、不可計算、故以山谷多少言之。』庾信周大將軍司馬裔神道碑：『菽粟之賜、或以指囷。馬牛之賞、將同量谷。』

㊼閭巷相親不惱比鄰之鵝鴨　言其睦鄰有道也。杜甫將赴成都草堂途中有作先寄嚴鄭公詩：『休怪兒童延俗客、不教鵝鴨惱比鄰。』蘇軾白鶴新居上梁文：『願同父老、宴鄉社之雞豚。已戒兒童、惱比鄰之鵝鴨。』

㊽賢稱戚𨛫譽滿閭闠　言其雅著賢聲、內外交譽也。𨛫黨通叚字、戚𨛫、為戚友與鄉黨之概稱。閭闠、猶言閭閻。

㊾溥以春暉之愛弛其夏楚之威　溥、廣也。春暉和煦、長養草木、故借以喻親恩之深厚無極。孟郊遊子吟：『慈母手中線、遊子身上衣。臨行密密縫、意恐遲遲歸。誰言寸草心、報得三春暉。』夏楚、二木名、扑責之具也。禮記學記：

『夏楚二物、收其威也。』鄭玄注：『夏、槄也。楚、荆也。二者所以撲撻犯禮者。』弛、鬆弛也。此言敎子率以慈愛代替鞭責。

(五〇)義方　合理之方法。左傳隱公三年：『石碏諫曰：臣聞愛子敎之以義方、弗納於邪。』潘岳家風詩：『義方既訓、家道穎穎。豈敢荒寧、一日三省。』

(五一)令器　猶云美材。晉書石苞傳：『苞子儁少有名譽、識者稱爲令器。』唐書張昌齡傳：『昌齡等華而少實、其文浮靡、非令器也。』

(五二)廬江四李　黃庭堅別友賦：『維廬江之四李、三隱約於龍眠。』四李、蓋謂李氏兄弟四人也。

(五三)沛國雙丁　梁元帝贈到溉到洽詩：『魏世重雙丁。』謂丁儀丁廙也。儀字正禮、廙字敬禮、沛國人、皆以才藻爲魏武帝所重。詳見三國志魏志。

(五四)負笈　笈、書箱、負之以遊學也。史記蘇秦傳：『負笈從師、不遠千里。』

(五五)上庠　古之大學曰上庠、亦曰右學。小學曰下庠、亦曰左學。禮記王制：『有虞氏養國老於上庠、養庶老於下庠。』歐陽修詩：『前年來京師、講學居上庠。』今人每喜以古之上庠擬現制之大學。

(五六)嶺表　謂五嶺以外之地、卽嶺南也。此指廣州。

(五七)親飫訓辭　飫、飽足也。訓辭、敎訓之辭也。史記儒林傳序：『訓辭深厚、恩施甚美。』

(五八)伐謀檄草　伐謀、謂破壞敵方之計畫也。孫子謀攻篇：『上兵伐謀、其次伐交。』檄爲古官文書之一種、以一尺二寸木簡爲之、徵召曉諭詰責等皆用之、如司馬相如諭巴蜀檄陳琳爲袁紹討曹操檄皆是。草、猶言底稿。

(五九)筆花怒發　王仁裕開元天寶遺事：『李白少時夢筆頭生花、自是才思贍逸、名聞天下。』

(六〇)手援涸鮒分勸學之萬金　言其捐助奬學金、嘉惠學子也。莊子外物篇：『莊周家貧、往貸粟於監河侯。監河侯曰：

諾、我將得邑金、將貸子三百金。莊周忿然作色曰：周昨來、有中道而呼者、顧視車轍中有鮒魚焉、曰：君豈有斗升之水而活我哉。周曰：諾、我且南遊吳越之王、激西江之水而迎子、可乎。鮒魚曰：吾得斗升之水然活耳、君乃言此、曾不如早索我於枯魚之肆。』世言窮困、多以涸鮒爲喩。庾信詩：『涸鮒當思水、驚烏每失林。』

(六一)目極盧龍建籌邊之十策　盧龍、古要塞名、在今河北遷安縣西北。塞道自薊縣起、東經喜峯口、再東至冷口、峻坂縈折、古有九峥之名、又謂之長塹。籌邊、籌畫邊務也。唐李德裕於成都建籌邊樓、日與習邊事者籌畫其上、見唐書李德裕傳。此則因黃天鵬代表曾於抗戰前撰有籌邊十策、故云。

(六二)樞府屢嘉其茂行士林亦重其高風　樞府、謂中央政府。茂行、謂茂美之德行。士林、指學術界。高風、謂高尚之品格。

(六三)論都　後漢書文苑傳：『杜篤以關中表裏山河、先帝舊京、不宜改營洛邑、迺上奏論都賦。』

(六四)敷陳　敷、敷布。陳、陳述。謂凡事理所在、明白詳言之也。淮南子要略：『分別百事之微、敷陳存亡之機。』

(六五)獻替　即獻可替否之省辭、謂勸善止不善也。後漢書胡廣傳：『臣聞君以兼覽博照爲德、臣以獻可替否爲忠。』

(六六)三春講肆廣敎澤於瀛湄　言其敎導後進、循循善誘也。講肆、講舍也、俗稱學校。陶潛詩：『馬隊非講肆、校書亦已勤。』瀛湄、瀛洲之濱。此指臺北。

(六七)萬里仙槎通僑情於域外　言其宣慰僑胞、不辭萬里也。張華博物志：『天河與海通。近世有人居海渚者、年年八月有浮槎去來不失期。人有奇志、立飛閣於槎上、多齎糧、乘槎而去。至一處、有城郭狀、居舍甚嚴。遙望宮中多織婦、見一丈夫牽牛渚次飲之。此人問此是何處。答曰：君還至蜀郡、訪嚴君平則知之。後至蜀、問君平。曰：某年月日、有客星犯牽牛宿。計年月、正是此人到天河時也。』宗懔荊楚歲時記引此、謂此人即漢名臣張騫。李商隱海客詩：『海客乘槎上紫氛、星娥罷織一相聞。』即用此事。

(六八)魔長道消之際犀炬特張風盲雨晦之中雞鳴靡已　言其處羣魔囂張之世、猶能伸張正義也。魔長道消、小人得勢之喻。周易泰卦：『君子道長、小人道消。』此反用其義。犀炬、猶言犀照、謂人之能明晰事理、燭及幽微也。晉書溫嶠傳：『嶠旋於武昌、至牛渚磯、水深不可測。世云其下多怪物、嶠遂燬犀角而照之。須臾、見水族覆火、奇形異狀。其夜夢人謂己曰：與君幽明道別、何意相照也。意甚惡之。』風盲雨晦、以喻亂世。盲、瞑也。呂氏春秋音初篇：『天大風晦盲。』雞鳴靡已、喻君子雖處亂世、不改其常度也。詩經鄭風風雨：『風雨如晦、雞鳴不已。』

(六九)儕　充當之意。

(七〇)卓蜚清譽　蜚、同飛、猶云遠揚。清譽、謂美好之聲譽。

(七一)斥　與坼通、分也。

(七二)拯彼澤鴈惠及童烏　言其澤被孤寒也。澤鴈、鴈之失所者。詩經小雅鴻鴈：『鴻鴈于飛、集于中澤。』童烏、以喻幼童。揚雄法言問神篇：『育而不苗者、吾家之童烏乎、九齡而與我玄文。』李軌注：『童烏、子雲之子也。』

(七三)給孤獨園　卽祇園、以給養孤獨而設、猶今世孤兒院、養老院之屬。按中印度憍薩羅國舍衞城長者、性慈善、好施孤獨、在王舍城聽釋迦佛說法、深歸依之、因請佛至舍衞城、出巨金購祇陀太子之園林、爲佛說法地、世因稱其園爲給孤獨園。

(七四)昇平世　猶言大同世界。按清末今文學家治公羊傳者、參以禮記禮運中大同小康之說、而倡言儒家有據亂昇平太平三世、謂由據亂進至昇平、由昇平進至太平。

(七五)提命　卽耳提面命之省辭。詩經大雅抑：『匪面命之、言提其耳。』孔穎達疏：『非但對面命語之、我又親提撕其耳、庶其志而不忘。』亦卽懇切教誨之意。

(七六)己飢己溺　以天下之飢溺爲己責也。孟子離婁篇：『禹思天下有溺者、由己溺之也。稷思天下有飢者、由己飢之也。

是以如是其急也。』

(七七)可久可大　周易繫辭傳：『有親則可久、有功則可大。可久則賢人之德、可大則賢人之業。』

(七八)蕃祉爰臻　蕃、衆多。祉、福祉。爰、語中助詞、無義。臻、至也。

(七九)婺影凊懸閬千波於鯤海　婺、卽婺女星、二十八宿之一、世每用爲祝賀女壽之辭。禮記月令：『孟夏之月、旦、婺女中。』閬、總聚也。文選陸機歎逝賦：『川閬水以成川、水滔滔而日度。』鯤海、相傳爲鯤人所居之國、此借以指臺灣。謝朓永明樂：『化洽鯤海君、恩變龍庭長。』

(八〇)孫枝秀挺摶萬仞之鵬霄　孫枝、梧桐樹之枝也。白居易詩：『芣苡春來盈女手、梧桐老去長孫枝。』此以借喻孫輩。八尺曰仞、萬仞、極言其高也。莊子逍遙遊篇：『北冥有魚、其名爲鯤、鯤之大不知其幾千里也。化而爲鳥、其名爲鵬、鵬之背不知其幾千里也。怒而飛、其翼若垂天之雲。是鳥也、海運則將徙於南冥。南冥者、天池也。諧之言曰：鵬之徙於南冥也、水擊三千里、摶扶搖而上者九萬里。』郭慶藩集釋：『文選江淹雜體詩注云、摶、圜也、圜飛而上行者、若扶搖也。集韻、摶、聚也。摶扶搖而上、言專聚風力而高舉也。』世多以鵬翼摶風、喻人前程之遠大。

(八一)蘭玉方滋桑榆未晚　蘭玉、芝蘭玉樹之略稱、以喻佳子弟。晉書謝安傳：『玄少爲叔父安所器重、安嘗戒約子姪、因曰：子弟亦何豫人事、而正欲使其佳。諸人莫有言者、玄答曰：譬如芝蘭玉樹、欲使其生於庭階耳。』滋、繁殖也。桑榆、謂晚暮也、日落之時、其光尚留於桑榆之上、故借以喻晚年。後漢書馮異傳：『可謂失之東隅、收之桑榆。』王勃滕王閣序：『東隅已逝、桑榆非晚。』此言黃太夫人雖年逾大耋、而子孫既多且佳、晚福正自無限也。

(八二)弄玉鳳簫　春秋時、有蕭史者、善吹簫、秦穆公以女弄玉妻之、日教弄玉吹簫作鳳凰鳴、數年而似、有鳳來止、公爲築鳳臺。後蕭史乘龍、弄玉乘鳳飛昇去、秦人於雍宮爲作鳳女祠。見劉向列仙傳。

(八三)孟光鴻案　漢平陵女子孟光、字德曜、年三十適梁鴻。鴻高蹈不仕、適吳、爲人賃舂、每歸、光爲具食、不敢於鴻前仰視、舉案齊眉。見後漢書逸民傳。

(八四)仲郢熊丸　唐柳仲郢少嗜學、每讀書至午夜、母韓氏常和熊膽丸、使夜咀嚼以助勤、仲郢卒爲一代名臣。見唐書柳公綽傳。

(八五)學禮學詩　論語季氏篇：『陳亢問於伯魚曰：子亦有異聞乎。對曰：未也、嘗獨立、鯉趨而過庭。問曰：學詩乎。對曰：未也。不學詩、無以言。鯉退而學詩。他日又獨立、鯉趨而過庭。問曰：學禮乎。對曰：未也。不學禮、無以立。鯉退而學禮。聞斯二者。』後世因以子承父教、謂之趨庭，亦曰過庭。

(八六)八座起居　杜甫詩：『遷轉五州防禦使、起居八座太夫人。』案漢晉以六曹尙書並令僕二人爲八座。魏宋齊以五曹、一令、二僕射爲八座。隋唐以左右僕射及令、六尙書爲八座。見杜佑通典職官典。今俗稱乘輿八人者曰八座。

(八七)佳兒佳婦　郝經天賜夫人詞：『八月十五雙星會、佳兒佳婦好昏對。』

(八八)蔗能倒啖　晚景佳勝之喻。晉書顧愷之傳：『愷之每食甘蔗、恆自尾至本、人或怪之。云：漸入佳境。』

(八九)萱喜叢開　詩經衞風伯兮：『焉得諼草、言樹之背。』按諼卽萱、毛氏傳謂背爲北堂、後人遂稱母曰萱堂。

(九〇)寄漢臘之遐思不忘故宇　言其不忘故園也。漢書元后傳：『莽更漢家黑貂著黃貂、又改漢正朔伏臘日、太后令其官屬黑貂、至漢家正臘日、獨與左右相對飲酒食。』又後漢書陳寵傳：『寵祖父咸、成哀間爲尙書、莽篡位、歸鄉里、閉門不出入、猶用漢家祖臘。人問其故、咸曰：我先人豈知王氏臘乎。』章懷太子注：『漢家以午日爲祖、臘用戌日。』應劭風俗通：『禮傳曰、夏曰嘉平、殷曰清祀、周曰大蜡、漢改曰臘。』

(九一)說虞初之軼事每到深宵　言其常以閱覽小說作消遣也。漢武帝時、河南方士虞初善說故事、漢書藝文志小說類載虞初周說九百四十三篇、爲中國小說家之祖。

(九二)鶴算　陸璣毛詩疏：『鶴壽千歲。』王建閒說詩：『桃花百葉不成春、鶴壽千年也未神。』世以鶴爲仙禽、故祝人壽曰鶴算。

(九三)鳩筇　即鳩杖、以筇竹可爲杖、故杖亦稱筇。後漢書禮儀志：『仲秋之月、案戶比民、年始七十者、授之以玉杖。八十九十禮有加、賜玉杖長尺、端以鳩鳥爲飾。鳩者、不噎之鳥也、欲老人不噎。』王先謙集解引惠棟曰：『風俗通云、漢高祖與項籍戰京索間、遁叢薄中、時有鳩鳴其上、追者不疑、遂得脫。及即位、異此鳥、故作鳩杖賜老人也。』

(九四)洪庥　猶言大福。

(九五)純嘏　詩經魯頌閟宮：『天錫公純嘏。』鄭玄箋：『受福曰嘏。』又大雅卷阿：『純嘏爾常矣。』鄭玄箋：『純、大也。予福曰嘏、使女大受神之福以爲常。』

(九六)艾　止也、見小爾雅廣言。

(九七)九秩晉一　九十一歲也、十年爲一秩。白居易詩：『已開第七秩、飽食仍安眠。』晉、進也、言九十又進一歲也。

(九八)大耋　八十歲也、見爾雅釋言注。

(九九)上元　夏曆正月十五日曰上元、上元之夜曰元宵、亦曰元夜。

(一〇〇)劬勞　劬、亦勞也。劬勞爲同義之複合詞。詩經小雅蓼莪：『蓼蓼者莪、匪莪伊蒿。哀哀父母、生我劬勞。』

(一〇一)天回錦繡之春　言春回大地也。春光明媚、春景燦爛、如鋪錦列繡然。

(一〇二)珠履爭趨　言貴賓介壽也。李白寄韋南陵冰詩：『堂上三千珠履客、甕中百斛金陵春。』古時富貴者率以珠爲履飾、故云珠履客。

(一〇三)綵衣共戲　言子孫承歡也。皇甫謐高士傳：『老萊子年七十、作嬰兒戲、著五采斑斕衣、取水上堂、跌仆臥地、爲小兒啼、欲母喜。』後因謂人子娛親曰戲綵。郭珏詩：『座上衣冠戲綵日、窗前燈火讀書秋。』

(一〇四)海嶠　指臺灣。嶠、山銳而高也。

㉕慈雲　佛家語、喻佛之慈心廣大如雲也。雜跖集：『如來慈心、如彼大雲、蔭注世界。』世多借以稱母。吳錫麒徵陳母黃太君貞節詩啓：『灑仙毫之五色、齊化慈雲。補女史之一編、繼聲宵雅。』

㉖岡陵　詩經小雅天保：『如山如阜、如岡如陵。』岡陵有永恆之義、故祝嘏之辭每及之。

㉗壽域　謂登仁壽之域也。西域記：『聲教之所霑被、馳騖福林。風軌之所鼓扇、輒驅壽域。』

㉘明蟾　月也、俗傳月中有蟾蜍、故稱月光爲蟾光、月宮爲蟾宮。劉基十六夜月詩：『永夜涼風吹碧落、深秋白露洗明蟾。』

㉙五夜　夜也。言五者、自昏至曉有五更也。杜甫和賈舍人早朝詩：『五夜漏聲催曉箭、九重春色醉仙桃。』

㉚青鳥　古仙人西王母之使者。漢武故事：『七月七日、忽有青鳥飛集殿前。東方朔曰：此西王母欲來。有頃、王母至、三青鳥夾侍王母旁。』

㉛千年桃實　武帝內傳：『七月七日、西王母降、以仙桃四顆與帝。帝食輒收其核、欲種之。母曰：此桃三千年一生實、中夏地薄、種之不生。帝乃止。』又神異經：『東方有樹、高五十丈、名曰桃、其子徑三尺二寸、和核羹食之、令人益壽。』今人祝壽多製麪粉爲壽桃、蓋取義於此。

(三)尹母石太夫人八旬晉九壽序

自抗戰以還。民人播遷。往往離鄉背井。跋涉數千里。南朔易處。其年老癃弱者。每不習其水土。而多疾苦。洎赤禍洊興。禹域蒙垢。忠貞之士。不辭艱苦。縋綣以從樞府。有孑身而渡海者。有經海外輾轉而來歸者。類不能一家團聚。何況奉高堂。盡孝養。萱幃有色笑之親。子舍潔白華之敬。康彊大耋。其福德之厚。有非恆人所能及者。吾邵陽尹母石太夫人者蓋其人也。　太夫人發祥華族。毓秀雪枝。幼嫻女教。長博詩書。迨歸　壽珊先生。善事高堂。菽水惟敬。洎　壽珊先生筮仕西江。循聲卓著。諗知政本以教爲先。　太夫人內董家彝。外翊醇化。手刱正蒙女校于南昌。先爲師範。嗣改小學。爲校長者凡二十三載。典釵補匱。衡尺程功。其出門者咸稱不櫛。而化雨所被。大裨政風。蓋女子爲家庭之本。苟悅禮知書。幽嫻貞靜。必能相其夫而教其子。其造福於西江。蓋無量也。　令子仲容先生。卒業國立交通大學。習電氣工程。先後任職交通部、經濟部、及行政院。政府遷臺後。任生產管理委員會及工業委員會主任委員。中央信託局局長。經濟部長。現任美援運用委員會副主任委員、行政院外匯貿易審議委員會主任委員。並兼任臺灣銀行董事長。王曾黑頭。已爲內相。而博聞彊識。無書不窺。自科學以至財政、經濟、金融諸端。旁及吾國古學。莫不泝流窮源。有精闢之論斷。故處事施政。無不灼然燭照。若有夙定。蓋幼受　太夫人之教有以致之也。季子叔明先生。國立清華大學土木工程系畢業。任石門水庫副總工程師。現任經濟部水資會總工程師。孫宓與宙。皆留學北美。學有專精。　太夫人自遷臺以來。有仲容叔明兩先生之孝養。康彊有加。神觀朗徹。老福無窮。百齡可必。非獨一門之慶。實亦國家之瑞也。今年二月二十日。欣逢太夫人八旬晉九壽慶之辰。兩先生將設筵稱觴。以爲慶祝。柏園等久仰　慈儀。更深孺祝。爰共獻言。用揚懿德。他年者。禹甸重光。國家安樂。太夫人期頤稱慶。昔日洪都受教之士。將率其孫子共效嵩祝也。

徐柏園　俞飛鵬　李幹　刁培然　王鍾　金克和
成雲璈　俞國華　張公武　哈駿文　趙志垚　趙葆全
侯銘恩　黃通　陳漢平　吳幼林　王愼名　何縱炎　同敬祝

陳勉修　黃朝琴　周菩提　劉啓光　高湯盤　羅萬俥
張聘三　李連春　林世南　陳光甫　貝祖詒　沈維經
林柏壽　霍亞民　張心洽　潘誌甲

常熟李　猷敬撰並書

中華民國五十一年二月中浣　吉旦

(四)瑞安林尹先生六秩壽頌 并序

鴈蕩天台之際。靈秀早鍾。右軍康樂以還。英賢輩出。伯恭博洽。扇東浙之儒風。君舉淵深。成永嘉之學派。四靈才調。遠祧武功。三老音徽。上嗣彭澤。龜齡敷美善之政。水心倡功利之文。後先相輝。僂指難數。洎乎晚近。文運愈昌。仲容集樸學之大成。諦閑窺鷲峯之奧蘊。林氏昆仲。並譽於燕京。陳門師徒。聯鑣於珠海。莫不術窮宙合。學究天人。朝野挹其風猷。中外羡其聲采。若乃吐納百氏。頡頏羣儒。挺楝幹於鄧林。飾羽儀於鳳穴。厲松筠之雅操。守鐵石之深衷。赴鼎鑊其如歸。履危亡而不顧。則要以　林公景伊爲尤著焉。　公志氣縱橫。風情倜儻。蟬嫣門第。荀龍薛鳳之標。杼軸清英。陸海潘江之表。包生民之睿智。步先德之高蹤。傳蘄春之絕學。振永嘉之墜緒。民國十九年畢業國立北京大學國學研究所。即受聘爲河北大學敎授。雄才逐日。共驥騄而齊驅。迅翼搏風。與鵷鴻而並翥。鄭玄歸魯之後。道藝遂東。陸機入洛之年。聲華丕著。言音韻。則溯厥師承。陋段王之匪精。說蒙莊。則闡其家學。屏向郭之舊注。固已潤逼餘杭。秀掩玄英者也。其後歷任金陵女子文理學院、北平師範大學敎授。

懸衡鑑以作人。揉鉅鐘而造士。生徒雲集。爭聞馬帳之音。遐邇景從。如入華陰之市。無何而櫻海鯨翻。蘆溝鶴唳。茫茫華夏。慄慄黎元。琬琰與土礫以俱流。魚鼈雜蛟龍而共盡。樞府定禦侮之宏謀。策安邦之至計。以　公爲中國國民黨漢口特別市黨部主任委員兼絹游擊。　公橫劍泣血。枕戈嘗膽。坐揮三略。遙制六奇。作西蜀之雄藩。支前哨之聖戰。四年之間。凡六蒙　總裁嘉獎。功在邦國。時論多之。方將丕展鴻猷。徐圖豹變。乃不幸爲敵僞所劫持。由漢而寧而滬。幽囚半稔。脅誘百端。而　公則斥井底之蛙。笑冢中之骨。中春秋攘夷之義。堅文山殉國之心。氣作山河。光爭日月。卒使姦諛改圖。金石爲開。昔人所稱見貞心於歲暮。標勁節於嚴風者。其　公之謂乎。南都再宅。政體聿新。本民主之常規。頒憲政之良制。　公既得勝利勳章。復以衆望所歸。膺選第一屆國民大會代表。道協邦衡。義尊國憲。繇召杜之遺愛。作喉舌於斯民。正色而自具陽秋。發言而深切時弊。可謂才兼學行。志蘊公忠者也。天不佑漢。海又揚波。暫別枌鄉。揭來圓嶠。春日遲遲。難斷新亭之淚。星河耿耿。彌切典午之思。魯酒不足以忘憂。楚歌非關乎取樂。遂乃忘情黻冕。娛志縹緗。遠挹朱陸之清芬。默纘顧黃之盛業。旋受聘爲臺灣師範大學教授兼國文研究所主任。十餘年來。並先後執教於政治大學、東吳大學、中國文化學院、淡江文理學院。網珊瑚於海底。收翡翠於炎洲。化雨均霑。雅著龍門之望。春風廣被。高揚鹿洞之光。直使孱民鉅子。無非邦國之英髦。輔世長才。盡屬門牆之桃李。昔河汾授業。纓緌之士如林。蘇湖談經。紳佩之徒成市。四海慕其清采。萬流仰若斗山。方之我　公。彼獨何人。韓國建國大學以　公性行英邁。學術湛深。巋然爲文界之楷模。作士林之師表。因於今年二月特贈予榮譽文學博士學位。固實至而名歸。宜鳶飛而魚躍。亦曰休哉。猗歟美矣。綜　公生平。英敏而沈毅。嚴肅而恢宏。體道居貞。含和育粹。器宇淹曠。風神秀偉。煙霞之涯際莫尋。江海之波瀾不測。其門如市。其心若水。言論扇乎四裔。著作等於一身。其已刊印者有莊子通釋、經學略說、切韻韻類考正、兩漢文彙、中國學術思想大綱、中國聲韻學通論等。率言前人之所未言。發前人之所未發。而其所主纂之中文大辭典。尤爲學海之津梁。儒林之瑰寶。實伊古所未有。亦舉世所僅見。繼今而往。其沾溉菁莪。斲雕棫樸。弘揚國粹。煥蔚人文者。又寧有涯涘也哉。民國五十八年十二月十三日夏正十一月初五日。恭逢六秩覽揆之辰。星輝南極。三臺增壽域之光。月朗東溟。萬里著澄波之象。冠裳衍慶。山海騰歡。洵人世之極榮。而有生之至樂也。生等才均螢燭。何益麗明。質本涓埃。無補川岳。銘心刻骨。永懷闕里之恩。抒素披丹。恭進侯芭之酒。爰獻頌曰。

洋洋浙水。世載其英。碩儒間出。桀才挺生。丹山雛鳳。來翔上京。文驚老宿。名動公卿。其一

屬國行芳。文山志潔。曰若先生。操厲冰雪。禁錮京滬。慷慨泣血。亮節高風。埒美前哲。其二

坐擁皐比。倏逾卅年。門牆桃李。奚止三千。開來繼往。啓後承先。邪說遠遁。眞學斯傳。其三

道貫洙泗。術盡老莊。乾嘉緒脈。得公而張。章黃絕學。得公而揚。弘開壽域。永卜康彊。其四

中華民國五十八年十二月　吉日

國立臺灣師範大學國文研究所
國立政治大學中國文學研究所全體校友暨在校學生同敬祝
私立中國文化學院中國文學研究所

門人張　仁　青　頓首拜譔

(五)陽新成惕軒先生六秩壽頌并序

藏山著作。馳一代之弘聲。華國文章。立千秋之盛業。振高情而獨秀。棘院翔芬。挺峻節而孤標。膠庠漸德。先憂後樂。襟懷弗讓於希文。物與民胞。志慮且侔乎子厚。其智足以經緯天地。其行足以綱紀人倫。連衡孔門。貽範儒士。其惟吾師 成公楚望乎。

公誕德高門。鍾祥累葉。稟嵩華之琰石。潤江漢之波瀾。桐茂丹山。早聞詩禮之訓。芳挹瑤圃。遂成錦繡之章。故得擢秀鄧林。騰名雎苑。南金東箭。豈資晉史之言。龍躍鳳鳴。無勞張華之識。既而載辭枌鄉。停蹤鄂渚。從羅田大儒王葆心先生遊。益復肆力羣經。殫精百氏。鸚鵡洲上。諦聽奏雅歌詩。黃鵠磯頭。重覩授玄稽古。過大禹之廟。騤輿飢溺之懷。登太白之樓。想見雄豪之氣。此其奎爛荆楚。軒翥漢皋。世不可及者一也。

民國建元以來。考試尙已。服官則有銓選之格。入仕則有貢舉之科。藻榜高張。多士煥薪櫄之彩。蛇珠廣燿。中邦增日月之輝。公持握朱繩。摩挲駿骨。歷時卅年。校士數萬。中間曾榮膺軍法人員特種考試、金融事業人員特種考試、財務行政人員特種考試、中央公務人員升等考試、中央派用人員暨臺灣省臺北市簡派人員銓定任用資格考試等典試委員長。藻鏡澄懸。喬松直上。蒲梢名馬。都入天閑。閬苑瓊瑰。更登璧府。鳶飛魚躍。欣彈貢禹之冠。鶚翥鵬搏。競折月宮之桂。昔歐陽知舉。丕變場屋之風。陸贄掄才。精選嶽喬之器。汜濩羣倫。楷模萬世。方之我 公。可謂前後相輝。古今同揆。此其名高雁塔。望繫龍門。世不可及者又一也。

自新潮陵蕩。文苑塵霾。舉朝惟效夫鮮卑。元音不聞於正始。公乃於世亂紛乘之時。人心陷溺之會。綆汲千載。牢籠百家。獨扶大雅之輪。用峙中流之柱。佩香荃於楚澤。散綃縠於人間。於是有汲古新議、考銓文彙、楚望樓詩、藏山閣詩、楚望樓駢體文之作。激南皮之高韻。寫元結之雄篇。縟綵鬱於雲霞。逸響振於金石。丕揚忠愛。杜陵夔府之心。嚴辨夏夷。顧氏崑山之戒。度江南之舊曲。頻裂肝腸。擷夢裏之新花。都含霖雨。是以周情孔思。洋溢乎篇章。非徒鮑俊庾清。紛蕤於楮墨已也。此其蹤繼開府。殿餘靈光。世不可及者又一也。

夫經邦軌物。有賴於卿才。而琢璧披金。端賚乎敎澤。公歷任國立中央大學、國立政治大學、國立臺灣師範大學、私立正陽法學院、私立中國文化學院敎授。操持風敎。奬進寒微。都講歷二十年。成材逾三千士。荆州設帳。龜山之德望日隆。槐市傳經。伯起之風猷懋著。鏘金振玉。壺嶠增春。若乃握髮英髦。片言之善必舉。嘉惠俊乂。一藝之長必稱。尤足以方駕昌黎。駢肩永叔。庾徐健筆。振麗藻於一朝。李杜鴻篇。揚芳聲於百代。善惟止乎其身。澤靡被乎後進。持較今日。其氣象固不侔矣。此其芬扇藻芹。澤沾棫樸。世不可及者又一也。

綜 公生平。襟靈夷雅。氣識沈和。性方德純。量閎學粹。溢聲華於文藻。潤治體於經術。匡濟之抱。至晚節而逾堅。松柏之姿。履嚴霜而益茂。卿雲南翔。炎運方興。嗣是以往。 公之所爲揚庥邦國。加裕後生者。又寧有紀極耶。辛亥正月初四日卽國曆六十年一月二十六日。爲 公六秩嵩慶。景麗青陽。淑氣煥椒花之色。月旅大簇。融風飛柏酒之香。襟期與海屋同春。華蓋共壺樓並壽。

青海表庸流。衡門下士。孤舟獨泛。空涉學海之波瀾。黃卷常披。欲叩麗辭之堂奥。名非千里。竟蒙伯欒之憐。才謝九峯。遂侍考亭之坐。既循循以善誘。復切切而爲前。教看鴛鴦。且度金鍼於朱閣。標示津逮。更傳花筆於幽莊。故得踵武前修。預名山之勝業。敷教東序。分絳帳之餘春。附驥尾以馳驅。又駒光逾十載。欣值懸弧之慶。長懷化雨之恩。南極輝騰。東溟浪靜。祥雲送色。晉蘭觴於楚望樓中。明歲還鄉。開瓊筵於藏山閣上。頌曰。

洋洋漢水。載毓禎祥。緜緜瓜瓞。肇自高陽。惟公逸德。漱潤承芳。新民輔世。每飯不忘。其一

璿玉致美。奎星照爛。杜陵高才。霞光飛粲。咸陽鴻筆。聲沸天半。魯殿獨存。邦國楨幹。其二

斯文殆喪。吾道難行。乃擁皐比。陶鑄羣英。式宣六藝。載張五倫。大哉夫子。海外長城。其三

藥籠廣貯。珊網高懸。琴尾不焦。蘂珠自姸。憐才好善。埒美前賢。周詩曼頌。君子萬年。其四

中華民國六十年一月　吉日

門人張　仁　青　頓首拜譔

第七章　祭弔文

第一節　概說

夫生老病死，爲人生必經階段，上自聖賢帝王，下至走卒販夫，皆莫能獨外，故祭弔之事，自古重之，愼終追遠，尤人子所不可忽也。惟是歷時愈久，文體愈雜，要而歸之，厥分三類：

一、**傳狀類**　傳・傳略・行狀・事略・述・狀・行述・逸事狀・家傳

二、**哀祭類**　誄辭・哀辭・哀冊文・哀文・哀策・哀頌・弔文・悲文・哭文・祭文・輓詞・輓聯・輓幛・訃文・哀啓・追悼啓・唁函・謝啓・告斂文・啓靈文・告窆文・祝文

三、**碑誌類**　墓碑・墓表・靈表・神道碑・墓銘・墓誌・墓誌銘・權厝誌・歸祔誌・遷祔誌・蓋石文・墓甎記・墓版・葬誌・誌文・墳記・壙志・壙銘・塔銘・槨銘・埋銘・續誌・阡表

按歷代文家對文體之區分，觀點各異。今將昭明文選、唐文粹、駢體文鈔、古文辭類纂、經史百家雜鈔有關祭弔文之分類，列表比較，以明其異同。

㈨歷代祭弔文體比較表

昭明文選	唐文粹	駢體文鈔	古文辭類纂	經史百家雜鈔	備注
誄㉝ 哀文㉞ 弔文㊳ 祭文㊴	文⑩	諡誄哀策⑤ 告祭⑧ 誄祭㉖	哀祭⑬	哀祭	
行狀㊲	傳錄記事㉒	誌狀㉕	傳狀⑦	傳誌	傳狀碑誌合併爲傳誌
碑文㉟ 墓誌㊱	碑⑭ 銘⑮	銘刻① 碑記㉓ 墓碑㉔	碑誌⑧		

其中有若干文體已隨時代之變遷而遭淘汰，今仍爲世所習用者，不過數種而已，茲分別說明如左：

一、行狀　漢時祇謂之狀，自蕭齊以後則謂之行狀（文選載任昉齊竟陵王行狀），所以述死者之行誼及其爵里生卒年月，或上朝廷俟議諡，或牒史館請編錄，或寄作家乞墓誌，故謂之行狀，亦曰行述、事略。江藩炳燭室雜文行狀說云：

至典午之時，始有行狀。……狀者，上之朝廷，賜諡以爲飾終之典，亦付史官立傳，以揚前烈之休。此唐李習之所以有百官行狀之奏也。

江氏謂『典午之時，始有行狀』，但未舉例，實難採信。謂始於齊梁之間，則世多無異辭。此種文字多出門生故吏親舊之手，蓋其行誼非此輩不能知也。又行狀乃供立傳參考之用，故通常附於訃聞之內。其文字有褒無貶，但亦不可遠離事實，如韓愈贈太傅董公行狀、歸有光魏誠甫行狀，世所交稱，足爲楷式。

二、哀　啓　所謂哀啓，乃由遭喪者以文字詳述死者之世系、名字、爵位、里籍、學歷、經歷、嘉言、善行、事功、學術、病情、年壽等，以告親友，其目的在使親友得知死者之生平、病況及臨終情形，並可供撰述哀輓文字之依據。其作法與行狀略同，惟形式屬於書牘或報告性質，故措辭宜樸實眞摯，對死者之嘉言懿行，足爲他人矜式者，應盡量鋪敍，以明『善則歸親』之義。如無特殊事實，即簡敍死者家庭狀況，切不可揑造顯榮之事以欺人，致貽譏於當世。其格式如左：

> 哀啓者：（中間敍死者之行誼病情及其生歿時日）嗚乎痛哉。不孝侍奉無狀，慘遭大故，謹含哀飲泣，恭述懿行，伏望儒林哲匠，文苑英流，矜憫愚誠，惠貺聯誄，俾光泉壤，曷勝感篆。
>
> 棘人某某某泣啓　○月○日

至於一般俗套如『苫塊昏迷，語無倫次』，『祇以窀穸未安，不得不苟延殘喘』，『呼天搶地，百身莫贖』，『不自隕滅，禍延考妣』等語，跡近虛僞，似以不再蹈襲爲宜。

三、祭　文　祭文爲祭祀宣讀之文，古時祇用於祭告鬼神、祈禱雨暘、籲求福降、驅逐邪魅，其後則祭奠親友亦復用之，逐漸成爲哀悼文之主幹，文心雕龍祝盟篇云：

> 禮之祭祀，事止告饗，而中代祭文，兼讚言行，祭而兼讚，蓋引伸而作也。……是以義同於誄，而文實告神，誄首而哀末，頌體而祝儀。……祈禱之式，必誠以敬，祭奠之楷，宜恭且哀。此其大較也。

由是可知，作祭文應有眞摯之感情，不以華藻爲高。但此中亦有分際，祭最親之人，宜用樸質之散文，並加之以沈痛，如韓愈祭十二郎文、袁枚祭妹文，眞情流露，可謂一字一淚。祭疏遠之人，且有男女之別，則宜做到不卑不亢，而又措辭典雅，莊嚴大方。

祭文之體裁甚夥，歸納言之，約分六類：

㈠**楚騷體** 此體源於楚辭招魂。姚鼐古文辭類纂序云：『哀祭文，楚人之辭至工。』則以騷體之祭文，迴環婉轉，感人至深，如韓愈祭田橫墓文、袁枚祭程元衡文是。

㈡**駢儷體** 此體始於六朝，六朝人無論親疏，率以儷辭奠祭。見於文選者，有謝惠連祭古冢文、顏延之祭屈原文、王僧達祭顏光祿文。見於駢體文鈔者，有陶潛自祭文、劉令嫻祭夫徐敬業文。雖係四言對仗，亦頗膾炙人口。

㈢**文賦體** 唐宋人用散體所作之賦，世稱文賦，如杜牧阿房宮賦、歐陽修秋聲賦、蘇軾赤壁賦，押韻自由，可通篇用韻，亦可轉換數韻，無固定之格式。而彼等所作祭文亦類是，如歐陽修祭石曼卿文、王安石祭歐陽文忠公文、蘇軾祭歐陽文忠公文，皆其例也。

㈣**散文體** 此體無字數、句數、對仗、平仄、押韻之限制，敍述自然流利，較易表達悲哀之情，與普通散文無異。唐宋以來，用者甚多，佳篇亦往往而有，如韓愈祭十二郎文、劉海峯祭舅氏文、袁枚祭妹文是。

㈤**四言體** 此體爲詩經衞風二子乘舟及秦風黃鳥之遺制，或駢或散，平仄協調與否，均無限制，但須押韻而已。自六朝以來，較莊重之祭文，率用此體。唐韓愈、宋王安石最工爲之，如韓氏之祭河南張員外文、祭侯主簿文、祭虞部張員外文、祭穆員外文，王氏之祭范潁州文、祭丁元珍學士文、祭曾博士易占文、祭東向原道文等，並皆傳世之作。

㈥**六言體**　此體由六朝之六言詩變化而來，如韓愈祭郴州李使君文是。惟此體句法刻板，缺乏姿采，故用之者甚少，聊備一體而已。

四、哀弔文

凡爲文哀悼死亡者，如弔文、哀辭、誄辭、悲文、哭文等均屬之。今分述如左：

㈠**弔　文**　弔文之名，始見於賈誼弔屈原文。見史記賈生傳 文心哀弔篇云：『自賈誼浮湘，發憤弔屈，體同而事覈，辭淸而理哀，蓋首出之作也。』賈氏以後，作者輩出，如阮瑀弔伯夷文，王粲弔夷齊文，禰衡弔張衡文，陸機弔魏武帝文，李華弔古戰場文，皆世所習誦者。

㈡**哀　辭**　哀有傷惘逝者之意，故謂之哀辭。文心哀弔篇：『哀者，依也，悲實依心，故曰哀也。以辭遣哀，蓋下淚之悼，故不在黃髮，必施夭昏。昔三良殉秦，百夫莫贖，事均夭橫，黃鳥賦哀，抑亦詩人之哀辭乎。』按左傳文公六年：『秦伯任好卒，以子車氏之三子奄息、仲行、鍼虎爲殉，皆秦之良也，國人哀之，爲之賦黃鳥。』故哀辭雖爲傷逝之文，但祇限於對年幼晚輩早逝者用，不若祭文之長幼咸宜。此種文體，六朝人最優爲之，曹植有行女哀辭、金瓠哀辭，潘岳有金鹿哀辭、孤女澤蘭哀辭、陽城劉氏妹哀辭，皆悲悽哀婉，傳誦至今。其後韓愈亦有歐陽生哀辭，然施之成年，已非此體之正矣。

㈢**誄　辭**　誄者，累也，累列死者生前之德行，以備定謚之文辭也。禮記曾子問：『賤不誄貴，幼不誄長。』可見古代誄與謚密不可分。漢代以後，誄辭日多，選文家多列有誄體。惟後世誄辭，率與定謚無關，已流爲普通哀弔文字矣。此體以潘岳爲最擅場，文選所載者有楊荊州誄、楊仲武誄、夏侯常侍誄、馬汧督誄四篇，並皆動人心弦、感人肺腑。劉勰評其『巧於序悲，易入新切，隔代相望，能徵厥聲』，誠非過譽。

(四)**悲　文**　說文：『悲，痛也。』正字通：『有聲無淚曰悲。』則悲文乃傷痛之文，與弔文相類。始見於蔡邕悲溫舒文，惟其後作者甚少。

(五)**哭　文**　哭文亦爲哀人徂逝而作，如元謝翶有登西臺慟哭記（見宋遺民錄），乃作者偕友人登西臺哭弔文天祥之作，隱曲嗚咽，若聞其聲，洵偉構也。其後作者亦未之多見。

五、墓誌銘　墓誌銘爲祭弔文中之最隆重者，傳世之作，亦遠較他體爲多。人死後，葬者慮陵谷變遷，後人不知爲誰氏之墓，故撰墓誌銘埋於壙前三尺之地，用正方兩石相合，一刻銘，一題死者之世系、名字、里籍、行誼、年壽、卒葬年月，與其子孫大略，而平放於柩前，使後日有所稽考。誌文似傳，銘語類詩。惟古之有誌者不必有銘，有銘者不必有誌，亦有誌銘俱備，而係二人所作者。詳見趙翼陔餘叢考墓誌銘考及碑表誌銘之別二文。

墓誌銘之作，駢散均宜。誌文應詳敍死者之生平及子孫概況，不必押韻。銘辭則爲死者生平事蹟之濃縮，並須稍加揄揚，其體以四言句最爲通行，間亦有三言、五言、六言、七言者，惟偶數句均須押韻，可一韻到底，亦可換韻。

此外，尚有墓碑、墓表、靈表、阡表、神道碑諸體，古時所施各別，不容淆亂，今人已不甚重視，故從略。

第二節　祭弔文實例

（一）傳　狀

㈠陶淵明傳

蕭　統

陶淵明，字元亮，或云潛，字淵明㈠。潯陽柴桑㈡人也。曾祖侃，晉大司馬㈢。淵明少有高趣，博學，善屬文，穎脫不羣㈣，任眞自得。嘗著五柳先生傳以自況曰：『先生不知何許人也，不詳姓氏。宅邊有五柳樹，因以爲號焉。閑靜少言，不慕榮利。好讀書，不求甚解，每有會意，欣然忘食。性嗜酒，而家貧，不能恆得，親舊知其如此，或置酒招之。造飲輒盡，期在必醉，既醉而退，曾不恡情去留。環堵蕭然，不蔽風日。短褐穿結㈤，簞瓢屢空㈥，晏如也。嘗著文章自娛，頗示己志。忘懷得失，以此自終。』時人謂之實錄。

親老家貧，起爲州祭酒㈦，不堪吏職，少日自解歸。州召主簿，不就。躬耕自資，遂抱羸疾。江州刺史檀道濟㈧往候之。偃臥瘠餒有日矣。道濟謂曰：『賢者處世，天下無道則隱，有道則至。今子生文明之世，奈何自苦如此。』對曰：『潛也何敢望聖賢，志不及也。』道濟餽以粱肉，麾而去之。

後爲鎭軍、建威參軍㈨。謂親朋曰：『聊欲絃歌㈩以爲三徑之資，可乎。』執事者聞之，以爲彭澤令⑾。不以家累自隨。送一力給其子，書曰：『汝旦夕之費，自給爲難，今遣此力助汝薪水之勞。此亦人子也，可善遇之。』公田悉令吏種秫，曰：『吾嘗得醉於酒足矣。』妻子固請種粳，乃使二頃五十畝種秫、五十畝種粳㊁。歲終，會郡遣督郵㊂至縣。吏請曰：『應束帶見之。』淵明歎曰：『我豈能爲五斗米折腰向鄉里小兒。』㊃即自解綬去職。賦歸去來㊄。徵著作郎，不就。

江州刺史王弘㊅欲識之，不能致也。淵明嘗往廬山㊆。弘命淵明故人龐通之齎酒具，於半道栗里之間邀之㊇。淵明有腳疾，使一門生㊈，二兒舁籃輿。既至，欣然便共飲酌。俄頃弘至，亦無忤也。

先是，顏延之㊉爲劉柳後軍功曹⑪，在潯陽，與淵明情款。後爲始安郡⑫，經過潯陽，日造飲焉。每往，必酣飲致醉。弘欲邀延之坐，彌日不得。延之臨去，留二萬錢與淵明。淵明悉遣送酒家，稍就取酒。嘗九月九日⑬出宅邊菊叢中坐，久之，滿手把菊。忽值弘送酒至，即便就酌，醉而歸。

淵明不解音律，而蓄無弦琴一張，每酒適，輒撫弄以寄其意。貴賤造之者，有酒輒設，淵明若先醉，便語客：『我醉欲眠，卿可去。』其眞率如此。

郡將常候之，值其釀熟，取頭上葛巾漉酒，漉畢，還復著之。

時周續之⑭入廬山事釋惠遠⑮，彭城劉遺民亦遁迹匡山⑯，淵明又不應徵命，謂之潯陽三隱。後刺史檀韶⑰苦請續之出州。與學士祖企、謝景夷三人，共在城北講禮，加以讎校。所住公廨，近於馬隊。是故淵明示其詩云：『周生述孔業，祖謝響然臻。馬隊代講肆⑱，校書亦已勤。』

其妻翟氏⑲，亦能安勤苦，與其同志。

自以曾祖晉世宰輔，恥復屈身後代。自宋高祖⑳王業漸隆，不復肯仕。元嘉㉑四年將復徵命，會卒，時年六十三㉒。世號靖節先生㉓。

【作　者】

蕭統，字德施，小字維摩，梁武帝長子。未卽位而卒，謚曰昭明。性仁孝，好文學。有文集二十卷。所編昭明文選，爲我國最有名之詩文總集。

【注　釋】

㈠晉書本傳云：『陶潛，字元亮。』南史本傳云：『陶潛，字淵明。或云，字淵明，名元亮。』按陶集祭程氏妹文云：『淵明以少牢之奠，俛而酹之。』祭文例自稱名，則淵明爲名而非字矣。李箋引年譜云：『在晉名淵明，在宋名潛，元亮之字則未嘗易。』蓋以勝代遺民，故更名曰潛。

㈡晉潯陽郡柴桑縣故址在今江西九江縣西南。

㈢陶侃，字士行，本鄱陽人，後徙潯陽。東晉明帝時，都督荆襄軍事，平蘇峻之亂。後爲荆州刺史。官至大司馬卒，謚桓。按晉書宋書本傳，均與此傳同。惟淸閻若璩謂淵明贈長沙公詩序云：『祖同出大司馬，』『大』字爲『右』字之誤。右司馬爲陶舍。錢大昕讀淵明詩跋已辨其誤。

㈣史記平原君傳，毛遂謂平原君曰：『使遂得早處囊中，乃穎脫而出，非特其末見而已。』穎，錐之尖。穎脫不羣，謂顯露其才，不同凡衆。

㈤孟子公孫丑篇『褐寬博』趙岐注云：『褐，以毳爲之，若今馬衣。或曰枲衣，或曰粗布衣。』『短褐』，或云爲『裋褐』之誤。漢書貢禹傳顏師古注：『裋者，謂僮豎所著布長襦也。』正字通云：『裋褐雖僮豎之服，亦士人貧賤衣不完好者之通稱。』裋音樹。褐音曷。

㈥論語雍也篇：『子曰：賢哉回也，一簞食，一瓢飲，在陋巷，人不堪其憂，回也不改其樂，賢哉回也。』又先進篇：
『子曰：回也其庶乎，屢空。』

㈦州祭酒，官名。淵明於東晉孝武帝寧康十八年爲江州祭酒。

㈧東晉江州初治武昌，後改治潯陽。檀道濟，金鄉人，嘗爲江州刺史，宋文帝時，官征南大將軍，屢督師伐魏，所向皆捷，及文帝疾篤，彭城王劉義康收而殺之，道濟怒曰：『乃壞汝萬里長城。』

㈨鎭軍，鎭北軍也。晉安帝隆安二年，淵明參劉牢之鎭北軍幕。至五年七月，辭歸。文選李善注謂係參劉裕軍，誤。元興三年，劉牢之子敬宣以破桓歆功，遷建威將軍，江州刺史，鎭潯陽，又辟淵明爲參軍。

㈩孔子弟子言偃子游爲武城宰，孔子至武城而聞絃歌之聲。見論語陽貨篇。此云『聊欲絃歌』，謂欲爲邑宰也。

⑪晉彭澤縣故治在今江西湖口縣東。東晉安帝義熙元年，淵明爲彭澤令。

⑫秫，糯稻，可以釀酒。粳，可以爲飯。『二頃』疑當作『一頃』。玉篇云：『百畝爲頃』。蓋使半種秫，半種粳也。

⑬督郵，官名，爲郡守佐吏，主察屬縣愆失。郵，尤之借字。

⑭五斗米，極言縣令祿秩之微。折腰，謂拜也。

⑮淵明有歸去來辭。

⑯王弘，字休元，王導曾孫，宋元嘉中，官至太保，領中書監。

⑰廬山，在今江西星子縣西北，九江縣南，古名南障山，有牯嶺五老峯諸勝，爲避暑佳地。

⑱龐通之，義熙中曾參軍幕。栗里，在九江西南，亦名南村。義熙五年，淵明柴桑故宅燬於火，曾徙居於此。

⑲歐陽修孔宙碑陰題名跋謂漢世以親受業者爲弟子，轉相傳授者爲門生。『故後漢書賈逵傳云：『拜逵所選弟子及門生爲王國郎。』二者自有別也。後則凡依附門牆者皆曰門生，故雖外戚如竇憲，宦官如王甫亦有門生。六朝人則以門下人曰門生，

故門生往往執賤役。如南史后妃傳：『門生王清與墓工始下插。』劉瓛傳：『門生持胡牀隨後。』惟此云門生，當為王弘之門生。淵明食貧隱居，息交絕遊，不得有門下人也。

⑳顏延之，字延年，宋瑯琊臨沂人，詩文與謝靈運齊名，官至金紫光祿大夫。

㉑劉柳，字叔惠，晉南陽人，義熙十一年，官江州刺史。功曹，功曹參軍也。

㉒始安郡，治今廣西桂林縣。

㉓九月九日為重九節，以九為陽數，故又曰重陽。

㉔周續之，字道祖，本雁門廣武人，流寓豫章。

㉕惠遠，亦作慧遠，本樓煩賈氏子，晉高僧，受業於道安。太元中，與慧水宗炳等結白蓮社於廬山，凡三十年不出山，送客不過虎溪云。

㉖彭城，即今江蘇銅山縣(徐州)。劉遺民，亦作遺人，本彭城人。白蓮社之誓願文即遺民所作。陶集中有與劉柴桑倡和詩，劉柴桑即指遺民。匡山，即廬山，相傳周時匡俗隱此，定王徵之不至，使使者入山訪之，則空廬存焉，故山名匡廬。

㉗檀韶，字令孫，宋金鄉人，義熙二年，官江州刺史。

㉘陶集作『馬隊非講肆』。

㉙淵明早年喪偶，翟氏當是續娶。

㉚宋高祖，即宋武帝劉裕。裕字德輿，彭城人，流寓京口，篡晉稱帝，在位三年。

㉛元嘉，宋文帝年號。

㉜晉書宋書本傳同。據近人梁啓超考證，淵明卒年當為五十六歲。

㉝顏延之陶徵士誄云：『詢諸友好，宜諡曰靖節徵士。』是靖節為死後私諡。

(二)郭故校長鴻聲先生行狀

高明

前國立南京高等師範學校及國立東南大學校長　郭鴻聲先生秉文，今年壽九十，門弟子之集於臺員者，咸欲稱觴爲祝，而以序屬余。余方欲執筆，而　先生之訃聞至，同窗諸子因復以行狀相屬。嗚呼，余本欲以載頌載禱之辭，敬祝　先生之晉於期頤者，今竟以載悲載泣之心情，敬述　先生生平之行實，是豈始料之所及哉。

先生江蘇江浦人也，江浦與南京僅一江之隔，朝發而夕至。南京自三國吳定都以來，置學官，立五經博士，至南朝宋雷次宗弘教於此，而國學之規模大備。自茲以降，凡千五百餘年，相沿不替，遂蔚爲東南文化之中心。　先生少而岐嶷，抱志不凡，居既近於南京，耳目所接，其忻慕雷次宗者，蓋已久矣。時值清末，國事敗壞，　先生思有以革之者，乃擔簦負笈，游學於美。初入滬斯特大學，習自然科學，得理學士。繼入哥倫比亞大學，習教育，得碩士及哲學博士。　先生蓋以爲非振興科學，無以救亡圖存，而培養人才，則有賴於教育，故所習如此。

民國三年，國內籌設高等師範學校於南京，以國學名宿江易園先生謙爲校長，聘　先生主教務，先生乃遍遊歐美，考察教育，訪求名師以歸。民國四年，南京高等師範學校成立，融貫中外，匯通古今，學風淳篤，名師如林，皆先生擘畫之功也。民國八年，　先生繼長校務，正猶曩日南雍之司業而遷於祭酒，　先生乃眞成今日之雷次宗矣。民國十年，南京高等師範學校改制爲國立東南大學，仍以　先生爲之長。民國十四年春，　先生去國，蔣竹莊先生維喬代理校事。逮國民政府定都南京，改爲國立中央大學，　先生始實卸其職。然國立中央大學之基礎，實奠定於南高、東大之時，而南高、東大之規模，實建立於　先生之手。凡我同窗，霖恩霑化，固無不仰望　先生如泰山、如北斗也。

先兄孟起高超嘗卒業於南高，親承謦欬者有年，屢為余道　先生之業績，感歎傾服，懷之甚久。民國十年，余至南京，入鍾英中學，震於東南大學之盛譽，即立志欲從　先生遊。顧余於民國十四年夏入東南大學，而　先生已遠引，竟不獲聆　先生之教誨，其悵惘于邑之情，誠非言語之所能罄也。然　先生之宏猷，具在校史，可目擊而知，　先生之懿行，騰於人口，可耳聞而得，故余猶有得而述焉。

方『科學……科學……』之聲，高唱入雲之時，　先生默默，未嘗有言也。夫科學之事，唯耕耘者有所穫，非喧嚷者能為功。　先生知其然也，故羅致人才，不重虛聲，唯視實學，維時創中國科學社者有任鴻雋，治心理者有陸志韋，治物理者有胡剛復，治地理者有竺可楨，治數學者有熊慶來，治化學者有孫洪芬，治動物者有朱秉志，治植物者有胡先驌，治農學者有鄒秉文，治工學者有茅以昇，皆一時之選，而為　先生所禮聘者也。故南高、東大之科學成就，甲於全國，盛極一時。　先生又知科學之貴乎實驗也，乃於口字房廣設實驗室，慘淡經營，規模粗具，而不慎於火，　先生覩之，為之暈厥。卒得洛氏基金會之助，重建科學館，而規模益宏偉，設備益充實，並時大學殆無可與匹者。　先生之遇挫不餒，因艱益奮，其獻身於科學，可謂殫心而竭力矣。此一也。

時倡科學與民主者，欲取固有文化一舉而毀滅之，　先生不以為然也。夫欲枝葉之茂者，必固其根，欲流衍之遠者，必濬其源。豈有拔其根而移接之枝可以活，塞其源而橫溢之水得所歸者哉。固有文化則國家民族之根與源也，其不可以毀棄，固彰彰明甚。　先生於是與諸學人梅光迪、吳宓、湯用彤等創學衡雜誌，闡發斯義也甚詳且切，然後國人始知南高、東大實爲維護中國固有文化之堡壘。維時國學大師亦雲集於斯校，就余所從學者言，姚孟塤先生明輝以經學鳴，柳翼謀先生詒徵以史學鳴，陳斠玄先生鐘凡以子學鳴，蔣竹莊先生維喬以佛學鳴，顧惕生先生實以小學鳴，李審言先生詳以駢文鳴，姚仲實先生永樸以古文鳴，王伯沆先生瀣以詩及理學鳴，吳瞿安先生梅以詞曲鳴，亦皆一時之選，而爲　先生所禮聘者也。於是學子嚮風，鈞陶日衆，中國固有文化之幸而不墜，繼繼繩繩，以至於今者，　先生之功也。此二也。

　教育貴乎薰習，風氣賴於浸染。劉伯明先生經庶者，出身於教會，寢饋於哲學，嘗從章太炎先生炳麟遊，習羣經諸子，復留學美國，泛覽乎西哲之書，融會有得，卓然能自樹立。而其言中規，行中矩，樸質無華，勤敏好學，實以經師而兼人師者也。　先生引爲副貳，校內事一以付之。薰習所及，浸染漸深，遂成爲南高、東大樸質勤敏之學風。非　先生之知人善任，曷克臻此耶。　先生又知教育之改革，非可一蹴而幾之，必須研之有素，始能動而無悔。於是陶知行之鄉村教育、陳鶴琴之小學教育、廖世承之中學教育、鄭宗海之教育心理、孟憲承之教育哲學，咸能出其探研之所得，而震爍於一時。　先生之倡導蓋與有力焉。此三也。

　其他如創男女同校，開風氣之先，建黌舍宏模，立科系之制。……其鴻圖碩畫，蓋不勝枚舉也。

　民國十五年，　先生在美，創華美協進社，藉以宣揚中華文化，團結留美學生，任社長達五年之久。民國二十年返國，任工商部國際貿易局局長。抗戰期間任財政部次長，派駐英倫，並任中英貿易協會主任，所以紓國用之困也。二次大戰結束，任聯合國救濟總署副署長兼祕書長，則仁者救貧濟難之用心也。民國三十六年退休，息影於美京華盛頓。民國四十三年教育部在美教育文化事業顧問委員會成立於紐約，先生被任爲委員之一，嗣繼梅月涵先生貽琦出任主任委員，以迄於今。民國四十六年又在華府創立中美文化協會，現任會長。先生雖在暮年，猶致力於中美文化之交流，未嘗以優遊林泉而自尋暇逸也。蓋己立立人、己達達人之心，有不容自已者。

數載前，余講學香島，學長吳士選先生俊升嘗爲余言，於華府謁候 先生，先生八十許人，望之如五十許，視聽言動，均較士選爲矯健，歎羡以爲人瑞，必可壽晉於期頤。不圖 先生竟以九十之年而溘逝也。雖然，以 先生之才之德，表率羣倫，已足以陵駕雷次宗而上之，先生其不朽矣，則吾人又何悲乎。謹狀。

㈢馬壽華先生事略

成惕軒

先生諱壽華。字木軒。一字小靜。安徽渦陽人也。馬氏皖北望族。世有令德。王父維德公。清恩貢生。授鳳陽教諭。以學行爲鄉里所敬。歿時不期而臨弔者萬人。父靜仙公。天性孝友。以副貢生佐武衞左軍戎幕。受知於馬忠武公玉崑。積功擢縣令。知河南淅川事。有善政。先生隨侍讀書任所。於民元前一年辛亥。以最優等卒業河南法政學堂。民國肇建。歷任河南山西湖北各級法院法官。治獄平恕。被罪者亦自以爲不寃。所蒞之區。頌聲交作。民國十六年。國民革命軍底定武漢。任最高法院委員。國民政府成立。調司法部處長。司法行政部司長。轉任南京特別市政府祕書長。皆卓有樹立。旋居滬。業律師者數歲。臺員光復後。中樞力謀綜覈庶政。興闢富源。諗先生廉靖有幹局。因任爲臺灣省政府委員兼代財政廳長。臺灣省物資調節委員會主任委員。臺灣土地銀行董事長。凡百措設。洞中機宜。財用既紓。而閭閻益增其富。民至今稱之。嗣擢司法院祕書長。行政法院院長。公務員懲戒委員會委員長。於修明法治。振肅官常。尤炳炳著聲績。前歲乞休。受聘爲總統府國策顧問。巖廊白首。亮采有邦。世彌重其清望焉。

先生於書畫外。他無嗜好。少時以家藏先賢名蹟甚富。探索卽有所悟。及長游故都。問學袁玨生太史。袁故工書畫。因得其指授。遂益精進。書宗二王。兼習顏米。於剛健中具秀逸之致。畫擅山水花卉。山水由元四家入手。上法董巨。進師造化。花卉則出入青藤白陽之間。尤工墨竹。自文與可以下諸名家。靡不窮究其筆法。融會貫通。獨具風格。復精究指畫。安雅澹定。自成一家。近世所未有也。民國四十九年。榮獲教育部國家文藝獎之美術獎。五十年。歷史博物館國家畫廊落成。特爲舉辦書畫展覽。傾動一時。又精品經美日菲等國美術院博物館陳列或購藏者。不可勝數。先後當選中國書法學會理事長。中國美術協會理事長。中日書法國際會議正議長。國際藝術文學協會終身正會員。宏宣美育。震耀海內外。實所以牖啓人文。導揚中華文化。資爲拓展國民外交之一助。世徒歎其藝事之精能。襟度之豁達。蓋猶淺之乎論先生也。

先生與德配王夫人同奉基督教義。踐履唯謹。門庭之內。怡如秩如。民國五十九年庚戌。適値結縭六十周年。　總統蔣公特頒『金石同堅』扁額以榮之。夫人已先先生數月卒。哲嗣漢寶。現任考試院考試委員。國立臺灣大學法學院教授。品端學邃。克世其家。媳蕭亞麟。游學德國及瑞士。任教臺灣大學外文系。女公子二。長懿君。適張道樞。道樞曾任臺灣省菸酒公賣局分局長。今爲律師。次蕙君。旅居美國。在加州沙地學院講授國畫。適名建築師梁國權。孫男一。曰佑聖。孫女三。曰佑敏佑眞佑遠。均在學。芝玉一庭。踵美增盛。人以方諸于公陰德之報云。

先生體素淸健。雖高齡而神明湛然。長筵揮毫。廣座談藝。風采奕奕。望之若神仙。暇日輒假觀賞平劇爲樂。移晷無倦容。咸以耄期爲可企。不意客歲(民國六十六年)十二月二十八日上午十時許心臟病突作。奄忽之間，便捐館舍。春秋八十有五。將以今歲(六十七年)一月三十日。與王夫人合葬於陽明山墓園。從遺志也。綜先生一生。居處恭。執事敬。寬厚有容。廉介不苟。而扶持名敎。獎掖人才。孜孜如不及。服官踰六十載。敭歷中外。靖共厥職。以淸愼勤著稱於時。公餘惟擁書畫自娛。朝研夕摩。眞積力久。遂以耆年峻望。領導書林畫苑。卓然爲一代宗匠。多士翕服無間言。求諸並時。殆罕其匹。嗚乎。可謂難矣。著述已刊行者。有刑法總論、刑事訴訟律釋義、臺灣完成耕者有其田法治實錄、元代美術、國畫之主旨、論國畫中之山水畫、美術敎育、漫談我國書法等如干種。遺稿服務司法界六十一年。方編次蒇事。待梓。

(四)李漁叔敎授行述

湘潭李漁叔先生，當世之詩人也。率眞醇厚，蘊藉風流，其爲詩，深微瘦勁，筆墨鮮新，誠開口之鳳皇，奇毛之驥騄，而天妒英才，中壽徂謝，豈不痛哉。

先生少倜儻有才，年十六，從邑賢趙瀞園先生學爲詩文，深爲所賞。及冠，負笈日本明治大學，越四年歸，應聘爲第十師師部少校祕書。其後十年，隨軍轉戰四方，嘗北涉雲中，南遊嶺外，西淩秦棧，東履黔陬，或一日夜疾走一二百里以爲常，層冰積雪，終日不得一飯，或欺敵腹地，決生死於俄頃。每當戰事少閒，夜眠野幕，恆行吟於危崖老樹之側，恬然孤詠。是時先生蘊積奇氣，抒吐激情，有『書生如戰死，應不嘆途窮』之句。又嘗隨軍帥巡行，座機已引火將發，羣僚方屬急稿，迫切徬徨，不知所出，乃亟遣肩輿招先生，先生從容乘間，揮筆立就，其風姿英爽類如此。及外患既定，先生還湘數月，始刪輯舊稿，得詩百餘首，蓋山川志事之感發，悉以寄焉。

洎乎戎氛載熸，江表沉淪，先生方在劉安祺將軍幕，乃相隨渡海，流寓臺北。頃之，任臺灣省政府祕書，始受知於主席陳辭公，辭公歷遷行政院長及副總統，先生未嘗不在左右，而公私文牘亦未嘗不倚畀先生，嘗病中力疾爲辭公撰稿，稿成，嘔血盈甌，此先生宅心之忠耿，亦所以報知遇之恩也。其時臺員雖暫安，先生危心素節，棖觸吟情，未嘗廢業，而多與當時名士詩人唱和，如江都陳含光，湘鄉張默君，樂昌張昭芹，錢塘陳定山，高安彭醇士，陽新成惕軒，合肥江絜生，咸稱賞音，而先生詩名益著，聲光粲溢，流於域表。

初先生年未冠，遍讀楹書，獨好墨子，尤愛誦墨經，以爲奇書。至是客居無聊，乃復董理舊業，抉發沉思，聞於士林，遂懷其學，受聘黌宮。時瑞安林景伊先生方主師大國文研究所，頗與相得，及辭公謝世，先生遂不復涉身仕途，而專意與上庠佳子弟遊矣。十餘年間，裁成甚衆，師弟情誼，尤清芬可挹，士之慕學者，恆愛憐之，叩其兩端，或時招至家，款以美食，或偕遊山澤，詩賦相須，故及先生門者，多能感其溫愛，有所興發。是時，先生既垂垂漸老，而山河飛絮，身世飄萍，重以無兒之憾，往往孤懷索莫，與感無端，於是詩律益細，託旨遙深，此先生晚年之心境，亦深微透熟之詩情也。蓋先生一生，雖早歷戎行，中經政事，晚歸杏壇，而貫之者則唯詩而已，此先生所以爲詩人乎。

先生貌清雅，風致翩然秀出，而素體弱，晚年困於多病，然猶爲諸生講論不輟。去歲九月，遂嬰肺疾，初從醫言以鈷六十射線療之，閱月而瘥，先生休養家居，猶時爲人樂道其事。詎意氣體既虧，竟不復原，纏綿牀褥，宿疾侵尋，今年六月，復入榮民總醫院療治，迄八月十二日晨五時溘然徂逝。方先生疾中，嘗有句曰『晚鐘力盡斜陽外』，見者黯然，恐成讖語，後竟以力盡而卒，嗚呼，豈詩人自有靈犀乎。遺言勿用火葬，當以詩人題其墓，墓旁並多植梅花，庶羈魂有託云。

先生原名明志，晚號墨堂，以清光緒乙巳年四月八日生於廈門，享年六十八歲。所著書曰花延年室詩、魚千里齋隨筆、墨辯新注、墨子詳注。晚年篤好書法，與其文並有聲於時。

先生無子，有女七人，其在臺者曰允令、允定、允安、允寧，其最幼者方四歲也。

民國六十一年歲次壬子夏月弟子曾昭旭謹述

(二) 哀啓

母喪哀啓

哀啓者：先慈系出名門，性情溫淑。少時，勤習閨訓，四德七誡，罔不通曉。稍長，工刺繡，有針神之譽。某歲來歸先君某某公，主持中饋，克盡厥職，時先大父母在堂，先慈以十指所入，佐助甘旨。處己則儉以約，衣裳無曳綺之華，偶有尺縑寸帛之貽，必庋諸笥。接下以恩，多所顧念，故人亦樂爲之用。某歲，不孝甫幾齡，先慈每於夜織之時，必令坐其旁，親自敎誨。某歲，先大父母病，先慈佐先君躬侍湯藥，衣不解帶者累月。某歲，先君又棄養，先慈誓以身殉，經戚族苦勸乃止。終以哀毁過度，竟嬰肺疾，延醫服藥，旋發旋止，延至某月某日某時，竟棄不孝而長逝矣，嗚乎痛哉。不孝侍奉無狀，致永抱鮮民之痛，今後不知將何以視息於天地之間。惟有含哀飲泣，恭述懿行，伏望

博雅君子矜憫愚誠，寵錫聯誄，用光泉壤，則感德無涯矣。

棘人某某泣啓 ○月○日

(三) 祭文

(一)自祭文

陶潛

歲惟丁卯，律中無射㈠，天寒夜長，風氣蕭索，鴻雁于征㈡，草木黃落。陶子將辭逆旅之館，永歸於本宅。故人悽其相悲，同祖㈢行於今夕。羞以嘉蔬，薦以清酌。候顏已冥，聆音愈漠㈣，嗚呼哀哉。

茫茫大塊㈤，悠悠高旻㈥，是生萬物，余得爲人。自余爲人，逢運之貧。簞瓢屢罄㈦，絺綌冬陳㈧。含歡谷汲，行歌負薪。翳翳㈨柴門，事我宵晨。

春秋代謝，有務中園㈩。載耘載耔(十一)，迺育迺繁。欣以素牘，和以七弦。冬曝其日，夏濯其泉。勤靡餘勞，心有常閒。樂天委分(十二)，以至百年。

惟此百年，夫人愛之。懼彼無成，愒日惜時(十三)。存爲世珍，沒亦見思。嗟我獨邁，曾是異茲(十四)。寵非己榮，涅豈吾緇(十五)。捽兀窮廬(十六)，酣飲賦詩。

識運知命，疇能罔眷㊆。余今斯化，可以無恨。壽涉百齡，身慕肥遁。從老得終，奚所復戀。寒暑逾邁，亡既異存。外姻晨來，良友宵奔。葬之中野，以安其魂。窅窅㊇我行，蕭蕭墓門。奢恥宋臣，儉笑王孫㊈。

廓兮已滅，慨焉已遐。不封不樹，日月遂過。匪貴前譽，孰重後歌。人生實難，死如之何。嗚呼哀哉。

【作　者】

陶潛，晉潯陽人，一名淵明，字元亮。性高簡。嘗爲彭澤令，郡遣督郵至縣，吏白應束帶見之。潛嘆曰：『吾不能爲五斗米折腰。』因棄官去。家貧樂道，好飲酒，游觀山水，徜徉自適。至宋元嘉中卒，世稱靖節先生，有陶靖節集。

【題　解】

劉宋元嘉四年，陶潛年六十三，患瘧疾，潛素曠達，乃作文自祭，蓋絕筆也。蘇軾評曰：『讀淵明自祭文，出妙語於纊息之餘，豈涉死生之流哉。』

【注　釋】

㊀無射，十二律之一。古以十二律分配十二月。禮記月令：『季秋之月，律中無射。』季秋，當陰曆之九月。射音夜。

㊁鴻雁於九月南來。遠行曰征。于，助語詞。

㊂將行之祭曰祖。此謂友朋知其將死，爲設祭送行也。

㊃聆音愈漠，謂聽其聲音愈微弱也。

㊄大塊，本統天地而言，如莊子大宗師『大塊載我以形，勞我以生』是也。此以大塊對高旻，是專指大地而言。
㊅高旻，猶言高天。
㊆盛飯之竹器曰簞。挹水及盛酒漿之器曰瓢。論語稱顏回窮居陋巷，一簞食，一瓢飲。
㊇細葛布曰絺，粗葛布曰綌。
㊈翳翳，隱蔽之貌。
⑩『春秋代謝，有務中園』二句言當春秋之時，有事於園圃之中也。
⑪除草曰耘。壅苗本曰耔。
⑫分，去聲。言窮達壽夭，隨遇而安，故能樂天命而委之本分。
⑬愒。音凱，愛也。愒日惜時，謂愛惜時間，不肯輕易放過也。
⑭獨邁，猶云獨往。曾是，猶言乃是。言人皆喜以功名自見，我則獨往獨來，乃不同於世俗之人也。
⑮以黑色染物謂之涅，引伸爲受汚辱之意。黑色曰緇，引伸爲染汚點之意。言受寵非自身之榮，受汚辱亦豈己身之沾哉。
⑯捽兀，獨居無所動於中之貌。
⑰疇，誰也。罔眷，言無所留戀也。謂雖識運知命，又誰能無所留戀。
⑱窅，音杳。窅窅，深遠貌。
⑲禮記檀弓上：『昔者夫子居於宋，見桓司馬自爲石槨，三年而不成。夫子曰：若此其靡也，死不如速朽之愈也。』又漢書楊王孫傳：『及病且終，先令其子曰：「吾欲裸葬，以反吾眞，必無易吾意。死則爲布囊，入地七尺，從足引脫其囊，以身親土。」』

(一)祭屈原文

顏延之

維有宋五年月日。湘州刺史吳郡張邵。恭承帝命。建旟舊楚(一)。訪懷沙之淵(二)。得捐珮之浦(三)。弭節羅潭(四)。艤舟汨渚(五)。乃遣戶曹掾某(六)。敬祭故楚三閭大夫屈君之靈(七)。

蘭薰而摧。玉縝則折(八)。物忌堅芳。人諱明絜(九)。曰若先生。逢辰之缺(十)。溫風怠時。飛霜急節(十一)。嬴芈遘紛。昭懷不端(十二)。謀折儀尚(十三)。貞蔑椒蘭(十四)。身絕郢闕(十五)。跡徧湘干(十六)。比物荃蓀。連類龍鸞(十七)。聲溢金石(十八)。志華日月(十九)。如彼樹芳。實穎實發(二十)。望汨心欷。瞻羅思越(二一)。藉用可塵(二二)。昭忠難闕(二三)。

【作　者】

顏延之、字延年、南朝宋琅琊臨沂人、晉光祿勳顏含曾孫。好讀書、無所不覽、文章之美、冠絕當時、與謝靈運齊名、江右稱潘陸、江左稱顏謝。元嘉初、拜永嘉太守、累擢金紫光祿大夫、世稱顏光祿。賦性偏激、肆意直言、曾無回隱、論者謂之顏彪。武帝孝建三年卒、著有顏光祿集。

【題　解】

南史顏延之傳：『少帝卽位、累遷始安太守、之郡、道經汨羅潭、爲湘州刺史張邵作祭屈原文以致其意。』本文在吾國文學史上爲駢體祭文中最早之一篇、祭文類皆用韵、篇中共分四韵、層次井然、節短音長、詞旨研鍊、爲傳世之作。孫執升評曰：『工雅之章、亦簡重、亦沈鬱、知非苟於作者。』許槤曰：『蘭摧玉折四句、古來文士之遭厄、大都如此、每讀一過、爲淒咽者久之。』

【注釋】

㈠建旗舊楚　謂駐節於故楚也、時張邵拜湘州刺史、湘州卽今湖南長沙縣、爲戰國時楚地、故云。旗、行軍所建之旗、以進士卒也。周禮春官司常：『師都建旗、州里建旟。』舊楚、舊日之楚國也。

㈡懷沙之淵　楚辭：『懷沙礫而自沈兮、不忍見之蔽壅。』案屈原不忍與世同汚、決意於死、故作懷沙賦、自述其沈湘之懷、所謂不畏死而勿讓也。蕭統文選序：『臨淵有懷沙之志、吟澤有憔悴之容。』

㈢捐珮之浦　楚辭九歌湘夫人：『捐余玦兮江中、遺余珮兮澧浦。』珮、繫於帶之飾物也。浦、水濱也。

㈣弭節羅潭　弭節、猶按節也、與按轡同義、含有從容不迫之意。離騷：『吾令羲和弭節兮、望崦嵫而勿迫。』羅潭、水名、與汨水合流、名汨羅江、在今湖南湘陰縣北、西流入湘水、屈原懷沙沈於此、亦名屈潭。劉敬叔異苑：『長沙羅縣有屈原自投之川、山水明淨、民爲立祠在汨潭之西。』

㈤艤舟汨渚　艤、通作檥、江南人謂整舟向岸曰艤。史記項羽本紀：『烏江亭長艤船待。』汨渚、卽羅潭也。

㈥戶曹掾　主民戶之屬官、漢公府有戶曹掾。

㈦三閭大夫　春秋楚官名、掌王族屈景昭三姓、故名。王逸離騷序云：『屈原與楚同姓、仕於懷王、爲三閭大夫、三閭之職、掌王族三姓、曰屈景昭、屈原序其譜屬、率其賢良以厲國士。』聚族以居曰閭。

㈧蘭薰而摧玉縝則折　言蘭以芳香、人好而採、故多摧也。玉以貞白、人皆寶而琢、故有折者。以喩人有才識、亦亡身之本。世說新語言語篇：『毛伯成既負其才氣、常稱寧爲蘭摧玉折、不作蕭敷艾榮。』花草香氣曰薰。縝、精緻也。

㈨堅芳明絜　堅芳所以喩蘭也、明絜所以喩玉也、皆言忠貞。

(一〇)曰若先生逢辰之缺　曰若、發語辭、無義。尚書堯典：『曰若稽古帝堯。』案助辭辨略引蔡沈傳云：『曰、粵、越通、古文作粵、曰若者、發語辭、周書越若來三月、亦此例也。』逢辰之缺、言生不逢辰也。

(一一)溫風怠時飛霜急節　溫風長物、喻治世。飛霜、殺物也、喻亂朝。二句言溫風失其時、飛霜急其節、哀其不遇時也。

(一二)嬴羋搆紛昭懷不端　嬴、秦姓。羋、楚姓、後改魏氏、昭指秦昭王、懷指楚懷王也。不端、言其不君也。史記屈原傳：『屈平旣絀、張儀佯去秦、厚幣委質事楚。時秦昭王與楚婚、欲與懷王會、懷王欲行。屈平曰、秦虎狼之國、不可信、不如無行。懷王稚子子蘭勸王行。卒客死於秦。』

(一三)謀折儀尚　儀、張儀。尚、靳尚。是時楚謀與齊聯合抵禦秦國、乃爲張儀靳尚等折之、遂絕齊交。

(一四)貞蔑椒蘭　蔑、輕易也。椒、喻楚大夫子椒。蘭、喻楚司馬子蘭。離騷：『余以蘭爲可恃兮、羌無實而容長。』又：『椒專佞以慢慆兮、樧又欲充乎佩幃。』言屈子懷忠貞之節、而爲輕易者、蓋爲椒蘭所譖也。

(一五)郢闕　郢、楚都、即今湖北江陵縣東北之故郢城、楚平王徙此。闕、城闕也。

(一六)湘干　湘水之濱也。干、水涯也。詩經魏風伐檀：『坎坎伐檀兮、寘之河之干兮、河水清且漣漪。』

(一七)比物荃蓀連類龍鸞　連類比物、謂因人事而並舉其同類者。韓非子難言：『多言繁稱、連類比物、則見者以爲虛而無用。』荃蓀、香草名。王逸楚辭序：『善鳥香草、以配忠貞、虯龍鸞鳳、以託君子。』

(一八)聲溢金石　金石、樂也、金曰鐘、石曰磬。禮記樂記：『金石絲竹、樂之器也。』案金石居八音之先、故言樂率稱金石。聲溢金石者、喻其文辭之美也。

(一九)志華日月　謂其行誼之潔也。史記屈原傳：『太史公曰、屈原蟬蛻於濁穢、以浮游塵埃之外、推此志也、與日月爭光可也。』

(二〇)實穎實發　穎、禾末也、即穗之成熟而下垂者。發、莖發高也。詩經大雅生民：『實發實秀、實穎實栗。』

(二一)望汨心欷瞻羅思越　汨羅、即汨羅江也、以屬文駢偶、故分為二句耳。欷、歔也、歔欷者、悲泣氣咽而抽息也。思越、言精神顛墜也。文選吳質答東阿王書：『精散思越、惘若有失。』

(二二)藉用可塵　言借用此牲物、以達其誠、當不嫌為塵汚也。易經大過：『初六藉用白茅、无咎。』

(二三)昭忠難闕　言欲昭明其忠直、而祀典自不可闕也。

(三)祭夫徐敬業文

劉令嫺

維梁大同五年(一)新婦(二)謹薦少牢(三)於徐府君(四)之靈曰。惟君德爰禮智(五)。才兼文雅(六)。學比山成(七)。辯同河瀉(八)。明經擢秀(九)。光朝振野(一〇)。調逸許中(一一)。聲高洛下(一二)。含潘度陸(一三)。超終邁賈(一四)。二儀既肇。判合始分(一五)。簡賢依德。乃隸夫君(一六)。外治徒舉。內佐無聞(一七)。幸移蓬性。頗習蘭薰(一八)。式傳琴瑟(一九)。相酬典墳(二〇)。輔仁難驗(二一)。神情易促(二二)。雹碎春紅。霜彫夏綠(二三)。躬奉正衾(二四)。親觀啓足(二五)。一見無期(二六)。百身何贖(二七)。嗚乎哀哉。

生死雖殊。情親猶一。敢遵先好。手調薑橘(二八)。素俎空乾(二九)。奠觴徒溢(三〇)。昔奉齊眉。異於今日(三一)。從軍暫別。且思樓中(三二)。薄遊未反。尚比飛蓬(三三)。如當此訣。永痛無窮(三四)。百年何幾。泉穴方同(三五)。

【作　者】

劉令嫻、梁琅邪彭城人、南齊大司馬劉繪女、寧朔將軍王融甥、梁祕書監孝綽第三妹也。孝綽一門風雅、兄弟子姪七十餘人均能文、妹三人並有才學、令嫻最幼、世稱劉三孃。詩文尤清拔秀麗、隋書經籍志稱其有集三卷。夫徐悱以名公子受知宮廷、卒後令嫻爲文祭之。悱父勉雅善文辭、著述甚豐、本欲造哀詞、睹令嫻此作、遂擱筆。令嫻事附見梁書劉孝綽傳。

【題　解】

徐敬業、名悱、東海郯人、梁賢相徐勉之次子。幼聰敏、能屬文、過庭承訓、早勵清操、歷官太子洗馬、中舍人、出入太子之青宮及春坊有年、甚見知賞。以足疾、出爲湘東王蕭繹友、俄遷晉安內史。尋卒、年僅三十一。喪還建業、其妻劉令嫻爲文以祭之。悱事附見梁書南史徐勉傳。本文聲調清越、詞句簡淨、爲六朝駢體祭文中之最富感情者。古代女子鮮有受教育機會、世人每謂女流中絕少明經義諳雅故者、讀令嫻此作、詎可復作如是觀耶。蔣心餘評曰：『無限才情、出以簡淡、當是幽閒貞靜之婦。是編案即王志堅所編四六法海上下千餘年、婦人與此者、一人而已。』譚復堂曰：『惻愴中無意琢削而語語工、亦當文事最盛之日也。』

【注　釋】

㈠維梁大同五年　維、發語詞、祭文中常用之。大同、梁武帝年號。

㈡新婦　令嫻自稱。晉王渾妻鍾氏、字琰、魏太傅鍾繇之曾孫女也、聰慧弘雅、博涉羣書、禮儀法度爲中表所則。既適渾、生濟、渾嘗共琰坐、濟趨庭而過、渾欣然曰：『生子如此、足慰人心。』琰笑曰：『若使新婦得配參軍、生子故不啻如此。』參軍、謂渾中弟淪也。見晉書列女王渾妻鍾氏傳。

（三）薦少牢　言奠以羊豕也。爾雅釋詁：『薦、進也。』謂進奠祭之物。大戴禮記曾子天圓：『大夫之祭牲、羊曰少牢。』孔廣森補注：『少牢、舉羊以賅豕。』今人祗以太牢名牛、少牢名羊、則失之矣。

（四）府君　漢世太守所居稱府、因號太守曰府君。此借以尊其亡夫、蓋徐悱嘗爲晉安內史也。

（五）德爰禮智　言其德行、則禮儀與智慧俱全。爰、猶乃也。

（六）才兼文雅　言其才華、則文學與儒雅兼備。文、謂文辭道藝。雅、謂儒雅。唐玄宗贊張說詩：『有典有則、是爲文雅。』

（七）學比山成　言其學問高積如山。論語子罕篇：『子曰：譬如爲山、未成一簣、止、吾止也。譬如平地、雖覆一簣、進、吾往也。』

（八）辯同河瀉　謂辯才若懸河瀉水、滔滔不絕。晉書郭象傳：『王衍每云：聽象語、如懸河瀉水、注而不竭。』

（九）明經擢秀　言其通明經術、文藻秀出。漢書平當傳：『以明經爲博士。』漢時以明經射策取士。徐勉報伏挺書：『雄州擢秀、弱冠升朝。』

（一〇）光朝振野　言其光彩煥發於朝廷、聲譽振揚於鄉野。

（一一）調逸許中　言其才調橫逸於京師之中。許、即許昌、在今河南許昌縣、東漢建安初、曹操迎獻帝都此、此借爲京師之代稱。

（一二）聲高洛下　言其聲名高揚於京洛。洛、即洛陽、在今河南洛陽縣、東漢三國魏及西晉皆都於此、此亦借爲京師之代稱。

（一三）含潘度陸　言其辭采之美麗、則含容潘岳、度越陸機。按潘陸皆晉代文學家，有潘江陸海之美譽。

（一四）超終邁賈　言其幹才之早達、則超軼終軍、邁過賈誼。按終賈皆西漢之年輕學者。（以上述其夫之品行學識）

㈤二儀既肇判合始分　言天地既已開闢、夫婦始有分別。二儀、謂天地也。易經繫辭：『易有太極、是生兩儀。』孔穎達疏：『不言天地而言兩儀者、指其物體、下與四象相對、故曰兩儀、謂兩體容儀也。』肇、始也、卽開闢之意。判合、謂合男女各半以成夫婦。鄭玄周禮地官媒氏注：『判、半也、得耦爲合。』分、別也、

㈥簡賢依德乃隸夫君　簡、選也。隸、歸屬也。言選擇賢能、歸依有德、遂以身屬之。

㈦外治徒舉內佐無聞　舉、稱揚也。佐、助也。言惟夫治理外事、能著聲譽、己則佐助家務、愧無令聞。

㈧幸移蓬性頗習蘭薰　蓬、賤草也、性亂而放佚。荀子勸學篇：『蓬生麻中、不扶而直。』莊子逍遙遊篇：『夫子猶有蓬之心也夫。』郭象注：『蓬、非直達者也。』作者以蓬草自比。蘭、香草也、此喻其夫君之美德。薰、香氣也。言己之懶散性格、幸受夫君美德之薰染、頗能有所移化也。

㈨式傳琴瑟　式、語首助詞、無義。琴瑟、言夫婦和諧也。詩經小雅棠棣：『妻子好合、如鼓琴瑟。』鄭玄箋：『如鼓琴瑟之聲相應和也。』此言夫妻相愛、如琴瑟之聲相應和也。

㈩相酬典墳　典墳、古書之泛稱。孔安國僞古文尚書序：『伏羲神農黃帝之書謂之三墳、言大道也。少昊顓頊高辛唐虞之書謂之五典、言常道也。』此言夫婦唱和、往往以古籍相酬答也。（以上敍述二人婚後相愛之深）

(一一)輔仁難驗　論語顏淵篇：『曾子曰：君子以文會友、以友輔仁。』何晏集解：『友以文德合、相切磋之道、所以輔成己之仁。』驗、印證也。言欲夫君輔成己之文德、而今難以證信矣。

(一二)神情易促　言至善至美之愛情、往往短促易於消逝也。

(一三)雹碎春紅霜彫夏綠　空中水蒸氣遇冷結成冰雪、旋裹成塊而下降謂之雹、春夏雷雨時可見之、小者如豆、大者如蘋果、能傷禾黍人畜。言恩愛夫妻不克白首偕老、猶冰雹之擊碎春日紅花、嚴霜之凋傷夏季綠葉也。

(一四)躬奉正衾　衾、用以斂屍之被。言大斂時親自獻上端正之棉被、卽『親視含斂』之意。春秋時、齊國高士黔婁、修身

潔節、不求仕進、家貧甚、卒時衾不能蔽體。曾西曰：『斜其被則斂矣。』其妻曰：『斜之有餘、不若正之不足、先夫生而不斜、死而斜之、非其志也。』見皇甫謐高士傳。

㉕親觀啓足　啓足、開視其手足。言彌留時親眼觀其安然去世。論語泰伯篇：『曾子有疾、召門弟子曰、啓予足、啓予手。』蓋曾子平居事親至孝、以爲身體髮膚、受之父母、不敢毀傷、故有疾恐死、特召門弟子開衾視之、以明無毀傷也。

㉖一見無期　言此後欲求一見、永無機會。

㉗百身何贖　言雖欲以百死之身抵代之、又何能贖回其生命耶。詩經秦風黃鳥：『彼蒼者天、殲我良人、如可贖兮、人百其身。』孔穎達疏：『如使此人可以他人贖代之兮、我國人皆百死其身以贖之。』良人、指子車氏三子、殉秦穆公之喪者、世稱三良。(以上哀其夫遽然長逝)

㉘敢遵先好手調薑橘　先好、謂以前之愛好也。木耳煮好細切之、和以薑橘、可以爲菹、味甚美。見賈思勰齊民要術言依平昔之所喜好、親爲調理飯菜也。

㉙素俎空乾　素、質樸而無文飾也。俎、祭器也。空、事無成效之意、猶云枉然。言蔬食祭品空使乾燥、無人食用。

㉚奠觴徒溢　奠、祭也。觴、酒杯也。言祭奠之酒器徒然滿溢、無人飲之。

㉛昔奉齊眉異於今日　言昔日侍奉飲食、情形與今日完全不同。東漢梁鴻、字伯鸞、扶風平陵人、少孤貧、有氣節、博極羣書、娶妻孟光、亦落落不俗、偕隱霸陵山中。後適吳、依大家皋伯通、居廡下、爲人賃舂、每歸、妻爲具食、不敢於鴻前仰視、舉案齊眉。伯通大驚、卒禮遇之。見後漢書逸民梁鴻傳後世謂夫婦感情融洽而相敬如賓曰舉案齊眉、或云齊眉之樂、本此。

㉜從軍暫別且思樓中　言昔日之人從軍而去、不過暫時分別而已、其妻尚且倚樓哀思、春閨夢斷、何況今日我乃與君永

訣乎。

㉓薄遊未反尚比飛蓬　薄、語首助詞、無義。飛蓬、謂雲鬢不理、如蓬草乘風而飛之狀也。詩經衛風伯兮：『自伯之東、首如飛蓬、豈無膏沐、誰適為容。』作者借用詩經句意、言昔日之人、其夫暫遊未歸、尚且朝思暮想、無心修飾儀容、何況我今與君永訣乎。

㉔如當此訣永痛無窮　言古人生離已屬難堪、我今與君死別、則其心靈之創痛、寧有休止之一日乎。

㉕泉穴方同　言生時已無緣再見、但百年易逝、不難相見於黃泉也。詩經王風大車：『穀（生也）則異室、死則同穴。』（以上申祭奠之意、並述哀思。）

㈣祭田橫墓文　韓愈

貞元十一年九月，愈如東京，道出田橫墓下，感橫義高能得士，因取酒以祭，為文而弔之。其辭曰：

事有曠百世而相感者，余不自知其何心，非今世之所稀，孰為使余歔欷而不可禁。余既博觀乎天下，曷有庶幾乎夫子之所為，死者不復生，嗟余去此其從誰。當秦氏之敗亂，得一士而可王，何五百人之擾擾，而不能脫夫子於劍鋩，抑所寶之非賢，亦天命之有常。昔闕里之多士，孔聖亦云其遑遑，苟余行之不迷，雖顛沛其何傷。自古死者皆一，夫子至今有耿光，跪陳辭而薦酒，魂髣髴而來享。

㈤祭石曼卿文　歐陽修

維治平㈠四年七月日，具官㈡歐陽修謹遣尚書都省令史李敭至于太清㈢，以清酌庶羞之奠，致祭于亡友曼卿之墓下，而弔之以文曰：

嗚呼曼卿，生而爲英，死而爲靈。其同乎萬物生死，而復歸於無物者，暫聚之形。不與萬物共盡，而卓然其不朽者，後世之名。此自古聖賢莫不皆然，而著在簡册者昭如日星㈣。

嗚呼曼卿，吾不見子久矣，猶能髣髴子之平生。其軒昂磊落，突兀崢嶸㈤，而埋藏於地下者，意其不化爲朽壤，而爲金玉之精。不然，生長松之千尺，產靈芝㈥而九莖。奈何荒煙野蔓，荆棘縱橫，風淒露下，走燐飛螢。但見牧童樵叟，歌唫㈦而上下，與夫驚禽駭獸，悲鳴躑躅㈧而咿嚶㈨。今固如此，更千秋而萬歲兮，安知其不穴藏狐貉與鼯鼪。此自古聖賢亦皆然兮，獨不見夫纍纍乎曠野與荒城。

嗚呼曼卿，盛衰之理，吾固知其如此，而感念疇昔，悲涼悽愴，不覺臨風而隕涕者，有媿乎太上之忘情㈩。尚饗。

【題　解】

石曼卿，名延年，其先世爲幽州人。在晉時，幽州併於契丹，曼卿祖自成率族南下，家於宋州之宋城。曼卿少豪邁，喜飲酒談兵，舉進士不第。嘗知金鄉縣，判乾寧軍、永靜軍，有政聲。官至祕閣校理。康定二年卒於京師，年四十八。修有石曼卿墓表，可參閱。

【注　釋】

㈠治平　宋英宗年號。

㈡具官　祭文當書官職全銜，稿中有作『具官』二字。

㈢太淸　當是宋城縣之鄉名，曼卿葬於此。

㈣此自古聖賢至昭如日星　意謂聖賢皆有死，而名留史書者不朽。

㈤軒昂磊落突兀崢嶸　軒昂，高舉貌，此謂意態不凡。磊落，光明貌，此謂胸懷坦白。突兀崢嶸，並高峻貌，謂其狀貌偉然。

㈥靈芝　一名紫芝，菌類，古人以靈芝見，爲祥瑞之徵。

㈦唫　古吟字。

㈧躑躅　行不進貌。

㈨咿嚶　形容鳥悲鳴之聲。

㈩太上之忘情　世說新語傷逝篇：『聖人忘情。』太上，最上，猶言聖人。聖人寂然不動情，若遺忘者。

㈥祭歐陽文忠公文

王安石

夫事有人力之可致，猶不可期，況乎天理之冥漠㈠，又安可得而推，惟公生有聞於當時，死有傳於後世。苟能如此足矣，而亦又何悲。

如公器質之深厚㈡，智識之高遠，而輔以學術之精微。故充於文章，見於議論，豪傑俊偉，怪巧瑰琦㈢。其積於中者，浩如江河之停蓄㈣，其發於外者，爛如日星之光輝。其淸音幽韻，淒如飄風㈤急雨之驟至，其雄辭閎辨，快如輕車駿馬之奔馳。世之學者，無問乎識與不識，而讀其文，則其人可知。

嗚呼，自公仕宦四十年，上下往復，感世路之崎嶇。雖屯邅㈥困躓㈦，竄斥流離㈧，而終不可掩者，以其公議之是非。既壓復起，遂顯於世。果敢之氣，剛正之節，至晚而不衰。

方仁宗皇帝臨朝之末年，顧念後事㈨，謂如公者，可寄以社稷之安危。及夫發謀決策㈩，從容指顧(十一)，立定大計，謂千載如一時(十二)。功名成就，不居而去，其出處進退，又庶乎英魄靈氣，不隨異物腐散(十三)，而長在乎箕山之側，與潁水之湄(十四)。

然天下之無賢不肖，且猶爲涕泣而歔欷(十五)，而況朝士大夫，平昔游從，又予心之所嚮慕而瞻依(十六)。

嗚呼，盛衰興廢之理，自古如此，而臨風想望，不能忘情者，念公之不可復見，而其誰與歸。

【題　解】

本篇爲王介甫祭其嘗爲延譽薦舉之前輩歐陽修而作。於歐公之文章、氣節、功業、操履推崇備至，並申一己嚮慕瞻依之情，念非公無與歸，語語發自心坎，低回咨嗟，一唱三歎，極盡哀傷沈鬱之致。

【注　釋】

㈠冥漠　謂幽暗、沈寂，視之不見，聽之不聞也。卽深奧難知之意。

㈡器質　謂器量與材質。南史柳元景傳：『元景寡言語，有器質。』

㈢瑰琦　謂偉奇不同凡俗也。宋玉對楚王問遺行：『夫聖人瑰意琦行，超然獨處。』

㈣停蓄　謂停瀦蓄積也。韓愈柳子厚墓誌銘：『泛濫停蓄。』

㊄飄風　暴風也。爾雅釋天『迴風爲飄。』又詩經小雅何人斯：『其爲飄風。』毛傳：『飄風，暴起之風。』按爾雅釋天注：『暴風從上下。』孫炎曰：『回風從上下。』知暴風，迴風，對文則異，散文則通。此云飄風，二義適相成也。

㊅屯邅　謂處於困難不能前進也。周易屯卦：『屯如邅如。』

㊆困躓　謂困頓躓礙，事不順利也。唐書杜牧傳：『困躓不自振。』

㊇竄斥　猶言放逐也，卽貶謫至邊遠之地。廣韻：『竄，放也。』說文通訓定聲：『竄，逐之邊土也。』漢書武帝紀：『無益於民者斥。』顏師古注：『斥，謂棄逐之。』

㊈顧念後事　謂臨終遺念身後之事也。顧念，猶言顧命。書序：『成王將崩，命召公畢公率諸侯相康王，作顧命。』孔傳：『臨終之命曰顧命。』後事，身後之事。白居易詩：『家貧憂後事。』

㊉發謀決策　謂發出謀畫，決定策略也。

⑪從容指顧　謂指揮若定，應付裕如也。

⑫千載如一時　言人才之難得，可謂千百年而一見也。王羲之與會稽王箋：『遇千載一時之運，顧智力屈於當年。』

⑬異物　指死亡之常人。漢書賈誼傳：『化爲異物，又何足患。』

⑭長在乎箕山之側與潁水之湄　謂歐陽公英魄靈氣，當與古之高士許由遨遊於箕山之陽與潁水之濱也。史稱堯時有高士許由隱於沛澤，堯以天下讓之不受，遁耕於中岳潁水之陽，箕山之下。堯又欲召爲九州長，由不欲聞，洗耳於潁水之濱。沒後，葬箕山之巔。此處隱括其事，蓋喻公之功成不居，敝屣名位，高風亮節，亦許由之流亞也。

⑮歔欷　楚辭九章悲回風：『曾歔欷之嗟嗟兮。』王逸注：『歔欷，啼貌。』按說文繫傳：『歔欷者，悲泣氣咽而抽息也。』

㈥瞻依　謂瞻仰依恃也。詩經小雅小弁：『靡瞻匪父，靡依匪母。』鄭箋：『此言人無不瞻仰其父取法則者，無不依恃其母以長大者。』

㈦祭夫葉天彝文

江錢娘

于惟君子。實有可悲。幼曾牽幙。長擬結縭。如何至此。天傾地移。生與君無半枕之歡。死與君擬同穴之期。蓬室寂寂。梅帳淒淒。鴛衾夢斷。鶴駕踪馳。霜華冷戶。月涼浸扉。風號露泣。景是人非。空有織手。莫縫君衣。空有髩髮。莫與君齊。空有孟案。莫奉君卮。空有頳顏。莫侍君幃。君有老母。其誰與依。君無嗣子。其誰與繼。高堂奉事。妾願爲之。幽窗苦節。妾願守之。君含笑於地下。妾尙何以人爲。嗚呼。昔何緣兮天作合。今何誓兮鬼難欺。柏舟兮泛泛。薤露兮萋萋。金堆兮君掩骸。銀粟兮我減肌。白日兮如駒隙。綠窗兮損蛾眉。今夕兮不知何夕。少時兮一如老時。縱有慇情兮。莫酬契闊。從自摧傾兮。莫爾支持。海流不竭兮。淚流山石。難崩兮誓語。庭月兮照予懷。予懷兮與君知。

【題　解】

此爲明代才女江錢娘名作之一。生無半枕，死有全義，貞固若此，可謂卓絕。李于鱗評曰：『錢娘者，婺源江基之女也，幼許聘葉氏子天彝，天彝物故，錢娘聞訃，卽易服往其家親祭之，自譔哀詞，朝夕奠哭於靈前，遂不肯歸母家，營造雙壙，以期同穴。事姑以孝謹聞，姑沒盡哀，喪葬如禮。脫遺家產蕩析，攻針繡以自給，親族憐而饋之，皆卻不受。常坐一木龕，不踰戶閾者數十年，爲遠近處子師，授以工容，及語孝順節義等事，聞者興起，士論稱爲女中夫子。

狀聞，詔旌表貞女之門。』袁中郎曰：『泣訴心情，似無意翰墨，然情眞語至，讀之覺有悲風從窗縫中入，他人安能蹈隻字。』

(八)祭能兒文

鄒賽貞

爾之亡矣。倏忽一年。日月易邁。幽冥杳然。思爾音容。淚下潸湲。入爾書室。塵埋几筵。殘書斷簡。觸目心煎。人亡物在。此恨誰憐。嗚呼哀哉兒邪。

母自戊戌生爾。頗見岐嶷。汰沙得金。中心自喜。父母鍾愛。兄姊憐恤。方能言行。育養以正。敎讀四箴。即能領訓。枕畔膝前。泠泠聲誦。嗟惟斯時。父運尙蹇。遭家多難。省祖回鄉。數月遷延。祖病於牀。祖病甫愈。便欲束裝。殆至南京。毒發背瘡。於時母攜爾輩。遠處帝鄉。獨身操持。艱辛備嘗。念爾幼弱。擔我心慮。晨興保無。虞於夕息。日夕保無。慮於再旦。撫摩愛養。望爾成人。幸而父病愈北上。癸卯之歲。適中大比。仍遭祖喪。合家南還。守制故里。我於斯時。欲擇爾配。周詢密訪。殊無可意。自揆有兒。患無佳配。憐之寶之。事亦未遂。嗚呼哀哉。迨至丁未。爾父任官曹南。爾方十歲。挾於官邸。切磋琢磨。勤勞敎誨。日侍家庭。所親經義。里巷之語。鄭衞之音。皆不令接之於耳。如此者。蓋欲養爾性情。端爾器識。以成大望也。嗚呼哀哉。彼歲己酉。爾兄發解京闈。春榜未遇。省祭南歸。復爲爾推姻事。乃得故族謝氏之女。父母議之。甚爲相當。遣使齎書。文定厥祥。繼當丙辰。爾父官滿。念爾長成。議畢姻娶。挾家南行。爲我馳驅。舟車水陸。冰霜崎嶇。歲暮親迎。喜動庭幃。父母祝願。壽考維祺。承我宗祀。大我鎡基。豈意杯蛇。釀疾在脾。嗚呼哀哉痛哉。丁巳之春。偕上京師。

病尚未愈。體貌甚羸。兄姊旣見。恠問驚疑。父官萊州。限有程期。獨往赴任。我故不隨。拳拳爲爾。訪求名醫。藥餌調護。寢食節宜。旣頗平復。得展愁眉。心欲向學。力或見疲。母嘗勉爾。量力爲之。兒之心志。母亦深知。嗚呼哀哉。已未之秋。母兄遣爾。省父來萊。爾侍晨昏。居餘半載。父應詔起。俱爾北來。見爾丰采。我懷獨開。不意房中。婦失提孩。嗟我含飴。痛淚盈腮。自謂罹此凶咎。必當否往泰來。夫何未久。爾病復摧。陰癰內毒。禍已成胎。庸醫誤療。婦怨誰哉。兒邪哀哉痛哉。爾病臥牀。母心憔悴。匍匐倉皇。無可爲計。値時盛暑。夜以日繼。欲代爾疾。理不可得。兒見母苦。尚以言慰。母聞爾言。亦不忍以死事備。何期丙申之夕。爾神色異。骨肉相看。肝腸裂碎。亦有遺言。執手爲記。迨至天明。永訣而逝。嗚呼痛哉。服迎親時之衣。覆合巹時之被。歲月之促。號天莫企。噫。死生固有命。而恩愛何能割耶。父母在堂。亦有爾兄祿養。固有以樂天年者。所悲者。爾婦幼嫠。無嗣繼續。爾雖付以節義之言。吾不知其能金石否也。噫。昭昭節義。在丈夫或亦有迷於利欲者。彼蠢然之陰質。寧知節義爲何物耶。吾以是切心痛腸。爲爾恨也。兒若有靈。尚當陰淑其心。默勵其志。使古人之風。見於吾門。則生死者皆有光矣。嗚呼痛哉。與言至此。注淚成河。螟蛉之子。負之蜾蠃。揆之於義。古人亦有求玉他山。而名不泯者。蓋思爾遺言。匿愛是從也。適茲朞年。俗禮則作佛事。云爲兒超度。在士夫家禮。蓋無信然者。母之痛兒。亦欲從俗。而又止乎禮義也。吾兒生前。亦能以禮自處。而無信於異端者。今登鬼錄矣。英魂渺渺。不知在天堂邪。在地府邪。抑果有天堂地府可爲之超度邪。嗚呼哀哉。兒之生也。過隙之駒。兒之死也。鰥目之魚。母心傷悲。重寫哀詞。侑奠殯宮。以盡情悰。嗚呼哀哉。尚饗。

【作　者】

鄒賽貞，明鉛山人，濮末軒妻。少聰慧，博雅好吟，每有奇句，見者以爲無愧能言之士，因號曰士齋，有士齋詩三卷，女壻費鵝湖爲序。見歷代女子文集。

【題　解】

本篇選自歷代女子文集卷十一，爲祭兒文之名作。舐犢之情，慈母之愛，洋溢字裏行間，足與韓氏祭十二郎文、袁氏祭妹文相鼎峙。潘景升評曰：『此文如訴如泣，當與焦仲卿妻胡笳十八拍同看。』王昭平曰：『追數生平，涕零如雨，華妻濮母，哭泣場中當高置二座。』朱素衣曰：『以賽貞之懿德才能，使其服章美，列搢紳，固宜掉鞅文苑，爲天下奇男子。』

㈨祭黃夫人文

蔡元培

嗚呼仲玉，竟舍我而先逝耶。自汝與我結婚以來，才二十年，累汝以兒女，累汝以家計，累汝以國內外之奔走，累汝以貧困，累汝以憂患，使汝善書、善畫、善爲美術之天才，竟不能無限發展，而且積勞成疾，以不得盡汝之天年。嗚呼，我之負汝爲如何耶。

我與汝結婚以後，屢與汝別，留青島三閱月，留北京譯學館半年，留德意志四年。革命以後，留南京及北京十閱月，前年留杭縣四閱月，加以其他短期之旅行，二十年中，與汝歡聚者不過十二三年耳。

嗚呼，孰意汝舍我如是其速耶。

凡我與汝別，汝往往大病，然不久卽愈。我此次往湖南而汝病，我歸汝病劇，及汝病漸痊，醫生謂不日可以康復，我始敢放膽而爲此長期之旅行。豈意我別汝而汝病轉劇，以至於死，而我竟不得與汝一訣耶。

我將往湖南，汝恐我不及再回北京，先爲我料理行裝，一切完備。我今所服用者，何一非汝所採購，汝所整理，處處觸目傷心，我其何以堪耶。

汝孝於親，睦於弟妹，慈於子女，我不知汝臨終時，一念及汝死後老父老母之悲切，弟妹之傷悼，稚女幼兒之哀傷，汝心其何以堪耶。

汝時時在紛華靡麗之場，內之若上海及北京，外之若柏林及巴黎，我間欲爲汝購置稍入時之衣飾，偕往普通娛樂之場所，而汝輒不願。對於北京婦女以酒食賭博相徵逐，或假公益之名以鶩聲氣而因緣爲利者，尤愼避之，不敢與往來。常克勤克儉以養我之廉，以端正子女之習慣。嗚呼，我之感汝何如，而竟不得一當以報汝耶。

汝愛我以德，無微不至。對於我之飲食、起居、疾痛、痾癢，時時懸念，所不待言。對於我所信仰之主義，我所信仰之朋友，或所見不與我同，常加規勸，我或不能領受，以至與汝爭論，我事後輒非常悔恨，以爲何不稍稍忍耐，以免傷汝之心。嗚呼，而今而後，再欲聞汝之規勸而不可得矣，我惟有時時銘記汝往日之言以自檢耳。

汝病劇時，勸我按預約之期以行，而我不肯。汝自料不免於死，常祈速死，以免誤我之行期。我當時以爲此不過病中憤感之談，及汝小愈，則亦置之。嗚呼，豈意汝以小愈促我行，而竟不免死於我行以後耶。

我自行後，念汝病，時時不寧。去年十一月二十八日，在船中發一無線電於蔣君，詢汝近況，冀得痊愈之消息以告慰，而復電僅言小愈。我意非痊癒，則必加劇，小愈必加劇之諱言，聊以寬我耳，我於是益益不寧。到里昂後即發一電於李君，詢汝近況，又久不得復。直至我已由里昂而巴黎，而瑞士，始由里昂轉到譚蔣二君之電，始知汝竟於我到巴黎之次日，已舍我而長逝矣。嗚呼，我之旅行爲對於社會應盡之義務，本不能以私廢公，然遲速之間，未嘗無商量之餘地，爾時李夫人曾勸我展緩行期，我竟誤信醫生之言而決行，致不得調護汝以蘄免於死。嗚呼，我負汝如此，我雖追悔，其尚可及耶。

我得電時距汝死已八日矣。我既無法速歸，亦已無濟於事，我不能不按我預定計畫盡應盡之義務而後歸。嗚呼，汝如有知，能不責我負心耶。

汝所愛者，老父老母也，我祝二老永遠健康，以副汝之愛。汝所愛者，我也，我當善自保養，盡力於社會，以副汝之厚愛。汝所愛者威廉也，柏齡也，現在託庇於汝之愛妹，愛護周至，必不讓於汝。我回國以後，必躬自撫養，使得受完全教育，爲世界上有價值之人物，有所貢獻於世界，以爲汝母教之紀念，以副汝之愛。嗚呼，我所以慰汝者如此而已，汝如有知，其能滿意否耶。

汝自幼受婦德之教育，居恆慕古烈婦人之所爲。自與我結婚以後，見我多病而常冒危險，常與我約，我死則汝必以身殉。我諄諄勸汝，萬不可如此。宜善撫子女以盡汝爲母之天職。嗚呼，孰意我尚未死而汝竟先我而死耶。我守我勸汝之言不敢以身殉汝，然我早衰而多感，我有生之年亦復易盡，死而有知，我與汝聚首之日不遠矣。

嗚呼，死者果有知耶，我平日決不敢信，死者果無知耶，我今日爲汝而決不敢信。我今日惟有認汝爲有知，而與汝作此最後之通訊，以稍稍紓我之悲悔耳。嗚呼仲玉。

【題解】

據孫德中氏蔡孑民先生重要事略繫年記謂蔡氏『三十二歲歲次戊戌，清光緒二十五年，元配王夫人以產後失調逝世。三十四歲歲次庚子，清光緒二十七年，黃世振女士來歸。夫人江西籍，工書畫，嘗割臂療父病，有孝女之稱。』又案黃世暉蔡孑民先生傳略：『孑民爲中西學堂監督時，喪其妻王氏。未期媒者紛集，孑民提出條件曰：㈠女子須不纏足者。㈡須識字者。㈢男子不取妾。㈣男死後女可再嫁。㈤夫婦如不相合，可離婚。媒者無一合格，且以後兩條爲可駭。後一年始訪得江西黃爾軒先生之女曰世振，字仲玉，天足，工書畫。且孝於親。乃請江西葉祖薌媒介，始訂婚焉。是時，孑民雖治新學，然崇拜孔子之舊習，守之甚篤。與黃女士在杭州行婚時，不循浙俗掛三星畫軸，而以一紅幛子綴「孔子」兩大字。又於午後開演說會，示以代鬧房。』黃夫人逝於民國十年一月三日，時蔡氏年五十五歲，正奉派至歐美考察教育，於一月二日抵巴黎，八日赴瑞士，十日始接獲黃夫人逝世電，去夫人之死已八日矣。乃爲文於旅次以祭之。追敘生平，迴環往復，鶼鰈情深，於斯概見。

(一〇)祭徐永昌將軍文

賈景德

維中華民國四十八年七月甲申朔越十有七日，賈景德謹以香花酒醴庶饈之儀，致祭於摯友　故一級上將徐次辰先生兄之靈曰：

維矯矯如龍之人傑兮，原拔起於孤寒。有深長之意思兮，性高潔而情鬱盤。不貪一文分外之財兮，而淡泊自安。與人無爭與世無忤兮，自謂黃老之學從未研鑽。幼入柳營牧馬兮，逐水草而悽酸。短褲汙手自浣兮，就曝片石而待乾。苦心志而勞筋骨兮，終降大任於帥壇。懿惟城北之徐公兮，深在抱之痌瘝。飲食與敎誨兮，不惜心力之俱殫。赤足護蹕走晉陝豫薊兮，長棘刺痛慨然發長歎。更受城南徐公之推薦兮，長百夫而效一官。不遂厥志層入軍校與陸大兮，每試首冠名不刊。訪巖穴徧歷滇蜀關輔兮，目營扼塞與重關。提偏師駐薊南兮，醒春夢於邯鄲。回戈天再造兮，佐孫武而振羽翰。一戰勘定三輔兮，傷隴右之凋殘。歸桐封挺勁節於舊帥兮，改旗幟在蓋棺。奮鷹揚於朔方兮，歸全師於中原。主政三省布德澤兮，一塵不染避婪貪。扶病出長軍令亙八載兮，運籌決勝功桓桓。受降東京灣兮，米蘇里艦上聳衆觀。出長國防備歷艱險兮，爲蹈東海來臺灣。我初識君在廣座兮，雞羣一鶴來會餐。君不我棄兮，自然廉藺能交歡。憂樂與共歷卅載兮，無言不談瀝肺肝。春暮受風寒於議席上兮，舊病復發治療難。人謂君諱疾忌醫兮，我稔君抗病心性之強頑。胡天不弔遽折梁棟兮，使伏波不再顧盼而據鞍。嗚呼，人生本如夢幻泡影兮，奈何我亦雙淚潸。嗟君未了有遺事兮，我當聯合朋交盡力擔。抒情祭告請君聽兮，乞在天之靈來格來享心放寬。嗚呼傷矣。尙饗。

(二)祭吳稚暉先生文

于右任

維中華民國四十二年十一月二日，監察院院長于右任，副院長劉哲，暨全體監察委員，謹以清酌時花之獻，致祭於　吳稚暉先生之靈前曰：

先生思想。維新革命。誘啓新知。科學是競。天演本始。精神物性。鼓吹民治。以拯萬姓

先生學問。淹貫古今。儒修哲理。磅礴宏深。語文統一。審定國音。詼諧幽默。咸喻規箴。

先生人格。秉彼三讓。四夫自爲。克集令望。灑落襟懷。恢弘度量。神清氣和。老而益壯。

先生功業。位躋元勳。決策機先。燭照妖氛。不辭艱險，一貫忠勤。中邦保傅。永式完人。

先生之逝。爲天下慟。先生之風。留垂歌頌。哲人長往。乘鶴跨鳳。神其有知。鑒茲清供。

嗚呼尚饗。

(三)祀孔文

成惕軒

道纘黃虞(一)。澤流洙泗(二)。光昭四方。儀範千世。至仁周物。始於親親(三)。貴德尚齒。以明人倫(四)。

善教因材。本於無類(五)。順時執中。以祛羣蔽(六)。敬事節用。足食足兵(七)。半部論語。克臻治平(八)。

尊王攘夷。毋僭毋越(九)。一字春秋。實懼亂賊(十)。今日何日。禍深赤眉(十一)。禁亂除暴。彝訓是資(十二)。

天討必申(十三)。河清可俟(十四)。誓拯黎元。敢告夫子。謹告。

【注釋】

(一)道纘黃虞　纘、繼也。黃指黃帝、虞指虞舜、皆上古聖君。言孔子上承黃虞之一貫大道也。

(二)澤流洙泗　洙卽洙水、泗卽泗水、皆在魯地、孔子設敎於二水之上、修詩書禮樂、弟子四遠而至、儒學大盛、後世言

魯之文化、每以洙泗爲代稱。梁武帝答劉之遴詔：『丘明傳洙泗之風、公羊秉西河之學。』

㊂至仁周物始於親親　孟子盡心篇：『君子之於物也、愛之而弗仁。於民也、仁之而弗親。親親而仁民、仁民而愛物。』趙岐注：『先親其親戚、然後仁民、仁民然後愛物、用恩之次也。』案仁親均訓愛、而親切於仁、仁厚於愛。儒家言愛、有親疏之等差、故施愛由親及人、由人及物。

㊃貴德尚齒以明人倫　貴德、謂尊重有道之人。尚齒、謂崇奉高年者。禮記祭義：『有虞氏貴德而尚齒、夏后氏貴爵而尚齒、殷人貴富而尚齒、周人貴親而尚齒。』人倫、謂人類之常道常理。孟子滕文公篇：『使契爲司徒、敎以人倫、父子有親、君臣有義、夫婦有別、長幼有序、朋友有信。』

㊄善敎因材本於無類　案孔子晚年設杏壇於洙泗之上、以六藝敎授門人、開我國私人講學之風。嘗曰：『自行束脩以上、吾未嘗無誨焉。』（見論語述而篇）受業而悟道者七十二賢、雖大盜如顏濁聚者、亦薰化而成善良、其有敎無類、主張敎育機會均等、誠爲平民敎育之大宗師。至其因材施敎、尤見多方。論語爲政篇載：孟懿子問孝、子曰：『無違』。孟武伯問孝、子曰：『父母唯其疾之憂』。子游問孝、子曰：『今之孝者、是謂能養、至於犬馬、皆能有養、不敬、何以別乎。』子夏問孝、子曰：『色難』。同是問孝、而孔子之答、各有不同、是因其材而敎育之也。

㊅順時執中以袪羣蔽　順時、謂順應時代潮流也。孟子萬章篇：『伯夷、聖之淸者也。伊尹、聖之任者也。柳下惠、聖之和者也。孔子、聖之時者也。』言孔子相時之宜、而權其輕重緩急、使適乎中道、不偏於一端。執中、言循中道而行、無過與不及也。尚書大禹謨：『人心惟危、道心惟微。惟精惟一、允執厥中。』案周秦之際、聖道湮微、王綱不振、孔子倡爲學說、以匡救時弊、是其『順時執中以袪羣蔽』也。

㊆敬事節用足食足兵　論語顏淵篇：『子貢問政、子曰：足食足兵、民信之矣。子貢曰：必不得已而去、於斯三者何先。曰：去兵。子貢曰：必不得已而去、於斯二者何先。曰：去食。自古皆有死、民無信不立。』

㈧半部論語克臻治平　宋趙普為相、每歸私第、闔戶取書、誦之竟日、及次日臨政、處決如流。旣卒、家人發篋視之、則論語二十篇也。普嘗謂太宗曰：『臣有論語一部、以半部佐太祖定天下、以半部佐陛下致太平。』事見續通鑑。

㈨尊王攘夷毋僭毋越　周室東遷以後、封建政治與宗法社會已漸崩壞、子弒其父者有之、臣弒其君者有之、夷狄交侵、弱肉強食。孔子目覩天下紛亂、乃特致意於尊王攘夷、折貴族之奢僭、抑臣下之篡竊、期使天下復歸於正。其贊管仲有云：『管仲相桓公、霸諸侯、一匡天下、民到於今受其賜、微管仲、吾其被髮左衽矣。』見論語憲問篇。

㈩一字春秋實懼亂賊　孟子滕文公篇：『昔者禹抑洪水、而天下平。周公兼夷狄、驅猛獸、而百姓寧。孔子成春秋、而亂臣賊子懼。』

⑪禍深赤眉　西漢末、王莽篡漢、琅琊樊崇起兵於莒、朱其眉以與莽兵別、號曰赤眉、擊敗劉玄、立劉盆子為帝、橫行江淮間、聲勢頗盛、後為光武帝所平。

⑫彝訓　常訓也。尚書酒誥：『我民迪小子、惟土物愛、厥心臧、聰聽祖考之彝訓、越小大德、小子惟一。』孔安國傳：『言子孫皆聰聽父祖之常教。』韓愈送區弘詩：『爰有區子熒熒輝、觀以彝訓或從違。』

⑬天討必申　天討、猶言天罰。尚書皋陶謨：『天討有罪、五刑五用哉。』後遂相承為王師伐罪之辭。

⑭河清可俟　黃河多挾泥沙、水常混濁、古以河清為太平祥瑞之徵。易緯乾鑿度：『天降嘉應、河水先清。』文選張衡歸田賦：『徒臨川而羨魚、俟河清乎未期。』呂延濟注：『河清、喻明時。』

㈢祭梅貽琦博士文

佚名

維中華民國五十一年五月二十三日，治喪委員會同人謹以清酌庶羞之奠，致祭於故國立清華大學校長梅月涵先生之靈而泣曰：

嗚呼，天之將喪斯文歟，胡奪我先生之速，人亦有言，死歸無物，惟聖與賢，雖埋不沒。如先生者，其庶幾乎。先生學比淵澄，道同嶽峙，仁者愛人，作育多士。先生粹然儒者，躬行身教，對國家之貢獻，獨多且要。與並世諸君子比，華若不逮，而實則過之。卒也，諸君子名滿天下，謗亦隨之。譽之者既過其實，毀之者亦未必不雜其私，而國人之尊仰先生，翕然稱之。蓋無智愚，徧朝野，乃至白叟黃童，胥無異辭。孔子云：『天何言哉，四時行焉，百物生焉。』於先生見之。先生生平盡瘁國立清華大學，雖於國家艱危之際，兩度出長教部，而兼領清華如故。人有恆言：見果知樹。五十年來清華人才之盛，堪稱獨步，貢獻之多，尤彰明而皎著。斯非倖致，實耕耘者心血之所傾注。先生之行誼，本乎中國文化之淵源，而學術則造乎西洋文化之峯巓。觀乎先生之儀型多士，我先民中體西用之理想在焉。今世以有無原子科學設備，爲衡量一國文野之準繩，先生忠愛國家，於政府播遷來臺之際，殫精竭慮，奮不顧身，爲國家提供此一需要，使自由中國崛起而與於近代文明國家之林，厥功之偉，莫之與京。中央研究院院士之膺選，學界引爲殊榮，孰意先生竟不稍留而遽隕其身，終天遺憾，未能目睹河山之再造，民國之復興。嗚呼，胡奪我先生之速，豈天之將喪斯文。請爲公歌：

公有自來來自天，天風吹墮浮山巓。驅龍耕煙種芝田，森然萬玉筍聯班。
水木清華生紫煙，老榦槎枒鐵石堅。下視桃李任崔妍，要與松柏共歲寒。
冷然玉屑霏簾纖，空山月落獨飛還。觀化化及本自然，好留清氣在人間。
江潭搖落水娟娟，荔丹蕉黃羞公前。美人如花隔雲端，瞻望弗及涕泗漣。
尚饗。

(四)國民代表大會祭告　國父文

謝鴻軒

中華民國五十五年三月二十五日總統　蔣中正謹偕領第一屆國民大會第四次會議主席團暨全體代表等，敬具香花清酌之儀，祭告於我　國父中山先生在天之靈曰：

唐虞垂統，聖道彌九野之光，湯武弔民，王業紀千秋之盛。周公制禮，樹仁政之宏規，尼父删書，擁素王之尊號。惟我　國父中山先生明齊日月，量合乾坤，學究天人，功參造化。良醫何限於良相，濟世首重於濟民。審近世之潮流，繼往聖之道流。盡人物之性，爲天地立心。觀夫書致合肥，旨符禮運。昌言地盡其利，物盡其用，貨殖盡其暢流，進中國於富強之域也。必使老有所終，幼有所長，壯者有所致力，躋斯民於安樂之天也。無奈清政不綱，列強壓境，兵連禍結，豆剖瓜分。感國步之艱虞，念匹夫之任重。馬關締約，宰臣擅割地之權，檀島會盟，志士謀回天之術。光天化日，陸敬輿遺澤長存，援絕功虧，鄭延平出師未捷。我　國父力抨敗政，志切匡時。英倫罹羑里之囚，瀛海有塗山之會。豪雄翹首，俊乂傾誠。用能鼓動風潮，造成時勢。黃化青塚，寄先烈之忠魂，碧血丹心，昭中華之正氣。一舉鄂州之幟，重開洪武之京。兌澤降自堯天，生靈胥悅，巽風被於禹甸，草木皆春。天與人歸，創征誅之大業，君輕民貴，仰揖讓之高懷。何圖藩鎮專橫，權奸竊據，或迷籌安之夢，或逞復辟之謀，或毀法於前，或構兵於後。我　國父上承天意，下順人心。既興討逆護法之雄師，復訂建國經邦之鴻略。推心置腹，期銅馬之俯首輸誠，瀝膽披肝，譬武侯而鞠躬盡瘁。漢皇原廟，祀百世之神功，明祖孝陵，伴萬年之靈寢。託上天之福祉，賴 國父之威靈。傳捷報於東征，未遺一矢，告武成於北伐，無踰三年。閩賊易除，靖南疆之鼠患，哀兵必勝，平東海之鯨波。固已亭毒八荒，盧牟六合。混車書於天下，同風教於域中。伸展民權，實施憲政。詎料王彌賊子，招劉曜而南侵，石晉兒皇，事契丹以北面。毒流區宇，屠戮黎元，陵寢蒙塵，山河易色。田單在莒，藉二邑而復齊，少康羈虞，有一成而興夏。值此歲年重五，月令逢三，我第一屆國民大會第四次會議於臺北隆重舉行，輝煌成就。正八方風雨，宣五族之輿情，會一代衣冠，奉三民之國憲。纘承法統，適應時機。縱五院之能，臻四權之治。維新之命已開，匡復之功何遠。南連北越，北結三韓，楛矢東來，樓船西渡。揚鐵鷹之神技，何敵不摧，動金馬之義師，有征無戰。是知嬴秦暴政，不免軹道之災，新莽竊權，終有漸臺之禍。登兆民於衽席，致四海於清平。寰宇重光，冀收京之在即，陵園待整，願告廟於來時。謹掬肫誠，伏維

靈鑒。尚

饗。

㈤祭李漁叔教授文

張仁青

維

中華民國六十一年八月二十六日國立臺灣師範大學文學院國文系主任李曰剛偕全體同仁謹以清酌香花鮮果之儀致祭於

李故教授漁叔先生之靈曰：

巍巍衡嶽。吐符降神。於皇先生。握瑜懷珍。鸞儔鳳立。性方德純。喬松直上。麗質璘彬。孤風絕侶。逸翮獨翔。騰芬上國。飛藻扶桑。學該儒墨。詩備宋唐。士林企軌。文苑挹芳。坐擁皋比。澤被後生。三舍俊彥。多荷栽成。笛吹鐸振。華蓋蓬瀛。虞庠大老。文化干城。天造昧昧。賢愚莫別。芝殘蕙焚。蘭摧桂折。玉樹長埋。雅音永絕。湘水無聲。楚魂凝咽。哀哉。尚饗。

(六)祭戴君仁教授文

張仁青

維

中華民國六十七年十二月二十二日治喪委員會全體同仁謹以鮮花淸醴致祭於戴故教授靜山先生之靈前曰：

錢塘浩浩。會稽蒼蒼。雲龍風虎。鳳起鵬颺。篤生俊哲。挺耀含章。新民輔世。邦國泰昌。曰若先生。佩玉鳴璜。書窮二酉。業守青緗。學緣道茂。器以聲彰。逸翮高振。飛粲霞光。揭來圓嶠。晚節彌香。學該兩宋。詩逼三唐。遐荒桃李。競列門牆。經師人師。慧海慈航。胡天不弔。降茲嚴霜。魯殿折柱。少微斂芒。儒林哽慟。文苑惋傷。流風垂範。山高水長。嗚乎哀哉。尚饗。

㈦祭屈萬里教授文

張仁青

維

中華民國六十八年三月十日國立臺灣大學校長閻振興偕全體教職員同仁謹以香花酒饌致祭於

屈故教授翼鵬先生之靈曰：嗚乎。

鄒魯之邦。載誕哲人。聖賢繼軌。丕煥經綸。牖民覺世。邦命維新。纘先開後。弘衍傳薪。

於皇先生。偉質挺出。珠玉輝潤。英聲茂實。學窮酉藏。胸羅數術。勘校祕笈。羣欽淵識。

皋比坐擁。鐸音頻宣。汪洋德澤。普被臺員。杞梓競秀。桃李呈妍。儒林祭酒。名綴青編。

中原板蕩。國事蜩螗。中興指顧。碩儒是望。天雲黯色。文曲斂芒。典型長在。卷帙流芳。

嗚乎哀哉。尙　饗。

㈥祭戴銘辰教授文

張仁青

維

中華民國六十四年九月十五日治喪委員會全體同人謹以香花之儀致祭於

戴故教授銘辰女士之靈前曰：

湯湯甌水。巍巍括蒼。篤生邦媛。挺秀含章。明慧早達。高視珂鄉。雅慕西學。負笈重洋。

鳳翮高舉。飛粲霞光。學成歸國。都講鱣堂。珊瑚樹茂。桃李花香。女界精粹。巾幗豪強。

實佐君子。爲國儁良。躋秩公輔。廊廟迴翔。新民淑世。志切弼匡。名動寰宇。功在中邦。義方啓後。蘭桂騰芳。丸荻風徽。今復振揚。既聖且善。懿德永彰。母儀雍穆。好景榆桑。謂天蓋高。胡奪其常。瑤華匿采。寶婺沈芒。風盲雨泣。學苑悼傷。音容宛在。彤管流芳。尚　饗。

(四)哀弔文

(一)金瓠哀辭　　曹植

金瓠，予之首女，雖未能言，固已授色知心矣(一)。生十九旬而夭折，乃作此辭。辭曰：

在襁褓而撫育，尚孩笑而未言，不終年而夭絕，何見罰於皇天，信吾罪之所招，悲弱子之無愆(二)，去父母之懷抱，滅微骸於糞土。天長地久，人生幾時，先後無覺，從爾有期。

【題　解】

哀者，閔也，傷也。哀辭者，傷逝之文也。摯虞曰：『誄之流也，率以施於童殤夭折，不以壽終者。體以哀痛爲主，緣以歎息之辭。』故文心雕龍亦云：『情主於痛傷，而辭窮乎愛惜。幼未成德，故譽止於察惠，弱不勝務，故悼加乎膚色。』金瓠事見篇首小序。

【注　釋】

㈠授色知心　謂示之以面色，即能知心中之意也。

㈡愆　愆尤、過失也。尚書皋陶謨：『帝德罔愆。』

㈡思舊賦　向秀

余與嵇康呂安居止接近，其人並有不羈之才。嵇意遠而疏，呂心曠而放，其後並以事見法。嵇博綜伎藝，於絲竹特妙，臨當就命，顧視日影，索琴而彈之。逝將西邁，經其舊廬。于時日薄虞淵，寒冰淒然。鄰人有吹笛者，發聲寥亮。追想曩昔游宴之好，感音而歎，故作賦曰：

將命適於遠京兮，遂旋反以北徂。濟黃河以汎舟兮，經山陽之舊居。瞻曠野之蕭條兮，息余駕乎城隅。踐二子之遺迹兮，歷窮巷之空廬。歎黍離之愍周兮，悲麥秀於殷墟。惟追昔以懷今兮，心徘徊以躊躇。棟宇在而弗毀兮，形神逝其焉如。昔李斯之受罪兮，歎黃犬而長吟。悼嵇生之永辭兮，顧日影而彈琴。託運遇於領會兮，寄餘命於寸陰。聽鳴笛之慷慨兮，妙聲絕而復尋。佇駕言其將邁兮，故援翰以寫心。

㈢金鹿哀辭　潘岳

嗟我金鹿，天姿特挺。鬒髮凝膚，蛾眉蠐領。柔情和泰，朗心聰警。嗚呼上天，胡忍我門。良嬪短世，令子夭昏。既披我幹，又剪我根。塊如瘣木，枯荄獨存。捐子中野，遵我歸路。將反如疑，迴首長顧。

(四)孤女澤蘭哀辭　潘岳

澤蘭者。任子咸之女也。涉三齡。未沒衰而殞。余聞而悲之。遂爲其母辭。

茫茫造化。爰啓英淑。猗猗澤蘭。應靈誕育。鬒髮蛾眉。巧笑美目。顏耀榮茞。華茂時菊。如金之精。如蘭之馨。淑質彌暢。聰慧日新。朝夕顧復。夙夜盡勤。彼蒼者天。哀此矜人。胡寧不惠。忍予眇身。俾爾嬰孺。微命弗振。俯覽衾襚。仰訴穹旻。弱子在懷。既生不遂。存靡託躬。沒無遺類。耳存遺響。目想餘顏。寢席伏枕。摧心割肝。相彼鳥矣。和鳴嚶嚶。矧伊蘭子。音影冥冥。彷徨丘隴。徙倚墳塋。

(五)思舊銘並序　庾信

歲在攝提。星居鶉首(一)。梁故觀寧侯蕭永卒。嗚乎哀哉。人之戚也。既非金石所移(二)。士之悲也。寧有春秋之異(三)。高臺已傾。稷下有聞琴之泣(四)。壯士一去。燕南有擊筑之悲(五)。項羽之晨起帳中(六)。李陵之徘徊歧路(七)。韓王孫之質趙(八)。楚公子之留秦(九)。無假窮秋。於時悲矣(一〇)。

況復魚飛武庫。預有棄甲之徵(一一)。鳥伏翟泉。先見橫流之兆(一二)。星紀吳亡(一三)。庚辰楚滅(一四)。紀侯大去(一五)。鄅子無歸(一六)。原隰載馳。轘轅長別(一七)。甲裳失矣。艅皇棄焉(一八)。河傾酸棗。杞梓與樗櫟俱流(一九)。海淺蓬萊。魚鼈與蛟龍共盡(二〇)。

焚香複道。詎假遊魂(二一)。載酒屬車(二二)。寧消愁氣。芝蘭蕭艾之秋(二三)。形殊而共瘁。羽毛鱗介之怨四)。聲異而俱哀。所謂天乎。乃曰蒼蒼之氣(二五)。所謂地乎。其實博博之土(二六)。怨之徒也。何能感焉(二七)。

彫殘殺翮。無所假於飆風(二八)。零落春枯。不足煩於霜露。

幕府初開。賢俊翹首(二九)。爲鶚終歲。門人謝焉。至於東首告辭。西陵長往(三〇)。山陽車馬(三一)。望別郊門。潁川賓客(三二)。遙悲松路。嵇叔夜之山庭。尙多楊柳(三三)。王子猷之舊徑。惟餘竹林(三四)。王孫葬地。方爲長樂之宮(三五)。烈士埋魂。卽是將軍之墓(三六)。

昔嘗歡宴。風月留連(三七)。追憶生平。宛然心目。及乎垂翅秦川(三八)。關河羈旅。降乎悲谷之景(三九)。實有憂生之情。美酒酌焉。猶憶建業之水(四〇)。鳴琴在操。終思華亭之鶴(四一)。重爲此別。嗚乎甚哉。麟亡星落。月死珠傷(四二)。瓶罄罍恥(四三)。芝焚蕙歎(四四)。所望鐘沈德水(四五)。聲出風雲。劍沒豐城(四六)。氣存牛斗。潸然思舊。乃作銘云。

風雲上慘。舟壑潛移(四七)。駸駸霜露。君子先危(四八)。　紀侯大去。懷王不返(四九)。玉樹長埋。風流遂遠(五〇)。
荀伯舊縣。慶封餘邑(五一)。萬里歸魂。修門詎入(五二)。　墳橫武庫。山枕盧龍(五三)。思歸道遠。返葬無從。
徒留送雁。空靡長松(五四)。平陵之東。無復梧桐(五五)。　松聲蕭瑟。長起秋風。疇昔隆貴。提攜語默(五六)。
託情嵇阮。風雲相得(五七)。有酒如澠。終溫且克(五八)。　朝陽落鳳。大野傷麟(五九)。佳城鬱鬱。流寓於秦(六〇)。
山陽相送。惟餘故人(六一)。孀機嫠緯。獨鶴孤鸞(六二)。　閨深夜靜。風高月寒。生平已矣。懷舊何期。
匣中絃絕。鄰人笛悲(六三)。昔爲幕府。今成繐帷(六四)。

【題　解】

思舊銘者、悼梁觀寧侯蕭永作也。觀寧之卒、王褒有送葬之詩、庾信著思舊之銘、昔向秀山陽聞笛、感音而賦、庾氏與蕭王二君、同時羈旅、是篇皆其鄉關之思、及褒薨、信作詩云：『惟有山陽笛、悽余思舊篇』、謂斯銘也。本篇原屬墓銘之一類、惟其性質近於哀誄、非施於碑誌者、故目之爲祭文或誄文可也。李兆洛駢體文鈔即列之於誄祭類

按蕭永爲梁鄱陽忠烈王恢之子、鄱陽王範之弟、史未立傳、生平已難該悉。惟南史周敷傳云：『敷性豪俠、輕財重士、侯景之亂、敷至豫章、時梁寧觀侯蕭永等避難流寓、聞敷信義、皆往依之、敷愍其危懼、屈體崇敬、厚加給卹、送之西上。』據此、知永亦西上江陵、及元帝敗後、與庾信王褒沈炯同時羈旅、當亦隨例入關中者也。

【注釋】

㈠歲在攝提星居鶉首　太歲在寅曰攝提格、見爾雅釋天。郝懿行爾雅義疏：『攝提、星名、屬東方亢宿分指四時從寅起也。』鶉首、星名、此指月令說、即夏曆五月也。鄭玄禮記月令注：『仲夏者、日月會於鶉首、而斗建午之辰也。』
案北周明帝二年、歲次戊寅、故云攝提、可證蕭永卒於是年五月。

㈡人之戚也既非金石所移　言人爲感情動物、或悲或戚、往往隨物興感、決非金石所能轉移其毫末也。古詩：『人生非金石、豈能長壽考。』

㈢士之悲也寧有春秋之異　淮南子繆稱訓：『春女思、秋士悲、而知物化矣。』高誘注：『春女感陽則思、秋士見陰則悲。』言士之遲暮不遇者、其內心之悲痛、盎如影之隨、聲之應、無時或去、並不因時而異也。

㈣高臺已傾稷下有聞琴之泣　高臺、古時貴者所居、猶今之官邸。稷下、戰國時齊國文士論政之所。戰國時、有雍門周者、善鼓琴、嘗干孟嘗君曰：『臣竊爲足下所常悲、夫角帝而困秦者、君也。連五國而伐楚者、又君也。天下未嘗無事、不縱即衡、縱成則楚王、衡成則秦帝。夫以秦楚之強、而報仇於弱薛、猶磨蕭斧而伐朝菌也、有識之士、莫不爲

足下寒心。天道不常、千秋萬歲後、宗廟必不血食、高臺既已傾、曲池又已平、墳墓生荊棘、狐兔穴其中、游子牧童躑躅其足而歌其上曰、孟嘗君之尊貴亦猶是乎。』於是孟嘗君泫然掩泣、雍門周援琴而鼓之、徐動宮商、終而成曲。孟嘗君遂歔欷而就之曰：『先生之鼓琴、令文立若亡國之人也。』見劉向說苑善說篇。

㊄壯士一去燕南有擊筑之悲　戰國時、衞人荊軻嘗遊於燕、愛燕之屠狗及善擊筑者高漸離、日與飲於燕市、太子丹欲雪舊恨、使荊軻入秦刼秦王、送之易水、高漸離擊筑、荊軻和而歌曰：『風蕭蕭兮易水寒、壯士一去兮不復還。』士皆相顧流涕。見史記刺客列傳。

㊅項羽之晨起帳中　項羽與劉邦爭天下、爲所敗、困於垓下、夜聞漢軍四面皆楚歌、知大勢已去、乃起飲帳中、擁美人虞姬而歌曰：『力拔山兮氣蓋世、時不利兮騅不逝、騅不逝兮可奈何、虞兮虞兮奈若何。』美人和之、因泣下數行、左右皆泣、莫能仰視。見史記項羽本紀。

㊆李陵之徘徊歧路　漢武帝時、蘇武被留匈奴十九年、將歸、李陵賦詩曰：『攜手上河梁、遊子暮何之、徘徊蹊路側、悢悢不能辭。』見文選。

㊇韓王孫之質趙　韓王孫、韓公子也、古時稱諸侯之後裔曰王孫、蓋秦末諸侯多失國、言王孫公子、所以尊之也。案國策世家無韓公子質趙之事、疑卽質秦。史記韓世家云：『十九年、大破我岸門、太子倉質於秦以和。』秦與趙同祖、後始皇生於趙之邯鄲、因姓趙氏、秦趙或可通稱耶。

㊈楚公子之留秦　史記楚世家：『楚頃襄王使春中君黃歇與太子完入質於秦、秦留之數年、楚頃襄王病、太子不得歸。』

㊉無假窮秋於時悲矣　言時時皆足以令人掩泣、在在皆足以令人斷腸、固不特窮秋而然也。（此段列舉歷代傷心之人隱以自喩）

⑪魚飛武庫預有棄甲之徵　武庫、儲物之庫。棄甲、謂喪師。三國志魏志王肅傳：『有二魚長尺、集於武庫之屋、有司

以爲吉祥。肅曰、魚生於淵而亢於屋、介鱗之物失其所也、邊將其殆有棄甲之變乎。其後果有東關之敗。』

㈡鳥伏翟泉先見橫流之兆　翟泉、一名狄泉、春秋地名、在今河南洛陽縣故洛陽城中、周襄王時、王子虎會各國盟於此。橫流、水行不由故道也、以喻國家有災難。晉書五行志：『洛陽步廣里地陷、有蒼白鵝出、蒼者飛翔沖天、白者止焉。陳留董養歎曰、步廣、周之翟泉盟會地也、白者國諱喻晉室無力抵抗、蒼者胡象。自後有劉淵之亂。』案劉淵之亂指五胡亂華事。

㈢星紀吳亡　星紀、星次名、與南斗及牽牛星相當、日月五星之所終始、故曰星紀、吳越二國在此分野。左傳昭公三十二年：『吳伐越、史墨曰、不及四十年、越其有吳乎、越得歲而吳伐之、必受其凶。』杜預注：『此年歲在星紀、星紀、吳越之分也、存亡之數、不過三紀、歲星三周三十六歲、故曰不及四十年、哀二十二年越滅吳、至此三十八歲。』

㈣庚辰楚滅　左傳定公四年：『吳楚戰於柏舉、楚師敗績、吳入郢。』郢、楚都、故城在今湖北江陵縣境。

㈤紀侯大去　紀、古國名、以國爲姓、侯爵、春秋時爲齊所滅、故地在今山東壽光縣南。大去、言一去不復返、喻死也。左傳莊公四年：『紀侯不能下齊、以國與紀季、夏、紀侯大去其國、違齊難也。』

㈥鄅子無歸　鄅、春秋國名、故地在今山東臨沂縣北。左傳昭公十八年：『鄅人藉稻、邾人襲鄅、鄅人將閉門、邾人羊羅攝其首焉、遂入之、盡俘以歸。鄅子曰、余無歸矣。』

㈦原隰載馳轘轅長別　原隰、平原之下溼處也。詩經鄘風有載馳篇、許穆夫人作、憫其宗國衞國亡於狄人、自傷不能救也、事詳左傳閔公二年。轘轅、山名、在河南偃師縣東南、一名嵎嶺、山道奇險、古稱轘轅道。元和志：『道路險阻、凡十二曲、將去復還、故曰轘轅。沛公南攻出轘轅、略南陽、漢靈帝置八關以備黃巾、此其一也。』

⑱甲裳失矣艅皇棄焉　甲裳、甲冑也。左傳宣公十二年：『王乘左廣以逐趙旃、趙旃棄甲而走林、屈蕩搏之、得其甲裳。』艅皇、卽餘皇、舟名。左傳昭公十七年：『楚人大敗吳師、獲其乘舟餘皇。』

⑲河傾酸棗杞梓與檽櫟俱流　酸棗、縣名、漢置、故城在今河南延津縣北。漢書溝洫志：『漢興二十有九年、孝文時、河決酸棗、東潰金隄、於是東郡大興卒塞之。』杞梓、良材也、以喻人才之傑出者。南史庾域傳：『梁文帝歎美域才曰、荆南杞梓、其在斯乎。』檽櫟、不材而無用之木也、以喻人之平凡者。

⑳海淺蓬萊魚鼈與蛟龍共盡　蓬萊、海中仙山名、亦作蓬壺、漢書郊祀志謂蓬萊與方丈瀛洲並爲渤海三神山。葛洪神仙傳：『東漢時仙人王方平降蔡經家、召麻姑至、是好女子、年十八九、容貌絕麗、謂方平曰、接侍以來、已見東海三爲桑田、向到蓬萊、水又淺於往者、會時略半也、豈將復還爲陵陸乎。』此言河傾則諸水並流、海淺則衆類俱盡、以喻國破則智愚貴賤、並遭其難也。（此段敍梁之覆亡）

㉑焚香複道詎假遊魂　任昉述異記：『西海聚窟州有返魂樹、伐其木根心、於玉壺中煮、取汁、更微火熬之、令可丸、名曰驚精香、或名震靈丸、或名返生草、或名卻死香、死尸在地、聞氣卽活。』又張華博物志：『漢武帝幸上林苑、西使至、乘輿間並奏其香、帝付外庫、後長安中大疫、西使乞見、請燒所貢香以避疫氣、病者登日並瘥。長安中百里盛聞香氣、芳積九十餘日、香猶不歇。』複道、宮中樓閣通行之道也、上下有道、故謂之複道。遊魂、遊散無依之魂也。假、一本作斂。

㉒載酒屬車　屬車、侍從之車也、亦曰副車。顏師古漢書陳遵傳注謂漢時天子屬車、常載酒食。東方朔別傳：『武帝幸甘泉長平坂、道中有蟲赤如肝、頭目口齒悉具、驅還以報、上使視之、莫知之、時朔在屬車中、令往視焉。朔曰、此謂怪哉、是必秦獄處也。上使按此圖、果秦獄地、上問朔何以知之。朔曰、夫積憂者得酒而解。乃取蟲置酒中立消。賜朔帛百匹、後屬車上載酒爲此也。』

㉓芝蘭蕭艾　芝蘭、皆香草名、雖生於深林、不以無人而不芳、世每以喻君子修道立德、不以窮困而改節。孔子家語六本篇：『與善人居、如入芝蘭之室、久而不聞其香、卽與之化矣。』蕭艾、皆賤草名、世每以喻不肖、離騷所謂芳草變蕭艾者也。

㉔羽毛鱗介　羽毛、禽類之概稱。鱗介、水族之概稱。淮南子：『毛羽者、飛行之類也、故屬乎陽。介鱗者、蟄伏之類也、故屬乎陰。』

㉕蒼蒼　深青色也。詩經王風黍離：『悠悠蒼天、此何人哉。』言天道無知、乃不憫斯孑遺、益怨懟之辭也。

㉖博博　塊然無知之貌。王符潛夫論：『昔樂毅以博博之小燕破齊。』案博博、一本作摶摶，楚辭九辯：『精氣之摶摶兮、鶩諸神之湛湛。』王逸注：『楚人名圓曰摶也。』此言地亦塊然無知也。

㉗怨之徒也何能感焉　言遭此亂世、智愚同盡、呼天搶地、怨之至也。

㉘彫殘殺翮無所假於飆風　言梁朝元氣固喪、屢經變亂、已如殘花敗翮矣、何能復堪狂飆之肆虐乎。下此『零落春枯』二句亦與此同訓。（此段重哀梁亡）

㉙幕府　軍旅出征、居無常所、以帳幕爲府署、故曰幕府、後世凡行政官之記室、皆謂之幕府。後漢書班固傳：『竊見幕府新開、廣延羣俊。』

㉚東首告辭西陵長往　論語鄉黨篇：『疾、君視之、東首、如朝服拖紳。』案古之君子、平時臥寢、無不東首、所以向受生氣、兼示面君之意。說詳禮記喪大記。西陵、魏武帝曹操陵。鄴都故事：『魏武帝遺命諸子曰、汝等時登臺（銅雀臺）望吾西陵墓田。』二句言觀寧侯永辭人間。

㉛山陽車馬　山陽、在今河南修武縣、晉嵇康之故居。嵇康既卒、向秀過其山陽舊廬、作思舊賦以悼之。

㉜潁川賓客　潁川、漢郡名、在今河南省禹縣，灌夫之故居。漢書灌夫傳：『夫不好文學、喜任俠、已然諾、家累數十

萬、食客日數十百人、陂池田園、宗族賓客爲權利、橫潁川。潁川兒歌之曰、潁水清、灌氏寧、潁水濁、灌氏族。夫家居、卿相侍中賓客益衰。』

㉓嵇叔夜之山庭尚多楊柳　嵇康居山陽、家有盛柳樹、乃激水以圜之、夏天甚清涼、恆居其下傲戲。見張隱文士傳。

㉔王子猷之舊徑惟餘竹林　王徽之、字子猷、晉會稽人、羲之子、卓犖不羈、形骸放浪、嘗雪夜泛舟訪戴逵、造門不見而返。平日愛竹成癖、嘗暫寄人空宅中、便令種竹、或問暫住何煩爾。王嘯詠良久、直指竹曰：『何可一日無此君。』見晉書本傳。按此君指竹言、稱竹曰君、蓋友之也。

㉕王孫葬地方爲長樂之宮　長樂宮、漢高祖作、在今陝西長安縣西北故城中。史記樗里子傳：『樗里子、名疾、秦惠王異母弟也、昭王七年卒、葬於渭南章臺之東、曰、後百歲、是當有天子之宮夾我墓。至漢興、長樂宮在其東、未央宮在其西、武庫正直其墓。』

㉖烈士埋魂卽是將軍之墓　戰國時、燕人左伯桃與同邑羊角哀爲死友、聞楚王賢、同入楚、道遇雨雪、衣薄糧少、二人計不能俱生、伯桃謂哀曰：『俱死之後、骸骨莫收、吾所學不如子、恐無益而棄子之能、子往矣。』乃併衣糧與哀、自入空樹中死。哀至楚爲上卿、顯名當世、乃啓樹發伯桃屍、備禮改葬之、伯桃墓近荊將軍陵、哀夜夢伯桃告云：『蒙子之恩而獲厚葬、正苦荊將軍冢相近、今月十五日當大戰以決勝負。』哀亦痛不欲生、至期日、陳兵馬詣其冢、作三桐人、遂自殺、下而從之。楚國之人聞之、莫不流涕。見烈士傳。（此段敍觀寧之死）

㉗風月留連　清風明月、夜景之美者、故以風月並稱、辭章家每藉以攄情寫景。留連、依戀不忍去也。

㉘垂翅秦川　謂困處北周也。古以秦川泛指陝西省一帶之地。顧祖禹讀史方輿紀要：『陝西謂之秦川、亦曰關中、秦孝公徙都之。』

㉙悲谷　淮南子天文訓：『日至於悲谷、是謂餔時。』高誘注：『悲谷、西南方之大壑、言其深峻、臨其上令人悲思、

故曰悲谷。』

㊶建業之水　晉書五行志：『孫晧初、童謠曰：寧飲建業水、不食武昌魚。』建業、卽今南京市、自東吳以迄梁陳、均建都於此。

㊷華亭之鶴　華亭、古地名、在今江蘇松江縣西之平原村、三國吳陸遜封於此。及陸機事成都王穎、受命討逆、兵敗於河橋、爲盧志所譖、被殺、臨刑歎曰：『華亭鶴唳、豈可復聞乎。』見晉書陸機傳。以上四句言雖酌酒操琴、亦每每思念故鄉也。

㊸麟亡星落月死珠傷　春秋斗運樞：『衡星得則麒麟生、萬人壽。』呂氏春秋精通篇：『月也者、羣陰之本也、月望則蚌蛤實、羣陰盈、月晦則蚌蛤虛、羣陰缺。』案珠者、蚌蛤之陰精也、砂粒竄入蚌蛤殼中、日久卽成眞珠。此二句殆就傷其同類說也。

㊹瓶罄罍恥　詩經小雅蓼莪：『瓶之罄矣、維罍之恥。』案瓶罍皆酒器。罄、盡也。維、是也。瓶小而罍大、瓶中酒盡、罍應注入之、瓶罄而罍盈、乃罍之恥。詩意以瓶喻年老力衰生命泉源枯竭之父母、以罍喻年少力強生命泉源充裕之自身。當父母年老力衰時、倘子女孝養有道、如酌罍以益瓶、或可稍延其壽。惟父母不克享其天年、如聽瓶罄而罍不酌者、此誠子女之所恥也。

㊺芝焚蕙歎　喻同類相悲。文選陸機歎逝賦：『信松茂而柏悅、嗟芝焚而蕙歎。』

㊻鐘沈德水　史記封禪書：『昔秦文公出獵、獲黑龍、此其水德之瑞、於是秦更名河黃河曰德水、音上大呂。』大呂、十二律之一、周朝以爲大鐘之名。

㊼劍沒豐城　晉惠帝時、張華見斗牛之間有紫氣、聞豫章人雷煥精通天文緯象之學、乃召問之。煥曰：『豐城寶劍之精上徹於天耳。』因以煥爲豐城令、令尋之、煥到縣、掘獄屋基、得一石函、中有雙劍、一曰龍泉、一曰太阿、精芒炫

目、乃一以送華、一以自佩。華得劍、復煥書曰：『詳觀劍文、乃干將也、莫邪何復不至、雖然、天生神物、終當合耳。』華誅、失劍所在。煥卒、子華持劍過延平津、劍忽躍出墮水、使人沒水取之、不見劍、但見兩龍各長數丈、蟠縈有文章、水浪驚沸、於是失劍。見晉書張華傳。（此段述作思舊銘之意）

㊼風雲上慘舟壑潛移　風雲上慘、喻世亂也。易經乾卦：『雲從龍、風從虎。』舟壑潛移、喻國變也。莊子大宗師篇：『藏舟於壑、藏山於澤、謂之固矣、然而夜半有力者負之而走、昧者不知也。』二句言梁太清年間侯景之亂。

㊽駸駸霜露君子先危　詩經小雅四牡：『載驟駸駸。』駸駸、馬行疾貌。禮記祭禮：『霜露既降、君子履之、必有悽愴之心。』太平御覽卷七十四引葛洪抱朴子曰：『周穆王南征、一軍盡化、君子爲猿爲鶴、小人爲蟲爲沙。』案君子對小人而言、故云先危。二句言觀寧侯乃係皇族、故首遭其難也。

㊾紀侯懷王　紀侯注見本序。懷王、謂楚懷王也。楚懷王名熊槐、戰國楚威王子、秦欲伐齊、乃佯免張儀相、使說王絕齊、願獻商於之地六百里、王允之、尋秦毀約、王興師伐秦、敗績、秦復與楚和、約爲婚姻、秦昭王欲與王會、王入武關、秦伏兵絕其後、乃被挾西至咸陽、要以割地、不從、遂死於秦。見史記楚世家。此以紀侯懷王喻觀寧侯去國也。

㊿玉樹長埋風流遂遠　世說新語傷逝篇：『庾文康亡、何揚州臨葬云、埋玉樹著土中、使人情何能已已。』又：『王東亭亡後、王敬道與會稽王道子書曰、元琳風流之美、公私所寄、忽爾喪失、豈惟風流相悼。』案：玉樹、美才之喻。風流、謂舉止蕭散品格清高也。此二句蓋褒揚觀寧侯之辭。

(51)荀伯舊縣慶封餘邑　荀伯、荀卿也、戰國時趙人、晚年遊學於楚、春申君以爲蘭陵令。見史記孟荀列傳。慶封、字子家、春秋時齊大夫、與崔杼同謀弒莊公、立景公、遂相之、後奔於吳國、吳以朱方與之、聚族而居、富甲一邑。事詳左傳襄公二十八年。按蘭陵在今山東省嶧縣境、晉時嘗僑置蘭陵縣於今江蘇武進縣東南、並置南蘭陵郡。朱方本吳邑、秦始皇時改名丹徒、漢置丹徒縣、魏復更名武進、即晉之南蘭陵郡。是蘭陵本荀卿舊縣、南蘭陵又爲慶封餘邑也。蕭永先祖蕭何在漢時居於蘭陵、至東晉時復徙居南蘭陵、故云。

㉜萬里歸魂修門詎入　言不能魂歸蘭陵也。楚辭招魂：『魂兮歸來入修門。』王逸注：『修門、郢城門也。』案楚國建都於郢、故城在今湖北江陵縣境。

㉝墳橫武庫山枕盧龍　樗里子墳正當漢之武庫已見本序。盧龍、山名、自熱河省圍場縣之七老圖山起、蜿蜒出入於長城內外、東接山海關北之松嶺、通稱盧龍山脈。三國志魏志田疇傳：『舊北平郡治在平岡道、出盧龍達於柳城。』二句形容其墳墓之雄偉。

㉞徒留送鴈空靡長松　送鴈、指漢求蘇武歸得鴈足繫書通報事、詳漢書蘇武傳。長松、用東平思王事。聖賢冢墓記：『東平思王冢在無鹽、王在國思歸京師、後葬其冢、冢上松柏西靡。』二句傷其不能復歸。

㉟平陵之東無復梧桐　漢翟義、字文中、名相翟方進之少子、初爲東郡太守、以王莽篡漢、起兵誅之、不克、見害、門人作平陵東以悲之。其詞曰：『平陵東、松柏桐、不知何人劫義公。』見崔豹古今注及吳兢樂府古題要解。案平陵本漢昭帝陵名、因置平陵縣、故城在今陝西咸陽縣西北。古者之葬、每植松柏梧桐於陵墓之四周以護之、兼取其易於辨認也。

㊱提攜語默　喻相處之融洽。提攜、謂牽引以行也。禮記曲禮：『長者與之提攜、則兩手奉長者之手。』語、談說也。默、不語也。易經繫辭：『君子之道、或出或處、或默或語。』

㊲託情嵇阮　謂寄情於竹林之遊也。三國時名士嵇康阮籍等七人常集於竹林之下、肆意酣暢、世稱竹林七賢、嵇阮二人尤高出儕輩。

㊳有酒如澠終溫且克　言美酒甚豐、雖飲不亂也。左傳昭公十二年：『有酒如澠、有肉如陵。』案澠指澠水言、澠水源出山東臨淄縣西北古齊城外、有酒如澠者、狀美酒如澠水之多也。溫克、言溫恭自持也。詩經小雅小宛：『人之齊聖、

飲酒溫克。』朱子傳：『言齊聖之人雖醉、猶溫恭自持以勝、所謂不爲酒困也。』

(五九)朝陽落鳳大野傷麟　詩經大雅卷阿：『鳳凰鳴矣、于彼高岡、梧桐生矣、于彼朝陽。』朝陽、謂山之東面也。孔叢子記問：『叔孫氏之車卒曰子鉏商、樵於野而獲獸焉、衆莫之識、以爲不祥、棄之五父之衢、冉有告夫子曰、麕身而肉角、豈天之妖乎。夫子往觀焉、泣曰、麟也、予之於人、猶麟之於獸也、麟出而死、吾道窮矣。乃歌曰、唐虞世兮麟鳳遊、今非其時來何求、麟兮麟兮我心憂。』二句傷觀寧侯之卒。

(六〇)佳城鬱鬱流寓於秦　漢朝初年、夏侯嬰即滕公薨、求葬於東都門外、公卿送喪、駟馬不行、仆地悲鳴、跑蹄下地、得一石室、室中有銘曰：『佳城鬱鬱、三千年見白日、吁嗟滕公居此室。』遂葬焉。事見張華博物志。後世遂以佳城爲墳墓之通稱。鬱鬱、草木茂盛也。秦、指今陝西省一帶地方、時北周定都長安。

(六一)山陽相送惟餘故人　注見本序。故人、子山自謂也。

(六二)孀機嫠緯獨鶴孤鸞　左傳昭公二十四年：『嫠不恤其緯、而憂宗周之隕、爲將及焉。』杜預注：『嫠、寡婦也、織者常苦緯少、寡婦所宜憂。』按『孀機嫠緯』與『獨鶴孤鸞』相輔成文、作者於此引用前人典故、而取義則殊、左傳文乃謂寡婦因憂國而忘其家庭、此則謂觀寧侯死後、其夫人哀痛難勝、常對機興悲、暗彈淚珠也。獨鶴孤鸞皆以喻夫婦離別。陶潛詩：『上弦驚別鶴、下弦操孤鸞。』

(六三)匣中絃絕鄰人笛悲　謂痛知音之難遇也。昔嵇康遊於洛西、暮宿華陽亭、引琴而彈、夜分、忽有客詣之、索琴鼓廣陵散以授康、聲調絕倫、誓不傳人。後康爲司馬昭所害、臨刑、康顧視日影、索琴彈之、曰：『昔袁孝尼嘗從吾學廣陵散、吾每靳固之、廣陵散從茲絕矣。』見晉書嵇康傳。鄰人笛悲、向秀悲嵇康事、見本序。

(六四)繐帷　繐、細疏布也、古人每用爲靈帳之裙。繐帷、繐帳也、俗謂之靈帳。文選謝朓銅雀臺詩：『繐帷飄井幹、罇酒若平生。』

(六)登西臺慟哭記

謝翱

始故人唐宰相魯公(一)，開府南服(二)，余以布衣從戎(三)。明年，別公章水湄(四)。後明年，公以事過張睢陽及顏杲卿所嘗往來處(五)，悲歌慷慨，卒不負其言而從之遊(六)。今其詩具在(七)，可考也。

余恨死無以藉手見公(八)，而獨記別時語。每一動念，即於夢中尋之。或山水池榭，雲嵐草木，與所別之處及其時適相類，則徘徊顧盼，悲不敢泣。又後三年(九)，過姑蘇(十)。姑蘇，公初開府舊治也，望夫差之臺(十一)而始哭公焉。又後四年，而哭之於越臺(十二)。又後五年，及今，而哭於子陵之臺(十三)。

先是一日，與友人甲乙若丙(十四)，約越宿而集。午雨未止，買榜江涘(十五)。登岸，謁子陵祠，憩祠旁僧舍。毀垣枯甃(十六)，如入墟墓。還與榜人治祭具(十七)。須臾，雨止，登西臺。設主於荒亭隅(十八)，再拜跪伏，祝畢，號而慟者三，復再拜起。又念余弱冠時，往來必謁拜祠下。其始至也，侍先君焉(十九)。今余且老，江山人物，睠焉若失。復東望泣拜不已。有雲從南來，渰浥浡鬱(二十)，氣薄林木，若相助以悲者。乃以竹如意擊石(二一)，作楚歌招之(二二)，曰：『魂朝往兮何極，暮歸來兮關水黑。化爲朱鳥兮(二三)，有咮(二四)焉食。』歌闋(二五)，竹石俱碎。於是相向感唶(二六)。

復登東臺，撫蒼石，還憩於榜中。榜人始驚余哭，云：『適有邏舟之過也(二七)，盍移諸。』遂移榜中流，舉酒相屬，各爲詩以寄所思(二八)。薄暮，雪作風凜，不可留。登岸，宿乙家。夜復賦詩懷古。明日益風雪，別甲於江，余與丙獨歸。行三十里，又越宿乃至。

其後，甲以書及別詩來，言：『是日風帆怒駛，逾久而後濟。既濟，疑有神陰相，以著茲遊之偉。』

余曰：『嗚呼，阮步兵死，空山無哭聲且千年矣(九)。若神之助，固不可知，然茲遊亦良偉，其為文詞，因以達意，亦誠可悲已。』余嘗欲倣太史公著季漢月表，如秦楚之際(十)，今人不有知余心，後之人必有知余者。於此宜得書，故紀之，以附季漢事後(十一)，時先君登臺後二十六年也(十二)。

先君諱某字某，登臺之歲在乙丑云(十三)。

【作者】

謝翺，字皋羽，宋福州長溪人，晚年課徒於浦陽吳渭之家塾。咸淳初，試進士不第。元兵取宋，宋相文天祥亡走至閩，檄州郡大舉勤王。翺傾家貲率鄉兵數百人赴難，遂參軍事。天祥兵敗被執，徙燕以死。翺流離民間，嘗上會稽，循山左右，窺宋帝諸陵，西走吳會，東入鄞，過蛟門，臨大海，所至欷歔流涕。晚愛睦州山水，浮七里瀨，登嚴光釣臺，哭弔天祥。元成宗元貞元年以肺疾死，年四十七。葬於睦之白雲邨，其徒吳貴買田祀之。著有晞髮集、浙東西遊錄等書。

【題解】

漢高士嚴光釣臺遺跡，在今浙江桐廬縣之富春山，下瞰富春渚，有東西二釣臺，高各十餘丈。題云西臺，指釣臺之在西者。此文為翺偕友人登西臺哭弔文天祥之作，時宋亡已十餘年，處元人威暴之下，故隱曲其辭以寄痛。翺於天祥有知己之遇，若其慟西臺，則慟文公也，慟文公也，則慟乎宋之覆亡也。友朋知己之感，國家民族之痛，一於此文寓之。乃若欲言而不敢言，不敢言而必隱曲嗚咽言之，此其所以愈可悲也。

【注釋】

㈠魯公　卽顏眞卿。眞卿字淸臣，唐臨沂人。開元中舉進士，出爲平原太守。安祿山反，倡義討之。代宗立，封魯郡公。德宗時，李希烈叛，遣眞卿往諭，被害，謚文忠。皐羽撰此文時，宋亡已久，而詞多諱避，因託稱唐宰相魯公以指天祥。

㈡開府南服　謂開建府署，辟置僚屬。南服，猶言南疆。宋濂謝翺傳：『丞相文天祥開府延平。』按延平屬今福建省，宋曰南劍州，天祥開府於是，在宋恭帝德祐二年丙子。即元世祖至元十三年

㈢從戎　指參文天祥軍事。

㈣章水湄　章水，爲江西贛江之西源，出崇義縣聶都山，流至贛縣，與貢水合流爲贛江。湄，水邊也。按翺祭天祥文有『章貢之別，言猶在耳，水寒天空，老淚如霰』之語，卽指其事。

㈤公以事過張睢陽及顏杲卿所嘗往來處　張睢陽，名巡，唐南陽人，天寶末，安祿山反，守睢陽，兵敗被殺。顏杲卿，字昕，唐臨沂人，玄宗時爲常山太守，討安祿山，被執，不屈死。此指天祥被執北去事。

㈥從之遊　謂文公殉國，從張顏遊於地下。

㈦其詩具在　天祥有詠顏杲卿、雙忠祠、及遊平原作諸詩，見指南錄及吟嘯集。其詠顏杲卿云：『常山義旗奮，范陽哽喉咽，哥舒降且拜，公舌膏戈鋋。人世誰不死，公死千萬年。』謝翺以異族侵略下必無信史可徵，故指文公之詩，以明文公之志事，公之詩，卽公之史也。

㈧恨死無以藉手見公　言自恨不能有所成就，死時將空手見公於地下。置物於手曰藉手。藉，薦也。

㈨後三年　謂天祥死後三年也。天祥以元世祖至元十九年壬午殉國，翺過姑蘇哭公，時爲至元二十二年乙酉，翺年三十

七。

⑩姑蘇　今江蘇省吳縣，以其地有姑蘇山而得名。

⑪夫差之臺　一名姑蘇臺，在吳縣西南姑蘇山上，春秋時吳王夫差所建。越絕書謂係闔閭所築。

⑫又哭之於越臺　此至元二十三年丙戌也。按行述謂翺是年過句越，行禹穴（禹葬於會稽）間，北嚮而泣焉。越臺，卽越王臺。大清一統志：『句踐登眺之所，在會稽稷山。』

⑬後五年及今而哭於子陵之臺　後五年，至元二十四年丁亥。今者，至元二十七年庚寅，時翺年四十二矣。翺爲此文，必詳記歲月者，蓋不忘死生國家之痛云。子陵，嚴光字。嚴光釣臺在今浙江桐廬縣之富春山。

⑭友人甲乙若丙　張丁注云：『按友人甲乙若丙者，意爲吳思齊、馮桂芳、翁衡也。今雖不知其然，唯三人同登詩可考見也。』

⑮買榜江涘　榜，舟也。涘，水濱。

⑯枯甃　甃，井壁也。枯甃，卽謂枯井。

⑰榜人　舟子也。

⑱主　謂文天祥之神主。

⑲先君　謂翺父也。名鑰，性至孝，終身不仕。著有春秋衍義、左傳辨證。按翺侍父登臺，在乙丑之歲，時年十七。

⑳渰浥浡鬱　雲興起貌。

㉑竹如意　竹製之器物，長一二三尺不等，柄端作手指形，用以搔癢。或作芝形、雲形，僅供玩弄。

㉒作楚歌招之　楚辭有招魂。翺仿楚辭格調作歌，以招天祥之魂，卽下『魂朝往兮』云云是也。

㉓朱鳥　卽朱雀，南方星宿名。

㉔咮　鳥口也。

㉕闋　歌止曰闋。

㉖唶　歎聲。

㉗邏舟　巡船。

㉘爲詩以寄所思　翺集有西臺哭所思云：『殘年哭知己，白日下荒臺。淚落吳江水，聽潮到海迴。故衣猶染碧，后土不憐才。未老山中客，猶應賦八哀。』

㉙阮步兵死空山無哭聲　阮步兵，名籍，三國魏人，官至步兵校尉。時政權歸司馬氏，藉意不自愜，乃放情山水，竟日忘歸，每至途窮，輒慟哭而返。

㉚欲倣太史公著季漢月表如秦楚之際　史記中有秦楚之際月表，記秦漢間時事。宋濂謝翺傳云：『翺仿秦楚之際月表作獨行傳。』按翺此文云季漢，實指南宋之末，諱言之也。

㉛附季漢事後　以登臺事附季漢後，則季漢指宋末甚明，處異族威暴之下，不得不隱約其辭也。

㉜登臺後二十六年　在庚寅之冬。

㉝乙丑　即宋度宗咸淳元年。西元一二六五年。

(七)悼程天放副院長文

成惕軒

考試院程副院長天放先生。以猝嬰時疾。於民國五十六年十一月十五日赴美就醫。纔及浹辰㈠。便歸長暮㈡。瀛寰萬里。覓靈藥以無從㈢。雲漢千尋。望仙槎而不返㈣。哲人遽萎㈤。多士同悲㈥。惕軒備員試院㈦。奉手耆賢㈧。挹清芬於高闈㈨。聆閎議於前席㈩。羣囂頓伏。得朝陽之鳳聲⑪。百慮先周。

若燭照而龜卜⑫。雖茂先博識⑬。玄平善談⑭。不是過也。

嘗以拙著汲古新議塵覽。先生笑語之曰。世徒推君駢體之工。不知白話文亦復雋爽若是。又小兒撰哲學論著多篇。持以請益。先生謂其學有專長。語多獨到。而於現代邏輯一事。則衡鑑之任。謝以弗能。嗟夫。謙光照人⑮。虛衷好善。不幾度越恆流萬萬哉。

至其柏林奉使⑯。花溪課士⑰。掌樹人之要政⑱。成經國之宏篇。平居於陶公酒杯⑲。特嚴定限。餘事則謝傳棋局⑳。偶寄閒情。斯皆並世所能詳。毋俟不佞之贅述已㉑。

引毫攄感。聞笛增哀㉒。死生何常。驚莊蝶之幻化㉓。城郭猶是。企丁鶴以來歸㉔。

【注　釋】

㊀浹辰　左傳成公九年：『莒恃其陋而不修城郭、浹辰之間、而楚克其三都、無備也夫。』孔穎達疏：『浹為周匝也。浹辰、謂周子亥十二辰、十二日也。』

㊁長暮　謂死也。古詩：『杳杳即長暮。』

㊂靈藥　即長生不死之藥。李商隱嫦娥詩：『雲母屏風燭影深、長河漸落曉星沈。嫦娥應悔偷靈藥、碧海青天夜夜心。』

案干寶搜神記云：『后羿請不死之藥於西王母、嫦娥竊之以奔月。』

㊃仙槎　宗懍荆楚歲時記：『張騫尋河源、乘槎經月、至一處、見城郭如州府、室內有一女織、又見一丈夫牽牛飲河。騫問曰：此是何處。答曰：可問嚴君平。織女取支機石與騫俱還。後至蜀問君平。君平曰：某年某月客星犯牛女。支機石為東方朔所識。』

㊄哲人遽萎　禮記檀弓：『孔子蚤作、負手曳杖、消搖於門。歌曰：泰山其頹乎、梁木其壞乎、哲人其萎乎。』哲人、

謂聖哲之人。

㈥多士　詩經大雅文王：『思皇多士、生此王國。』孔穎達疏：『皇天命多衆之士、生之於我周王之國。』

㈦備員　謂備充官數、謙抑之辭也。史記平原君傳：『門下有毛遂者、前自贊於平原君曰：遂聞君將合從於楚、約與食客門下二十人偕、不外索。今少一人、願君卽以遂備員而行矣。』

㈧奉手耆賢　奉手、亦作捧手。禮記曲禮：『長者與之提攜、則兩手奉長者之手。』鄭玄戒子書：『吾家舊貧、不爲父母羣弟所容、去廝役之吏、游學周秦之都、往來幽幷兗豫之域、獲覲乎在位通人、處逸大儒、得意者咸從捧手、有所授焉。』耆賢、謂年長而賢者。禮記曲禮：『六十曰耆。』

㈨挹清芬於高闈　李白贈孟浩然詩：『高山安可仰、徒此挹清芬。』高闈、指高等考試。

㈩前席　移坐而前也。漢書賈誼傳：『文帝思誼、徵之至、入見。上方受釐、坐宣室、因感鬼神事而問鬼神之本、誼具道所以然之故。至夜半、文帝前席。既罷、曰：吾久不見賈生、自以爲過之、今不及也。』李商隱賈生詩：『可憐夜半虛前席、不問蒼生問鬼神。』卽詠其事。

㈠朝陽鳳聲　詩經大雅卷阿：『鳳皇鳴矣、于彼高岡。梧桐生矣、于彼朝陽。』世說新語賞譽篇：『張華見褚陶、語陸平原曰：君兄弟龍躍雲津、顧彥先鳳鳴朝陽、謂東南之寶已盡、不意復見褚生。』

㈡燭照龜卜　韓愈送石處士序：『坐一室、左右圖書、與之語道理、辨古今事當否、論人高下、事後當成敗、若河決下流而東注、若駟馬駕輕車、就熟路、而王良造父爲之先後也、若燭照數計而龜卜也。』

㈢茂先博識　晉張華、字茂先、方城人。博覽羣書、著有博物志十卷。見晉書張華傳。

㈣玄平善談　晉范汪、字玄平、南陽人。博學多通、善談名理。累官至東陽太守。晚年屏居吳郡、從容講肆、不言枉直。見晉書范汪傳。

⑮謙光　周易謙卦：『謙尊而光。』孔穎達疏：『謂尊者有謙而更光明也。』

⑯柏林奉使　言程氏於民國二十四年任我國駐德意志國大使也。

⑰花溪課士　言程氏於民國三十二年任中央政治學校教育長也。花溪在四川巴縣境、一名南溫泉。

⑱樹人　猶云培養人才。管子權修篇：『一年之計、莫如樹穀。十年之計、莫如樹木。終身之計、莫如樹人。一樹一穫者穀也、一樹十穫者木也、一樹百穫者人也。』

⑲陶公酒杯　晉書陶侃傳：『侃每飲酒有定限、常歡有餘而限已竭、殷浩等勸更少進、侃悽懷良久曰：年少曾有酒失、亡親見約、故不敢踰。』

⑳謝傅棋局　晉書謝安傳：『苻堅率衆百萬、次於淮肥、京師震恐、安夷然無懼色、命駕出山墅、親朋畢集、方與玄圍棋、賭別墅。安棋常劣於玄、是日玄懼、便爲敵手、而又不勝。安遂遊陟、至夜乃還、指授將帥、各當其任。玄等既破堅、有驛書至、安方對客圍棋、看書既竟、便攝放牀上、了無喜色、圍棋如故。客問之、徐答曰：小兒輩遂已破賊。既罷、還內、過戶限、心喜甚、不覺屐齒之折。』案安卒後、追贈太傅、故世稱謝傅。

㉑不佞　猶不才也、蓋謙遜之詞。戰國策燕策：『臣不佞、不能奉承先王之敎、以順左右之心。』

㉒聞笛　晉向秀有思舊賦、其序云：『余與嵇康呂安、居止接近、其人並有不羈之才、然嵇志遠而疏、呂心曠而放、其後各以事見法。余逝將西邁、經其舊廬。於時日薄虞淵、寒冰淒然。鄰人有吹笛者、發聲寥亮。追思曩昔遊宴之好、感音而歎、故作賦云。』

㉓莊蝶　莊子齊物論：『昔者莊周夢爲胡蝶、栩栩然胡蝶也、自喻適志也、不知周也。俄然覺、則蘧蘧然周也。』李商隱錦瑟詩：『莊生曉夢迷胡蝶、望帝春心託杜鵑。』

㉔丁鶴　漢時、有曲阿太霄觀道士丁令威者、初學道於靈虛山、後化鶴歸故鄉遼東、集城門華表柱、時有少年舉弓欲射

之、鶴乃飛、徘徊空中而言曰：有鳥有鳥丁令威、去家千歲今始歸、城郭如故人民非、何不學仙去、空伴冢纍纍。遂高上沖天。事見陶潛搜神後記。唐子西詩：『鶴歸遼海悲人世、猿入巴山叫月明。唯有蟲沙今好在、往來休傍水邊行。』

㈧哭李漁叔教授文

成惕軒

民國六十一年八月十二日。湘潭李君。以疾卒於石牌榮民醫院。得年六十有八。絳帳低垂㈠。泣聞弟子。黃壚獨對㈡。望邈山河。爰濡淚綴辭以哭之曰。

浩浩鄴侯之架。已蛻仙蟫㈢。迢迢衡嶽之雲。不迴征雁㈣。嗟我漁叔。其竟中壽而摧㈤。一瞑不視耶。自來蓬嶠㈥。頻接蘭言㈦。佳節佳辰。或飛觴而共飲。某山某水。時蠟屐以偕游。閒話平生。亦商舊學。檻外之蕉陰未改。甌邊之茶味猶甘。固知歷塊過都。驊騮曾躍於千里㈧。豈謂生天成佛。鸞鶴遽翔於九霄㈨。空谷重來㈩。逝川莫挽⑪。嚮時鄰笛⑫。都成慷慨之聲。落月屋梁⑬。但見淒涼之色。斯人不作。有恨如何。

【注釋】

㈠絳帳　後漢書馬融傳：『融居宇器服、多存侈飾。嘗坐高堂、施絳紗帳、前授生徒、後列女樂。』後因美稱設教之處曰絳帳。

㈡黃壚　世說新語傷逝篇：『王濬沖乘軺車經黃公酒壚、顧謂後車客、吾與嵇叔夜阮嗣宗共酣飲此壚、自嵇生夭阮公亡以來、便爲時所羈紲、今日視此雖近、邈若山河。』

(三)浩浩鄴侯之架已蛻仙蟫　唐李泌封鄴侯、家富藏書、故人稱藏書之富者曰鄴架。韓愈送諸葛覺往隨州讀書詩：『鄴侯家多書、插架三萬軸。』仙蟫、謂書中蠹魚。蛻、解化也、如蟬蛻。

(四)迢迢衡嶽之雲不迴征雁　湖南衡陽縣南有衡山七十二峯、其首曰回雁峯、俗傳雁飛至此不過、遇春而回、故名。

(五)中壽　呂氏春秋安死篇以六十爲中壽。

(六)蓬嶠　謂蓬萊員嶠、皆渤海外仙山名、此借以指臺灣。

(七)蘭言　周易繫辭：『同心之言、其臭如蘭。』謂氣味相投也。

(八)歷塊過都驊騮曾躍於千里　歷塊、謂過都越國如經歷一土塊、言其速疾之甚。文選王褒聖主得賢臣頌：『過都越國、蹶如歷塊。』杜甫戲爲六絕句詩：『縱使盧王操翰墨、劣於漢魏近風騷。龍文虎脊皆君馭、歷塊過都見爾曹。』驊騮、馬名、周穆王八駿之一。見史記秦本紀。

(九)生天成佛鸞鶴遽翔於九霄　言其倏忽殂謝也。南史謝靈運傳：『丈人生天當在靈運前、成佛必在靈運後。』文選江淹別賦：『駕鶴上漢、驂鸞騰天。』

(十)空谷　詩經小雅白駒：『皎皎白駒、在彼空谷。』黃庭堅懷裴仲謀詩：『別後寄詩能慰我、似逃空谷聽人聲。』

(十一)逝川莫挽　人死不能復活之喻。論語子罕篇：『子在川上曰：逝者如斯夫、不舍晝夜。』

(十二)鄰笛　文選向秀思舊賦序：『余與嵇康呂安居止接近、其人並有不羈之才。然嵇志遠而疏、呂心曠而放、其後各以事見法。余逝將西邁、經其舊廬。于時日薄虞淵、寒冰淒然。鄰人有吹笛者、發聲寥亮。追思曩昔遊宴之好、感音而歎、故作賦云。』

(十三)落月屋梁　杜甫夢李白詩：『落月滿屋梁、猶疑照顏色。』

(五)墓誌銘

蔡　邕

㈠郭有道林宗碑

先生諱泰。字林宗。太原界休人也。其先出自有周。王季之穆㈠。有虢叔者。實有懿德。文王咨焉㈡。建國命氏㈢。或謂之郭㈣。卽其後也。先生誕膺天衷㈤。聰睿明哲。孝友溫恭。仁篤慈惠。夫其器量弘深。資度廣大。浩浩焉。汪汪焉。奧乎不可測已。若乃砥節勵行。直道正辭。貞固足以幹事㈥。隱括足以矯時㈦。遂考覽六經。探綜羣緯㈧。周流華夏㈨。游集帝學㈩。收文武之將墜。拯微言之未絕(十一)。於是纓緌之徒(十二)。紳佩之士(十三)。望形表而影附。聆嘉聲而響和者。猶百川之歸巨海。鱗介之宗龜龍也。爾乃潛隱衡門(十四)。收朋勤誨。童蒙賴焉。用祛其蔽。州郡聞德。虛己備禮。莫之能致。羣公休之。遂辟司徒掾。又舉有道。皆以疾辭。將蹈洪涯之遐迹(十五)。紹巢由之絕軌(十六)。翔區外以舒翼(十七)。超天衢以高峙(十八)。稟命不融(十九)。享年四十有二。以建寧二年正月乙亥卒。凡我四方同好之人。永懷哀悼。靡所寘念(二十)。乃相與惟先生之德。以圖不朽之事。僉以爲先民既沒。而德音猶存者(二一)。亦賴之於紀述也。今其如何而闕斯禮。於是樹碑表墓。昭銘景行(二二)。俾芳烈奮乎百世。令聞顯於無窮。其辭曰。

於休先生。明德通玄(二三)。純懿淑靈(二四)。受之自天。崇壯幽濬。如山如淵。禮樂是悅。詩書是敦。
匪惟摛華。乃尋厥根(二五)。宮牆重仞。允得其門(二六)。懿乎其純。確乎其操。洋洋搢紳。言觀其高。
棲遲泌邱(二七)。善誘能教。赫赫三事。幾行其招(二八)。委辭召貢(二九)。保此清妙。降年不永。民斯悲悼。

爰勒茲銘。摛其光耀。嗟爾來世。是則是效。

【題　解】

郭有道，名泰。有道，漢時科舉之一目，郭嘗被舉有道。後漢書本傳作郭太。章懷注：『范曄父名泰，改爲此太。』本傳云：『蔡邕爲作碑文，曰：「吾爲碑銘多矣，皆有慚德，惟於郭有道無愧色。」』此文記郭有道之生平，爲後世碑誌與墓表等所由昉。

【作　者】

蔡邕字伯喈，東漢陳留郡圉縣人。少博學，師事太傅胡廣，好辭章、數術及天文，妙操音律，又善鼓琴，工書法，閑居玩古，不交當世。靈帝建寧間，召拜郎中，校書東觀，遷議郎。邕因經籍文字多謬，熹平四年與楊賜奏定五經文字，書寫鐫碑，立於洛陽太學門外，稱爲熹平石經，當時前往觀視及摹寫者車乘日必千餘輛。董卓當國，被迫任祭酒，累遷至持書御史、尙書、侍中、左中郎將。從獻帝遷都長安。迨王允誅董卓，邕坐卓黨，收付廷尉。邕乞黥首刖足，續成漢史，不許。士大夫多矜救之，不能得，遂死獄中。文章長於碑銘，爲漢末一大家。今傳有蔡中郎集。

【注　釋】

㈠王季之穆　王季，周太王子，文王父，名季歷，武王既有天下，追尊爲王季。穆，謂後裔也。

㈡有虢叔者實有懿德文王咨焉　虢叔，周文王弟，封於東虢，故城在今河南滎澤縣之虢亭。懿德，美德也。咨，謀也。

左傳僖公五年：『虢叔、王季之穆也，爲文王卿士。』國語晉語：『文王卽位，而咨於二虢。』

㈢建國命氏　言以國號爲姓氏。左傳隱公八年：『天子建德，因生以賜姓，胙之土而命之氏。』命，定名。

㊃或謂之郭　戰國策高誘注：『郭，古號字。』正字通：『春秋傳攻虢則虞救之，公羊作郭，左穀孟子作虢，異字轉音相近也。』

㊄誕膺天衷　謂所受天賦極高，即『得天獨厚』之意。誕，發語詞。膺，受也。天衷，天之善心。左傳僖公二十八年：『寗武子與衞人盟于宛濮，曰：不協之故，用昭乞盟於爾大神，以誘天衷。』此處指天資靈性而言。

㊅貞固足以幹事　謂節操堅貞，堪任大事。語見易乾文言。孔疏：『言君子能堅固貞正，令物得成，使事皆幹濟。』幹，辦也。

㊆隱括足以矯時　謂行有法度，可以矯正時俗之非。隱括，木匠用以矯正邪曲之器。韓詩外傳：『設於隱括之中，直己不直人，蘧伯玉之行也。』

㊇探綜羣緯　探綜，探討綜合也。羣緯，指依託經義而言符籙瑞應之書，六經及孝經皆有之，出於西漢中葉以後。

㊈周流華夏　周流，即周游。陸賈新語：『夫子周流天下。』華夏，中國之古稱。

㊉帝學　帝都太學，在洛陽。

⑪微言，指孔子精微要妙之言論。漢書藝文志序：『昔仲尼歿而微言絕。』

⑫纓緌之徒　謂貴人。禮記內則：『冠纓緌。』鄭注：『緌者，纓之飾也。』孔疏：『結纓頷下以固冠，結之條者，散而下垂，謂之緌。』

⑬紳佩之士　謂仕宦者。紳，大帶。佩，珮玉，繫於帶端之飾物。

⑭衡門　謂屋之卑陋者，喻隱士之所居。詩經陳風衡門：『衡門之下，可以棲遲，泌之洋洋，可以樂飢。』毛傳：『衡門，橫木爲門。』

⑮洪崖　黃帝時仙人名，曾居江西省洪崖山修道。見神仙傳。

⑥巢許　唐堯時高士巢父與許由之簡稱。巢父山居不出，堯以天下讓之不受。堯又讓許由，亦不受，遁耕於中嶽潁水之陽，箕山之下，堯又欲召爲九州長，由不欲聞，洗耳於潁水之濱。事詳皇甫謐高士傳。

⑦翔區外以舒翼　區外，猶言世外。舒翼，安適翅翼，喻身心自由，揚子法言所謂『鴻飛冥冥，弋者何篡焉』是也。

⑧超天衢以高峙　天衢，猶言天路。峙，立也。

⑨稟命不融　稟命，受天之命，謂壽命。融，長也。

⑩靡所寘念　言不能忘懷也。寘，置也，安放之意。

⑪德音　猶令聞，美譽。詩經豳風狼跋：『德音不瑕。』

⑫景行　高明之德行。詩經小雅車舝：『高山仰止，景行行止。』朱熹注以景行爲大道。止是語末助詞，表決定，無義。

⑬明德通玄　明德，光明德性。禮記大學：『大學之道，在明明德。』通玄，通達玄理。

⑭純懿淑靈　純，純粹。懿，嘉美。淑，善良。靈，通敏。

⑮匪惟撫華乃尋厥根　謂其學養精深，不僅拾取菁華，亦且尋究根柢矣。

⑯宮牆重仞允得其門　謂其深得孔門之大道。論語子張：『子貢曰：夫子之牆數仞，不得其門而入，不見宗廟之美，百官之富。得其門者或寡矣。』仞，八尺。允，信也。

⑰棲遲泌丘　謂隱居林泉。棲遲，游息也。泌，泉水。參閱注④

⑱赫赫三事幾行其招　謂顯赫三公，曾幾度召辟也。赫赫，顯赫盛貌。三事，謂三公。東漢以太尉、司徒、司空爲三公。招，猶召也。

⑲委辭召貢　委，委婉。辭，辭謝。貢，推舉。漢時由地方長官選學行俱優之士薦於天子曰舉，或曰貢。此指司徒黃瓊辟泰爲司徒掾，太常趙典舉泰爲有道，而泰均辭謝事。

(一)周大將軍懷德公吳明徹墓誌銘 並序

庾信

公諱明徹。字通昭。兗州秦郡人也。西都列國。長沙王功被山河(一)。東京貴臣。大司馬名高霄漢(二)。豈直西河有守。智足抗秦(三)。建平有城。威能動晉而已也(四)。祖尙。南譙太守。父標。右軍將軍。抗拒淮沂。平夷濟漯(五)。代爲名將。見於斯矣。公志氣縱橫。風情倜儻(六)。圯橋取履。早見兵書(七)。竹林逢猿。偏知劍術(八)。故得勇爵登朝。材官入選(九)。起家東宮司直。後除左軍。葛瞻始嗣兵戈。仍遭蜀滅。陸機纔論功業。卽値吳亡(一〇)。公之仕梁。未爲達也。自梁受終。齊卿得政。禮樂征伐。咸歸舜後(一一)。是以威加四海。德教諸侯。蕭索煙雲。光華日月(一二)。公以明略佐時。雄圖贊務。鱗翼更張。風飇遂遠(一三)。冠軍侯之用兵。未必師古(一四)。武安君之養士。能得人心(一五)。擬於其倫。公之謂矣。爲左衞將軍。尋遷鎭軍丹陽尹。北軍中候。總政六師。河南京尹。冠冕百郡(一六)。文武是寄。公無愧焉。瀟湘之役。馮陵島嶼(一七)。風船火艦。周瑜有赤壁之兵(一八)。蓋舳艪艫。魏齊有橫江之戰(一九)。仍爲平南將軍。開府儀同三司。都督湘衡桂武四州刺史(二〇)。遂得左廣迴扃。轔車反暢(二一)。長沙楚鐵。更入兵欄。洞浦藏犀。還輸甲庫(二二)。雖復戎歌屢凱。軍幕猶張。淮南望廷尉之囚。合肥稱將軍之寇(二三)。莫不失穴驚巢。沈水陷火。爲使持節侍中司空車騎大將軍。都督南北兗青譙五州諸軍事。南兗州刺史。南平郡開國公。食邑八千戶。鼓吹一部(二四)。中台在玄武之宮。上將列文昌之宿(二五)。高蟬臨鬢。吟鷺陪軒(二六)。平陽之邑萬家。臨淄之馬千駟(二七)。坐則玉案推食。行則中分麾下(二八)。生平若此。功業是焉。既而金精氣壯。師出有名。石鼓聲高。兵交可遠(二九)。故得艫舳所臨。蓋於淮泗。旌旗所襲。奄有龜蒙(三〇)。魏將已奔。猶書馬陵之樹(三一)。齊師其遁。空望平陰之烏(三二)。俄而南仲出車。方叔涖止(三三)。暢轂文茵。鉤膺鞗革(三四)。遂以天道在北。南風不競(三五)。昔者裨將失律。衞將軍於是待罪。中軍爭濟。荀桓子於焉受戮(三六)。心之憂矣。胡以事君。宣政元年。屆於東都之亭。有詔釋其纍鑣。錫其釁社(三七)。始弘就館之禮。即受登壇之策。拜持節大將軍懷德郡開國公。邑二千戶。歸平津之館。時聞櫪馬之嘶。舍廣成之傳。裁見諸侯之客(三八)。廉頗眷戀。寧聞更用之期。李廣盤桓。無復前驅之望(三九)。霸陵醉尉。侵辱可知。東陵故侯。生平已矣(四〇)。大象二年七月二十八日。氣疾暴增。奄然賓館。春秋七十七。即以其年八月十九日。寄瘞於京兆萬年縣之東郊(四一)。詔贈某官。謚某。禮也。江東八千子弟。從項籍而不歸(四二)。海島五百軍人。爲田橫而俱死焉(四三)。嗚乎哀哉。毛脩之埋於塞表。流落不存。陸平原敗於河橋。死生慚恨(四四)。反公孫之柩。方且未期。歸連尹之尸。竟知何日(四五)。遊魂羈旅。足傷溫序之心(四六)。玄夜思歸。終有蘇韶之夢(四七)。遂使廣平之里。永滯寃魂。汝南之亭。長聞夜哭(四八)。嗚乎哀哉。乃爲銘曰。

九河宅土。三江貢職。彼美中邦。君之封殖(四九)。負才矜智。垂危恃力。浮磬戢鱗。孤桐垂翼(五〇)。
五兵早竭。一鼓前衰(五一)。移營減竈。空幕禽飛(五二)。羊皮詎贖。畫馬何追。荀罃永去。隨會無歸(五三)。
存沒俄頃。光陰悽愴。岳裂中台。星空上將(五四)。眷言妻子。悠然亭障。魂或可招。喪何可望(五五)。
壯志沈淪。雄圖埋沒。西隴足抵。黃塵碎骨。何處池臺。誰家風月。墳隧羈遠。營魂流寓(五六)。
霸岸無封。平陵不樹(五七)。壯士之隴。將軍之墓。何代何年。還成武庫(五八)。

【作者】

庾信、字子山、南北朝新野人、初仕梁爲太子中庶子、元帝時使西魏、江陵陷後、遂留長安。周孝閔踐祚、拜驃騎大將軍、開府儀同三司、世稱庾開府。所作駢體、冠絕古今、咸推爲百代之大宗師焉。

【題解】

吳明徹字通昭、南朝陳兗州秦郡人、父樹、梁右衞將軍。少從汝南周弘正遊、博涉書史經傳暨兵法術略、頗以英雄自許、陳武帝深奇之、拜安南將軍、文帝時尋加右衞將軍、至廢帝卽位、遷丹陽尹。宣帝議北征、明徹決策請行、詔加侍中、督大軍十餘萬、進剋仁州、封南平郡公、逼壽陽、擒王琳等。詔爲車騎大將軍、進攻彭城、又大破齊軍、位司空、都督南兗州刺史。及周滅齊、宣帝將事徐兗、九年、詔明徹北伐、軍至呂梁、周徐州總管梁士彥率衆拒戰、明徹頻破之、周復遣王軌馳救、遏斷船路、明徹軍大潰、窮蹙被執、周封懷德郡公、位大將軍。以憂遘疾、卒於長安、後故吏盜其柩歸。後主至德元年、詔追封邵陵侯。傳見陳書卷九、南史卷六十六。

本篇選自庾子山集卷十五、子山丁年出使、羈紲異邦、鄉關之思、無時或紓、與明徹誠屬同痛相憐、故撰寫本文、乃能言哀入痛、而惺惺相惜之情、溢於楮墨間、李申耆謂爲誌文絕唱、良有以也。

【注釋】

㈠西都列國長沙王功被山河　西漢都長安、時有西都之稱、蓋東漢都洛陽、在東、故稱此爲西也、班固有西都賦、故城在今陝西長安縣西北、後人每以西都爲西漢之代稱。列國、謂諸侯。長沙王、指吳芮。漢書吳芮傳：『吳芮、秦時番陽令也、甚得江湖間民心、號曰番君、及項羽相王、以芮率百越佐諸侯、從入關、故立芮爲衡山王、項籍死、上徙爲長沙王、都臨湘、一年薨、諡曰文王、高祖賢之、制詔御史、長沙王忠、其定著令。』

㈡東京貴臣大司馬名高霄漢　東漢光武帝都洛陽、時亦有東京之稱、蓋西漢都長安、在西、故稱此爲東也、張衡有東京賦、即今河南洛陽縣治、後人因稱東漢曰東京、或曰東都。大司馬、指吳漢。漢字子顏、東漢宛人、勇鷙有智謀、家貧、爲亭長、王莽末、亡命至漁陽、以販馬爲業、後歸光武、拜偏將軍、建武十一年春、率征南大將軍岑彭等伐蜀、與公孫述八戰八克、又追擊匈奴、官至大司馬、封廣平侯、卒謚忠。見後漢書本傳。霄漢、疑作江漢、名高江漢者、言與岑彭等伐公孫述泝江而上也。

㈢西河有守智足抗秦　西河、地名、今陝西華陰白水一帶、在黃河西岸、故名。史記吳起傳：『吳起者、衞人也、好用兵、嘗學於曾子。事魯君、以爲將、攻齊大破之。聞魏文侯賢、欲事之、文侯以爲將、擊秦、拔五城。文侯以吳起善用兵、廉平、盡能得士心、乃以爲西河守、以拒秦韓。』

㈣建平有城威能動晉　建平、郡名、三國吳置、故治即今四川巫山縣。晉書王濬傳：『王濬拜益州刺史、武帝謀伐吳、詔濬修舟艦、濬乃造船於蜀、其木柿（削木片）蔽江而下、吳建平太守吳彥取流柿以呈孫皓曰、晉必有攻吳之計、宜增建平兵、建平不下、終不敢渡。』以上八句、作者列舉明徹先德之功業。

㈤淮沂濟漯　淮、即淮水、亦曰淮河、發源於河南省之桐柏山、東流入安徽省境、豬於江蘇安徽間之洪澤湖、東注運河、歸墟長江。沂、即沂水、亦曰沂河、源出山東蒙陰縣北、又名大沂河、東南流經沂水臨沂郯城等縣、入江蘇邳縣境、分二支、注入運河。濟、即濟水、源出河南濟源縣西之王屋山、東南流爲豬龍河、入黃河。漯、即漯河、源出山東茌平縣西南、東北流經禹城縣入徒駭河。

㈥風情倜儻　風情、猶言風神、謂人之風采也。晉書庾亮傳：『元帝聞其名、辟西曹掾、及引見、風情都雅、過於所望、甚器重之。』倜儻、不羈也、猶言不拘束、蓋唯奇才高遠之人乃稱之也。漢書朱雲傳：『好倜儻大節、當世以是高之。』

㈦圯橋取履早見兵書　漢張良、字子房、其先五世相韓、秦滅韓、良悉以家財求客爲韓報仇、得力士、狙秦始皇於博浪沙、誤中副車、乃更姓名、亡匿下邳。嘗從容步遊下邳圯上、遇一褐衣老父墮履圯下、顧謂良曰：『孺子下取履。』良愕然、欲毆之、爲其老、強忍下取履、父曰：『履我。』良業爲取履、因長跪履之、父以足受、大笑而去、良殊大驚、隨目之、父去里所復還、曰：『孺子可教矣。』因授書一編曰：『讀此可爲帝王師、後十三年孺子遇我濟北穀城山下、黃石卽我矣。』良讀其書、乃姜太公兵法、因昕夕誦讀不倦、遂佐漢高祖定天下。見史記留侯世家。按圯橋在今江蘇邳縣南、蘇人謂橋曰圯、卽沂水橋也。

㈧竹林逢猿偏知劍術　春秋時、越國有一處女、出於南林（今浙江紹興縣）、劍術高明、范蠡薦於越王句踐、越王乃使使聘之、問以劍戟之術。處女將北見於王、道逢一翁、自稱袁公、問於處女：『吾聞子善劍、願一見之。』女曰：『妾不敢有所隱、惟公試之。』於是袁公卽杖箖箊竹、竹枝上頡、橋末墮地、女卽接末、袁公則飛上樹、變爲白猿、遂別去、見越王、王卽加女號曰越女、乃命五板之隊長高氏習之以敎軍士、當世莫能勝越女之劍云。見吳越春秋句踐陰謀外傳。

㈨材官　猶云武弁、或云頭目、言其爲有幹力之官也。史記絳侯周勃世家：『勃以織薄曲爲生、常爲人吹簫、給喪事、材官引彊。』又申屠嘉傳：『以材官蹶張、從高帝擊項籍。』皆謂引弓弩也。

㈩葛瞻至吳亡　謂明徹方仕於梁卽遭侯景之亂也。三國志蜀志諸葛瞻傳：『諸葛亮子瞻、字思遠、工書畫、強識念。景耀四年、爲行都護衛將軍、平尙書事、六年冬、魏征西將軍鄧艾伐蜀、遣書誘瞻曰、若降者必表爲琅琊王。瞻怒、斬艾使、遂戰、大敗、臨陣死、時年三十七、衆皆離散。艾長驅至成都。』晉書陸機傳：『陸機字士衡、吳郡人也、祖遜、吳丞相、父抗、吳大司馬。機年二十而吳滅、退居舊里、閉門勤學、積有十年。以孫氏在吳、而祖父世爲將相、有大勳於江表、深慨孫皓舉而棄之、乃論權所以得、皓所以亡、又欲述其祖父功業、遂作辯亡論二篇。』

㊁自梁受終至咸歸舜後　陳氏本虞舜之後、嬀姓、春秋時陳公子完奔齊、其後世爲齊卿、終有齊國。見唐書宰相世系表。案史記田敬仲完世家：『完奔齊、以陳字爲田氏。』又鄭樵通志氏族略：『田氏卽陳氏、陳厲公子完、字敬仲、陳宣公殺其太子禦寇、敬仲懼禍奔齊、遂匿其氏爲田、陳田、聲近故也。』左傳莊公二十二年：『及陳之初亡也、陳桓子始大於齊、其後亡也、成子（案即陳常）得政。』論語季氏篇：『孔子曰、天下有道、則禮樂征伐自天子出、天下無道、則禮樂征伐自諸侯出。』四句言陳氏日盛而梁祚日衰、霸先得政、擬於春秋陳常矣。

㊂蕭索煙雲光華日月　蕭索、以言雲氣之疏散也、與習用蕭條衰颯之義稍異。漢書天文志：『若煙非煙、若雲非雲、郁郁紛紛、蕭索輪囷、是謂慶雲。』尚書大傳虞夏傳：『維十有五祀、卿雲聚、俊乂集、百工相和而歌卿雲、帝乃倡之曰：卿雲爛兮、糺縵縵兮、日月光華、旦復旦兮。』以上四句言陳武帝威德日盛。

㊂公以明略佐時至風飈遂遠　明略雄圖、皆謂偉大之謀略也。文選張衡歸田賦：『遊都邑以永久、無明略以佐時、徒臨川以羨魚、俟河清乎未期。』晉書武帝紀贊：『決神算於深衷、斷雄圖於議表。』鱗翼風飈、皆喻其神勇。陳書明徹本傳云：『侯景寇京師、天下大亂、明徹有粟麥三千餘斛、而鄰里飢餒、乃白諸兄曰、今人不圖久、奈何有此而不與鄉家共之。於是計口平分、同其豐儉、羣盜聞而避焉、賴以存者甚衆。及高祖（陳武帝）鎭京口、深相要結、明徹乃詣高祖、高祖爲之降階、執手卽席、與論當世之務。明徹亦微涉書史經傳、就汝南周弘正學天文孤虛遁甲、略通其妙、頗以英雄自許、高祖深奇之。』四句言陳武帝威德日盛、明徹遂加匡贊也。

㊃冠軍侯　西漢名將霍去病、衞青姊子也、善騎射、恢廓有大志、武帝時爲剽姚校尉、前後凡六擊匈奴、斬折蘭盧胡等王、降獲渾邪屯頭等王、遠涉沙漠、封狼居胥山而還、拜驃騎將軍、封冠軍侯、謂其卓越冠於諸軍之上也。爲人少言不泄、有氣敢任、帝嘗欲敎以孫吳兵法、對曰：『顧方略何如耳。不必學古兵法。』帝爲治第、令視之。對曰：『匈奴未滅、何以家爲。』由此帝益重愛之。元狩六年卒、諡曰景桓侯。見漢書本傳。

㊄武安君　戰國秦名將白起、善用兵、與士卒共甘苦、昭王時封武安君、戰勝攻取、凡七十餘城。周赧王五十五年大破趙師於長平、坑趙降卒四十萬人。見史記本傳。

㊅北軍至百郡　南史明徹本傳云：『廢帝卽位、授領軍將軍、尋遷丹陽（今南京市東南）尹、仍詔以甲仗四十人出入殿省。到仲舉之矯令出宣帝也、毛喜知其詐、宣帝懼、遣喜與明徹籌焉。明徹曰、嗣君諒闇、萬機多闕、殿下親實周召、德冠伊霍、願留中深計、愼勿致疑。』中侯、官名。後漢書百官志四：『北軍中侯一人、掌監五營、舊有中壘校尉，領北軍營壘之事、中興省中壘、但置中侯。』六師、六軍也、古時天子六軍。周禮夏官司馬：『凡制軍、萬有二千五百人爲軍、王六軍、大國三軍、次國二軍、小國一軍。』河南、郡名、漢置、約有今河南省北部黃河兩岸地、治洛陽、在今洛陽縣東北。京尹、爲管理京師地方之長官。晉起居注：『武帝咸寧三年詔曰、河南百郡之首、風敎宜爲遐邇所模、以王恂爲河南尹。』時南朝都建業、本漢丹陽郡、明徹爲丹陽尹、在京師、故作者引以爲喩。

㊆瀟湘之役馮陵島嶼　瀟湘、水名、湖南省境之湘水、發源於廣西興安縣之陽海山、至零陵縣西合瀟水、是爲瀟湘、爲三湘之一、今其地有瀟湘鎭。馮、讀若憑、亦陵也、馮陵爲同義之複合辭、卽侵陵之意。左傳襄公八年：『今楚人來討、曰、汝何故稱兵於蔡、焚我郊保、馮陵我城郭。』陳書本傳云：『湘州刺史華皎陰有異志、詔授明徹使持節散騎常侍都督湘桂武三州諸軍事安南將軍湘州刺史、給鼓吹一部、仍與征南大將軍淳于量等率兵討皎。皎平、授開府儀同三司、進爵爲公。』

㊇風船火艦周瑜有赤壁之兵　漢獻帝建安十三年、曹操率三十萬大軍南指、與吳軍相遇於赤壁、初一接觸、曹軍失利、周瑜乘風縱火、攻燒曹軍戰船、延及岸上營落、曹軍大潰、益以饑疫、士卒損失略半。見三國志魏書武帝紀。

㊈蓋舳艙艫魏齊有橫江之戰　蓋舳艙艫、極言船隻之衆多。案魏齊無橫江之戰事、本文蓋舳艙艫當是賀齊事、賀譌魏、傳寫之誤也。三國志吳志賀齊傳：『賀齊字公苗、會稽山陰人、建安二十一年、拜安東將軍、封山陰侯、出鎭江上、

至皖。黃武初、魏使曹休來伐、齊以道遠後至、因住新市爲拒、會洞口諸軍遭風流溺、所亡中分、將士失色、賴齊未濟、偏軍獨全、諸將倚以爲勢。齊性奢綺、尤好軍事、兵甲器械極爲精好、所乘船雕刻丹鏤、青蓋絳襜、干櫓戈矛、葩瓜文畫、弓弩矢箭、咸取上材、蒙衝鬪艦之屬、望之若山、休等憚之、遂引軍還。』横江、卽横江浦、在安徽省和縣東南長江西北岸、與江東南岸當塗縣之采石鎭相對、横江而渡、向爲要津。

⑳湘衡桂武　四郡名。湘卽湘東、三國吳置、今湖南衡陽縣爲其郡治、梁元帝舊封湘東王。衡卽衡陽、三國吳置、故治在今湖南湘潭縣西。桂卽桂陽、漢置、故治在今湖南省郴縣。武卽武昌、三國吳置、治武昌縣、故治卽今湖北鄂城縣。

㉑左廣迴扃轔車反暢　言其走馬上任也。左傳宣公十二年晉楚邲之戰云：『潘黨旣逐魏錡、趙旃夜至於楚軍、席於軍門之外、使其徒入之、楚子爲乘、廣三十乘、分爲左右、右廣雞鳴而駕、日中而說、左則受之、日入而說、許偃御右廣、養由基爲右、彭名御左廣、屈蕩爲右。乙卯、王乘左廣、以逐趙旃、趙旃棄車而走林、屈蕩搏之、得其甲裳。』左廣、春秋楚軍制二廣之一、卽左軍也、與右廣對稱、一廣有兵車十五乘。扃、車上横木之名、蓋横木車前、以約車上之兵器、慮其落也。詩經秦風車鄰：『有車鄰鄰、有馬白顚。』屈萬里釋義：『鄰鄰、或作轔轔、衆車聲也。』暢、長也。詩經秦風小戎：『文茵暢轂。』毛氏傳：『暢轂、長轂也。』孔穎達疏：『暢訓爲長、故爲長轂、言長於大車之轂也。』

㉒長沙楚鐵至還輸甲庫　言其爲湘衡桂武四州刺史、饒於戰具也。長沙、秦郡名、有今湖南省東半部之地。楚、指今湖北省一帶、其地盛產鐵礦、尤以大冶縣北之鐵山爲著。犀、卽犀牛、其皮皺襞極堅厚、古人恆用以製甲、堅如金石。楚辭九歌國殤：『操吳戈兮被犀甲、車錯轂兮短兵接。』

㉓淮南望廷尉之囚合肥稱將軍之寇　言明徹北征、生擒王琳也。陳書本傳云：『太建五年、朝議北伐、公卿互有異同、明徹決策請行、詔加侍中、都督征討諸軍事、統衆軍十餘萬、發自京師、緣江城鎭、相繼降款。軍至秦郡、克其水柵、

齊遣大將尉破胡將兵爲援、明徹破走之、斬獲不可勝計、秦郡乃降。進克仁州、逼壽陽、齊遣王琳將兵拒守、明徹乘夜攻之、中宵而潰。齊兵退據相國城及金城、明徹令軍中益修治攻具、又迮肥水以灌城、城中苦濕、多腹疾、手足皆腫、死者十六七。會齊遣大將軍皮景和率兵數十萬來援、去壽春三十里、頓軍不進、諸將咸曰、計將安出。明徹曰、兵貴在速、而彼結營不進、自挫其鋒、吾知其不敢戰明矣。於是躬擐甲冑、四面疾攻、城中震恐、一鼓而克、生擒王琳、送京師。』晉書蘇峻傳：『蘇峻字子高、長廣掖人、少有才學、永嘉之亂、百姓流亡、所在屯聚、峻糾合得數千家、結壘於本縣、元帝聞之、假峻安集將軍。王敦肆虐、峻率衆赴京師、大破之、頗自負其衆、潛有異志。優詔徵峻爲大司農、加散騎常侍、峻不應命、朝廷遣使諷諭之。峻曰、臺下云我欲反、豈得活耶、我寧山頭望廷尉、不能廷尉望山頭。於是遣參軍徐會結祖約、謀爲亂、溫嶠陶侃唱義於武昌、峻逆戰敗之。』又陳敏傳：『陳敏字令通、廬江人。東海王越起敏爲右將軍、假節前鋒都督、敏因中國大亂、遂請東歸、收兵據歷陽、敎甘卓假稱皇太弟命、拜敏爲揚州刺史、敏弟昶將精兵數萬據烏江、弟恢率錢端等南寇江州、刺史應邈奔走、弟斌東略諸郡、遂據有吳越之地。敏無遠略、一旦據有江東、刑政無章、不爲英俊所服、顧榮甘卓遂背敏、敏率萬餘人將與卓戰、未獲濟、榮以白羽扇麾之、敏衆潰散、敏單騎東奔至江乘、爲義兵所斬。』案蘇峻陳敏二人皆晉叛將、以喩王琳之抗陳也。王琳一生兵馬倥偬、功在社稷、實梁室之忠臣、於陳則爲罪人、明徹本陳將、故云是矣。

㉔爲使持節侍中至鼓吹一部　南史本傳云：『詔遣謁者蕭淳就壽陽授策、明徹於城南設壇、士卒二十萬、陳旗鼓戈甲、登壇拜受、成禮而退、太建六年、自壽陽入朝、輿駕幸其第、賜鐘磬一部。七年、進攻彭城、軍至呂梁、又大破齊軍、八年、進位司空、給大都督鈇鉞龍麾、尋授都督南兗州刺史。』鼓吹、鼓鉦簫笳等合奏之樂曲也。

㉕中台在玄武之宮上將列文昌之宿　言明徹上應星宿之位也。中台、星名、三台之一。（上台中台下台）案漢晉以來、以三台當三公之位、晉張華爲司空、將死、中台星坼、少子韙勸華遜位是也。玄武之宮、謂北宮也、凡位於北方者、世多名曰玄

武。上將、星名。漢書天文志：『成帝建始元年、有流星出文昌、貫紫宮西。占曰、文昌爲上將貴相。時帝舅王鳳爲大將軍、其後宣帝舅子王商爲丞相、皆貴重任政。』

㉖高蟬臨鬢吟鷺陪軒　言其車服之盛也。後漢書輿服志下：『侍中中常侍、冠武弁大冠、加黃金璫、附蟬爲文、貂尾爲飾、謂之趙惠文冠。』案漢時貴顯者之冠飾有蟬冠、貂蟬、金蟬等、皆取高潔之義也。詩經周頌有振鷺之篇、故云吟鷺、序謂夏殷二王之後案即杞宋二國來助祭也。或謂振、羣飛貌、鷺、白鳥也、成王時微子封於宋、統承先王、修其體物、來助祭於祖廟。周人作詩美之、以商尚白、故以鷺爲喩。後漢書蔡邕傳：『鴻漸盈階、振鷺充庭。』蓋以鴻漸喩仕者、謂羣臣也、以振鷺喩賓客、謂藩國來朝者也。

㉗平陽之邑萬家臨淄之馬千駟　漢名相曹參、與蕭何同佐高祖起兵、封建成侯、天下旣定、食邑平陽今山西臨汾縣南萬六百三十戶、號曰平陽侯。見漢書本傳。臨淄、今縣名、屬山東省、城臨淄水東岸、故名、周時齊國都此。論語季氏篇：『齊景公有馬千駟。』

㉘坐則玉案推食行則中分麾下　玉案、玉盤也。楚漢春秋：『韓信曰、臣去楚歸漢、漢王賜以玉案之食。』推食、推己所食於人也。史記淮陰侯傳：『韓信曰、臣事項王、言不聽、畫不用、故倍楚而歸漢、漢王授我上將軍印、予我數萬衆、解衣衣我、推食食我、言聽計用、故吾得以至於此。』行、謂行軍。麾下、謂部下也。後漢書鄧禹傳：『光武以禹沈深有大度、乃拜爲前將軍持節、中分麾下精兵二萬人、遣西入關。』

㉙金精石鼓　金精、金星太白星之精也、古以爲兵象。天官占：『太白者、西方金之精、白帝之子、上公大將軍之象也。』石鼓、漢代天水縣冀南山大石名、鳴則爲兵革之象。漢書五行志：『成帝鴻嘉三年、天水冀南山大石鳴、聲隆隆如雷、聞平襄二百四十里、民俗名曰石鼓、石鼓鳴有兵。』案北齊建都於鄴今河南臨漳縣西、言伐齊也。此下至『空望平陰之鳥』十二句、序明徹破齊之功。

⑳淮泗龜蒙　淮卽淮水、注已見前。泗卽泗水、亦曰泗河、源出山東泗水縣東之陪尾山、四源幷發、故名、流經山東江蘇二省、注入運河。龜卽龜山、在今山東泗水縣。蒙卽蒙山、在今山東蒙陰縣。詩經魯頌閟宮：『泰山巖巖、魯邦所詹、奄有龜蒙、遂荒大東、至於海邦。』奄、覆也。

㉑魏將已奔猶書馬陵之樹　戰國時、齊人孫臏與魏龐涓俱學兵法於鬼谷子、後涓爲魏將、嫉臏之能、陰使召臏至、藉法臏其足、黥其面、欲使隱勿見。會齊使者淳于髡至魏、載與俱歸、威王拜爲軍師。後齊魏構兵、臏佯敗、用『增兵減竈計』誘涓逐己、度其行、暮當至馬陵今河北大名縣、馬陵道狹、而旁多險隘、可伏兵、乃斫大樹、白而書之曰：『龐涓死於此樹之下。』於是令齊軍善射者、萬弩夾道而伏、期日、暮見火舉而俱發。涓果夜至斫木下、見白書、乃鑽火燭之、讀其書未畢、齊軍萬弩俱發、魏軍大亂、涓自知智窮兵敗、乃自剄曰：『遂成豎子之名。』臏以此名顯天下、世傳其兵法。事詳史記孫吳列傳。

㉒齊師其遁空望平陰之烏　左傳襄公十八年記晉齊平陰之戰云：『丙寅、晦、齊師夜遁。師曠告晉侯曰、烏烏之聲樂、齊師其遁。叔向告晉侯曰、城上有烏、齊師其遁。』平陰故城在今山東平陰縣東北。

㉓南仲出車方叔涖止　詩經小雅出車：『王命南仲、往城于方、出車彭彭、旂旐央央、天子命我、城彼朔方、赫赫南仲、玁狁于襄。』詩序謂勞還卒也。南仲、毛氏傳謂文王之屬、漢書古今人物表列爲宣王時人、王國維以爲卽此詩之南仲、以兮甲盤及虢季盤皆宣王時器、皆記伐玁狁事、此亦記伐玁狁事也。說詳王國維鬼方昆夷玁狁考。方叔、周宣王之賢臣、荆蠻背叛、王命方叔南征、荆蠻來服。詩經小雅采芑：『薄言采芑、于彼新田、于此菑畝、方叔涖止、其車三千、師干之試。』案作者以玁狁荆蠻喩北齊、而以南仲方叔喩明徹、皆言其征伐北齊事也。此下序其敗績。

㉔暢轂文茵鉤膺鞗革　詩經秦風小戎：『文茵暢轂。』茵、車席也、文茵、車中虎皮坐褥也。暢、長也。轂、車輛中心車軸外之圓木也。詩經小雅采芑：『方叔率止、乘其四騏、四騏翼翼、路車有奭、簟茀魚服、鉤膺鞗革。』毛氏傳訓

鉤膺爲樊纓。鄭玄周禮春官巾車注：『樊、讀如鞶帶之鞶、謂今馬大帶也。鄭司農云、纓謂當胸。玄謂纓今馬鞅。』案：鉤、帶鉤也、人之帶有鉤、馬帶亦應有之。（參陳奐說）膺、馬帶也、卽當馬胸之大帶。鞗、轡首之飾、以金爲之。革、轡首也、以皮爲之。

㉕遂以天道在北南風不競　左傳襄公十八年：『晉人聞有楚師、師曠曰、不害、吾驟歌北風、又歌南風、南風不競、多死聲、楚必無功。董叔曰、天道多在西北、南師不時、必無功。』孔穎達疏：『今師曠以律呂歌音曲、南風音徵、不與律聲相應、故云不競。』案楚在南方、師曠言南風不競者、言楚師無能爲也。子山於此引用前人典故、意謂明徹敗於周師、是天道在北、南師無能爲也。

㉖禆將失律至荀桓子於焉受戮　南史本傳云：『及周滅齊、宣帝將事徐兗、太建九年、詔明徹北侵、軍至呂梁、周徐州總管梁士彥率衆拒戰、明徹頻破之、仍迮清水以灌其城、攻之甚急、環列舟艦於城下。周遣上大將軍王軌救之、軌輕行自清水入淮口、橫流豎木、以鐵鎖貫車輪、遏斷船路、諸將聞之甚恐、議欲破堰拔軍、以舫載馬。馬明戍裴子烈曰、君若決堰下船、船必傾倒、豈可得乎、不如前遣馬出。適會明徹苦背、疾甚篤、知事不濟、遂從之。乃遣蕭摩訶帥馬軍數千前還、明徹仍自決其堰、乘水力以退軍、及至清口、水力微、舟艦並不得度、衆軍皆潰、明徹窮蹙、乃就執。周封懷德郡公、位大將軍、以憂遘疾、卒於長安。』史記衞將軍傳：『元朔六年、漢令大將軍衞青出定襄擊匈奴、右將軍蘇建、前將軍翕侯趙信、幷軍三千餘騎、獨逢單于兵、與戰一日餘、漢兵且盡。翕侯見急、將其餘騎奔降單于、建獨以身得亡去、自歸大將軍、大將軍問其罪。議郎周霸曰、自大將軍出、未嘗斬禆將（猶副將也）、今建棄軍、可斬、以明將軍之威。大將軍曰、青幸得以肺腑待罪行間、不患無威、而霸說我以明威、甚失臣意、具歸天子、天子自裁之。遂囚建詣行在所、入塞罷兵。天子不誅、赦其罪、贖爲庶人。』左傳宣公十二年邲之戰云：『夏六月、晉師救鄭、晉荀林父將中軍、先穀佐之。及河、聞晉及楚平、桓子（林父謚號）欲還、彘子（即先穀）不可、曰以中軍佐濟。晉師敗績。秋、晉師歸、

桓子請死、晉侯欲死之。士貞子諫曰、不可、林父之事君也、進思盡忠、退思補過、社稷之衞也、若之何殺之、夫其敗也、如日月之食焉、何損於明。晉侯使復其位。』子山以裨將失律中軍爭濟、比馬明成裴子烈之失計。

㉗釋其鸞鑣蠲其釁社　言釋去其兵權、且免其一死也。鸞、鈴也、置於馬銜之兩旁。鑣、音標、馬銜也。鸞鑣、渾稱鸞車、車上設鈴、行時有聲如鸞鳴、謂之鸞車、此謂兵車。詳見詩經秦風駟驖注疏。蠲、除也。釁、血祭也。左傳僖公三十三年：『孟明稽首曰、君之惠、不以纍臣釁鼓。』史記魯世家：『周公把大鉞、召公把小鉞、以夾武王釁社。』案說文通訓定聲：『凡殺牲以血塗坼罅、如廟竈鐘鼓龜策寶器之屬、因遂薦牲以祭曰釁。』

㉘歸平津之館至裁見諸侯之客　西漢名相公孫弘、字季齊、武帝初、拜博士、累遷丞相、封平津侯、乃起賓館、開東閤以招賢士、與參謀議、俸祿所入、盡給賓客、而己則脫粟布衣自奉而已、由是天下益賢之。見漢書本傳。櫪、養馬之所。魏武帝樂府：『老驥伏櫪、志在千里、烈士暮年、壯心不已。』蓋以老驥雖伏櫪而猶有雄心、喻明徹雖屆暮年、抱負猶待舒展也。廣成、傳舍名。史記藺相如傳：『趙使相如奉璧入秦、相如視秦王無意償趙城、乃持璧卻立、倚柱、怒髮上衝冠、謂秦王曰、大王宜齋戒五日、設九賓於庭、臣乃敢上璧。秦王許之、舍相如廣成傳舍。』此言明徹在周、待以客禮也。

㉙廉頗李廣　戰國趙名將廉頗晚年與悼襄王有隙、亡至魏、其後趙數困於秦、欲再用頗、使者得頗之仇人郭開賄、言頗年老、遂不召。見史記本傳。李廣、西漢成紀人、猿臂善射、武帝時爲北平太守、與匈奴大小七十餘戰、多所斬獲、匈奴畏之、號曰飛將軍、避之數歲、不敢入右北平。惟命數奇、未得封侯、人皆惜之、後從衞青擊匈奴、廣自請曰：『臣部爲前將軍、今大將軍乃徙令臣出東道、且臣結髮而與匈奴戰、今乃一得當單于、臣願居前、先死單于。』大將軍青陰受上誡、以爲李廣老、且數奇、毋令當單于、廣意甚慍怒而就部焉。事詳史記李將軍傳。作者引此、言明徹不能

復用於陳也。

(四〇)霸陵尉東陵侯　漢李廣以征匈奴不利、廢爲庶人、返家閒居、與灌強在藍田山中射獵、嘗夜從一騎出、從人田間飲、還至霸陵亭、霸陵尉醉、呵止廣、廣從騎曰：『故李將軍。』尉曰：『今將軍尚不得夜行、何乃故也。』止廣宿亭下。見史記李將軍傳。東陵侯：謂秦邵平、秦亡後、平淪爲布衣、種瓜於長安城東、瓜美、世謂之東陵瓜。見史記蕭相國世家。作者引此、傷明徹困辱於周、不復有所作爲也。

(四一)大象二年至京兆萬年縣之東郊　陳書本傳云：『尋以憂憤遘疾、卒於長安、時年六十七。』案本文作七十七、不知何據。奄然賓館、謂死也。史記蘇秦傳：『蘇秦說趙肅侯曰：奉陽君妬君而不任事、是以賓客游士、莫敢自盡於前者、今奉陽君捐館舍、君乃今復與士民相親也。』案捐、棄也、館舍、人所住也、死則捐棄一切、不復居住、故云死曰捐館舍。春秋、年齡也。漢書蘇武傳：『李陵謂武曰：陛下春秋高、法令亡常。』萬年、漢縣名、北周移令與長安縣同爲京兆郡治、故城在今陝西臨潼縣東北。

(四二)江東八千子弟從項籍而不歸　項籍、字羽、秦下相人、初起時年二十四、二世元年殺會稽太守、舉吳中兵、使人收下縣、得精兵八千人、與劉邦爭奪天下、及兵敗於垓下、欲東渡烏江、烏江亭長艤船以待、勸其急渡。籍笑曰：『天之亡我、我何渡爲。且籍與江東子弟八千人渡江而西、今無一人還、縱江東父老憐而王我、我何面目見之、縱彼不言、籍獨不愧於心乎。』見史記項羽本紀。

(四三)海島五百軍人爲田橫而俱死　田橫、秦末狄人、本齊王田榮弟、榮既死、橫代領其衆、擊項羽、復齊地、立榮之子廣爲齊王、自爲相、專國政。居三年、廣爲漢將韓信所虜、橫乃自立爲齊王。漢滅項羽、橫與其從屬五百餘人亡入海島中、高祖使人召之曰：『田橫來、大者王、小者侯、不來、且舉兵加誅焉。』橫因與二客詣洛陽、未至三十里、曰：『橫始與漢王俱南面稱孤、今奈何北面事之。』遂自殺。高祖以王禮葬橫、拜二客爲都尉、二客皆自刎、居海島中之五百餘人、聞橫死、亦皆自殺。見史記田橫傳。

㊹毛脩之陸平原　毛脩之字敬文、南北朝陽武人、初爲宋東秦州刺史劉義眞司馬、宋武帝欲引爲外助、頻加榮爵、爲安西司馬、及赫連屈丐破義眞、脩之被俘、魏太武帝滅赫連昌、入魏、身遂死於魏。見南史宋書各本傳。陸平原、謂陸機、機於晉惠帝太安二年受命討長沙王司馬乂、兵敗於河橋(今河南孟縣南)、爲孟玖所譖被害。見晉書本傳。

㊺反公孫之柩至竟知何日　言不能歸葬也。左傳哀公十五年：『夏、楚子西子期伐吳及桐汭、陳侯使公孫貞子弔焉、及良而卒、將以尸入、吳人內之。』又宣公十二年：『知莊子射連尹襄老獲之、遂載其尸。』又成公三年：『晉人歸楚公子穀臣與連尹襄老之尸於楚、以求知罃。』

㊻遊魂羈旅足傷溫序之心　溫序、字次房、東漢太原人、光武時拜護羌校尉、赴任途經襄武、爲隗囂別將苟宇所害、光武聞而憐之、命葬洛陽、除其三子爲郎中。長子壽夜夢序告之曰：『久客思鄉里。』壽卽上書棄官、負父骨歸鄉。見後漢書獨行傳。遊魂、言其魂魄遊散、無所歸屬也。易經繫辭：『精氣爲物、遊魂爲變。』羈旅、寄居在外也。左傳莊公二十二年：『齊侯使敬仲爲卿、辭曰、羈旅之臣、幸若獲宥、君之惠也。』

㊼玄夜思歸終有蘇韶之夢　蘇韶、字孝先、晉安平人、仕至中牟令、卒、從弟節夜夢見鹵簿行列甚肅、見韶使呼節曰：『卿犯鹵簿、罪應髡刑。』節俯受剃、如是夢者五夕、髮爲之盡。後見韶乘馬晝日而行、著黃綵單衣、節因問幽冥之事。韶曰：『死者爲鬼、俱行天地之中、在人間而不與生者接、顏回卜商、今見爲修文郎、死之與生、略無有異、死虛生實、此有異耳。』言終而不見。見王隱晉書及蒙求蘇韶魂夢引三十國春秋。

㊽廣平之里至長聞夜哭　南史本傳云：『以憂遘疾、卒於長安、後故吏盜其柩歸、至德元年、詔追封邵陵侯、以其息慧覺嗣。』時寄葬長安、故云。廣平、漢郡名、故城在今河北雞澤縣東、東漢封吳漢爲廣平侯、廣平冤魂未必指此、疑別有典故、待考。案倪璠原注：『晉書曰、廣平郡、廣平邯鄲。是廣平邯鄲接界、故趙地也。史記曰、樂毅去燕、西

降趙、趙封曰望諸君、樂毅卒於趙。張華曰、望諸君冢在邯鄲西數里、疑言樂毅之客死於趙也。』汝南、漢郡名、故城在今河南汝南縣東南。東漢時、汝南汝陽西門亭有鬼魅、賓客止宿、輒有死亡、其厲厭者皆亡髮、失精、尋問其故。云：先時頗有怪物、其後、郡侍奉掾宜祿鄭奇來、去亭六七里、有一端正婦人乞得寄載、奇初難之、然後上車、入亭、趨至樓下、亭卒曰：『樓不可上。』奇云：『吾不恐也。』時亦昏冥、遂上樓、與婦人同宿、備極纏綿。天未明、發去、亭卒上樓掃除、見一死婦、大驚、走白亭長、亭長擊鼓、會諸廬吏、共集診之、乃亭西北八里吳氏婦、新亡、以夜臨殯、火滅、失之、其家即持去。奇發、行數里、突覺腹痛、到南頓利陽亭、加劇、物故。樓遂無敢復上。事見干寶搜神記及應劭風俗通。

(四九)九河宅土至君之封殖　言吳氏得姓之先、本故吳國、稱其地也。尚書禹貢：『九河既導、雷夏既澤、灉沮會同、桑土既蠶、是降丘宅土。』古時黃河、自孟津而北、分爲九道、其故道至春秋時、或湮廢、或遷徙、今已不能盡考、然自大陸澤以北、順勢下趨、禹時九河自當在今山東省德縣以北至河北省天津河間一帶數百里之地。宅、居也。三江、謂松江錢塘江浦陽江、皆在吳國境內。中邦、猶云中國。封殖、栽培之意。左傳昭公二年：『晉宣子宴於季氏、有嘉樹焉、宣子譽之。武子曰、宿敢不封殖此樹以無忘角弓。』杜預注：『封、厚也、殖、長也。』竹添光鴻箋：『封是培殖之培、言其長養此樹也、昭公九年傳后稷封殖天下、義同。』

(五〇)負才矜智至孤桐垂翼　言明徹征齊、恃才乘危、而與周戰、卒致喪師也。尚書禹貢：『海岱及淮惟徐州。』又：『州畎夏翟、嶧陽孤桐、泗濱浮磬、淮夷蠙珠及魚。』孔安國傳：『泗水涯水中見石可以爲磬。』孔穎達疏：『石在水旁、水中見石、似若水浮然、此石可以爲磬、故謂之浮磬。』嶧陽在今江蘇省邳縣西南、亦名嶧山、山多桐樹、製琴甚良。案泗水流經江蘇省境、子山引此、蓋當時陳宣帝將事徐兗、詔明徹北征、故云。

(五一)五兵早竭一鼓前衰　五兵、謂戈、殳、戟、酋矛、夷矛五種兵器也。周禮夏官司兵：『掌五兵五盾、各辨其物與其等以待軍事。』左傳莊公十年載曹劌之言曰：『夫戰、勇氣也、一鼓作氣、再而衰、三而竭、彼竭我盈、故克之。』一鼓前衰、意謂士氣消沈、甫與敵軍接觸、卽告衰竭而敗退也。

(五二)移營滅竈空幕禽飛　亦言明徹之敗也。移營滅竈、孫臏敗龐涓事、已見前注。左傳莊公二十八年：『諸侯救鄭、楚師夜遁、鄭人將奔桐丘、諜告曰、楚幕有烏、乃止。』

(五三)羊皮詎贖至隨會無歸　言明徹見執於周、不復南歸也。春秋虞賢臣百里奚、家世貧薄、流落不偶、尋事虞公爲大夫、晉滅虞、被虜、將以爲秦穆公夫人媵、奚恥之、走宛、楚鄙人執之、穆公聞其賢、以五羖羊皮贖之、授以國政、相秦七年而霸、人號五羖大夫。見史記秦本紀。史記管晏列傳：『越石父賢、在縲紲中、晏子解左驂贖之、載歸、弗謝、入閨久之、越石父請絕、晏子懼然攝衣冠謝曰、嬰雖不仁、免子於厄、何子求絕之速也。越石父曰、不然、吾聞君子詘於不知己、而信於知己者、方吾在縲紲中、彼不知我也、夫子既以感寤而贖我、是知己、知己而無禮、固不如在縲紲之中。晏子於是延入爲上客。』荀罃、卽知罃、春秋晉大夫、魯宣公十二年、晉楚戰於邲、沒於楚軍、父首求於楚、得歸、既爲政、施德愛民、卒謚武子。見左傳宣公十二年及成公二年三年。隨會、卽士會、春秋晉大夫、以事從先蔑奔秦、秦用其謀、晉人患之、使魏壽餘誘之歸、執晉政、滅赤狄甲氏、晉國之盜奔於秦、卒謚武子、世稱范武子。見左傳文公十三年及宣公十六年。詎贖何追、謂見明徹被俘囚也。永去無歸、謂卒死於周也。

(五四)岳裂中台星空上將　中台上將、皆以喻明徹、注見本序。此云星空上將、謂徹爲上將、徹死故星空也。

(五五)眷言妻子至喪何可望　眷言、眷懷也、言爲語助詞、無義。秦制、十里一亭、亭有亭長、掌追捕盜賊、漢因之、後更爲十里一長亭、五里一短亭、古人送別、每以長短亭爲程限。障、塞上要險處、築城以資障蔽者。顏師古漢書張湯傳注：『鄣謂塞上要險之處別築爲城、因置吏士而爲鄣蔽以扞寇也。』魂或可招者、言魂氣無所不之、故或可招也。喪何可望者、言明徹寄葬長安、妻子不能遠望也、時明徹妻子俱在南朝、故云然。以上八句哀明徹死於異域、不能歸葬也。

㊱墳隴羈遠營魂流寓　墳隴、猶言墳墓。羈、寄也。流寓、謂寄居他鄉也。後漢書廉范傳：『范父客死於西蜀、范遂流寓西州。』營魂、與營魄同、謂心府中也、俗稱靈魂。文選陸機文賦：『攬營魂以探賾、頓精爽而自求。』

㊲霸岸無封平陵不樹　霸岸、霸陵岸也、本霸上地、漢文帝築陵葬此、因曰霸陵、在今陝西長安縣東、陵西北有故霸陵縣城、陵南又有杜陵。平陵、本漢昭帝陵名、因置平陵縣、屬右扶風、三國改曰始平、故地在今陝西咸陽縣西北。封樹、爲古時士以上之葬禮、聚土爲墳曰封、種樹以標其處曰樹。禮記王制：『庶人縣封、葬不爲雨止、不封不樹。』鄭玄注：『封謂聚土爲墳、不封之、不樹之、又爲至卑無飾也。周禮曰、以爵等爲丘封之度與其樹數。則士以上乃得封樹。』孔穎達疏：『庶人既卑小、不須顯異、不積土爲封、不標墓以樹。』作者引此、言寄葬長安、不封不樹也。

㊳壯士之隴至還成武庫　三齊略記：『田開疆公孫接古治子三壯士塚在齊城東南三百步蕩陰里中。』將軍之墓、用左伯桃事、墳成武庫、用樗里子事、俱詳本書思舊銘注。四句言其埋骨異邦、以著哀痛。

(三)自撰墓誌銘

王績

王績者㈠，有父母，無朋友。自爲之字，曰無功焉。人或問之，箕踞不對㈡。蓋以有道於己，無功於時也㈢。不讀書，自達理。不知榮辱，不計利害。起家以祿位㈣，歷數職而進一階㈤。才高位下，免責而已㈥。天子不知，公卿不識，四十五十而無聞焉㈦。於是退歸，以酒德遊於鄉里㈧。往往賣卜㈨，時時著書。行若無所之，坐若無所據。鄉人未有達其意也。嘗耕東皋㈩，號東皋子。身死之日，自爲銘焉。曰：

有唐逸人㈠，太原王績。若頑若愚，似矯似激。院止三徑㈡，堂唯四壁㈢。不知節制㈣，焉有親戚。以生為附贅懸疣，以死為決疣潰癰㈤。無思無慮，何去何從㈥。壠頭刻石㈦，馬鬣裁封㈧。哀哀孝子，空對長松。

【作者】

王績，字無功，隋絳州龍門人。文中子王通之弟。舉孝廉，授正字。煬帝時為揚州六合丞，以嗜酒不任事，被劾，解去。結廬河渚，以琴酒自樂。性簡傲，不喜拜揖，不嬰家事，鄉族慶弔冠昏，不與也。常以周易老子莊子置牀頭，他書則罕讀。游北山東皐，自號東皐子。唐高祖武德初，以前官待詔門下省。或問：『待詔何樂。』曰：『良醞可戀耳。』貞觀初，以疾罷，後調有司，時太樂署史焦革家善釀，績求為丞，革及妻死，又棄官歸。有集五卷。詳見新舊唐書隱逸傳。

【題解】

晉陶淵明韜光遯世，放懷詩酒，嘗自撰五柳先生傳及自祭文。王績之行事，頗類淵明，而所為詩文，亦多擬之。如五斗先生傳及本文，模仿陶氏，極為明顯。他如田家、過酒家一類詩，亦可謂上繼阮籍、陶淵明，下起王維、李白。本文為墓誌之別體，且足為梁陳至初唐文章演變之重要參考資料，故錄之。

【注釋】

㈠王績　見『作者欄』，自撰墓誌，亦循通例先敍姓名。

㈠箕踞　戰國策燕策：『軻自知事不就，倚柱而笑，箕踞以罵。』高注：『踞坐展兩足如箕。』史記張耳陳餘傳：『高祖箕踞詈。』索隱引崔浩注：『屈膝坐，其形如箕。』漢書陸賈傳：『箕踞見賈。』顏注：『謂伸其兩腳而坐，一曰箕坐，其形如箕。』按古者坐其席，故坐則跪，若伸兩足而微屈，其狀正如箕也。

㈢無功於時　言已未作高官，故無所表現。

㈣起家以祿位　言曾任縣丞等官。

㈤階　官等也。

㈥免責　責有責讓、責備之意。淮南子氾論訓：『夫堯舜湯武，世主之隆也，齊桓晉文，五霸之豪英也。然堯有不慈之名，舜有卑父之謗，湯武有放弒之事，五伯有暴亂之謀。』蓋官高則爲人所注意，易被求全責備也。若以免負重大責任解之，亦可通。

㈦四十五十而無聞焉　聞，聲譽遠揚。此句言年齡已高，尚無成就也。論語子罕篇：『四十五十而無聞焉，斯亦不足畏也已。』

㈧酒德　謂飲酒之品性也。劉伶有酒德頌。

㈨賣卜　卜，古人灼龜甲以取兆也。賣卜，卽爲人預占吉凶而受酬金之意。

⑩東皋　卽北山東皋。陶淵明歸去來辭有『登東皋以舒嘯』句，績或慕之，因亦喜東皋。

⑪有唐逸人　有，助詞，用於名詞語頭，無意義，但可調節語音。此文作於唐初，故云有唐。逸人，卽逸民，節行超逸之人。一曰：逸，遺也。民者，無位稱。論語微子篇：『逸民、伯夷、叔齊、虞仲、夷逸、朱張、柳下惠、少連。』

⑫三徑　文選陶潛歸去來辭：『三徑就荒，松菊猶存。』後人本此，輒以三徑稱隱士所居。

⑬堂唯四壁　言家貧，堂中無一長物，僅見四壁也。史記司馬相如傳：『文君夜亡奔相如，相如乃與馳歸，家居徒四壁

立。』

⑭節制　禮記仲尼燕居『樂也者節也』孔穎達疏：『節，制也，言樂者使萬物得其節制也。』蓋有一定之限度者，必合於紀律，故節制可作紀律或調節解。

⑮以生爲附贅懸疣二句　贅疣，一作贅肬、贅瘤，爲身體上之贅生物，故以喻無用。決，除去壅塞也。疣、癰疽之屬。潰，爛也。素問五常政大論：『分潰癰腫。』此二句見莊子大宗師。績能達觀，視生爲苦，視死爲解脫痛苦，亦本莊子大宗師『大塊載我以形，勞我以生，佚我以老，息我以死』之意。

⑯何去何從　用楚辭屈原卜居句。屈原原意因不知所從而須請卜。此言去與從皆無所爲，只任其自然也。

⑰壠　同壟，墳墓也。

⑱馬鬣裁封　言墳墓封土如馬鬣之狀。禮記檀弓：『吾見封之若堂者矣，見若坊者矣，見若覆夏屋者矣，見若斧者矣。從若斧者焉，馬鬣封之謂也。』

㈣柳子厚墓誌銘　韓愈

子厚，諱宗元㈠。七世祖慶爲拓跋魏侍中，封濟陰公㈡。曾伯祖奭㈢，爲唐宰相，與褚遂良韓瑗俱得罪武后，死高宗朝㈣。皇考諱鎮㈤，以事母棄太常博士，求爲縣令江南。其後以不能媚權貴，失御史，權貴人死，乃復拜侍御史，號爲剛直。所與遊，皆當世名人㈤。

子厚少精敏，無不通達。逮其父時，雖少年，已自成人，能取進士第㈥，嶄然見頭角㈦，衆謂柳氏有子矣。其後以博學宏詞授集賢殿正字㈧，儁傑廉悍，議論證據今古，出入經史百子，踔厲風發㈨，率常屈其座人。名聲大振，一時皆慕與之交，諸公要人爭欲令出我門下，交口薦譽之。

貞元十九年，由藍田尉拜監察御史㈠。順宗卽位，拜禮部員外郎。遇用事者得罪，例出爲刺史㈠，未至，又例貶永州司馬㈡。居閒，益自刻苦，務記覽爲詞章，汎濫停蓄，爲深博無涯涘㈢，而自肆於山水間。元和中，嘗例召至京師，又偕出爲刺史，而子厚得柳州㈣。既至，歎曰：『是豈不足爲政耶。』因其土俗，爲設敎禁，州人順賴。其俗以男女質錢，約不時贖，子本相侔，則沒爲奴婢。子厚與設方計，悉令贖歸。其尤貧力不能者，令書其傭，足相當，則使歸其質。觀察使㈤下其法於他州，比一歲，免而歸者且千人。衡湘以南㈥爲進士者，皆以子厚爲師。其經承子厚口講指畫爲文詞者，悉有法度可觀。

其召至京師而復爲刺史也，中山劉夢得禹錫亦在遣中，當詣播州㈦。子厚泣曰：『播州非人所居，而夢得親在堂，吾不忍夢得之窮，無辭以白其大人㈧，且萬無母子俱往理。』請於朝，將拜疏，願以柳易播，雖重得罪，死不恨。遇有以夢得事白上者，夢得於是改刺連州㈨。嗚呼，士窮乃見節義。今夫平居里巷相慕悅，酒食遊戲相徵逐，詡詡㈩強笑語以相取下，握手出肺肝相示，指天日涕泣，誓生死不相背負，眞若可信。一旦臨小利害，僅如毛髮比，反眼若不相識，落陷穽不一引手救，反擠之又下石焉者，皆是也。此宜禽獸夷狄所不忍爲，而其人自視以爲得計。聞子厚之風，亦可以少愧矣。

子厚前時少年，勇於爲人，不自貴重顧藉⑪，謂功業可立就，故坐廢退。既退，又無相知有氣力得位者推挽⑫，故卒死於窮裔，材不爲世用，道不行於時也。使子厚在臺省時⑬，自持其身，已能如司馬刺史時，亦自不斥，斥時有人力能舉之，且必復用不窮。然子厚斥不久，窮不極，雖有出於人，其文學辭章，必不能自力以致必傳於後如今無疑也。雖使子厚得所願，爲將相於一時，以彼易此，孰得孰失，必有能辨之者。

子厚以元和十四年十一月八日卒㈣，年四十七。以十五年七月十日，歸葬萬年㈤先人墓側。子厚有子男二人，長曰周六，始四歲。季曰周七，子厚卒乃生。女子二人，皆幼。其得歸葬也，費皆出觀察使河東裴君行立㈥。行立有節概，重然諾，與子厚結交。子厚亦爲之盡，竟賴其力。葬子厚於萬年之墓者，舅弟盧遵。遵，涿人㈦，性謹順，學問不厭。自子厚之斥，遵從而家焉，逮其死，不去。既往葬子厚，又將經紀其家，庶幾有始終者。銘曰：

是惟子厚之室，既固既安，以利其嗣人㈧。

【題　解】

姚鼐古文辭類纂序云：『誌者，識也。或立石墓上，或埋之壙中，古人皆曰誌。爲之銘者，所以識之之辭也。然恐人觀之不詳，故又爲序。世或以石立墓上曰碑、曰表，埋乃曰誌，及分誌銘二之，獨呼前序曰誌者，皆失其義。蓋自歐陽公不能辨矣。』王宋賢云：『標題不書官位，止書姓字，以子厚姓字，人所共知，故與李元賓墓銘一例。歐公尹師魯、梅聖俞二誌標題，既倣公李柳二誌，歐囑尹氏子弟勿于碑額添書官位，可知專書姓字，正自有義。或疑此文失當時碑額，非也。』按文苑作柳州刺史柳君墓誌銘，唐文粹作唐柳州刺史柳子厚墓誌銘，皆與韓集不同，當係各以其己意增改。退之於元和十五年九月二十二日始自袁州召還，此誌當作於袁州。

【注　釋】

㈠起處不書姓，亦破格，於下文『衆謂柳氏有子』見之。

㈡慶，字更興，河東解人，仕終宇文周，封平齊公。其子旦，封濟陰公。見子厚自撰先侍御史府君神道表，『封』字上或脫落『封平齊公。六世祖旦，爲周中書侍郎』等字。

㊂奭，字子燕，高宗初，爲中書令。按神道表，奭爲子厚之高伯祖。高步瀛云：『曾字疑傳寫之誤。然詩維天之命曰：「曾孫篤之。」鄭箋曰：「曾，猶重也，自孫之子而下享先祖皆稱曾孫。」或祖之父以上亦可通稱曾祖歟。』

㊃褚遂良二句　褚遂良，字登善。韓瑗，字伯玉。高宗廢王后，立武氏爲后，褚韓皆力諫。褚累貶愛州刺史，韓貶振州刺史，俱卒於貶所。許敬宗李義府誣奭與褚朋黨，被殺。

㊄皇考至名人　皇考，亡父之稱。禮記曲禮：『父曰皇考。』鎭，肅宗時拜太常博士，辭，乃徙爲宣城令。尋遷殿中侍御史。忤宰相竇參，貶夔州司馬。及參得罪，復拜侍御史。所與遊，如杜黃裳、鄭餘慶、許孟容等，皆賢士。

㊅子厚以德宗貞元九年登進士第。時年二十一。

㊆頭角，謂氣象崢嶸也，爲少年出衆之喩。

㊇貞元十四年子厚中博學宏詞科，時年二十六。博學宏詞，副科名，唐開元十九年始開，以考拔淹博能文之士。集賢殿正字，官名。

㊈踔厲風發　謂文氣奮發，如風勢之振迅也。

㊉藍田縣，唐屬京兆，今屬陝西省。

⑪遇用事者二句　本作『王叔文、韋執誼用事，拜尙書禮部員外郎，且將大用。遇叔文等敗，例出爲刺史。』王叔文，越州山陰人，德宗時，侍順宗於東宮。順宗立，拜起居郎、翰林學士，遷戶部侍郎。時韋執誼爲尙書左丞同中書門下平章事。順宗有疾，不視朝。叔文尤貴近用事，拜宗元禮部員外郎，且將大用。永貞元年八月憲宗卽位，貶王叔文爲渝州司戶參軍。九月，子厚坐王叔文黨，貶邵州刺史。

⑫又例貶永州司馬　憲宗元和元年十月，子厚赴邵州途中，又貶永州司馬。永州，今湖南零陵縣。

(三)涯涘　本謂水之邊際，引伸爲凡邊際之義。此言文境博大，不容以界域限止也。

(四)元和九年冬，又召至京師。翌年春，出爲柳州刺史。柳州，今廣西柳城縣。

(五)觀察使　唐置桂管經略觀察使，轄州十二，柳州其一也。

(六)衡湘以南　衡，衡山。湘，湘水。衡湘以南，指柳州一帶。

(七)劉禹錫　字夢得，彭城人。自言系出漢中山王靖，亦王叔文黨。初貶朗州司馬，召還後，復出爲播州刺史，播州在今貴州遵義縣西。

(八)大人　謂禹錫母也。

(九)改刺連州　時御史中丞裴度爲劉禹錫言之，乃改連州刺史。連州，今廣東連縣。

(十)詡詡　北方人謂媚好爲詡詡。

(十一)不自貴重顧藉　言不知珍重顧惜繫戀也。按『顧藉』二字，人初以爲屬下句，後李光地以爲當屬上句，猶言顧惜也。並引韓公上鄭相公啓『無一分顧藉心』爲證。

(十二)推挽　謂引進也。

(十三)臺省　謂集賢殿與御史臺。集賢殿屬中書省，御史屬御史臺。子厚嘗爲集賢殿正字及監察御史。

(十四)舊唐書柳宗元傳作『十月五日。』

(十五)萬年　在今陝西長安縣東。

(十六)裴行立　絳州稷山人，時爲桂管觀察使。

(十七)遵涿人　子厚妻盧氏，遵姊。涿州，今河北涿縣。

(十八)是惟三句　言子厚已不復伸其志，庶幾以待後之人乎。『安』『人』通轉爲韻。

(五)瑞安姚氏母董太夫人墓誌銘

馬浮

古之善爲國者。修之於家。其德乃餘。修之於鄉。其德乃長。蓋國者。家之積也。天下者。國之積也。人興於孝慈。家務於任恤。然後風俗可厚。故周禮重鄉三物之敎。本之修身愼行。敎始乎閨門。而化先於鄉里。凡人行誼可稱者。非因閭巷長老之遺澤。必其漸於父母之敎。則然也。瑞安姚君琮。少從其鄉先生孫徵君游。出治軍旅有聲。積堦至中將。而喜讀書。嗜吟詠。恂恂如士人。予因避地。識之蜀中。前年遭其母太夫人憂。以狀來。請銘。予由是知姚君之賢。蓋秉於其親者爲多也。按狀。太夫人浙江瑞安董氏女。父諱培水。年十八。嬪於同縣姚君雁秋。姚氏故永嘉大族。明淸閒。徙瑞安。雁秋諱用鴻。起家農賈。樹德於鄉。以民國二十三年卒。餘杭章君爲銘其墓。迹其行事。是能躬任恤以善其鄉者。太夫人雖處貧約。而賓祭必飭。雖安隆養。而恭儉有常。藹然慈仁。出於天性。若中饋致豐。綺縞不御。則以示敎於家。里黨賢之。相觀而化。佐其夫子立鄉校。旣增置學田。復出積穀。以濟生徒之乏。子琮領軍同安。時猶榷鴉片稅益餉。他軍方以爭稅譁動。琮獨不受。而所部翕然。太夫人嘉之。蓋其識度素所蘊蓄者遠矣。民國三十三年卒於里第。享年七十有三。子男二。長琮。今官陸軍中將、戰略委員會戰略顧問。次松圃。前卒。前湖北省政府視察。孫男十三人某某。孫女六人某某。例得備書。以某年某月之吉。卜葬於後牛浦之原。銘曰。

蹈德與仁。正家肇基。凡民所忽。君子重之。母有令善。賢才是資。門內之敎。四海可施。

旌旄匪貴。籩豆斯存。何以報國。不遺其親。姚母之風。薄俗可敦。敬告來葉。視此貞珉。

(六)張紱漚先生墓誌銘

成惕軒

滇於南服。實曰奧區。炎漢以還。賢豪世出。其勳業文章。照曜今代。直與南園錢氏後先輝映者。曰張先生維翰。

先生字紱漚。雲南大關人也。先世以武功顯。少英特負大志。預辛亥革命之役。護國軍興。佐蔡公松坡幕。羽檄四馳。神姦斯殄。嘗累宰劇邑。仁明廉幹。所至有循聲。及隨督軍唐繼堯謁國父廣州。遂東渡扶桑。專攻政法之學。旣卒業。歸綰昆明市政。建隧列廛。洪纖畢舉。凡所經畫。足備法程。擢雲南省民政廳長。受命留京與法蘭西議滇越界約。援據理法。力折強夷。歷十有八月而約成。幅員卒無毫髮損。轉立法委員。旋兼立法院祕書長。匡時禦侮。屢貢嘉猷。和輯西南。尤資其力。調內政部政務次長。修明版籍。飭正方輿。歲時巡行郡縣。觀風采詩。深得古輶軒遺意。出爲雲貴監察使。力會行憲治。復膺選監察委員。監察院副院長。並代理院長。值神州板蕩。樞府遷駐臺灣。密參廟謨。矯時弊。求民隱。厲官常。政肅人和。丕昭懋績。節概貞亮。風儀穆清。人仰之如祥麟威鳳。謂爲東注後一人焉。生平著述積百餘萬言。有紱漚類稿行世。工詩善書。晚歲主詩學研究所。扢揚風雅。宏宣忠愛。翕然爲多士所宗。海外諸邦言詩者。率以香山放翁相擬。致縞紵。通慇懃。別具敦槃之效云。先生生於遜清光緒十二年丙戌十一月二十九日子時。以民國六十八年九月一日巳時謝世。春秋九十有四。元配廝夫人。繼配仲夫人。子二。鼎康鼎森。女鼎芬適錢。廝出。鼎鍾適馮。鼎鈺適劉。仲出。俱學有專精。克自樹立。鼎鍾鼎鈺隨侍臺北。最稱賢孝。奉遺體與仲夫人合葬於金山鄉富貴山之壟。惕軒旣爲誌墓。迺系以銘曰。

志經世。鵬早摶。語驚人。驪獨探。堂堂一老天之南。耄猶勤。神不滅。銘九幽。告來葉。

(六)故海軍上將王君墓誌銘

張仁青

君諱某某，姓王氏，江西南康人也。其先世居浙之山陰，後有宦遊南贛者，因家焉。父某某，樂善好施，秉心淵塞，外而宣力公益，敬恭桑梓，內而壹持儉德，作範彝倫。君質比和玉，性擬椒蘭，灼灼美其聲芳，英英照其符彩，既承靈椿過庭之訓，復紹先德奕葉之光。稍長，從其鄉先賢王肇元氏遊，耽玩典墳，寢饋縹緗，研揣礱砥，移晷忘倦。此則君學基初奠之時也。民國二十年九一八事變起，燕雲告警，值蠻夷猾夏之秋，海岱馳驅，正壯士請纓之會。君企伏波裹屍之志，慕定遠投筆之風，遂考入海軍電雷學校，潛心鑽研，盡窺其奧。旋復以學行優異，遴送德意志海軍專門學校，霍剽姚之偉略，半由天生，周公瑾之雄姿，獨與衆異。當學成歸國之日，正四郊多壘之時，君奉命參與淞滬諸役，艫舳所臨，每寒敵膽。二十六年抗戰軍興，君率部用命，負弩前驅。及三十二年，中樞爲擴建海軍，早靖寇患，擇優秀幹部赴美國邁亞米海軍訓練團深造。君策名金籍，負笈重洋，越三年率永泰艦返國，旋調長永寧艦，巡弋渤海，汗血兜鍪，申攘夷之義，揚大漢之聲，故得屢奏凱歌，迭建勳績。三十八年平陸波翻，中原鼎沸，浮雲變幻，歎舟壑之潛移，國運乘除，傷樞庭之播蕩，君奉命危難，遠戍瓊海，炳生平之毅烈，遏赤氛之進窺，裹創拒敵，瀕死者屢。四十七年擢任海軍艦隊指揮部中將指揮官，八二三之役，奮天鯨之驍師，支前哨之聖戰，名動寰宇，聲高上國。其後屢調海軍軍官學校校長、海軍艦艇訓練司令，四十八年任參謀總長辦公廳主任，弘其嘉猷，彌多獻替。及調訓國防研究院，尤矻矻孜孜，勤力逾恆，益以生平勞瘁，竟嬰宿疾，五十年六月四日捐館於陸軍第一總醫院，春秋五十有一。綜君生平，據德依仁，居貞體道，在戎二十六年，稽勳一十二次，身死之日，家無餘財，畢世經營，厥貽明德。總統眷念勳勞，特追贈海軍二級上將，彰生前之偉績，極身後之殊榮，嗚乎尚已。淑配某夫人，系出華宗，誕生望族，懿行著於閨庭，賢聲溢於里巷。子四女二，均在學，厥後克昌，無待著卜。五十年八月五日葬君於陽明山之陽，乃綴其事蹟諸繫大計者列於碑，用昭來葉。而爲之銘曰：

炳炳文德，煜煜武烈，偉績豐功，永垂不滅。陽明之陽，瘞此忠骨，鬱鬱兮佳城，並高峯而突兀。

中華民國五十年八月上浣

附　臺灣大學諸生慶弔文習作選輯

頻年講學上庠，諸生從予學應用文字，竊思在應用文字中，實以慶弔文最爲世所重，因命諸生習作，以備來日應世之需。諸生輒勞心焦思，相繼命筆，一年以來，積數十首，略經點竄，尚有可觀。當此新潮陵蕩之時，文苑塵埋之會，刊布斯作，或不能謂爲毫無意義也。

(一) 頌　詞

太史公頌

羅媚娥

文史宗師。司馬子長。識通萬古。足履八荒。造爲書史。遠紹炎黃。不遺陋巷。顯聖昭良。持公仗義。干冒君王。無端遇禍。五內摧傷。哲人日遠。古道不亡。名山事業。千載流芳。

書頌

蔡英昭

聖賢經籍。書府寶藏。理明義溥。善獎芬揚。從橫典雅。麗句瓊章。珠璣圭璧。終古垂光。
涵濡學海。駕舫輕航。歷遊六合。凌氣八方。德依以播。術賴以昌。道敷天下。厥績難量。

臺大校慶頌詞

吳麗雲

中華民國六十八年十一月十五日，欣逢國立臺灣大學三十四屆校慶，敬撰文以頌之。其詞曰：
巍巍我校。文苑英華。蓬瀛俊彥。振藻揚葩。成德達材。有敎無類。沾溉菁莪。聖學弗墜。
研經窮理。功成萬千。澤及遐邇。倏逾卅年。弘道弘人。救國救世。明訓克遵。薪火是繼。

陳居士歸隱石頭山頌

前人

己未仲夏，爲陳重文居士歸隱石頭山之日，爰獻頌曰：
雲薄石山。垂陰覆宇。公比靖節。結廬園圃。老莊忘我。佛道歸眞。潛心造化。超世絕塵。
竹杖芒鞋。嘯傲山水。妙筆生花。信非溢美。長齋法界。方軌慧門。晨鐘暮鼓。修植善根。

嚴父頌

吳惠娟

新竹之郡。湖口之莊。山明水秀。載毓禎祥。惟父雅度。正直溫良。克勤克儉。守之以常。

青年創業。鳳翥龍翔。宅心仁厚。作善不遑。事親盡孝。教子有方。言坊行表。望重一鄉。
精研命理。易學孔彰。堪輿綱目。無不周詳。禮神祀祖。意至誠惶。敦親睦族。振紀立綱。
天錫繁祉。矍鑠康強。孫枝挺秀。蘭桂滿堂。期頤百歲。福壽綿長。穀貽後嗣。瞻仰毋忘。

恩師左公頌詞

吳芳蓮

師門立雪。桃李萬千。教澤彌遠。裕後光前。經綸滿腹。儒術博淵。鴻文鉅製。絕跡飛騫。
執鞭教誨。鞏固初基。幼及人幼。孔德之遺。秉公肆應。見義勇爲。杏壇模楷。多士表儀。

留侯頌

蕭春霞

緊維留侯。先世相韓。旣遭橫逆。騁力擊奸。下邳亡匿。圯上遇僊。試其堅忍。贈以書編。
重瞳尚霸。爭戰連年。悖仁施暴。絕聖棄賢。運籌帷幄。燭照機先。成大一統。定漢江山。
功成身退。辟穀超然。風猷典範。長在人間。

良友頌

康蕙瓊

孤舟一葉。滄海浮航。良朋作伴。示我周行。高文探索。絕學商量。殷殷寄望。達材成章。
切磋共勉。聖道爲先。管鮑交誼。心繫神牽。梅花喻質。情似石堅。長懷厚澤。敬題蠻箋。

新婚頌詞

林夏蓮

琴韻挑心。凰隨鳳嘯。佳偶天成。樂稱同調。閒情所寄。金石書畫。觀賞摩挲。欣傳佳話。
幾盅佳釀。兩三好友。三白銜觴。芸娘添酒。舉案示尊。畫眉表愛。燕爾新婚。白頭長在。

陳母林太夫人六十壽頌

賴燕玉

猗歟壽母。茹苦含辛。日夜相繼。忘百年身。德澤廣被。作範彝倫。有子成器。榮顯雙親。
秉承懿訓。絳帳化醇。松筠勵節。蘭桂熙春。天賜純嘏。百福駢臻。萱堂日永。玉芝常新。

臺大校慶頌詞

沈嫣姬

巍巍臺大。雄峙南疆。遠近學子。來集書堂。尊師重道。義理昭彰。作育髦俊。學風淳良。
駿足疾騁。麟角呈祥。盛乎壺嶠。美矣膠庠。任重道遠。鐸音高揚。虔祝我校。萬載流光。

賀臺大卅四年校慶

許金枝

鶯花處處。芳草芊芊。欣逢我校。創建卅年。絳帳和煦。桃李萬千。樹人何限。德配于天。
樂彼君子。學技精研。薪傳有術。志慮彌堅。口碑載道。美譽廣宣。同心戮力。再寫新篇。

新居頌

黃淑美

民國五十年，新屋落成，舉家由城東移居城西。余年幼，唯知新居之富麗堂皇及親朋之申賀，尚未識建造之艱難，十餘年來，兄弟長於此，安於此，其樂融融。比以遊學異鄉，對舊居倍感親切。老屋亦曾多次整修，不甚理想，日前適逢阿兄新婚，乃予粉刷裝修，煥然一新，更助燕喜氣氛，於盡歡後北上，歷久不忘，爰泚筆以頌之曰：

逝水輕流。遠山清幽。松林韻雅。綠竹陰稠。高明之宅。通德之門。幸有故廬。延續子孫。肯堂肯構。棟宇連雲。氣勢宏偉。竦立不羣。慈暉廣照。玉樹芬芳。友于愛篤。長樂永康。

臺大校慶頌

徐瑞霞

麗日行天。欣逢校慶。燦爛花時。歌舞繁盛。校舍巍峩。學風淳正。肇建卅年。輝光遠映。作育英才。名師就聘。敎導有方。耳提面命。積事程功。創造互競。國運藉興。成德成聖。

祝臺大校慶

陳淑媛

於皇臺大。作育英賢。樹人樹木。著績萬千。才俊輩出。譽滿臺員。邦家動力。社會中堅。焚膏繼晷。兀兀窮年。鍥而不捨。道統綿延。文明進化。重任在肩。巍峩屹立。薪火永傳。

(二) 祭　文

祭屈原文

羅媚娥

己未暮春苗栗羅娟娥謹具淡香一束，素酒一樽，致祭於故楚三閭大夫屈原先生在天之靈曰：嗚呼。天不純命。百姓震愆。民相離散。展轉播遷。孤忠耿耿。羣小弄權。謂我驕惰。遠謫天邊。悠悠日月。忽忽經年。美人遲暮。國祚難延。去而不返。竟赴深淵。英靈不死。長繫佳篇。嗚呼。魂兮歸來。尙饗。

祭史懷哲文

吳麗雲

民國六十八年四月，臺灣大學學生吳麗雲讀史懷哲傳，感其節行，因爲文祭之，其辭曰：悠悠我蒼生。何降乎斯境，人生而有患，其誰憫歟，其誰憫歟。

方公幼時，不忍殺生，念民生之凋敝，拒食羹湯，不衣華服，表其民胞物與之志也。故天縱之聖，苦其心志，空乏其身，七載學醫，爲濟生靈。雖文學、哲學、音樂之譽，亦聞於當時，而冒生死於蠻荒之征途，若壯士之一去不返也。

嗚呼，自公之蠻邦，行醫五十年，殘疾羸弱求治者，日不暇給，所惠者衆，猶恐不及，又生活時有斷炊之虞，仍孜孜於行善而不倦。

瘴癘之地，草聚蟲生，競相爲虐，其出處進退，生死堪憂，而長乎歐威河之湄，實天佑之。嗚呼，遐荒異行，曠世未有，掩卷涙濕，情何能已，百代千年，其誰與繼。

自祭文

王麗淑

粤以己未之年，季春之月，乍暖還寒，煦日若隱。王氏將辭生長之地，遠赴無涯之方，乃取嘉蔬清酌以自餞，並繫以辭曰：嗚呼。

別當此際。時日難更。死生異路。回首猶驚。陽關唱罷。玉馬來迎。浮雲片片。與我同行。

悠悠人世。謫降卅年。德功名望。概無一全。父兮育我。恩大如天。母兮鞠我。情深似淵。

生時何憾。既得知音。死後當悲。不復同吟。鵑啼午夜。憂思難任。世事如戲。不復縈心。

嗚呼。

祭外祖父文

林夏蓮

維中華民國六十七年四月五日清明節外孫女林夏蓮謹以香花之儀致祭於　外祖父大人之靈曰：

惟我外祖。令名碩德。亮節高風。恬淡樸直。縑緗黃卷。多學多識。閎辯雄辭。藝文是得。

夢吐白鳳。擲地有聲。潤逼李杜。秀冠羣英。金丹妙劑。保壽延康。出蛇徙柳。鄰里是望。

享年不永。文昌斂芒。典範長存。萬古流芳。嗚呼哀哉。尚　饗。

祭古涵秋女士文

蔡英昭

維中華民國六十三年九月二十八日蔡英昭謹以香花酒醴庶饈之儀致祭於　古涵秋女士之靈前曰：

蒼蒼天台。浩浩富春。篤生邦媛。賢淑溫純。履方據義。行道體仁。好施樂善。濟弱賑貧。

惟古尚友。以德爲鄰。義方啓後。靡間昏晨。潔身自守。懿德孔彰。佐其君子。造福珂鄉。

胡天不弔。竟奪其常。瑤華含悲。婺女沈芒。風號雨泣。地慘天傷。閫範長昭。彤管芬揚。
嗚呼哀哉。尚　饗。

祭兄文

吳芳蓮

維中華民國六十八年四月五日妹芳蓮等謹以清酌庶饈之儀致祭於　先兄澄秋之靈而弔之以文曰：
嗚呼，天地無親，何嘗施與善人，兄秉性至孝，善事雙親，懃懃奉養，爲弟妹表率。名冠黌宮，學行優異，同窗諸友，情同手足，何上蒼之殘忍，竟迫其命而死耶。
憶兄罹疾病苦，恐雙親心焦，強自隱忍，曾不逾旬，而病勢轉劣，良醫束手。嗚呼痛哉，英年夭折，聞者莫不掩面而悲，哀哀慈母，痛斷肝腸，常夜半不眠，起而慟哭，余年幼不知措手足，惟願代死以慰，但又何能返魂有術乎。
自兄逝後，不聞督促余之溫課聲，余上學不復負載於車上，琅琅書聲，唯缺兄之誦讀。頃者左師特贈花環一對，上題兄姓名，余每日祭告，兄聞之乎。
去歲臘月，重營舊廬，時值期末考，無法分身，返鄉即偕弟四人同往，待來日，當再去兄埋骨處，栽花植草，以伴英魂。嗚乎，人天永隔，盼在夢中與兄相見，兄其許我否乎。嗚乎哀哉，尚饗。

祭杜甫文

陳淑媛

道纘堯舜。詩存儒風。三綱繫命。萬卷羅胸。文擅繡虎。志切飛鴻。宦途多阻。世路難通。

滄海塵揚。國事日窮。徒堅忠悃。空負清衷。詩史述憤。荷馬競雄。不薄今人。典雅是崇。頌賡詩律。美溢唐宮。青蓮並軌。白傅追踪。盛名千載。衞道直躬。

祭信國公文天祥文

許淑麗

元兵入寇。應詔勤王。維公英勇。名噪萬方。拘執虜庭。孤忠自矢。取義成仁。是眞男子。作歌明志。緊扣人心。宗臣大節。震爍古今。浩然之氣。至大至剛。振衰起敝。維國之光。

第八章 對聯

第一節 概說

吾國文字之特質，厥有二端，曰孤立，曰單音。惟其孤立，故宜於講對偶，在形式上則構成整齊美。惟其單音，故宜於務聲律，在韻語中則顯有音節美。二美並具，施於篇章，若律詩，若詞，若曲，若賦，若駢文，若聯語，衆製紛綸，不一而足，遂蔚爲吾國文學之特有景觀，而成世界上最優美之文學，抑亦最具姿采之文學，遠非彼邦所能望其項背。不寧惟是，吾國文字在並世各國文字中，乃最富於韌性(tenacity)者，吾民族使用此種文字已逾三千年，雖古今語言有變，各地方言不同，然賴有統一之文字，故能通貫數千年如一日，凝合數億人爲一體，其對文化之發展，民族之團結，厥功至偉。否則吾國早已步歐洲之後塵，分裂爲二十餘國矣。

吾國文字之特色爲孤立與單音，殆已世無異辭。先哲創字之原，音先義後，解字之用，音近義通。劉師培中古文學史云：

物成而麗，交錯發形，分動而明，剛柔判象，在物僉然，文亦猶之。

又云：

儷文律詩爲諸夏所獨有，今與外域文學競長，惟資斯體。……非偶詞儷語，弗足言文。準是以觀，古人作文，比類合義，韻既相叶，義必相符。兩事有相向者，如『父慈子孝』。有相背者，如『口蜜腹劍』。有相聯者，如『天香國色』。有相偶者，如『春華秋實』。要在意義平行，輕重悉稱，稽諸六經子史，理無或爽。如周易『乾道成男，坤道成女，乾知大始，坤作成物。』尚書『若升高，必自下，若陟遠，必自邇。』詩經『山有扶蘇，隰有荷華。』禮記『良冶之子，必學爲裘，良弓之子，必學爲箕。』老子『有無相生，難易相成，長短相形，高下相傾。』莊子：『鷦鷯巢林，不過一枝，偃鼠飲何，不過滿腹。』荀子『木受繩則直，金就礪則利。』呂覽『天無私覆，地無私載，日月無私燭，四時無私行。』又若俚語『向天索價，就地還錢』，『明槍易躲，暗箭難防』，『路遙知馬力，事久見人心』等皆是。由此可見對仗之用，蓋與文字以俱來，苟無對仗，不但文采不彰，抑且意有不達。故上自羣經諸子，下逮戲劇小說，旁及語錄佛書，無論聖賢豪傑，英雄兒女，但欲爲文，但欲達意，必難捨對仗而不用。阮元文言說云：

同爲一言，轉相告語，必有愆誤，是必寡其詞，協其音，以文其言，使人易於記誦，無能增改。

誠深造有得之言也。

至對偶文字之產生，原因甚多，累紙所不能盡。上之所論，不過就其大要言之，猶未明其底蘊也。余十餘年前著中國駢文發展史，在第一章第三節中，嘗析爲六端，尚有參考價值，爰迻錄之如下：

一、**受自然界事物奇偶相對之啓發**　自太極剖判、而奇偶已分、凡天下之物、多相對待、不能有奇而無偶、亦不能有偶而無奇、未有是奇而非偶者、亦未有是偶而非奇者。譬之人類、其生理組織、有奇、亦有偶、奇偶相配、卽形成人體美。人之一身、奇也、而二手二足、則偶矣。手足之指各五，奇也、而二手二足各合之而爲十、則偶矣。首、奇也、而兩耳兩目、則偶矣。一鼻一口、又奇也、而兩個鼻孔兩排牙齒、則又偶矣。由此可見不獨奇偶相配、抑且奇中有偶、偶中有奇、人類生理組織之美妙、有不得不令人歎觀止者。推之自然界之生物、如花葉也、草木也、禽獸也、何莫而非奇偶之相雜耶。不寧惟是、甚至如吾人之日常用品、如文具也、家具也、器皿也、又何莫而非合於平衡之原則耶。近人朱光潛文藝心理學附錄近代實驗美學第二章形體美有云：

美的形體無論如何複雜、大概都含有一個基本原則、就是平衡（Balance）或勻稱（Symmetry）、這在自然中已可看出。比如說人體、手足耳目都是左右相對稱的、鼻和口都祇有一個、所以居中不偏。原始時代所用的器皿和布帛的圖案、往往把人物的本來面目勉強改變過、使它們合於平衡原則。此外如希臘瓶以及中國彝鼎、都是最能表現平衡原則的。在雕刻圖畫建築和裝飾的藝術中、平衡原則都非常重要。

此種理論、正可以作駢文產生之注腳。『平衡』或『勻稱』、本係一種物理現象、人在生理上既然有此項要求、心理上自然對此種狀態感覺舒適、寖假產生愛好、不覺流露於字裏行間、對偶文字、因而產生。故古人作文、遣詞用字、輕重悉稱、奇偶迭用、凝重多出於偶、流美多出於奇、體雖駢、必有奇以振其氣、勢雖散、必有偶以植其骨、儀厥錯綜、至爲微妙。試以毛詩爲例、衞風氓：『桑之未落、其葉沃若』、此散也。而『于嗟鳩兮、無食桑葚、于嗟女兮、無與士耽、士之耽兮、猶可說也、女之耽兮、不可說也』、非其駢焉者乎。周南關雎：『參差荇菜、左右流之、窈窕淑女、寤寐求之』、此駢也。而

『求之不得、寤寐思服、悠哉悠哉、輾轉反側』、非其散焉者乎。又如司馬遷之史記、『其積句也皆奇、而義必相輔、氣不孤伸、彼有偶焉者存焉。』見曾國藩送周荇農南歸序而班固之漢書、『毗於用偶』曾國藩語○亦見送周荇農南歸序者也、然而書中奇筆、觸處皆是。若斯之流、未易悉數。要之、古人作文、初無駢散之見梗於胸中、故奇偶參差、錯落無定、文章之美、莫逾於是矣。劉勰文心雕龍麗辭篇云：

造化賦形、支體必雙、神理爲用、事不孤立。夫心生文辭、運裁百慮、高下相須、自然成對。唐虞之世、辭未極文、而皋陶贊云、罪疑惟輕、功疑惟重。益陳謨云、滿招損、謙受益。豈營麗辭、率然對爾。

言對偶之興、純出自然、非由人力、語最精切。李兆洛駢體文鈔序云：

天地之道、陰陽而已、奇偶也、方圓也、皆是也。陰陽相並俱生、故奇偶不能相離、方圓必相爲用。道奇而物偶、氣奇而形偶、神奇而識偶。孔子曰：『道有變動、故曰爻、爻有等、故曰物、物相雜、故曰文。』又曰：『分陰分陽、迭用剛柔。』故易六位而成章、相雜而迭用、文章之用、其盡於此乎。

又曾國藩送周荇農南歸序云：

天地之數、以奇而生、以偶而存、一則生兩、兩則還歸於一、一奇一偶、互爲其用、是以無息焉。物無獨、必有對、太極生兩儀、倍之爲四象、重之爲八卦、此一生兩之說也。兩之所該、分而爲三、殺而爲萬、萬則幾於息矣、物不可以終息、故還歸於一、天地絪縕、萬物化醇、男女構精、萬物化生、此兩而致於一之說也。一者陽之變、兩者陰之化、故曰一奇一偶者、天地之用也。文字之道、何獨不然。

二氏皆藉陰陽以立說、足以相互發明、百年以下、信爲篤論已。綜覽衆說、泰古之文、原不能有奇而無偶、亦不能有偶而無奇、不能分其何篇爲散文、何篇爲駢文、或奇或偶、一發乎天籟之自然、彰彰明甚矣。而迹其所以然之故、庸非受自然界事物奇偶相對之啓發歟。

二、觀念聯合之作用　一觀念之起、每以某種關係引起其他觀念者、在心理學（psychology）上謂之觀念聯合（association of ideas 一作聯想）其大別爲類似聯想（association by similarity）接近聯想（association by contiguity）與對比聯想（association by contrast）三類。類似聯想起於種類之近似、如言『狗』則思及『貓』、以其同爲家畜故也。又如言『菊花』則思及『向日葵』、以其同爲黃色之花、在性質上有類似點故也。接近聯想則因經驗之某某諸觀念、於時間上或空間上本互相接近、如言『櫻花』則思及『日本』、言『梅花』則思及『林逋』、以至言『關盼盼』則思及『燕子樓』、言『李香君』則想及『桃花扇』、甚至言『鍾儀幽而楚奏』、則思及『莊舄顯而越吟』、言『項羽之魂斷烏江』、則思及『謝安之凱奏肥水』等、兩種對象雖不同、而在經驗上則曾相接近、此皆接近聯想也。對比聯想係以兩種殊異之事物對立、如『黃』與『白』、『粗』與『細』、乃至『春花』與『秋月』、『香草』與『美人』等、而使其特徵更加明顯者也。夫麗辭之起、亦猶是也、亦出於人心之能聯想也。既思『青山』、類及『綠水』、既思『才子』、類及『佳人』、此正對也。既思『紅顏』、類及『白髮』、既思『驕矜』、類及『謙遜』、此反對也。正反雖殊、其由於聯想一也。推而廣之、至於『天香國色』、『春華秋實』等、或意義相聯、或輕重悉稱、皆因人心有向背聯偶之自然趨勢而構成者也。

三、社會及時代之需要　古人傳學、多憑口耳、事理同異、取類相從、記憶匪艱、諷誦易熟、此經典之文所以多用麗辭也。凡欲明意、必舉事證、一證未足、再舉而成。且少旣嫌孤、繁亦苦贅、二句相扶、數折其中。昔孔子傳易、特制文繫、語皆駢偶、意殆在斯。又人之發言、好趨均平、短長懸殊、不便脣舌、故求字句之齊整、非必待於偶對、而偶對之成、恆足以齊整字句。魏晉以前篇章、駢詞儷句、充塞輻輳、連緜不絕者此也。阮元文言說云：

古人無筆硯紙墨之便、往往鑄金刻石、始傳久遠、其著之簡策者、亦有漆書刀削之勞、非如今人下筆千言、言事甚易也。許氏說文：『直言曰言、論難曰語。』左傳曰：『言之不文、行之不遠。』此何也、古人以簡策傳事者少、以口舌傳事者多、以目治事者少、以口耳治事者多。故同爲一言、轉相告語、必有愆誤、是必寡其詞、協其音、以文其言、使人易於記誦、無能增改、且無方言俗語雜於其間、始能達意、始能行遠。此孔子於易所以著文言之篇也。古人歌詩箴銘諺語、凡有韻之文、皆此道也。爾雅釋訓、主於訓蒙、『子子孫孫』以下、用韻者三十二條、亦此道也。孔子於乾坤之言、自名曰『文』、此千古文章之祖也。爲文章者不務協音以成韻、修詞以達遠、使人易誦易記、而惟以單行之語、縱橫恣肆、動輒千言萬字。不知此乃古人所謂直言之『言』、論難之『語』、非言之有文者也、非孔子之所謂『文』也。

文言數百字、幾於句句用韻。孔子於此發明乾坤之蘊、詮釋四德之名、幾費修詞之意、冀達意外之言、要使遠近易誦、古今易傳、公卿學士、皆能記誦、以通天地萬物、以警國家身心、不但多用韻、抑且多用偶。卽如：樂行、憂違、偶也。長人、合禮、偶也。和義、幹事、偶也。庸言、庸行、偶也。閑邪、善世、偶也。進德、修業、偶也。知至、知終、偶也。上位、下位、偶也。同聲、同氣、偶也。水溼、火燥、偶也。雲龍、風虎、偶也。本天、本地、偶也。无位、无民、偶也。勿用、在田、偶也。潛藏、文明、偶也。道革、位德、偶也。偕極、天則、偶也。隱見、行成、偶也。學聚、問辨、偶也。寬居、仁行、偶也。合德、合明、合序、合吉凶、偶也。先天、後天、偶也。存亡、得喪、偶也。餘慶、餘殃、偶也。直內、方外、偶也。通理、居體、偶也。凡偶皆文也。於物兩色相偶而交錯之、乃得名曰『文』、『文』卽象其形也。然則千古之文、莫大於孔子之言易。孔子以用韻比偶之法、錯綜其言、而自名曰『文』、何後人之必欲反孔子之道、而自命曰『文』、且尊之曰『古』也。

詆娸古文不得爲『文』、雖意未全愜、而其指出駢偶之產生、肇因於社會及時代之需要、則言前人之所未言、發前人之所未發者也、淵識孤懷、於斯概見。餘杭章太炎先生更暢其說曰：

古者簡帛重煩、多取記憶、故或用韻文、或用駢語、爲其音節諧熟、不煩記載也。戰國縱橫之士、抵掌搖脣、亦多疊句、是則駢偶之體、適可稱職。（章氏叢書）

語尤精到、可與元說相輔焉。

四、文章本身之需要　原始之文章、著重意見之表達、氣勢之貫串、隨手爲文、類都奇偶互用、剛柔相濟、良以『駢中無散、則氣壅而難疏、散中無駢、則辭孤而易瘠。』（劉開與王子卿太守論駢體書語）故必駢散相間、以成其文。抑有進者、舉凡文章緊湊之時、常令讀者厭倦、如在其中附以麗辭、則麗辭之華美、與格式之一定、旣可引人入勝、又可令人暫時得以休養疲勞、此則麗辭之重要功效也。昔侯官吳曾祺氏有云：

自散體之作、別於駢儷爲名、於是談古文者、以不講屬對爲自立風格。然平心而論、二者如陰陽畸耦、不可偏廢。自六經以外、以至諸子百家、於數百字中、全作散語、不著一偶句者、蓋不可多得。此無他、文以氣爲主、而氣之所趨、苟一洩無餘、而其後必易竭、故其中必間以偶句、以稍止其汪洋恣肆之勢、而文之地步乃寬綽有餘。此亦文家之祕訣、而從來無有人焉舉以告人者也。（涵芬樓文談）

明乎此、則駢偶產生之原因、可以思過半矣。

五、人類愛美之心理 在美學（aesthetics）上有所謂形式（form）美與內容（contents）美者。如建築物形體之比例、色彩之配合如何美觀、則屬於形式美。其所表現莊嚴偉大、或小巧玲瓏之精神、則屬於內容美。一件藝術品必須兼具內容與形式之長、始能予人有悅目賞心之美感（sense of beauty）。夫文學亦然、文學之功用、原爲表現作者之情感、傳達作者之思想、或記述客觀之事物者。然人類皆有愛美之天性、欲使他人接受作者之情意、感發其情緒、必須具有動人之美感、在文學之廣大領域中、其所以有美文之產生、實卽種因於此。而駢文則美文之尤者也。

六、中國語文之恩賜 中國語文之特質、在孤立與單音、極便於講對偶、務聲律、駢體文之產生、此其最佳溫牀矣。尋其特點、蓋有數焉。

一曰象形 指事象形形聲會意轉注假借、是謂六書。其中以象形爲最重要、其他如指事會意、亦與象形關係最爲密切、故望文而生義、惟漢文能之。如曹植之洛神賦、言美人之姿態、則『翩若驚鴻、婉若遊龍、榮曜秋菊、華茂春松、髣髴兮若輕雲之蔽月、飄颻兮若流風之迴雪、遠而望之、皎若太陽升朝霞、迫而察之、灼若芙蕖出淥波。』狀美人之身材、則『穠纖得衷、脩短合度、肩若削成、腰如約素、延頸秀項、皓質呈露、芳澤無加、鉛華弗御。』寫美人之容貌、則『雲髻峨峨、脩眉聯娟、丹脣外朗、皓齒內鮮、明眸善睞、靨輔承權。』讀文一如讀畫、而尤非對偶不爲工也。

二曰疊字　疊字爲我國文字所獨具、西文雖亦有如『long long ago』一類句子、究屬罕見、猶未若漢文之幾無一字不可以重疊也。疊字在普通文學中、固有音容之妙、而一經對偶、尤顯其長。如詩經鄭風風雨：『風雨淒淒、雞鳴喈喈、既見君子、云胡不夷。風雨瀟瀟、雞鳴膠膠、既見君子、云胡不瘳。』楚辭卜居：『寧昂昂若千里之駒乎、將氾氾若水中之鳧、與波上下、媮以全吾軀乎。』其例甚多、不遑偏舉。

三曰複字　單音孤立之語言文字、在語言修辭上、頗多不便、故言『樂』、則往往加一『快』字以襯之、而成『快樂』。言『貧』、則往往加一『窮』字以襯之、而成『貧窮』。意雖重復、但因此而使意思更加明顯、形容更臻美妙、然則漢字之缺點不正所以爲其優點歟。由於漢字具備一字一音、複字繁多之基本性格、故有駢文之誕生。

四曰雙聲疊韻　凡字之發聲同類者、謂之雙聲、如『祈求』『銅駝』等、均爲雙聲字。凡字之收音同類者、謂之疊韻、如『旁皇』『蕭條』等、均爲疊韻字。此固夫人而知之者也。雙聲疊韻既能增加文學上音調之美感、而又能創造駢儷之偉觀、是我國文字之得天獨厚處也。

五曰一字多義　一字衍生多義、美日歐西各國文字皆有之、然猶未若吾國文字之靈巧也。例如在

『道路以目』、『久耳大名』、『人手一册』、『春風風人』、『夏雨雨人』、『解衣衣我』、『推食食我』諸詞中，『目』『耳』『手』『風』『雨』『衣』『食』諸字、可作名詞用、亦可作動詞用、變化無端、極盡文字運用之能事、而爲外國文字所望塵莫及者。

六曰一義多詞　吾國因歷史悠久、疆域遼闊、先哲嘔心瀝血所鑄造之詞句、何慮千萬、故其中有許多意義相同者。如言貧窮則有：

家徒四壁　寅吃卯糧　三餐不繼　簞食瓢飲
一貧如洗　一錢不名　貧無立錐　蓬門蓽戶
一無所有　吳市吹簫　囊空如洗　坐吃山空
阮囊羞澀　山窮水盡　手頭拮据　日坐愁城
東食西宿　涸轍鮒魚　煮字療飢　牀頭金盡
牛衣對泣　甑塵釜魚　窮途末路　號寒啼飢
貧病交迫　捉襟見肘　身無長物　送窮無術
飢寒交迫　環堵蕭然　糧無隔宿　甕牖繩樞

言勤學則有：

兀兀窮年　夜以繼日　孜孜不倦　水滴石穿
焚膏繼晷　炳燭之勤　鐵杵磨針　懸梁刺股
鑿壁偷光　孫康映雪　江泌隨月　篝燈呵凍

十載寒窗　目不窺園　三多勤學　夙夜匪懈
廢寢忘食　螢窗雪案　手不釋卷　囊螢照書

言美人則有：

國色天香　傾國傾城　沈魚落雁　閉月羞花
絕代佳人　風華絕代　如花似玉　顛倒衆生
麗絕塵寰　明眸皓齒　天生麗質　一笑千金
風姿嫣然　蘭心蕙質　玉貌絳脣　花容月貌
風姿綽約　窈窕淑女　芙蓉出水　儀態萬千
粉雕玉琢　千嬌百媚　冰肌玉骨　楚楚可憐
杏眼桃腮　燕瘦環肥　玉軟花柔　仙女下凡
仙姿玉質　我見猶憐　雪膚花貌　婀娜多姿
弱不禁風　貌似天仙　搖曳生姿　西子捧心
一顧傾城　凌波微步　人面桃花　月裏嫦娥
秀外慧中　靈秀之氣　天生尤物　婷婷嫋嫋
嫣然一笑　嬌小玲瓏　嬌豔驚人　小鳥依人
宛轉蛾眉　明眸善睞　楊柳細腰　凌波仙子
秀色可餐　紅粉佳人　色豔桃李　芙蓉如面

螓首蛾眉　衣香鬢影　金屋藏嬌　鉛華弗御
風韻猶存　體態輕盈　無對無雙　紅袖添香
端莊俏麗　面薄腰纖

言美男子則有：

城北徐公　玉樹臨風　一表人才　風度翩翩
不衫不履　風儀俊爽　風流倜儻　風流瀟灑
倜儻不拘　朱脣粉面　楚楚不凡　貌賽潘安
看殺衞玠　瓊枝玉葉　珠玉在側　丰神俊拔
風神秀偉　韓壽衣香　文采風流　美如冠玉
面若傅粉　顧影自憐　龍章鳳姿　潘郎再世

凡若此類、更僕難終、遂爲對偶文字產生之最佳條件。

第二節　對聯之起源

對聯蓋始於古代新春之門聯，古人每屆新年，輒以二桃木板懸門旁，上書神荼鬱壘二神名，或畫神荼鬱壘二神像，藉以壓邪，謂之桃符。（詳見荆楚歲時記及六帖）至五代時，又於桃符上題聯語，謂之題桃符。宋史蜀世家云：

孟昶命學士爲題桃符，以其非工，自命筆題云：『新年納餘慶，嘉節號長春。』是爲春聯之嚆矢。其後明太祖雅好斯道，相傳於殘臘出巡，徧覽民間春帖，並於興之所至，御筆留題，千古傳爲佳話。上有好者，下必甚焉，於是演用範圍日廣，舉凡樓臺、殿閣、亭園、寺廟、祠堂、軒齋、別墅、名勝、古蹟、酒肆、茶館、商店、客廳、書房等，多懸掛對聯，旣發舒情趣，又增益美觀，一舉兩得。故千餘年來，上自帝王公卿，下至販夫走卒，無不樂於此道，因而成爲古典文學之一大特色。

逮滿清入關，代明而有天下，乃極力提倡文事，以籠絡漢人。風氣所播，雅道大昌，卽以對聯而言，上述春聯、楹聯已不能滿足社會之需要，於是壽誕、婚嫁、生育、新居、開業，以至題贈、哀輓等，莫不以對聯爲時尙，幾與詩詞鼎足而三焉。

綜上以觀，對聯約可分爲五大類：

一、**春　聯**　新年專用之門聯。

二、**楹　聯**　住宅、機關、廟宇、古蹟等處所用。

三、**賀　聯**　壽誕、婚嫁、開業等喜慶所用。

四、**輓　聯**　哀悼死者所用。

五、**贈　聯**　頌揚或勸勉他人所用。

第三節　對聯之作法

對聯產生在駢文、律詩之後，所受於駢文律詩之影響者甚深，故最初之對聯多爲四言、五言、七言三種。其後又受宋詞長短句之啓示，三言、六言、八言、九言，以及九言以上之長聯遂觸目皆是矣。有多至二百餘言者茲將對聯之體式臚列於後：

一、**對仗工整**　對聯須講究對仗，一若駢文律詩。一副對聯，上下兩比，不但須字數相同，意義對稱，且詞性亦須相對，即名詞對名詞，動詞對動詞，形容詞對形容詞，副詞對副詞。此外，如雙聲、疊韻、疊字、數字、動物、植物等，皆須相對，始合規格。

至於對仗之方法，文心雕龍麗辭篇列舉四對，以爲言對爲易，事對爲難，反對爲優，正對爲劣。並舉例以明之曰：

言對者，雙比空辭者也。事對者，並舉人驗者也。反對者，理殊趣合者也。正對者，事異義同者也。長卿上林賦云：『修容乎禮園，翺翔乎書圃。』此言對之類也。宋玉神女賦云：『毛嬙鄣袂，不足程式，西施掩面，比之無色。』此事對之類也。仲宣登樓云：『鍾儀幽而楚奏，莊舃顯而越吟。』此反對之類也。孟陽七哀云：『漢祖想枌榆，光武思白水。』此正對之類也。凡偶辭胸臆，言對所以爲易也。徵人之學，事對所以爲難也。幽顯同志，反對所以爲優也。並貴共心，正對所以爲劣也。又以事對，各有反正，指類而求，萬條自昭然矣。

茲爲清晰計，將原文製成一表，以便觀覽。

⑩文心雕龍麗辭篇對偶種類表（據梁繩禕氏文學批評家劉彥和評傳而略加變化者）

對偶名稱	詮釋	例證	作者篇名	評論 斷案	評論 理由
言對	雙比空辭	修容乎禮園 翺翔乎書圃	司馬相如 上林賦	易	偶辭胸臆
事對	並舉人驗	毛嬙鄣袂　不足程式 西施掩面　比之無色	宋玉 神女賦	難	徵人之學
反對	理殊趣合	鍾儀幽而楚奏 莊舃顯而越吟	王粲 登樓賦	優	幽顯同志
正對	事異義同	漢祖想枌榆 光武思白水	張載 七哀詩	劣	並貴共心

按文心所言，乃對仗之原則，而非對仗之方法。對仗之方法甚多，空海在文鏡祕府論中，列舉二十九種，惟多屬文人遊戲之筆，或一時興到之作，非盡人所能學，亦不周於世用，可置勿論。一般言對仗者，以左列十八種爲最常見，亦最實用。

【一】單句對此爲對仗之基礎，初學作對聯須作此對，再及其餘。

萬里悲秋常作客，百年多病獨登臺。（杜甫登高詩）

早持貞白恢門祚，直借丹青勵孝忠。（成惕軒題周慶光教授故山別母圖詩）

【二】**偶句對**（又名雙句對、隔句對。即第一句與第三句對，第二句與第四句對。）

旗亭賭勝，緩歌柳笛之詩，玉殿傳呼，急就霓裳之曲。（賈景德碧川詞稿序）

干戈操於比室，取鑑前車，風雨奮其同舟，誕登彼岸。（成惕軒與日本木下周南教授書）

【三】**長偶對**（二句以上相對者）

聖人之行法也，如雷霆之震草木，威怒雖盛，而歸於欲其生。人主之罪人也，如父母之譴子孫，鞭撻雖嚴，而不忍致之死。（蘇軾乞常州居住表）

人情於日暮頹唐之際，顧子孫侍側，而能益精神。儒生於方寸瞀亂之餘，雖星夜辦公，而必多叢脞。（袁枚上尹制府乞病啓）

【四】**正名對**（又名的名對、正對、切對。即同類之物相對。此亦對仗之基礎。）

蓮心自苦，梅子常酸。（吳錫麒熊母章太宜人七十壽序）

慧日西沈，慈波東騁。（張仁青慧炬月刊社創立十二周年頌）

【五】**異類對**（又名異名對）

鳳不去而恆飛，花雖寒而不落。（庾信謝趙王賚白羅袍袴啓）

江山半壁，非仙人劫外之棋，金粉六朝，盡才子傷心之賦。（洪亮吉蔣清容先生冬青樹樂府序）

【六】**當句對**（又名本句對、連環對。即每邊各自爲對也。）

圓嶠方壺，涉滄波而靡際，金臺玉闕，陟懸圃而無階。武則天夏日遊石淙詩序

物華天寶，龍光射牛斗之墟，人傑地靈，徐孺下陳蕃之榻。王勃滕王閣序

【七】**虛字對**又名虛詞對

宋微子之興悲，良有以也，袁君山之流涕，豈徒然哉。駱賓王爲武后臨朝移諸郡縣檄

惟不聽良友之言，以至此耳，抑豈料征人之苦，有如是耶。陳球燕山外史

【八】**數字對**又名數目對

秦塞重關一百二，漢室離宮三十六。駱賓王帝京篇

蟾圓天上，纔得三百六十回，蟲劫人間，何啻百千萬億數。成惕軒山房對月記

【九】**借　對**又名假對、假借對。

談笑有鴻儒，往來無白丁。劉禹錫陋室銘

按此借『鴻』作『紅』，與『白』對。

殘春紅葉在，終日子規啼。洪覺範天廚禁臠詩

按此借『子』作『紫』，與『紅』對。

【一〇】**雙聲對**凡字之聲母相同者謂之雙聲

生涯已寥落，國步尚迍邅。杜甫夔府詠懷詩

按『寥落』雙聲，『迍邅』雙聲。

盧龍之徑，於彼新開，銅駝之街，於我長閉。徐陵與北齊尚書令求還書

按『盧龍』雙聲　『銅駝』雙聲。

【一一】疊韻對（凡字之韻母相同者謂之疊韻）

悵望千秋一灑淚，蕭條異代不同時。（杜甫詠懷古跡詩）

按『悵望』疊韻，『蕭條』疊韻。

山橫玉海蒼茫外，人在冰壺縹緲中。（陸游月下自三橋泛湖歸三山詩）

按『蒼茫』疊韻，『縹緲』疊韻。

【一二】雙聲對疊韻

琉璃硯匣，終日隨身，翡翠筆牀，無時離手。（徐陵玉臺新詠序）

按『琉璃』雙聲，『翡翠』疊韻。

效包胥之慟哭，慷慨登臺，賦宋玉之大招，旁皇生祭。（洪亮吉多青樹樂府序）

按『慷慨』雙聲，『旁皇』疊韻。

【一三】疊韻對雙聲

飄颻餘雪，入簫管以成歌，皎潔輕冰，對蟾光而寫鏡。（蕭統大簇正月啓）

按『飄颻』疊韻，『皎潔』雙聲。

支離東北風塵際，飄泊西南天地間。（杜甫詠懷古跡詩）

按『支離』疊韻，『漂泊』雙聲。

【一四】疊字對

日黯黯而將暮，風騷騷而渡河。梁元帝蕩婦秋思賦

家家之香徑春風，寧尋越豔，處處之紅樓夜月，自鎖嫦娥。歐陽炯花間集序

【一五】**彩色對**

白雲迴望合，青靄入看無。王維終南山詩

天開雲霧東南碧，日射波濤上下紅。楊萬里過揚子江詩

【一六】**流水對** 凡上下聯意義相貫串不可分割者屬之

惟漢室上繼三代之盛，而班史自成一家之書。歐陽修謝賜漢書表

此地一為別，孤蓬萬里征。李白送友人詩

【一七】**顛倒對**

香稻啄餘鸚鵡粒，碧梧棲老鳳凰枝。杜甫秋興詩

按二句當作『鸚鵡啄餘香稻粒，鳳凰棲老碧梧枝』，詩人愛奇，故使相錯成文，則語勢矯健耳。

裙拖六幅湘江水，鬢掩巫山一段雲。李商隱詩

按下句當作『鬢掩一段巫山雲』，始能與上句逐字相對，但因平仄不調之故，乃不得已而使之顛倒相對。

【一八】**雜　對** 名稱未定，姑以名之。

伯牙絕絃於鍾期，仲尼覆醢於子路，痛知音之難遇，傷門人之莫逮。曹丕與吳質書

窮途異縣，歧路他鄉，非無阮籍之悲，誠有楊朱之泣。（蕭統中呂四月啓）

以上對仗之法凡十八種，前十六種爲對仗之正格，學者祇須多事模擬，久之自能得心應手。至後二種乃對仗之變格，非深於此道者不易爲，初學者觀賞卽可，不必勉強步武，以免蹈畫虎類狗之譏。

二、平仄協調　駢文律詩須平仄協調，盡人皆知，而對聯亦然，其法固與駢文律詩無異。七言律詩之平仄法，以每句之第二字、第四字、第六字爲主眼，其平仄必須絕對遵守。俗間有『一三五不論，二四六分明』之說，未足爲訓，蓋第一字、第三字可以平仄不拘，第五字仍須講求也。對聯旣脫胎於律詩，則調平仄之事，自亦完全相同。雖然，上之所論，係對初學者言之。至文壇巨匠，或閬苑仙才，往往突破藩籬，縱橫馳騁，仍不失爲佳作者，又當別論也。茲舉四言至九言以上對聯平仄格式如次：

㈠四　言

千祥○雲集●　河山○依舊●

※

百福●駢臻○　歲月●維新○

【說　明】

㈠○表平聲，●表仄聲。

㈡凡字旁標注平仄聲之處，其平仄須絕對遵守，不容更易，其餘則平仄不拘。

㈢作對聯有『平開仄合，仄放平收』之語，亦須絕對遵守。易言之，上聯之末字必定爲仄聲，貼在右方，下聯之末字必定爲平聲，貼在左方。

(四)以下所舉各例，悉與此同，不另說明。

(二)五　言

祥光偏草木　普天開景運
佳氣滿山川　大地轉新機

※

(三)六　言

花好月圓人壽　好鳥枝頭朋友
時和世泰年豐　落花水面文章

※

(四)七　言

瑞日芝蘭光世澤　花迎喜氣皆如笑
春風棠棣振家聲　鳥識歡聲亦解歌

※

(五)八　言

秋實春華，學人所種。　白鳥多情，留人小住。
禮門義路，君子之居。　青山無語，與我神交。

※

(六)九　言

特立獨行，作一流人物。　花甲慶重周，天開景運。
移風易俗，開萬世太平。　卿雲歌復旦，人醉春風。

※

(七)十一言

四季如春，人稱蓬島爲仙境。

孤標出衆，天以梅花作國魂。

※

得飽便休，身外黃金無用物。

遇閒且樂，世間白髮不饒人。

(八)十五言

萱花不老，芝草有根，已見一堂羅五代。

八秩初開，百齡將屆，好從首夏祝長春。

按此爲賀八十女壽聯，上下聯各自成對，爲『當句對』之佳聯。

(九)二十言

闢萬古得未曾有之奇，洪荒留此山川，作遺民世界。

極一生無可如何之遇，缺憾還諸天地，是創格完人。

按清同治時，沈葆楨爲巡臺使者，請建延平郡王祠，祠成，爲作此聯。

(十)二十一言

逝矣孝廉船，數江關詞賦，淮海風流，今日眞成廣陵散。

淒其鄉國夢，賸千樹綠楊，二分明月，遺篇猶見漢家春。

按此爲吾師成楚望先生輓時賢陳含光氏之作，陳氏江蘇江都人，工詞章，有含光儷體文及含光詩行世。

三、**辭意貼切**　作對聯首須認清對象，對象無論其爲人、爲事、爲物，皆須扣緊題旨，遣辭造句，力求貼切，庶幾以有限之篇幅，發揮無窮之妙用。如彭玉麟題泰山聯：

我本楚狂人，五嶽尋仙不辭遠。
地猶鄹氏邑，萬方多難此登臨。

此聯乃集古人詩句而成，上聯見李白廬山謠，下聯首句見唐玄宗經魯祭孔子詩，末句見杜甫登樓詩。而作者之襟抱，登臨之時地，一一表現出來，無不恰到好處，尺幅之中，自具千里之勢。又如某人輓曾國藩聯云：

韓歐無武，李郭無文，集數子所長，勛華巍煥。
衡嶽之高，洞庭之大，歎哲人其萎，雲水蒼茫。

所用人、地、事，均恰如其分，不可移易，非泛泛不著邊際者可比。所謂『擬人必於其倫，擬物必得其情』，初學者所宜三復。

就大體言之，春聯須帶有新年歡樂氣氛與無窮希望，楹聯須切合人、地、時、物，賀聯須含有祝頌之意，輓聯須富有哀惋之情，而贈聯則以贊揚或勖勉爲主，此其大較也。惟運用之妙，端視各人之匠心耳。

第四節　春聯實例

（一）教育部文化局民國五十九年春節徵聯選集

㈠五言

鄉心新歲切。
春色小樓多。

※

佳節常思蜀。
平生不帝秦。

※

近海風雲壯。
逢春草木滋。

※

世運開新境。
河山復舊觀。

※

慷慨澆春酒。
昂藏看寶刀。

※

春風榮草木。
正氣耀山河。

㈡七言

寶島煥新民氣象。
春曦照復國樓船。

※

斗柄東旋春似海。
中原北望氣如山。

※

一成夏創中興業。
萬里春隨節序來。

※

萬象包羅春似海。
中興鼓吹氣如山。

※

作人抱負先三立。
造物生機首一陽。

※

寶島又添新歲月。
神州更有好河山。

※

學業自強方自得。
功名非易亦非難。

※

由來仁政原無敵。
歷盡嚴冬總是春。

※

白水興兵終復國。
青春作伴好還鄉。

※

一年作計由春始。
百行于人以孝先。

※

聖人應運蒼生福。
老樹著花天下春。

※

風景不殊春似舊。
光明無限日維新。

薄海共傳文化盛。收京重祝歲華新。

※

大陸何人能送臘。臺灣此刻已迎春。

※

河山大好春重到。宇宙無窮德日新。

※

直挂雲帆濟滄海。不教胡馬度陰山。

※

八德四維昌國運。千紅萬紫絢春光。

※

文化復興齊著手。河山收拾待從頭。

※

迎春處處齊鳴爆。待旦人人盡枕戈。

※

反攻訊息隨春到。復國心情共歲新。

※

報國聞雞思往哲。開春躍馬入中原。

※

元元浴德春如海。旦旦懷忠氣似虹。

※

迎春須記收京事。得意毋忘在莒身。

※

九年教廣春如海。萬衆心齊勢若雷。

※

在莒艱難隨臘去。收京歡樂與春來。

※

紫氣已隨元日至。黃圖行見九州同。

※

待旦征夫戈在枕。迎春詞客筆如椽。

※

芝蘭自得山川秀。松柏長留天地春。

※

百年天地回元氣。萬里江山待凱旋。

※

寒梅秀發香千樹。爆竹聲催復兩京。

※

九十日春光明媚。五千年文化復興。

※

家居白日青天下。人在春風和氣中。

※

歲月逢春迎紫燕。河山還我醉黃龍。

※

忠孝傳家春早到。雲天有路月先探。

※

萬里河山懷夏甸。三臺花木媚春風。

※

復國頻翻諸葛表。還鄉好讀少陵詩。

※

遙憐隔海人呼癸。預賀收京月建寅。

※

創業成功忠是本。立身行道孝爲先。

※

春滿蓬萊開景運。氣鍾臺海啓中興。

※

春送歡聲騰寶島。天回景運復神州。

枝頭紅杏春無價。　※　昌期幸際中興日。　※　中興氣象隨春至。　※　擊壤歌聲傳四野。
篋底青萍夜有光。　※　泰運欣逢大有年。　※　積善人家納福多。　※　過江春色滿三臺。
萬衆同心摧鐵幕。　※　武略文韜豪傑志。　※　樓船穩渡婆娑海。　※　蒼茫夏甸收詩卷。
三春接踵返金陵。　※　春風化雨聖賢心。　※　春酒同斟瀲灩杯。　※　浩蕩春風入酒杯。
逢春扭轉新機運。　※　廿載膽薪回國運。　※　碧落乘槎能上月。　※　春光啓示中興運。
指日收回舊版圖。　※　一林花木沐春風。　※　青春作伴好還鄉。　※　爆竹傳來勝利聲。
憑欄西望山河在。　※　紫燕南歸春似海。　※　柏酒生香樽泛碧。　※　家居白日青天下。
仗劍南來歲月新。　※　中原北望氣如山。　※　桃符換歲帖書紅。　※　春在和平博愛中。
未許安居忘國是。　※　永保多心戰霜雪。　※　日月重光歌復旦。
且隨流俗過新年。　※　重生春氣起風雷。　※　河山再造頌中興。

(三)八言

十年生聚，十年教訓。　※　仁者樂山，智者樂水。　※　金馬臺澎，王師再發。
一分收穫，一分耕耘。　※　住有其屋，耕有其田。　※　江淮河漢，國土重光。
嘗膽臥薪，啓茲新運。　※　日月光華，珠還合浦。　※　六合同春，三臺獻瑞。
弔民伐罪，還於舊都。　※　河山壯麗，石勒燕然。　※　八方嚮義，四海歸仁。

禮樂詩書，陶成德性。
文章經濟，潤色江山。

※

政治修明，廿年成化。
春光駘蕩，萬物敷榮。

※

擇乎中庸，克己復禮。
生於憂患，多難興邦。

文化復興，啓茲新運。
陽和獻歲，還于舊都。

※

四海歸心，宏開景運。
全民矢志，再造中興。

※

立己立人，頂天立地。
開春開歲，繼往開來。

除舊布新，復興文化。
蕩瑕滌穢，還我河山。

※

恥爲凡夫，徒增馬齒。
恍如昨日，又過雞年。

(四)九 言

好社會由好家庭建立。
新歲月是新生命開端。

※

收拾河山，創千秋偉業。
復興文化，開萬世太平。

※

卯酒辛盤，慶農民佳節。
椒花柏葉，祝禹甸重光。

知恥知病，革除舊習性。
求新求行，開創新紀元。

※

以慧眼看人，無物不照。
拿良心做事，隨處皆春。

※

於境知足，於學不知足。
其志有爲，其品有勿爲。

(五)十 言

呼蒼兕以渡河，三軍飈發。
抵黃龍而飲酒，大地春回。

※

揮樓船以西征，一元復始。
揚漢旆於中土，萬象更新。

※

大陸尚沉淪，願毋忘大陸。
新年齊奮鬥，莫虛度新年。

一元復始，應是自強開始。
萬象更新，正當全面革新。

※

根絕亂源，須從誠正著手。
改良風俗，不忘勤儉持家。

※

天地無私，爲善自然獲福。
聖賢有敎，修身可以齊家。

(六)十一言

萬象回春，舉國懽忻歌大有。
三軍用命，揚鞭慷慨復中原。

※

浴乎沂，風乎舞雩，陽春有腳。
敎之戰，登之衽席，天下歸心。

※

歲序更新，勵國人毋忘在莒。
民心思漢，看今年誓必亡秦。

※

格物致知，已從明月開新境。
經文緯武，好趁新年啟壯圖。

※

好國民，安分守法，國家至上。
眞君子，事親敬長，孝悌爲先。

※

登陸月球，開創人間新世紀。
復興文化，重光祖國舊乾坤。

※

春度柳營，鼓角飛揚含喜氣。
人懷漢臘，關山壯麗引歸心。

※

文化五千年，維繫中華道統。
春風三萬里，熔開鐵幕冰封。

※

春暖花香，錦繡河山頻入夢。
龍吟虎嘯，英雄志節可回天。

(七)十二言

新歲策新猷，成事立功三達德。
漢家恢漢業，收京復國一戎衣。

※

大地轉新機，建設臺灣乘此日。
普天開景運，反攻大陸在今年。

※

處事求實求簡求新，年年進步。
爲人守分守時守法，歲歲安寧。

※

新歲望中興，擊楫橫衝臺峽浪。
神州行底定，止戈高會石頭城。

※

春暖拂旌旗，一旦英雄收北塞。
龍光封牛斗，八方風雨會南京。

※

共醉百千觴，放眼重看新日月。
橫磨十萬劍，從頭收拾舊山河。

(八)十三言

瀛海喜同春，麗日和風，永昭正朔。
河山盟帶礪，臥薪嘗膽，再造中興。

※

發揚科學精神，登月喜開新世紀。
尊重民族習慣，團年毋改舊華風。

※

東來淑氣晴光，蓬萊明媚常如夏。
西望荒天老地，大陸沉淪久不春。

※

斗轉星移，祝日月重光，神州復旦。
春來冬往，看河山再造，民族中興。

迎接新春，喜社會繁榮，安和樂利。
發揚傳統，看中華兒女，繼往開來。

欣欣向榮，看堂上靈椿、階前玉樹。
躍躍欲試，撫匣中寶劍、枕下琱戈。

(九)十四言

新歲展雄圖，聽大地笙歌，騰歡寶島。
王師傳捷報，與中原父老，共沐春風。

※

六合慶同春，正火箭探空，星槎訪月。
八埏欣向化，看樓船靖逆，江漢會師。

(十)十五言

五千年文史優美，須告知乃孫乃子。
三萬里河山錦繡，莫忘懷若祖若宗。

※

除舊布新，把胸襟敞開，把眼光放遠。
革命建國，要行動歸隊，要精神加盟。

士敦禮樂，農力桑痲，物阜民安歌寶島。
萬衆同仇，三軍一德，乘風破浪復神州。

※

歲計于春，日計在寅，乘時奮發希賢聖。
敬以植內，義以方外，正位中和養性天。

仗劍飲屠蘇，難忘故國山河、故園父老。
枕戈辭舊歲，猶夢春風塞北、春雨江南。

㈡十六言

神州西望，盡虺毒豺牙，何處是唐宮漢闕。
紫氣東來，徧鯤身鹿耳，此中有舜日堯天。

※

淑氣南來，正元日稱觴，祈穀獻羔斟綠螘。
煙塵北望，盼一鳴號角，揮戈橫海飲黃龍。

養親菽水，娛性琴書，儘著意安排新歲月。
蔽日旌旗，連雲檣櫓，待從頭收拾舊山河。

※

有志事竟成，破釜沉舟，百二秦關終屬楚。
苦心天不負，臥薪嘗膽，三千越甲定吞吳。

㈡十八言

擊社鼓，燃爆竹，飲屠蘇，接福迎春，應毋忘在莒。
崇倫理，尚民主，重科學，求行知恥，要切志收京。

※

萬里祝年豐，食德飲和，憶鄉里淳風，故園親眷。
九州徯后至，弔民伐罪，有撼山精甲，橫海樓船。

㈢十九言

南渡衣冠拜鄭王，又椒酒迎春，日月雙懸明社稷。
中原文物遭秦火，待王師跨海，風雲再造漢江山。

㈣二十言以上

春光駘蕩，萬物敷榮，膏澤被寰區，欣逢天地開新運。
政治修明，廿年成化，樓船橫海域，爭看王師復舊疆。
除舊歲，須知遵行舊道德，孝悌、忠信、禮義、廉恥，並非守舊。
迎新年，如能實踐新生活，整齊、清潔、簡單、樸素，就是革新。
振衰起弊，復上國威儀，扶道統，樹宏謨，矢志願從新歲始。
繼絕存亡，賴中華豪傑，逐兇頑，光故物，策名毋讓古人專。
五十九年大地更新，翹首望王師，問幾時牧馬白山，厲兵黑水。
三千萬人普天同慶，稱觴迓元旦，願指日南收閩海，北定中原。

(二一) 教育部文化局民國六十年春節徵聯選集

(一)四　言

重逢辛亥。
再造乾坤。

※

國壽周甲。
家慶長春。

(二)五　言

建國六十載。
道統五千年。

※

同心齊復國。
無處不逢春。

※

海天尊正朔。
薪膽勵同仇。

※

開國初周甲。
收京共枕戈。

甲籙開新運。
辛盤醉太平。

※

萬邦尊正朔。
四海望王師。

※

爆竹傳春訊。
寒梅孕國魂。

※

開國花周甲。
迎春月建寅。

(三)七　言

夜雨天河看洗甲。
春風人海聽歌鐃。

※

綿長國運初周甲。
珍重年華此履端。

※

薄海人傾元日酒。
開春詩詠中興篇。

※

大漢聲威九萬里。
中華道統五千年。

奉正朔周星一紀。
祝民國垂統萬年。

※

新春桃李三千樹。
華夏山河億萬年。

※

春花盛放二三月。
建國欣逢六十年。

※

旗鼓北征同渡海。
盃盤南服又迎春。

※

天南日月開新運。
海上風雲起壯圖。

※

八方向化仁無敵。
六合同春慶有餘。

※

大千除舊天行健。
六十開元運轉新。

※

四維八德皆爲寶。
萬紫千紅總是春。

※

重開六十年甲子。
再造九萬里山河。

※

栽培桃李花千樹。
妝點江山筆一枝。

※

甲籙歡騰開國慶。
春雷響徹反攻聲。

※

春和正喜邀天眷。
老健還期報國恩。

※

六十椒花初獻壽。
三千越甲足呑吳。

※

烽火廿年懷夏甸。
絃歌百里樂春臺。

※

耕者有田皆鼓腹。
春城無處不飛花。

※

建國又逢周甲日。
收京齊誓薦辛時。

※

復旦同聲歌復國。
屠蘇共飲話屠龍。

※

國逢晉甲開新運。
民爲迎寅獻吉詞。

※

爆竹催春驚蟄伏。
梅花如雪見精神。

※

周甲欣逢開國盛。
新年笑祝納祥多。

※

大地聞雷驚蟄起。
王師指日伴春回。

※

芳辰更寫中興頌。
花甲重逢首義年。

※

春風駘蕩三千里。
國運宏開六十年。

※

堂前爆竹迎新歲。
嶺上梅花占早春。

※

六秩華年尊正朔。
十分春色滿南溟。

※

願借春風蘇禹甸。
好邀明月醉秦淮。

※

繡野春風開豹霧。
揚舲大海靖鯨波。

※

春風夏雨甦南服。
皓月明星拱北辰。

中興國運天開瑞。
上達人生日啓祥。
※
國光爭共梅花發。
天意終教竹幕摧。
※
天地長春春似海。
山川浩氣氣如虹。

(四)八言

開國辛亥，復國辛亥。
還我河山，壯我河山。
※
辛亥徵祥，開國復國。
陰陽合曆，新年舊年。
※
鳳紀書元，人間改歲。
雞聲告旦，天下皆春。

慶民國登六十花甲。
承道統於億萬春秋。
※
甲子重周，履端於始。
閭閻同樂，敷政以仁。
※
春水樓船，渡江擊楫。
霜天曉角，達旦枕戈。

(五)九言

文化復興，開茲新歲月。
春光普照，還我舊山河。
※
慶祝建國六十年元旦。
毋忘大陸七億衆同胞。
※
花甲慶重周，天開景運。
卿雲歌復旦，人醉春風。

宇宙回春，海東欣獻歲。
旌旗耀日，天下喜歸仁。
※
憶昔年武昌辛亥革命。
看今日寶島文化復興。

(六)十言

嘗膽臥薪，應自元旦日起。
收京復國，再從辛亥年來。

※

貞下起元，中興早開新運。
靜中含動，復國預卜今年。

※

一元復始爲春，人爭擊楫。
萬世太平有象，海不揚波。

(七)十一言

四野謳歌，人壽年豐春似海。
三軍待命，龍吟虎嘯劍如虹。

※

一周期甲子迴環，剝極當復。
九萬里車書俱在，貞下起元。

※

春滿蓬萊，歡洽萬民歌大有。
國臻花甲，心香一瓣祝長生。

政舉時和，春滿臺澎歌大有。
星移斗轉，曆周甲子卜中興。

※

萬事求新，莫教時代拋人去。
一聲除舊，卻喜春光入眼來。

※

國運其亨，六十春秋添鶴算。
天心永眷，八方風雨助龍吟。

仙島起雲霞，先沛堯天雨露。
人間周甲子，重光禹甸河山。

※

五族一心，建寅古朔仍遵夏。
中華萬歲，坼甲新機共樂春。

※

淑氣東來，文化復興光禹甸。
義旗西指，河山再造樂堯天。

國運昌隆，一陽來復開新紀。
民主利樂，四野謳歌頌舊邦。

※

除舊布新，一代文明瞻上國。
臥薪嘗膽，十年生聚復神州。

※

春到人間，萬里江山迎紫氣。
仁施宇內，千年禮教繫黃魂。

六合風雲，日月重光昭正朔。
十年薪膽，河山再造慶中興。

※

歲序更新，帶來大地平安福。
春風蕩漾，吹起全球反共心。

(八)十二言

辛亥革命成功，成功又逢辛亥。
今年反攻復國，復國必在今年。

※

風雲會有時，柏葉同傾新歲酒。
猿鶴應無恙，梅花先報故山春。

※

舊學待弘揚，莫徒醉歐風美雨。
新年迎勝利，要重光禹甸堯封。

開國六十年，重溫碧血黃花史。
除夕一杯酒，誰識孤臣孽子心。

※

建國六十年，偉烈豐功懷往事。
同心千萬衆，迎春蕩寇正今朝。

※

花甲晉春觴，中天日月從新紀。
仁風寒敵膽，大地山河復舊規。

國運肇昌隆，東海迎春騰曉日。
人文欣薈萃，南邦獻歲起祥雲。

※

周甲喜同春，天命維新開景運。
三臺存正朔，人心不改兆中興。

※

東海壯春潮，放眼舳艫千里接。
南疆揚漢幟，歸心父老九州同。

民國六十年，景運喜隨春色至。
鶯花二三月，樓船定載遠人歸。

(九)十三言

驚大地風雷，數六十年英雄事業。
撥一天雲霧，看九萬里日月光華。

※

六旬見開國鴻圖，且喜春濃春永。
萬里問故鄉梅訊，無忘江北江南。

九宇喜歸仁，緯武經文，永昭正朔。
萬民欣嚮義，除奸討賊，再造中興。

※

寶島慶繁榮，物阜民康，五風十雨。
亥年迎勝利，反共復國，萬衆一心。

(十)十四言

六十年締造艱難，且喜王師行奏凱。
億萬衆努力匡復，欣逢寶島又回春。

※

啓國運六十年，寶島人民，欣承漢臘。
盼春風三萬里，神州父老，同復堯封。

※

革命尚未成功，先烈先賢，永懷令德。
天道周而復始，自強自立，莫負明時。

※

年月新，日時新，全面革新，從頭做起。
科學化，企業化，復興文化，澈底成功。

(二)十五言

六十年花甲重周，開國辛亥，復國辛亥。
千萬里河山再造，大哉中華，美哉中華。

※

八方在風雨中，看曉日曈曈，光華復旦。
四季入圖畫裏，喜田園井井，樂利生民。

(三)十六言

承堯舜禹湯文武之基，王道早弘揚世界。
當貞元否泰剝復之會，天心正眷顧中華。

※

眞博愛，眞平等，眞自由，眞理直超心物外。
新國防，新社區，新科技，新機都在膽薪中。

※

舞劍起中宵，寄語江南，春至萬家寒自解。
揮毫昭盛歲，傳書天下，旗開上國日重光。

※

辛亥喜重逢，五行爲金，宜順天心張撻伐。
屯邅無不復，三陽開泰，定隨春腳起雲雷。

※

甲子已一周，數革命事功，眞足驚天動地。
建元今六秩，看新興人物，皆能繼往開來。

※

憲政樹宏基，天下爲公，五族樂自由平等。
曆年周甲子，陽春有腳，千家沐德化仁風。

篳路啓山林，斬棘披荊，開創艱難周甲子。今歲又逢春，草長鶯飛，千里家山頻入夢。

樓船橫海域，蕩瑕滌穢，中興剝復際貞元。流光如逝水，收京復國，百年事業待從頭。

※

辛亥一週，北望舊河山，要應運從頭收拾。砥礪廉隅，效往哲躬行，贏得此心無愧怍。

蓬萊廿載，南來新歲月，好及時著手安排。伸張正義，趁履端肇始，好憑衆志策澄清。

※

(三)十七言

挽百尺狂瀾，喚醒革命青年，共作中流砥柱。開國歷六十載星霜，蒼昊祚中華，迎茲新運。

應三陽泰運，誓掃彌天赤燄，重光大漢河山。歷史綿五千年道統，威儀復盛世，還於舊都。

※

六合春明，天時地利人和，行道行仁歸正統。斗轉星移，已知曆數頻更，天上又開新甲子。

十年聚訓，老安少懷友信，足兵足食看中興。剝極復至，且看風雲際會，漢家重睹舊威儀。

※

鼎革憶辛年，正臘盡陽回，開國紀元逢曠典。膽苦薪寒，原爲雪恥復仇，舉國痛懷句踐志。

共和周甲籙，願泰來否去，自由民主祝長春。兵強馬壯，正好乘風破浪，來年樂泛五湖春。

※

(四)十八言

六十年憂患頻經，水去雲回，喜有臺澎作靈武。百業繁榮，賴經濟計劃宏圖，加惠四民稱富足。

一千萬軍民奮起，星移斗轉，早收河朔下燕京。三春旖旎，看政治革新著績，建邦六秩慶綿長。

※

武昌居天下上游，雷鼓三撾，八方龍虎開新運。
臺灣奠中興基礎，戎衣一怒，萬竈貔貅復故京。

(五)十九言

旂鼓漢家威，效黃花碧血精神，丕振紀綱光史蹟。
詩書秦火劫，承白鹿紫陽規範，復興文化固邦基。
六十年締造艱難，看寶島回春，一片韶光開景運。
千萬里河山無恙，喜王師奏凱，八方風雨會中原。
開正朔於六十年前，與讓懷仁，萬姓歡騰歌化日。
望故鄉在數千里外，弔民伐罪，片帆飛渡趁春風。

(六)二十言以上

肇歲龍躔，正共和締造，花甲懸弧，奉觴壽頌屠蘇酒。
書元鳳紀，看際會風雲，犂庭掃穴，待旦心諸爆竹聲。
星隨野動，南極輝騰，開國六十年，嵩華同高期盛世。
運共春舒，北辰尊拱，與民萬千衆，兵烽待靖復神州。

六十年國運更新，且聽鼙鼓聲催，白日高歌歡奏凱。
三萬里春風報捷，佇看河山光復，黃龍痛飲醉屠蘇。

五千年文化，源遠流長，風雨不終朝，午夜雞鳴催杲日。
六十載紀元，星移物換，江山銷劫運，壬林燕喜報新春。

東征北伐，成一統之功，更凱奏攘夷，曾號強邦儕五國。
赤縣神州，待十盪而決，看天方轉斗，定從周甲到千春。

團結民族精神，合漢滿蒙回藏爲一家，開創自由新世紀。
復興中華文化，繼唐虞夏商周之全盛，實踐禮運大同篇。

河山壯麗，日月光華，喜漢家正朔永昭，海宇安和天下樂。
薪膽艱辛，風雲浩蕩，慶王師收京在望，神州匡復中興年。

致知窮理問生徒，究竟這年中，明幾許人倫，察幾許物性。
流水行雲驚歲月，且看今日後，來萬里春色，乘萬里長風。

緬懷辛亥武昌城，義氣撼堯封，血染大江紅，國魂是江聲喚起。
終是羽干文德事，謳歌同禹甸，梅先南海白，天心看海色昭回。

迎紀元而後六十個春天，充滿繁榮進步，安定祥和，春天長在。
承歷聖相傳五千年文化，弘揚孝悌忠信，禮義廉恥，文化復興。

六十載締造艱難，念山川故國，歷經風雨縱橫，砥柱不終移，定卜中興恢漢業。
億萬衆殷勤翹待，望海嶠陽春，久已光輝煦照，樓船會東指，同回浩劫樂堯年。

六十年甲子重新，念吾曹聞雞此夜，磨劍明朝，家家簫管沸瀛洲，寶島桃符迎旭日。
九萬里坤輿復舊，看健兒躍馬中原，橫戈朔漠，處處旌旗飛漢塞，玉關楊柳引春風。

三萬里金馬臺澎，喜今朝玉峯雪霽，淡水河清，阿里雲開，陽明春曉，大地啓生機，滿眼頻添新氣象。
二十年生聚教訓，看此日樓船橫海，銀翼凌空，鐵甲飛霜，琱戈耀彩，王師傳捷報，從頭收拾舊山河。

大撓受命，甲子初編，夏禹建寅，歲時始定，書正統，史正統，一脈相承，已開創萬古中華，千秋民國。
祖逖渡江，臨流擊楫，班超投筆，異域揚威，彼何人，我何人，同心協力，莫辜負廿年海角，百煉金身。

第五節　楹聯實例

（一）第宅

㈠大門

①山有煙雲千古秀
　地無霜雪四時春

②平安即是家門福
　孝友允爲子弟箴

③春風大雅能容物
　秋水文章不染塵

④傳家有道惟忠厚
　處世無奇但率眞

⑤芝蘭初挹山川秀
　松柏長留天地春

⑥雲呈五色文明盛
　運啓三陽氣象新

⑦忠厚傳家遠
　詩書繼世長

⑧萬物靜觀皆自得
　四時佳興與人同

㈡客廳

①百年燕翼惟修德㊀
　萬里鵬程在讀書

②千古文章傳性道
　一堂孝友樂天倫

③創業維艱宜節儉
　守成不易戒奢華

④芝蘭其室
　金石其心

【注釋】

㊀燕翼　詩經大雅文王有聲：『豐水有芑，武王豈不仕。詒厥孫謀，以燕翼子。』陳奐傳疏：『詒，遺也。燕，安。翼，敬。言武王以安敬之謀遺其子孫也。』

㈢書房

①書有未曾經我讀
　事無不可對人言

②萬事莫如爲善樂
　百花爭比讀書香

③幸有兩眼明　多交益友
　苦無十年暇　讀盡奇書　（清・包世臣）

④ 友天下士
讀古人書

⑤ 窗小能留月
簷低不礙雲

⑥ 世事洞明皆學問
人情練達即文章

⑦ 讀書不求甚解
爲文足以自娛

⑧ 書不讀隋唐以下
志常在山水之間

⑨ 從來名士皆耽酒
未有佳人不讀書

⑩ 左壁觀書　右壁觀畫
無酒學佛　有酒學仙

⑪ 未能一日寡過
恨不十年讀書

⑫ 無絲竹之亂耳
樂琴書以消憂

⑬ 養心莫善寡欲
溫故乃能知新

⑭ 文章千古事
花月一簾春

⑮ 臥遊五嶽
坐擁百城㊀

按⑫⑬兩副爲集句楹聯。前副上聯爲劉禹錫陋室銘文句，下聯爲陶潛歸去來辭文句。後副上聯見孟子盡心篇，下聯見論語爲政篇，惟略加增損耳。

⑯ 不爲聖賢　便爲禽獸
莫問收穫　但問耕耘　（清・曾國藩）

【注　釋】

㊀坐擁百城　北史李謐傳：『丈夫擁書萬卷，何假南面百城。』言擁書萬卷勝於作大官，統轄諸州郡也。後因謂藏書富者曰坐擁百城。

㈣庭　園

① 水色山光皆畫本
花香鳥語是詩情

② 萬里江山共醉眼
四時風月助吟情

③ 一陣風來花競笑
四時春到鳥爭鳴

④ 半窗月落梅無影
三徑風來竹有聲

(五)樓閣

①放眼看三千世界
　闕心到億萬人家

②閣外雲山皆畫意
　樓前花草亦文情

③樓高但任雲飛過
　池小能將月送來

④花香日暖垂簾靜
　月淡風和小閣幽

(六)內室

①惜花春起早
　愛月夜眠遲

②夜眠人靜後
　晨起鳥啼先

③喜見紅梅多結子
　笑看綠竹又生孫

④珠簾日暖調鸚鵡
　畫檻春深醉海棠

⑤琴鳴瑟和徵祥瑞
　桂子蘭孫兆異香

⑥玉燕懷中先兆瑞㈠
　石麟天上早呈祥㈡

⑦菱花光映紗窗曉
　竹葉香浮繡戶春

⑧月映錦衾熊入夢㈢
　花明綺閣燕投懷

⑨繡屋藏金鳳
　香閨兆玉麟

⑩綺窗延皓月
　繡幕引薰風

【注釋】

㈠玉燕　唐張說母夢有一玉燕投入懷中而有孕，生說，後為宰相，至貴之祥也。事見開元天寶遺事。

㈡石麟　南史徐陵傳：『陵年數歲，家人攜以候沙門釋寶誌，寶誌摩其頂曰：「此天上石麒麟也。」』

㈢夢熊　詩經小雅斯干：『吉夢維何，維熊維羆。』又：『大人占之，維熊維羆，男子之祥。』鄭玄箋：『熊羆在山，陽之祥也，故為生男。』今俗賀人生子曰夢熊之喜，本此。

(七)洞房

① 琴和瑟亦靜
花好月爲圓

② 當門花並蒂
繞戶樹交柯

③ 且欣淑女成佳婦
從此奇男已丈夫

④ 此地亦神仙洞府
其身等富貴王侯

⑤ 快意莫如花燭夜
宜人最是枕衾春

⑥ 花燭輝煌光滿室
衾綢溫暖枕藏春

⑦ 金屋春濃花馥郁
瓊樓夜永月團圓

⑧ 種玉情懷期旦夕
結晶品質重珪璋

(八)廚房

① 尋常無異味
鮮潔卽家珍

② 郇廚新品味㊀
雞黍舊家風

③ 自古庖廚君子遠
從來中饋淑人宜

④ 飽者應念飢者苦
得意毋忘失意時

【注釋】

㊀郇廚　世說補：『韋陟廚中飲食，香味錯雜，人入其中，多飽飫而歸，時人爲之語曰：「人欲不飯筋骨舒，夤緣須入郇公廚。」』按唐韋陟襲封郇國公，故曰郇公廚。

(九)廁所

① 得大解脫
佔小便宜

② 入門三步急
出戶一身輕

③ 必有事焉　然後敢入
其爲氣也　惟恐又聞

④ 爲文自古稱三上㊀
作賦於中可十年㊁

按③首爲集句楹聯，上聯第一句見孟子公孫丑篇，第二句見孟子梁惠王篇。下聯第一句見孟子公孫丑篇，第二句見論語公冶長篇。

⑤
莫道輪迴輸五穀
可儲筆札賦三都

⑥
古人欲惜金如此
莊子曾云道在斯㊂

⑦
饒汝絕世英雄㊃來斯定當哈腰屈膝
任你貞烈節婦　至此也要解帶寬裙

【注　釋】

㊀三上　歐陽修歸田錄：『余生平所作文章，多在三上，馬上、枕上、廁上也，蓋惟此最能屬思而已。』

㊁作賦十年　晉書文苑傳：『左思欲賦三都，會妹芬入宮，移家京師，乃詣著作郎張載訪岷邛之事。遂構思十年，門庭藩溷，皆著筆紙，遇得一句，卽便疏之。』

㊂道在斯　莊子知北遊篇：『東郭子問於莊子曰：「所謂道，惡乎在。」莊子曰：「無所不在。」東郭子曰：「期而後可。」莊子曰：「在螻蟻。」曰：「何其下邪。」曰：「在稊稗。」曰：「何其愈下邪。」曰：「在瓦甓。」曰：「何其愈甚邪。」曰：「在屎溺。」東郭子不應。』

㊃饒　任憑也。饒任通叚字，見朱駿聲說文通訓定聲。

(二) 節　日

㈠國曆元旦

①
開國四十年　獻歲欣逢新歲月
同心億兆衆　揮戈誓復舊山河

②
玉燭已更新歲月
金甌待復舊山河

③
正朔參三代
春陽煦萬邦

按第①首爲民國四十年總統府正門楹聯。

④萬國同風 祥開華旦
九州待復 泰啓壺天

⑤萬方更始晛天運
四序圖新紀歲功

(二)青年節

①允武允文 報國精誠崇一念
獻身獻力 復興任務在雙肩

②先烈典型追夙昔
男兒報國在今朝

(三)兒童節

①莫謂童子何知 此日須專心向學
畢竟後生可畏 他年當刮目相看

(四)軍人節

①虎帳騰歡新節令
龍韜待復舊山河

②報國抒忠 復興武德
法天行健 重振軍魂

(五)國慶日

①看白日青天 九百兆大伸民氣
祝良辰佳節 億萬年永固邦基

②中天日月從新紀
大地山河復舊觀

(六)臺灣光復節

①半世淪胥 猶痛前朝謀割地
八年雪恥 再看此日慶收京

(三) 機關

(一)縣市政府

① 謀閭里百姓無疆之幸福
立國家萬年不朽之根基

② 政由德布宜崇德
官與民親貴便民

(二)省政府

① 民吾同胞　物吾同與
公爾忘私　國爾忘家

② 無權利私心　冰霜自凜
爲國家服務　天日可盟

(三)司法機關

① 隨天道而變遷　布新除舊
作人權之保障　弼敎明刑

② 如得其情　則矜而勿喜
有條不紊　若網之在綱

(四)軍事機關

① 寶纛高懸輝玉宇
長城永固奠金甌

② 曉日旌旗開寶帳
春風鼓角動轅門

(五)敎育機關

① 但願杞梓楩楠　咸成梁棟
矢將春風化雨　灑遍塵寰

② 敎與養兼　階下芝蘭添秀氣
育隨化布　門前桃李舞春風

㈥**財政機關**

①開源節流　要在預期籌算
量入爲出　還須先事經營

㈦**外交機關**

①爲國要爭權　毋背民意
交鄰原有道　不貪天功

②交鄰國有道　言忠信　行篤敬
盡行人之職㈠　修玉帛　化干戈

【注　釋】

㈠行人　周時官名。周禮秋官之屬，有大行人、小行人，掌朝覲聘問之事。

㈧**行政機關**

①南北東西　八方向化
滿蒙回藏　四海同春

②政事修明　九百兆民瞻化日
邦基鞏固　東西萬里被春風

㈨**警察機關**

①爲政在從民所好
宅心期與物同春

②守法奉公　克盡職責
便民服務　整飭紀綱

㈠交通機關

①道關康莊　無往不利
　車同軌轍　所至皆春

㈡郵政機關

①國中置驛交通利
　天外飛鴻頃刻來

②雁書誰與寄
　鵲報自然傳

㈢電信機關

①消息瞬通九萬里
　往來不過一絲牽

②片言通隔海
　千里似同堂

㈢新聞機關

①覺世牖民　言文行遠
　匡時化俗　義正辭明

②樹立正聲　領導輿論
　宣揚國策　鼓吹中興

(四)學　校

㈠各級學校通用

①親師取友
　敬業樂羣

②博我以文　約我以禮
　尊其新聞　行其所知

③閎中肆外
　博古通今

④身心平衡　手腦並用
　知行合一　術德兼修

㈠小學

① 邁步挺胸　高高興興上學
　 尊師守紀　歡歡喜喜回家

② 事當發軔求初步
　 學似爲山重始基

㈡中學

① 遠必自邇　高必自卑　逐步階升　勿爲中道所阻
　 德成而上　藝成而下　讀書勵行　要憑全力以求

㈣大學

① 同學盡知名士　不遠數百里而來　共聚一校
　 置身作何等人　願聞二三子之志　欲爭千秋

㈤師範學校

① 此日梗楠同就範
　 他年桃李廣培材

② 取友親師　如玉成器
　 斂材就範　若金在鎔

㈥女子學校

① 郝鍾禮法㊀　歐孟義方㊁　他日儀型　斯爲基礎
　 道韞解圍㊂　班昭續史㊃　自來巾幗　不讓鬚眉

② 莫道無才便是德
　 須知有女勝於男

【注　釋】

㊀郝鍾禮法　晉王渾妻鍾氏，與弟湛妻郝氏，皆有德行，鍾雖門高，與郝相親重，郝不以賤下鍾，鍾不以貴陵郝。時稱

鍾夫人之禮，郝夫人之法。見晉書列女傳。

㈡歐孟義方　宋歐陽修母鄭氏，與戰國孟軻母仉氏，俱以義方教子，爲世所稱。

㈢道韞解圍　晉書列女傳：『王凝之妻謝氏，字道韞，聰識有才辯。凝之弟獻之嘗與賓客談議，詞理將屈，道韞遣婢白獻之曰：「欲爲小郎解圍。」乃施青綾步鄣自蔽，申獻之前議，客不能屈。』

㈣班昭續史　東漢班昭博學高才，兄固著漢書，其八表及天文志未及竟而卒，和帝詔昭踵而成之。見後漢書列女傳。

㈦商業學校

①
學術日新　要使奇贏操勝券
商場雲詭　佇看貨殖展長才

㈧工業學校

①
智方行圓　及鋒而試
心固手巧　磨礪以須

（五）商店

㈠各業通用

①
經營不讓陶朱富㈠
貿易常存管鮑風㈡

②
億則屢中
綏之斯來

③
經商新世界
致富大中華

④
富而多文爲智者
安於所遇惟達人

按第②首爲集句。上聯見論語先進篇，下聯見論語子張篇。

⑤ 鴻猷大展
駿業肇興

⑥ 財如朝日騰雲起
利似春潮帶雨來

⑦ 五湖寄跡陶公業
四海交遊晏子風

⑧ 交以道 接以禮
近者悅 遠者來

⑨ 經商師端木
營業邁陶朱

⑩ 國貨先提倡
商權自健全

⑪ 信用通萬國
經營達五洲

⑫ 善性競爭多得利
良心交易永生財

⑬ 百貨風行財政裕
萬商雲集市聲歡

⑭ 基業宏開 懋遷有術㈢
貨財恆足 悠久無疆

【注釋】

㈠陶朱 春秋楚人范蠡善居積，既佐越破吳，變姓名，遊江湖，至陶山，爲朱公，居十九年，三致千金，因成巨富。見史記貨殖傳。後世言富者，皆稱陶朱公。

㈡管鮑 謂管仲與鮑叔牙。史記管仲傳：『管仲曰：「吾始困時，嘗與鮑叔賈，分財利多自與，鮑叔不以我爲貪，知我貧也。」』

㈢懋遷 猶言交易。尚書益稷：『懋遷有無化居，烝民乃粒，萬邦作乂。』蔡沈集傳：『懋，勉也，懋勉其民，徙有於無，交易變化其所居積之貨也。』

㈡書　局

① 萬卷藏古今學術
一塵聚天地精華

② 莫道迷津無寶筏
須知開卷有良師

③ 大塊能相假
名山不獨藏

④ 翰墨圖書 皆成鳳采
往來談笑 盡是鴻儒

(三)綢布店

① 紫白紅黃均悅目
　 絲綢毛葛總因時

② 同慶此身衣錦繡
　 還期舉國重桑麻

(四)女裝店

① 巧織天孫錦
　 新裁月姐裳

② 裁成丹鳳舞
　 製出綵鸞飛

(五)百貨店

① 百貨經營　萬家福利
　 一門生意　四處春風

② 不憚梯山求異品
　 更從航海獲奇珍

③ 品類繁多　貨來中外
　 生涯鼎盛　富埒王侯

(六)米店

① 穀乃國之寶
　 民以食爲天

② 一世經營　爲人口腹
　 萬家飢飽　在我心頭

(七)飯店・餐廳

① 勝友常臨修食譜
　 高朋雅會飫珍羞

② 宰天下有如此肉
　 治大國若烹小鮮

③ 菜根何妨細嚼
　 肉食未必無謀

(八)酒家

①問世人爲何買醉
　惟此物足以銷愁

②千杯醴酒當酣飲
　萬種風情帶醉看

③衆賓皆酒酣耳熱
　到處是鬢影衣香

④稱人心意惟花酒
　此地風情勝杏村

⑤濁酒杯中有天地
　衆香國裏揚管絃

⑥對酒莫忘家國事
　探花宜有雅人風

⑦一醉千愁解
　三杯萬事和

⑧勸君更進一杯酒
　與爾同銷萬古愁

(九)旅館

①他鄉故國雖千里
　芳草奇花總一春

②適館授餐　客來不速
　聯牀話舊　賓至如歸

(十)戲院

①臺上風情　無非嬉笑怒罵
　眼前景象　可覘善惡是非

②你打起臉來　全憑著幾件衣裳　今日頓忘前日像
　我睜著眼看　任做盡百般情態　上場總有下場時

(十一)照像館

①攝將眞面去
　幻出化身來

②常留桃李春風面
　聊解蒹葭秋水思

(十二)美容院

①不教雪鬢催人老
　更喜春風滿面生

②眞工夫從頭上起
　好消息向耳中來

③幾人是天生麗質
　凡事在自我成全

④莫怪世途多白眼
　由來時俗重紅妝

(十三)理髮廳

①磨厲以須　問天下頭顱幾許
及鋒而試　看老夫手段如何（清・石達開）

②大事業從頭做起
好工夫自手練來

③莫謂胸中無點墨
敢誇手上有全能

④到來盡是彈冠客
此去應無搔首人

⑤四季發財　全憑吾手
一家生計　專靠人頭

㈣眼鏡店

①胸中存灼見
眼底辨秋毫

②笑我如觀雲裏月
憑君能辨霧中花

㈤鐘表店

①刻刻催人資警醒
聲聲勸爾惜光陰

②比二十四番之可取爲準
合三百六旬而弗失其時

㈥鐘表眼鏡店

①十二時辰運諸掌上鐘表
三千世界盡在眼中眼鏡

㈦機車店

①雙輪常轉
九軌可通

②香車屬壯士
紅粉贈佳人

㈧枕席店

①
慣受香雲壓枕
偏宜玉體陳席

(一九)裁縫店

①
寒衣處處催刀尺
裁剪般般見匠心

②
衣著不勞慈母線
彌縫始悉匠功多

(二〇)鞋　店

①
願世人皆能容忍
惟此地必較短長

②
小大由之　總宜知足
修短合度　方稱乃心

③
圯橋曾進高人履
瀛海爭誇學士鞋

(二一)帽　店

①
豈是簪纓世胄
還存冠冕家風

②
風落孟嘉㈠　不妨捨舊
雨逢郭泰㈡　大好更新

(二二)棉花店

①
聚來千畝雪
化作萬家春

②
溫暖如人意
纏綿繫我思

(二三)文具店

①
儘有書香綿奕葉
敢誇身價重連城

②
但願文人常駐足
且將世事寫從頭

(二四)雨傘店

① 賴君驅雨伯
護我勝波臣

② 志在濟人　帡幪廣被(三)
功侔造化　晴雨皆宜

(二五)鮮花店

① 此處春光常綺麗
誰言花事已闌珊

② 四野飛來千樹綠
一身常帶百花香

(二六)毛筆店

① 揮毫列錦繡
落紙如煙雲

② 五色豔爭江令夢(四)
一枝春暖管城花(五)

(二七)水果店

① 春花開處處
瓜瓞自綿綿(六)

② 與君同甘苦
爲我佐論談

(二八)香燭店

① 氣吐麝蘭香一瓣
影搖龍鳳燭雙輝

② 一瓣氤氳爐中爇
四時馥郁雲外飄

(二九)銀樓

①
四時不閟金銀氣
一室常凝珠寶光

②
滿室裝銀　匠心獨運
層樓聳翠　寶氣常凝

(二〇) **洗染店**

①
豈僅一身無舊染
還欣四序有新裝

②
塵垢總期衣不染
風姿長併德維新

③
刮垢磨光　舊染盡去
滌瑕蕩穢　清光大來

(二一) **介紹所**

①
且看逢人忙說項(七)
何妨作客暫依劉(八)

②
毛遂何須頻自薦
曹丘長欲為人謀(九)

(二二) **裝裱店**

①
點綴煙嵐鄴下錦(一〇)
裝潢書畫米家船(一一)

②
法書名畫搜羅富
宋錦吳綾采飾新

(二三) **木材行**

①
盛德在木
向陽易春

②
選擇良材支大廈
振興偉業在名山

(二四) **中藥店**

①
雖無劉阮逢仙術(一二)
但具韓康隱市心(一三)

②
囊中都是延年藥
架上無非不老丹

(二五)診所

①
體天地好生之德
存聖賢濟世之心

②
術著歧黃三世業
心涵胞與萬家春

③
杏林春意廣
橘井活人多(一四)

④
胸中貯百千醫案
紙上活十萬生靈

⑤
此地乃逢凶化吉之所
其人有起死回生之方

(二六)電影院

①
世事總成空　何必以空爲實事
人情都是戲　不妨將戲寄閒情

②
演中外事
貫古今情

【注釋】

(一)孟嘉　晉江夏人，字萬年，少有才名，爲桓溫參軍，重陽節共遊龍山，風吹帽落而不覺，溫命孫盛作文嘲之，嘉卽著文還駁，其文甚美，四座歎賞。見晉書本傳。

(二)郭泰　東漢界休人，字林宗，夙負高名，嘗於陳梁閒行遇雨，巾一角墊（意謂帽之一角爲雨淋溼而下垂），時人乃故折巾一角，以爲『林宗巾』，其爲人所慕如此。見後漢書本傳。

(三)帡幪　覆蓋也。法言吾子篇：『震風陵雨，然後知夏屋之爲帡幪也。』

(四)江令夢　南史江淹傳：『淹嘗宿於冶亭，夢一丈夫，自稱郭璞，謂淹曰：「吾有筆在卿處多年，可以見還。」淹乃探懷中，得五色筆一以授之，爾後爲詩，絕無美句，時人謂之才盡。』按淹少有文譽，世稱江郎，又曾任吳興令，故又稱江令。

⑤管城　毛筆別稱曰管城子、管城侯。見韓愈毛穎傳及文房四譜。

⑥瓜瓞　詩經大雅緜：『緜緜瓜瓞。』毛氏傳：『緜緜，不絕貌。』朱子集傳：『大曰瓜，小曰瓞。』

⑦說項　唐項斯微時，以卷謁楊敬之，敬之愛其才，贈以詩曰：『幾度見詩詩盡好，及觀標格過於詩，平生不解藏人善，到處逢人說項斯。』未幾，詩聞長安，斯擢上第。事見全唐詩話。故今謂稱道人善曰說項。

⑧依劉　三國志魏書王粲傳：『粲除黃門侍郎，以西京擾亂，不就，乃之荊州依劉表。』許渾酬和杜侍御詩：『因過石城先訪戴，欲朝金闕暫依劉。』

⑨曹丘　卽曹丘生，漢楚人，有辯才，季布任俠，得曹丘生爲之游揚，而名益顯。見漢書季布傳。後人文中，言揄揚薦引，多用其事。

⑩鄴下錦　梁元帝謝東宮賚麈尾錦帔團扇等啓：『始興之扇，方斯非擬，鄴中之錦，匹此爲輕。』

⑪米家船　宋米芾，字元章，襄陽人，寓居於吳，妙擅翰墨，畫山水人物，自成一家。每出遊，必載書畫自隨，人皆識之曰，是米家書畫船也。見宋史本傳。

⑫劉阮　謂東漢劉晨與阮肇也。紹興府志：『劉晨阮肇，剡人。永平中，入天台山採藥，經十三日不得返，採山上桃食之。下山以杯取水，見蕪菁葉流下甚鮮，復有胡麻飯一杯流下，二人相謂曰：「去人不遠矣。」乃渡水又過一山，見二女，容顏妙絕，呼晨肇姓名，問郎來何晚也。因相款待，行酒作樂。被留半年，求歸，至家，子孫已七世矣。太康八年，又失二人所在。』

⑬韓康　東漢霸陵人，字伯休，賣藥長安，三十餘年，口無二價。有一女子從康買藥，康執價不移，女子怒曰：『公是韓伯休耶，乃不二價乎。』康歎曰：『本欲避名，今小女子皆知有我，何用藥爲。』遂遯隱霸陵山中，連徵不出。見後漢書逸民傳。

㈣橘井　在湖南郴縣東。漢蘇仙公於文帝時得道，將仙去，告母曰：『兒受命當仙，明年天下疾疫，庭中井水，簷邊橘樹，可以代養，井水一升，橘葉一枝，可療一人。』如期疫作，人競詣飲，下咽即愈。見神仙傳。

（六）嵌字市招

①大達
大綱提要領
達道致中和

②大華
大名垂宇宙
華實富春秋

③光華
光明稱磊落
華國煥文章

④中華
中臺新氣象
華國大文章

⑤中和
中正無私　能行直道
和平爲貴　可致嘉祥

⑥中興
中國多材　風行百貨
興邦有道　雲集千祥

⑦日新
日進千金　湯盤浴德
新增五福　箕範添籌

⑥永泰
永以爲好詩所詠
泰然後安易有言

⑨光明
光前能裕後
明德本新民

⑩安全
全力圖功成駿業
安居得地固鴻基

⑪吉祥
吉星欣在戶
祥靄喜盈庭

⑫吉利
吉慶從心　增榮益譽
利權在握　和衆豐財

⑬亨利
亨運開天 新基大定
利源闢地 活水長流

⑭國泰
國基綿萬世
泰運啓三臺

⑮裕豐
裕後光前傳駿業
豐財和衆展鴻猷

⑯源裕
源流眞浩蕩
裕後克豐昌

⑰瑞成
瑞祥徵古兆
成德展宏圖

⑱瑞和
瑞日中天麗
和風大地春

⑲鳴祥
鳴鳥當春 風和日暖
祥麟出世 國泰民安

⑳慶昌
慶祝和平 人增幸福
昌興事業 天賜禎祥

㉑豐源
豐財在和衆
源遠引長流

㉒麗華
麗水生金 輝爭日月
華林綴錦 彩奪雲霞

(七)名勝古蹟

(一)杭州西湖關帝廟

此吳地也 不爲孫郎立廟
今帝號矣 何須曹氏封侯

(二)揚州瘦西湖史可法墓

一紙家書雙血淚

二分明月萬梅花

㈢西湖秋瑾墓

浙東西寃獄　鼎足成三　前岳後于　浩氣英風歸女子

湖南北高峯　舉頭有兩　殘山賸水　驚魂血淚葬斯人

㈣某地關帝廟

先武穆而亡　大宋千古　大漢千古

後文宣而聖　山東一人　山西一人

㈤北平陶然亭

客醉共陶然　四面涼風吹酒醒

人生行樂耳　百年幾日得身閒

㈥泰山雨花院

雨不崇朝遍天下

花隨流水到人間

㈦衡山南嶽

望望七十二峯　工部游時　詩聖有誰能繼響

遙遙一千餘歲　文公去後　嶽雲從此不輕開

㈧濟南大明湖

四面荷花三面柳

一城山色半城湖（劉金門）　※　地佔百彎多是水

樓無一面不當山（孫星衍）

畢沅

(九)**陝西馬嵬坡**

鶯花尙戀霓裳影

環珮空歸月夜魂

(一〇)**陝西潼關**

華嶽三峯憑檻立

黃河九曲抱關來

畢沅

(一一)**湖南岳陽樓**

湘靈瑟　呂仙杯　坐攬雲濤人宛在

子美詩　希文筆　笑題雪壁我重來

武介康

(一二)**成都薛濤井**

古井冷斜陽　問幾樹枇杷　何處是校書門巷

長江橫曲檻　賸一樓風月　要平分工部祠堂

按唐名妓薛濤，字洪度，本長安良家女，父鄖，宦遊卒蜀中，母孀居貧甚，乃墮樂籍。知音律，工詩詞，喜與時士游。韋皐鎭蜀，召之侍酒賦詩，稱女校書。元稹杜牧白居易等皆嘗相與唱和，凡歷十一鎭。僑寓成都百花潭，親製松花紙及深紅小彩牋，裁書供吟，酬獻賢傑，時號薛濤牋，亦曰蠻牋。今其地有薛濤井，相傳卽薛濤製牋汲水處。暮年居浣花溪，衣女冠服，有詩五百首行世。見蜀牋譜。

(三)廣州長壽寺　王士禎

紅樓映海三更月
石路通江兩渡潮

(四)湖南羅漢洞

洞口開自那年　吞不盡瀟湘奇氣
巖腹藏些何物　怕莫是今古牢騷

(五)岳州小喬墓

姊妹花殘　青草湖邊雙斷雁
珮環月冷　紫藤牆外有啼鵑（吳樹楷）

※

銅雀有遺悲　豪傑功隨三國沒
紫鵑無限恨　瀟湘月冷二喬魂（佚名）

(六)廣東羅浮山

小樓容我住
大地任人忙（楊應琚）

※

萬壑煙雲留檻外
半天風竹拂窗來（梁章鉅）

(七)武昌黃鶴樓

對江樓閣參天立
全楚山河縮地來（方維新）

※

心遠地天寬　把酒憑欄　聽玉笛梅花此時落否
我辭江漢去　推窗寄慨　問仙人黃鶴何日歸來（彭玉麟）

(八)南昌滕王閣

依然極浦遙天　想見閣中帝子
安得長風巨浪　送來江上才人（宋牧仲）

※

我輩復登臨　目極湖山千里而外
奇文共欣賞　人在水天一色之中（李春園）

(一九)江西小姑山　金眉生

有美一人　中夜聞五銖環珮
遺世獨立　下游俯兩點金焦

(二〇)九江庾樓　洪亮吉

半壁江山　六朝雄鎮
一樓風月　幾輩傳人

(二一)安慶大觀亭　李振鈞

秋色滿東南　自赤壁以來　與客泛舟無此樂
大江流日夜　問靑蓮而後　舉杯邀月更何人

(二二)南京明故宮　錢謙益

大江東去　浪淘盡千古英雄　問樓外靑山　山外白雲　何處是唐宮漢闕
小苑春回　鶯喚起一簾風月　看池邊綠樹　樹邊紅雨　此中有舜日堯天

(二三)南京莫愁湖

煙雨湖山六朝夢
英雄兒女一枰棋（范仕義）

※

世事如棋　一著爭來千古業
柔情似水　幾時流盡六朝春（饞山樵客）

王者五百年　湖山具有英雄氣
春光二三月　鶯花合是美人魂（王闓運）

㈣蘇州滄浪亭

四萬青錢　明月清風今有價
一雙白璧　詩人名將古無儔

㈤揚州二十四橋

勝地據淮南　看雲影當空　與水平分秋一色
扁舟過橋下　問簫聲何處　有風吹到月三更

㈥西湖靈隱山

龍澗風迴　萬壑松濤連海氣
鷲峯雲斂　千年桂月印湖光

㈦西湖冷泉亭

泉自幾時冷起
峯從何處飛來（董香光）

※

泉自冷時冷起
峯從飛處飛來（佚名）

在山本清　泉自源頭冷起
入世皆幻　峯從天外飛來（左宗棠）

㈧西湖煙霞洞

倘他時蠟屐重來　須記取山中松徑
攜一片紅雲歸去　莫錯認世外桃源

㈩西湖韜光寺

樓觀滄海日
門對浙江潮

按此爲集句聯，二句並見宋之問靈隱寺詩。

㈪黃州赤壁

五年間謫宦棲遲　試較量惠州僧飯　儋耳蠻花　那得此清幽山水
三蘇中天才獨絕　若只論東坡八詩　赤壁兩賦　尚是公遊戲文章

㈫紹興蓬萊閣

八百里湖山　知是何年圖畫
十萬家煙火　盡歸此處樓臺

㈬西湖蘇小小墓

梅花流水杳然去　湖山此地曾埋玉
油壁香車不再逢　花月其人可鑄金

※

按蘇小小爲南齊時錢塘名妓，容華絕世。白居易詩有『杭州蘇小小，人道最夭斜』，及『若解多情尋小小，綠楊深處是蘇家』等句。樂府詩集及玉臺新詠均著錄錢塘蘇小歌一首，其詞曰：『妾乘油壁車，郎騎青驄馬，何處結同心，西陵松柏下。』今西湖有蘇小小墓。

(二三)**邯鄲呂祖祠**

睡到二三更時　凡功名皆成幻境
想到一百年後　無少長都是古人

(二四)**西湖岳廟**

天下太平　文官不愛錢　武官不怕死
乾坤正氣　下則爲河嶽　上則爲日星
二帝蒙塵　涙血千秋含憤激
一生完節　清風萬古仰忠貞

※

青山有幸埋忠骨
白鐵無辜鑄佞臣

※

正邪自古同冰炭
毀譽於今判僞眞

(二五)**某地觀音廟**

南海駕慈航　普渡衆生超苦海
西天懸慧日　光昭百姓庇鈞天

(二六)**某地尼姑庵**

洗盡脂香歸淨土
抛殘鏡匣對諸天

(二七)**上虞曹娥廟**

碑辭絕妙才人筆

江水長留孝女名

(三八)紹興徐錫麟祠

登百尺樓　看大好江山　天若有情　應識四方思猛士
留一抔土　與爭光日月　人誰不死　獨將千古讓先生

(三九)南京隨園

中天懸明月　此地有崇山峻嶺　茂林修竹
絕代有佳人　※　其人讀三墳五典　八索九丘

(四〇)臺灣左營春秋閣岳王廟

報國精忠　三字獄冤千古白
以身作則　一篇詞著滿江紅

(四一)當塗采石磯李白祠

我輩來此惟飲酒
先生在上莫題詩

(四二)某地劉先主孫夫人祠

思親淚落吳江冷
望帝魂歸蜀道難

(四三)衡山紅葉亭

紅透夕陽　好趁餘暉停馬足
茶烹活水　須從前路汲龍泉

(四四)西湖月老祠

願天下有情人都能成眷屬
是前生注定事莫錯過姻緣

(四五)吉水龍濟寺

天上樓臺山上寺
雲邊鐘鼓月邊僧

(四六)鎮江北固山

我輩復登臨　舊業已隨征戰盡
大江流日夜　天風長送海濤來

(四七)衡陽雁峯寺

大夢忽聞鐘　任他煙雨迷離　人都醒眼
浮生眞過雁　盼到雪花亂墮　我亦回頭

(四八)臺北新公園大木亭

騎鯨海上憶英風　重看一旅中興　更無缺憾留天地
焚服世間傳偉業　願種十圍大木　長有奇材作棟梁

梁寒操

（四八）**廣州黃花岡烈士墓**

七十二健兒　酣戰春雲湛碧血

四百兆國子　愁看秋雨溼黃花

黃　興

（四九）**某地孟姜廟**

始皇安在哉　萬里長城築怨

姜女未亡也　千秋片石銘貞

文天祥

（五〇）**成都望江樓**

引袖拂寒星　古意蒼茫　看四壁崇山　青來劍外

停雲佇皓月　予懷浩渺　送一篙春水　綠到江南

錢謙益

（五一）**曲阜孔子廟**

功垂萬世　觀於海者難爲水　道若江河　隨地可成洙泗　※　祖述堯舜　憲章文武

道冠百王　※　譬猶天之不可階　聖如日月　普天皆有春秋　※　德參天地　道冠古今

德大千秋祀　氣備四時　與天地日月鬼神合其德　※　泗水文章昭日月

名高百世師　※　教垂萬世　繼堯舜禹湯文武作之師　杏壇禮樂冠華夷

（五二）**某地孟子廟**

千里而來　何必曰利　亦有仁義而已矣

百世之下　莫不興起　況於親炙之者乎

(四四)西湖花神廟

紫紫紅紅　處處鶯鶯燕燕
朝朝暮暮　年年雨雨風風

(四五)南通狼山寺

長嘯一聲　山鳴谷應
舉頭四望　海闊天空

(四六)某地留侯廟

椎擊則剛　箸籌則柔　智勇在豪俠聖賢之間　豈獨項王莫能敵
報仇而來　託仙而去　品節出富貴功名以外　自非漢祖所得臣

(四七)南陽臥龍岡武侯祠

巾扇任逍遙　試看抱膝長吟　高臥尚留名士跡
井廬空眷戀　可惜鞠躬盡瘁　歸耕未遂老臣心
立品於莘野渭濱之間　表請出師　兩朝勳業驚司馬
結廬在紫峯白水之側　曲吟梁父　千載風雲起臥龍

(四八)睢陽張巡廟

男兒死耳又奚言，若論唐室元勳　四百載功名豈輸李郭

父老談之猶動色　但顧揚州都督　億萬年魂魄永鎮江淮

（七九）**婺源朱文公祠**

刪定贊修　直千古同功　較漢唐訓詁諸儒　仰高山而倍切

德性學問　原兩端並舉　任陸王紛紜異說　撼大樹以何能

（八〇）**某地袁崇煥祠**

天命攸歸　萬里長城宜自壞

人心不死　千秋輿論有公評

（八一）**西湖于忠肅公祠**

千古痛錢塘　並楚國孤臣　白馬江邊　怒捲千堆夜雪

兩朝冤少保　同岳家父子　夕陽亭裏　堪傷兩地風波

（八二）**臺南延平王祠**

由秀才封王　拄撐半壁舊山河　爲天下讀書人頓生顏色

驅外夷出境　開闢千秋新世界　願中國有志者再鼓雄風

（八三）**揚州梅花嶺史可法墓祠**

風雪江天　弔古賸一輪明月

衣冠丘隴　招魂有萬古梅花

唐景崧

殉社稷只江北孤臣　賸水殘山　尚留得風中勁草
葬衣冠有淮南坏土　冰心鐵骨　好伴取嶺上梅花

(六四)武昌黃鶴樓醉仙亭

偶然一枕遊仙　蝶夢是莊莊夢蝶
莫以半生嗜酒　醒人常醉醉人醒

(六五)秦淮楊氏水閣　薛慰農

六朝金粉　十里笙歌　裙屐昔年遊　最難忘北海豪情　西園雅集
九曲清波　一簾風月　樓臺依舊好　且消受東山絲竹　南部煙花

(六六)海陽望海亭

海水潮　朝朝潮　朝潮朝落
波浪漲　長長漲　長漲長消

(六七)江西吳城望湖亭　曾國藩

五夜樓船　曾上孤亭聽鼓角
一樽濁酒　重來此地看湖山

(六八)南京中央圖書館　戴傳賢

作人當立大志　徹始徹終　有爲有守
求學須定宗旨　知本知末　通古通今

(六九)宛平蘆溝橋忠烈祠　　王靜芝

正氣感人神　爲常山舌　爲睢陽齒　一點丹心　千秋碧血
精忠塞天地　是文丞廟　是武穆墳　半溝殘月　萬古英魂

(七〇)臺北指南宮思恩亭　　賈景德

問世外桃源　眼前便是
尋仙宮妙境　足下常來

(七一)南京雨花臺方孝孺墓

血染雨花鮮　爲痛忠靈埋十族
聲淒雲影動　長留正氣炳千秋

按明成祖磔方孝孺，滅其十族，謂於宗親九族之外，加入門人一族

(七二)桐廬嚴子陵釣臺　　鄭燮

先生何許人　羲皇以上
醉翁不在酒　山水之間

第六節 賀聯實例

(一)婚嫁

㈠新婚通用

① 乾坤定矣　琴瑟友之

② 珠聯璧合　鳳翥鸞翔

③ 百年好合　五世其昌

④ 朱陳締好㈠　秦晉聯姻㈡

⑤ 歡聯二姓　緣結三生

⑥ 吹簫堪引鳳㈢　合璧喜乘龍㈣

⑦ 錦堂雙璧合　玉樹萬枝榮

⑧ 錦瑟調鴻案㈤　香詞譜鳳臺

⑨ 琴和瑟亦靜　花好月爲圓

⑩ 結成平等果　開出自由花

⑪ 鳥語紗窗曉　鶯啼繡閣春

⑫ 攝成雙璧影　締結百年歡

⑬ 紫簫吹徹藍橋月　青鳥翔還彩屋春

⑭ 花開並蒂鴛鴦暖　酒醉同心琥珀濃㈥

⑮ 握手初行平等禮　同心合唱自由歌

⑯ 二姓聯盟成大禮　百年偕老樂長春

⑰ 畫眉筆帶凌雲氣　種玉人懷詠雪才

⑱ 芙蓉鏡映花含笑　玳瑁筵開酒合歡

⑲ 香車迎淑女　旨酒宴嘉賓

⑳ 盟書早訂三生石㈦　綵筆新開五色花

㉑ 鴻案相莊　百年偕老
鳳占叶吉　五世其昌

㉒ 縷結同心　日麗屛間孔雀
蓮開並蔕　影搖池上鴛鴦

㉓ 鳳輦護卿雲　今日喜天孫來嫁
鴛幃度蜜月　新詩詠君子好逑

㉔ 白璧同心　百歲夫妻良匹耦
赤繩繫足(八)　千秋鸞鳳永和鳴

㉕ 試問夜如何　牛女雙星躔碧漢
欲知春幾許　鳳凰比翼下秦臺

㉖ 綽約佳人　詩詠雪奇姿　黛寫遠山人似玉
風流才子　快乘龍壯志　花迎小閣夢初香

【注　釋】

(一)朱陳　村名。白居易朱陳村詩：『徐州古豐縣，有村曰朱陳，一村爲兩姓，世世爲婚姻。』按朱陳村在今江蘇豐縣東南，世多用朱陳爲兩姓締結婚姻之辭。

(二)秦晉　春秋時，秦晉兩國世爲婚姻，後人因稱兩姓聯姻爲秦晉之好。

(三)吹簫引鳳　春秋時，有蕭史者，善吹簫，作鳳鳴，秦穆公女弄玉好之，遂結爲夫婦。後蕭史乘龍、弄玉乘鳳飛昇去，秦人於雍宮爲作鳳女祠。見劉向列仙傳。

(四)乘龍　初學記：『黃尙爲司徒，與李元禮俱娶太尉桓焉女，時人謂桓叔元兩女俱乘龍，言得壻如龍也。』世稱女壻曰乘龍快壻，本此。

(五)鴻案　漢梁鴻，字伯鸞，賦性耿介，高蹈不仕，娶平陵女子孟光爲妻，雅相敬重。後適吳，爲人賃舂，每歸，光爲具食，不敢於鴻前仰視，舉案齊眉。見後漢書逸民傳。

㈥琥珀　指琥珀酒，以其色如琥珀，故名。張說城南亭花詩：『北堂珍重琥珀酒，庭前列肆茱萸席。』

㈦三生石　唐李源與惠林寺僧圓觀友善，同遊三峽，見婦人負甕引汲，圓觀曰：『是我託身之所，更後十二年，杭州天竺寺外，與君相見也。』是夕，圓觀亡。及期，源如約往，見有牧童，卽圓觀也。並作歌曰：『三生石上舊精魂，賞月吟風不要論，慚愧情人遠相訪，此身雖異性長存。』歌畢，別去。事見袁郊甘澤謠。

㈧赤繩　卽紅線。唐韋固旅次宋城，遇老人倚囊坐，向月下檢書，固問何書，曰天下之婚牘耳。又問囊中赤繩子，云此以繫夫婦之足，雖仇家異域，繩一繫之，終不可易。事見續幽怪錄。按老人，卽所謂月下老人也，爲司結緣之神。

㈡嫁　女

① 名姝喜得名門士
才女欣歸才子家

② 玉鏡能諧溫嶠志㈠
荆釵甘爲伯鸞容㈡

③ 吉日迎來天上客
香車送出月中人

④ 繡閣昔曾傳跨鳳
德門今喜協乘龍

⑤ 于歸好詠宜家句㈢
往送高歌必戒章㈣

⑥ 三從是懍㈤
四德堪嘉㈥

【注　釋】

㈠玉鏡　卽玉鏡臺，晉溫嶠北征劉聰所得，後以聘從姑之女。世說新語假譎篇：『溫公喪婦，從姑劉氏，家值亂離，惟有一女，甚有姿慧，姑以屬公覓婚。公密有自婚意，答云：「佳婚難得，但如嶠比云何。」姑云：「喪破之餘，乞得粗相存活，便足慰吾餘年，何敢希汝比。」卻數日，公報姑云：「已得婚處，門地粗可，壻身不減嶠。」因下玉鏡臺一枚，姑大喜。既婚交禮，女以手披紗扇，大笑曰：「我固疑是老奴，果如所卜。」』

㈡荆釵　謂婦女裝束之儉樸。列女傳：『梁鴻妻孟光常荆釵布裙。』

㈢于歸　女子出嫁曰于歸，蓋女以男爲家，故謂嫁曰歸。詩經周南桃夭：『桃之夭夭，灼灼其華，之子于歸，宜其室家。』

㈣必戒章　孟子滕文公篇：『女子之嫁也，母命之，往送之門，戒之曰：「往之汝家，必敬必戒，無違夫子。」以順爲正者，妾婦之道也。』

㈤三從　儀禮喪服傳：『婦人有三從之義，無專用之道，故未嫁從父，既嫁從夫，夫死從子。』

㈥四德　卽四行。班昭女誡：『女有四行，一曰婦德，二曰婦言，三曰婦容，四曰婦功。』鄭玄周禮注：『婦德，謂貞順。婦言，謂辭令。婦容，謂婉娩。婦功，謂絲枲。』

㈢續　婚

① 桃紅苑裏嬌遜昔 / 柳綠枝頭色更新

② 黛畫青山春不老 / 香盈彩帳月重圓

③ 鸞膠新續誇雙美㈠ / 鳳翼齊飛慶百年

④ 玉梅再探香偏逸 / 錦瑟重調韻更清

⑤ 大地乍聞春又到 / 中天喜見月重圓

⑥ 重圓鏡影成雙照㈡ / 疊韻琴聲第二絃

⑦ 南國再來春旖旎 / 西廂又見月團圓

⑧ 依舊調羹初洗手㈢ / 重新舉案定齊眉

【注　釋】

㈠鸞膠　俗謂喪妻曰斷絃，再娶曰續絃，或曰續膠，蓋以琴瑟喻夫婦也。漢武外傳：『西海獻鸞膠，武帝弦斷，以膠續之，弦兩頭遂相著，終日射之不斷，帝大悅，名續弦膠。」案續弦是續弓弦，則俗謂再娶曰續絃者，蓋以琴瑟之絃與弓弦同，而借用之也。陶穀風光好詞：『待得鸞膠續斷絃，是何年。』

㈡重圓鏡　陳徐德言尚後主妹樂昌公主，陳政衰，德言謂公主曰：『以君之才容，國破必入權豪家，斯永絕矣。倘情緣未斷，尚冀相見，宜有以信之。』乃破鏡各執其半。約他年正月望日賣於都市。陳亡，公主爲隋大將軍楊素所得，寵嬖殊厚。德言依期至京，見有蒼頭賣半鏡，出半鏡合之，題破鏡詩一絕曰：『鏡與人俱去，鏡歸人不歸，無復嫦娥影，空留明月輝。』公主得詩，悲泣不食，素知之，召德言還其妻，置酒共飲，因命公主爲詩，詩曰：『今日何遷次，新官對舊官，笑啼俱不敢，方驗作人難。』後偕歸江南終老。事見孟棨本事詩。

㈢調羹洗手　王建新嫁娘詞：『三日入廚下，洗手作羹湯，未諳姑食性，先遣小姑嘗。』

㈣春季結婚

① 柳畫眉梢黛 / 梅添額上粧

② 一曲新歌　雙聲疊韻 / 十分春色　萬紫千紅

③ 桃符新換宜春帖 / 椒酒還斟合巹杯

④ 雲擁粧臺春正暖 / 花迎寶扇日初長

⑤ 花燭輝聯元夜月 / 鳳簫吹徹玉堂春

⑥ 黛閣春生楊柳綠 / 玉樓人映杏花紅

⑦ 頌歲歌聲更豔曲 / 羞花容貌冠羣芳

⑧ 吉日吉時傳吉語 / 新人新歲結新婚

⑨ 桃花人面紅相映 / 楊柳春風綠更多

⑩ 曉起粧臺鸞對舞 / 春歸畫棟燕雙飛

㈤夏季結婚

①紅妝帶綰同心結
碧沼花開並蒂蓮

②欣逢芍藥開花日
正是摽梅迨吉期

③閬苑花香 春回夏至
金閨風暖 宵短夢長

④採蓮詞調度新曲
詠絮才華寫入詩

⑤鳳管音諧金縷曲
蝶衣粉濺石榴裙

⑥梔綰同心結
蓮開並蒂花

(六)秋季結婚

①喜見花容沾月色
權將秋夜代春宵

②桂苑月明金作屋
藍田日暖玉生春

③秋色平分佳節夜
月華常照美人妝

④玉帳宵長情馥郁
桂枝香透月團圓

⑤秋宵如此渾無價
良夜何其樂未央

⑥銀燭高燒 月避新妝應怯冷
絳紗好護 風搖香佩不知寒

(七)冬季結婚

①鳳管久諧蕭史配
梅花新點壽陽妝(一)

②點額新梅香繡閣
回陽麗日暖妝臺

③皓月描來雙影雁
寒霜映出並頭梅

④錦帳梅花初入夢
妝臺蓉鏡早生輝

⑤翠黛畫眉才子筆
紅梅點額美人妝

⑥喜酒飲來三日醉
早梅分得一枝春(二)

【注釋】

(一)壽陽妝　南朝宋武帝女壽陽公主人日（夏曆正月七日）臥含章殿簷下，梅花飄著其額，成五出之花，因仿之爲梅花妝。見翰苑新書。

㈡一枝春　蘭茂早梅詩：『東風破早梅，向暖一枝開，冰雪無人見，春從天上來。』

（二）壽　慶

㈠男壽通用

① 南山欣作頌㈠　北海喜開樽㈡

② 松齡添歲月㈢　鶴算紀春秋㈣

③ 修齡堪證道　上壽不知年

④ 椿樹千尋碧㈤　蟠桃幾度紅㈥

⑤ 籌添滄海日㈦　嵩祝老人星㈧

⑥ 九如天錫福　五福壽爲先㈨

⑦ 大德得無量壽㈠　惟公有不朽名

⑧ 三祝筵開歌大壽㈡　九如詩誦樂嘉賓

⑨ 瑤宮牒註長生字㈢　蓬島春開富貴花

⑩ 室有芝蘭春自永㈢　人如松柏歲長新

⑪ 龍門泉石香山月㈣　蓬島煙霞閬苑春

⑫ 瑤島尚存千歲果　商山舊有五雲芝㈤

【注　釋】

㈠南山　詩經小雅天保：『天保定爾，以莫不興。如山如阜，如岡如陵，如川之方至，以莫不增。……如月之恆，如日之升。如南山之壽，不騫不崩。如松柏之茂，無不爾或承。』按此爲祝福之詩，後人遂以天保、九如、山阜、岡陵、南山、松柏、升恆諸語祝人之壽。

㈡北海樽　東漢孔融好賓客，獻帝時爲北海相，嘗曰：『座上客常滿，樽中酒不空，吾無憂矣。』見後漢書本傳。

㈢松齡　松爲長壽植物，故祝壽之辭每及之。

㈣鶴算　王建閑說詩：『桃花百葉不成春，鶴壽千年也未神。』世以鶴爲仙禽，故祝人長壽曰鶴算。

㈣椿樹　莊子逍遙遊篇：『上古有大椿者，以八千歲爲春，以八千歲爲秋。』後遂假以爲祝壽之辭，言年齡同於大椿之永也。

㈥蟠桃　謂仙桃也。漢武帝內傳：『七月七日，西王母降，以仙桃四顆與帝，帝食輒收其核，欲種之。母曰：「此桃三千年一生實，中夏地薄，種之不生。」帝乃止。』

㈦籌添　蘇軾東坡志林：『有三老人相遇問年，一曰：海水變桑田，吾輒下一籌，今滿十籌矣。』今祝人壽考曰海屋添籌，本此。

㈧老人星　又名南極、南極老人，壽星也，世每借用爲祝壽之辭。

㈨五福　尚書洪範：『五福：一曰壽，二曰富，三曰康寧，四曰攸好德，五曰考終命。』

㈩無量壽　佛名，即阿彌陀佛。阿彌陀含無量壽、無量光二義，故阿彌陀佛亦稱無量壽佛。

⑪三祝　莊子天地篇：『堯觀乎華，華封人曰：「嘻，請祝聖人，使聖人壽，使聖人富，使聖人多男子。」』成玄英疏：『華，地名，即今華州。（今陝西華縣）封人者，謂華地守封疆之人也。』今以華封三祝爲祝頌之辭，本此。

⑫瓊宮　即天宮，天帝所居。文選張衡思玄賦：『叫帝閽使闢扉兮，覿天皇於瓊宮。』

⑬芝蘭　喻子弟才質之美。晉書謝安傳：『玄少爲叔父安所器重，安嘗戒約子姪，因曰：「子弟亦何豫人事，而正欲使其佳。」諸人莫有言者，玄答曰：「譬如芝蘭玉樹，欲使其生於庭階耳。」』

㊃香山　唐白居易晚歲居洛陽，往來龍門山之香山寺，自稱香山居士。與胡杲等宴集，皆高年不仕，時人慕之，繪爲九老圖。見唐書本傳。

㊄商山　亦曰商嶺，在陝西商縣東南。秦末東園公、角里先生、綺里季、夏黃公四人避亂隱於此，年皆八十餘，鬚髮皓白，時稱商山四皓。見史記留侯世家。古今樂錄：『商山四皓隱居，高祖聘之，四皓不出，仰天歎而作歌，名採芝操。』

(二)女壽通用

① 玉樹盈階秀
　 金萱映日榮㊀

② 瑤池春不老㊁
　 壽域日方長

③ 金萱和日煦
　 寶婺挹星輝㊂

④ 萱草千年綠
　 蟠桃萬樹紅

⑤ 蘭玉一堂眞壽母
　 起居八座太夫人㊃

⑥ 人識此心淸似水
　 天敎有母健如仙

⑦ 天開麗日千秋歲
　 雨沐春風五色雲

⑧ 八座起居天下母
　 諸郎俊傑人中龍㊄

⑨ 麻姑酒滿杯中綠㊅
　 王母桃分天上紅

⑩ 天護慈萱春不老
　 門懸綵帨色常新㊆

⑪ 蟠桃已結瑤池露
　 玉樹長留閬苑春㊇

⑫ 堂北萱榮　慈雲護擁
　 陔前蘭潔㊈愛日綿長㊉

【注　釋】

㊀金萱　卽萱草，稱俗金針菜，相傳食後可以忘憂，故又稱忘憂草。詩經衞風伯兮：『焉得萱草，言樹之背。』毛氏傳：

『背，北堂也。』孔穎達疏：『背者鄕北之義，故知在北，婦人所常處者堂也，故知北堂。』後稱母曰北堂，亦曰萱堂，尊稱人母曰令堂或尊堂，殆皆本此。

㈡瑤池　仙境也，相傳爲仙人西王母所居。神仙傳：『崑崙閬風苑有玉樓十二層，左瑤池，右翠水。』

㈢寶婺　星名，又名女宿、婺女。李商隱七夕詩：『寶婺搖珠佩，嫦娥照玉輪。』

㈣起居八座　杜甫詩：『遷轉五州防禦使，起居八座太夫人。』俗稱乘輿用八人者曰八座。

㈤人中龍　晉宋纖隱居，太守馬岌造之不見，岌歎曰：『名可聞而身不可見，人中龍也。』見晉書本傳。

㈥麻姑　古仙女，建昌人，修道於牟州東南姑餘山。東漢時，仙人王方平降蔡經家，召麻姑至，年十八九，貌美麗，手爪似鳥。謂方平曰：『接侍以來，已見滄海三爲桑田，向到蓬萊，水又淺於往昔，會時略半，豈將復還爲陵陸乎。』見神仙傳。世以麻姑祝女壽，言其長生不老也。

㈦懸帨　禮記內則：『子生，男子設弧於門左，女子設帨於門右。』鄭玄注：『表男女也。弧者，示有事於武也。帨，事人之佩巾也。』後人本此，因謂男子生日爲懸弧令旦，女子生日爲帨辰。

㈧閬苑　神仙所居。續神仙傳殷七七傳：『此花在人間已逾百年，非久卽歸閬苑去。』

㈨陔蘭　詩經小雅有南陔篇，詩序謂孝子相戒以養之詩，今但存篇目而亡其辭，晉束晳補之，載於文選。其詞曰：『循彼南陔，言采其蘭，眷戀庭闈，心不遑安。彼居之子，罔或遊盤，馨爾夕膳，潔爾晨餐。』李善注：『采蘭以自芬香也，循陔也以采香草者，將以供養其父母。』

㈩愛日　喩慈惠。左傳文公七年：『酆舒問於賈季曰：「趙衰趙盾孰賢。」對曰：「趙衰，冬日之日也。趙盾，夏日之日也。」』杜預注：『冬日可愛，夏日可畏。』

㈢雙壽通用

① 星雲同獻壽　日月互爭輝

② 椿萱欣並茂　松柏慶同春

③ 白首相莊多樂事　朱顏並駐祝長生

④ 鳳凰枝上花如錦　松菊堂中人並年

⑤ 南山壽獻長生酒　北海樽開不老仙

⑥ 蓬島眞人　瑤池仙子　世間全福　天上雙星

㈣五十歲男壽

① 元龍早日推湖海㈠　安石中年付竹絲㈡

② 年齊大衍經綸富㈢　學到知非德器純㈣

【注釋】

㈠元龍　東漢陳登字。登下邳人，性忠亮高爽，有扶世救民之志，建安中，累官至廣陵太守。許汜嘗謂劉備曰：『元龍湖海之士，豪氣不除。』見三國志魏書本傳。

㈡安石　東晉謝安字。晉書王羲之傳：『謝安嘗謂羲之曰：「中年以來，傷於哀樂，與親友別，輒作數日惡。」羲之曰：「年在桑榆，自然至此。頃正賴絲竹陶寫（謂娛樂性情，宣洩鬱悶也），恆恐兒輩覺，損其歡樂之趣。」』

㈢大衍　五十之代詞。周易繫辭：『大衍之數五十。』王弼注：『演天地數，所賴者五十也。』

㈣知非　俗以五十歲爲知非之年。淮南子原道訓：『蘧伯玉行年五十，而知四十九年之非。』高誘注：『伯玉，衞大夫蘧瑗也。今年所行是也，則還顧知去年之所行非也，歲歲悔之，以至於死，故有四十九年非，所謂月悔朔，日悔昨也。』

㈤五十歲女壽

①萱閣花經春半百
　瑤池桃熟歲三千

②萱草敷榮　正百歲平分　春濃璇闥
　桃花開滿　又千年結實　瑞靄瑤池

㈥五十歲雙壽

①瑞集華堂　椿萱並茂
　壽添大衍　松柏長春

②鶴算雙添　五旬初度㈠
　鹿車共挽㈡百歲長生

【注　釋】

㈠初度　楚辭離騷：『帝高陽之苗裔兮，朕皇考曰伯庸。攝提貞於孟陬兮，惟庚寅吾以降。皇覽揆余於初度兮，肇錫余以嘉名。』王逸注：『言父伯庸觀我始生年時，度其日月，皆合天地之正中，故賜我以美善之名也。』後因稱生日曰覽揆、初度。

㈡鹿車共挽　後漢書列女傳：『渤海鮑宣妻者，桓氏之女也，字少君。宣嘗就少君父學，父奇其清苦，故以女妻之。裝送資賄甚盛，宣不悅，妻乃悉歸侍御服飾，更著短布裳，與宣共挽鹿車歸鄉里。拜姑禮畢，提甕出汲，修行婦道，鄉邦稱之。』按應劭風俗通曰：『俗說鹿車狹小，裁容一鹿。』蓋極言其小且陋也。

㈦六十歲男壽

①杯傾北海辰初度
　頌獻南山甲再周

②春秋長不老
　花甲喜重開

③延齡喜種神仙草
　紀算新開甲子花

④
花開周甲徵全福
星耀長庚祝大年㊀

【注釋】

㊀長庚　即金星，亦名太白星，壽星也。

(八)六十歲女壽

①
六秩華齡新歲月
三遷慈訓大經綸

②
萱花堂北周榮甲
桃實池西獻及辰

③
瑤池春不老
壽域日開祥

④
玉樹階前　蟠桃競獻
金萱堂上　花甲初周

(九)六十歲雙壽

①
八千歲椿萱並壽
六十年花甲一周

②
花甲齊年　駢臻上壽
芝房聯句　共賦長春

③
覽揆逢辰　極媊並耀㊀
延年周甲　弧帨交懸

④
偕老歌詩　祥徵六秩
同年益壽　頌獻三多

【注釋】

㊀極媊　極，南極。媊，女媊。皆壽星也。

(一)七十歲男壽

① 風徽爲今之範㊀
仁壽乃古所稀㊁

② 國中從此尊鳩杖㊂
池上於今有鳳毛㊃

③ 從古稱稀尊上壽
自今以始樂餘年㊄

④ 八千歲爲春　自今伊始
七十杖於國㊅　從古稱稀

【注釋】

㊀風徽　風韻音徽也。舊唐書文苑傳：『攄淵雲之抑鬱，振潘陸之風徽。』

㊁古稀　謂年七十也。杜甫曲江詩：『酒債尋常行處有，人生七十古來稀。』

㊂鳩杖　刻鳩於杖也。後漢書禮儀志：『仲秋之月，案戶比民，年始七十者授之以玉杖，八十九十禮有加，賜玉杖長尺，端以鳩鳥爲飾。鳩者，不噎之鳥也，欲老人不噎。』

㊃鳳毛　譽人之子有文采也。世說容止篇：『王敬倫導子風姿似父，作侍中，公服從大門入，桓公望之曰：「大奴固自有鳳毛。」』

㊄自今以始　時人有『人生七十才開始』之說。

㊅杖國　禮記王制：『五十杖於家，六十杖於鄉，七十杖於國，八十杖於朝。』

(二)七十歲女壽

① 天錫稀齡春不老
庭懸綵帨色常新

② 春永蓬山　七旬晉壽
蘆蕃萱室　百歲延齡

③ 春滿萱闈　天錫純嘏㊀
日暖蓬島　壽屆古稀

【注　釋】

㈠純嘏　詩經魯頌閟宮：『天錫公純嘏，眉壽保魯。』鄭玄箋：『受福曰嘏。』

㈡七十歲雙壽

①日月雙輝　惟仁者壽
　陰陽合德　眞古來稀

②鴻案眉齊　稀齡上壽
　鹿車手挽　仙眷長春

③天上雙星　自是神仙眷屬
　人間二老　咸稱福壽古稀

④重開合巹華筵　天上碧桃　正駢枝結實
　來祝古稀大壽　雲間青鳥　亦比翼飛來

㈢八十歲男壽

①祥開耆耋㈠
　望若神仙

②耆年可入香山社
　碩德應宏渭水猷㈡

③蟠桃已結三千歲
　上壽還期二十春㈢

④讀萬卷書　行萬里路
　躋八旬壽　祝八千春

【注　釋】

㈠耆耋　禮記曲禮：『八十九十曰耄。』又郭璞爾雅釋言注：『八十爲耋。』是耆耋爲同義之複合詞。

㈡渭水猷　周呂尚年逾八十，釣於磻溪之茲泉，文王出獵，遇於渭水之陽，載與俱歸，立爲師。武王滅紂，有天下，尚謀居多。見史記齊太公世家。

㈢上壽　謂百歲也。莊子盜跖篇：『人上壽百歲，中壽八十，下壽六十。』

㈣八十歲女壽

① 上壽籌添春二十
　西池桃熟歲三千

② 設帨蘭陔　祥徵八秩
　奉觴萱室　詩頌九如

③ 八秩稱觴　北堂萱草眉舒綠
　千秋佳節　西母蟠桃面映紅

④ 踰古稀又十年　欣見慈顏久駐
　去期頤尚廿載　預徵後福無疆

㈤八十歲雙壽

① 鸞笙合奏和聲樂
　鶴算同登大耋年

② 弧帨交懸　年齊八秩
　極媊並耀　光照千秋

③ 南極星輝　光騰畫綵
　西池桃熟　香繞瑤階

④ 望三五夜月　對影而雙　天上人間齊煥采
　佔八千春秋　百分之一　椿庭萱舍共遐齡

㈥九十歲男壽

① 蟠桃歷三千歲月
　嶺算積九十春秋

② 瑤池果熟三千歲
　海屋籌添九十春

③ 閒雅鹿裘　人生三樂㈠
　逍遙鳩杖　天保九如

④ 桃實三千獻仙果
　椿陰九十駐春光

【注　釋】

㈠人生三樂　春秋時，魯有榮啓期者，賦性達觀，孔子見於泰山之下，鹿裘帶索，鼓琴而歌。孔子問曰：『先生何樂也。』對曰：『吾樂甚多。天生萬物，惟人爲貴，吾得爲人，一樂也。男女之別，男尊女卑，吾得爲男，二樂也。人生有不見日月、不免襁褓者，吾行年九十矣，三樂也。貧者士之常，死者民之終，居常以待終，何不樂也。』見列子天瑞篇及孔子家語六本篇。

㈦九十歲女壽

① 良辰逢九秩　上壽祝千春

② 蓬瀛開壽域　耆耋慶長春

③ 萊綵一堂輝玉燭㈠　瑤池九醞醉蘭觴

④ 瑞集三臺添鶴算　壽登九秩晉霞觴

⑤ 蓬島春長　九旬洽慶　萱堂日永　百歲延齡

⑥ 九旬康樂貞全福　八座風光孰比肩

【注　釋】

㈠萊綵　皇甫謐高士傳：『老萊子年七十，作嬰兒戲，著五色斑斕衣，取水上堂，跌仆臥地，爲小兒啼，欲母喜。』後因謂人子娛親曰戲綵。

㈥九十歲雙壽

① 人近百年猶赤子　天留二老看玄孫

② 凝眸極婺騰雙彩　屈指期頤晉一旬

③ 鴻案齊眉　長偕伉儷　鶴籌添算　卽晉期頤

(九)百歲男壽

①人生不滿公今滿
世上難逢公竟逢

②期頤百歲稱人瑞
福壽雙全蔚國華

③上壽無疆 競稱人瑞
長春不老 永荷天庥

④古柏長春 壽高百歲
蟠桃嘉會 果熟千年

⑤嘏祝千秋 邦家一瑞
籌添百歲 福壽雙全

⑥行樂及時 已得三萬六千日
大德必壽 預祝一百二十年

⑦洵是人間祥瑞
居然地上神仙

(一〇)百歲女壽

①簾引玉娥 八璈齊奏
筵開金母 百歲長綿

②桃熟三千 瑤池啓宴
籌添一百 海屋稱觴

(一一)百歲雙壽

①孫子生孫 五世其昌稱國瑞
老人偕老 百年共慶合家歡

②人瑞同稱 耀聯弧帨
天齡永享 慶溢期頤

③壽域宏開 百世難逢人百歲
德門軒敞 重堂今見日重華

④五代同居 如木之長 如流之遠
百年偕老 吾聞其語 吾見其人

(一二)百歲以上男壽

① 壽晉期頤 天年永錫
光增史乘 人瑞長傳

② 上壽越期頤 綽楔褒榮光里乘㈠
大齊綿歲月 蓬壺駐影傲仙家㈡

【注釋】

㈠綽楔 古時用以旌表之物。詳見五代史李自倫傳。

㈡大齊 大限也。列子楊朱篇：『楊朱曰：「百年，壽之大齊，得百年者，千無一焉。」』

㈢百歲以上女壽

① 鶴算添籌逾百歲
萊衣絢綵永千秋

（三）居第

㈠新屋落成

① 樓臺凌碧宇
堂構煥朱門㈠

② 門庭新氣象
堂構毓人龍

③ 祥雲浮紫閣
喜氣繞朱軒

④ 江山秀色歸新宇
奎璧清輝映畫堂㈡

⑤ 五柳舊稱陶令宅㈢
百花新構杜陵居㈣

⑥ 何須玉宇瓊樓 方稱傑構
即此德門仁里 便是安居

⑦ 大啓爾宇
長發其祥

⑧ 美輪美奐㈤
爰處爰居

⑨ 堂構鼎新綿世澤
箕裘長紹振家聲㈥

⑩ 日月光華臨上第
山川環拱映雕欄

【注釋】

㈠堂構　尚書大誥：『若考作室，既底法，厥子乃弗肯堂，矧肯構。』孔安國傳：『以作室喩治政也，父已致法，子乃不肯爲堂基，況肯構立屋乎。』

㈡奎　星名，二十八宿之一，主文章，故言文運者，多用此字。

㈢陶令宅　陶潛五柳先生傳：『先生不知何許人也，亦不詳其姓字，宅邊有五柳樹，因以爲號焉。』按五柳先生爲陶潛之自號。

㈣杜陵　唐詩人杜甫嘗居長安之杜陵，自稱杜陵布衣，又稱少陵野老。見唐書本傳。

㈤美輪美奐　謂居第之高大華美也。禮記檀弓：『晉獻（慶賀）文子（晉卿趙武子）成室，晉大夫發焉。（發，禮也。言趙武新居落成，晉君往賀，朝廷大夫並發禮，從君往賀之。）張老曰：「美哉輪焉，美哉奐焉。」』鄭玄注：『心識其奢也。輪，輪囷，言高大。奐，言衆多。』

㈥箕裘　禮記學記：『良冶之子，必學爲裘，良弓之子，必學爲箕。』後因用爲克承家業之義。

(二)遷　居

① 門庭新氣象
詩禮舊人家

② 鶯遷仁是里㈠
燕喜德爲鄰㈡

③ 里有仁風春日永
家餘德澤福星明

④ 甲第喜呈新氣象
儒門不改舊家風

⑤ 美奐美輪　卜云其吉
肯堂肯構　居之也安

⑥ 德必有鄰　人傑地靈毓瑞氣
仁者擇里　風淸日永樂安居

⑦ 鶯遷金谷曉
花報玉堂春

⑧ 山川鍾靈秀　欣覩盈門凝瑞氣
日月煥光華　佇看奕葉啓人文

【注釋】

㈠鶯遷　詩經小雅伐木：『伐木丁丁，鳥鳴嚶嚶，出自幽谷，遷於喬木。』後遂以爲移居之祝頌辭。

㈡燕喜　猶言安樂。詩經魯頌閟宮：『魯侯燕喜，令妻壽母。』

㈢商店遷址

① 擇地爲良　因近利市
多財善賈　是大商家

② 駿業弘開　氣象一新覘盛概
鶯遷叶吉　利市三倍展鴻圖

㈣公司行號開業

① 百貨盡銷交易外
三臺都入範圍中

② 出入商場稱健將
推銷國貨寓良謀

③ 美利造成新企業
富源開闢大中華

第七節　輓聯實例

（一）通　用

㈠男性通用

①山頹木壞㊀
雨泣風號

②人生如大夢
天地本無情

③人間耆老逝
天上大星沈

④天不遺一老㊁
人已足千秋

⑤壺中日月三生夢㊂
海上雲山萬里秋

⑥鶴駕已隨雲影杳㊃
鵑聲猶帶月光寒

⑦白馬素車愁入夢㊄
青天碧海悵招魂

⑧大雅云亡梁木壞
老成凋謝泰山頹

⑨三十年患難相依　情深瀛海
八千里河山待復　痛隔人天

⑩大雅云亡　空懷舊雨㊅
哲人其萎　悵望高風

⑪菊徑荒涼　道山遽返㊆
蓉城縹緲㊇　仙駕難迴

⑫世事歎無常　空留塵榻
音容渺何處　悵望人琴㊈

⑬泰岳其頹　親戚友朋咸震悼
大星云落　人間天上共含哀

⑭契合擬金蘭㊉　情懷舊雨
飄零悲玉樹　淚灑西風

⑮樽酒暢言歡　燭剪西窗(十一)　猶憶風姿磊落
人琴嗟已渺　梅殘東閣(十二)　空餘月影橫斜

⑯龍隱海天雲萬里
鶴歸華表月三更(十三)

【注釋】

㊀山頹木壞　禮記檀弓：『孔子早作，負手曳杖，消搖於門，歌曰：「泰山其頹乎，梁木其壞乎，哲人其萎乎。」既歌而入，當戶而坐。子貢聞之，曰：「泰山其頹，則吾將安仰。梁木其壞，哲人其萎，則吾將安放。夫子殆將病也。」遂趨而入，夫子曰：「夫明王不興，而天下其孰能宗予，予殆將死也。」蓋寢疾七日而沒。』後哀悼師表或尊長死者，

恆用此事。

㊁不遺一老　左傳哀公十六年：『旻天不弔，不憖遺一老。』憖，願也，肯也。遺，留也。

㊂壺中日月　張君房雲笈七籤：『施存，魯人，學大丹之道，遇張申，爲雲臺治官，常懸一壺，如五升器大，化爲天地，中有日月，夜宿其內，自號壺天，人謂曰壺公。』

㊃鶴駕　周靈王太子王子喬名晉善吹笙，作鳳鳴，從道士浮丘公學道於嵩山，三十餘年後，乘白鶴駐緱氏山頭，舉手辭謝世人，數日而去。見劉向列仙傳。後謂仙駕曰鶴駕。薛道衡老氏碑：『蜺裳鶴駕，往來紫府。』

㊄白馬素車　東漢范式字巨卿少游太學，與張劭字元伯爲友。後劭卒，式夢劭告以死日及葬期，式數其葬日往，時喪已發，至壙將窆而柩不肯進，停柩移時，式素車白馬，號哭而來，叩喪言曰：『行矣元伯，死生異路，永從此辭。』爲執紼引進，柩於是乃前。見後漢書本傳。

㊅舊雨　謂老友也。杜甫詩小序：『臥病長安，尋常車馬之客，舊雨來，今雨不來。』

㊆道山　仙山也。蘇軾詩：『道山蓬室知何處。』世因稱人死曰歸道山，謂其解脫而仙去也。

㊇蓉城　芙蓉城之省稱。歐陽修六一詩話：『石曼卿卒後，故人有見之者，恍惚如夢，云我今爲仙，主芙蓉城。』蘇軾芙蓉城詩：『芙蓉城中花冥冥，誰其主者石與丁。』石即石曼卿，丁謂丁度也。

㊈人琴　晉書王徽之傳：『王獻之卒，徽之不哭，取獻之琴彈之，久而不調，歎曰：「嗚呼子敬獻之字，人琴俱亡。」』後人常引用爲傷悼之辭。

㊉金蘭　周易繫辭：『二人同心，其利斷金，同心之言，其臭如蘭。』金喻堅，蘭喻香，言交情契合也。

⑪燭剪西窗　李商隱夜雨寄北詩：『君問歸期未有期，巴山夜雨漲秋池，何當共剪西窗燭，卻話巴山夜雨時。』

⑫梅殘東閣　杜甫和裴迪登蜀州東亭送客詩：『東閣官梅動詩興，還如何遜在揚州。』按東閣在四川簡陽縣東，亦曰東

亭。

㊂鶴歸華表　東漢時，有遼東人丁令威者，學道於靈虛山，後化鶴歸里，集城門華表柱(按即今之路牌)。時有少年舉弓欲射之，鶴乃飛，徘徊空中而言曰：『有鳥有鳥丁令威，去家千歲今始歸，城郭如故人民非，何不學仙去，空伴冢纍纍。』遂高上沖天。事見陶潛搜神後記。

㈡女性通用

①
星沈寶婺
駕返瑤池

②
名標彤史範㊀
望斷白雲鄉㊁

③
蓬島歸仙駕
萱幃著母儀

④
花落萱幃春去早
光寒婺宿夜來沈

⑤
慈竹當風空有影
晚萱經雨不留芳

⑥
寶婺光沈天上宿
蓮花香現佛前身㊂

⑦
溫恭允著閨中則
淑愼堪稱閫內師㊃

⑧
彤管芬揚　久欽懿範
繡幃香冷　空仰徽音

⑨
涼月淒清　光沈婺宿
慈雲縹緲　遠隔仙鄉

⑩
南國化行　長留懿範
北堂春去　空憶慈容

⑪
閫範垂型　賢推巾幗
婺星匿采　駕返蓬萊

⑫
青鳥傳來㊄　王母歸時環珮冷
玉簫聲斷　秦娥去後鳳臺空

⑬
相夫挽鹿　課子丸熊㊅　淑德早標彤史範
佛座拈花　慈幃摧竹　仙踪悵望白雲鄉

⑭
持勁節以撫諸孤　早有賢聲傳里巷
稟懿德而享上壽　毫無遺憾到泉臺㊆

⑮
是壽母　是福星　厥德不孤　其則不遠
有賢孫　有孝子　雖死之日　猶生之年

【注釋】

㈠彤史　周女官名，掌執赤筆以記宮中政令及后妃之事，唐及明歷代多置之。詩經邶風靜女：『靜女其孌，貽我彤管。』鄭玄箋：『彤管，筆赤管也。』孔穎達疏：『必以赤者，欲使女史以赤心事夫人而正妃妾之次序也。』

㈡白雲鄉　謂仙鄉也。莊子天地篇：『乘彼白雲，至於帝鄉。』飛燕外傳：『后（按指趙飛燕）是夜進合德，帝大悅，以輔屬體，無所不靡，謂為溫柔鄉。謂樊嫕曰：「吾老是鄉矣，不能效武皇帝求白雲鄉也。」』

㈢蓮花　佛家謂諸佛報身之淨土，為寶蓮花所成，故以諸佛菩薩之座為蓮座（亦稱蓮臺），西方極樂世界為蓮邦，求生極樂淨土之宗門為蓮宗（亦稱淨土宗）。華嚴經：『一切諸佛世界，悉見如來坐蓮花寶師子之座。』

㈣閫內　亦曰閫幃、閫闥，指婦女所居之內室也。按閫為門限，婦女居閫內，故稱婦德足資法式曰閫範（亦曰閫則、閫德），婦人之威儀曰閫儀。

㈤青鳥　班固漢武故事：『七月七日，忽有青鳥飛集殿前，東方朔曰：「此西王母欲來。」有頃，王母至，三青鳥夾侍王母旁。』後人言使者，多借用之。李商隱無題詩：『蓬萊此去無多路，青鳥殷勤為探看。』

㈥丸熊　唐柳仲郢嗜學，母韓氏常揉和熊膽為丸，使夜咀嚼以助勤。見白孔六帖。按熊之膽汁，舊以入藥，謂可退熱清心，有奇效。

㈦泉臺　猶言泉下、泉路、泉裏、泉鄉、泉途、夜臺、黃泉、泉壤、地下，均指墳墓而言。黃滔傷翁外甥詩：『泉臺月桂分。』

（三）政界

㈠政　界

①
直道至今猶在
清名終古常留

②
澤及萬民歌大德
望隆四海仰高風

③
政績應書循吏傳㈠
謳歌早勒去思碑㈡

④
鞠躬盡瘁　死而後已
盛德至善　民不能忘

⑤
一代勛名垂不朽
九天靈爽佑中興

⑥
文德事功垂奕世
岱頹星墜有哀聲

⑦
勛業已歸前輩錄
典型留與後人看

⑧
邦國之光　載道口碑遺澤遠
風雨如晦　仰天涕淚大星沈

【注　釋】

㈠循吏傳　史記有循吏傳，專記奉法循理之官吏，後之作正史者多仿之。

㈡去思碑　古時有德政之官吏，離職後士民往往為之立碑，以留紀念，曰去思碑，亦曰德政碑。惟德政碑亦有立於官吏在位時者，去思碑則皆立於去官之後。詳見集古錄及碑版廣例。

㈡政界之父

①
忠孝見貽謀　有子能擔天下事
哀榮酬盛德　傷心遽失老成人

㈢政界之母

①
萱草風摧　菽訓長垂千古遠㈠
蘭階日麗　棠陰已被萬家多㈡

【注釋】

㊀荻訓　宋歐陽修四歲而孤，母鄭氏親課之讀，家貧，至以荻畫地學書。見宋史本傳。後世常引此事以稱頌母教。

㊁棠陰　詩經召南有甘棠篇，序謂周召公巡行南國，勸政勸農，止舍於甘棠之下，既去，民愛其樹而不忍傷，為作是詩。世因以棠陰為稱頌賢吏之詞，言去官有遺愛也。

(三) 軍界

(一) 軍界

① 大樹風高萬人敵㊀
將軍星殞一天寒

② 天上大星沈　萬里雲山同慘淡
人間寒雨迸　三軍笳鼓共悲哀

③ 棟折梁傾　萬里烽煙悲故國
勳崇德邁　千秋榘範仰英賢

④ 懋積著一代
英名照千秋

⑤ 天隕巨星　海嶠軍民齊下淚
佛言因果　勳名德業自前修

⑥ 國步艱難　百戰河山光九域
巨星隕落　滿天風雨泣三臺

⑦ 偉業勛名同不朽
文章政事共千秋

⑧ 苦心孤詣　勞而不辭　邦國方興人傑出
鞠躬盡瘁　死而後已　海天齊悼將星沈

⑨ 偉略佐中興　盡瘁鞠躬　一代勳名光史冊
神州猶未復　撫膺雪涕　八方風雨弔忠魂

⑩ 保國衞民　百戰勛名留青史
閎中肆外　一身忠義在人間

【注釋】

㈠大樹　東漢名將馮異性謙退，每所止舍，諸將常並坐論功，異獨屏立樹下，軍中號爲大樹將軍。見後漢書本傳。

㈡軍界之父

齒德羡兼尊　教子成名　北斗泰山同仰望
旌旗空有影　送喪執紼　西風鼙鼓助悲哀

㈢軍界之母

令子多才　韜鈐樹略㊀
母儀足式　彤管流芳

【注　釋】

㈠韜鈐　古兵書有六韜及玉鈐篇，故謂用兵之法曰韜鈐。張說赴朔方軍應制詩：『禮樂逢明主，韜鈐用老臣。』

(四)學　界

㈠學　界

①
人間未遂青雲志
天上先登白玉樓㊀

②
學界於今傷鉅子
名山自古有遺書㊁

③
筆擅雕龍㊂文修天上
才雄倚馬㊃星隕人間

④
大雅云亡　莫沾化雨
哲人其萎　空仰高風

⑤
白髮著書留盛業
青山埋骨是他鄉

⑥
海表賦同仇　黃絹方裁人竟去
天涯哀永逝　赤氛未靖鶴安歸

⑦ 黌宇續長留　手種楩楠成大器
詞林名最盛　夢迴塵劫趣西方

⑧ 詞客哀時　早有文章驚海宇
春風傷逝　永教花鳥護山丘

⑨ 庠序育才多　誨人不倦身為瘁
文章憎命達㊄與世無爭品自高

⑩ 黌舍流徽　碩德令名尊一老
文壇雅望　清才盛節足千秋

⑪ 勵學育才　經世文章傾四海
歸眞返璞　漫天風雨暗三臺

⑫ 誨人不倦　卽之也溫　痛失良師兼益友
處世無爭　卓然有立　長留道範與瓌詞

⑬ 文曲云落　斯文將絕
泰山其頹　吾道已窮

⑭ 閭里望隆　繞室芝蘭咸挺秀
菁莪樂育　滿門桃李盡成才

⑮ 作一代女師　卽令班謝復生　都無愧色
擴千秋母範　轉惜孟桓垂教　祗限家庭

按⑭⑮二聯宜用於女性教師。

【注釋】

㊀白玉樓　李商隱李賀小傳：『賀晝見一緋衣人，駕赤虬，持一板，書太古篆，曰：「帝成白玉樓，立召君為記。」賀旋卒。』後世因稱文人之死曰玉樓赴召，或玉樓修記。

㊁名山　史記太史公自序：『厥協六經異傳，整齊百家雜語，藏之名山，副在京師，俟後世聖人君子。』司馬貞索隱：『言正本藏之書府，副本留京師也。穆天子傳：「天子北征，至於羣玉之山，河平無險，四徹中繩，先王所謂策府。」郭璞云：「古帝王藏策之府。」則此謂藏之名山是也。』後因稱著作之事曰名山事業。

㈢雕龍　戰國時，齊人鄒衍，迂大而閎辯，喜言五德與天地。又有鄒奭者，時採鄒衍之術以紀文。齊人頌衍曰談天衍，奭曰雕龍奭。見史記孟荀列傳。按劉向別錄曰：『鄒奭修衍之文飾，若雕鏤龍文，故曰雕龍。』

㈣倚馬　世說文學篇：『桓宣武（桓溫）北征，袁虎時從，被責免官，會須露布文，喚袁倚馬前令作，手不輟筆，俄得七紙，殊可觀，東亭在側，極歎其才。』李白與韓荊州書：『雖日試萬言，倚馬可待。』後因謂文思敏捷曰倚馬才。

㈤文章憎命達　言文人命途多乖也。杜甫天末懷李白詩：『涼風起天末，君子意如何。鴻雁幾時到，江湖秋水多。文章憎命達，魑魅喜人過。應共冤魂語，投詩贈汨羅。』

㈠學界之父

①
有子能繼承文章事業
惟公得並享福壽康寧

②
厚德含宏　行看驥兒綿世澤
徽音乍渺　驚聞鶴駕返仙鄉

③
家學紹心傳㈠　鯉對叨陪詩禮訓㈡
耆賢多手澤㈢　鴻文留與子孫看

【注　釋】

㈠心傳　謂學說之傳授也。宋于恕編橫浦心傳錄，專收其舅氏張九成之語錄。

㈡鯉對　謂子承父教也。論語季氏篇：『陳亢問於伯魚（孔鯉字）曰：「子亦有異聞乎。」對曰：「未也。嘗獨立，鯉趨而過庭。曰：學詩乎。對曰：未也。不學詩，無以言。鯉退而學詩。他日，又獨立，鯉趨而過庭。曰：學禮乎。對曰：未也。不學禮，無以立。鯉退而學禮。聞斯二者。」』

㈢手澤 禮記玉藻：『父沒而不能讀父之書，手澤存焉耳。』孔穎達疏：『謂其書有父平生所持手之潤澤存在焉，故不忍讀也。』後以謂先人所遺手跡及文稿。

㈢學界之母

① 令子爲文壇一秀
太君有懿範千秋

② 敎子成名 忽報淒風摧孝竹
明德必達 佇看哲嗣振家聲

(五) 工商界

㈠工商界

① 大德云亡 空懷端木
典型足式 悵望陶朱

② 忠厚存心 遐邇咸欽盛德
音容隔世 經營空惜長才

③ 致富萬金 爲工商界中泰山北斗
斯人千古 是貨殖傳上猗頓陶朱㈠

④ 齒德兼尊 猶執謙恭延後輩
典型具在 尚留聲望在商家

⑤ 一生以信義爲歸 差擬史書著平準㈡
二豎竟膏肓成祟㈢ 那堪商界失儀型

⑥ 凶問俄傳 市垣雲黯
德音已渺 海島風淒

【注釋】

㈠猗頓 春秋魯人，本窮士，後用盬鹽及畜牧致富，貲埒王侯。見史記貨殖傳集解。

㈡平準　史記有平準書，司馬貞索隱云：「大司農屬官有平準令，以均天下郡國輸斂，貴則糶之，賤則買之，平賦以相準，輸歸於京師，故曰平準。」

㈢二豎膏肓　左傳成公十年：『晉景公疾病，求醫於秦，秦伯使醫緩爲之，未至，公夢疾爲二豎子，曰：「彼良醫也，懼傷我，焉逃之。」其一曰：「居肓之上，膏之下，若我何。」醫至，曰：「疾不可爲也，在肓之上，膏之下，攻之不可，達之不及，藥不至焉，不可爲也。」公曰：「良醫也。」厚爲之禮而歸之。』按膏，心下微脂，肓，鬲上薄膜，肓上膏下，卽心鬲之間，故曰攻之不可，達之不及。後謂疾病不治者曰病入膏肓，二豎爲病魔之稱。

㈠工商界之父

① 晚境履豐亨　籌算相承賢後嗣
古風敦樸素　典型猶憶老成人

② 聲望冠市廛　齒德俱尊方信善人終是福
懋遷承先志　箕裘克紹固知貨殖有眞傳

㈢工商界之母

① 哲嗣爲闤闠鉅子
賢母是巾幗英雄

② 致富費艱劬　信格豚魚原母教㈠
治家遺典範　駕驂鸞鶴赴仙鄉

【注釋】

㈠信格豚魚　周易中孚卦：『豚魚吉，信及豚魚也。』王弼注：『爭競之道不興，中信之德淳著，則雖微隱之物，信皆及之。』格，感通也。

(六) 父母喪堂

(一)喪父母通用

① 蘭陔雨泣
親舍雲迷

② 承歡無地
抱恨終天

⑧ 親恩罔極
子職多虧

④ 悲興風木
詩廢蓼莪

⑤ 知孝親時親不在
欲勤子職子無依

(二)父喪

① 椿庭形影渺
梓舍淚痕多㊀

② 靈椿摧夜雨
寸草泣春暉

③ 泣血倚苫廬　此後惟餘風木淚
搥心思父德　從今怕讀蓼莪篇

【注釋】

㊀梓舍　人子自稱之辭。尚書大傳梓材：『南山之陽有木焉，名喬，高高然而上，喬者父道也。南山之陰有木焉，名梓，晉晉然而俯，子道也。』後人因謂父子曰喬梓。

(三)母喪

① 淒風寒梓舍
苦雨泣萱堂

② 永懷風木句
應廢蓼莪詩

③ 蓬島歸仙駕
萱幃想母儀

(四)岳父

① 公不少留　風木傷心分半子
吾將安仰　音容回首隔重泉

② 我愧乘龍　甥館自慚稱半子㊀
公今駕鶴　壻鄉從此仰何人㊁

【注釋】

㈠甥館　孟子萬章篇：『舜尚見帝，帝館甥於貳室。』趙岐注：『禮謂妻父曰外舅，謂我舅者，吾謂之甥，堯以女妻舜，故謂舜甥。』後稱女壻所居之處曰甥館。

㈡壻鄉　古地名，在今陝西城固縣境。酈道元水經沔水注：『左谷水出漢西北，卽壻水也。唐公房升仙之日，壻行未還，不獲同階雲路，約以此川爲居，言無繁霜蛟龍之患，其俗以爲信然，因號爲壻鄉，並名水曰壻水。』

㈤岳母

①
甥館護慈雲　愛女情深兼及壻
靈幃瞻泰水　遊仙夢去倍傷神

②
愧我昔乘龍　自入壻鄉蒙厚愛
遊仙今駕鶴　何堪甥館杳慈雲

③
半子沐深恩　客路何堪傷泰水
百身眞莫贖　海天無計報親娘（壻與女同輓）

（七）師長

㈠業師

①
當年幸立程門雪
此日空懷馬帳風

②
立雪憶高門　敎澤欣沾　如坐春風承化育
歸眞驚噩耗　音容頓杳　那堪桃李失瞻依

③
廿載道能弘　明德新民存敎澤
千秋名不朽　博文約禮仰師恩

④
杖履失追陪　道範感人　不禁歎泰山梁木
門牆親侍列　典型式我　最難忘化雨春風

(一)師母

① 門下昔相依　感師母同聲頌德
　 座前今致奠　願先生破例達觀

(八) 自輓

(一)男子

① 放眼千秋　說甚麼天上人間　到此都成幻境
　 回頭一笑　歷多少塵緣魔劫　而今還我前身

② 做不完身修心正功夫　願來生百行無虧　五倫克盡
　 嘗徧了國難家愁滋味　到今日一肩可卸　兩手空歸

(二)女子

① 我別良人去矣　大丈夫何患無妻　他年重結絲蘿㊀　莫對生妻談死婦
　 兒從嚴父難哉　小孩子終當有母　異日得蒙鞠養　須知繼母即親娘

② 十年爲婦婦無成　恨事翁不逮　事姑不終　辜負有情郎　痛深鰥淚
　 一語告君君須記　歎夢熊未占　夢蛇未協㊁　母戀薄命女　早續鸞膠

【注釋】

㊀絲蘿　結婚之喻。文選古詩十九首：『與君爲新婚，兔絲附女蘿。』呂延濟注：『兔絲、女蘿並草，有蔓而密，言結婚情如此。』

㊁夢熊夢蛇　詩經小雅斯干：『大人占之，維熊維羆，男子之祥，維虺維蛇，女子之祥。』鄭玄箋：『大人占之，謂以

聖人占夢之法占之也。熊羆在山，陽之祥也，故爲生男。虺蛇穴處，陰之祥也，故爲生女。』今俗本此賀人生男曰夢熊之喜，生女曰夢蛇之喜。

第八節　贈聯實例

(一) 朋友

①
高懷同霽月
雅量洽春風

②
惟有才華多蘊藉
卻從樸實見風流

③
芝蘭氣味春常滿
冰雪襟懷夏亦清

④
爲樂及時　令德無極
去古不遠　直道在斯

(二) 政界

①
範世有爲兼有守
宅心先實不先名

②
溫然而恭　慨然而義
忠以自勵　清以自修

(三) 軍界

①
詩情偏似陶彭澤㊀
勛業終歸馬伏波㊁

②
大戟長矛　丈夫事業
輕裘緩帶㊂　名將風流

（四）學界

①
一杯在手
萬卷羅胸
（于右任贈林尹聯）

②
嚴勤心兵張筆陣
高擎慧炬燭書城
（成惕軒贈張仁青聯）

③
高文賡白馬
春酒會黃龍
（魯實先贈張仁青聯）

（五）工商界

①
北海酒樽留客醉
南薰琴韻阜財多㈣

②
深藏若虛　王孫善賈㈤
待時而動　君子知幾

（六）醫界

①
術體天心　臺陽望重
功侔相業㈥　橘井名高

②
救世救人　功侔相業
仁心仁術　譽滿杏林

（七）晚輩

①
知多世事胸襟闊
閱盡人情眼界寬

②
書到用時方恨少
事非經過不知難

③
行事莫將天理錯
立身當與古人爭

④
欲無後悔須修己
各有前因莫羨人

⑤
立身苦被浮名累
涉世無如本色難

⑥
能受苦方爲志士
肯吃虧不是癡人

⑦ 海納百川　有容乃大
壁立千仞　無欲則剛

⑧ 靜以修身　儉以養德
勤則不匱　斂則有功

【注　釋】

㈠陶彭澤　晉詩人陶潛曾任彭澤縣令，凡八十餘日，世稱陶彭澤。見晉書隱逸傳。
㈡馬伏波　東漢名將馬援以平定交阯有功，拜伏波將軍，世稱馬伏波。見後漢書本傳。
㈢輕裘緩帶　狀態度之從容儒雅。晉羊祜鎭襄陽，常輕裘緩帶，身不披甲，與吳陸抗對境，務修德信，吳人懷之。見晉書本傳。
㈣南薰　舜嘗作五弦之琴以歌南風，其辭曰：『南風之薰兮，可以解吾民之慍兮。南風之時兮，可以阜吾民之財兮。』見禮記樂記疏。
㈤王孫善賈　西漢王孫卿賣豉致富，以財養士，與雄傑交，王莽以爲京司市師。見漢書貨殖傳。
㈥功侔相業　宋范仲淹少時嘗曰：『不能爲良相，必爲良醫。』見宋史本傳。故世稱良醫功同良相。

第九節　古今聯語選粹

（一）諧趣類

㈠調易君左

易君左閒話揚州　引起揚州閒話　易君左矣

林子超主席國府　連任國府主席　林子超然

易君左先生爲清末民初大詩人易順鼎（字實甫號哭庵）氏之哲嗣，湖南龍陽縣人，鳳毛濟美，甚負時譽。民國二十餘年任職江蘇省政府，嘗於公餘之暇，撰寫閒話揚州，描述揚州人生活奢靡頹廢，缺乏朝氣，引起揚州各界人士反感，羣情激憤，聯名上書省府，迫令易氏辭職，一場筆墨風波，乃告平息。當時上海某報因就其事撰上聯公開徵對，下聯作者爲誰，已不復知矣。按下聯『子超』二字爲當時國民政府主席林森氏之別號。

㈡無　題

梅蘭芳伶梅之梅　陳玉梅影梅之梅　雙姝徐來　是言菊朋也

左舜生姓左不左　易君左名左不左　二君胡適　豈于右任乎

此乃文人遊戲之作，作者爲誰，已難稽考。上聯綴以影劇界四大名人之姓名（即梅蘭芳、陳玉梅、徐來、言菊朋。），雖稍嫌牽強，但亦甚見匠心。下聯以當代文化界四大名人之姓名（即左舜生、易君左、胡適、于右任。）爲對，並說明左易二氏之政治立場，可謂別具巧思。

㈢調烏姓官員

鼠無大小皆稱老

龜有雌雄總姓烏

清代有學官烏某巡視太學，適值用膳，見諸生雖已年逾弱冠，仍相互爭食，狀如羣鼠，乃出上聯令諸生作答，某生卽以下聯對，學官爲之愕然。

一說：淸制四品以上稱大人，以下皆稱老爺。有一烏姓巡撫視察某縣，聞差役皆呼知縣（按知縣爲七品官）爲老爺，因作上聯譏之，詎料某知縣不甘受辱，卽答以下聯，可謂針鋒相對矣。

四閹豬家春聯

明太祖

雙手擘開生死路
一刀割斷是非根

據滑稽聯話載：春聯之盛，始於明太祖，除夕傳旨，凡公卿士庶家門上，須貼春聯。太祖且微行出觀，偶見一家獨無，詢知爲閹豬苗人家，太祖爲書右聯以貽之。越數日，太祖復出，不見張貼，詢以何故，主人答以御筆所書，特高懸中堂，燃香祝聖，以爲獻歲之瑞云云。太祖大喜，賜銀三十兩。堪稱春聯佳話。

五調左宗棠

爲如夫人洗腳
賜同進士出身

淸左宗棠一日拜訪曾國藩，以交久忘形，逕入內房，見曾氏適爲愛妾洗腳，遂調侃之曰：『爲如夫人洗腳。』曾氏率然對曰：『賜同進士出身。』左氏終身銜之，相傳二人交惡，實自此始。按左氏籍湖南湘陰，道光舉人，殿試屢試不第，後以平回疆之亂有功，淸廷乃以『賜同進士出身』酬之，然左氏固不以爲榮，且深恐他人道及也。

一說：清乾隆中，紀昀爲愛妾洗腳，其友見之，以上聯屬對，紀氏云：『是不難，請以尊銜「賜同進士出身」爲對如何。』友聞之赧然。

(六)調顧問三則

顧此失彼　※　顧我則笑　※　問心有愧

問東問西　　　問道於盲　　　顧影自憐

近今各機關團體爲應付各方面人情，常以『顧問』名義畀予過去顯赫一時之特殊人物，此輩多屬門外漢，既不顧，亦不問，但坐領乾薪而已，因此有人戲作右聯調之，可謂謔而虐矣。

(七)思念多多

朱昌頤

一心祇念波羅蜜

三祝難忘富壽男

清朱昌頤未第時，見其叔父侍婢名多多者，秀外慧中，心甚悅之，會婢索書楹帖，乃信筆書贈右聯。嗣爲其叔發見，欲以婢賜之，婢云：『九郎(朱氏小名)若中狀元，吾當歸之。』明年朱果大魁，其叔爲成好事，一時傳爲佳話。

按『波羅蜜』爲『波羅蜜多』之省稱，梵語，義譯爲到彼岸。『富壽男』爲華州封人祝堯之辭。莊子天地篇：『堯觀乎華，華封人曰：「嘻，聖人，請祝聖人。使聖人壽，使聖人富，使聖人多男子。」』上下兩聯均省去『多』字，蓋婢名多多，作者不敢直書其名，以露形跡也。

又按民初鋼筆初問世時，上海有一少女購以贈其男友明光，作爲畢業賀禮，筆管上刻『光明的我』四字，倒讀則爲『我的明光』矣。其情意之摯，設想之密，與右聯有異曲同工之妙。我國文字之神奇，亦可於此見一斑焉。

(八)曾左交惡

季子敢言高　與吾意見常相左

藩臣徒誤國　問他經濟又何曾

清曾國藩與左宗棠（字季高）一度交惡，時相輕詆，好事者乃以二氏姓名嵌入對聯，以誌其事。

(九)戲金司空

紀昀

水部火災　金司空大興土木

北人南相　中書君甚麼東西

清乾隆中，工部（即水部）發生火災，尙書（即司空）金某奉令監修，內閣某要員特撰上聯公開徵答，紀昀即對以下聯，當時內閣大員猶古之中書省長官也。此聯妙處爲上聯含『金木水火土』五行，下聯含『東西南北中』五方，尤稱千古巧對。

(一〇)責劉湘

劉主席千古

中華民國萬歲

民國二十七年四川省政府主席劉湘卒，有人作右聯輓之。或曰：『上聯與下聯字數不等，不能成對。』作者答曰：『劉湘桀驁不馴，剛愎自用，如何對得起中華民國。』聞者莫不稱絕。

㈡調李鴻章翁同龢

宰相合肥天下瘦
司農常熟世間荒

李鴻章係安徽合肥縣人，翁同龢係江蘇常熟縣人，清末同掌中樞，權傾一時，京中好事者戲製右聯刊諸報端，語雖諧謔，未必是其眞相，而心裁別出，堪稱奇作。

㈢題施粥廠

朱彝尊

同是肚皮　飽者不知飢者苦
一般面目　得時休笑失時人

此爲清詩人朱彝尊題某施粥廠聯，語雖淺俗，而有至理存焉。

㈢無題

氷冷酒　一點　兩點　三點
丁香花　百頭　千頭　萬頭

此乃一拆字聯，係暗拆而非明拆。相傳某酒店因生意蕭條，門常羅雀，乃於店中高懸上聯，公開徵答，中者卽以其女妻之。某君工詩詞，頗負時譽，經友慫恿，躍躍欲試，詎意苦思終夜，未獲佳句，羞憤之餘，乃於黎明時潛赴後園，意圖自盡。俄見丁香花盛開，如萬頭攢動，靈感忽來，急書下聯以應，而獲雀屏之選。

㈣無題

凍雨洒窗　東兩點　西三點
切瓜分菜　橫七刀　竪八刀

此亦一拆字聯，惟係明拆而非暗拆。上聯『東兩點』係將『凍』字拆開，『西三點』係將『洒』字拆開。下聯『橫七刀』係將『切』字拆開，『竪八刀』係將『分』字拆開。

㈤音　樂　家

獨覽梅花掃臘雪
依睨山勢舞流溪

此乃一諧音聯。上聯諧西樂譜『do re mi fa sol la si』，下聯諧數字『一二三四五六七』，可謂別具巧思。

㈥無　　題

男女平權　公說公有理　婆說婆有理
陰陽合曆　你過你的年　我過我的年

此爲民國初年流行於民間之春聯。按民國成立後，政府修訂法律，明定男女平等，並下令改用陽曆，以順應世界潮流。男女平等，乃理所當然，至今尚無人提出異議。獨過年一事，每居陽曆新年，除放假兩天外，民間並無任何慶祝活動，此絕非吾國民性保守，實與農業經濟有關，蓋吾華以農立國，農工人口恆佔百分之八十故也。

㈦無　　題

會中只賸二人　痛君又去
地下若逢諸老　說我就來

某地有九老會，其中七老已逝，第八老逝時，僅賸一老，此老卽輓以右聯。

(八)敬陪末榜

顚之倒之　反在諸君之上
至矣盡矣　方知小子之名

前清時，某生赴京應試，名居榜末，心殊怏怏，乃作右聯以代家書，其父閱之，不覺莞爾。猶憶數年前，某女生參加大專聯合招生考試，錄取私立實踐家政專科學校，亦敬陪末榜，人問之，輒答曰：『向前看是人山人海，向後看是主任委員。』聞者無不解頤，與右聯可謂後先輝映。

(九)贈電話局

祇用耳提　何須面命
吾聞其語　未見其人

此爲某君贈電話局新廈落成楹聯，可稱佳構。

(十)輓汪笑儂　袁克文

你本來七品命官　革職原爲唱捉放
此去有三堂會審　問君可敢罵閻羅

民初名伶汪笑儂原爲某縣縣令，因酷愛平劇，竟粉墨登場，演唱捉放曹，致被革職，乃下海正式爲伶。

相傳胡迪罵閻羅爲其拿手好戲云。按三堂會審亦爲平劇戲目。

㈡自嘲　方爾謙

做七品官　無地皮可刮
住三間屋　有天足自娛

民初袁世凱西席方爾謙（字地山）任某縣縣令時，納一妾名天足，嘗自書右聯貼於門前，方氏之放浪形骸，於此可見。

㈢賀李石曾續婚　賈景德

李下早成蹊　老尚多情呼寶寶
石人亦刮目　曾無一葉不田田

今人李石曾氏七十八歲時與田寶田女士結婚於臺北，時田雖已屆中年，尚饒風韻。賈氏特嵌入二人姓名於聯中爲賀，傳誦一時。按田田一語出古樂府『江南可採蓮，蓮葉何田田。』當解作鮮碧貌，而此則不僅鮮碧之謂矣。

㈢秦蘇聯婚

兩手推開窗前月
一石擊破水中天

宋蘇小妹，東坡女弟也，博學多才，目空士類。相傳花燭之夜，正星稀月朗之時，口占上聯囑其夫對，必對妥始允燕好。新郎憑窗苦思不得，東坡於窗外以石投水，新郎聞聲，觸動靈機，因以下聯爲對。

蓋亦未嘗不可
總之無論如何

㈣無題

甲乙兩君均擅作對聯，一日相聚閒談，甲君順口道出上聯，乙君隨卽答以下聯，可謂旗鼓相敵。

㈤輓髮妻

數十年與汝作夫妻　祇因癖性多乖　朝相罵　夕相爭　到此思量方悔恨
九泉下爲我稟父母　直說兒孫不孝　名未成　學未就　而今家道更飄零

民初江西人詹某，平日與妻感情不睦，時生口角，妻歿，哀痛逾恆，乃輓以此聯，饒有情致。

㈥賀牛稔文娶媳　　紀昀

繡閣團圓同望月
香閨靜好對彈琴

清乾隆中，天津府太守牛稔文乃捐班出身，不嫺文墨，一日爲子娶婦，婦係書香門第。紀於牛爲中表兄弟，應邀製此聯賀之。新婚夫婦有如『琴瑟和鳴』，乃易以『對牛彈琴』，可謂善爲調侃者矣。

㈦賀體育敎師新婚

掀開紅袖題詩句
笑脫青衫試體操

某校體育敎師某君資兼文武，擅作新詩，新婚時友人贈以此聯，令人捧腹。

(二八)調道士離婚

此之謂神仙眷屬
這才是歡喜寃家

某道士結婚，新婦頗嬌豔，不數日，忽告仳離，好事者戲以此聯謔之。

(二九)自　嘲

老驥伏櫪
流鶯比鄰

衡陽某太史，居錢局巷，民國十餘年間，杜門謝客，年垂耄矣。所居巷前後左右皆娼家，太史新春戲題右聯於門，見者無不失笑。

(三〇)五代同堂

階前看孫弄孫　且喜我孫作祖
堂上隨祖拜祖　方知汝祖亦孫

舊日社會盛行大家庭制度，五代同堂恆爲鄉里所豔稱，好事者撰此聯以誌其事，見者無不讚歎。

(三一)雙峯插雲　　紀昀

雙峯隱隱　七層四面八方
孤掌搖搖　五指三長兩短

紀昀(字曉嵐)爲清乾隆時代之幽默大師，所至多傳其韻事。嘗與友人同遊西湖，至雷峯塔下，遙望雙峯插雲，友人忽出上聯屬對，紀略加思索，即得下聯，以數目字對數目字，非特奇才，亦捷才也。相傳紀氏生有異稟，少時能於黑夜中看物如貓眼然，及長，此種特殊眼力始漸減退云。

按雙峯插雲爲西湖十景之一，其餘九景爲：平湖秋月，蘇堤春曉，斷橋殘雪，雷峯夕照，南屏晚鐘，曲院風荷，花港觀魚，柳浪聞鶯，三潭印月。

㈢戲臺聯

臺上笑　臺下笑　臺上臺下笑引笑

裝今人　裝古人　裝今裝古人裝人

此聯不知誰人所撰，語雖戲謔，卻切實情。

㈢水牛與山羊

水牛過水　水淹水牛背

山羊爬山　山搥山羊頭

此乃文人遊戲之作，平仄雖不盡諧，而對仗亦殊工整。

㈣以聯作答　方爾謙

出有車　食有魚　當代孟嘗能客我

裘未敝　金未盡　今年季子不還家

揚州才子方爾謙素工製聯，清末袁世凱任直隸總督時，禮聘入幕，甚見敬重。値歲將闌，幕友多回籍過年，袁氏命公子克文（字寒雲）齎鉅金贈之，且問曰：「聞先生開歲將南歸，信否。」地山笑曰：「翌日可視我春聯。」及履端日，見地山大書右聯於榜門云云。此聯直抒胸臆，而運用典實，恰到好處。以聯作答，尤別開生面。其為人風趣，皆此類也。

(廿五)南京中華門外財神廟楹聯

頗有幾文錢　你也求　他也求　給誰是好
不作半點事　朝也拜　暮也拜　教我為難

天下無不勞而倖得之收穫，亦無徒勞而不穫之耕耘，故君子愛財，取之必以其道。往昔民智未開，一般愚夫愚婦往往以膜拜財神爺為發展之捷徑，而不知奮勉工作，可謂愚不可及。有心人因撰右聯以嘲之，殊足發人深省。

(廿六)文武相輕

兩船競航　櫓速(魯肅)不如帆快(樊噲)
八音齊奏　笛清(狄青)難比簫和(蕭何)

文武相輕，由來已久。昔有文武官員宴集，某武官口誦上聯徵對，意在誇耀武勝於文。某文官亦不甘示弱，口占下聯為答。可謂針鋒相對，軒輊難分。

(廿七)無　題

蔣百里　沙千里　屈萬里　一萬一千一百里
周文王　楚武王　秦成王　不文不武不成王

蔣沙屈三氏均為當代名人，有人戲以其姓名製作上聯徵對，某君答以下聯，頗見巧思。

(三八)熊陳互嘲

四腳橫行　請問有何能幹

一耳偏聽　到底不是東西

熊陳二君均好戲謔，一日酒會相逢，陳忽口誦上聯囑熊爲對，熊略加思索，即以下聯應之。

(三九)無題

琴瑟琵琶　八大王一樣面孔，

魑魅魍魎　四小醜各懷鬼胎

相傳中日甲午戰後，李鴻章奉旨赴日訂立和約，某日宴會時，日相伊藤博文忽口占上聯請李對之，意在譏諷中國缺乏人才，諸親王皆係同樣面孔，毫無作爲。李不假思索，答以下聯，立即還以顏色。或謂該聯爲『琴瑟琵琶八大王，王王在上。魑魅魍魎四小鬼，鬼鬼居邊。』

(四〇)無題

張長弓　騎奇馬　單戈獨戰

接妾手　僂妻心　二人一夫

此爲拆字聯，文人遊戲之筆也。

(四一)調司機

馬達一響　黃金萬兩

車輪剛停　香吻迎人

對日抗戰時，後方交通極爲困難，旅客多搭便車，號稱『黃魚』。汽車司機往往任意需索，無不腰纏萬貫，沿途各站常有『臨時夫人』笑臉迎侲，時人因撰右聯以嘲之。

(四)塾師與婢女

奴手爲拏　勸先生莫拏奴手

人言爲信　請東翁勿信人言

昔有某塾師見東家女婢貌美，意圖染指，一日婢送茶至，塾師欲牽其手，婢避而告其主，主乃出上聯以規之，塾師以前事未遂，答以下聯。

(四)戲　臺

看我非我　我看我　我亦非我

裝誰像誰　誰裝誰　誰就像誰

某地戲臺前懸貼右聯，不知作者爲誰。全聯僅用八個單字，以演員口吻自詡其演技高明，既極通俗動人，又無誇張痕跡，甚具宣傳價值。

(四)送　窮

放千枚爆竹　把窮鬼轟開　兩年來被這小奴才　擾累俺一雙空手

燒三枝高香　將財神請進　從今後願你老夫子　保佑我十萬纏腰

唐韓愈嘗作送窮文，欲將窮鬼送走。某名士戲以春聯出之，亦將國人拜年『恭喜發財』之心理表露無遺。

(二) 譏諷類

(一)諷錢謙益

君恩深似海矣

臣節重如山乎

明常熟大詩人錢謙益，萬曆進士，福王時累官至禮部尚書，國亡降清，爲禮部右侍郎，旋歸鄉里，築室曰絳雲樓，讀書其中，以文章標榜東南。某歲除夕，自撰右聯『君恩深似海，臣節重如山』貼於門前，次晨開門視之，見上下聯各加一虛字，對其忘恩降清極盡諷刺之能事。或謂此聯乃洪承疇所作，未知孰是。

(二)諷張治中

治績何存　兩大方案一把火

中心安忍　三顆人頭萬古寃

抗戰初期，張治中任湖南省政府主席，曾擬訂兩大方案治湘，但多徒託空言，鮮有實效。嗣日寇自武漢南下犯湘，尚未至境，張竟張皇失措，突令長沙軍警四處放火，爲焦土抗戰預作準備，於是全城精華，付之一炬。事後檢討，復諉過於部屬，將長沙警備司令酆悌、保安團長徐昆、警察局長文仲孚等三人交付軍法審判，均判死刑。湘人不服，因作右聯以諷，橫額則書『張皇失措』四字。

㈢諷暴發戶

一二三四五六七

孝悌忠信禮義廉

昔有暴發戶某，爲富不仁，僅略識之無。會七十初度，乃廣徵詩文，以附風雅。里中有一名士，素不齒其爲人，因作右聯諷之，隱含『忘八』與『無恥』之意，見者無不掩口。

㈣諷老童生

行年七十尚稱童　可云壽考

到老五經猶未熟　不愧書生

某翁年屆七十，仍童心未滅，參加童子試，無奈成績太差，又遭敗北，某君特撰右聯以調之。其中『考』『生』二字語意雙關，見者無不會心一笑。

㈤諷貪官

到此方無中飽去

何人不爲急公來

此乃抗戰期間某機關廁所門上所貼之楹聯，不知何人所作，諷刺深刻，傳誦一時。

㈥諷潘姓富商

紫石階前綿世澤

翠屏山下衍宗風

某地潘姓商人，以妻美豔。且擅交際，因此營業鼎盛，富甲一方。惟賦性慳吝，為富不仁，頗為鄉人所鄙。某君特撰右聯譏之，閱者無不稱快。

按『紫石階前』指潘金蓮，『翠屏山下』指潘巧雲，皆水滸傳金瓶梅二書中之蕩婦。

㈦諷慈禧太后

在劉漢為呂后　在李唐為則天　淫狠性成　算是千古三人　三人千古

隨先帝奔熱河　隨後主奔秦境　艱難歷盡　可謂一生九死　九死一生

清光緒末年，慈禧太后七十大慶，某革命志士以慈禧殃民禍國，特撰右聯以諷之。

㈨諷蒙古考官

孟孫問孝於我我

賜也何敢望回回

元時某一蒙古大員主考，命題竟誤『孟孫問孝於我』為『孟孫問孝於我我』，某君乃作下聯對之，一時騰笑士林。

㈨諷貪財考官

趙子龍一身是膽

左丘明兩眼無珠

清康熙五十年，江南鄉試，正主考左必蕃，副主考趙晉，賄通關節，士論大譁，諸生千餘人齊集玄妙觀，推廩生丁汝戩為首，使人擡五路財神像入府學，鎖之於明倫堂，並作右聯貼於堂前，以示抗議。經巡撫張伯行查明，奏請朝廷將趙處斬，左則革職永不錄用。

(三) 哀輓類

(一)輓蔡鍔將軍 代小鳳仙作〇二首

其一　　金筱鳳

萬里南天鵬翼　直上扶搖　那堪憂患餘生　萍水因緣成一夢
幾年北地燕脂　自傷淪落　贏得英雄知己　桃花顏色亦千秋

※

其二　　佚名

不幸周郎竟短命
早知李靖是英雄

(二)數學教師自輓

滿懷希望無窮大
一生事業等於零

某校數學教師幼甚聰慧，每試皆名列前茅，自信必能飛黃騰達。無奈時運不濟，卒以教授數學終其身，臨終特書右聯白輓。

(三)輓胡適博士二首

其一　　曹啓文

講學問　力主『拿出證據來』　傷哉哲人其萎
評政治　最恨『牽著鼻子走』　高矣先生之風

※

其二　　陳眉峯

大膽假設　小心求證　紅樓文學歎胡適
涉外有名　懼内無據　中江韻事笑徐來

民國五十一年胡適博士逝世後，各方致送輓聯甚多，其中引用胡氏生前常用語句，且能表達其治學精神者，莫如前例二首，語雖戲謔，有切事實。

㈣輓曹纕蘅先生原注：纕蘅先生以腦溢血疾卒於南京，適爲重九前一日也。　成惕軒

清望若陳伯玉　王子淵　記蜀道相逢　說士能甘　增價幾人由藻鏡

高會對蔣山青　秦淮碧　嘆重陽剛到　游仙遽渺　祛災無地覓萸囊

㈤輓周琥彝中將　前人

負笈歷兩大洲　嗟壯志未酬　竟孤負書生燕頷　海客虬髯　將軍猿臂

結鄰亙十餘載　溯前塵如夢　最難忘燈火秦淮　煙雲廬阜　風雨巴山

㈥輓陳含光先生　前人

逝矣孝廉船　數江關詞賦　淮海風流　今日眞成廣陵散

淒其鄉國夢　賸千樹綠楊　二分明月　遺篇猶見漢家春

㈦輓周鴻經教授　前人

所病在膏肓，極蓬萊方丈之遙　竟無靈藥

平生宏著述　繼周髀算經而後　卓有新編

㈧輓某行署主任原注：係溺死者。　前人

忠信涉波濤　竟負萬里乘風之志

艱貞立頑懦　豈無中流擊楫其人

㈨輓陳布雷先生　前人

人每以許燕擬公　實則機務頻參　功符内相　鞠躬盡瘁　事類武侯　勳名讓青史安排

誠開衡岳雲　清飲建業水

國逢多難日　天隕少微星

我方冀夔皋再世　豈料高丘寥廓　哀並靈均　滄海横流　歎深尼父　心血爲蒼生嘔盡

(十)輓張默老　前人

伯姬無其壽　茂漪無其位　木蘭良玉　無其文采詞華　隻身看衆美能兼　彤史所徵　允推間出

革命本乎誠　選士本乎公　建策陳言　本乎湛思達識　垂死歎兩京未復　湘靈如在　定佑中興

吾師成楚望先生爲當代駢文大家，固夫人而知之者。其生平所撰聯語，已逾千首，甚爲士林所傳誦。茲選載七首，以見鼎臠。

(一)輓桂永清將軍　張齡

鄱湖壯闊　匡阜靈秀　信非常人生原有自

横海威聲　凌煙圖畫　雖古名將何以加玆

(二)代輓潘其武封翁原注：夫婦合葬。　前人

高詠滿江山　遺集應編耆舊傳

寒梅爲伴侶　雙棲同對墓門花

(三)輓向君原注：君居與余鄰，常同避空襲，溺於嘉陵江。　前人

層樓風雨共羈棲　隔室每相過　倉皇隧穴曾同命

東下波濤餘涕淚　招魂欲何語　如此江流不可行　　趙元任

㈣輓劉復

十載湊雙簧　無詞今後難爲曲
數人弱一個　教我如何不想他　　趙元任

劉復字半農爲民初文學家，曾任國立北京大學教授，所作歌詩，輒由趙元任博士爲之譜曲，教我如何不想他即爲二人合作而流傳至今之名曲。劉氏逝世後，趙氏特撰右聯輓之。文字通俗，描述眞切，的是名家手筆。

㈤輓賈景德先生

司馬文章　臥龍經濟　右軍筆力　工部詩才　百代仰儒宗　桃李春風徧八極
西天駕返　北斗星沈　東海雲低　南疆日黯　萬方悲國老　梧桐秋雨遍重陽　　謝鴻軒

㈥輓胡適先生

變韓柳文章　媲程朱德望　繼往開來　儒林永仰千秋業
貫中西學術　導歐美思潮　通今博古　寰宇同悲百世師　　前人

㈦輓程發軔先生

學海蘊天人　敎席常親　八秩壽言宣盛業
儒林失泰斗　音徽未沫　千秋宏著有遺規　　前人

㈧輓李漁叔師　　張仁青

潤逼太白　秀掩遺山　南國詩壇推祭酒
茗銷墨堂　道聞朱閣　秋江夜雨哭先生

前人

㈨代輓李漁叔先生

為膠庠耆宿　擅陶謝才華　朋輩友生　此日同聲一哭
潤沅湘波瀾　鍾衡嶽靈秀　文章學術　如今自足千秋

前人

㈩代輓許世瑛教授

音韻哲匠　文法宗師　一夕大星沈海嶠
化洽菁莪　芳騰桃李　卅年清範式黌宮

前人

㈡輓梁寒操先生

名震鄉邦　詩書允為百世範
魂埋海嶠　惆悵不見九州同

前人

㈢代輓戴君仁教授

德行振黃顧之風　道範長存　中外學人欽大雅
教化繼河汾而盛　英才廣植　縑緗寶卷麗名山

(四)其他類

㈠無　題

老老哭老老老老老哭老老
回回拜回回回回回拜回回

此乃回文聯，初視之，似不可解，若加以新式標點，則可一目了然。

老老哭老老　老老老哭老老
回回拜回回　回回回拜回回

(二)無　題

龍游麗水
仙居天台

此乃集浙江四個縣名而成，信手拈來，堪稱佳作。

(三)當　鋪

我當當　你也當當　應當就當　當仁不讓
獨樂樂　與衆樂樂　該樂卽樂　樂善好施

世人多以典當爲恥，萬不得已，亦必左顧右盼而後入，高雄旗山某當鋪老闆乃針對此一心理，製作右聯，懸於店前，以廣招徠。

(四)無錫與平湖

無錫錫山山無錫
平湖湖水水平湖

此爲集三個地名而成之巧聯。無錫隸江蘇省，境內有山名錫山，周秦間產錫，錫竭，乃置無錫縣。平湖隸浙江省，以對上聯，極爲工穩。

(五)壽黃季剛五十　　章炳麟

韋編三絶今知命
黃絹初裁好著書

蘄春黃侃（字季剛）先生精文字音韻之學，而生平不輕易著書，章炳麟（字太炎）先生數勉其著作，黃氏終靳不肯爲，嘗云：『吾年五十當著紙筆。』民國二十四年黃氏五十初度，章氏製右聯以壽之，黃氏欣然懸之室中，已而命人撤去。蓋此聯首句用一『絶』字，下幅『黃絹』爲『色絲』，又暗藏『絶』字於中，且上下合觀，則明明『絶命書』三字皆具，太炎先生無意爲之，遂成語讖。是歲重九，黃氏果以咯血沒於南京，太炎先生深自痛悔，常揮淚舉此語人云。

又聞是歲黃氏與居正先生分取蟠龍松子植諸庭，花時，居氏所種皆紅，而黃氏者盡白。易簀之日，繁英璀燦，望之如繐帳焉。

(六)李劉互誇

騎青牛　過函谷　老子姓李
斬白蛇　起義師　高祖是劉

李劉二君，年少氣盛，性尤矜誇，一日相逢，互詢姓氏。李君傲然自滿，道出上聯，劉君亦不示弱，立即答以下聯。可謂工力悉敵。

(七)桂林茶亭

忍半時　風平浪靜
退一步　海闊天空

此聯見於桂林郊外一茶亭壁上，雖屬勸世文字，而醰醰若醇醪，無半點道學氣味，苟能身體力行，則終身用之不能盡。

(八)茶酒樓

爲名忙　爲利忙　忙裏偷閒　吃杯茶去
勞心苦　勞力苦　苦中作樂　拿壺酒來

某地有一茶酒樓，爲廣招徠，特倩某名士製作右聯，張之壁間，閱者無不稱絕。

(九)贈屠夫　　魏雨峯

莫羨陳平曾作相
須知樊噲亦封侯

此爲魏雨峯氏贈某屠夫聯，所用二典均爲屠夫故事，殊貼切。

(十)壽胡適四十　　丁文江

憑咱這點切實功夫　不怕二三人爲少數
看你一團孩子脾氣　誰說四十歲是中年

民國十九年胡適博士四十生日時，地質學家丁文江氏撰此白話聯爲賀。上聯『不怕二三人爲少數』乃胡氏當時之口頭禪。

(二)僧佛婢奴

人曾爲僧　人弗可以成佛

女卑爲婢　女又不妨稱奴

此爲拼字聯，雖屬文人遊戲之作，然亦頗具巧思。

(三)無　題

馬占山　馮占海　一馬占山　二馬占海　山海關前　移山倒海

牛耕田　犇耕園　一牛耕田　三牛耕園　田園媲美　犁田成園

民國三十四年抗戰勝利後，北平某報以抗日名將馬占山馮占海之名製作上聯公開徵答，下聯傳爲上海申報一記者所對。

(三)無　題

貧窮說話牙無力

富貴驕人鼻有聲

此聯不知誰人所作，寥寥十四字，描盡社會貧富形態，尤其『鼻有聲』三字，更屬神來之筆。

(四)酒　店

劉伶借問誰家好

李白還言此處佳

此爲某地酒店所掛懸門聯，頗富吸引力。

㈤無　題

閻錫山過無錫　登錫山　見錫山無錫

郭汾陽經臨汾　往汾陽　知汾陽臨汾

此乃集人名地名而成之聯，上下聯末句均係雙關語。

㈥無　題

四川成都　重慶中華民國

臺灣光復　安定西太平洋

成都重慶乃四川省二市名，光復（隸花蓮縣）安定（隸臺南縣）乃臺灣省二鄉名，集以製聯，不著斧鑿痕跡，洵屬難得。

㈦無　題

吳市長三連　三連市長

胡主筆一貫　一貫主筆

民國四十年臺北市市長吳三連氏三度連任市長，某報特懸上聯徵對，某君答以下聯，因獲首選。按胡一貫氏曾任中央日報社主筆。

㈧韓江酒樓

韓△愈送窮　劉伶醉酒△

江△淹作賦　王粲登樓△

此爲廣州韓江酒樓大門所懸掛之楹聯，將四大文豪姓名嵌入，尙能不見拼湊之跡。

(一九)**無題**

中國捷克日本

南京重慶成都

民國三十五年國民政府還都南京，某君撰此聯爲賀。上下聯均不用動詞，而動詞自在其中，足見吾國文字之妙。

(二〇)**疊韻聯**

屋北鹿獨宿

溪西雞齊啼

此乃疊韻爲聯，讀之頗有佶屈聱牙之感，與沈約詩『偏眠船舷邊』（疊韻）、劉孝綽詩『梁皇長康強』（同上）、蘇軾詩『笳鼓過軍雞狗驚』（雙聲）同調，皆文士之戲作也。

(二一)**贈友人**（同文）　謝鴻軒

鳴鳳朝雲春日麗

嘯猿寒月夜風淒

(二二)**擬述德堂千聯齋同文聯**　前人

新歲百祥呈雅室

妙聯千對列高齋

附　臺灣大學諸生聯語習作選錄

客歲（民國六十七年）秋仲，應臺灣大學之聘，爲夜間部中國文學系五年級諸生講授『應用文』。余素主研讀與習作並重，不宜偏廢。又以聯語一藝，其道雖小，尙有可觀，且最足以表現吾國文字之特色。因命諸生習作。諸生咸能馳騁巧思，揚葩振藻，略加潤色，不乏佳章。爰摘錄如干首，刊布於次：

（一）春聯

賴燕玉

德馨普寓絪縕氣
道統常維天地心

※

嶺上寒梅舒似錦
庭前芳草綴如茵

蔡英昭

羣芳吐蕊爭春色
衆翠抽芽綴景光

※

景風薰染花心綻
春雨滋舒柳眼明

※

水秀山明天地迴
梅芳柳媚歲年新

※

春來消息紅梅透
臘盡風光紫燕傳

沈嫣姬

寶島歲時豐稼穡
中華兒女整河山

※

春舒大地新希望
人守中華舊禮儀

王麗淑

三陽開泰符新運　※　雪凌梅蕚精神健　※　迓吉迎祥喧爆竹

萬象回春蘊契機　　　風度松枝韻趣幽　　　獻羔祈穀頌椒花

蕭春霞

春幡迎得三陽泰

歲序更從萬物新

吳麗雲

人間臘盡羣邪掃　※　萬衆同心　擎天立柱

世上春回萬象新　　　三軍一志　跨海收京

吳芳蓮

枝頭滿見紅梅綻

梁上初歸紫燕嬌

陳淑媛

笑迎新歲祥雲集　※　春光偏地福偕至

喜見元辰晴旭昇　　　瑞氣盈門祿盡來

羅媚娥

芳草不殊前日綠
老梅猶勝昔年紅

※

萬里和風連隴陌
一杯春酒酹雲山

林夏蓮

威揚北塞開新運
道耀南溟啓太平

康蕙瓊

大地欣榮春意盎
全臺豐樂頌聲多

※

自立自強　創豐功偉業
誠心誠意　期易俗移風

劉文玉

笑語迎春除舊歲
眞誠待友慰平生

※

觀光開放行天下
勵志中興復國家

許淑麗

寶島首春吹號角
神州諸夏弭兵烽

※

羊歲新機開禹甸
龍城捷報復皇都

※

臘盡春回新萬象
花迎人笑遍三臺

※

三陽啓泰開新運
萬象回春展契機

黃淑美

爆竹一聲除舊歲
梅花萬樹慶新年

(二)楹聯

賴燕玉

書葉熏蘭氣
瓶花照玉顏

※

立國重農耕　腳踏實地
興家崇儉約　心惟樂天

沈嫣姬

翩翩蝴蝶花間舞
點點蜻蜓草上飛

※

大地歡娛增瑞氣
闔家安樂溢溫情

蔡英昭

任往來遨遊經史
通古今交結聖賢

※

聖賢獨重彝倫道
經史深明興廢因

王麗淑

行事必由道
居心務以誠（大門）

※

澡身浴德崇賢聖
由義居仁樂歲年（客廳）

※

今古神遊　讀破萬卷
天人道貫　志在千秋（書房）

蕭春霞

佳木雲深山骨潤
奇花霞映水光幽

※

燦爛韶光開宇宙
氤氳佳氣照山河

※

飛瀑懸來千尺練
餘暉閃出萬重金

吳麗雲

彝倫篤守先賢訓
經史歡從古聖遊（書房）

吳芳蓮

欲知天下事
無棄古今書

※

精誠報國
忠厚傳家

陳淑媛

春明大地多晴色
日朗高門展瑞光

※

摘星枕岫隨松竹
玩月棲幽入畫圖

※

斗星江岸落
雲月海隅生

※

白雲思故國
紫氣萃高門

羅媚娥

茅店斜陽雲路外
杏花細雨酒亭中（野店）

※

暫停車馬息塵足
且盡杯盤聽野謳（野店）

林夏蓮

蘭桂齊芳　高詠壎篪雅奏
椿萱並茂　靜調琴瑟元音

※

禮立文興　喬木世家高可仰
昏定晨省　清華門第孝能臻

康蕙瓊

詩書益友
禮樂良朋

※

盡職守成　奠基臺島作根本
強身健國　定亂神州開太平

黃淑美

足跡海隅徧
心痕史冊昭

※

舊學經文彰道統
新知科技固邦家

※

感益友嘉言懇懇
尊良師善誘循循

許淑麗

忠惟報國不私己
誠以待人無愧大

※

鳥語花香容我醉
風輕日朗得天和

※

傳家多積善
報國總精忠

劉文玉

警姦察宄
安國輔民

(三) 賀　聯

無　題二首　林夏蓮

鳩杖同扶歌永日
鹿車共挽祝長生

※

玉鏡畫眉　青山一抹
錦屏攜手　素願百年

無　題二首　吳芳蓮

綽約紅妝嘉禮煥　※　綠陰鳴翡翠
香醇綠醑喜筵酣　　　紅浪戲鴛鴦

賀友人新婚　沈嫣姬

關睢聲應姻緣締
寶鴨香濃福祉增

賀友人新婚二首　王麗淑

人間至樂宜家室　※　千里姻聯　兩家同慶
世上眞情在唱隨　　　三生緣訂　五世其昌

無　題二首　賴燕玉

好逑天賜宜家室　※　玉樹迎風鍾福祉
舉案人期效孟梁　　　金萱映日顯恩慈

無　題二首　蔡英昭

兕觥酌頌無疆壽　※　兩情相悅長相伴
鳩杖扶來有道身　　　多福自求更自耽

賀友人結婚二首　徐瑞霞

鸞無孤意　※　轎迎除夕夜
鳳有雙棲　　　花展新年頭

賀友人新婚 康蕙瓊

元日良辰行大禮

祥雲瑞靄賀新婚

賀夜大畢業生 前人

時莫任虛　夜夜詩書件五載

學終有果　時時經濟奉三民

無　題二首 蕭春霞

千古良緣歡結髮　德劭年高慶八秩

百年好合頌齊眉　神清氣爽宜千秋

※

無　題 吳麗雲

華屋經營輪奐美

高門陶鑄子孫賢

賀嫁女 前人

宜家宜室

言告言歸

無　題二首 許淑麗

二姓締盟　同心一德　琴瑟韻和偕　二姓歡聯昌永世

百年偕老　比翼雙飛　鳳鸞歌好合　三生緣結樂長春

※

賀友人新婚二首　陳淑媛

帶結同心欣合巹　※　梅柳呈春歡比翼
花開並蒂喜連枝　　　冠笄納采結同心

賀喬遷　許金枝

里有仁風修信睦
家餘德澤慶昌隆

賀友人新婚二首　羅媚娥

千里聯姻　鹿車同挽　※　坦腹齊眉　相逢何必曾相識
三生有幸　鴛夢長溫　　　拂琴煮酒　對月還須兼對人

賀友人新婚　黃淑美

俊秀才人　娥皇作配
窈窕淑女　君子好逑

(四)輓聯

無題　林夏蓮

兩地參商空想像
八方風雨愴招魂

無　題二首　　吳芳蓮

人琴俱杳　友情同鮑叔
天地同悲　※　孝行逾曾參

輓友人二首　　王麗淑

驟雨折花枝　蝶夢易醒生死隔　※　暖問寒噓　十載相親同骨肉
狂風抛柳絮　鵑啼難耐暮春臨　珠沈玉隕　一朝分隔渺人天

輓友人　　沈嫣姬

人亡琴杳終成恨
玉折蘭摧一化空

輓友人　　賴燕玉

歡樂憶兒時　舊夢醒來　墓餘宿草
紛紜悲世事　秋風吹到　生似衰楊

無　題二首　　蔡英昭

往事隨雲千里　※　荒山寂寞留青塚
高名沒土一丘　濁世淒涼隕白眉

輓軍人　　徐瑞霞

志效武鄉　鞠躬盡瘁
勳隆大樹　垂範無窮

輓詩人　前人

瀟灑靑蓮仙躅杳
清超白傅逸情多

輓莊斌如學長　蕭春霞

召我訪珂鄉　煮茗論文　時逾三年情百種
慟君歸樂土　臨風想像　恨遺萬古淚千行

輓友人　前人

生隨浮世共推移　那堪學積行修　竟使一朝成怛化
情重故交難遣去　長此人亡琴杳　更從何處覓知音

輓二兄弟　吳麗雲

阿兄爲國捐軀　黃泉了恨
乃弟駕機隕命　碧落含愁

無題二首　許淑麗

同窗往事　憧憬依稀　朗朗一堂無限樂　遺訓猶新　守勤克儉家聲振
孤館追思　音容宛在　悠悠逝水不勝悲　慈暉依舊　敎子相夫懿範存

※

輓大哥二首　陳淑媛

事業雲興昭壯志　※　手足情深　何啻雁行悲折翼

才華天妒斲修齡　　人天痛隔　還期蝶夢快承顏

輓某將軍二首　羅媚娥

千古文章留後世　※　四海爲家　埋骨何須桑梓地

卅年戎馬竟餘生　　一生護國　斷魂猶繞帝王州

輓業師　黃淑美

十載仰高風　據德依仁　空餘懷慕

諸兒蒙教誨　傳經問學　敢負栽培

輓自殺少女　前人

問繁華塵世何辜　逝矣金花　空餘一晌哀號淚

棄父母家人以去　傷哉白首　十年虛耗養育恩

第九章 題辭

第一節 題辭之意義

所謂題辭，即書題之文辭，用簡單語句表達稱頌、勉勵、讚美、慶賀、哀悼、警戒等意義者，多由古時之頌、贊、箴、銘變化而來。文心雕龍頌贊篇云：

頌者，容也，所以美盛德而述形容也。

贊者，明也，助也。昔虞舜之祀，樂正重贊，蓋唱發之辭也。

又銘箴篇云：

銘者，名也，觀器必也正名，審用貴乎盛德。

箴者，所以攻疾防患，喻鍼石也。

由是可知頌贊以頌揚褒贊爲主，箴銘則以警戒勉勵爲主。今者文明日進，人事益繁，其適用範圍已逐漸擴充，而文字亦逐漸簡化，非復舊時面目矣。即以頌詞而言，昔多爲四言八句或八句以上，今則以四言單句爲最常見。凡百事物，多由簡趨繁，獨題辭一道，竟由繁趨簡，此則社會進步之自然現象，初無與於文運之盛衰也。

第二節　題辭之種類

近六十年來，社會結構發生劇烈變化，人際關係亦隨之而愈益複雜。而題辭爲一種應用文字，凡親友之間，師生之間，長官部屬之間，有關慶賀、祝福、勖勉、哀悼，以至喬遷、開業、贈別等，均爲其使用對象。蓋吾民族向以多禮著稱於世，禮多人固不怪，禮缺則難免於不通人情之譏。積習如此，尙難驟改也。

題辭對象雖極複雜，吾人執簡馭繁，大致不外下列四種：

一、**幛　語**　幛語係題在慶弔禮幛（按亦有用花緞花圈者）上之字或辭。禮幛喜慶用紅色，喪事用白色或藍色。幛語有用一字者，如結婚用『喜』字、祝壽用『壽』字、弔唁用『奠』字等，普通以用四字爲最多。

二、**匾　辭**　匾辭通常用於名勝古蹟、住宅、園林等，亦有用於慶賀新屋落成、商店開張、頌揚德業者。以大型木刻製成，俾便懸掛，而爲永久紀念。

三、**像　贊**　像贊率用於亡者遺像，以頌揚遺德、贊美風誼爲多，亦有請人逕寫『某某先生（女士）遺像』者。此外，尙有一般題像，用於生人，在照像技術未發明前，甚爲流行，今日已不多見。

四、**一般題辭**　一般題辭是指壽幛、喜幛、輓幛以外之題辭，範圍甚廣，對象亦不固定，舉凡畢業、著作、得獎、開幕、會議、贈別、當選、獻贈……等，均在適用之例。

第三節　題辭之作法

題辭須用簡單之文字，表達深刻之意義，故長篇大論，固非所宜，模稜兩可，亦非其道。要而言之，其法有三：

一、**取材適當**　題辭首須認清對象，凡對方之身分、年齡、性別、職業、爲人、與彼此關係等，均須顧慮周詳，然後貼人貼事，用一適當辭句以表達之。

二、**措辭雅馴**　題辭應力求語句雅馴，文意雋永，使人讀之，餘味醰醰，方爲上乘之作。若但務新奇，流於俚俗，不僅見笑大方，且易滋生誤會，不可不愼也。

三、**音節和諧**　題辭普通以四字句爲最流行，故其音節須遵守『平開仄合』或『仄起平收』之原則，與作對聯、律詩、駢文固無以異也。例如：

爲國干城　宜室宜家　五世其昌　百年好合

鸞鳳和鳴　珠聯璧合　愛河永浴　讜論流徽

爲民喉舌　美輪美奐　龍躍靈津　鶯遷喬木

蓋平仄相間成文，始能使其鏗鏘嘹亮，以增加辭中之音節效果。

第四節 題辭實用範例

（一）壽慶

㈠男壽通用（均為四字○下同不另注）

嶽降佳辰　南山比壽　慶衍桑弧　椿庭日暖　多福多壽　南極星輝　大德必壽　惟仁者壽　至德延年
大德大年　東海延釐　天保九如　詩歌天保　頌獻九如　籌添海屋　天錫遐齡　庚星永耀　松鶴延齡
松柏同春　齒德俱尊　椿樹長青　嵩生嶽降　封人三祝　頌祝岡陵　如松柏茂　如南山壽　壽徵大德
庚星煥彩　瑞藹懸弧　壽如日昇　是誠人瑞　海屋長春　日麗中天　日永椿庭　壽並河山　壽比松齡
慶溢懸弧　社結香山　壽考維祺　天錫純嘏　俾壽而康　富貴壽考　樹茂椿庭　靈椿益壽　疇陳五福
天錫難老　圖開福壽　壽人壽世　桑弧耀彩　蓬壺春到　義方垂範　鶴籌添壽　蓬島春長　篤祜崇齡

㈡男壽分用

幼學壯行　氣壯風雲　壯圖大展　壯有所用（三十歲）
智者不惑　年逢強仕　學優則仕　仕日方強（四十歲）
樂天知命　學到知非　年齊大衍　福祿艾之（五十歲）
算週花甲　年徵耳順　甲籙新週　花開甲子（六十歲）
德壽古稀　從心所欲　欲不踰矩　人瑞古稀（七十歲）

春盈杖履　刻鳩進杖　壽添八百　杖履風高（八十歲）
福備九疇　頌獻九如　天保九如　九天日麗（九十歲）
榮登上壽　壽慶期頤　百年人瑞　百齡錫嘏（百　歲）

(三)女壽通用

婺煥中天　輝生錦帨　萱堂集祜　壽添萱綠　慈竹長青　萱茂北堂　萱幃日永　慈竹長春　萱花不老
萱閣長春　媊星煥彩　寶婺呈輝　春滿瑤池　金萱不老　錦帨呈祥　祥開設帨　喜溢璇閨　愛日方長
蓬萊春滿　堂北萱榮　花燦金萱　璇閨日暖　瑤島春長　天姥峯高　壽徵坤德　瑞凝萱室　瑤池益算
萱榮婺煥　慶溢北堂　絲帨延齡　婺曜呈祥　瑤池春永　婺宿騰輝　慈竹風和　帨彩增華　瑤島春深
春滿北堂　萱蔭長春　懿德壽考　祥呈桃實　春濃萱閣　歡騰萱室　慈闈日永　萱庭集慶　果獻蟠桃
蓬島長春　彩帨騰輝　壽考宜家　萱闈春永　懿德延年　慈雲集祜　篤祜崇齡　天護慈萱　名門淑範

(四)女壽分用

桃熟三千　蕊闕蟠圓（三十歲）　四時春暖　四旬洽慶（四十歲）
百齡方半　百歲平分（五十歲）　萱開周甲　甲子重開（六十歲）
天錫稀齡　懿德古稀（七十歲）　八仙獻壽　八千爲春（八十歲）
瑞兆期頤　甲週又半（九十歲）　壽祝期頤　大齊衍慶（百　歲）

(五)雙壽通用

雙星朗照　極婺聯輝　鶴算同添　眉齊鴻案　弧帨齊輝　酒介齊眉　天上雙星　鹿車共挽　華堂偕老

弧帨增華　椿萱不老　雙星並耀　日月並明　福祿鴛鴦　日月齊輝　鸞笙合奏　極媊並耀　椿萱並茂
百年靜好　弧帨同懸　星月爭輝　鴻案相莊　鳳簫合奏　仙耦齊齡　壽並岡陵　仙眷長春　神仙眷屬
白首同心　福壽雙全　琴瑟靜好　日升月恆　百年偕老　銀漢雙輝　台媊合耀　人月同圓　輝映台媊
福壽仙儔　金石同堅

(二) 婚嫁

(一)新婚

君子好逑　詩詠關雎　百年好合　五世卜昌　昌符鳳卜　鸞鳳和鳴　鳳凰于飛　花開並蒂　連理交枝
帶結同心　天錫良緣　佳偶天成　天作之合　珠聯璧合　鳳翥龍翔　唱隨偕老　琴躭瑟好　相敬如賓
花好月圓　才子佳人　書稱釐降　如鼓瑟琴　笙磬同音　瓊花並蒂　詩詠好逑　神仙眷屬　愛河永浴
愛情永固　鳳侶鸞儔　唱隨偕樂　天緣巧合　琴瑟在御　樂賦唱隨　鴻案相莊　海燕雙棲　乾坤定矣
琴瑟友之　昌宜五世　詩題紅葉　鐘鼓樂之　雞鳴戒旦　百輛盈門　三星燦戶　宜爾室家　大道之始
治平初基　良緣天定　永結同心

(二)續婚

慶溢鸞膠　明月重圓　鸞膠新續　其新孔嘉　琴瑟重調　畫屏再展

(三)納妾

金屋飄香　紅袖添香　小星有耀　渡迎桃葉　小紅低唱　櫻桃樊素

(四)嫁　女

之子于歸　宜其家人　于歸叶吉　百兩御之　宜其家室　桃夭及時　摽梅迨吉　祥徵鳳律　跨鳳乘龍
妙選東牀　雀屏妙選　燕燕于飛　鳳卜歸昌

(三)誕　育

(一)生　子

玉燕投懷　石麟降世　芝蘭新茁　鳳毛濟美　天降石麟　麟趾呈祥　螽斯叶吉　綵褓凝祥　喜得寧馨
子種蓮房　百子圖開　喜聽英聲　慶叶弄璋　熊夢徵祥　瓜瓞綿綿　荀龍薛鳳　積善餘慶　蘭階吐秀
英聲驚座　德門生輝　雛鳳新聲

(二)雙生子

珠璧聯輝　班聯玉筍　雙株競秀　玉樹聯芬

(三)生　女

祥徵虺夢　喜比螽麟　明珠入掌　弄瓦徵祥　掌上明珠　輝增彩帨　彩鳳新雛　小鳳新聲　慶叶弄瓦

(四)生　孫

樂享含飴　繩其祖武　飴座歡騰　孫枝茁秀　秀茁蘭枝　蘭階添喜　慶衍龍孫　桐枝衍慶　瓜瓞延祥

(四)居　室

㈠新屋落成

肯堂肯構　甲第徵祥　美奐美輪　雕樑畫棟　棟宇連雲　華堂集瑞　瑞靄朱軒　潭第鼎新　昌大門楣
輝生畫棟　竹苞松茂　輝增堂構　鳳棲高梧　華堂毓秀　大啓爾宇　駟門高啓　君子所居　長發其祥
噦鳳棲梧　斯干叶吉　福蔭子孫　堂構更新　氣象維新

㈡遷居

鶯鳴出谷　出谷遷喬　鳳振高岡　安土敦仁　德門仁里　綠楊合蔭　喬木鶯聲　居之也安　喜報鶯遷
良禽擇木　擇鄰式好　鶯遷叶吉　人傑地靈　里仁爲美　德必有鄰　高第鶯遷　孟母遺風　鶯遷喬木

(五)哀輓

㈠男喪通用

哲人其萎　大雅云亡　典型宛在　碩德堪欽　塵榻空留　歸眞返璞　蓬島雲迷　痛失老成　高山景行
仙遊上界　遽返道山　望重鄉邦　歌興薤露　風摧椿萎　海宇風淒　棟折榱崩　道範長存　蒿里興悲
五福全歸　蓬島歸眞　高風安仰　行誼可師　儀型足式　言爲世法　文星遽落　音容如在　典則空留
功勳不朽　雖死猶生　英氣長存　露冷椿庭　北斗星沈　生榮死哀　福壽全歸　千秋永訣　吾道已窮
寶劍光沈　騎鯨西去　跨鶴仙鄉　儀型萬方　庚星匿彩　羽化登仙　高風亮節　閬苑歸眞　少微星隕
明德流徽　泰山其頹　梁木其壞　南極斂芒　一朝千古　邈若山河　魂兮歸來　讜論流徽　桑梓流光

㈡輓老年男喪

老成凋謝　高山仰止　殿圮靈光　斗山安仰　南極星沈　德望永昭　哲人其萎　山頹木壞　天不憖遺
碩德貽徽　清望流徽

(三)輓青少年男喪

修文赴召　玉折蘭摧　天不假年　星隕少微　玉樓召記　命厄華年　英風宛在　玉樹長埋

(四)女喪通用

慈竹風摧　萱堂露冷　婺星光黯　閫範空存　坤儀足式　瑤池赴召　萱蔭長留　孟母風高　鐘郝儀型
徽音頓渺　瑤島仙遊　巾幗稱賢　流芳千古　範垂巾幗　懿德堪欽　相夫有道　勤儉可風　持家有則
忘憂草謝　月缺花殘　蓼莪詩廢　徽音遠播　彤管揚芬　寶婺星沈　妝臺月冷　繡閣風寒　塵掩妝臺
空仰慈顏　涼月淒清　慈雲縹緲　溫恭淑愼　閨閫之師　夢斷北堂　鸞軿遽返　花落萱幃　北堂春去
婺彩沈輝　懿德長昭　淑德永昭　鸞馭遐升　彤管流芳　閫範長存　女界典型　坤儀宛在　賢同歐母

(五)輓老年女喪

月冷西池　慈雲歸岫　萱萎北堂　寶婺光沈　女宗安仰　慈竹風淒　駕返瑤池　萱幃月冷　寶婺斂芒
母儀永式　母儀千古　慈萱永謝

(六)輓青少年女喪

鳳去樓空　蘭摧蕙折　繡閣花殘　遽促芳齡　曇花萎謝　玉簫聲斷

(七)輓節婦

畫荻風高　柏舟完節　清節爲秋　含蘗全貞　臺築懷清　雪柏霜松　松筠比節　節凜冰霜　貞固流芳

貞恆耀德　孟母遺徽　歐母遺風

(八)輓姻戚

淚灑州門（母舅）　喪吾宅相（外甥）　甥館銜哀（岳父母）　悽絕東牀（女婿）　蒹葭失倚（雜姻）　蔭失喬松（雜姻）

(九)輓學者

學究天人　絕學千秋　望尊泰斗　大雅淪亡　世失英才　文壇失仰　立言不朽　天喪斯文　言行足式　少微斂曜　文曲光沈

(10)輓師長

木壞山頹　高山安仰　馬帳空依　桃李興悲　立雪神傷　風冷杏壇　梁木其頹　永念師恩　教澤長存　師表千古　師表常尊

(11)輓軍人

名齊衞霍　細柳聲威　忠勇楷模　痛失干城　淚灑英雄　鼓角聲淒　風雲變色　大旗色黯　將星忽墜　光沈紫電　勳業長昭　國失干城　星隕將營　英靈不泯　將星遽落　勳華卓茂　大星遽落　功在旂常

(12)輓烈士

成仁取義　大節凜然　碧血丹心　以身殉國　英烈千秋　重於泰山　見義勇爲　殺身成仁　舍生取義　精神不死　萬古流芳　浩氣長存　名重泰山　忠烈可風

(13)輓朋友

人琴俱亡　寢門雪涕　痛失知音　山陽聞笛　心傷畏友　伊人宛在　響絕牙琴

(四)**輓政界**

人亡國瘁　甘棠遺愛　萬姓謳思　勛猷共仰　才厄經綸　邦國精華　萬家生佛　遺愛人間　召父杜母

國失賢良　耆德元勳　忠勤著績　忠勤足式　峴首留碑

(五)**輓商界**

端木遺風　利用厚生　五都望重　貨殖流芳　闤闠風淒　少伯高風　美利長流　商界楷模

(六)**輓農界**

西疇墮淚　阡陌蕭條　布穀鳴哀　東皋雲暗

(七)**輓工界**

箕裘安仰　頓失繩墨　運斤遺技　公輸巧著

(八)**輓教育家**

絳帳風淒　槐市興悲　師表長存　薪火無窮　弘衍傳薪　教界楷模　教澤長存　杏壇模楷

(九)**輓宗教家**

天路揚靈　精誠不滅　天國神遊　適彼樂土

(十)**輓藝術家**

千秋絕技　藝林失導　丹青千古　望重藝林　藝壇祭酒

(十一)**輓音樂家**

廣陵絕響　流水高山　名重樂壇　樂壇大老

(六) 題遺像

㈠男性

音容宛在　高山仰止　道範長存　一笑歸眞　休休有容

㈡女性

音容宛在　慈顏長在　坤儀足式　莊容儉德　閫範垂型

(七) 競選獲勝

㈠縣市長

學優則仕　鄉邦瓌寶　望切雲霓　榮膺鶚選　選賢與能　譽隆德劭　物望允孚　山斗望重　才德堪欽

咸慶得人　卓然鶴立　桑梓福音　能者在位　才智超羣　造福桑梓　望隆珂里　公正廉明　枌榆望重

輔世長民　邦家之光　驥足方展　邦國楨幹

㈡議員

衆欣有託　言重九鼎　鴻猷懋著　鵬翮高摶　民之喉舌　衆望所歸　言必有中　痌瘝在抱　具徵民意

衆庶媬姆　讜言偉論　民心所向　克孚衆望　光大憲政　實至名歸

(八) 履任升調

其命維新　咸與維新　新猷丕著　驥足爲舒　鵬程發軔　龍門聲價　初展鴻猷　政治長才　龍躍靈津

布化宣勤　壯志克伸　升階叶吉　鶯喜高遷　經濟匡時　才堪濟世　德業日新　磐磐大材　鶯遷喬木

（九）題畢業紀念册

前程似錦　學問初基　好學近智　學無止境　盈科而進　仁爲己任　業精於勤　學以致用　壯志凌雲

學貴及時　朝乾夕惕　孜孜不倦　勤則有功　好古敏求　力行近仁　知恥近勇　士先器識　自強不息

依仁游藝　志道據德　學貴善疑　藏修息游　士必弘毅　任重道遠　鵬程萬里　鶴鳴九臯　國脈是寄

學貴有恆　文章華國　扶搖直上　大器晚成　鑄史鎔經　溫故知新　造詣精深　知類通達　乘風破浪

國家棟材　術有專精　雞羣立鶴　鵬翼摶風　君子務本　本立道生　孝弟爲本　入孝出弟　友誼永固

精益求精　鵬搏九霄　愼獨存誠　居仁由義　雲程發軔　鵬翮高搏　青雲直上　更上層樓　滄海程寬

（十）各種比賽優勝

(一)論文比賽

學冠羣英　含英咀華　倚馬長才　揮灑淋漓　繡虎雕龍　黼黻文章　妙筆生花　揚葩振藻　胸羅錦繡

情文並茂　蘇海韓潮　筆端泉湧　出類拔萃　卓犖不凡　才氣縱橫　文章天成　筆掃千軍　理闢義精

錦心繡口　吐屬不凡　筆力萬鈞　文采斐然

(二)書法比賽

鐵畫銀鉤　藝苑之光　凌雲健筆　秀麗遒勁　筆力萬鈞　國粹之光

㈢戲劇比賽

觀今鑑古　優孟衣冠　依仁游藝　技藝超羣　人生借鏡　藝術之光　演技精湛　移風易俗　貶惡揚善

㈣球類比賽及田徑運動

生龍活虎　健兒身手　睥睨寰球　自強不息　高尚技能　術德兼修　身心並健　教亦多術　強種之基

先聲奪人　身手矯健　龍騰虎躍　攻堅擊銳　強國強種　技藝精湛　技藝超羣　望風披靡　所向無敵

發揚蹈厲　樂羣進德　爭也君子　出類拔萃　允文允武　強種興邦　弘揚體育　健身強國　積健爲雄

我武維揚　邦家之光　克敵致果　朝氣蓬勃

㈤射擊比賽

射必有中　行必由正　正己後發　尚武精神　智勇兼全　射擊能手　有勇知方　劍膽琴心　一發中的

百發百中　百步穿楊　得心應手

㈥游泳比賽

矯首游龍　俯仰自如　活潑健壯　智者樂水　歡同魚水　水上英雄

㈦單車比賽

風馳電掣　日行千里　足轉乾坤　天行唯健　前程萬里　行有餘力　奔逸絕塵　馬到成功

㈧龍舟比賽

乘風破浪　擊楫中流　龍飛鳳舞　虎嘯龍吟　鳳翥龍翔　舟行若飛　江上游龍

(九)**釣魚比賽**

釣而不綱　寒江釣雪　經綸大展　釣技非凡　手展經綸　魚我所欲　子牙逸興　嚴光餘韻

(一〇)**兒童健康比賽**

民族秀苗　秀而且實　健康是福　積健爲雄　天眞爛漫　活潑強健

(一一)**歌舞比賽**

鶯聲婉轉　燕舞鶯歌　流水高山　陽春白雪　歌喉得展　歌詠霓裳　繞梁三日　娓娓動人　新鶯出谷

高唱入雲　長袖善舞　聞雞起舞　響遏行雲　玉潤珠圓　善歌妙舞　乳燕歸巢

(一二)**時裝比賽**

衣裳楚楚　上國衣冠　服飾入時　與時俱進　服樣翻新　日新又新　高雅怡人

(一三)**清潔比賽**

衛生第一　身心並潔　潔若冰霜　明窗淨几　整潔強身　潔淨宜人　強身之本　滌瑕蕩穢　強身之本

(一四)**地方自治工作比賽**

閭里楷模　造福梓桑　珂里之光　里著賢聲　蔭被閭里　爲民造福　敬恭桑梓

(一五)**登山比賽**

高山仰止　仁者樂山　登高自卑　發奮圖強　直上青雲　登峯造極　意在巖巒

(一六)**演講比賽**

宣揚眞理　立論精宏　語驚四座　發揚正論　辯才無礙　口若懸河　音正詞圓　一鳴驚人　懸河唾玉

(十一)開業

㈠商店開業

富國裕民　萬商雲集　商賈輻輳　生財有道　財源恆足　貨財廣殖　億則屢中　商戰圖強　大業允興
業紹陶朱　福國利民　鴻圖永啓　近悅遠來　鴻猷丕煥　駿業宏開　利濟民生　駿業肇興　大業千秋
大展鴻猷　陶朱媲美

㈡工廠開業

經之營之　百工居肆　勞工神聖　輸巧婁明　利溥三臺　術有專精　工奪造化　開物成務　大業永昌
富國之基　國家利賴　福國利民　工業建國

㈢報館開業

民之喉舌　民衆導師　月旦品評　春秋筆法　無冕王侯　褒善貶惡　褒榮華袞　貶嚴斧鉞　一言興國
四海風行　暮鼓晨鐘　淑世牖民　社會明燈　博採輿情　振聾發聵　中興鼓吹　輿論導師　啓迪民智
激濁揚清　爲民前鋒　無遠弗屆　立論公正　弘揚正義　編珠綴玉　弘揚國策　言論樞衡　積厚揚聲

㈣學校開辦或校慶

卓育菁莪　時雨春風　敎育英才　育才一樂　功宏化育　贊天地化　誨人不倦　黌舍巍峩　陶鑄羣英
桃李馥郁　百年大計　樹人大業　洙泗高風　絃歌盈耳　德溥春風　人能宏道　爲國育才　英才淵藪
廣栽桃李　桃李芬芳　絃歌不輟　樂育美才　敷敎明倫　敎秉尼山　濟濟多士　百年樹人　功著士林

化民成俗　化雨均霑　春風廣被　芬扇藻芹　澤被三臺

(五)慈善機關開辦

是乃仁政　發政施仁　仁民愛物　惠及孤寒　飢溺爲懷　痌瘝在抱　扶顛持危　老老幼幼　廣廈蔭永
民胞物與　萬家生佛　樂善好施　積無量德　胞與爲懷

(六)醫院・診所

著手成春　濟世活人　壽人壽世　醫理湛深　醫德堪欽　心存濟世　杏林之光　功侔相業　萬病回春
得心應手　醫民醫國　華陀再世　仁心仁術　濟世功深　功同良相　醫德可風　扁鵲復生　妙手回春
博愛濟衆　功著杏林　術妙軒岐　望隆盧扁　全心濟世　妙手成春　祕傳金匱　方列千金　肱傳三折

(七)書　店

斯文在茲　文光射斗　名山事業　坐擁百城　宣揚文化　大雅扶輪　天地精華　左圖右史　琳瑯滿目

(八)旅社・大飯店

近悅遠來　賓至如歸　羣賢畢至　高賢莅止　貴客盈門

(九)律　師

保障人權　伸張正義　自由屏障　辯同河瀉　法界之光

(十)會計師

毫釐不爽　計算精確　造福工商　功侔計相　利溥工商

(十一)銀行・金融機構

通商惠工　裕國利民　服務人羣　鴻圖大展　酌盈濟虛　金融樞紐

㈢相　士

言必有中　談言微中　明察天機　上通神明　鑑貌辨色　指示迷津　鑑衡有術　人海寶筏　明鑑若神

㈢其他各業

錦繡光華（綢布莊）　價值連城（珠寶行）　一時冠冕（帽　店）　四海一家（航　業）

照徹乾坤（眼鏡行）　食爲民天（米　店）　材儲梁棟（木材行）　衣被蒼生（成衣店）

平步青雲（鞋　店）　普放光明（電料行）

（十二）社會活動

㈠重陽敬老（敬老大會用辭）

桂老彌馨　薑老愈辛　桑榆佳景　國之老成　善人必壽　老而彌健　老當益壯　老成持重　長邀天眷

南極老人　精神矍鑠　克享遐齡　香山比算　洛社名賢　國之禎祥　天錫遐年　天護善人　祝噎祝鯁

㈡冬令濟貧（對捐贈者題獎用辭）

雪中送炭　休戚相關　人飢己飢　人溺己溺　禹稷精神　仁人懷抱　愷悌君子　今之古人　哀此煢獨

榮枯與共　民吾同胞　拯溺救焚　視民如傷　達則兼善　澤被清寒　樂善好施　博施濟衆　立己立人

達己達人　胞與爲懷　先憂後樂　扶顛持危　積善之家　作善降祥　蔭永珂鄉　慷慨解囊　急公好義

梓里善人　以財發身　有德潤身　如解倒懸　憂民之憂　共躋春臺　登民衽席　助人爲樂　天祚善人

(三)蒲節聯吟（詩人大會用辭）

詩可以興 詩以言志 七步成詩 詠吟白雪 一曲高歌 信手拈來 妙手偶得 言爲心聲 詩壇泰斗

心之所之 擲地有聲 是亦天籟 足風天下 發言爲詩 在心爲志 風以動之 敎以化之 可動天地

能感鬼神 詩成孝敬 移風易俗 篤厚人倫 聞者足戒 吟詠情性 發乎性情 鼓吹中興 雅頌得所

王化之基 高人雅興 蘭亭逸韻 弘揚詩敎 抒發性靈

(四)元宵猜謎

開懷益智 敏以求之 億則屢中 是亦鬥智 言必有中 具見敏捷 智識超羣 別有靈感 智儲囊底

(十三) 普通著作

紙貴洛陽 一字千金 風行遐邇 生花妙筆 斐然成章 膾炙人口 人手一册 聲重士林 價重雞林

潤色鴻業 大筆如椽 國門可懸 都人爭寫 移風易俗 富國利民 名山事業 字字珠璣 揚聲中外

(十四)入 營

爲國干城 精忠報國 邦家之光 靑年模楷 壯志凌霄 爲國爭光 保國衞民 移孝作忠 重振漢聲

(十五)獻 業 師

春風化雨 春風廣被 誨人不倦 循循善誘 誨我諄諄 敎澤永霑 師恩弗忘 師表人倫 啓迪有方

經師人師 吾愛吾師 斗山望重 儒林祭酒 杏壇之光 敎界典型 嘉惠學子 化洽菁莪 芳騰桃李

第五節 題款示例

(一)壽慶

(一)男壽

正則先生六秩大慶

松鶴遐齡

弟何光謨拜祝

(二)女壽

林母吳太夫人八旬晉九萱慶

慈竹長春

晚夏靜濤敬祝

(三)雙壽

孝徵先生暨 德配韻蘭夫人七秩雙慶

仙眷永偕

鄉晚虞心傳恭祝

(四)友人壽

梅公博士吾兄五十嵩慶

崇齡壽國

俞蔚如拜祝

(二)婚 嫁

(一)新 婚

(一式)

青山先生
金曲小姐結婚之喜

宜室宜家

鄧麗君拜賀

(二式)

梅澗學長
慧心小姐新婚誌慶

祥開百世

弟盧世騏謹賀

(二)嫁 女

(一式)

愛玲學姊于歸之喜

鳳卜宜昌

楊啓蓉敬賀

(二式)

澄中先生之女公子
華 華 小 姐于歸之喜

琴韻初調

宋直方謹賀

(三) 居室

(一) 新屋落成

(一式)

裕豐公司大廈落成紀念

華堂煥彩

臺灣省議員鄧 瑀敬賀

(二式)

平章先生新居落成誌慶

堂構增輝 (一)

趙永昌 盧之麟 嚴紹唐同敬賀

(二) 遷居

喬遷之喜

里仁為美

王世秀 馮若虛 鮑倚雲 同賀

(三) 公司遷移

興臺貿易公司喬遷之慶

利溥五洲

震旦通運公司 董事長史玉潛敬賀

(四) 哀　輓

(一)男喪通用

(式一)

孟揚先生　千古

明德流徽

譚鳴九敬輓

(式二)

鹿山吾兄　冥鑒

桑梓流芳

弟李昆三拜輓

(式三)

仲實董事長　靈右

闤闠興悲

(二)

職陳恭甫恭輓

(式四)

桐公代表　靈座

望隆壇坫

(三)

胡丹鳳
茅韻之同輓
姜琦

(二)女喪通用

(式一)

羅母徐太夫人　仙逝

慈雲縹緲 (四)

晚江東秀叩輓

(式二)

曼齡女士　鸞馭

婺星光黯 (五)

刁美玲敬輓

(式三)

希琰夫人　靈鑒

懿德堪欽

唐紫鵑鞠躬

(式四)

鍾琪學姊　靈幃

巾幗儀型

實踐家專五十五級兒童保育科全體同學　同輓

(三)輓親人

(式一)

九思夫子 靈鑒

魂兮歸來

未亡人孟心亭泣輓

(式二)

淑儀夫人 靈右

懿德長昭

杖期夫孫紹曾泣輓

(式三)

舅父大人 冥鑒

淚灑州門㈥

甥尙元恆抆淚叩輓

㈣輓業師・師母

晉公吾師 千古

斗山安仰 ㈦

受業劉尚謙揮淚叩輓

師母蔡夫人 靈鑒

彤管揚芬 ㈧

學生王幼雲 羅素珍 同叩輓

㈤輓敎徒

（佛　敎）

澄海大居士　生西

慧炬長明

董季源合十

（基督敎）

安琪姊　永生

徽音頓渺

妹楊啓蘭敬輓

（天主敎）

雅各神父先生　永生

與神同在

范伯純敬輓

【說明】

㈠在家奉佛修行者曰居士，加一『大』字，蓋所以示敬。佛徒修淨土宗者，多期望往生西方，故曰『生西』。佛家敬禮必合掌，兩掌共十指，故亦稱『合十』。按出家之僧尼，早已看破紅塵，哀輓之事，固屬多餘。上舉之例，係專輓居士，蓋居士固與常人無異也。

㈡『永生』乃永生天國之意，猶佛家言往生西方也。基督教徒與天主教徒彼此均以兄弟姊妹相稱，撰輓聯者若非教徒，其下款則悉依常例。

㈢『千古』『仙逝』『冥鑒』『鸞馭』四者絕不可用於教徒，而『靈鑒』『靈右』『靈座』『靈幃』四者則不在此限。

（五）題畢業紀念册

（式一）

定遠賢棣畢業紀念

鵬程萬里

小兄程希顥題贈

（式二）

夢梅女弟今夏畢業書此贈之

前程似錦

友生李邦傑題

(三 式)

芝舲學姊 留念

友誼永固

妹楊啓蓉敬題

(六) 比賽優勝

六十七學年度第二學期 論文比賽第一名

健筆凌雲

校長 陸龍光

（七）競選獲勝

元刚先生榮膺苗栗縣縣長

桑梓福音

李公輔
王君平
張瑛
林靜夫
同敬賀

修齡學長榮膺新竹縣議員

爲民喉舌

新竹中學五十一年全體畢業同學 同賀

（八）開業

惠民診所開業誌慶

功侔相業㊈

臺灣省議員岳鍾麟拜賀

（九）獻業師

雲公吾師 賜存

杏壇之光

受業 戴綺霞 白邦麗
吳嫈嫈 劉華華 敬呈

(十)贈書

(一)呈師長

昌碩吾師　誨正

受業程　璟印敬呈　○年○月○日

(二)贈同學・朋友

佩芬姊　惠正

妹彭湘蘅印敬贈　○年○月○日

(三)贈一般人士

若洲先生　教正

後學程　璟印敬貽　○年○月○日

(四)贈長官

鳴皋董事長　賜正

職程　璟印敬呈　○年○月○日

(五)呈長輩

履公先生　賜正

晚程　璟印敬呈　○年○月○日

(七)贈婦女

芳荃女士　教正

程　璟印敬貽　○年○月○日

（一式）

(六)贈學生·後輩

寧剛賢弟　存翫

程　璟印持贈　○年○月○日

若鶼小姐　惠正

程　璟印敬贈　○年○月○日

（二式）

【說　明】

㈠贈送自己之著作，於長輩、長官、業師用『教正』、『誨正』、『賜正』、『斧正』，於平輩用『惠正』、『指正』、『教正』、『郢正』、『正之』，於晚輩用『存覽』、『存玩』、『惠覽』、『正』、『惠閱』。

㈡贈送自己之詩歌及詩集，於長輩用『教正』、『賜正』，於平輩用『吟正』、『雅正』。於晚輩用『吟覽』、『惠吟』。

㈢贈送一般圖書及他人之著作，於長輩用『賜存』，於平輩用『惠存』，於晚輩用『惠覽』、『存念』、『留念』。

㈣贈送自己之單篇文章，其題款悉與本說明㈠同。

㈤受書人如有字號，應稱其字號以示敬。

【注　釋】

㈠堂構　喻繼承先人之遺業。見尚書大誥。文選陸機五等諸侯論：『前人欲以垂後，後嗣思其堂構。』

㈡闤闠　闤，市垣。闠，市外門。故通稱市肆曰闤闠，即今人所謂商場。

㈢壇坫　猶言政壇，政治人物聚集之處也。見史記魯仲連傳。後因指文人相與周旋之處，而爲世所宗仰者，亦謂之壇坫。

㈣慈雲　佛家語，喻佛之慈心廣大如雲也。世每借以稱祖父母、父母或女性長輩。

㈤婺星　即婺女星，又名女宿。世每借用爲哀輓或祝賀高年婦女之辭。

㈥淚灑州門　晉羊曇少負時譽，爲謝安之甥，安絕愛重之，安卒後，輟樂彌年，行不由西州在今江蘇江寧縣，晉揚州刺史治所，謝安嘗出鎭揚州。路，以免觸景生悲。嘗大醉過州門，悲感不已，誦曹植詩曰：『生存華屋處，零落歸山丘。』慟哭而去。見晉書謝安傳。

㈦斗山　泰山北斗之合稱，皆爲人所景仰者。唐韓愈爲一代大儒，學者仰之如泰山北斗。見唐書本傳。

㈧彤管　赤管之筆也，古女史所執，以記宮中政令及后妃之事者。必以赤者，所以示忠貞也。見詩經邶風靜女疏。

㈨功侔相業　宋范仲淹少時嘗曰：『不能爲良相，必爲良醫。』見宋史本傳故世稱良醫爲『功同良相』，言其亦能救人救世也。

第十章 契約

第一節 契約之意義

人類不能無社會活動及經濟關係，因此，社會組織逐漸發達，而經濟關係亦日益複雜。於是人與人之間乃發生權利義務等問題，而須共同信守之文書，亦隨之訂立。共同信守之文書，自權利方面言，乃由於共同意義之約定，自義務方面言，乃應共同信賴、共同遵守。此與國家之法律、條例，意義大致相同，但法律、條例人人應共同遵守，而此則各人權利義務有時不能完全相同，如買賣土地房屋，兩方面之權利、義務顯然有別。

此類文書，由來甚古。文心雕龍書記篇云：『契者，結也。上古純質，結繩執契，今羌胡徵數、負販記緡，其遺風歟。券者，束也。明白約束，以備情僞，字形半分，故周稱判書。古有鐵券，以堅信誓。王褒髯奴，則券之楷也。』蓋上古無文字，約誓之事，結繩各執其一，以相考信。其後或書之於木，刻其側爲契。至漢王褒有僮約，晉楊紹有買地券，是皆具體信守文書之類。

信守文書，亦可分爲二類：一爲二人以上，根據法律、條例或一般習慣，同意訂立互相遵守之條件，而以文字爲憑證者。一爲團體將其組織、規則、辦事方法等，用文字分條列舉者。前者謂之契約，後者謂之規章。

第二節　契約之法定條件

契約爲一種法律行爲，規定當事人雙方之權利與義務。故凡雙方當事人，以互相同意事項，且不違反法律或一般習慣，錄爲文字，共同遵守，用作憑證者，此種文字謂之契約。

由於契約爲法律行爲，故訂立契約者，必須生理正常之成年人（民法第一二條），在不違背現行法令及在意思自由之原則下，雙方取得協議，同意履行，然後依照法定方式，或雙方約定之方式訂立契約。其要件略有數端：

一、**當事人雙方必須均有行爲能力**　民法規定『無行爲能力人之意思表示無效。』（第七五條）故立約人如有一方爲未成年人，或心神喪失者，或『禁治產』者，則其意思表示不能發生法律上之效力，縱使成立契約，亦屬無效。

二、**訂立契約必須經過要約程序**　民法規定『要約經拒絕者，失其拘束力。』（第一五五條）『對話爲要約者，非立時承諾，卽失其拘束力。』（第一六六條）故契約成立，須由一方要約，一方承諾，然後方能構成同意事項。若僅出於單方意思，或一方迫脅他方而成立，則皆無法律上之效力。故契約常有『此係自願，決無異言』一類字句，其故在此。

三、**要式契約必須具備法定方式**　民法規定『法律行爲不依法定方式者無效。』（第七三條）契約之法定方式，契約上必須具備，例如『應以書面之方式爲之』是。其內容如雙方姓名、立約原因、標的物名稱、約定條件、年月日、簽章、證人等重要項目均應記載。其不具備法定方式者卽屬無效。

四、契約不得違反强制或禁止之規定　所謂強制規定，乃屬於積極性者，係指法律規定必須遵守之事項，即不得違背，例如破產管理人，若以所保管之不動產物權讓與他人，如未得監察人同意，擅自與人訂立買賣契約，即屬無效。所謂禁止規定，乃屬於消極性者，係指法律規定禁止之事項，亦不得違背，例如賭博及販賣人口爲法律所禁止，若訂立契約，其契約自屬無效。

五、不得以不可能之給付爲契約標的　凡不可能給付之物品及不能有之行爲，皆不能作爲契約之標的。如買賣人之肢體，或出賣太平洋之海水等，即屬不可能之給付，如以之爲契約之標的，其契約當然無效。

第三節　契約之種類

契約起源甚早，應用又廣，種類綦多。民法上訂定有名稱者，曰模範契約。其爲民法上所不備者，曰無名契約。模範契約例如買賣契約、典權契約、抵押契約、租賃契約、借貸契約、僱傭契約、承攬契約、合夥契約、保證契約等是。茲擇要說明於次：

一、買賣契約　按民法：『稱買賣者，謂當事人約定一方移轉財產權於他方，他方支付價金之契約。當事人就標的物及其價金互相同意時，買賣契約即爲成立。』（第三四五條）通常契約上所稱買賣，係指包括動產與不動產而言，若商店售貨，祇須簡單發票即可，無須訂立書面之契約。良以田地房產等變更所有權，不若商品之簡易。且關係複雜，易滋糾紛，故必訂立契約，用資遵守。又買賣契約，舊法一稱『杜絕契』，俗名『死契』，謂契約一經成立，被賣之田地房屋即與賣主永絕關係。

二、**典權契約**　依民法規定，所謂典權，為支付典價，占有他人之不動產，而為使用及收益之權。（第九一一條）至於出典，乃以田地或房屋典與他人，而取得典價之意。出典與出賣之別：出典為所有權暫時之轉移，而出賣則為所有權永遠之杜絕。典權約定期限不得超過三十年，逾三十年者縮短為三十年。（第九一二條）

三、**抵押契約**　依民法規定，稱抵押權者，為對於債務人或第三人不移轉占有，而供擔保者之不動產，得就其賣得價金受清償之權利。（第八六〇條）

四、**質權契約**　『質權』又分『動產質權』、『權利質權』兩種，動產質權為債務人以動產為擔保品，債權人可於出賣此等動產時，取其價金償債。（第八八四條）權利質權，為債務人以自己某種權利為債務之擔保品。（第九〇〇條）抵押與出典不同之處，即出典並無債務關係，而有一定典期，抵押則為擔保債務，將自己之不動產，暫供債權之擔保，債務清償，立即收回。質權多屬動產。

五、**租賃契約**　按民法：『稱租賃者，謂當事人約定，一方以物租與他方使用、收益，他方支付租金之契約。』（第四二一條）租約中重要七點必須寫明：

㈠租賃物在交付承租人時是如何狀態

㈡租金金額

㈢出租人應如何保持承租人得到租賃之利益

㈣承租人應如何享受租賃後之利益

㈤承租人應如何保管租賃物

㈥歸還租賃物之期間應如何規定

㈦租金交付期間應如何規定

六、**借貸契約**　依民法規定，借貸包括『使用借貸』、『消費借貸』兩種。『使用借貸』不過暫時使用，不須訂立書面契約。『消費借貸』通常多為金錢借貸，多立借據。民法：『稱消費借貸者，謂當事人約定，一方移轉金錢或其他代替物之所有權於他方，而他方以種類、品質、數量相同之物返還之契約。』（第四七四條）

七、**僱傭契約**　按民法：『稱僱傭者，謂當事人約定，一方於一定或不定之期限內為他方服勞務，他方給付報酬之契約。』（第四八二條）此種契約有三要項必須寫明者：一為僱傭之期限，二為勞務之條件，三為報酬之數月及給付之時期。

八、**聘請契約**　實質與僱傭契約同。特稱聘請，以示禮遇。

九、**承攬契約**　按民法：『稱承攬者，謂當事人約定，一方為他方完成一定之工作，他方俟工作完成，給付報酬之契約。』（第四九〇條）此種契約必須寫明之事項，為承攬人應做之工作，確定完成工作之期間，報酬支付之方法，及工程或貨物安全之擔保時間。

十、**合夥契約**　按民法：『稱合夥者，謂二人以上互約出資以經營共同事業之契約。』（第六六七條）此種契約應寫明者：一為股本之認集及利息，二為贏餘及損失之分配，三為事務之處決及執行，四為退夥、增夥及解散之辦法。

十一、**保證契約**　按民法：『稱保證者，謂當事人約定，一方於他方之債務人不履行債務時，由其代負履行責任之契約。』第七三九條 惟保證責任有『有限』與『無限』之別，保證期間有『有期』與『無期』之分，在保證契約中，應寫明白，免招牽累。

十二、**繼承契約**　繼承包括嗣續與析產而言。依民法規定：『繼承因被繼承人死亡而開始。』第一一四七條 惟向來習慣，往往在父母衰老之時，即為子女分析產業，以免身後糾紛者亦復不少。現行民法亦無立嗣規定，但社會習慣，依然不廢，故特立一類，以備一格。此種契約所應注意者，關於析產，須分配均勻，書寫明白，每人各執一份，以備查對。關於嗣續，應將新舊親屬關係劃清，以免日後發生糾葛。

十三、**交換契約**　為雙方當事人以等值之動產或不動產議定等值，或補貼等值差額之交換契約。

十四、**贈與契約**　為當事人之一方持已有之財產贈與他方之意思表示，並得他方同意接受之贈與契約。

十五、**和解契約**　為雙方當事人因事爭執或因債涉訟，為終止爭執而成立之和解契約，如經法定和解，其和解契約，等於判決。

十六、**協議書**　為當事人以合意議定條件，以完成法律行為之契約，如入贅協議、解除婚約、終止收養等書面協議。

十七、**同意書**　經雙方當事人同意而完成某種法律行為之書面契約，如認領、收養。

十八、**其他契約**　不屬上列各種契約，凡由當事人雙方合意而訂立之契約，而非法律所禁止者，均發生契約效能。

第四節　契約之結構

契約爲一種法律行爲，其內容自不能違背法律，其結構之每一部分，亦必與法律上之要點相吻合。其要點約可分爲後列十二項：

一、**當事人意思自由**　契約之成立必須經過要約及承諾，故訂立契約時，必須寫明此點。如買賣契約中宜載明『此係兩願成立』，即表明訂定之契約，乃出自當事人雙方自由意思之合致，並無威逼成立之情事。

二、**記載當事人姓名**　契約之內容既須當事人互相同意，共同遵守，故必須記載雙方當事人姓名。所謂姓名，須用眞實姓名。如當事人爲法人時，應記法人之姓名。

三、**述明訂約原因**　根據法律之消極限制，訂立契約，應將正當原因寫明。但亦有省去而不書者，如學校聘請教師，僅云『茲聘台端爲本校教師』即可。

四、**記明標的或標的物**　契約內容，或買賣物產，或借貸金錢，或給付勞務，即訂約之標的或標的物。故訂定契約，必須將標的或標的物詳細寫明，不可遺漏，以免事後發生糾紛。

五、**寫明價格數目**　標的物無論爲動產或不動產，必須將當時議定價格數目，詳細寫明。例如買賣契約應寫新臺幣□□圓整，出賣人應製作受款之收據，交付買受人。又如借貸契約應記明『每百圓或每千圓每月□分□釐起息，按月付清。限至民國□年□月還本，不得拖欠短少』等。

六、**使買受人取得權利**　此爲成立契約之主要目的，非在契約上寫明不可。例如買賣契約成立後，出賣人應使買受人取得標的之權利。載明『日後如有第三人對該標的主張權利時，槪由賣主自行負責，與買主無干』等語，始能保障買受人之權益，同時亦免發生法律上之糾紛。

七、**雙方應守之約束**　例如訂立出典契約應載明『期滿之後，原價贖回典物』。又如訂立租賃契約，應載明『終止契約，應於半月或一個月前通知之，退租之日，押金如數返還』等。如項目過多，可分項列舉，寧詳毋略，寧備無漏，以便互相遵守，預防糾紛。

八、**訂立契約之期限**　凡訂立典押、借貸、僱傭、合夥一類契約者，皆須約定限期。在約定期限內，當事人皆有一定之權利及義務，故在契約內必須寫明。期限之計算法，以契尾所署之年月日起算，或依民法上之計算方法起算。

九、**雙方當事人簽名蓋章**　當事人在契約開端，已寫出姓名，例如『立出賣土地人□□□，買受土地人□□□』，所以表示契約之雙方當事人。在契末年月日之後，又須具名，並簽名或蓋章，或用指印，所以表示負契約之責任。

十、**契約之證明人**　契約除雙方當事人外，證人亦極重要。契約中常稱『三面言明』，所謂『三面』，即當事人雙方及證人。證人至少一人，最好二人。證人在契約上地位，要在證明契約之眞實，因此在立約時須寫明證人姓名、住址、身分證號碼，且須經其蓋章或簽字。

十一、**關係人簽名蓋章**　契約關係人，除證人外，有時尙有代筆及族長之類，凡與立約事件有關，皆須在契約上具名簽蓋，將來如有糾葛，關係人皆得到場。

十二、**契約之年月日**　契約上年月日，關係異常重大，一切法律上權利義務之起訖，皆以此爲根據。故非寫明不可，最好用大寫字如『壹貳叁肆』等，以防塗改。

上述各項如能包羅無遺，則契約之結構，已大略具備。

第五節　契約之作法

契約爲一種法律行爲，其內容文字，動與雙方權利義務有關。故於寫作方法，不可不有正確之認識。茲略舉重要者數端，用資隅反。

一、**文字**　契約文辭，必以簡、明、確、密爲尙。浮辭淨盡，不蔓不支，是謂之簡。據事直書，不發空論，是謂之明。涵義肯定，不涉游移，是謂之確。列事舉物，略無遺漏，是謂之密。故契約文字術語，通俗相傳，雖不典雅，然經久實驗，下字吐辭，皆有分寸，寫作時自以沿用爲宜。

二、**繕寫**　繕寫之字蹟，雖不必苛求工整，但須筆畫無訛，字體清晰。遇有數目字，最好一律大寫。如有塗改添改添註刪去之字，必須由代筆人在上面蓋章，如係親筆（今多用打字）則須親自蓋章，並在文後批明『本件塗改或添註或刪去若干字』，以明責任。若塗改過多，自以重寫爲宜。

三、**格式**　契約爲實用之文，在法律或習慣上，早經形成定式。故寫契約時，宜從舊有之格式，如能符合當地習慣之格式更佳。新式契約採取分條一、二、三、四、五……列舉式，更見眉目醒豁，內容較繁之契約（例如後舉租賃契約乙式），採此格式更爲妥貼。

四、**標點**　過去舊式契約，皆不加標點，往往在句讀上發生問題。故寫作契約，至少應每句圈斷，以免曲解，轉滋糾葛。

五、用紙 契約往往有長期保留之必要，故所用紙張，以堅韌耐久、不易塗改挖補者爲宜。

六、貼稅 依照法令，每一契約，必須按印花稅法規，照貼印花，同時應依法完納契稅等，始具法律效力。

第六節　契約實例

（一）買賣契約

㈠土地買賣

立土地買賣契約人□□□，同母□氏（以下簡稱甲方），今因正用，願將祖遺（或自置）土地一方，坐落□□縣□□區，□□段，地號□□，計地□畝□分整，憑中說合，出賣與□□□先生（以下簡稱乙方）爲業。三面言明訂立條件如下：

一、時值新臺幣□□元整，連找絕一切俗例盡行在內，當立契之日，一併收足。

二、此係自產自賣，並無房族人等爭執，亦無重疊交易等情。日後如有上項情事，概由賣主理直，與買主無干。

三、自賣之後，聽憑買主過戶、納稅、造屋、建廠，均與賣主無涉。

四、甲方應將土地有關證件，隨本約移轉乙方。倘有片紙隻字存留，日後檢出作爲廢紙。

五、此係兩願成交，並無勒逼，各無反悔。

六、本契約一式三分，甲乙雙方及中人各執一紙爲憑。

立契約人　出賣人　□□□　印
　　　　　買受人　□□□　印
中　　人　　　　　□□□　印

中華民國□□年□月□日

※　　※　　※　　※

(二)土地房屋買賣

立約人賣方□□□ 買方□□□（以下簡稱甲方 乙方），因土地房屋買賣事，經雙方同意，訂立條款如次：

一、甲方自願將祖遺（或自置）座落□□市□□區□□路□□號（即土地圖照□□……）之建築基地共□□坪，連同地上建築物樓房□幢，賣於乙方爲業。

二、乙方應付甲方新臺幣□萬□仟□佰元整，包括土地及房屋之總價。訂約日由乙方一次付給甲方□分之□即新臺幣□萬□仟□佰元，餘□分之□即新臺幣□萬□仟□佰元，俟甲方房屋出清住客，乙方於實際獲得該房屋之居住權後，即行清付。收款另由甲方出具正式收據爲憑。

三、所有該土地房屋所有權狀暨土地圖照及其他有關證照，應由甲方交與乙方，其過戶手續均由乙方辦理，但甲方須協助之。

四、該房屋內附裝有第□□□□號電話機壹具，由甲方讓於乙方，並由乙方付與押機費等新臺幣□萬

□仟□佰元，其過戶手續由乙方自行辦理。

五、甲方應自訂約日起□日內將該屋現有住客負責全部遷出，不得誤期。其所有門窗設備均經雙方清點，不得有失少情事，否則應照價賠償。

六、前項土地於出賣前之一切捐稅，由甲方負責繳清。

七、本契約經雙方及中人簽字後生效，一式三分，甲乙雙方及中人各執一紙為憑。

訂約人　賣方　□□□　印

　　　　買方　□□□　印

中　人　　　　□□□　印

中華民國□□年□月□日

※　※　※　※

（二）出典契約 出典田契

立出典田契人□□□，今因正用，自將祖遺（或自置）坐落□□縣□□區□□圖□字圩內第□號田□公畝□平方公尺整，央中說合，情願聽贖不添，出典與□□□名下，暫行管業。三面議定，時值新臺幣□□圓整，該款當日一併收清。其田自出典之後，任憑典主過戶完糧，管業耕種，言定□年為期，期滿之後，原價贖回，如無原價，仍聽管業。此係自願，決無異言。恐後無憑，立此出典田契存照。

計開四至：東至□□□處　西至□□□處
南至□□□處　北至□□□處

立出典田契人　□□□押（或章）
中　　　　人　□□□押（或章）
　　　　　　　□□□押（或章）
見　　　　議　□□□押（或章）
代　　　　筆　□□□押（或章）

中華民國□□年□□月□□日

※　※　※　※

（三）抵押契約

立抵押借款契約人□□□（以下簡稱甲方），因向□□□（以下簡稱乙方）抵押借款，雙方議定條款如左：

一、乙方貸與甲方新臺幣□□元，利率月息□分

二、甲方將座落□□市□□街□□號房屋□棟作爲抵押，以擔保前項債務。

三、抵押期限爲□年，即自□年□月□日起，至□年□月□日止。

四、甲方如屆期不清償債務，乙方得依法拍賣抵押物抵償債務。

五、本約成立後□天內辦理抵押權設定登記。

六、本約經雙方簽字後生效。

債權人 □□□ 印

債務人 □□□ 印

中華民國□□年□月□□日

※ ※ ※ ※

(四)租賃契約 租賃房屋

【甲式】

立租約人□□□，今租到

□□□先生座落□□市□□路□□號住屋一所，共□進□□間，出入通行無阻。裝修大小各件，另立收交單兩紙，雙方存執備查。憑中言明押租新臺幣□□圓整，房租每月新臺幣□□圓整。押租於立契日憑中交清，房租自進屋日起按月取付，決不拖延短少。賓東辭退，各於半月前通知。退租之日，押租如數收回。上漏下溼，歸房東修理。裝修准許改式，退租時仍照原式歸還。如有虧欠房租，及在房裝修損壞遺失等情，即在押租之內扣算。恐後無憑，立此存照。

立租約人 □□□押（或章）

中　人　□□□押（或章）

保　人　□□□押（或章）

中華民國□□年□□月□□日

【附】租出/到房屋裝修清單

（本清單應繕寫兩分。一分交房客收執，前寫『租與』，後寫『點交』，由房主具名畫押。一分交房主收執，前寫『租到』，後寫『點收』，由房客具名畫押。）

今將租□

□□□先生房屋當面點□間數裝修各件開列於後：

前進□房□間　方甎鋪地全　腰牆□堵

　摺板□道　長門□扇　玻璃窗□扇

後進□房□間　鋪地板□間　後牆□堵

　摺板□道　長門□扇　玻璃窗□扇

具點□清單人　□□□押（或章）

見　　點　□□□押（或章）

點□房屋裝修清單是實。

中華民國□□年□□月□□日

【乙　式】

立房屋租賃契約人□□□（以下簡稱甲方）□□□（以下簡稱乙方），雙方同意訂立本契約如左：

一、甲方將座落□□市□□路□□號甎造平房一棟（包括廚廁浴室），租與乙方使用。

二、租賃期限定爲□年，卽自□年□月□日起，至□年□月□日止。

三、租金議定每月新臺幣□□圓整，於每月□日一次付淸，如積欠達兩月以上，甲方得終止其契約。

四、乙方願出保證金新臺幣□□圓整，於本契約簽字時一次交付甲方，租期終了，無息返還乙方。

五、租期屆滿，如甲方繼續出租，乙方有優先承租權，但須另立契約。如甲方欲收回自用，或乙方不再承租，應於期滿一個月前通知對方。

六、乙方對於承租房屋應善予保管，倘有故意或過失，致將房屋損壞，應負賠償之責。

七、租賃期間如房屋有修繕之必要，應由甲方負責修理。如乙方爲居住便利或美觀而加以修飾時，應先徵得甲方同意，費用由乙方自理，租期屆滿，負責恢復原狀，或無條件交與甲方。

八、租賃期間，房屋應納之捐稅，由甲方繳納。乙方耗用之水電各費，由乙方負擔。

九、租賃期間，乙方不得將房屋轉租或借與第三人。

十、租賃期限屆滿前，雙方除法定原因外，不得終止契約。租期屆滿，乙方應遷讓房屋，否則願每月給付違約金新臺幣□□圓，作爲賠償甲方因此所受之損失。

十一、本約所定積欠租金及違約金，應逕受法院強制執行。

※　※　※　※

十二、本契約自簽字後生效，甲乙方各執一分爲憑。

立約人
甲方 出租人 □□□（章）
乙方 承租人 □□□（章）

中華民國□□年□□月□□日立

※　※　※　※

（五）借貸契約 借款

立借貸契約人□□□（以下簡稱甲方）□□□（以下簡稱乙方），雙方爲金錢借貸，議訂條件如下：

一、甲方貸與乙方新臺幣□□元。

二、借貸期限一年，即自□年□月□日起，至□年□月□日止。

三、月息每千元□□元，按月給付。

四、乙方連帶保證人□□□，保證乙方履行債務，並願拋棄先訴抗辯權。

五、本約雙方簽字後，各執一紙爲憑。

立約人
甲方 債權人 □□□ 印
乙方 債務人 □□□ 印
乙方連帶保證人 □□□ 印

中華民國□□年□□月□□日立

※　※　※　※

(六)僱傭契約

立僱傭契約人□□□（以下簡稱甲方）與□□□（以下簡稱乙方），因僱傭事約定條款如次：

一、乙方受僱於甲方服行□□勞務，甲方按月給付乙方報酬新臺幣□□元。

二、僱傭期限定爲□年，自□年□月□日起，至□年□月□日止。

三、僱傭期間，乙方應勤勞服務，倘有懶惰怠工，或有不法行爲，甲方得隨時解僱。

四、乙方應穿着甲方規定之制服。

五、甲方爲本身之利益，對乙方得爲必要之管束。

六、甲方不得加諸約定服務範圍以外之事務，或不正當之行爲。

七、僱傭期間乙方不得爲他人作工。

八、倘一方因特殊事故必須解僱或解職時，應於一個月前通知他方。

九、本約經雙方簽字後生效。

十、本契約一式兩份，雙方各執一紙爲憑。

僱用人　□□□　印

受僱人　□□□　印

中華民國□□年□月□日

※　※　※　※

（七）聘請契約

㈠學校聘書

茲聘請

□□□先生為本校□□□□□，任期自民國□□年□□月□□日起，至民國□□年□□月□□日止。月奉薪金新臺幣□□圓。所任功課及本校教職員服務規定，另紙附奉。敬希　察照。此訂。

□□□□學校校長□□□押（或蓋章）

（印或鈐記）

中華民國□□年□□月□□日

附應聘書

茲應

貴校之聘，擔任本學年□□□□□。聘函所示，當一一照辦。

此致

□□□□學校

應聘人　□□□押（或蓋章）

中華民國□□年□□月□□日

※　※　※　※

(二)公司聘書

茲聘□□□先生爲本公司□□□□，任期自中華民國□□年□月□日起，至□□年□月□日止，除供住宿外，月支薪金新臺幣□□元整，膳食自理。另附本公司員工服務規約，希遵行。此聘。

□□□□公司　董事長　□□□　印
　　　　　　總經理　□□□　印

中華民國□□年□月□日

※　※　※　※

(八)承攬契約（承攬工程）

立承攬據人□□□，今憑中攬到

□□□先生名下建造□房□間。一切做品、材料、式樣，另見圖說。三面議定料價、工資、喜封及一切俗例一併在內計國幣(或新臺幣)□□元整。其款自起工後分期支付，完工算清。即日動工，決不遲誤。限至□□年□□月□□日完工。材料、做品、式樣如有不合規定之處，情願改造，盈虧自行承認。並議定自完工之日起，保固□年。在此期內，如有倒坍裂陷等情，由承攬人賠修，不得加價。此係兩願，各無異言。今欲有憑，立此爲據。

立承攬據人　□□□押（或蓋章）

保　　人　□□□押（或蓋章）

附房屋圖說一份。

中華民國□□年□□月□□日

※　※　※　※

(九) 合夥契約

(一) 合夥經商

立合同議單□甲、□乙、□丙，今議定在□地□□街合創□□字號（或公司），經營□□事業，共集資本國幣（或新臺幣）□□□圓，分作□□股，每股計國幣（或新臺幣）□□圓。甲認□□股，乙認□□股，丙認□□股。公延□□□爲總經理。凡號中生意往來、夥友進退等事，均由總經理籌畫辦理。除與總經理另訂議約外，並議訂規則，載明於左，共同遵守。欲後有憑，立此存照。

一、資本均於定議日交齊，不得拖延短少。

二、股息按月□釐，年終結付，不得預支。

三、每年年終結帳一次，所有盈餘，除付股息外，其餘分作□股，股東攤分□股，總經理得□股，夥友酬勞□股，公積金□股，倘遇虧耗，按股照認塡足。

四、總經理主持一切，股東除定期查帳會議外，不得無端干預。

五、每年□月開股東常會一次，審查帳目，並議決一切應興應革事項。

六、股東、總經理、夥友均不得挪移款項、私做買賣，及擅用牌號在外賒、借、擔保等。如有以上情事，一經察覺，從嚴議罰，或另行延聘。

七、各股東如有拆股及增加資本等情事，均在年終結帳後，由股東會依多數同意取決。

八、本合同以□年為有效期限，期滿如願續訂，公同議決，願拆股退股者聽。

九、本合同照繕□份，股東各執一份，餘一份存字號（或公司）中備查。

□□□押（或蓋章）
立合同議單人　□□□押（或蓋章）
□□□押（或蓋章）
見　　議　□□□押（或蓋章）
代　　筆　□□□押（或蓋章）

中華民國□□年□□月□□日

※　※　※　※

(二)出推字據

立出推字據人□□□，於□年□月與□□□君等合開□□字號，各出資本國幣（或新臺幣）□□圓整，至今□年。今□□因□□，情願挽中說合，將自己名下認定□股出推於□□□君，三面言明，應還資本國幣（或新臺幣）□□圓整，當日如數收足。自出推之後，所有號中一切事務，以及進出帳目，□□均不與聞，日後盈虧，亦不相涉。此係兩相情願，各無異言。欲後有憑，立此存照。

再批：合夥議據一份，交受推人□□□收執。

立出推據人　□□□押（或蓋章）

見　　推　□□□押（或蓋章）

代　　筆　□□□押（或蓋章）

中華民國□□年□□月□□日

※　※　※　※

（十）保證契約 薦夥保證

立保證書人□□□，今願保□□□到□□公司辦理推銷事宜，一切悉依公司辦事規則，倘有沾染嗜好，不守規則，及敗壞公司名譽，甚至舞弊等事，惟保證人是問，並聽公司隨時辭退。其經手銀錢帳目，設有舛錯，或有影射侵挪虧空等弊，保證人負責，照數賠償。恐後無憑，立此存照。

保　證　人　□□□押（或蓋章）

中華民國□□年□□月□□日

（十一）繼承契約

㈠父立分書

立分書人□□□，今因年高力衰，難以督理家務。長子□□、次子□□、長女□□、次女□□，均已婚嫁。茲特延請親族，將祖遺及自置田地房屋，開具清單，按照時值，五股均分，子女各得一股，永遠爲業。其餘一股，爲余夫婦養老之資。俟余夫婦終身後，悉數捐與□□□，作爲慈善基金。爾等當思創業艱難，守成不易，克勤克儉，庶幾家道寖昌，無怠無荒，然後祖風丕振，其各勉之。今立分書一式五份，自存一份外，餘授與長子□□、次子□□、長女□□、次女□□，各執爲據。

計附清單一份。

立分書人 □□□押（或蓋章）
長　子 □□□押（或蓋章）
次　子 □□□押（或蓋章）
長　女 □□□押（或蓋章）
次　女 □□□押（或蓋章）
族　長 □□□押（或蓋章）

房　長　□□□押（或蓋章）

中華民國□□年□□月□□日

※　※　※　※

(二)繼　嗣　書

立繼嗣書人□□□，今因年邁無子（或夫死無子），特邀請親戚公議，擇定□□□承繼爲嗣，教訓撫養，成立婚配。所得祖遺及自置田地房屋店鋪什物，一應付於嗣子管業承受，另立清單爲憑，親族不得覬覦爭奪。日後余或生子，當與嗣子平均分派，嗣子不得爭論。（如第二句用『夫死無子』字樣，則以上三句應刪。）此係兩願，各無反悔。欲後有憑，立此繼嗣書存照。

立繼嗣書人　□□□押（或蓋章）

族　　長　□□□押（或蓋章）

房　　長　□□□押（或蓋章）

公　　親　□□□押（或蓋章）

執　　筆　□□□押（或蓋章）

中華民國□□年□□月□□日

※　※　※　※

(十二)和解書

立和解書人□□□(以下簡稱甲方)□□□(以下簡稱乙方),緣甲方曾因細故毆傷乙方,茲經友好從中調解,兩願息事,成立和解,條件如次:

一、甲方願付乙方醫藥費新臺幣□□元。
二、乙方放棄刑事告訴權。
三、嗣後雙方保持和睦相處。
四、本和解書雙方簽字後,各執一紙爲憑。

立和解人　甲方　□□□　印
　　　　　乙方　□□□　印
　　　調解人　　　□□□　印
　　　　　　　　　□□□　印

中華民國□□年□月□日

※　※　※　※

(十三)協議書

(一)入　贅

立入贅協議書人□□□（以下簡稱甲方）□□□（以下簡稱乙方），因入贅聯姻事，議定條件如左：

一、乙方願入贅甲方爲壻。

二、甲乙雙方彼此不冠姓。

三、乙方以甲方住所爲住所。

四、婚後生育子女，除次子從甲方姓、繼承甲方宗嗣外，餘概從乙方姓，接傳乙方香烟。

五、乙方有奉養甲方父母之義務，維持家計之責任。

六、本同意書經簽字後生效。

招　贅　人　□□□　印

入　贅　人　□□□　印

同　意　人　□□□　印

招贅人父　□□□　印

招贅人母　□□□　印

證　　人　□□□　印

　　　　　□□□　印

中華民國□□年□月□日

※　※　※　※

㈡解除婚約

立解除婚約協議書人□□□（以下簡稱甲方）與□□□（以下簡稱乙方）於民國□年□月□日曾在□□市□□酒樓訂婚。茲因發現彼此性情不投，志趣各異，兩願解除婚約，議定條件如下：

一、雙方訂婚前互通之信物，各自返還。

二、甲方願給乙方新臺幣□□元，作爲賠償乙方因訂婚所受之損失。

三、嗣後男婚女嫁，各不相干。

四、本約經雙方簽字後生效。

甲方□□□ 印

乙方□□□ 印

中華民國□□年□月□日

※　※　※　※

㈢離婚

立離婚協議書人□□□（以下簡稱甲方）與□□□（以下簡稱乙方），茲因雙方志趣不同，兩願離婚，協議條款如左：

一、自本離婚書生效日起，斷絕夫妻關係，互不相干。

二、婚期中所生長男□□□，由甲方撫養，次男□□□，由乙方撫養。
三、甲方願將座落□□市□□路□□號平房一棟贈與乙方，並另給新臺幣□□元，作爲贍養費。
四、乙方如再婚，其次男應交甲方領回養育，所贈與之房屋亦立即收回。
五、本離婚書經雙方簽字後生效。

離婚人 □□□ 印

　　　 □□□ 印

證　人 □□□ 印

　　　 □□□ 印

中華民國□□年□月□日

※　※　※　※

（十四）同意書（認領）

立認領同意書人□□□，於民國□年□月□日，所生男（女）孩□□，現年□歲，茲同意由□□之生父□□□認領，特立此同意書爲證。

認領人 □□□ 印

同意人 □□□ 印

中華民國□□年□月□日

※　※　※　※

（十五）出版契約

立出版契約人□□□（以下簡稱甲方）與□□書局（以下簡稱乙方），茲爲出版『應用文』（以下簡稱本書），雙方議訂條件如下：

一、甲方編著本書委託乙方永遠出版，但不得轉讓第三人。

二、本書出版後，由乙方給付甲方每册按定價百分之十五之報酬，每年於六月底及十二月底結算兩次，以實際售出册數計算。

三、甲方應保證不得將本書之全部或一部自行交付第三人出版，否則對乙方應負賠償之責。

四、甲方應負責將本書依法向主管官署辦妥著作權註册事宜。

五、本書內容如有違反著作權法、出版法、及其他有關法令者，應由甲方負責，與乙方無涉。乙方如因此而遭受之損害，甲方應負賠償之責。

六、本書以二十五開老五號字直行排印，由乙方負責校對，並須經甲方清校簽字後付印。

七、本書於每版售完後，乙方最遲應於一個月內印行新版，並於新版付印前兩個月通知甲方，甲方如需修改內容時，乙方應予改排，不得拒絕。

八、乙方對於本書內容，未經甲方同意不得任意增删、變更或合併，並不得以其內容之全部或一部錄入其他書籍出版。

九、本書出版後，應酌量刊登廣告，以廣推銷，其費用由甲方負擔。
十、本書初版出版後，乙方應無償贈與甲方樣書十册，以後每版出版時，應無償贈與甲方五册。
十一、本契約一式兩份，雙方各執一份。

立約人 甲　方 □□□ 印
乙　方 □□書局 印
右代表人 □□□ 印

中華民國□□年□月□日

※　※　※　※

（十六）推受盤契約

立推受盤契約人□□□（以下簡稱甲方）與□□□（以下簡稱乙方）同意訂立條件如下：

一、甲方願將獨資開設□□市□□路□□號之□□□□店鋪推盤讓與乙方經營。
二、甲方店中現存貨物及生財（如附清單）全部作價新臺幣□□元，讓與乙方受業。
三、在本契約簽訂前，關於□□□□店鋪所有人欠欠人，及一切稅捐等統由甲方負責清理，與乙方無涉。
四、甲方應於本契約簽訂後□日內，照清單將貨物交與乙方，乙方應於同時付清全部價款。
五、本契約成立□日內，甲方應協同乙方向主管官署依法辦理變更登記手續。
六、本契約自雙方簽字及公證後生效。

立約人

推盤人　□□□　印

受盤人　□□□　印

中華民國□□□年□月□日

第十一章 規章

第一節 規章之意義

規章之範圍，就廣義言，本包括條約、法規、章程三者。惟條約由外交官訂立，法規由立法機關制定，事屬專門，未遑深究。且條約、法規、章程三者所用術語，大致皆同，倘於規章作法有所了解，則訂立條約，制定法律，亦不至茫無所知。故茲所論，惟限於行政命令中之規程，及人民團體之章則。今爲正其名曰：凡機關或團體用書面記載其組織、秩序及治事之方針手續，而以分章分條之方式列舉者，謂之規章。蓋各種團體機關之組織，其種種活動，必須有嚴密之規定，使知所遵循，始能有條不紊，以推進其業務也。

第二節 規章之種類

規章類別，名目繁多，茲簡單分爲十二種：

一、條　例　條例爲行政命令中之一種法規，大都由高級機關（如總統府，中央之各院部會，地方之各省市政府。）所制定或核准。其作用在爲治事之依據，對整箇事務所應辦者，一一予以規定，在規章中爲具有標準性者。

二、**章程**　章程爲機關及團體所通用。大都爲實業機關或學校團體，規定其全部計畫及進行程序所用。製發者及接受者可立於平等地位，亦可立於上對下之地位。對外具有表現性，對內兼有指導性。

三、**規則**　規則亦爲機關團體所通用。其作用在規定應爲及不應爲之事項，純粹立於上對下之地位，與條例、章程皆異其旨趣。蓋條例、章程注重於積極之施行事項，規則則兼注重消極之避免事項。大抵規則爲整頓風氣、維持秩序而設，故具有紀律性。

四、**規程**　規程兼有規則與章程之用。在規定施行程序中，並規定其應爲及不應爲之事項。大抵皆機關團體爲某一特定事件而作，旣具有表現性、指導性，而又具有紀律性。

五、**規約**　規約爲公共團體或機關事實上行政機關極少訂定規約施行者訂立共同遵守之規條。大都爲平衡權利與義務而設，立於平等地位，故具有約束性。

六、**簡章**　簡章與章程性質相同，特摘取章程之重要條文，用簡單文字編成簡單之章則，可稱爲章程之摘要，故亦具有表現性與指導性。

七、**細則**　細則與規則或條例之性質相同，乃將規則或條例中所載之事項，用詳盡之文字，編成更周密之條文，逐項說明其施行手續，可稱爲規則條例之詳解。普通細則又有『施行細則』、『辦事細則』之分。

八、**綱要**　綱要爲將某種事項，提綱挈領，予以概括之規定，側重於重大條款而不及細目，故謂之綱要。或稱『綱領』，亦稱『大綱』。

九、辦法　辦法爲對某種事件，直捷指示其辦理方法。凡各種規章中規定有施行事項而未訂明詳細辦法者，皆可另行訂定辦法。

十、須知　須知與辦法頗有相輔作用。凡欲使人對某一事項之程序及辦法知所遵守者，皆可訂定須知。

十一、程序　規定辦事之手續，分別輕重緩急，決定先後次序，以書面訂立之條款，如臺灣省物資局公敎人員生活日用品配售程序。

十二、標準　一種規定之尺度，亦卽準繩之意，如行政院各級行政機關公務人員奬懲標準。

以上十二種，不過擧其要略，此外如『節目』、『程序』、『學則』、『注意事項』等，因事立名，不勝枚擧。明此諸項，其餘自可隅反。

第三節　規章之術語

規章爲處理公務或具有法律性之文件，故其用語，以謹嚴明確爲貴，玆擧規章中常用之術語如下：

一、應　『應』爲肯定非如此不可之意思。如臺灣省各縣市人民印鑑登記辦法第四條云：『人民聲請印鑑登記，應塡具印鑑條二份，向辦理印鑑登記機關爲之。一份存查，一份轉送縣市政府查核。』所稱應塡具印鑑條二份，此『應』字卽具肯定性，謂缺一份卽於手續有欠缺也。

二、須　『須』與『應』意近，惟語氣較爲和婉。如臺灣省各縣市人民印鑑登記辦法第五條云：『人民聲請印鑑登記所使用之姓名，須與戶籍登記相同，印鑑並以一種爲限。』所稱『須』字，亦具有肯定性，謂登記之姓名，必與戶籍相同也。

三、得　『得』有許可之意。如臺灣省各縣市人民印鑑登記辦法第十條云：『已登記之印鑑如需證明，得由本人塡具印鑑證明聲請書，隨帶印鑑，向原登記機關聲請證明，經查核無訛後，發給印鑑證明書。』所稱『得』字，謂在某種情況之下，需要證明，可以依手續聲請，如無需要，自不須強制聲請也。

四、不得　『不得』乃『得』之反面，但爲硬性之規定，表明非如此不可。如臺灣省各縣市人民印鑑登記辦法第十二條云：『徵收工本費，以登記規費科目掃解公庫，作爲追加戶政經費，不得移作別用。』此『不得』二字，卽硬性規定工本費之用途，不得移作他用也。

五、但　『但』，表示例外之意，通常稱爲『但書』。凡原則業經規定，如有例外事項，卽爲『但書』，用『但』字開首。如臺灣省各縣市人民印鑑登記辦法第十一條云：『有關印鑑聲請事項，應由本人自行辦理。如因事故不能自辦時，得委託他人代辦，但須出具委託證明書。』此『但』字說明在自行辦理之原則以外，雖可託人代辦，但非有委託證明書不可。大抵規章中之『但』字，多用於『應』『須』『得』『不得』之後，以表示例外。

六、及．並．或　『及』、『並』二字義近。在連舉數箇應備項目時，用『及』或『並』。具此不必具彼，用『或』。『或』字有時與『及』『並』發生連帶關係。如臺灣省各縣市人民印鑑登記辦法第二條：『辦理人民印鑑登記，應設立印鑑册正副本各一份，以村里爲單位，按鄰戶及街路門牌號數之順序。』此『及』字說明須按鄰戶號數順序，亦須按街路門牌號數順序。又如同辦法第七條：『已登記之印鑑，如欲聲請註銷或因改換或變更姓名住址，均應以書面聲請註銷，或爲變更登記。如係印鑑遺失，並應附呈刊登聲明遺失之報紙，以憑核辦。』此條第一箇『或』字，指聲請原因，非此卽彼，二者不可得兼。第二箇『或』字，指聲請目的，註銷，更換，亦爲非此卽彼。『並』字謂原印鑑遺失，除以書面聲請註銷或更換外，並應附呈遺失聲明之報紙作證。此爲『或』與『並』發生連帶關係之例。

七、除……外　此爲一種兩面俱到之規定術語，亦卽規定例外之術語。如臺灣省各縣市人民印鑑登記辦法第三條：『辦理印鑑登記所用之簿册，應永久保存，除因避免天災事變外，不得攜出保存處所。』此條除外語，卽爲顧全事實、兩面俱到之意。蓋不攜出爲原則，而爲顧及安全，在某種條件之下，則不妨攜出。惟除外語有時爲增加項目之意，如臺灣省縣政府組織規程第二十條末段云：『除討論事項外，應作工作報告及檢討。』卽爲增加工作項目，而非規定例外也。

八、遇……時　有時簡稱爲『必要時』，可以規定例外，亦可增加項目，其作用與『除……外』略同。如修正職業學校規程第七十六條：『職業學校教員，以專任爲原則，但遇有特別情形時，得呈經主管教育行政機關之核准，酌聘兼任教員。』此爲例外之規定。又如臺灣省人民團體組織暫行辦法第六條第五項云：『理事、監事名額在三人以上時，得按名額多寡，互選常務理事、常務監事一人至五人。必要時，得就常務理事中選舉一人爲理事長。』此則爲增加選舉理事長一項目矣。

九、視　同　此術語表示與所規定之事項同等看待。如銀行法第一條：『營前項業務之一而不稱爲銀行者，視同銀行。』又爲行文之便，或用『以……論』、『作……論』，亦爲視同一律之意。

十、其　他　凡列舉不盡或不能確定之事項，皆用『其他』一語概括之，故此術語大抵用在列舉項目之末。如臺灣省省轄市區長副區長選舉辦法第四條第十二款：『其他依法令應予停止公權者。』因前十一款已列舉應予停止公權之事實，恐有遺漏，故用『其他依法令』一語以概括之。

以上爲規章中常用之術語，其他普通文章可用『倘』字者，而規章中則用『如』字，不用『倘』字，如前引『如需證明』，『如欲聲請註銷』，普通文章未嘗不可用『倘』，而在規程中則慣用『如』字。此類皆宜隨時注意用語之習慣，未能一一備舉也。

第四節　規章之作法

規章之種類頗多，故寫作之方法亦非一成不變，玆特求其共同之點，以明寫作之方法。

一、**制定名稱**　凡作規章，必先定名。構成名稱之要素，不外(1)制定之機關，(2)施行之效用，(3)效用之範圍。立名之時，根據構成之要素，然後辨明規章之性質，自可制定切當之名稱。例如『教育部監督私立大學規程』，教育部爲制定機關，監督爲施行之效用，私立大學爲施行之範圍，規程則爲此規章之類別。名稱之確定，不外以此諸要素爲依據。至於制定之名稱，字數宜簡短而能籠罩全文，音節宜諧適而響亮。使讀者聽者未見全文而已有深刻之印象。是在定名上已收規章之效用矣。

二、**編訂章節**　編訂章節，在使眉目清楚，便於檢閱。務須每條之中，上下自成段落，逐條銜接，層次先後分別。萬不可有混淆相犯之弊。至於章節多寡，當視規章內容而定。最繁者可分爲編、章、節、目、條、項、款七級，普通分章、節、條、款四級，最少者惟用條之一級。編訂章節時，應斟酌事實之需要，既不可有意求繁，亦不必勉強求少，要以分配適宜爲度。

三、**安排次序** 一般章則之結構，大體可分三部分：⑴總則，⑵分則，⑶附則。凡規章之根據、定名、宗旨、會址等，大都列於總則部分。各種特殊事項，如會員、組織、職權、任期、會期、經費等，大都列於分則部分。不過所謂總則、分則、附則等字樣，亦不必定須標明，祇按其性質，依次編列即可。大抵全文中可以籠罩其餘之條文排列在前，其餘次之，是爲總則部分之內容。再將事實發生在前，以及重要性之條文排列在先，其餘次之，是爲分則之內容。規章通過等手續，照例列於後面。

四、**根據法規** 規章之性質相當於法律，故其本身不能無法律之根據。一般規章在開始時首載明本規章所根據之法規，其故即由於此。惟特須注意者，即所引必爲現行足資依據之法規，如所引法規曾經修正公布，即應引用修正之條文。如無明文可資引據，所訂規章，至少不可與現行法令違背。

五、**考慮周密** 規章之作用，在規定辦法，俾衆遵循。故一切有關事項，皆須詳加考慮，逐項規定。如有列舉事項，亦應體驗事實，將可能發生之情況一一列舉，不可有所遺漏。

六、**文字明確** 規章既具有法律之性質，故文字當求簡明確切。祇需據事直書，不必詳說理由。祇求觀者明瞭，不必講求典麗。規章文字不宜過長，故應力求簡明。規章性質，多具強制性，故語氣必須肯定。如『大概』、『容或』、『似宜』之類，語涉模稜，皆不可用。前節所舉規章之術語，其語氣皆有一定之範圍，宜留心使用，否則不但多費解釋，甚至失去規章之作用。

以上所舉，爲寫作規章必須注意之原則。至於各種規章，因性質之不同，而有不同之作法，學者從事時，留心體察，自可觸類旁通，無俟一一說明矣。

第五節　規章實例

（一）條　例

姓名條例

中華民國五十四年十二月一日修正公布
總統令公告

第一條　中華民國國民之本名以一個為限，並以戶籍登記之姓名為本名。

第二條　國民對於政府依法令調查或向政府有所申請時，均應使用本名。

第三條　學歷資歷及其他證件執照應用本名，其不用本名者無效。

第四條　財產權之取得設定移轉變更或其他登記時，應用本名，其不用本名者，產權登記機關不得予以核准。存儲銀錢財物時，應用本名，其不用本名者，承辦人不得予以接受。共有財產使用堂名或其他名義時，應表明共有人或其代表人之本名，其未表明者，準用前兩項之規定。

第五條　有左列情事之一者，得申請改姓：

一、被認領者。

二、因被收養或終止收養者。

三、其他依法改姓者。

因婚姻關係申請冠姓或撤銷冠姓者，準用前項之規定。

第六條　有左列情事之一者，得申請改名：

一、同時在一機關服務或同在一學校肄業，姓名完全相同者。

二、同時在一縣市內居住六個月以上，姓名完全相同者。

三、銓敍時發現姓名相同，經銓敍機關通知者。

四、與經通緝有案之人犯姓名完全相同者。

五、命名文字字義粗俗不雅者。

依前項第五款申請改名者，以一次爲限。

第七條　有左列情事之一者，得申請更改姓名：

一、原名譯音過長或不正確者。

二、爲僧尼而還俗者。

三、因執行公務之必要，應更改姓名者。

第八條　在本條例施行前，有第三條第四條所定情事之一而未用本名者，應於本條例施行後申請爲本名之更正。但有第三條所定情事而未用本名者，得以學資歷證件或其他足資證明之文件名字爲準，申請更正。

前項申請爲本名之更正或變更戶籍上本名之登記，均以一次爲限。

第九條　本條例施行細則由內政部制定之。

第十條　本條例自公布日施行。

(二)章程

○○市教育會章程

一、定名：本會定名爲○○市教育會。

二、宗旨：本會以研究教育事業，發展地方教育，並協助政府推行教育政令爲宗旨。

三、會址：本會會址設於本市○○路○○號。

四、任務：本會之任務如左：

1關於地方教育的研究及建議改進事項。

2關於增進人民生活知識之指導事項。

3關於地方教育之調查統計及編纂事項。

4舉辦教育學術講演暨各項教師進修活動。

5舉辦各項教師福利事業。

五、會員：

(一)凡中華民國人民居住本市，年滿廿歲，具有左列資格之一者，得加入本會爲會員。

1現任公立或已立案之私立學校教職員或社會教育機關職員，但職員以中等以上學校畢業者爲限。

2曾在公立或已立案之私立大學或獨立學院教育科系或師範學院畢業者。

3曾在師範專科學校或師範學校畢業者。
4曾在公立或已立案之私立專科以上學校畢業，並從事教育事業一年以上者。
5曾在公立或已立案之私立學校或社會教育機關服務三年以上者。
6對於教育確有研究並有關於教育之著作者。
(二)有左列情事之一者，不得爲本會會員。
1背叛中華民國者。
2褫奪公權者。
3禁治產者。

六、組織：
1本會設理事九人，候補理事三人，監事三人，候補監事一人，由會員大會選舉之，並得由理事互選三人爲常務理事，由監事互選一人爲常務監事。前項常務理事並得互選一人爲理事長。
2理事長之下得設總幹事一人暨幹事三人，由理事長遴聘適當人選充任。
3理監事之任期二年，連選得連任。

七、會議：
1本會會員大會分定期會議及臨時會議兩種，均由理事長召集之。前項定期會議每年一次。
2理事會議每月舉行一次，由理事長召集之。監事會議每兩月舉行一次，由常務監事召集之。遇有必要時，得召開臨時會議，或舉行理監事聯席會議。

八、會費：會員入會費每人新臺幣〇〇元，常年會費每年新臺幣〇元。
九、附則：本章程經會員大會通過後施行。

（三）規　則

教育用品免稅規則

中華民國三十三年二月八日
教育部第一三三〇二號訓令轉發

第一條　國內公立及已立案之私立各級學校暨其他教育機關購置教育用品時，依照本規則第三條請領免稅護照。

第二條　前條之教育用品以左列各品為限：
甲、儀器。
乙、理化用品。
丙、標本模型。
丁、依各學校及教育機關設立性質用以教學或研究之必需品。

第三條　合於第一條規定之學校或教育機關購運之教育用品，應按照附表所列品名、數量、價值等項分別填註六份，呈由教育部或呈由各該主管教育行政機關轉報教育部核明確與第二條之規定相符，除教育部留存一份備查外，餘悉咨行財政部填發護照，分別令行該管關局免稅驗放。

第四條　教育用品免稅護照由財政部塡發，每護照一紙，照章應貼印花五十元。

第五條　前項護照應由持照人經過各關局時先行繳驗，單貨相符，卽予加戳放行，如所運物品查與單開品名數量等項不相符合或有影射塗改及一照兩用情事，應由各關局照章扣留，呈請核辦。

第六條　前項護照均應依限繳回最後之關局呈送財政部核銷，所有各關局驗放之教育用品，並按季列表二份彙報財政部備查。

第七條　本規則自呈准行政院公布之日施行。

(四) 規程

中等以上學校社會教育推行委員會組織規程

中華民國三十四年八月二十二日
教育部第四一七八〇號令公布

第一條　中等以上學校應依照各級學校辦理社會教育辦法第八條及本規程之規定，組織社會教育推行委員會，主持規畫本校辦理社會教育及家庭教育事宜。

第二條　社會教育推行委員會隸屬學校教務處或教導處，由左列人員組織之：

甲、當然委員

(一) 教務長或教務主任。

(二) 訓導長或訓導主任或教導主任或訓育主任。

(三)總務長或總務主任或事務主任。

乙、聘任委員：

(一)本校熱心推行社會教育或家庭教育之教員。

(二)所在地熱心推行社會教育或家庭教育人士。

前項聘任之委員由校長聘任之。

第三條　社會教育推行委員會設常務委員一人，由教務長或教務主任或教導主任擔任之。

第四條　社會教育推行委員會設主任幹事一人，由校長遴聘具有社會教育專門研究及相當經驗者充任之。設幹事及助理幹事，由校長選聘或指派本校職員學生兼任之。

第五條　社會教育推行委員會之職掌規定如左：

甲、擬編辦理社會教育及家庭教育工作計畫概況報告等。

乙、規畫事業費並編製預決算。

丙、支配工作並考核其成績。

丁、訓練工作人員有關工作上學識技能等。

戊、聯絡當地有關機關及箇人協同進行。

己、研究工作上各項實際問題。

庚、其他有關社會教育工作事項。

第六條　社會教育推行委員會每學期開常會三次，於學期開始、期中及結束時分別舉行，必要時得召集臨時會，均由常務委員召集之。

第七條　社會教育推行委員會經費由學校經常費內支給，並應列入預算。

第八條　社會教育推行委員會辦事細則由各校定之。

第九條　本規程自公布日施行。

(五) 規約

○○鄉公所禁賭規約

一、本規約由本公所召集各村村長共同議決，凡在本鄉區域以內居住之人民均須切實遵守，如有違犯，照約處辦。

二、凡在本鄉區域內設局聚賭，處○○元以上○○元以下之罰金。

三、本鄉區域以內不論何家房屋或空地，如有租借與人開場聚賭，除賭博者已按第二條處罰外，該房屋或空地之主人連帶處以○○元以上○○元以下之罰金。

四、凡居住本鄉者不論何家子弟，如在本鄉區域以內或其他地方賭博者，經本公所查明證實，即通知其家長嚴加訓誨，並罰金○○元。

五、所受罰金概由本公所專賬儲存，以充公益或慈善經費。

六、本規約呈奉本縣縣政府核准後施行。

(六)細則

國立臺灣大學學生宿舍管理細則

第一條　學生宿舍由軍訓教官管理之，負責管理之教官，承校長之命並受訓導長、副訓導長（總教官）之指導、依照宿舍規則執行職務、指導住宿學生並考核其品行。

第二條　教官得就核准住宿學生分別指定其寢室並辦理有關請求遷調、互調、退宿等事宜：

一、在本宿舍請求遷調寢室，經教官核准後，送生活管理組備案。

二、請求互調宿舍時，經雙方教官同意後由學生報請生活管理組核定後，辦理登記手續。

三、請求退宿時，報請教官及生活管理組登記。

第三條　教官應按時點名，督導住宿學生按時作息。

第四條　教官對於住宿學生應經常注意其品行，以評定操行之優劣。對於犯規學生得予訓誡，如情節較重者，提請訓導長轉呈校長議處。對熱心公益之學生，得報請訓導處轉呈校長嘉獎。

第五條　教官得審核住宿學生對宿舍事項之請求報告，並簽註意見，經副訓導長（總教官）、訓導長核定後再送有關單位辦理。

第六條　教官處理宿舍事務，應按規定時間在宿舍辦公，並接受訓導處指定之其他任務。

第七條　教官應負責督導宿舍工友工作，並考核其勤惰。

第八條　教官須按時出席訓導處生活管理組所召集管理學生宿舍之教官會議，報告並討論宿舍有關事項。

第九條　女生宿舍教官除遵守本細則外，得另行訂定補充辦法。

第十條　本細則經行政會議通過後公布施行。

(七)綱　要

行政院祕書處內部檢覈實施綱要

一、行政院祕書處（以下簡稱本處）為厲行行政革新，加強內部管理功能，促使各種既定工作獲致最大績效及交辦事項能徹底有效執行，實施內部檢核，特訂定本綱要。

二、內部檢核項目如左：

(一)文書處理檢核。

(二)財產物品使用管理檢核。

(三)績效預算成果檢核。

(四)其他經指定實施檢核事項。

三、內部檢核以左列方式行之。

(一)定期檢核：由檢核單位派員向受檢核單位作定期檢核，提出報告。

(二)專案檢核：由檢核單位指定專人向受檢核單位作特定事項檢核，提出專案檢核報告。

四、檢核報告應載明左列事項：
㈠檢核項目。
㈡檢核經過。
㈢優點及缺點。
㈣建議或改進事項。
檢核報告內容如涉及其他有關單位時，應先行會核。
五、實施內部檢核所需之圖表、卡片、簿册等格式，除由檢核單位規定基本格式外，可由受檢核單位自行研訂補充備用。
六、檢核工作由本處研究發展小組暫行兼辦。
七、研究發展小組得以事實需要簽請指派有關人員參加檢核工作。
八、檢核人員因工作需要，得逕行洽商受檢核單位或有關單位提供補充資料或說明。
九、檢核報告由研究發展小組簽請祕書長參考核奪後分送受檢核單位及有關單位。
十、參與檢核人員對檢核事項應負保密之責。
十一、本綱要奉核定後施行。

（八）辦　法

行政院禁止所屬公務人員冶遊賭博辦法

第一條：行政院（以下簡稱本院）爲革新政治風氣，加強執行公務員服務法第五條規定，特制定本辦法。

第二條：本院暨所屬各機關公務人員（以下簡稱公務人員）除執行公務外，不得有左列情事：
一、涉足酒家、酒吧、舞廳及有女性陪侍之茶室與咖啡館暨其他冶遊之場所。
二、賭博財物。

第三條：公務人員冶遊、賭博財物（經法院或警察機關處理有案者），視其動機原因及影響，依法予以申誡記過或記大過，同一考績年度內記大過達兩次者，應卽免職。

第四條：各級主管人員對屬員是否有冶遊、賭博財物情事，應本監督職責，嚴加考核，其有知情而不處置者，視其情節輕重，依法懲處。

第五條：治安人員執行勤務時，如發現公務人員冶遊、賭博財物時，應報請機關長官轉知該公務人員之所屬機關處理。

第六條：本辦法自公布日施行。

(九) 須知

國民生活須知

壹、一般守則

一、普通禮節

(一) 國家慶典，應懸掛國旗。升降國旗，應肅立致敬。
(二) 在集會場所，聽、唱國歌，立卽肅立。
(三) 國旗、國父遺像、元首玉照，均應敬謹使用，妥愼保存。
(四) 遇見國家元首，可以肅立、歡呼、鼓掌等方式致敬。
(五) 對尊長，鞠躬致敬。對親友，懇切問候。尊長在座，不宜交足。
(六) 早晚應對父母、尊親、師長問安。出門必敬告父母，回家必面見父母。父母召喚，應立卽答應，並趨前承命，不可虛諾。
(七) 注意禮讓，不要忘記說個『請』字，接受任何人的幫忙服務時，不要忘記說聲『謝謝』，自覺不週到處，應該說『對不起』。
(八) 行、坐、站、立，一般位次，前大後小，右大左小，三人以上，中最尊，次爲右，再次爲左。
(九) 行禮握手，應注目示敬，如長輩或婦女未先伸手示意，可向其鞠躬或微笑點頭，不必握手。
(一〇) 親朋聚會，亦可拱手爲禮。

(十一) 介紹相識，先尊後卑，並說明姓名或交換名片。

(十二) 普通稱謂，對長者、平輩，均可稱先生。對婦女，應酬稱小姐、女士、太太或夫人。

(十三) 擇交取友，須善善惡惡，而且寧可吃虧，不佔便宜。

(十四) 訪問宜預先約定，並準時守信。

(十五) 機場、車站、碼頭，送往迎來，除非必需，均可減免。

(十六) 候車、購物（購票）、入場，均應遵守先後秩序。

(十七) 商場買賣，應有禮貌。標價不二，信用第一。

(十八) 公共場所，應遵守規定，不可隨意吸烟，並不得亂拋雜物，踐踏草坪，攀折花木。

(十九) 參觀競技，不可無謂叫囂。尤其在國際競賽場合，不可左袒己方，而失禮於彼方。

(二十) 聽樂觀劇，按時進退，保持寧靜，鼓掌中節。

(二一) 絕對不可隨地吐痰、隨地便溺。

(二二) 公用毛巾，不可揩擦鼻涕唾沫。

二、說　話

(一) 說話要誠懇莊敬，聲音適度。不談人私，不議人短，不炫己長。

(二) 對方說話，不可打斷，旁人說話，不可插嘴。聽人講話，耐心聽完。

(三) 與多數人在一起，不可專與一、二人談話，並避免以方言交談。

(四) 打電話時，應說明己方姓名，如撥錯號碼，宜表示歉意。

接到電話，先答己方姓名，如接話人外出，應聽明轉告。

使用電話，應問答簡明，聲音不宜過高，時間不可過長。

三、開會

㈠出席集會，嚴守時間。必須中途退席時，應先請求主席許可。

㈡保持會場秩序，尊重主席職權，發言先求許可，並遵守時限。

㈢養成服從多數、尊重少數之習性。

貳、食的方面

一、進食

㈠食物講求衛生，餐具務須清潔。

㈡長者未食及家人未到齊以前，不宜先食。

㈢進食時，要保持良好姿態，肘臂不可張開，以免妨礙鄰座。

㈣喝湯不宜有聲。碗盤筷匙，不宜撞擊作響。

㈤不可用筷子或手指剔牙，必要時，應用牙籤，並掩蔽爲之。

㈥果核骨刺，殘肴飯粒，不可隨手棄置。

㈦取用菜肴，應取靠近自己一面者，不可在碗盤中隨便翻揀。

㈧吃麵包（饅頭），只宜撕成小塊，不可大口咬食。

㈨進食時，與同座談話，聲音不可太高，並不可揮動筷匙刀叉。

(〇)茶飯既畢，應將餐具理好，坐椅亦應放回。

(二)野餐後，其紙巾、飯屑、竹筷、木盒等，應放置於垃圾桶內，或集中自行帶回。

二、宴會

(一)請帖應早日發出，並附回單。

(二)接到邀宴請帖，應即行作覆。如覆『陪』，須準時前往參加。如覆『謝』，切不可臨時參加。

(三)參加宴會，不可中途離席。如有必要，應向主人致歉。

(四)宴會敬酒，例由主人先向賓客舉杯。勸酒勸菜，不可過分勉強。又茶具酒器，宜有分別。

(五)西餐注意事項：

1.取用靠右邊的飲料，靠左邊的麵包。

2.先取用盤右最遠的匙、刀與叉。喝湯使用大匙，割食肉類與菜餚，使用大型刀、叉。

3.除酒杯及飲料杯外，不可將任何盤碟舉起飲啖。

4.不可用自己刀叉在公用盤碟內取用食物。

5.刀叉用畢，應併置於盤中。

叁、衣的方面

(一)服飾以整潔樸素爲主，材料宜用國貨，式樣不宜奇異。

㈡衣服應穿正、扣鈕，污垢須隨時洗滌，破綻須隨手縫補。
㈢帽子不得歪戴，髮式、服裝，不得蓬頭怪樣。
㈣出門不赤膊、不穿拖鞋，不着睡衣。
㈤禮服——中服，男子爲藍袍、黑掛，或深色中山裝。女子爲袖長及肘、身長及踝之旗袍。西服則照西方習慣。
㈥參加喪禮弔唁，宜着深色衣服，舉止並應肅穆。

肆、住的方面

一、衞生安全

㈠居室內外，應經常灑掃，廚廁應經常清洗，溝渠應經常疏通，蚊、蠅、蟲、鼠，應勤加撲滅。
㈡家具物件，力求整潔。如有隙地，應使美化。
㈢當街過道，不曬衣物。屋外車具，不可妨礙交通。
㈣不塗污牆壁，不亂丟棄物，不亂倒污水。
㈤小心火燭，謹愼門窗。

二、日常生活

㈠早睡早起，勤勞操作。
㈡應經常剪指甲、理頭髮、勤沐浴。

㈢噴嚏、呵欠，必須掩口。

㈣飯前、便後、工作、運動完畢，必須洗手，以維衞生。

㈤隨手關門，隨手熄燈，隨手關水。（公共場所尤其重要）

㈥收聽廣播或收看電視，保持適當音量，不可妨害周圍寧靜。

㈦常用物件，放置一定處所，用畢歸原。

㈧睡時熄燈，夜遲歸來，須保持安靜。

㈨有事出門，須言明去處。逾時不歸，應及時通知。

三、鄰居、同住及公共生活

㈠與人同住，注重禮讓，守望相助，疾病相扶持。

㈡室內一切動作，均宜輕緩，以保持寧靜。

㈢將入人室，應先叩門。私人信件，不得拆閱。

㈣他人物品，未得同意，不可擅自動用。

㈤公井、公浴、公廁、及公共集會場合，必須保持整齊清潔。

四、家　庭

㈠子弟應服從尊長，如有意見，應婉轉說明。

㈡兄弟、姊妹、妯娌，須互相友愛、諒解。

㈢夫婦相處，互敬互諒，不宜專斷詬誶。

伍、行的方面

一、秩序與安全

㈠行車走路，不可爭先，車輛行人，均應靠右。

㈡與尊長同行，應略退於後方一步。必要時，並須予以攙扶。

㈢乘車須依序上下，不可以頭與手伸出窗外，不可攀立車廂兩旁。

㈣行路時，要注意標誌燈號，服從交通指揮。

㈤穿過街道，應走行人穿越道或斑馬線。

㈥通過平交道，要特別小心，並不可穿越平交道放下的欄柵。

㈦使用腳踏車，不可搶先，不可攀附任何車輛之後。

㈧機車不可超載，單車不可雙乘。（拖車的牲畜不可虐待）

㈨車輛夜行，應照規定亮燈。

㈩不得於道路中擊球遊戲，不得於公路及鐵路中間放置石塊及其他障礙物，妨害行車安全。

二、儀態與風度

㈠行路須擡頭、挺胸、比肩、齊步，容止安詳。

㈡行進間，不可吃零食，不可攀肩搭背。

㈢乘坐車船，應對老弱、婦孺、傷殘、疾病者讓坐，並照顧其上下。

(四)路遇遺物，應歸還原主，或送警招領。

(五)乘坐車輛，宜依次就坐。

陸、育樂方面

(一)愛護兒童，不可放縱，應啓發其心智，矯正其不良習慣。

(二)管教子女，身教爲先，不宜動輒責罵。

(三)要養成爲多數人服務、『先之勞之』的美德。

(四)養成其是非心，能仗義執言。養成其同情心，能急人之急。

(五)見人傾跌，不可譏笑，須予扶持。見人鬥毆，不可助虐，須予排解。

(六)不容許孤立自私，投機取巧，偷惰怠忽。尤不容許貪人之功，以爲己有。

(七)遵守防疫規定，接受注射檢查。

(八)利用休閒時間，培養藝術興趣，提倡正當娛樂。

(九)提倡正當的國民運動，如球類、騎射、駕駛、操舟、旅遊、釣獵、拳術、游泳、舞蹈……，以代替流俗的娛樂。

(十)注意事項

臺北市公職人員選舉警察人員注意事項

(57)4北市民二字第二〇三一二號令

一、各種公職人員選舉，警察人員應切實守法，不得利用職權或職務上之機會，協助候選人作競選活動。
二、警察人員對候選人之競選活動，除依法應行取締者外，應保持超然立場，不得干預。
三、各種公職人員選舉候選人發表政見演講時，警察人員應負責維持秩序。
四、各種公職人員選舉投(開)票所之警衞事宜，由主辦選舉機關洽各該地警察單位指派警察人員擔任。
五、各種公職人員選舉投（開）票所警衞人員受投（開）票所主任管理員之指導監督及主任監察員之監察，辦理左列事項：
(一)投票人如有擁擠或不守秩序之勸導事項。
(二)投票所外如有向投票人拉票情事之制止事項。
(三)非投票人或未佩帶選務或監察機關製發標誌而欲進入投票所者之制止事項。
(四)投票人有臺北市公職人員選舉罷免規程第卅五條第一項各款情事之一，經投票所主任管理員或主任監察員令其退出投票所之執行事項。
(五)投票所內外有人喧嚷吵鬧情事之勸阻事項。
(六)投（開）票所內外發生足以妨礙投票或開票情事之制止事項。

(七) 經投(開)票所主任管理員指示糾正或制止事項。

六、各種公職人員選舉,投(開)票所警衞人員不得有左列情事:

(一) 非有必要或經主任管理員之指導,不得無故進入投票所或開票所唱票記票處範圍。

(二) 指示投票人圈選一定之候選人或其他助選行爲。

(三) 窺探投票人投票祕密。

(四) 催促投票人前往投票所投票。

七、各種公職人員選舉候選人競選活動,如有影響交通、公共秩序、地方治安或其他違法情事,警察人員應依其職權糾正制止或取締。

第十二章　啓事廣告

第一節　啓事廣告之意義

廣告有兩種：一爲商業廣告，一爲啓事廣告。方今社會結構，日益複雜，商場競爭，日益激烈，以是所有公司行號，無不絞盡腦汁，自我宣傳，以博取廣大羣衆之好感。時日既久，遂有廣告公司之出現，專門設計各種商業廣告，林林總總，無奇不有，極炫眼奪目之能事。故今之商業廣告，已成專門學藝，非老於此道者不能爲，茲概從略，而專論啓事廣告。

啓事廣告亦稱人事廣告，凡個人或機關團體對社會大衆或一部分人或某一個人有所陳述，以公開方式，在一定時間內，登載於報紙雜誌上，或張貼於顯明處所之文書。其性質與普通信札略同，惟信札僅用之於對個人，而啓事廣告則在求取大衆之注意，即使專向某一機關團體或個人而發，亦隱然有引起大衆注意之意思，故目之爲公開信之變體，當無不可。

第二節　啓事廣告之種類

啓事廣告由於刊載之目的與項目不同，種類繁多，要而歸之，可分爲四大類：

一、**公布類**　公諸社會，俾大衆對某項事務能有所了解。如鳴謝啓事、開業啓事、警告啓事、訂婚啓事、結婚啓事、解除婚約啓事、離婚啓事、喪葬啓事、介紹啓事、遷移啓事、道歉啓事、尋人啓事、尋物啓事等。

二、**徵求類**　公開向社會徵求，以達到其特定之目的。如招考啓事、徵婚啓事、招租啓事、招標啓事、讓售啓事等。

三、**公告通知類**　凡不明受文者之住所，無法送達，對特定人採用公開方式通知。如法院或機關公示送達文件，或學校集會通知等。

四、**公告聲明類**　爲完成法律應具之程序，或對不特定人而作之公開聲明。如遺失啓事、徵詢異議啓事、聲明啓事、委託啓事、受任啓事等。

第三節　啓事廣告之結構

啓事廣告之結構，就其內容所應包括項目，至少應具備下列五部分：

一、**標明性質**　啓事在正文前，應標明性質，予人以明晰之觀念。如急徵人才啓事，結婚啓事等是。按現在報紙皆有分類廣告，凡分類廣告之啓事，如不標明性質，報社亦可分別排於各類之中。

二、**啓事事實**　啓事係爲某一特定事項聲明或要求，亦卽啓事之事實，在啓事之內容上應作詳細說明，如招考技術人員之啓事，應將招考人員之資格、報名手續及日期、錄用人數、以及錄取後待遇如何，均須一一載明。

三、啓事目的　啓事之目的是希望看到此一啓事之人應作如何處理。例如徵求歷史文物啓事：『倘蒙割愛，當致重酬。』聲明啓事：『誠恐外界不明眞象，特此登報聲明。』

四、啓事對象　報刊啓事雖對社會大衆有所宣告，以期了解，但仍有其特定之對象，例如結婚啓事：『特此敬告諸親友。』警告啓事：『警告逃夫〇〇〇。』道歉啓事：『敬向〇〇女士道歉。』商店遷移新址啓事：『敬請舊雨新知不吝指教。』

五、啓事人具名　啓事人之具名可用本名、化名、略名、隱名四種。玆分述之：

㈠本　名：如警告攻訐等啓事，涉及法律問題，故應具本名，以示負責。

㈡化　名：此乃欲誹謗他人名譽，逃避法律上或道德上之責任。惟今日報社對此類廣告均有限制，故已少發現。（惟張貼方式除外）

㈢略　名：如男士徵偶、小姐徵婚等，均不具本名，而以『某君』、『某小姐』代之。

㈣隱　名：此與略名不盡相同，因略名雖不具本名，尚有一略名，而隱名則根本不具名。如『函本市〇〇路〇號洽』。或上面寫『〇〇兄鑒』，而下面則僅寫『知名』二字。

第四節　啓事廣告之作法

啓事廣告與普通文章不同，普通文章長短繁簡，可隨興所至，任意取捨。而啓事廣告則因受人、地、時、事之種種限制（請參閱本章第三節），不能暢所欲言。要而言之，寫作此類文字時，須注意下列三事：

一、**簡明謹嚴**　文字不宜冗長，力求簡單明確，尤須處處顧及法律依據，蓋稍有差池，卽涉訟事，故雖一字一句不苟措，斯爲得之。

二、**淺近扼要**　啓事廣告係刊登報紙，所費不貲，故應採用淺易文言文，語無虛發，切近事實，用最少文字表達全部事實，使人一目了然。

三、**約定俗成**　啓事用詞雖未明定於法律，然亦有其規律，或由於習慣使然，或由於社會公認，吾人未可標新立異，否則反易扞格不入，貽笑方家。

第五節　啓事廣告之法律關係

所謂啓事廣告之法律關係，是指啓事人之法律責任與啓事之法律效力而言，原屬法律問題，似不在應用文範圍之內。惟普通法律常識仍爲現代國民所應知，用特條陳二事如左：

一、啓事廣告不但可爲訴訟時採證根據，如有妨害他人名譽及信用者，刑法並有處罰明文，故啓事人對啓事廣告內容應負法律責任。

二、啓事廣告在法律上無法認定當事人一定看到，並無絕對效力，故對於『聲明異議』，『通知參加』等類啓事，仍以掛號郵寄或法院公證送達爲宜，如諉以不明地址無法送達，亦應向法院聲請公示送達。如關係人太多，無其他方法完成意思表示之效力，以啓事通知關係人或徵詢異議，在事實上並非毫無意義，惟法律上無絕對效力而已。且法律行為之成立，在法律上有一定要件，如『結婚』『離婚』分別依民法第九八二條及一〇五〇條規定其要件如公開儀式二人以上證明等，決不因刊登廣告啓事而有法律上之效力，其他諸事莫不如此。總之，啓事廣告之意義及作用固然甚多，然在法律上之效力則極微小。

第六節　啓事廣告實例

(一) 公告通知

> **國立臺灣大學公告**
>
> 中華民國六十七年十一月八日
> (67)校總字第八一七八號
>
> **國立臺灣大學歷屆畢業校友公鑒：**
>
> 本年十一月十五日（星期三）為本校成立卅三週年校慶紀念日，是日上午十時在本校體育館舉行校慶紀念大會，會後在學生活動中心茶會，歡迎本校校友返校參加，共申慶祝。校友會在本校正門及新生南路側門均設有招待站，負責接待事宜。
>
> 國立臺灣大學卅三週年校慶籌備委員會啓

> **臺灣省立臺北師範專科學校校慶歡迎校友返校　啓事**
>
> 十月廿五日本校校慶（原為十二月五日從去年起奉命改在光復節）舉辦各項慶祝活動，並定廿五日上午八時舉行校慶紀念大會，九時半本校暨附小聯合運動會，歡迎歷屆校友返校參加，共襄盛舉。

(二)鳴謝

㈠謝祝壽

屈萬里啓事

日前猥以賤辰，重勞 諸前輩、諸至友或枉駕賜教，或函電勗勉，或寵以厚貺，或錫以鴻文。高誼雲深，沒齒難忘。病中不克趨府面謝，僅布區區，敢乞 曲宥爲幸。

楊廷俊謝啓

廷俊八十賤辰，値國步艱屯，未敢言壽，重勞 高軒雅貺，感愧無量，敬布謝忱。諸維
荃 察

謝啓

敬啓者：昨爲家君七十壽辰，芳荃等遵奉庭訓，厲行節約，猥蒙 政府長官、桑梓父老寵臨道賀，旣隆儀之下賁，復吉語之增華。高誼雲天，良深銘篆。淸茗接待，諸多簡慢。謹申謝悃。
伏維 朗照

陳芳荃謹啓

任飛謝啓

日昨賤辰，承各學術文化團體籌備，黨、政、軍、警及文化、教育、社會等各首長與各友好惠賜詩文字畫，或枉駕蒞臨，高情隆誼，感激無似。國家多難，不敢言老，今後當一本報國素願，繼續努力，以副厚望。祇以事冗，未克一一拜謝，尚祈 曲宥爲幸。

日昨家母八十壽誕，荷蒙
長官親友高軒蒞止，題贈佳作，厚賜隆儀，雲情高誼，銘感五中。祇以招待不週，敬乞 鑒諒，
並申謝忱。

魯海桑謹啓

日昨賤辰，渥蒙
總統頒賜壽軸，及 諸長官親友或高軒蒞止，或墨寶遙頒，華藻鴻文，光叨
福照。謹申謝忱。諸祈
澄 詧

丁紹武敬啓

謝啓

一昨賤辰渥蒙
蔣總統 嚴前總統 謝副總統以及政府首長各界友好寵賜嘉言或親臨茶會隆情厚
誼莫名感鐫敬申謝忱諸希
荃 察

許曉初 率子 瑩怡 瑩蕃 瑩維 鞠躬

(二)謝賀婚

張同塵 楊憶梅 鳴謝啓事

日昨 長男孝徽 次女潤芝 結婚，辱承 長官親友寵錫厚貺，惠臨觀禮，無任榮幸。謹此申謝。

(三)謝賜選票

銘謝賜票

樹芳此次參加臺北市第五屆議員競選，承　諸位長官父老兄弟姊妹盛情賜票，衷心感激，莫可言宣，除另行趨府拜謝外，謹先致意，諸維　霽詧。

萬樹芳鞠躬

銘謝當選

芳遠承教育界同仁愛護，當選爲立法委員，至深銘感，在任期間，自當竭誠服務，以副雅望，謹此申謝。并祝　年釐

劉芳遠鞠躬

銘謝賜票

啓雲此次參加臺灣省第七屆省議員競選，承　諸位父老兄弟姊妹賜票，曷勝感篆，謹此申謝。伏維　朗照

楊啓雲鞠躬

(四)謝醫師

謝高士潔醫師啓事

鄙人久患眼疾，屢醫不癒，頃承　高士潔醫師細心治療，未及匝月，即告痊可，銘篆之餘，特此登報申謝。

高醫師診所：臺北市瑞安街三一三號

孫履常謹啓

(五) 謝救火

鳴謝啓事

日昨本公司大樓不幸發生火警，承蒙 臺北市警察局消防大隊王大隊長及消防員警馳赴現場灌救撲滅，感激之餘，謹此申謝。

東光百貨公司敬啓

(六) 謝光臨

本飯店昨（三十）日重新開幕，承蒙 **胡金銓**先生蒞臨主持典禮，**胡慧中**小姐剪綵，中外各界貴賓高軒蒞止，寵賜隆儀，雲情高誼，銘感五中。祇以招待不週，殊深歉疚，尚祈時加賜教，俾資遵循。謹申謝悃。諸祈

垂 詧

光華大飯店
董事長 曾元暉
總經理 魏文衡 謹啓

震亞公司謝啓

本公司昨日開張營業，爲響應政府號召，厲行節約，未舉行酒會剪綵，荷承 各界先進高軒蒞止，殷殷賜教，雲情高誼，銘感良深。惟服務欠週，殊感歉然。今後尚祈 時加指導，藉資改進，曷勝企幸。謹申謝悃。諸維

亮 詧

震亞大衆市場股份有限公司 敬啓

(三) 婚約

(一) 訂婚

長男明非
三女賽齡
於中華民國六十八年三月二十九日在臺北市訂婚謹此敬告

諸親友

陳功易
陳黃棨瑞
李治平
楊綺榮
敬啓

彭弁東
楊愛梅
訂婚啓事

我倆經徵得雙方家長同意謹擇於民國六十八年九月三日在臺中市訂婚特此敬告

諸親友

(二) 結婚

謹詹於國曆三月廿八日（星期六）為
農曆二月十五日

長子天成
長女鳳英
在臺北市舉行結婚典禮恭請

陳部長慶瑜福證特此敬告

諸親友

陸繡山
胡壽福
謹啓

長男大雄
五女瑞美
已於中華民國六十八年四月九日在雲林地方法院公證結婚謹此敬告

諸親友

洪兆蘭
洪虞雲裳
黃達郎
黃李雙娣
敬啓

次男永輝已於四月七日下午三時與
榮益仁
林淑寬賢伉儷之次女公子慧敏小姐
舉行婚禮特此　敬告

諸親友

段家鋒
馮靜容謹啓

小女倩平已於民國六十八年四月廿二日與Mr. Mitchell Levy
在臺北市結婚謹告

諸親友

王兆麟
應菊如敬啓

我倆已於中華民國五十八年六月二十五日在高雄地方法院公證結婚特此敬告

諸親友

車愛光
潘柳黛敬啓

(三)解除婚約

解除婚約啓事

我倆因個性相悖，勢難締結鴛盟，雙方同意解除婚約，特此聲明。

民國六十八年八月三十日

彭若虛
羊安隄　同啓

(四)離婚

離婚聲明

我倆因意見不合，勢難偕老，經協議脫離夫妻關係，嗣後男婚女嫁，各不相涉。特此登報聲明，並敬告親友。

史雁峯
章　敏　同啓

離婚啓事

我倆情意不投，勢難偕老，經雙方協議離婚，永斷葛藤，嗣後男婚女嫁，各不相干。除另立書據，並請新竹地方法院公證外，特此聲明。

石幼麟
黎健行　同啓

（四）壽慶

㈠發起祝壽

國曆三月五日（星期六）爲湘潭楊劍峯將軍八十嵩慶，謹訂於是日下午三時起假臺中市宜寧中學大禮堂舉行簽名祝嘏，並備茶點招待，敬請　楊將軍親友袍澤屆時撥冗參加爲荷。

慶祝湘潭楊劍峯將軍八十誕辰籌備會敬啓

慶祝段恩培先生七秩誕辰啓事

國曆九月二日（星期三）欣逢　段恩培教授七秩大慶，謹訂於是日上午十時至十二時假臺北市愛國西路自由之家舉行簽名祝壽，敬請諸親友好踴躍參加。

莊雅州　林茂雄
李周龍　陳文華　同敬啓

㈡辭壽

秦光裕啓事

光裕八十賤辰，渥蒙　諸親友好發起祝壽，高誼雲情，感荷無旣。祇以德薄才庸，兼値邦步多艱，何敢言壽。除於卽晨遄赴中部郊區靜思外，恐勞　親友枉駕，謹此布意，並致謝忱。敬希鑒諒

（五）辭　行

㈠團體

旅美囘國商業考察團謝啓

此次本團囘國參加國慶大典辱承
總統副總統召見勗勉各界首長暨廣東同鄉殷切關懷盛情款待拜領之餘銘感五中祇以行期匆促未能一一踵辭謹布謝悃敬祈
亮詧

本團此次囘國訪問，承蒙政府機關暨各界人士熱忱接待，隆情厚誼，感激良深。玆以回程匆促，不克一一走辭，謹此致歉，並申謝悃。

旅日囘國訪問團全體團員謹啓

(二)個人

李約翰辭行啓事

本人此次奉召回國參加國建會，承 政府長官及各界人士熱誠款待，多方協助，祖國溫情，莫名感篆。玆因預定期限屆滿，定於今晨搭機返美，臨行倉卒，不克一一踵辭，謹此申謝。並乞不遺在遠，時賜南鍼，以匡不逮，無任企幸。

日本佛教訪華親善團啓事

此次中村一雄等三十五人來華訪問，承蒙 中國佛教會與臺北分會、臺灣省臺中市支會、高雄市支會、屏東縣支會、東方佛教學院、並諸山長老大德、以及政府機關首長優予招待，銘感無既。中日兩國佛教文化交流，本有悠久歷史，今者受此厚遇，尤感振奮，回國後當更向此目標，力謀策進，加強合作。祇以行色匆匆，未遑踵辭，特留數語，藉表謝忱。諸祈 鑒宥。

(六)追悼

國立清華大學前教務長
國立交通大學前教授兼系主任
私立大同大學前校長
胡敦復先生追思紀念會

訂於六十八年三月十九日（星期一）下午三時正假臺北市延平南路一八二號實踐堂舉行 特此
敬告

國立清華大學在臺同學會
國立交通大學同學會
私立大同大學校友會
謹啓

聯輓花圈貺儀均懇辭

聯絡處：臺北市中華路八十三號
電話：三六一⊙六三九

哀啓

六十八年三月廿六日

先慈史母許太夫人痛於中華民國四十一年在故鄉洛陽潘寨鎮仙逝 不孝男 時以旅居海外消息隔絕日昨始驚聞噩耗深以不能親視含殮悲痛罔極爲盡孝思謹擇於國曆六十八年四月十五日上午九時爲先慈九秩晉八華誕前夕假臺北市濟南路二段四十四號華嚴蓮社舉行追祭典禮並誦經超薦以慰在天之靈叨在

戚寅鄉學世 誼謹此奉

聞

棘人史梅岑率妻子女敬哀啓

先夫關佩恆先生逝世三週年謹訂於十一月廿九日（星期三）上午十一時假臺北市新生南路二段天主教聖家堂舉行追思彌撒由郭總主教若石主持特此敬告

諸親友

鼎惠懇辭

未亡人關趙曲欄率子女敬啓

輔仁大學啓事

四月十三日爲本校前校長于野聲樞機晉九冥誕，本校師生訂於是日上午九時三十分假本校于樞機墓園舉行紀念儀式，特請 師長暨歷居校友撥冗參加爲荷。

(七)開業

南聯國際貿易股份有限公司啓事

本公司奉經濟部經(68)商字第一〇一〇一號函准公司登記，玆訂於四月十二日開始營業。籌備期間，渥承　政府有關機關及工商界先進指導與支持，至深銘感。今後當貢獻棉力，報效國家，造福社會，敬祈　賜予指教。

營業項目：

(一)經營貿易業務及其有關之國內外買賣業務。
(二)辦理政府委託之貿易業務。
(三)代理國內外廠商產品之銷售及投標業務
(四)代理國內外廠商之採購及招標業務。
(五)辦理進出口融資、承兌、承還、保證、保稅及設立保稅倉庫等授信業務暨其他保證業務。
(六)辦理倉庫業務。
(七)自行進口加工外銷之原料，其進口稅捐自行具結記帳及辦理沖退稅業務。
(八)協助國內廠商爭取外資或對外投資與技術合作。
(九)前各項有關業務之經營與投資。

中華民國六十八年四月十二日
(68)南管字第〇三一七號

副董事長　**吳修齊**　總經理　**林柏欣**
董事長　**吳三連**　駐會常務董事　**陳檏一**
副董事長　**吳尊賢**　副總經理　**高信治**

公司地址：臺北市南京東路三段三六號
臺北企銀大樓十樓
電話：五三一〇一六一
TELEX: 26000 NANLIEN

懇辭任何寵賜

新臺百貨公司啓事

本公司業已籌備就緒，謹擇於八月二十五正式開業，是日上午九時正敦請
常知非先生按鈕，敬備雞尾酒會，歡迎
周芝明小姐剪綵
各界人士蒞臨參觀指教，不勝榮幸。

新臺百貨公司
董事長　汪懋亭
總經理　楊漢聲　謹啓

地　址：台北市武昌街一段三十六號
電　話：三三一六九八一號（十線）

韓康大藥房開業啓事

本藥房經銷國內外各大名廠良藥、化工原料等。謹訂於本（廿三）日上午十時正式開業，敬備
茶點，恭請
同業先進暨各界人士惠臨指教。

韓康大藥房謹啓

地　址：台中市有恆街二十五號
電　話：二六三二一七號

(八) 遷移

龍眠書局遷移新址啓事

本書局因擴展業務，原址不敷應用，特遷移臺北市師大路十五號新址，並於九月十日開始營業。敬請　舊雨新知時賜指敎爲幸。

龍眠書局謹啓

電話：三九三八四三四號

遷移啓事

本事務所新購置臺北市仁愛路四段六十四號（敦化南路口）亞洲大廈九樓九二一室新址電話七〇二一五一六號業於十月十一日遷入繼續執行業務敬請舊雨新知賜予指敎

李開正會計師事務所敬啓

遷移啓事

本會自即日起遷移至高雄市中山二路四百七十二號啓安大樓四樓辦公，一切公私函件悉依上址投寄，特此奉告，敬請　惠敎。

高雄市進出口商業同業公會啓

電話：二四一一九一（六線）

天演化學股份有限公司遷移啓事

本公司因擴充業務，即日起遷至○○市○○○路○段○○○號○樓（○○○隔壁）新址營業。電話仍爲○○○○・○○○○。至祈　舊雨新知倍加愛顧，時錫南針，無任企幸。

（九）警　告

(一)警告逃妻

警告逃妻廖百合

你因貪慕虛榮，不守婦道，竟於三月十八日乘我出差之際，將家中金飾悉數捲逃。限登報十日內返家，既往不究，否則依法控訴，幸勿自誤。

李光榮　啓

(二)警告逃夫

警告逃夫孫炎昌

你藉故攜款離家，迄今月餘，音訊全無，置家庭生活於不顧。所施詭計，均已探悉，勿再掩飾。望你見報後一週內回家解決，否則依法訴究。

宋欣雲　啓

(三)警告捲逃

警告周肇東啓事

周肇東君現年三十二歲，臺南縣人，任本公司出納，昨日竟將所保管之一百萬元及有價證券席捲潛逃。茲特登報警告，限三天內回公司清理，否則依法報請通緝。如有知其下落者，並盼勸其迷途知返，或通知本公司，或告知當地警察機關，無任銘感。

地址：基隆市愛三路五十一號

電話：五四一九〇〇號

益豐貿易公司謹啓

(四)警告給付

袁岳衡律師代表沈宛君女士正告東光人壽保險公司啓事

茲據上開當事人委稱：氏夫胡夢魁生前在東光人壽保險公司保有福利儲蓄險新臺幣一百萬元，不幸於月前因頭部外傷逝世，依該公司規定，自應給付保險金新臺幣一百萬元，惟迭經交涉，該公司皆謂氏夫並非因外來突發劇烈事故致死。查氏夫因傷去世，有市立醫院診斷書可據，該公司竟曲予解釋，顯屬有違誠信原則，特委請正告該公司，請其於十日內將該款給付，逾期當訴之於法等語。合代啓事如上。

袁律師事務所：臺北市襄陽路二十七號五樓　電話：三八一四八三〇號

(十) 徵 聘

臺中某高中徵聘教師啓事

一、科別：國文、英文、數學、化學、會計、美工、電機、電子、機械工程動力組、建築。

二、五月十五日前，請將詳細自傳、大學四年成績單、學經歷證件，另附二吋半身近照一張，寄臺中市郵政信箱第一五二號，合則約談。（自傳及各項證件請用影印本，恕不退件。）

某大紡織廠總管理處徵聘人才啓事

1.企劃研究員：男性。企管、會計、財稅或相關研究所及系畢業，年卅歲以下。

2.助理研究員：女性。公立大學商學院有關科系或經濟系畢業，年廿五歲以下。

請於四月十二日以前將履歷片、自傳、照片寄臺北郵政信箱一四三五號收，不合恕不退件。

某公司徵英文祕書啓事

凡大專外文系科畢業，英文程度良好並擅長打字，年在四十歲以內，有意應徵者，請繕具自薦書，說明希望待遇，連同簡歷表一份、最近二吋半身照片一張，於九月卅日前寄臺北郵政五〇九號信箱。合則函約面試，否則原件退還。

(一)徵婚

淑女徵婚

某小姐，廿八歲，江蘇籍，國立大學文學士，現服公職，身高一六三公分，品性端淑，風姿美雅。徵身材高大、職業高尚、談吐高雅、經濟基礎雄厚、國立大學研究所畢業之男士，先友後婚。有意者請親書自傳及簡歷照片寄臺北市龍泉街一六五號王太太收轉，合卽約晤，不合密退。

徵　婚

某君，卅六歲，臺籍，公立專科畢，高一七四公分，重六四公斤，現任民營公司經理，收入豐，有房蓄。徵高中以上、廿八歲以下、秀外慧中、愛好音樂之淑女爲侶。有意者請將自傳近照寄臺北板橋光武路三二四號林太太收轉。合約晤，否密退。

婚

福西哲夫現年34歲石川島造船公司設計員月入六萬B型未婚徵21至30淑女北市南京東路3段89巷5弄2號二樓電562-9957陳

婚

小女26護專畢藥師高161端麗明朗徵大畢170上35下正職有爲男士出國可意者歷照寄三重仁愛街315巷160號2樓孔轉

婚

男43魯籍未婚高179重73健俊無不良嗜好留美業商有產徵25至35未婚清貞秀慧高上淑女寄歷照電士林大東路160號洪君保密

婚

臺籍美僑美國女藥劑師1953年生健美美國醫學院藥學系畢現在美高職誠徵在美或赴美男醫師或專業人才簡歷相片請函臺北郵政信箱 516 號收

(二)徵求合作

徵求合作啓事

某營造廠爲擴大營業，徵資十股，每股二十萬元，除享受股東權益外，並可供職支薪，有意者請與○○市○○路○○號○○○君洽。

(三)徵求書籍

徵求書籍啓事

茲徵求〇〇書局出版之『全唐文』一部，願出讓者，請開示價格函〇〇市〇〇路〇〇號〇〇〇洽。

(十二)慶 賀

慶 賀

林老校長東淦先生之

令坦謝孟雄博士 榮任 臺北醫學院院長

令嬡林澄枝教授 實踐家政專校校長

應是冰清招玉潤 欣看龍鳳出天池

上庠座主添雙璧 樂育英才固國基

省立高雄高級商職旅北校友會 敬賀

邦家之光

賀蕭順昌先生之長公子東屏世兄榮獲

日本國立東京大學理學博士學位

高惠吉敬賀

(十三) 預約

王雲五主編

四角號碼索引本

佩文韻府

•我國最完備的文學大辭書•

六大用途：求解 辨義 選詞 典據 考證 叶韻

樣張備索

預約價格：二、四〇〇元（定價三、三六〇元）

發售預約 卅日截止 同時出書

臺灣商務印書館 臺北市重慶南路一段三七號 郵政劃撥第一六五號

謝觀編纂

中國醫學大辭典

•中國醫學權威之鉅著•

名詞七萬餘條附補遺及索引

卅二開五千餘面精裝四鉅册

再版發售預約

本書於五月初發售預約，為期兩月，詎料預約期限未居，印數全部訂購告罄，而訂單紛紛續到，無以供應，向隅諸君堅請加印，為此再版以應需求，並照原價發售預約，敬請及早訂購，免再向隅。

預約價格：七百元（定價九六〇元）

預約時間：本月底截止 同時出書

臺灣商務印書館 臺北市重慶南路一段三七號，郵政劃撥第一六五號

(十四) 介紹

(一)介紹名醫

〇〇〇大醫師家學淵源，承先人祕傳，對〇科〇症獨具心得，凡經診治者，無不藥到病除。本人素患此症，經〇大夫醫治，多年痼疾，霍然而愈，受惠之餘，特為登報介紹，俾患者知所問津焉。〇大夫診所設〇路〇號。

介紹人〇〇〇啓 〇月〇日

㈠介紹書畫展

介紹鄺諤書畫個展

鄺諤號光慈，別署嶺南一士，愛日齋主。粵之台山人。現任香港中國美術會監察委員會主席、台山書畫會理事長、中華藝術學院院長。自幼浸淫書法，工各體。所作行草，用筆俊拔，自然流暢，而法度謹嚴。間用左腕，亦見沈著健舉，同具舞鶴之姿，早已蜚聲海外，推爲獨步。近年偶以書法入畫，振迅天眞，面目『有我』，雅淡閒適，亦爲識者所稱許。現檢其近作凡百餘幀，訂期於八月一日至六日假臺北市衡陽路二十號正中畫廊舉行回國首次個展，並於每日下午四時至五時在展覽場中卽席揮毫，藉以就正於藝壇有道。特爲紹介。

介紹人

成惕軒　何適　周樹聲　林光灝　祝秀俠
梁又銘　梁中銘　翁文煒　陳子和　張光亞
張軍光　劉延濤　劉太希　謝伯昌　釋曉雲

（排名按姓氏筆畫爲序）

㈡介紹產品

華清公司最新出品之自動熱水器，已取得中央標準局正字標記，設計美觀，使用安全，且價格低廉，現經○○、○○、及○○建築公司採用，交相稱譽。本公司新建○○大樓，總計○○戶，衞生用熱水器均採用上項產品，而本大樓各戶亦均訂購家庭用熱水器，特此鄭重介紹。華清公司營業部設○○路○號電話○○號。

美華建築公司啓　○月○日

(十五)聲明

(一)職員離職

查本公司前聘經理〇〇〇先生，因另有高就，已於〇年〇月〇日離職，嗣後〇〇〇先生在外之往來，概與本公司無涉，特此聲明。

〇〇〇〇公司啓　〇年〇月〇日

臺北市徐婦產科醫院啓事

本醫院前所聘用之日籍醫師齊藤敏祐，已於中華民國六十八年五月解聘離職，該齊藤敏祐醫師於離職後之一切行爲，概與本醫院無關，特此聲明。

中華民國六十八年八月二日

院長徐千田敬啓　地址：臺北市中山北路二段九十七號

(二)買賣土地

某機關經購座落〇〇縣〇〇鄉〇〇段〇〇地號土地一塊，如對上項土地持有意見者，請於〇〇年〇月〇〇日前提出，由出賣人負責清理，逾期與買主無涉。特此聲明。

出賣人：〇〇〇
住址：〇〇〇〇〇

承買人代表：〇〇〇
住址：〇〇〇〇〇

第十三章　會議文書

第一節　概說

民主政治爲今日世界之共同潮流，吾國爲實行民主政治之國家，固當順應時代潮流，堅守民主陣容，庶幾一躍而登國家於富強之域，躋全民於安樂之天也。

民主政治之基本原則爲何，要而言之，在於糾結羣力，集思廣益，交換意見，擷長補短，從異中以求同，融個體於羣體，匯爲一個共同的意見，達到共同的目的。蓋個人之知識有限，能力有限，遇到重要問題，只憑個人之知識與能力，苦思冥索，未必得到適當之解決。故無論政府機關，民間團體，莫不重視會議。西人嘗謂民主政治卽是議會政治，語雖誇大，有切事實。孫中山先生民權初步自序云：

> 民權何由而發達，則從固結人心，糾合羣力始，而欲固結人心，糾合羣力，又非從集會不爲功。是集會者，實爲民權發達之第一步。然中國人受集會之厲禁，數百年於玆，合羣之天性殆失，是以集會之原則，集會之條理，集會之習慣，集會之經驗，皆闕然無有。以一盤散沙之民衆，忽而登彼於民國主人之位，宜乎其手足無措，不知所從，所謂集會，則烏合而已。是中國之國民，今日實未能行民權之第一步也。

又云：

凡欲負國民之責任者，不可不習此書，凡欲固結吾國之人心，糾合吾國之民力者，不可不熟習此書，而徧傳之於國人，使成爲一普通之常識。家族也，社會也，學堂也，農團也，工黨也，商會也，公司也，國會也，省會也，縣會也，國務會議也，軍事會議也，皆當以此爲法則。

說明會議之重要性，以及會議運用範圍之廣泛，至爲詳晐。從是可知會議爲一切政治活動所必需，亦爲每一現代國民不可或缺之必備常識。

至於會議之界說，則凡研究事理，解決問題，集合三人以上相與議論，而遵循一定規則者，謂之會議。民權初步第一節云：

凡研究事理而爲之解決，一人謂之獨思，二人謂之對話，三人以上而循有一定之規則者，則謂之會議。無論其爲國會立法，鄉黨修睦，學社講文，工商籌業，與夫一切臨時聚衆，徵求羣策，糾合羣力，以應付非常之事者，皆其類也。

內政部制定之會議規範第一條言之尤爲具體明確。

三人以上，循一定之規則，研究事理，達成決議，解決問題，以收羣策羣力之效者，謂之會議。

由此可知會議構成之要件有二：㈠參加會議人數必須三人以上。㈡必須遵循一定之議事規則。其目的在尋求多數人之意見，趨利避害，以竟事功。

方今政府組織、社會結構日趨繁複，上自中央之立法院，下至民間之小型社團，均須舉行會議。而且可以在各種不同之時間，採用各種不同之形式，舉行各種不同之會議。因此會議類別，至爲紛雜。就機關言，有院會，部務會議等。就學校言，有校務會議，訓導會議等。就社團言，有理事會議，監事會議等。就組織言，有委員會議，股東會議等。就工作言，有業務會議，專案會議等。就性質言，有檢討會議，審查會議等。就方式言，有聯席會議，座談會等。就大小言，有小組會議，會員大會等。就身分言，有代表會議，董事會議等。就節日言，有慶祝大會，紀念會等。就時間言，有定期會議，臨時會議等。就程序言，有三讀會，預備會議等。……名目繁多，無煩詳擧。要之，會議類型多，則會議文書自必亦隨之俱多。故會議文書，其道雖小，而爲用極廣，身爲大時代之國民，允宜略有所知，庶幾將來面對各種會議，而能從容應付，井然有序，不爲門外漢矣。

又『會議程序』亦爲吾人所當熟知者，其項目詳載於會議規範第八條，請參閱本章末附錄，玆不贅。

第二節　會議文書之種類

所謂會議文書，卽關於會議所應用之文書，會議之類別雖多，而會議文書不過六種而已，玆分別說明於次：

一、開會通知

會議至少有三人以上之集議，故事前必須經過召集，縱爲定期性之例會，爲免出席人臨時忘記起見，亦應在會前發出通知。依照會議規範第三條第二項規定：『召集人應根據距離遠近及交通情形，於充裕之時間前，將開會日期、地點或議程，以書面通知各出席人，或公告之。』據此，則會議之通知，有兩種方式：一爲個別書面通知，卽分送各出席人之開會通知。二爲開會公告，卽以公告方式刊登於報紙，或張貼於布告欄，使出席人週知之通知。此兩種方式雖有不同，而其主要內容則均應包括：㈠開會日期㈡開會地點㈢議事日程。如不附『議事日程』，通知中應敍明開會宗旨及中心議題，俾參加會議人員事前對會議之性質有所了解，並對所研討之問題能深入思考，心理上有所準備。

二、議事日程

議事日程係開會前根據該次會議之實際需要，由會議祕書人員預爲編定之會議進行程序，亦稱『會議程序』，簡稱『議程』。依照會議規範第八條規定，議事日程應包括下列五種項目：㈠由主席報告出席人數並宣布開會㈡報告事項㈢討論事項㈣選舉㈤散會。請參閱本章末附錄

三、開會程序

開會程序亦爲開會預定之程序，但與議事日程不同，要而言之，其區別在於：

㈠議事日程係以書面印妥，分送各出席人員。而開會程序則多用大幅紙書寫，張貼於場內。

㈡議事日程多用於實際問題之討論，如會議、會報、簡報、座談會、討論會、研究會等。而開會程序則爲無討論性質之集會，祇爲慶祝、紀念、開幕、閉幕等舉行之儀式，故又稱「開會儀式」，如慶祝會、紀念會、週會、月會、開幕典禮，閉幕典禮，開學典禮、結業典禮等。

㈢以內容而言，議事日程較詳，開會程序較略。

至於開會程序之內容，以其種類繁雜，迄無固定之項目，可視實際需要，酌量增減。請參閱本章三節範例

四、會議紀錄

會議紀錄亦稱『議事紀錄』，乃由紀錄人員將會議經過情形以及討論決議事項予以筆錄之文書。會

議中之討論、決議、選舉等，均爲與會者共同決定之事項，不但須一一付諸施行，而且對與會者有拘束力，故會議紀錄應視爲重要文書。

會議紀錄之主要內容應包括下列各項：

㈠**標　題**　卽會議名稱及會次，寫明其爲某會第某次會議紀錄。

㈡**時　間**　寫明集會之年月日時。

㈢**地　點**　寫明集會之場所。

㈣**出席人**　由出席人簽名其上。如另有簽到簿，則註明見簽到簿。

㈤**列席人**　同右。

㈥**主　席**　寫明主席姓名。如有主席團，須另立一項，將主席團姓名全部列上。

㈦**紀　錄**　寫明紀錄人員姓名。如會議繁複，紀錄人員在一人以上時，則須分別寫明各紀錄人員之姓名。

㈧**儀　式**　寫明開會儀式，通常記『行禮如儀』或『開會如儀』四字，如不舉行儀式，此項可省略。

㈨**報告事項**　包括開會宗旨，過去工作，上次決議案執行情形，本次會議議程以及其他有關事項。如係學術性之集會，則『專題報告』或『研究報告』，尤爲紀錄中之重要部分。

㈩**討論事項**　應依議程逐案記錄，每案須載明『案由』及『決議辦法』。如係討論學術問題，則應將各發言人之意見分別記錄，再記錄主席歸納之結論。

(十)**選舉事項**　詳記選舉票數及結果。無此項目者從略

(十一)**臨時動議**　記錄各發言人之意見及表決後之結果。

(十二)**散　　會**　記明散會時間。

此外，亦有將『請假人』『缺席人』列入會議紀錄者，紀錄人員可視實際情形斟酌其去取。

又每次會議紀錄應由主席及紀錄人員於散會後分別簽署，以示負責。

按會議紀錄通常須印發參與會議之人員與機構，如有決議事項，須交給與會某人或某機構辦理者，應在發會議紀錄時，同時發一通知，其格式如次：

某月某日某會第某次會議討論事項內某某一案（錄案由），經決議某某辦法（錄決議全文）
相應錄案函達，即希
查照辦理為荷。此致
某某先生（或機構）

〇〇〇（主席或主持機構具名）〇月〇日

五、提　案

依會議規範第三十四條規定：『動議以書面為之者稱提案，提案除依特別規定，得由個人或機關團體單獨提出者外，須有附署，其附署人數如無另外規定，與附議人數同。』所謂『與附議人數同』云者，即按會議規範第三十二條規定：『動議必須有一人以上附議始得成立。』故提案除別有規定者外，須有一人以上之附署人署名，始能成立。

提案之內容應具備左列五項：

㈠案　由　簡述全案之主要意旨，與一般公文之『主旨』相同。

㈡說　明　亦作『理由』。說明提案之理由及目的。

㈢辦　法　須具體可行，避免空泛。

㈣提案人　人數多寡不拘。

㈤附署人　須一人以上。

六、選舉票

會議有選舉時，除舉手選舉外，大都用投票選舉，此種投票選舉所用之投票紙，稱為選舉票。依照會議規範第八十九條規定：選舉之方式，分為下列兩種：㈠舉手選舉㈡投票選舉。故會議中有選舉時，除採取唱名、舉手方法推選外，則用選舉票選舉，兩者相較，當以票選較為慎重。但我國憲法為發揮民主精神，使選舉人有充分之自由行使選舉權起見，特在第一百二十九條中規定：『本憲法所規定之各種選舉，除本憲法別有規定外，以普通、平等、直接及無記名投票之方法行之。』是則一般之選舉，當以無記名投票法為宜，以符合憲法民主、自由之立法精神。選舉票有『圈選法』與『書寫法』兩種，更有記名選舉與無記名選舉之分，單選法與連舉法之別。所謂圈選法，即將候選人姓名，依排列號碼之次序，印在選舉票上，由選舉人自由圈選。而書寫法則將選舉之項目或名稱印在選舉票上，由選舉人憑自己的意志，書寫被選舉人之姓名。如為記名選舉，應將『選舉人』三字印在選舉票上，由選舉人親自簽章，以示負責。若用無記名選舉法，則『選舉人』三字可免印。現在為簡便起見，通常用無記名圈選法者爲多。至於單選法，係在選舉票上祇能選舉一人。而連舉法則可同時連選若干人，但超過規定應選人數時，則選舉票全部無效，此爲選舉人所應特別注意者。

由於選舉制度不同，方式極多，選舉票之內容自亦不盡相同，惟一般選舉票應記載下列項目：㈠選舉名稱㈡候選人姓名及編號㈢選舉人簽名（限記名投票用）㈣選舉年月日㈤選舉團體或主辦選務機關蓋章。

第三節　會議文書範例

（一）開會通知

㈠書函式

【例　一】

國立中央大學書函

○○年○月○日
○○字第○○○號

受文者：（各單位主管暨教授代表）

主　旨：定期召開本（七十二）學年度第一次校務會議，請出席。

說　明：一、本校訂於本月○日（星期○）○午○時假本校會議室召開本（七十二）學年度第一次校務會議。

二、台端如有提案，請於本（○）月○日以前送交祕書室彙辦。

三、附議事日程一份。

（國立中央大學條戳）

【例　二】

開會通知

〇〇年〇月〇〇日
〇〇字第〇〇號

受文者：〇委員〇〇

主　旨：玆定於〇年〇月〇日（星期〇）〇午〇時，在本會第〇會議室舉行第〇次委員會議，請查照，屆時出席。

說　明：附送議程及有關資料各一份。

〇〇委員（長戳）

【例　三】

花蓮縣基層建設研究會籌備委員會通知

中華民國〇〇年〇月〇〇日
〇〇字第〇〇〇號

受文者：各委員

主　旨：本會奉准組織，業已籌備就緒，訂於〇月〇日〇午〇時在〇〇召開成立大會及選擧理監事，請查照準時出席。

主任委員〇〇〇

【說　明】

㈠右擧三例爲書函式之開會通知，其格式與一般公文中之『書函』相同。

㈡前二例爲附有『議事日程』之通知，如議題單純，可免去『議事日程』，只在『校務會議』或『委員會議』之下，接寫開會宗旨或中心議題，例如『討論七十三年度發展計畫』，俾出席人在開會之先，對本次會議有充分之準備。

㈢提案應在開會前繕印，以便開會時分發各出席人，故在開會通知中，最好能一併通知提出提案之時限，以免不及繕印。

㈣開會通知係有時間性之文件，如因時間迫促，爲恐受文者公務繁忙，一般開會通知多在信封上加蓋『開會通知提前拆閱』戳子，俾受文者能及時拆閱，準時出席。

㈡柬帖式

【例　一】

中山學術基金會開會通知

中華民國××年×月××日
××××字第××××××號

茲定於×月×日×午×時，在本市××路××號召開本會第×屆第×次董事會議，附議事日程一份，務希準時撥冗出席。如有提案，請於×月××日以前以書面送交本會祕書處，以便彙印。此致

○董事○○

董事長　○　○　○

【例　二】

國民大會代表全國聯誼會通知

本會定於×月×日（星期×）上午×時在臺北市中山堂光復廳舉行茶會歡送○祕書長○○歡迎○祕書長○○希

代表同仁屆時自由參加爲荷

國民大會代表全國聯誼會啓○月○日

【例　三】

中國銀行開會通知

茲定於本（九）月十三日（星期五）下午三時在臺北市圓山大飯店金龍廳舉行本年度第三次會議，敬希

準時出席爲荷。

此　致

○○○先生

附發○○文件

總經理　○　○　○　九月三日

㈢條列式

教育部開會通知

民國七十二年九月三十日
72教中字第〇三四七號

受文者：彭科長武雄

一、茲定於本（七十二）年十月八日（星期六）下午二時在本部會議室舉行第九次會議，討論中等學校學生頭髮長短標準問題。

二、請　查照，屆時親自出席。

教育部（長戳）

㈣表格式

【例一】

內政部開會通知

受文者	司法行政部
發文日期	中華民國××年×月×日
文字號	××字第××號
會議名稱	著作權修正草案審查委員會第一次會議
開會時間	××年×月×日×午×時
開會地點	本部會議室
重要議題	審查著作權法修正草案
請出席人準備事項	請攜帶附件修正草案說明及條文對照表
附件	著作權法修正草案說明及條文對照表一份
參加機關或人員	司法行政部　臺灣省新聞處 ……
指定出席人員	

【說　明】

㈠上例爲表格式之通知。爲簡化手續，提高行政效率，各軍政機關對於開會通知，頗多印就固定之表格，於召開會議時，分別填寫。表格式之開會通知，不但可以簡化手續，而且逐項分明，一目瞭然，較書函式之通知爲進步，足資參考倣用。

㈡『參加機關或人員』是指此次被召集參加會議之各機關或個人，因許多會議是以機關爲召集之對象。如以個人爲召集之對象，在本欄應分列應出席人之姓名。

㈢『指定出席人員』是被召集機關所派定出席之代表，發文機關不必填，留待受文機關首長批填。

【例二】

銓敍部開會通知單

速別	最速件
受文者	王編纂更生
副本收受者	本部第四司
發文日期	中華民國七十一年四月廿二日
發文字號	71臺楷典三字第〇二九四號
附件	
開會事由	召開『名人書牘選輯』編纂小組第一次會議
開會時間	七十一年五月一日（星期六）下午二時卅分
開會地點	師範大學國文系圖書館
主持人	李召集人曰剛
聯絡人（或單位）	姚錦才
電話	九三六〇七七四
出（列）席單位及人員	曾指導委員霽虹　陳編纂弘治　王編纂更生　張編纂仁青　陳編纂貽鈺　林編纂茂雄　蘇編纂源
備註	一、研商『名人書牘選輯』篇目內容註釋之分配事宜。 二、李召集人電話九五八一七六七號。
發文單位	銓敍部

監印　黃揚芸

【例　三】

臺灣省照像同業公會理事會開會通知

民國○○年○月○日
○○字第○○號

會議名稱	○○會議
會議時間	民國○○年○○月○○日○午○○時
會議地點	○市○路○號○○廳
報告事項	理事長○○○參加○○會議報告
討論事項	1. 前會遺留議案 2. 理事提案 3. 大會交辦事項
出席人員	理事、監事、代表
列席人員	○○○
附件	(一)提案用紙　(二)委託書用紙

如有提案，請於○月○日以前寄下，以便列入議程。

右通知

○○○理事監事代表先生

臺灣省照像同業公會理事會 會章 啓

(五)公告式

【例一】

臺北市梅縣同鄉會公告

茲定於本年九月五日(星期日)上午九時,在本會三樓禮堂,召開會員大會,改選第三屆理監事,敬希各位會員準時出席,除分別通知外,特此公告。

(並請轉告未接通知同鄉參加)

理事長 黎艷秋

【例二】

東華彩色印刷公司董事會公告

〇年〇月〇日
〇字第〇〇號

主　旨:公告本公司〇〇年度股東大會開會時間及地點,請準時出席。

依　據:本公司章程第〇章〇節第〇條

公告事項:一、開會時間:〇年〇月〇日〇午〇時〇分

二、開會地點:〇〇〇〇〇

三、提案辦法:依照本公司章程規定,股東大會提案,應有股東三人以上附署,於開會前二日以書面送交本公司本會祕書室。

董事長 黃小蘋

【例　三】

東亞文藝基金會開會通知

民國○○年○月○日
○○字號○○號

一、本會謹定於○月○日（星期○）上午○時假臺北市中山堂光復廳召開第○次會員大會，恐柬邀不週，特此登報通知。

二、敬希各會員屆時踴躍參加爲荷。

理事長　陳　小　燕

(二) 議事日程

(一)條舉式

【例　一】

銓敘部『名人書牘選輯』編輯指導委員會第三次會議議程

時間：七十一年十二月十三日（星期一）下午二時三十分

地點：本部第一會議室

（甲）報告事項

一、主席報告

二、宣讀上次會議紀錄
三、承辦單位報告
㈠說明『名人書牘選輯』篇目注釋概況。
㈡『名人書牘選輯』共計一二〇篇，完成注釋者計一一七篇。
(乙)討論事項
一、對『名人書牘選輯』注釋稿有重複者，加以選定。
二、對『名人書牘選輯』注釋稿之內容，予以審定。
(丙)臨時動議
(丁)散　會

【例　二】

中華詩學研究所第三次會議議事日程

一、主席報告出席人數，並宣布開會。
二、報告事項
1. 宣讀上次會議紀錄。
2. 報告上次會議決議案執行情形。
3. 常務委員報告。
4. 其他報告。

三、選　舉

四、討論事項

1.前次會議遺漏事項

(1)……

(2)……

2.本次會議預定討論事項

(1)……

(2)……

五、臨時動議

六、散　會

【說　明】

㈠本例爲一般會議議事日程之通常格式，由於各種會議之性質不同，會議程序自亦無法一致，如何應用，端賴讀者斟酌實情處理之。

㈡主席如爲臨時主席（卽發起人或籌備人），應寫明臨時主席，並應在第一項之後，增列一項『推選主席』。

㈢『報告事項』：⑴如爲首次會議，則第一款可免列。⑵如爲首次會議，或上次會議無決議案者，則第二款亦可免列。⑶無委員會或委員，或無報告必要者，第三款可免列。⑷如有其他報告（如工作報告，財務報告等），應將報告之事項或報告人一一開列，無則從略。

㈣『選舉』一項，如無選舉，可免列，如有選舉，應列入選舉之名稱，如爲臨時性質之選舉，需要討論選舉方式者，應列入。

㈤『討論事項』：⑴『前會遺漏事項』乃指前會有未完之事項，或指定之事項須於本次會議討論者，應將其案由及案號列入，無則免列。⑵『本次會議預定討論事項』應將各項預定討論事項之案由及案號一一列舉。並應將提案連同議程一併印發各出席人，不及與議程一併印發者，應在開會前分發。

㈥如有上級長官蒞臨指導，或邀請來賓致詞者，應於第一項之後加列『主席致開會詞』或『主席報告』，再接列『長官致詞』，然後列『來賓致詞』，以示敬謝之意。按長官與來賓之姓名不必書寫，可由司儀呼唱。

㈡表格式

【例一】

高雄市工業會成立大會議程

日期：○年○月○日○午○時
地點：○○○○○

項目	時間
一、開會儀式	十分鐘
二、報告事項	
㈠報告大會議程	十分鐘
㈡籌備委員會報告籌備經過	十分鐘
三、討論提案	
㈠擬訂本會章程草案（見附件），請公決案。	四十分鐘
㈡本會擬自國慶日起舉行國產工業品展覽一週，請公決案。	三十分鐘
㈢本會擬組織工業考察團至歐美各國考察藉資改進工業技術案。	二十分鐘
四、臨時動議	二十分鐘
五、選舉理監事	二十分鐘
六、散會	

【例二】

臺北市議會第四屆第二次大會議事日程表

年月日	星期	上午九至十二時	下午三至六時
○○○年	○	議員報到	**第一次會議**（一、商訂議事日程。二、審計處長報告上年度決算審核情形）
○月○日			
○月○日	○	**第二次會議**（分組審查預決算案）	同上
○月○日	○	同右	同上
○月○日	○	同右	同上
○月○日	○	同右	同上
○月○日	○	同右	同上
○月○日	○	同右	同上
○月○日	○	休息	同上
○月○日	○	**第三次會議**（預算綜合審查）	同上
○月○日	○	同右	同上
○月○日	○	**第四次會議**（大會審議預決算案）	同上
○月○日	○	同右	同上（**閉幕**）

【例三】

中央警官學校第二屆師生大會議事程序表

日期：○年○月○日
地點：本校大禮堂

時間	主持人	程序
08.00–08.50	校長	開幕式
09.00–09.50	校長	教育報告
10.10–11.00	校長	訓導報告
11.10–12.00	校長	教學報告
13.30–14.20	教育長	前期學生學習經驗 新生訓練心得報告
14.30–16.00	校長	集體討論
16.10–16.40	校長	閉幕式
19.00–21.50	校長	晚會

(三) 開會程序

(一) 一般性大會開會程序

一、大會開始
二、全體肅立
三、主席就位
四、唱國歌
五、向國旗及 國父遺像行三鞠躬禮
六、主席恭讀 國父遺囑
七、主席致詞
八、長官致詞
九、來賓致詞
十、報告事項
十一、討論事項
十二、選舉
十三、臨時動議
十四、散會

【說明】

㈠第一項至第七項爲開會之例行儀式，不可省免。『主席致詞』可改爲『主席報告』或『主席致開會詞』。
㈡長官與來賓之姓名不必書寫，可由司儀呼唱。無則免列。
㈢第十項至第十二項祇列要目，其細節由有關人員以口頭報告或說明。無則從略。

㈣以下所舉各例悉與此同，讀者可斟酌實際情形增減，不另說明。

㈡動員月會程序

一、動員月會開始
二、全體肅立
三、主席就位
四、向國旗及　國父遺像行三鞠躬禮（一鞠躬、再鞠躬、三鞠躬。）
五、主席恭讀　國父遺囑
六、主席復位（請坐下）
七、主席報告
八、宣讀動員公約
九、禮　成

㈢開學典禮儀式

一、民國七十二學年度開學典禮典禮開始
二、全體肅立
三、主席就位
四、奏　樂
五、鳴　炮
六、唱國歌
七、向國旗暨　國父遺像行三鞠躬禮
八、主席恭讀　國父遺囑（主席復位）
九、主席致詞
十、來賓致詞
十一、唱校歌
十二、奏　樂
十三、禮　成

㈣畢業典禮儀式

一、民國七十二學年度畢業典禮典禮開始
二、全體肅立
三、主席就位
四、奏　樂
五、鳴　炮
六、唱　國　歌
七、向國旗暨　國父遺像行三鞠躬禮
八、主席恭讀　國父遺囑（主席復位）
九、全體學員（生）向師長敬禮
十、全體學員（生）相互敬禮
十一、頒發畢業證書（學位證書）
十二、頒發獎品
十三、主席致詞
十四、來賓致詞
十五、學員（生）代表致答詞
十六、唱　校　歌
十七、奏　　樂
十八、禮　　成

㈤新舊任交接典禮儀式

一、交接典禮開始
二、卸任院長就位
三、新任院長就位
四、監交人就位
五、交接印信
六、監交人致詞
七、卸任院長致詞
八、新任院長致詞
九、禮　成

(六)授勳儀式

一、授勳典禮開始
二、主禮人就位
三、受勳人就位
四、觀禮人就位
五、宣讀勳章證書
六、頒授勳章
七、主禮人致詞
八、禮　成

(七)元旦團拜儀式

一、團拜開始
二、全體肅立
三、主席就位
四、奏　樂
五、鳴　炮
六、唱　國　歌
七、向國旗暨　國父遺像行三鞠躬禮（主席復位）
八、全體同仁向　院長、副院長一鞠躬
九、全體同仁相互一鞠躬
十、院長講話（或致詞）
十一、奏　樂
十二、禮　成

（八）**慶生會儀式**

一、慶生會開始
二、主席就位
三、壽星就位
四、奏　樂
五、鳴　炮
六、主席致詞
七、壽星代表致詞
八、吃壽麪（開動）
九、禮　成

（九）**頒獎儀式**

一、頒獎典禮開始
二、主持人就位
三、受獎人就位
四、宣讀獎章暨證書
五、頒授獎章暨獎金
六、主持人致詞
七、來賓致詞
八、受獎人代表致謝詞
九、禮　成

（四）會議紀錄

【例　一】

銓敍部『名人書牘選輯』編輯指導委員會第二次會議紀錄

時　間：七十一年四月十三日（星期二）上午九時
地　點：本部第一會議室
出　席：成召集委員惕軒　羅召集委員萬類　徐召集委員有守　李指導委員日剛

王指導委員壽南　陳指導委員起鳳　王指導委員熙元　曾指導委員霽虹
封指導委員思毅　胥指導委員山春
陳編纂弘治　張編纂仁青　陳編纂貽鈺　蘇編纂源

主　席：成召集委員惕軒　紀　錄：王　惠　珠

（甲）報告事項

一、主席報告

㈠本選輯乃供公務人員閱讀，希望能達到進德修業，敦品勵行之效，並藉以增進其書牘寫作能力，故編選極為慎重。

㈡各位指導委員所選篇目，經整理後共計百餘篇，本次會議卽請就所選者予以增删，俾資決定，再行分配注釋工作。

㈢本書篇目順序，應按作者生年先後，由今溯古，予以編排。

二、宣讀上次會議紀錄（略）

（乙）討論事項

一、『名人書牘選輯』篇目之審定。

結論：經研議後，共選定書牘一一三篇。（如另册）

二、『名人書牘選輯』各篇注釋之分配。

結論：㈠經主席建議：增聘編纂委員二人，以加速注釋工作之進度。

(二)原編纂小組召集人王熙元教授赴韓講學，改請李指導委員日剛代爲召集，並請曾指導委員霽虹參加編纂小組會議。

(三)俟所送篇目整理完畢，即定期通知召開編輯會議。

(四)指導委員對注釋工作有興趣者，歡迎自願參與。

(丙)臨時動議（無）

(丁)散　會　上午十一時卅五分

主席　成　惕　軒

紀錄　王　惠　珠

【例　二】

臺灣省議會第○屆第○次大會第○次會議紀錄

時　間：○○年○月○日（星期○）○午○時

地　點：本會大禮堂

出　席：○○○　○○○　○○○　○○○等○人

列　席：○○○　○○○　○○○

請　假：○○○　○○○　○○○等○人

主　席：○○○　紀錄：○○○

（甲）報告事項

一、宣讀上次會議紀錄

二、報告上次會議決議案執行情形

㈠〇字第〇號提案『建議省政府於〇〇縣設置省立高級中學一所』一案，業於〇月〇日函送省政府，並准〇字第〇號函復，已轉行教育廳研辦，俟獲結論，再行函告。

㈡〇字第〇號提案『建議擴建〇〇港』一案，已於〇月〇日函送省政府，並准〇字第〇號函復，已轉行建設廳積極辦理中。

三、委員會報告

㈠財政委員會報告：審查省政府所送『筵席及娛樂稅徵收細則』意見。（審查意見另附）

㈡經費稽核委員會報告：審查本會〇〇年度經費收支情形。（審查意見另附）

四、其他報告

〇議員〇〇報告：接見〇〇市違章建築住戶代表〇〇〇等，請求對舊有違建房屋，准予發照修理，特提出請願一案經過情形。（詳書面報告）

（乙）選　舉

一、改選〇〇年度經費稽核委員會委員

結果：〇〇〇得〇票　〇〇〇得〇票

〇〇〇得〇票　〇〇〇得〇票

以上〇〇〇等〇人當選。

二、補選內政委員會委員

結果：〇〇〇當選。

（丙）討論事項

一、大會議事日程應如何修改案。

決議：㈠〇日下午，綜合審查省府〇〇年度追加預算及公營事業機構年度概算。

㈡〇日分組審查提案。

㈢〇及〇兩日總詢問。

㈣〇日討論提案（討論提案完畢，即行休會。）

㈤〇月〇日復會，日程預定六天，前三天分組審查法規，後三天綜合審查法規，並選舉駐會委員。

二、總詢問次序應如何決定案。

決議：㈠議員詢問次序，抽籤決定、

㈡每人詢問連同答覆時間，以二十分鐘爲限，如超過二十分鐘，應改用書面詢問與答覆。

㈢每人所詢問題以三項爲原則。

三、省府所送有關人民權利義務之單行法規應如何審查案。

決議：宣讀法規標題，分別交付有關審查委員會審議。

四、〇〇年度追加預算應如何決定案。

決議：照原案追認。

五、公營事業機構〇〇年度概算應如何決定案。

決議：請各公營事業機構，將〇〇年度上半年度決算與原預算比較列表，並加說明，於〇月〇日以前送會，再行審議。

（丁）臨時動議

一、〇議員〇〇提：〇〇處〇處長〇〇，革新政治，不遺餘力，玆因病住院，擬請以大會名義致函慰問。是否有當，請公決案。

決議：通過，由祕書處擬稿，經議長核定後，卽日繕發。

散　會：〇午〇時〇〇分。

主席：〇〇〇

紀錄：〇〇〇

【說　明】

㈠本例爲臺灣省議會常會之會議紀錄，其他各種會議議題雖不一致，而紀錄之項目與程式則大體相同，可參照應用。

㈡紀錄首列會議名稱及會次。以下分項記錄，第一項爲『會議時間』，第二項爲『會議地點』，必須記載翔實。

㈢第三項『出席人』，是出席該會議，並有發言、動議、提案、討論、表決及選舉權利之人。出席人須在紀錄簿上親自簽名，最後由紀錄查點人數，記明總額，作爲是否已足開議之法定人數及議案表決結果之根據。

㈣第四項『列席人』，是指列席會議指導、報告、備詢、參觀而無動議、提案、討論、表決及選舉之權之人。列席人亦須親自簽名於紀錄簿，但與開議之法定人數無關。

㈤第五項『請假』，是指應出席會議之人，因故不克出席而請假者，由紀錄記明姓名及總額，以爲計算開議之法定人數之根據。

㈥第六項『主席』，是主持會議進行之人，主席應親自簽署於會議紀錄上。

㈦第七項『紀錄』，是將會議情形記錄在會議紀錄中之人。會議之紀錄，除各該會議另有規定外，亦可由主席指定或由會議推選，紀錄亦親須自簽署於會議紀錄上。

㈧第八項（甲）報告事項及第十項（丙）討論事項，均須逐項記錄，如有附件，並應分別註明。

㈨第九項『選舉』，首記選舉之名稱，如關於選舉之章則、名額、方法等，須待本次會議討論決定者，此項應移在『討論事項』之後。並應將有關決議及被選人姓名所得之票數一併列入，且須註明何人等當選。

㈩第十一項（丁）臨時動議，是會議議程所列各項目全部進行完畢，由會衆向主席以書面或口頭臨時提出之動議。如有臨時動議，亦應逐項記錄。

⑾第十二項『散會』，應記明散會時間，以便查考。

⑿會議通常有紀錄簿，如出席人或列席過多者，可另備簽名簿，由紀錄謄入會議紀錄。

【例　三】

第一屆立法院第××會期第××次會議議事錄

時　間：中華民國××年×月×日上午九時至十一時五十分下午三時至六時
地　點：臺北市中山南路本院交誼廳

出席委員：三百六十六人
請假委員：二十二人
缺席委員：九十九人
主　席：〇〇〇
祕書長：〇〇〇
紀　錄：祕書處長　〇〇〇
　　　　祕　書　〇〇〇　〇〇〇
　　　　議案科長　〇〇〇
　　　　速記長　〇〇〇

報告事項

一、宣讀本院第×會期第××次會議議事錄。
二、監察院函送決算法第二十四條，第二十六條，第三十條及第三十四條修正條文草案請審議見覆，並於審議時，通知本院推派人員列席說明案。
三、行政院函據教育部呈覆××年中央政府追加預算歲出審查報告所列有關該部辦理事項一案請查照案。
決議：本案交預算委員會

討論事項

一、本院經濟委員會報告審查行政院函請審議中國石油公司與美國美孚莫比及聯合化學兩公司所簽訂共同投資設立尿素廠之合作契約案。

決議：本案俟下次會議繼續討論
表決方法：口頭表決
表決人數：全體無異議
散　會　下午六時

主席 ○○○
紀錄 ○○○

【例　四】

行政院祕書處第九次業務會報紀錄

時　間：○年○月○日（星期○）○午○時
地　點：本院第○會議室
出　席：○○○　○○○　○○○　○○○　○○○
主　席：○祕書長○○　　紀錄：○○○
決定事項：
一、本處會同研考會所編『○○院○年○月至○年○月重要決定事項辦理情形檢討報告』，已於○月○日第○○次院會中提出報告，希各組根據該報告，繼續檢討追踪。

二、各組室會於〇年〇月份以前久借未還之檔案，至遲應於本月〇日以前歸還檔案科，如仍需繼續借用，應敍明理由。
三、提列副首長會議之案件，應以『行政院各部會副首長會議設置辦法』第五條所定：『一、關於法律案或重要行政規章事項；二、關於涉及兩部會以上主管業務之政策事項；三、關於各部會共同關係之事項；四、院長暨院會交議事項；五、其他有關政務及行政興革等事項』為限。希各組於簽辦案件時注意。

散　會（〇時〇分）

主席　〇〇〇
紀錄　〇〇〇

(五)提　案

㈠條舉式

【例　一】

案由：建議省政府重視漁業之發展，興築臺中港，以資加強海產物之增產案。

理由：一、本省邇來對農業之發展，已有長足進步，恐將來人口激增，糧食供應可能不敷，奈陸上拓展有限，亟應開發海中寶藏，以配合糧食之不足，而亦富國強民之道。
二、玆以本省周圍環海，發展漁業實具天然條件，尤富經濟效益。

三、重以臺灣海峽之大漁業場，處於中部地區梧棲鎮之西北海面，故南北漁船來往不絕，有如過江之鯽。惟漁場捕魚時有颱風之虞，而避難之漁港，迄尚未觀厥成。

四、日據時期，對臺中漁港之築設，早經著手興工，旋而中止。茲以此半成之港灣，對於國計民生，均有重大之關係，且農林廳曁農復會，前經時派專家，實地調查結果，並經決定興建有案，惟興築經費，尚未獲得明確核定，殊失人民殷切之望。

辦法：一、請省政府農林廳漁管處撥款興建。

二、建議臺灣漁業增產委員會及農復會輔助。

提案人 ○○○

附署人 ○○○

○○○

【說 明】

㈠右例為臺灣省議員向臺灣省議會大會提出之提案。

㈡提案之案由，一若公文中之『主旨』，應以簡潔詞句說明所提案件之主旨所在。

㈢提案之理由，乃是申述何以要提出此案，及提案如獲通過後，將有何種結果。

㈣提案之辦法，乃是說明應如何辦理及採取何種方法，始能達到提案之目的，以供與會人員研議參考，辦法應力求具體可行，切忌空洞。

㈤提案如未敍明理由，他人將無法了解提案人因何提出此案。如未列舉辦法，與會人員研議時，亦將無重點可供商討，勢必影響提案之通過。故理由及辦法須層次分明，有條不紊，如同公文之分段敍述，並冠以數字。

㈥提案人乃主動提出動議之人，應在提案紙上簽名或蓋章。如提案人有多人時，應連署，並分別簽章。

㈦附署人是在提案提出前附和提案之人，亦稱連署人，附署人亦應在提案紙上簽名或蓋章，如為多人時，亦應連署，並分別簽章。

【例　二】

臺北市議會第四屆第六次大會警政衞生部門提案之一

案　由：為請增加警力，充實刑事設備，並加強在職訓練，以提高警察人員素質，維護治安案。

理　由：一、查本市竊盜問題日趨嚴重，雖然因素很多，但如不速謀求消滅竊盜根本辦法，則市民實難安居樂業，因此，希望警察局能努力改進偵防技能，嚴加防止，以期遏制。

二、為求達到消滅竊盜之目標，主要應從下列幾點做起：㈠應增加警力，充實基層組織，並按比例增加刑警人員，加強訓練，提高素質，務使各種勤務密切配合實施。㈡應充實刑事設備：⑴建立完整之刑事系統通訊網，以求指揮靈活，行動迅速，發揮整體偵防功能。⑵配置機動交通工具，以應實際勤務需要，在未充實前應切實運用交通工具予以支援。⑶添置科學儀器，利用科學技術，提高破案率。㈢要與司法機關密切配合，促請司法機關對於竊盜犯從重量刑，並建議中央制訂一種特別法，嚴加懲處，對初犯者應施予職業訓練，使有一技之長，對怙惡不悛

辦　法：送市府迅速辦理。

之頑劣慣竊，則應移送外島管訓，使其與社會隔離。

三、市府應寬列預算，迅速充實急需設備，以資維護治安。

提案人　張建邦　譚鳴皋

附署人　鄭惠芝　高惠子

【例　三】

私立輔仁大學建議案

案　由：凡考入大專院校學生，應由原肄業學校將操行資料抄本移送所考入之學校，以利考核。

說　明：按現行大專聯招辦法，學生報考學校，取中與否，完全憑學業成績，無視操行。各大專院校本身對學生品格是否優良，毫無選擇機會，如分發有操行不良分子，可能發生細菌傳染作用，增加訓導工作之困難。如能由原肄業學校將操行成績資料移送，俾各大專院校對新生增加了解，對於訓育工作之進行，必多裨益。

辦　法：由教育部明文規定於大專聯招辦法之中。

(二)表格式

（全　銜）××會議提案

編號	
類別	
提案人	○○○印
附署人	○○○ ○○○印
案由	
理由（說明）	
辦法	
審查意見	
決議	
備考	

(六) 選舉票

(一)無記名圈選法選舉票

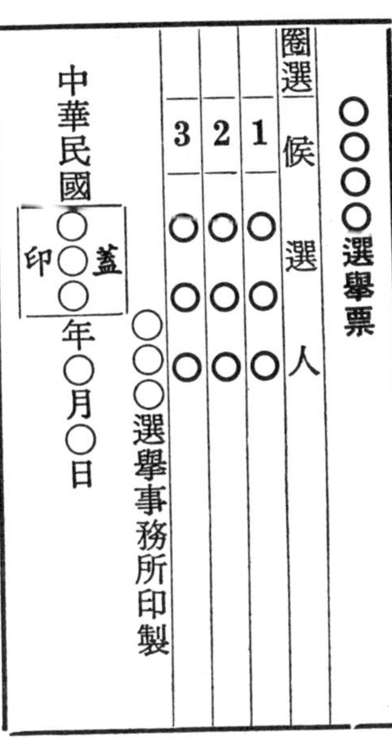

○○○○選舉票

圈選	候選人
1	○○○
2	○○○
3	○○○

○○○選舉事務所印製

中華民國○○○年○月○日 蓋印

(二)無記名書寫法選舉票

○○○○選舉票

候選人

○○○選舉事務所印製

中華民國○○○年○月○日 蓋印

(三)記名圈選法選舉票

○○○○選舉票

圈選	候選人
1	○○○
2	○○○
3	○○○

選舉人○○○

○○○○選舉事務所印製

中華民國○○○年○月○日 蓋印

(四)記名書寫法選舉票

○○○○選舉票

候選人

選舉人○○○

○○○選舉事務所印製

中華民國○○○年○月○日 蓋印

㈤無記名圈選法罷免票

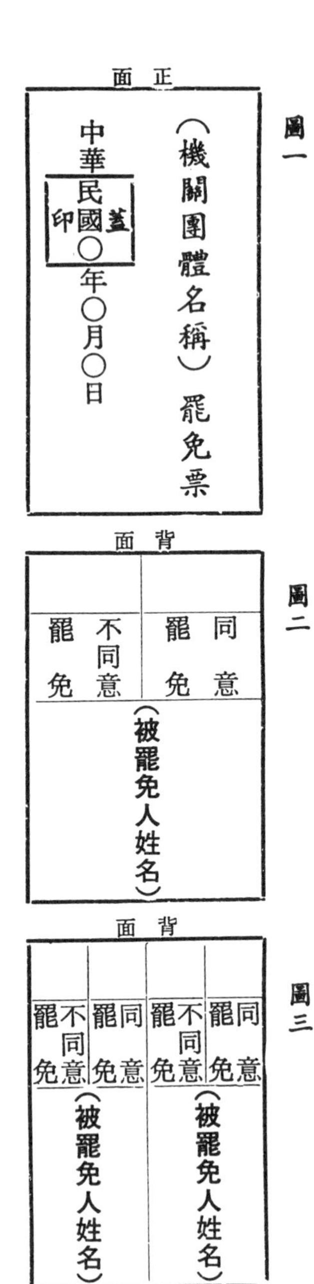

【說　明】

㈠第㈠至第㈣式爲選舉票式樣，第㈤式爲罷免票式樣。每張票應由主辦選罷機關團體印製、蓋印，以防僞造，且可避免糾紛。

㈡在圈選法選舉票上應加印『如不依定式圈選出框，或騎跨兩框，或模糊不清，致不能辨認，或夾寫其他文字者，選舉票一律作廢』字樣，以提醒選舉人注意。

㈢第㈤式圖二係被聲請罷免者爲一人時適用之，圖三則爲二人時適用之，如在二人以上，可依其人數增加其欄數。

附會議規範

中華民國五十四年七月廿日
內政部公布施行

壹、開會

第一條 會議之定義 三人以上，循一定之規則，研究事理，達成決議，解決問題，以收羣策羣力之效者，謂之會議。

第二條 適用範圍 本規範於左列會議均適用之：

㈠議事在尋求多數意見並以整個會議名義而為決議者，如各級議事機關之會議，各級行政機關之會議，各種人民團體之會議，各種企業組織之股東大會及理監事會議等。

㈡議事在集思廣益提供意見而為建議者，如各種審查會，處理付委案件之委員會等。

各機關對其首長交議或提供意見之幕僚會議，得準用前項之規定。

第三條 會議之召集 會議之召集，除各該會議另有規定外，依左列規定行之：

㈠各種永久性集會之成立會，及各種臨時性集會，由發起人或籌備人召集之。

㈡永久性集會之各次常會，或其臨時會議，由其負責人（如主席、議長、會長、理事長等）召集之。

㈢永久性集會每屆改選後之第一次會議，如議事機關之常設委員會，或各種企業組織及人民團體之理監事會等，由當選人中得票最多者，或前屆負責人召集之。

召集人應根據路程遠近及交通情形，於適當時間前將開會事由、時間及地點通知各出席人或公告之；可能時，並附送議程及有關資料。

第四條 開會額數 各種會議之開會額數，依左列規定：

㈠永久性集會，得自定其開會額數。如無規定，以出席人超過應到人數之半數，始得開會。

前款應到人數，以全體總數減除因公、因病人數計算之。

㈡處理議案之委員會，應有全體委員過半數之出席，始得開會。

㈢會員無定額者，不受開會額數之限制。

開會時間已至，不足開會額數者，得宣布延長之，延長兩次仍不足額時，主席應宣告延會，或改開談話會。

第五條 不足額問題 因出席人缺席致未達開會額數者，如有候補人列席，應依次遞補。如遞補後仍不足額，影響成會連續兩次者，應於第二次延會前，由出席人過半數之決議，決定第三次開會日期，預先以書面加敍經過，通知全體出席人，第三次開會時，如仍未達開會額數，但實到人數已達三分之一以上者，得以實到人數開會，並得對無故不出席者，為處分之決議。必要時得決議改組或改選前項候補人遞補後，得臨時行使第廿條出席人之權利。

以上各項，各該會議另有規定者，從其規定。

第六條 談話會 因天災人禍，須為緊急處理，而出席人因故未達開會額數者，得開談話會，依出席人三分之二以上之同意，作成決議行之，但該項決議應於會後儘速通知未出席人，並須於下次正式會議，提出追認之。

第七條 開會後缺額問題 會議進行中，經主席或出席人提出數額問題時，主席應立即按鈴，或以其他方法，催促暫時離席之人，回至議席，並清點在場人數，如不足額，主席應宣布散會或改開談話會，但無人提出額數問題時，會議仍照常進行。在談話會中，如已足開會額數時，應繼續進行會議。

第八條 會議程序 開會應於事先編訂會議程序，其項目如左：

㈠由主席或臨時主席（發起人或籌備人）報告出席人數，並宣布開會：

(1)推選主席。（由臨時主席宣布開會者，應正式推選主席，但臨時主席得當選為主席。）

(2)主席報告議程，及各項程序預定之時間。（已另印發議事日程者，此項從略。）

(3)主席報告議程後，應徵詢出席人有無異議，如無異議，即為認可；如有異議，應提付討論及表決。

㈡報告事項：

(1)宣讀上次會議紀錄。（如係第一次會議此項從略）

(2)報告上次會議決議案執行情形。（無此項報告者從略）

(3)委員會或委員報告。（無此項報告者從略）

(4)其他報告。（如有其他各種報告，應將報告之事項或報告人，一一列舉，無則從略）

(5)以上各款報告完畢後，得對上次決議案之執行，或其他會務進行情形，檢討其利弊得失，及其改進之方法。

㈢討論事項：

⑴前會遺留之事項。（如前會有未完之事項，或指定之事項，須於本次會議討論者，應將其一一列舉，如無此種事項者，從略）

⑵本次會議預定討論之事項。（應將各預定討論事項一一列舉）

⑶臨時動議。

㈣選舉。（如有必要，此項得移於討論事項之前）

㈤散會。

各該會議如已設置紀錄委員會者，本條第二項第一目從略。會議紀錄，如未失去機密性質者，應在秘密會中宣讀之。

第九條 來賓演講及介紹 開會時來賓演講，應以事先特約者為限，並以一人為宜，演講題目，得先約定，並通知各出席人，或公告之。到會來賓，毋須一一演講，但如有必要，得由主席向會眾簡要介紹。

第十條 致敬及慰問 凡以會議名義，對個人或團體致敬或慰問，應經正式動議及表決，於會後以簡要文字表達之。

第十一條 議事紀錄 開會應備置議事紀錄，其主要項目如左：

㈠會議名稱及會次。

㈡會議時間。

㈢會議地點。

㈣出席人姓名及人數。

㈤列席人姓名。

㈥請假人姓名。

㈦主席姓名。

㈧紀錄姓名。

㈨報告事項。

㈩選舉事項，選舉方法，票數及結果。（無此項目者，從略）

⑪討論事項，表決方法及結果。

⑫其他重要事項。

議事紀錄應由主席及紀錄分別簽署。

各該會議得設置紀錄委員會，專司核對紀錄事宜，如有異議，應向大會提出報告。

第十二條 紀錄人員 會議之紀錄人員，除各該會議另有規定外，得由主席指定，或由會議推選之。

第十三條 紀錄人員之發言權及表決權 會議之紀錄，如係由會員兼任者，有發言權及表決權。

第十四條 處分之決議 會眾有左列情事之一者，得經出席人之提議，過半數之通過為處分之決議。如情節重大，得由大會成立紀律委員會，研議處分辦法，報請大會決定：

㈠無故不出席會議，連續二次以上者。

㈡發言違反禮貌，損及其他會眾之人格及信譽者。

(三)違反議事規則，不服主席糾正，妨礙議場秩序者。

前項處分之決議，以左列各款為限：

(一)將姓名及其事由，列入會議紀錄。

(二)停止出席權一次。

(三)向會衆或受損害人當面致歉。

貳、主席

第十五條　主席之產生　會議之主席，除各該會議另有規定外，應由出席人於會議開始時推選，如有必要，並得推選副主席一人或數人。

第十六條　主席之地位　主席應居於公正超然之地位，嚴格執行會議規則，維持會議和諧，使會議順利進行。

第十七條　主席之任務　主席之任務如左：

(一)依時宣布開會及散會或休息，暨按照程序，主持會議進行。

(二)維持會場秩序，並確保議事規則之遵行。

(三)承認發言人地位。

(四)接述動議。

(五)依序將議案宣付討論及表決，並宣布表決結果。

(六)簽署會議紀錄及有關會議之文件。

(七)答復一切有關會議之詢問，及決定權宜問題與秩序問題。

其他有關大會會務之重大問題或事件，得依本規範第六十三條第四款之規定，設立綜合委員會處理之，以維持主席公正超然之地位。

副主席之任務，在協助主席處理有關會議進行之事務，或因主席因故不能主持會議時，代行主席職務。

第十八條　主席之發言　主席對於討論事項，以不參與發言或討論為原則，如必須參與發言，須聲明離開主席地位行之。

主席如必須參與討論時，如有副主席之設置，應由副主席暫代主席，如副主席亦須參與討論，應選舉臨時主席主持會議。但機關之幕僚會議，由首長主持者，不在此限。

第十九條　主席之表決權　主席以不參與表決為原則。

主席於議案表決可否同數時，得加入可方，使其通過；或不加入，而使其否決，但有特別規定之表決人數者，從其規定。

主席於議案之表決，可否相差一票時，得參加少數方面，使成同數以否決之。

主席於議案可決，有特別規定之額數者，如相差一票，卽達規定額數時，得參加一票使其通過，或不參加使其否決。

叁、出席人、列席人及代表人

第廿條 出席人之權利義務 出席人有發言、動議、提案、討論、表決及選擧等權利。出席人有遵守會議規則、服從決議等義務。未出席者亦同。

第廿一條 議場秩序 出席人應共同維護議場秩序，於主席發言及議案付表決時，不得離開議場。

第廿二條 列席人 列席人得參與本身所代表單位有關問題之發言與討論。

列席人有遵守會議規則、發言禮貌及議場秩序之義務。

第廿三條 代表人 出席人因故不能出席會議時，得以書面委託同一團體之其他出席人，代表其發言。

前項規定，如各該會議另有規定者，從其規定。

肆、發言

第廿四條 請求發言地位 出席人發言，須先以左列方式之一，請求發言地位，經主席認可後，始得發言：

㈠擧手並稱呼主席請求發言。

㈡以書面請求，遞交主席，並註明姓名或議席號數。

主席對前項各款之請求，應點首示意，或稱呼會員，准其立卽發言，或紀錄各請求人之姓名席次，依次准其發言。

左列事項無需討得發言地位，並得間斷他人發言：

㈠權宜問題。

㈡秩序問題。

㈢會議詢問。

㈣申訴動議。

第廿五條 聲明發言性質 出席人取得發言地位後，須首先聲明其發言性質，對在場之問題，爲贊成，爲反對，爲修正，或爲其他有關動議。

第廿六條 發言先後之指定 二人以上同時請求發言者，由主席指定其先後次序。

主席依前項指定發言人次序時，得參酌左列情形，指定其先行發言：

㈠原提案人有所補充或解釋者。

㈡就討論之議案，發言最少，或尚未發言者。

㈢距離主席較遠者。

第廿七條 發言禮貌 發言應有禮貌，就題論事，除以對人爲主體之議案外，不得涉及私人私事，如言論超出議題範圍，或有失禮貌時，主席應予制止，或中止其發言，其他出席人，亦得請求主席爲之。

第廿八條　發言次數及時間　發言應簡單扼要，同一議案，每人發言以不超過兩次，每次以不超過五分鐘爲宜，但所有出席人均已輪流講畢，或另有規定者不受此限。提案之說明，質疑之應答，事實資料之補充，工作或重要事項之報告，經主席許可者，不受前項之限制。

出席人如需延長或增加發言次數，應請求主席許可爲之。必要時，主席應徵詢會衆有無異議，如有異議，應付表決。

第廿九條　書面發言　出席人得將發言要點，以書面提請主席，依序交紀錄或秘書人員，宣讀之。

伍、動　議

第三十條　動議之種類　動議之種類如左：

㈠主動議　一動議不附屬於任何動議而能獨立存在者，屬之。其種類如左：

⑴一般主動議　凡提出新事件於議場，經附議成立，由主席宣付討論及表決者，屬之。

⑵特別主動議　一動議雖非實質問題而有獨立存在之性質者，屬之。其種類如左：

1.復議動議。

2.取銷動議。

3.抽出動議。

4.預定議程動議。

㈡附屬動議　一動議附屬於他動議，而以改變其內容或處理方式爲目的者，屬之。其種類如左：

⑴散會動議。（休息動議）

⑵擱置動議。

⑶停止討論動議。

⑷延期討論動議。

⑸付委動議。

⑹修正動議。

⑺無期延期動議。

㈢偶發動議　議事進行中偶然發生之問題，得提出偶發動議，其種類如左：

⑴權宜問題。

⑵秩序問題。

⑶會議詢問。

⑷收回動議。

⑸分開動議。

⑹申訴動議。

⑺變更議程動議。

⑻暫時停止實施議事規則一部之動議。

⑼討論方式動議。

⑽表決方式動議。

第三十一條　動議之提出　動議之提出，依左列之規定：

㈠主動議　得於無其他動議或事件在場時提出之。一主動議在場待決時，不得再提另一主動議，如經提出，卽爲不合秩序，主席應不予接述。

㈡附屬動議　得於其有關動議，進行討論中提出之，並先於其所附屬之動議，提付討論或表決。

㈢偶發動議　得視各該動議之性質於有關動議或事件在場時提出之。

第三十二條　動議之附議　動議必須有一人以上附議始得成立。主席對動議得自爲附議。各種會議，對附議另有規定者，從其規定。

左列事項不需附議：

㈠權宜問題。

㈡秩序問題。

㈢會議詢問。

㈣收回動議。

第三十三條　動議之程序　動議之程序如左：

㈠動議者向主席請求發言地位。

㈡主席承認動議者之發言地位。

㈢動議者發動議而坐。

㈣附議。（以口呼附議爲之）

㈤主席接述動議，並付討論。

第三十四條　提案　動議以書面爲之者稱提案，提案除依特別規定，得由個人或機關團體單獨提出者外，須有附署。其附署人數如無另外規定，與附議人數同。

第三十五條　不得動議之時　有左列情形之一時，除權宜問題、秩序問題、會議詢問及申訴動議外，不得提出動議：

㈠他人得發言地位時。

㈡表決或選舉時。

第三十六條　附屬動議之優先順序　附屬動議優先於主動議。其本身之優先順序如左：

㈠散會動議。（休息動議）

㈡擱置動議。

㈢停止討論動議。

㈣延期討論動議。

㈤付委動議。

㈥修正動議。

㈦無期延期動議。

前項附屬動議如有順序較低之附屬動議待決時，得另提出順序較高之附屬動議。但有順序較高之附屬動議待決時，不得提出順序較低之附屬動議。

第三十七條　散會動議　議案進行中，得提出散會動議，如得可決，應即宣布散會。散會時，未了之議案，應於下次會中繼續討論。

第三十八條　擱置動議與抽出動議　擱置動議如經通過，應將其所指之本題及有關之附屬動議，一併擱置之。擱置之議案，得於本會期中動議抽出之。

抽出動議之提出，得於無其他動議或事件在場時行之。

抽出動議通過後，應由原案擱置時所在之秩序，繼續進行。

第三十九條　停止討論動議　議案討論中，得提出停止討論動議，如得可決，議案應立付表決。

第四十條　延期討論動議　議案進中，得提出延期討論動議，如得可決，議案應俟指定時間重行處理。

第四十一條　無期延期動議　議案進行中，得提出無期延期動議，如得可決，議案視同打銷。

第四十二條　動議之收回　動議未經附議前，得由動議人收回之。

動議經附議後，非經附議人同意，不得收回。

動議經主席接述後，原動議人如欲收回，須經主席徵詢無異議後行之，如有異議，由主席逕付表決定之。

動議經修正者，不得收回。

第四十三條　提案之撤回　提案在未經主席宣付討論前，得由提案人徵求附署人同意撤回之。

提案經主席宣付討論後，原提案人如欲撤回，除須徵得附署人同意外，並須由主席徵詢全體無異議後行之。

提案經修正者，不得撤回。

第四十四條　動議之分開　一動議具有數段性質者，得由主席或出席人動議分開討論及表決。

動議經分開表決後，仍應將全案提付表決。

動議之各部均經否決者，該動議視爲整個被否決。

陸、討論

第四十五條　動議之討論　動議之討論，應依優先秩序，逐一進行，在同一時間，不得討論二動議，如有違反前項情事發生，主席應予制止，或不予接述。

第四十六條　討論之程序　內容複雜或條文式之議案，得先就全案要旨，廣泛交換意見，其次分章分節，依次討論，每一章節，應逐條逐款，順序進行，俟議案全部討論完竣，最後再將全案舉行表決。

議案之討論，已進行至在後之章節條款時，不得將業經通過在前之章節條款，重行提出討論；但如因在後之章節條款，有所變更，致在前有關之章節條款，確有變更必要者，得於全案討論完竣時，再將該項章節條款，提出討論之。標題之討論，應在全部條文或內容表決後行之，如有前言，應先於標題討論之。議案經廣泛交換意見後，如認為無成立必要，得由出席人提議，參加表決多數之通過，否決之。

第四十七條　讀會　立法機關於法律規章及預算案之討論，以三讀會之程序為之：

㈠第一讀會：於議案列入議程後，由主席宣讀議案標題行之，如全案內容有宣讀之必要，應指定祕書或紀錄為之。

議案於朗讀標題後，應交付有關委員會審查，或經大體討論後，決議不經審查，逕付二讀或撤銷之。

㈡第二讀會：於各委員會審查之議案，或經大會決議不經審查逕付二讀之議案，提付大會討論時行之。

第二讀會應將議案逐條朗讀，提付討論，或就原案要旨，或委員會審查意見，先作廣泛討論。

第二讀會，就原案要旨或委員會審查意見，廣泛討論後，得經出席人提議，參加表決之多數同意，將全案重付審查。

第二讀會，得將修正之條款文句，交有關委員會，或指定人員整理之。

㈢第三讀會：於第二讀會之下次會議行之，但由出席人提議，並經參加表決之多數同意，得於二讀後，繼續進行三讀。

第三讀會除發現議案有互相牴觸，或與憲法及其他法令規章相牴觸應修正者外，只得為文字之修正，不得變更原意。

議案全部處理完竣後，應將全案付表決。

第四十八條　不經討論之事項　左列動議不得討論：

㈠權宜問題。
㈡秩序問題。
㈢會議詢問。
㈣散會動議。
㈤休息動議。
㈥擱置動議。
㈦抽出動議。
㈧停止討論動議。
㈨收回動議。
㈩分開動議。
⑪暫時停止實施議事規則一部之動議。
⑫討論方式動議。

(十三)表決方式動議。

柒、修正案

第四十九條　修正案提出及處理之方式　修正案之提出及處理，可分爲甲乙二式。各種會議，得採用任何一種行之。但同一次會議中，以採用同一種方式爲限。

第五十條　修正案提出及處理之甲式　修正案提出及處理之甲式，依左列各款規定行之：

(一)修正之方法：

甲、加入字句。

乙、刪除字句。

丙、刪除並加入字句。

修正案得與本題相衝突，但必須與本題有關，方得提出。（例如：「通過擁護節約運動」一本題，得動議將「擁護」二字修正爲「反對」二字是。）

凡加入或刪除一「不」字之修正案，而有否決本題之效果者，不得提出。（例如：「響應提倡食用糙米」一本題，不得動議修正在「響應」之上，加入一「不」字是。）

(二)修正之範圍　修正案得對本題一部分字句，或不限於一部分字句，予以增刪補充提出之。（例如：「設一圖書閱覽室供會員之用」一本題，得動議在「圖書」二字之下，加入「雜誌」二字，或同時將「會員」二字刪除，而加入「員工及其家屬」六字是。）

(三)第一修正案及第二修正案之提出　本題進行討論中，正反兩方意見未決前，對本題提出之修正，稱第一修正案。第一修正案進行討論中，正反兩方意見未決前，針對第一修正案部分提出之修正，稱第二修正案，或修正案之修正案。

(四)同級修正案之提出　一修正案未決前，不得提出另一同級之修正案。

第一修正案表決後，方得另提其他第一修正案。第二修正案表決後，方得另提其他第二修正案。

(五)先事聲明　凡欲提修正案，而不在前款所定之秩序者，得將所欲提之案，先事聲明，以供出席人於表決時，爲贊成與否之考慮與抉擇。

前項經先事聲明之案，至合於秩序時，有優先提出之地位。

(六)修正案之討論　第一修正案提出後，本題之討論卽暫行中止，應將該第一修正案優先提付討論，如有第二修正案提出，第一修正案之討論卽暫行中止，應將該第二修正案優先提付討論，如無第二修正案提出，即將第一修正案提付表決。

(七)修正案之處理　有修正案之動議，其處理依左列順序：

甲、第二修正案。

乙、第一修正案。

丙、本題。

第二修正案經討論後，即提出表決，如經可決，即納入第一修正案，而變爲修正後之第一修正案。

對前項修正後之第一修正案，如尚有修正意見提出，即爲其他第二修正案，如又經可決，即納入該項修正後之第一修正案，而變爲再度修正後之第一修正案。

對前項再度修正後之第一修正案，得再提其他第二修正案，其處理如前，直至再無其他第二修正案提出時，即將最後修正之第一修正案，提付表決。前項表決結果，如又經可決，即納入本題，而變爲修正後之本題。

對前項修正後之本題，如尚有修正意見提出，即爲其他第一修正案，如又經可決，即納入該項修正後之本題，而變爲再度修正後之本題。

對前項再度修正後之本題，得再提其他第一修正案，其處理如前，直至再無其他第一修正案提出時，即將最後修正之本題，提付表決。

第二修正案如經否決，並無其他第二修正案提出時，即將第一修正案提付表決，第一修正案如經否決，並無其他第一修正案提出時，即將本題提付表決。

(八)替代案　凡提出修正案以全部代替原案而仍與原案主旨有關者，稱替代案。（例如：「設立幼稚園一所，以供本會會員子女之用」之案，得提替代案爲「交由會長調查設幼稚園需費若干，並研議款項之來源」是。）

(九)替代案之提出　替代案得於本題進行討論中，或於第一或第二修正案在場時提出之。

對於替代案得提修正案，其處理適用修正案處理之方式。

(十)替代案之處理　替代案提出後，應予以優先處理。替代案如獲通過，倘係於本題進行討論中提出者，本題即被打銷；倘係於第一或第二修正案在場時提出者，本題及第一或第二修正案均被打銷；替代案如被否決，仍回復至其提出時，原案所在之秩序，繼續進行。

第五十一條　修正案提出及處理之乙式　修正案提出及

處理之乙式依左列各款之規定行之：

㈠修正案之提出　對於本題之一部分數部分或全部得提出多數修正案。較繁複之修正案，必要時應以書面方式繕成完整之提案提出之。

㈡委員會之整理　對同一本題之修正案，複雜繁多時，得由大會決議交特設委員會，綜合整理為各種性質互異、界限分明之案，送還大會，討論表決。

㈢修正案之討論及表決　修正案之討論，與本題同時行之，其表決應先於本題行之。

對本題有兩個以上之修正案提出時，其討論之秩序，依提出之先後行之；其表決之次序，應就其與本題旨趣距離最遠者，最先付表決，次遠者次付表決，依此類推，直至所有修正案盡付表決為止。

多數修正案之一，如獲通過，勢須否決另一修正案者，該另一修正案不再付表決。

㈣本題之表決　一項或數項修正案，如獲通過，應再將修正後之本題，提付表決。

修正案均被否決時，應將本題提付表決。

㈤分部表決　修正案之各部分，得分別付表決。

修正案經分部表決後，應將通過之各部分，納入原案，提付表決。

修正案之各部分，均經否決者，該修正案視為整個被否決。

㈥修正案之乙式，其修正之方法與範圍與甲式同。

第五十二條　修正動議之接納　修正動議，得由原動議人自動接納，經接納後之修正動議成為原動議之一部分，應併入原動議中，提付討論及表決，毋須分別處理，出席人有反對接納者，仍應提付討論及表決。

第五十三條　關於人選款項時間數字等之提出及改擬　關於人選、款項、時間、數字等，依提出之先後順序，依次表決至通過其一為止。

第五十四條　不得修正之事項　左列各款不得修正：

㈠權宜問題。

㈡秩序問題。

㈢會議詢問。

㈣申訴動議。

㈤散會動議。

㈥休息動議。

㈦擱置動議。

㈧抽出動議。

㈨停止討論動議。

㈩無期延期動議。

⑾收回動議。

⑿復議動議。

㈢取銷動議。

㈣暫時停止實施議事規則一部之動議。

㈤討論方式動議。

㈥表決方式動議。

捌、表決

第五十五條　表決之方式　表決應由主席就左列方式之一行之，但出席人有異議時，應徵求議場多數之意見決定之：

㈠舉手表決。（或用機械表決）

㈡起立表決。

㈢正反兩方分立表決。

㈣唱名表決。唱名表決之方式，如經出席人提議，並得五分之一以上之贊同，即應採用。出席人應名時，應起立答應「贊成」、「反對」或「棄權」。如未應名，再唱一次，但不得三唱。

㈤投票表決。

前項第五款，除對人之表決應採無記名投票外，對事之表決，以記名投票表示負責爲原則。

第五十六條　通過與無異議認可

㈠通過　以表決之方式，獲得多數之贊同者。

㈡無異議認可　第六十條所列之事項，得由主席徵詢議場有無異議，稍待，如無異議，即爲認可。如有異議，仍須提付討論及表決，但經主席徵詢無異議並已宣布認可後，不得再行提出異議。

無異議認可之效力與表決通過同。

第五十七條　兩面俱呈　表決應就贊成與反對兩面俱呈，並由主席宣布其結果。

第五十八條　可決與否決　表決除本規範及各種會議另有規定外，以獲參加表決之多數爲可決，可否同數時，如主席不參與表決，爲否決。

參加表決人數之計算，以表示可、否兩種意見爲準。如以投票方式表決，空白及廢票不予計算。

第五十九條　表決之特定額數　左列各款，須分別達到其特定額數，方爲可決：

㈠須得參加表決之四分之三以上之贊同者：

甲、關於變更團體宗旨或目的之表決。

乙、關於團體解散之表決。

㈡須得參加表決之三分之二以上之贊同者：

甲、關於修改團體組織或議事規則之表決。

乙、關於罷免會員之表決。

丙、關於處分團體財產之表決。

丁、關於已通過議事程序變更之表決。

戊、暫時停止實施議事規則一部之動議之表決。

己、停止討論動議之表決。

第六十條　無異議認可之事項　左列各款，得由主席徵詢全體出席人意見，如無異議，即爲認可，如有異議，仍應提付討論及表決：

㈠宣讀會議程序。

㈡宣讀前次會議紀錄。

㈢依照預定時間宣布散會或休息。

㈣例行之報告。

第五十八條所定以獲參加表決之多數爲可決之議案，得比照前項規定以徵詢無異議方式行之，但主動議，及修正動議，不在此限。

第六十一條　重行表決　出席人對表決結果，發生疑問時，得提出權宜問題，經主席認可，重行表決，但以一次爲限。

玖、付委及委員會

第六十二條　議案之付委　議案全部或其一部，得經大會決議，交付委員會處理之。

付委案件，有修正案未決者，應一併付委辦理。

議案內容，包括數種不同性質者，得分交數委員會。

第六十三條　委員會之種類　委員會之種類如左：

㈠常設委員會　永久性之議事機關，得置各種常設委員會，常設委員會得定期舉行改選。

㈡特設委員會　各種會議，對特種案件，得特設委員會處理之，於該案件處理完竣後，委員會因任務終了，而當然結束。

㈢全體委員會　各種會議於審查重要案件時，爲使出席人均有暢所欲言之機會，及盡可能獲得大多數或全體一致之見解，得以出席人全體，舉行全體委員會。全體委員會於該案審查完竣，即行結束。

㈣綜合委員會　永久性之議事機關，或大規模之會議，得設綜合委員會，處理有關大會會務之重大問題或事件，建議大會採納之。

第六十四條　委員之產生　委員會之委員，除有特別規定外，由大會推選之，或由大會授權主席指定，提經大會同意之。

第六十五條　委員會召集人及主席　委員會之召集人，由大會推定或由委員會委員互選，或由大會授權主席指定之。

委員會之主席，除法令另有規定，或另有成例外，得由召集人充任，或於委員會開會時，由委員互選之。

全體委員會開會時，應另推選主席，原大會主席，應暫行退位，俟全體委員會結束，大會復開時，再行復位。

第六十六條　委員會之議事及表決　委員會之議事，應遵守一般會議規則，但不受發言次數之限制。委員會之表決，除有特別規定外，以獲出席人過半數者爲可決。

第六十七條　邀請列席人員　委員會開會時，得邀請有關人員列席，就所議事項提供書面報告或意見，並予列入會議紀錄。

第六十八條　付委案件之處理　委員會對付委案件，得予增刪修正，但委員會對全案認爲無修正必要時，得以原案送還大會，並敘明其理由。

委員會之討論程序，準用第四十六條之規定。

第六十九條　對委員會之指示　議案付委時，得由大會附加各項原則性之指示，交由委員會遵照辦理。

第七十條　名稱不得修正　委員會對付委案件之名稱，不得修正。但認爲確有修正之必要，得向大會建議之。

第七十一條　不得修改原件　委員會審查案件時，應另作紀錄，不得就原件增刪修改。

第七十二條　委員會之報告及少數異見之報告　付委案件辦竣後，應將結果向大會提出報告，委員會中有少數異見者，得另提少數異見之報告，以供大會參考。

第七十三條　委員於大會發言之限制　委員於大會討論委員會之報告或少數異見之報告時，除預先在委員會聲明保留發言權者外，不得爲與委員會報告相反之發言。

第七十四條　報告之解釋　委員會主席或報告人，爲解釋委員會之報告，得優先發言。

第七十五條　重行付委　大會對委員會之報告，得予採納修正或不予採納，並得將原案全部或一部交原委員會，或另行指定委員組織委員會重行審查。

第七十六條　不得對外公佈報告　委員會非經大會許可，不得對外公布其報告。

第七十七條　付委案件之抽出　委員會對付委案件延不處理時，得經大會出席人之提議並獲參加表決之多數通過，將該案抽出，另行組織委員會審查或由大會逕行處理之。

拾、復議及重提

第七十八條　提請復議之理由　議案經表決通過或否決後，如因情勢變遷或有新資料發現而認爲原決議案確有重加研討之必要時，得依第七十九條之規定提請復議。

第七十九條　提請復議之條件　決議案之復議，應具備左列條件：

㈠原決議案尚未着手執行者。

㈡具有與原決議案不同之理由者。

㈢須提出於同次會或同一會期之下次會，提出於同次會，須有他事相間，提出於下次會，須證明提出人係屬於原決議案之得勝方面者，如不能證明，應得議決該案之會次出席人十分之一以上之附議，並列入再下次會議議事日程。

前款附議人數，如另有規定者，從其規定。

第八十條　復議動議之討論　復議動議之討論，僅須對原決議案有無復議之必要發言，其正反兩方之發言，各不得超過兩人。

第八十一條　不得再爲復議　復議動議經否決後，對同一決議案，不得再爲復議之動議。

第八十二條　不得復議之事項　左列各款不得復議：

㈠權宜問題。

㈡秩序問題。

㈢會議詢問。

㈣散會動議之表決。

㈤休息動議之表決。

㈥擱置動議之表決。

㈦抽出動議之表決。

㈧停止討論動議之表決。

㈨分開動議之表決。

㈩收回動議之表決。

(十一)復議動議之表決。

(十二)取銷動議之表決。

(十三)預定議程動議之表決。

(十四)變更議程動議之表決。

(十五)暫時停止實施議事規則一部之動議之表決。

(十六)討論方式動議之表決。

(十七)表決方式動議之表決。

第八十三條　重提　左列動議如被否決，於議事情況改變後，可以重提：

㈠權宜問題。

㈡散會動議。

㈢休息動議。

㈣擱置動議。

㈤抽出動議。

㈥停止討論動議。

㈦延期討論動議。

㈧付委動議。

(九)收回動議。
(十)預定議程動議。

拾壹、權宜問題、秩序問題及申訴

第八十四條　權宜問題　對於議場偶發之緊急事件，足以影響議場全體或個人權利者，得提出權宜問題。（例如：議場發生喧擾，妨礙出席人之聽覺，出席人得提請主席制止是。）

第八十五條　秩序問題　對於議題進行中發生之錯誤，或其他事件，足以破壞議事之秩序者，得提出秩序問題。（例如：發言超出議題範圍，出席人得請求主席糾正是。）

第八十六條　處理之順序　權宜問題之處理順序，最爲優先，秩序問題次於權宜問題，而先於其他各種動議。

第八十七條　裁定及申訴　權宜問題及秩序問題之當否，不經討論，由主席逕行裁定，不服主席之裁定者，得提出申訴。

申訴須有附議，始得成立。

第八十八條　申訴之表決　申訴之表決可否同數時，維持主席之裁定。

拾貳、選舉

第八十九條　選舉之方式　選舉之方式，分爲左列兩種：

(一)舉手選舉。
(二)投票選舉。

第九十條　選舉權及被選舉權　會員之選舉權及被選舉權，除另有規定外，一律平等。

第九十一條　選舉之程序　選舉之程序如左：

(一)主席宣布選舉之名稱、職位、應選出之名額及選舉方法。
(二)辦理候選人提名，但另有規定或決議時，得省略之。
(三)推定辦理選舉人員。
(四)選舉。
(五)開票並宣布選舉結果。

第九十二條　辦理選舉人員　選舉設監票員若干人，由出席人推定。設發票員、唱票員及記票員各若干人，由主席指定或由出席人推定。

第九十三條　候選人提名　選舉得先舉行候選人提名，

其辦法如左：

(一)由會衆簽署提名。每一候選人所需之簽署人數，以達會衆十分之一爲原則。

(二)由大會選舉提名委員若干人，組織提名委員會推薦之。

(三)由議場臨時提出而有附議者。

候選人提名之方法，名額由大會決定。其由提名委員會提名者，選舉人得於名單之外，自行擇定人選投票。

第九十四條　單記法、連記法及限制連記法　選舉得採單記法、連記法或限制連記法。除各該會議另有規定外，一次選舉之名額在二名以上者，以採連記法爲原則；在三名以上者，得採限制連記法，其連記額數以應選出人總額之過半數爲原則。

第九十五條　選舉之當選　選舉以得票比較多數者爲當選，票數相同時，以抽籤定之。如各該會議另有規定者，從其規定。

第九十六條　選舉名額及候選人均爲一人之選舉　選舉名額及候選人均爲一人時，仍應投票或舉手表決。

前項投票或舉手表決，應就贊成與反對兩面行之，如反對者爲多數，應另提候選人，重行選舉。當選額數另有特別規定者，從其規定。

舉行投票時，應以記「○」表示贊成，記「×」表示反對。

第九十七條　開票及宣佈結果　選舉完畢，應立即當場開票，並由主席宣布其結果。

拾叁、其他

第九十八條　另訂議事規則　各種會議得就實際需要，在不牴觸本規範之範圍內，得另訂議事規則施行之。

第九十九條　未規定事項　本規範未規定事項，依國父民權初步之規定。

第一百條　施行日期　本規範自公布日起施行

【附】會議規範修正說明

查會議規範於民國四十三年五月間公布試行，迄今已有十一年多，固定的條文，難以適應日益進步之社會，誠爲必然。本部爲使該規範更臻於完備，遂根據各機關試行經驗及反映意見，並參酌歐美最新議事規則，予以修正，用以改進議事秩序，提高議事效率，以收「固結人心，糾合羣力」之功效。謹將修正要點說明如次：

一、就節省會議時間而言：目前各種會議最大的缺點是流會及中途散會，揆其原因，一爲會員遲到、缺席，一爲會員中途離席。故針對此種現象，加以修正，以資補救。

關於開會時不足額問題之處理，原規範第五條規定，必須連續三次影響成會者，候補人始能依次遞補；而此次修正，在第一次不足額影響成會時，即可依次遞補，使其易於達到開會額數，自可減少流會情事之時常發生。

原規範第七條規定，會議進行中，如果發生缺額問題，出席人得提出額數問題，經主席淸查在場人數，如不足額，即應宣佈散會。根據該條規定，於是少數人爲了抵制某一議案，中途退席，使其發生缺額，然後提出額數問題，迫使主席不得不宣佈散會，從而阻撓議案之表決；而修正後規定，倘遇上述現象，主席可以宣佈散會，亦可宣佈改開談話會，在談話會中，如已足開會額數時，應繼續進行會議。如主席宣佈改開談話會，一方面可使留在會場之會員仍可對討論之議案，交換意見；另一方面，在談話會中，會員可能逐漸增加，達到開會額數，繼續進行會議，表決議案，又可使少數搗亂者，不致貿然離席，中途散會之現象，亦將因此減少。

復次，原規範第八條第一項第二款第一目及第五十八條第一項第二款規定，會議紀錄應於下次會議宣讀，並應徵詢會衆之更正意見。此種規定，無非在避免會議紀錄之錯誤遺漏，但此種宣讀，也無疑的消耗甚多開會時間。此次修正，在第十一條明定，各該會議，得設置紀錄委員會，專司核對紀錄事宜，如有異議，始向大會提出報告。同時又在第八條第二項規定，各該會議如已設置紀錄委員會者，宣讀上次會議紀錄事宜，即可省略。將核對紀錄一事，授權紀錄委員會處理，得以節省開會時間。

二、就動議分類而言：原規範第卅條，將動議區分爲主動議、附屬動議及獨立動議。前兩者之區分雖無不當，但列於獨立動議中之很多動議，如收回動議、分開動議等皆無獨立之性質，不得單獨提出，故參酌美國議會法標準典範重行分類，將動議區分爲主動議、附屬動議及偶發動議。主動議內又區分兩種，一爲一般主動議，一爲特別主動議。前者卽原規範之主動議，而後者則包括原獨立動議中有獨立性質之動議——復議動議、取銷動議、抽出動議及預定議程動議。而原獨立動議中之無獨立性質之動議——權宜問題、秩序問題、會議詢問、收回動議、分開動議、申訴動議、變更議程動議，暫時停止實施議事規則一部之動議、討論方式動議及表決方式動議，因皆屬偶發問題，故定名爲偶發動議。

三、就避免紛擾而言：原規範第二條第二項：「列席人有提出權宜問題、秩序問題及申訴之權利。」此項規定之目的，在保障列席人之權利，殊不知列席人提出之權宜問題或秩序問題，必須經由主席之裁定，主席對此項裁定卽使有利於列席人，但不能阻止出席人之申訴，最後仍須訴諸於會衆，如會衆表決推翻主席之裁定，其列席人之權利仍然得不到保障。此項規定，不僅不能發揮保障列席人之作用，亦且因此種權宜問題或秩序問題之提出，以及申訴動議之辯論，徒增會議之紛擾，非特無益，反而有害，故予刪去。

四、就簡化條文而言：關於主席之表決權，原規範第十九條及五十五條，均有規定，似嫌重複，故將第五十五條刪去。關於選舉在會議程序中之次序，原規範第八條已有規定，故將八十七條刪去。關於當選額數，原規範第九十二、九十四及九十六條，亦均有論及，新規範併爲一條（第九十五條）。附屬動議之優先順序及運用，有互相關聯之性質，原規範分列於第卅九及四十條，新規範併爲一條（第卅六條），其目的均在簡化條文，切合運用。

五、就補充規定而言：關於動議究竟需要多少會員附議，原規範無具體規定，各該會議有另外規定者，雖有所依據，但如無另外規定，必將無所遵循，此次修正特於第卅二條規定：「各種會議，對附議另有規定者，從其規定。」以適應其特殊情況。

再者，一動議被否決後能否重提，亦爲一般議事規則所應規定，但原規範付之缺如，此次修正，特於第八十三條規定可以重提之範圍，一方面表示這些動議（權宜問題、散會動議、休息動議、擱置動議、抽出動議、停止討論動議、延期討論動議、付委動議、收回動議及預定議程動議）在議事情況改變後，可以重提；另一方面亦表示除這些動議外，其他動議是不能重提的，用示限制，藉免濫提動議，阻擾會議之順利進行。

附二　民國三十年至六十四年高普特考公文試題

①擬某縣政府呈專員公署轉省政府，呈報體察地方實際情形，擬具縣政綱要及實施次第，請鑒核示遵文。（三〇年普考）

②頒告國民公約文（三一年高考・戶・經・糧）

③某機關高級職員因感覺本身工作空虛，向主管長官呈請辭職，並請轉呈軍事委員會派赴前方服充兵役，以期殺敵致果，試爲擬辭職請纓之呈文。（三一年高考・2・普・經・糧・合・社・外・郵）

④行政院爲田賦徵實據財政部令各縣政府遵辦，試爲省政府擬一根據行政院原令致各縣政府訓令。（三一年高考・財・普・土・司）

⑤擬司法行政部通飭各級法院整飭人事行政文。（三一年高考・1・法）

⑥飭屬切實辦理兵役文。（三一年普考・書・監）

⑦試擬一臚陳本縣辦理兵役利弊，上省政府呈文。（三一年普考・監・普・合）

⑧擬某縣政府呈請省政府核准提撥該縣殷實祠產，擴充教育經費文。（三一年普考・地・房・戶）

⑨擬考選委員會呈考試院轉請核准設立考選分機關，以利試政，而弘登進文。（三一年高考・1・各）

⑩擬考選委員會呈請考試院敬陳考選與教育行政應互相聯繫之意見並辦法原則文。（三一年高考・2・普・社・財金・經・教・法・外・高郵）

⑪擬某地方法院呈請實施感化教育，以糾正監犯品性文。（三一年普考・書・監）

⑫呈司法行政部擬具低級司法人員進修辦法，請採擇施行文。（三二年普考・審・監）

⑬擬某縣政府敦請轄境夙著信望之紳耆，踴躍參加公職候選人考試，協進實施憲政書。（三三年高考・1・各）

⑭擬上行政院管制物價建議書（三三年高考・各）

⑮擬司法行政部通令各初級審判機關，對關係婚姻及家庭之民事訴訟，須先令和解，以重倫紀，而省訟累文。（三四年高考・2・各）

⑯擬呈上級主管機關報告到任後察看當地訟獄情形，並舉陳整飭事宜文。（三四年高考・審）

⑰擬某省政府呈行政院，請迅發戰區急賑，撫輯流亡文。（附擬收復地區善後救濟計畫綱要）。（三四年高考・各）

⑱試擬江蘇直接稅局函請江蘇省政府轉飭所屬各縣市政府協助徵收，以利稅收文。（三五年高考・特・財）

⑲擬上當道就改良社會現狀臚陳意見書。（三五年高考・1・普・教・社・土・經・財金・戶・人）

⑳擬司法行政部呈行政院，陳明司法人才供求不能相應情形，並籌擬救濟辦法文。（三五年高考・1・法・審）

㉑擬某高等法院呈請增設地方法院若干處，以便人民訴訟文。（三五年高考・2・法・審・律）

㉒擬某地方法院呈上級機關，詳敍溢支勘驗拘提費緣由，請予補發文。（三五年普考・書・監・會）

㉓擬考試院呈國民政府，請通令全國各機關，應恪遵憲法『公務人員非經考試及格不得任用』之規定，厲行依法以考試用人，以期建立健全之人事制度效率文。（三六年高考・1・各）

㉔擬行政院通令所屬各機關應督飭員司切實奉公守法，提倡廉能政治，以肅官常，而利建國文。（三六年高考・高郵・高稅）

㉕擬司法行政部通飭各級法院實行保障人權令。（三六年高考・法・審・律）

㉖擬衛生部咨各省政府，請分區籌設區鄉鎮衛生院所文。（三七年高考・法・審）

㉗擬省參議會致省政府建議書，詳敍第一屆國民大會代表選舉糾紛事實，及其所以致此之癥結所在，並擬具今後如何改進辦法，請轉呈中央政府採納施行。（三七年高考・各）

㉘擬考試院於大陸恢復後，咨請行政院會銜通告中央各院部及各省地方，今當河山還我，日月重光，興革萬端，百廢待舉，全國所需政敎建設各種人員甚衆，應就考試院近於陪都臺灣，依憲章之規定，並配合抗建國策，特爲復國儲備人才舉行高等普通考試所得及格人員，儘先任用，庶弘揚憲法精神，而確立民主政制，復興幸甚，國家幸甚。（三九年高考・各）

㉙擬臺灣省政府令各廳並飭所屬各機關，際此時局艱危，正吾邦人臥薪嘗膽復仇雪恥之秋，節約救國，中央早有明令，玆中秋節屆，社會人士宜共體時艱，力戒奢侈，尙能撙移送禮宴客等浪費以勞軍，俾鼓舞士氣，早還大陸，尤深盼切。（三九年普考・各）

㉚擬臺灣省政府通知本省民選後各縣政府，對原有依法任用人員，不得任意撤免，以期建立人事制度文。（四〇年高考）

㉛擬行政院通令所屬各機關厲行節約文（附節約辦法）。（四〇年普考）

㉜擬考選部呈考試院，今後公務人員高等考試各類及格人員應予訓練一年，擬具該項訓練計劃，請鑒核示遵文（附訓練計劃）。（四一年高考・律・會・建・醫）

㉝擬敎育廳答覆學生家長，請求增加中學新生班額，救濟失學青年函。（四一年高考・普文）

㉞擬臺灣省政府民政廳呈臺灣省政府，爲本月某日舉行第一次動員月會，並通過動員公約，請鑒核備查文（附動員公約）。（四一年普考）

㉟擬臺灣省政府最近於貝絲颱風風災後，指示各有關機關迅速辦理救濟工作文。（四二年高考）

㊱試擬臺灣各民衆團體聯名歡迎羈留韓國反共戰俘慰問電。（四二年普考・各）

㊲大陸水災為患，哀鴻遍野，試代大陸救濟總會擬一發動各機關社團廣為捐助，以宏救賑函。（四三年高考）

㊳試擬某市政府呈省政府，時際非常，空襲堪虞，擬訂防空疏散計畫呈核文。（四三年普考）

㊴試擬行政院通令所屬各機關『非經考試銓敘合格及依法升等之人員，不得任用』令文一通。（四四年高考）

㊵試擬臺灣省社會處警務處會銜公告，取締奇裝異服，以維社會風化。（四四年普考）

㊶試擬某甲『因赴高雄省親請事假一星期』，向其服務長官簽呈一件。（四四年特考）

㊷擬行政院令臺灣省政府：近颱風掠境，各地無家可歸者，數以萬計。今後本省對於風災、震災，應妥商辦法，預籌經費，指定主管。則事先防護，善後救濟，庶致完備，以重民生，而安社會。（四五年高考・各・律・會・特甲司）

㊸擬行政院令臺灣省政府，轉令各縣市取締舞場文。（四五年高考・建・技・醫・藥・牙）

㊹擬臺灣省政府呈請行政院轉飭各主管機關，獎勵工業產品出口，發展國外貿易，以裕民生文。（四五年普考・各・特乙司）

㊺試為臺灣省政府擬獎勵工業發展公告。（獎勵辦法依照中央規定，成自由假設。）（四五年特考）

㊻試擬省政府令，通飭各機關，實行職位分類，以明權責，藉免推諉，而增效率文。（四六年高考）

㊼擬臺北市民選市長○○○呈臺灣省政府呈文，具報就職日期，請予備查。（四六年普考）

㊽擬行政院通令所屬各機關，『應嚴格執行預算，恪遵節約原則，非絕對必需之款，不得請求增加預算』文。（四七年高考）

㊾(1)擬某縣政府呈省政府『請增加教育經費，擴充國民小學班次，俾能儘量容納學齡兒童』文。

(2)擬某省政府令所屬各機關『嚴禁公務人員假借視察調查之機會，接受地方招待及餽贈』文。

（二題選一・四七年普考）

⑩試擬臺灣省政府呈行政院，報告本省某項建設情形文。（某項建設，可就經濟建設、政治建設、文化建設等，任意擬報一項。）（四八年高考）

⑤¹為舉行四十八年高等考試，試擬典試委員會呈考試院轉函監察院，請派監察委員蒞臨監試，以重掄才大典文。（四八年高考補考）

⑤²試擬臺灣各團體聯合歡迎達賴喇嘛蒞臺，弘揚佛法，並商討反共復國大計電。（四八年普考）

⑤³試擬某縣政府呈臺灣省政府報告本縣水災情形文。（四八年普考補考）

⑤⁴擬教育部令駐歐美日本各國文化參事，著即組織孔孟學會，發揚我國固有文化。（四九年高考）

⑤⁵擬臺灣省政府呈行政院，報告本省中部八一水災搶救情形暨善後辦法，請核示。（四九年普考）

⑤⁶擬令一件：

假設發文者：行政院。

假設受文者：臺灣省政府。

假 設 事 由：令轉飭所屬各級學校，切實注重倫理道德及民族精神之教育。（五〇年高考）

⑤⁷擬簽呈一件

假設發文者：康承廣。

假設受文者：服務機關首長王德明。

假 設 事 由：報告對工作方面之建議。（五〇年普考）

⑤⁸試擬教育部函考選部，請共同辦理大專聯合招生考試，俾更嚴密文。（五一年高考）

⑤⁹試擬臺灣省政府通飭各縣市注重公共衛生令。（五一年普考）

⑥⓪擬某機關函考選部，請選送考試及格建設人員十人，以備任用。（五二年高考）
⑥①請擬省府公告，希公衆於規定時間、地點前往注射預防針。（五二年普考）
⑥②擬省政府令鐵路局、公路局，爲現値颱風季節，希督飭員工嚴加防護，以策安全，而利交通文。（五二年省府特考）
⑥③試以臺灣省政府名義令飭各縣市政府逐年舉行敬老會，以資矜式。（五三年高考）
⑥④試爲某縣若干公民擬申請書，請縣政府增設民衆圖書館，以便民衆增進知識。（同右）
⑥⑤試爲臺灣省某縣政府擬呈，向省政府報告本縣經濟事業進步概況。（同右）
⑥⑥試擬某市衞生局函告市內各學校，定期派員來校注射防疫針，請先期向學生說明，屆時接受注射。（同右）
⑥⑦試擬申請書，請所在地鄉鎭長整修某排水溝，以利公共衞生。（五三年普考）
⑥⑧爲現職非己所長，試擬簽呈，請改派工作。（五三年普考各類行政）
⑥⑨爲某高級機關擬代電，通飭所屬機關注意防颱。（五三年普考・建）
⑦⓪試作申請書，爲擬創辦某種學術月刋，說明具體理由，申請內政部准予登記發行。（五四年高考）
⑦①試作建議書，建議臺灣省政府教育廳通令各中小學校切實加強民族精神教育。（同右）
⑦②試以本屆高考及格人員名義致電慰問前方將士。（同右）
⑦③試爲某縣政府擬令，飭各鄉鎭公所切實注意公共衞生。（五四年普考）
⑦④爲某國民學校擬呈覆某縣政府，爲奉令嚴禁惡性補習已澈底遵行由。（五五年高考）
⑦⑤爲某團體擬公告：爲發起淬勵品行之進德會訂立公約（如不賭博、不冶遊、不吸煙等事之自治）徵求會員由。（同右）
⑦⑥爲某初級中學擬呈請縣政府，准於下學年度增加三班，並准增撥經費。（五五年普考）
⑦⑦擬郵政總局爲本年三月廿日適値我國郵政七十週年紀念，特在某處舉行郵展，請各機關首長屆期蒞臨指導參觀函。

（五五年郵政特考員級）

(78) 擬某縣縣立社會教育館呈報縣政府，爲推行中華文化復興運動，邀集本縣文教界人士舉行座談會經過，報請鑒核文。（五六年高考）

(79) 試擬臺灣省政府令各縣市政府，爲實施九年國民義務教育，希悉心籌劃，於明年八月底前完成，並將辦理情形報核由。（同右）

(80) 擬行政院令所屬各機關：今後新增員額或缺額，應就高普考及格人員儘先任用文。（五六年普考）

(81) 擬行政院令臺北市政府，迅速整頓市區交通秩序文。（五六年臺省特考）

(82) 擬臺灣省政府令各縣市整理名勝古蹟，以配合觀光事業之發展文。（五六年普考建設人員）

(83) 擬臺灣省教育廳呈省政府，爲鼓勵優秀教師前往山地及離島地區國民中學服務，擬訂優待辦法，請核定實施文。（五七年高考）

(84) 擬臺灣省政府令所屬各機關學校，協助全國體育協會發起一人一元運動，以利興建體育館。（五七年普考）

(85) 擬臺灣省政府令所屬各機關恪遵總統訓示，厲行節約運動文。（五七年臺省特考）

(86) 擬臺灣省電信管理局爲通信電線常有被盜毀情事，函請臺灣省警務處令飭所屬局所派警協助巡邏文。（五七年電信特考員級）

(87) 試擬臺灣省政府令所屬機關力求業務改進，加強便民服務，以達成政治革新目的。（五八年高考）

(88) 擬某縣政府令各鄉鎮公所，確實督導舉行村里民大會，加強推行國民生活須知。（五八年高考）

(89) 擬某市教育局令各國民中學照規定收費，不得別設名目收費。（五八年普考）

(90) 試擬臺灣省政府飭令各縣市，依奉頒方案，加強推行國民儲蓄，以助經濟建設文。（五九年高考）

⑼試擬臺灣省糧食局呈請省政府核准由該局貸款農民補助購買機械，以促進農業機械化文。（五九年高考專門職業建設人員）
⑼擬臺灣省政府令所屬各機關執行預算務須核實，以除糜費由。（五九年普考）
⑼擬臺灣省政府令各縣市政府，五十九年度即將終了，應切實檢討施政得失，以資改進文。（五九年特考）
⑼擬臺灣省政府令省礦物局通知各礦場加強管理，以策礦工安全。（同右）
⑼試擬行政院令所屬各機關加強便民服務，提高行政效率，以貫徹政治革新文。（六〇年高考）
⑼擬某省新聞處函各縣市政府，請加強取締不良書刊、唱片，以維社會善良風俗。（六〇年普考）
⑼擬國防部函請考選部舉辦國防特考。（六〇年國防特考）
⑼試擬臺灣省政府呈，爲貝絲颱風災後各情事，報行政院備查。（六〇年職位分類）
⑼擬臺灣省政府令所屬各機關，勉勵各級行政人員，切實厲行十項革新要求，達成良好政治風氣。（六一年高考各類行政組及律師）
⑽擬某縣政府呈省政府，請撥款補助修復洪水沖毀之堤防道路橋樑，以利災區重建。（六一年高考建設人員）
⑽擬臺灣省政府令所屬各機關切實編製預算，不得浮濫，以重公帑由。（六一年高考建設人員）
⑽擬行政院令所屬各機關加強便民服務，貫徹政治革新。（六一年高考行政人員）
⑽試擬行政院令臺北市政府，加強整理環境衞生，以迎接十月慶典文。（六一年高考司法官）
⑽擬某市政府公告，指示防颱應注意事宜，並呼籲市民及早防備，以期減免災害。（六一年普考建設人員）
⑽擬某市教育局令所屬各學校，不得代推銷未經審查之補充教材，以利正常課業，而輕學生負擔。（六一年普考各類行政人員）

⑯擬全國工商團體爲遵守政府穩定物價政策，特聯合訂定『中華民國工商團體擁護政府物價政策自律公約』，由各團體轉知各會員廠商一致實行。（六二年高考）

⑰擬臺灣省政府函請考選部舉行地區行政人員考試文。（六二年普考）

⑱擬臺灣省政府通令所屬各機關，爲公職人員出席里民大會時，應利用機會宣揚政令文。（六二年特考）

⑲擬高雄市政府將推行各項小康計畫成果彙報臺灣省政府文。（六二年第二次地方行政乙等特考）

⑪擬財政部通函所屬各機關，加強公文稽催，以免積壓，俾增進行政效率。（六二年國防乙等特考）

⑪擬臺灣省政府通令所屬各機關，應規定時間，俾員工參加體育活動文。（六二年臺灣省經建及行政丙等特考）

⑫擬臺灣省政府報告內政部地政司，禁止將良田變更使用爲工廠用地，俾免減少稻作區範圍，以增加糧食生產。（六二年第二次地方行政丙等特考）

⑬擬臺北市政府復行政院函：遵照指示擬訂『臺北市政府防止公害辦法草案』，復請鑒核。（六三年高考）

⑭奉派出席社會處民衆服務會報，茲將會議經過詳情，檢附會議紀錄一份，簽請鑒核。（同右）

⑮擬行政院函送中央政府六十四年總預算案，請立法院審議。（六三年金融人員乙等特考）

⑯擬臺灣省政府函所屬各機關：希照『臺灣省政府暨所屬各機關推行四大公開實施要則』之規定，分別辦理見復。（六三年臺省基層公務員乙等特考）

⑰擬衞生署致各縣市衞生處局函：希加強取締密醫，嚴格查禁僞藥，以免危害國民健康。（六四年高考建設人員）

⑱擬行政院新聞局復行政院函：擬訂『淨化電視辦法草案』，復請鑒核。（六四年高考各類行政人員）

⑲擬內政部致各省市政府函：請注意保護名勝古蹟，以配合觀光事業之發展。（六四年普考）

民國七十三年至七十七年高普特考公文試題

❶本年六月內臺灣地區接連發生重大災害事件，生命財產損失至鉅，行政院函示內政、經濟二部，分別檢討災難原因，並研提今後防範措施具報，試擬內政或經濟部函覆行政院。（七三年高考一般）

❷行政院函內政部、經濟部、臺灣省政府，針對臺北縣土城海山煤礦前日不幸發生災變，徹底檢討，切實改進，共策礦場安全的有效維護。（七三年高考建設）

❸行政院函法務部，為人民陳情案件，關係人民權益，請把握時限，作迅速適當之處理，並按其情節，復知陳訴人，以資便民。（七三年司法人員）

❹擬行政院函知各行政機關、學校及公用事業，今後一律不得購買仿冒品，違者嚴辦，所支費用，並不得報銷。（七三年中央銀行特考）

❺試擬臺北市政府函行政院就「六三」水災原因何在及改進治水的辦法。（七三年普考一般行政）

❻內政部警政署函各級警察機關：希加強預防犯罪並取締變相色情營業。（七三年普考建設人員）

❼擬法務部調查局函各人事查核單位：為維護大眾安全，促進社會安寧，應協助當地調查單位蒐集預發性犯罪情報。

❽擬法務部調查局函各外勤機關蒐集各界人士對行政院各部會首長之反應。（七三年調查局調查人員）

（七三年調查局人事查核人員考）

❾擬內政部警政署函行政院：為加強臺灣地區的治安，特擬具擴充警力方案，請鑒核示遵（七三年警察乙等特考）

❿擬縣（市）政府函各鄉鎮市（區）公所：為轉奉臺灣省政府函，應全面勸導民衆，節約「拜拜」及改進婚喪喜慶之糜費，以勵淳樸風尚，而符勤儉建國之旨。（七三年乙等基層特考）

⑪擬縣（市）政府函各鄉鎮市（區）公所：爲普及國民義務教育，對少數未按規定就學之國民，應派員實地調查瞭解，並進行勸導。（七三年基層丙等特考）

⑫試擬行政院函，分行各部會處局署及各省市政府：「爲維護國民身體健康及社會安全，各部門均應隨時提高警覺，普遍加強一切檢查工作，並防範破壞分子乘機擾亂，爲禍大衆」。（七四年高考）

⑬擬行政院文化建設委員會函覆高雄市政府，有關拆除古城以利都市交通之意見。（七四年公務行政人員高考）

⑭試擬教育部通函全國大專院校，請加強　國父思想教育，以利三民主義統一中國大業之推展。（七四年特考臺灣省基層公務人員）

⑮內政部函臺灣省政府、臺北市政府，應依「選罷法」辦好今年公職人員選舉，務請守法節約；弊絕風清。（七四年基層乙等特考）

⑯財政部函所屬各機關，爲保密公務文件，飭所屬各公務人員，作好保密措施，違者嚴懲。（七四年關務員）

⑰法務部調查局函各行政機關，預防共匪利用年底選舉假期實施統戰，加強機關與人民之心防，以維持社會治安。（七四年調查局）

⑱擬經濟部函中華經濟研究院委請就有關投資、貿易、工業、幣值等重要經濟問題進行研究，提供具體意見，作爲施政決策之參考。（七五年公務人員高考）

⑲試擬臺灣省政府函各縣（市）政府：爲辦好本屆增額中央民意代表選舉，特頒應注意事項，希照辦。（七五年基層丙等特考）

⑳試擬臺灣省政府函各縣市政府：爲提倡國民正當休閒生活，希轉知所屬社教機構配合節俗假日舉辦各種文康活動。（七五年交通鐵路人員特考）

㉑擬臺灣省政府函高雄港務局，請卽會集有關單位，澈底檢討拆船濟艙檢查制度之缺失，硏訂拆船安全設施方案，以避免再度發生類似卡拿利油輪爆炸之不幸事件。（七五年公務人員各類行政高等）

㉒試擬內政部函各警政機構加強取締大家樂賭博，並嚴禁包庇縱容情事，以戢賭風而維警紀。（七五年基層乙等特考）

㉓人事處(一)函中南部各縣市政府所屬稽核單位，協助全民重整韋恩颱風災區重整工作。（七五年調查局）

㉔擬行政院通函各省市政府：希擬具各該省市消除環境汚染計畫，限期報核，俾資統籌規劃。（七六年行政人員高考）

㉕擬臺灣省政府教育廳致敎育部函，爲提供預防學生目力近視之意見，請核採。（七六年行政人員普考）

㉖擬行政院函所屬機關，希加強防颱措施，確保人民生命財產文。（七七年警察乙等特考）

㉗邇來臺北市交通秩序紊亂，尤以尖峰時間車輛阻塞難行。且車禍頻傳，亟應加強整頓，以期交通順暢，確保民衆安全。試擬內政部警政署函臺北市政府警察局，迅卽硏擬有效辦法，督飭所屬，切實執行。（七七年警察丙等特考）

㉘試擬行政院分行所屬各機關函：爲嚴禁公務人員於辦公時間從事公司股票買賣行爲，以肅政風。（七七年司法人員特考）

㉙試擬交通部民用航空局函所屬有關機構：爲提昇國家形象，希卽加強飛航服務及場站管理。（七七年交通民航人員特考）

㉚擬內政部警政署函臺灣省警務處及臺北、高雄兩市警察局，督飭所屬，徹底取締「六合樂」賭博，以端正社會風氣文。（七七年司法人員特考）

國文閱卷經驗談

——寫在今年高普考前夕

這篇文字係以國文與考試爲內容。不過講國文的部分多；同時國文部分不講那些浩博繁富的文學理論，衹就平日閱卷的經驗所得，提出一些在作文上應該注意的問題，這是我要先加表白的。

提到考試，大家都會公認他是一種選拔人才最公平而合理的方法。中國是一個實行考試最早的國家，遠在唐虞時代，所謂「詢事考言」，所謂「敷奏以言，明試以功」，即已開始具有考試用人的觀念。從西漢文帝親策賢良到現在，已經有了二千一百五十年；即退一步從隋煬帝大業二年正式創立進士科說起，到今天也有一千三百七十九年。儘管過去的考試制度，由於種種關係，或科目趨於固定，或方式涉及煩苛，不免予人以抨擊的藉口，但其本身所表現的精神，是絕對無私的，是完全平等的，截至今日爲止，還沒有發現任何一種選拔人才的方法，比考試制度更公平更合理的。　孫中山先生首創五權憲法，將考試列爲五權之一，眞可說是思深慮密，爲國家建立了良法善制，永垂無疆之庥。考試院自成立後，即於民國二十年舉行高等考試，並於二十二年舉行普通考試，五十多年來，除高普考試外，爲了適應現實需要，亦曾舉辦許多特種考試，對考試類科逐年均有增加，對考試技術也作了積極和不斷的改進。其中國文一科，爲各種考試普通科目之一，成績和其他科目一樣，採平均計算方法。唯獨司法官特種考試，在若干年前，應司法行政部（今爲法務部）之請，將國文定爲六十分及格，其理由是寫起訴書和判決書，需要清晰通暢的文字；換句話說，就是國文未達六十分標準，其他各科目的成績，縱然平均超過六十分，亦硬性規定不予及格。國文竟這樣地握有否決權，不僅對應考人平添精神上的威脅，也同樣對閱卷者增加精神上的負擔。固然這是政府法令所規定，閱卷者祇有本其職分，謹愼從事，不敢掉以輕心；但對那些因國文數分之差而告落第的人，卻仍不能不表示惋惜之意。

以上講的是考試部分，下面我想就一般國文的通病及對作文應該注意的問題，略貢一得之愚，藉供應考人參考。

從我四十年來的閱卷經驗中，發現一般作文的缺點，大致如下：

㈠文不對題：所謂「下筆千言，離題萬里」，東拼西湊，不知所云。甚至有極少數的人，臨場茫然，根本不針對題目，祇默寫一遍　國父遺囑，草草交卷，令人看了啼笑皆非。

㈡誤解詞意：如將「教然後知困」解釋爲「上教室就要睡覺」，並加以發揮。又如將「士大夫要放下虛矯的身段」，「矯」誤作「驕」，且專從「驕」字大發議論。

㈢似是而非：理路不清，模稜兩可。說他對，細按之根本不對；說他完全不對，卻又似乎有一點點對。一知半解，似通非通，這種文字是叫人看了最易生厭的。

四詞多意少：反反復復，了無新意，說一遍又說一遍，空話廢話和不必要的話太多。將一份試卷從頭到尾，密密麻麻的整個寫滿，正如古人所說：「博士買驢，書券三紙，不見驢字」。

五造句不通：如「古代及現代之先賢先聖」，「唐朝唐太宗時」，「昔者古之聖君」，「住在大都市中，往往容易染著奢侈的態度」，「文字是建立國體的大綱」，「再從根本的根基向外延申」，「取決於人民之民心向背」，「學問是學無止境的」，「誠良有以也」……，五花八門，千奇百怪，不一而足。

六杜撰故事：過去有所謂「唐代康熙字典」的笑話，現在竟發現了比這還出奇的笑話。如「漢朝史可法作資治通鑑」，「清朝張飛作正氣歌」，「司馬遷寫台灣通史」，「諸葛和孔明二人」……，對中國朝代先後和歷史上的著名人物，其觀念之紊亂，印象之迷糊，除閱者拍案驚奇和掩卷太息外，你看還能說什麼！

七亂改成語：如「稻高一尺，茅高一丈」，「覆巢之下無完蛋」，最怪異的是將「國家興亡，匹夫有責」竟寫成了「國家興亡，皮膚有責」。至於引用古書，如「詩經上說凡事豫則立」，「孟子曰民爲邦本」……，其訛誤失實，信口開河，那更是司空見慣了。

八別字滿紙：如「即」寫成「既」，「乃」寫成「仍」，「裨益」寫成「俾益」，「健全」寫成「建全」，「強盛」寫成「強勝」，「名言」寫成「銘言」，「捍衛」寫成「悍衛」，「濫竽」寫成「濫竿」，「辭采」寫成「辭菜」，或以形誤，或以音訛，層見迭出，不勝枚舉。

㈨文白夾雜：從前有人講文章體制，認爲駢散可以兼行，但這屬於文言文範圍，不宜應用到文白夾雜這一問題上去。年來有許多試卷，都是文白兼用，時而文言，時而白話，不新不舊，不古不今，令人看了殊有頗不自在的感覺。

在這裡要特別一提的，我不獨不反對白話文，還認爲有些文章須用白話來寫，但我也愛好文言作品，最好文言與白話分途並進，各適其用，各盡其功。我之所謂文言，絕非專指那些殷盤周誥，宋豔班香，祇是希望能寫梁啟超式的文言，有情感，有內容，不蔓不支，易讀易懂而已。

前面祇從缺點中舉例，自然不應以偏概全，將其中的佳卷通通抹煞。但我們若再追問何以有此缺點，便又牽涉到學制、師資和社會風尚等等問題，那已超越本文範圍，祇好暫置不論了。

這裡，我且談談學文的入手工夫和臨文時應該對那些地方加以注意。我認爲學文的入手工夫，第一是要多讀書。杜甫曾說：「讀書破萬卷，下筆如有神」，這是指的廣義的書。書讀得越多越好，不僅僅是古書，就是現代的人文科學、社會科學乃至自然科學的書，能多涉獵些，對寫作方面都是多多少少有著幫助的。第二是要多讀古人的好文章，這就屬於狹義的文學了。揚子雲說：「讀千賦則善賦矣」，因爲能多讀古人的範作，可以明瞭他那起承轉合的結構，可以體會他那抑揚高下的音節，可以了解他對長篇大論和小題短幅的經營，刻意揣摩，並加背誦，等到自己寫作的時候，自能得心應手，運用自如。古人說「熟能生巧」，又說：「聲入心通」，就是這個道理。第三是要有良師益友的指導和切磋，這裡面天包括著許多問題，如方法的研究、作品的修改等等；同時還要策勵自己，勤於寫作。

其次談到臨文時應該注意的地方，說來說去，總不外乎㈠相題㈡立意㈢布局㈣修辭那幾個項目。書經上說：「辭尚體要」，所謂「體要」，就是要立言得體，譬如寫一篇敘述性的遊記，自然不能用議論文的體裁，同樣，寫一篇有關財政或經濟的文章，你又何必侈談文學和哲學。所以相題的工作，非常重要。認清題目之後，便應環繞著題目把自己的意思表達出來。蘇東坡說：「文章以立意爲宗」，決沒有意思貧乏或見解平凡，單靠詞藻的鋪陳，能把文章寫好的。但光有好的意思，而不知道全盤的布置，合理的安排，上下顚倒，前後壅隔，譬如蓋房子儘管材料結實，設備豪華，但廚房與書房併在一起，或有了樓而沒有樓梯，那又如何算得是一棟良好的建築物。故布局在寫作上也是很重要的一環，不可忽視。至於修辭，就是一篇文章內的造句，要做到字字妥帖，絕無瑕疵，將題中應有之義，表現得具體而正確。劉彥和在文心雕龍裡說：「因字而生句，積句而成章，積章乃成篇。篇之彪炳，章無疵也。章之明靡，句無玷也。句之清英，字不妄也」。古人有「用字如鑄鼎」之說，我以爲這是練習作文的基本工夫，平時應多多致力於此。

關於造句鍊字的重要，我且舉出一個故事來說明。據宋人筆記所載（如夢溪筆談、捫蝨新話等）：汴京東華門外，有奔馬踐死一犬，由五人各紀其事：㈠「馬逸，有黃犬遇蹄而斃」（穆修）。㈡「有犬死奔馬之下」（張景）。㈢「逸馬殺犬於道」（歐陽修）。㈣「適有奔馬踐死一犬」（沈存中）。㈤「馬逸，有犬死於其下」（或人）。同樣一件事，計用五種方式描述，我曾仔細加以比較，覺得還是歐陽修的句子最好。爲什麼？因爲他用的字最少，少到祇有六個字，卻把這件瑣屑的事，寫得清清楚楚，令人一目了然，眞做到了「增之一分則太長、減之一分則太短」的地步。

要之，文字是人類傳達意念的工具，它的功用也就在能表達你的意思和別人能看懂你所表達的意思。孔子說：「辭達而已矣」，辭達二字，看起來很簡單，其實眞能做到辭達的境地，便很了不起，也就可以說是極盡爲文之能事了。

我願更進一步的引些古人作品，來說明一篇好的文章，必須分別具有：

甲、無不析之理

六朝人中有關名理方面的論著，像嵇康聲無哀糸論、范縝神滅論等，眞是研精究極，妙契玄微。其餘歷代許多作家論學論政之作，莫不袪疑解惑鞭辟入裡，使眞理愈辨而愈明。即使寫翻案文章，像柳宗元的桐葉封弟辨，王安石的讀孟嘗君傳，也都能振振有辭，自圓其說。

乙、無不明之事

如周禮考工記裡所述古代工匠情形，太史公史記所寫各種人物列傳以及韓愈雜著中的畫記等，將許多人的職掌、性格、形態、神情，都表現在行間字裡，歷歷如繪，栩栩如生，如用章實齋「傳人適如其人、述事適如其事」那兩句話來贊美他，實可當之無愧。

丙、無不達之情

世謂讀武侯出師表而不感動者，其人必不忠；讀李密陳情表而不感動者，其人必不孝。他的道理，即在作者能以眞摯的情感，發爲懇切的篇章，每一句話乃至每一個字，都從肺腑中流出，使百世下讀之，如聞其聲，如見其人，因而發生共鳴的作用。現在，我又要把話題轉到考試方面，希望每位應考人，都能在作文時注意下列各點：

(一)戒抄襲：

黄山谷說：「文章絶忌隨人後。」「隨人後」尚且不可，何況抄襲。清代科場，曾發生過不少「槍手代作」的舞弊案件，貽譏士林，懸爲厲禁。今天如臨場抄襲他人作品，一字不遺，試問與乞靈「槍手」何異！若干年前，也曾偶有這類情事，結果自然是前程自誤，名落孫山。這是一種行險僥倖的心理，投機取巧的行爲，應爲吾人所深戒。

(二)忌貪多：

歐陽永叔曾經說過：「文貴於達而已，繁與省各有當也。」顧亭林在論文章繁簡中，也說明了爲文不當以篇幅長短定其優劣。像蘇子瞻的上神宗皇帝書，王介甫的上仁宗皇帝言事書，均洋洋萬言；而司馬子長的孔子世家贊，韓退之在雜說中對龍和馬的描寫，卻都只寥寥百字，兩者各有所長，俱不失爲上乘之作。但這是就一般文章來講的，若在風簷角勝之時，縱屬倚馬奇才，亦當注意精心結撰，毋使篇幅過冗，漫無剪裁，致增「瑕瑜雜陳」、「泥沙俱下」之累。前清對應試文章的字數，曾有嚴格規定。順治初年，定爲四百五十字；康熙年間，改爲五百五十字，後又增爲六百字。這種死板板的規定，自然未必合理，但爲了防止應試者的遠離題旨，大放厥詞，也實有其不得已的原因在。今天一切情況不同，當然無法採用前清那樣限制作文字數的規定，但一篇論時政或論業務的文章，能寫到一千二百字或一千五百字，也就相當的夠了。

㈢善運用：

試場和戰場一樣，運用之妙，存乎一心。我想臨文之時，諸位不妨自揣：①凡文思敏捷，下筆如流者，可以多多利用「併意」的辦法。所謂「併意」，就是於許多可以發揮的意思中，擷取其中重點加以發揮，而將次要和不要的意思悉予摒除，也就是一般所說的「割愛」。「割愛」很難，一定要懂得執簡馭繁的道理，當機立斷。古人每在行文首段以「擇其犖犖大者言之」或在結尾以「其他各端不具論」等語句，藉資點明，亦是執簡馭繁之一法。②若思路艱澀、筆性遲鈍者，則宜著重反正虛實的運用。換言之，就是針對和環繞著題中主旨，由反面側面說到正面，或由正面推及反面側面。「烘托陪襯」，盡是法門；「取譬引喻」，初無拘限。像韓退之所作的「爭臣論」，以「或問」與「或曰」方式，展開議論，一層轉進一層，源頭既濬，活水方來，自不患其篇幅之不廣了。

㈣慎稱引：

凡引用古書或成語，對書名及作者姓氏，記憶不清，最好用「古人說」或「古人有言」等字樣來代替，千萬不要嚮壁虛造，自作聰明，在上面亂加「子曰」「詩云」，致使張冠字戴，以訛傳訛，成爲一時的笑柄。

㈤具草稿：

爲文先起草稿，實具若干好處：如清稿時，可將草稿中的錯字加以改正，又草稿未臻妥洽的地方，亦可於清稿時作文字上的修飾潤色。現行各種考試所定國文科目，大抵爲論文及公文各一考試時間有的長達三小時，短的也有兩小時。如以三小時計：用一點四十分鐘起論文稿，二十分鐘起公文稿，留下一點鐘作爲謄寫之用，時間綽綽有餘，不會感到窘迫。過去曾親赴試場巡視，看到有些應考人進場纔過一小時，甚至不到一小時，便即匆匆交卷而去。我很覺奇怪，難道他們眞有曹子建。禰正平的本領，能夠七步成章、文不加點嗎？爲什麼不利用這些寶貴時間，多多的構思，好好的寫作，把國文作得更理想一點。

㈥練書法：

一般應考人，對書法多不注意。依試卷字跡所顯示，約可分爲下列五型：①塗鴉型。黑沉沉的一大堆，壓在紙上，幾乎每行都有塗改，殊欠雅觀。②奔馬型。縱橫馳騁，有如天馬行空，不可羈勒。或大或小，或高或低，任意所之，了無規格。③横蟹型。明明試卷上印有方格，他偏要破格横行，突出格外，不受拘束。④浮蟻型。與横蟹型恰恰相反，他寫的字衹占方格的二分之一乃至三分之一，筆劃又特別的細，很不容易看清楚。⑤畫蛇型。此取畫蛇添足之義，除家具寫作傢俱外，對一些習用的字隨便加上一筆，如脅字寫成脅，豫字寫成豫，皆字寫成皆，根本没有這個字。總而言之，連篇累牘，潦草不堪，大筆一揮，敷衍了事。當然其中並非絕無書法秀美的人，衹是少得直如片羽吉光，鳳毛麟角。這裡所要求的書法，絕不是要做到銀鉤鐵畫，踵美鍾王，衹是希望將試卷寫得乾乾淨淨，整整齊齊，看了令人相當爽目。台灣目前祇有國立師範大學，特重書法課程，其他各院校，未聞注意及此。宋賢程明道，作字時甚敬，人問其故，答以「即此是學」。所謂「即此是學」，也就是代表著一種「敬事」的精神。今天雖是科技萬能時代，但一般行政人員，字如果寫得清秀一點，就個人的修養來說，可以培養藝術氣氛；就公務的處理來說（部分的），可以提高工作效率，那又有什麼不好呢？由於書法過分被忽視，不覺「慨乎言之」，並盼望有關方面能予以及時改進。

這篇文字，實在寫得太瑣碎，太拉雜，但就眞實性來講，卻是我的經驗之談。如果準備應考的人因閱此文而能得到一點點效果，那我就感到收穫已多，歡喜無量了。

錄自《成惕軒先生紀念集》